KB086566

피자 타이거 스파게티 드래곤

피자 타이거
스파게티 드래곤

흉적 장편소설

1

이지북
EZbook

CONTENTS

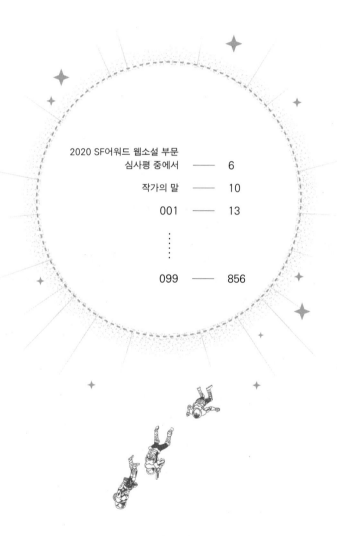

　작년 SF어워드에서 웹소설 부문이 신설되어 올해로 두 번째 심사가 진행 되었다. 작년에 비해 후보작의 작품수가 많아진 편이지만, 그만큼 좋은 작품 이 늘었다고 말하기는 힘들었다. 물론 수상작과 관련한 심사위원 세 명의 의 견이 거의 비슷했지만, 후보작의 리스트업과 본심 진출작을 가리는 과정이 쉽지 않았다.

　현재 웹소설 플랫폼에서는 SF장르를 따로 구분하는 경우가 별로 없다. 시 장에 민감한 웹소설 작가들은 플랫폼 카테고리에 통용되는 장르 글쓰기를 요구받는 상황이다. 결국 티 장르의 관습이나 웹소설의 특징을 잘 살리면서 도 SF의 미학을 담아내야 하는 것이다. SF적 상상력이 작품의 배경과 인물 간 관계 등 세세한 부분에서 영향력을 끼치면서도 웹소설의 형식에 적응하 며 긴 시간의 장편 연재 흐름을 잘 이끌어낸 작품에 관심을 보일 수밖에 없 었다. 이런 지점들을 고려하여 후보작 내에서 본심 진출 작품들을 심사하게 되었다.

　제목부터 범상치 않은, 대상작 『피자 타이거 스파게티 드래곤』은 SF의 미 학인 경이감을 웹소설적으로 잘 구현해낸 작품이었다. 가령 주인공은 우주 연합 정보국 소속, 클론 부대 출신이자 PTSD(외상후스트레스장애)를 겪는 인 물이다. 주인공 중심의 웹소설 서사에서는 분명히 환영받지 못할 만한 요소 와 서술적 트릭을 가지고 있음에도, 작가는 기발하게 다음 편을 '읽을 수밖에' 없도록 서사를 배치했다. 웹소설과 같이 긴 호흡을 가진 서사일수록 그 흐름을 중후반부까지 확실하게 이끌고 나갈 수 있는 동력이 중요하다. 『피자 타이거 스파게티 드래곤』은 그 동력이 매우 강력한 작품이었다. SF적 소재가 미래 시대 정보국 요원을 둘러싼 두뇌 싸움, 외계종족에 대한 상상력, 고도로 발달한 군사기술 등 작품 전반에 자리를 잡고 있어 SF어워드의 심사 기준에 부합하는 웰메이드 작품이었다.

손진원 ◇ 웹소설 부문 심사위원장

'웹소설'에서 SF가 가지고 있는 의미는 무엇일까? 웹소설 분야에서 SF 장르를 구분하고, 거기에 의미를 부여하는 것은 무슨 의미가 있는 걸까? 심사를 하는 내내 이러한 질문들을 안고 가야 하는 작업이었다. 지난해에는 신설된 분야였기 때문에 이전과는 다른 새로운 형식과 작품들이 있었다는 사실에 즐거움을 느끼면서 심사를 할 수 있었지만 올해는 매체 형식 내에서의 장르의 정체성과 의미에 대한 고민들을 마지막까지 떨쳐내기 어려웠다. 더욱이 웹소설은 이미 고정된 장르가 아니라 다양한 장르들이 서로 횡단하고 뒤섞이면서 기존의 장르 규정에서 탈피한 서사 방식과 설정들이 일반화되어 있기 때문이다. 때문에 웹소설에서 SF 장르의 의미를 부여해 특정한 작품을 선정한다는 것은 그 자체로 도전과도 같은 일이었다.

SF가 가지고 있는 열려 있는 가능성들이 다양한 서사의 형식을 가능하게 한 것이 아닐까 하는 예상을 조심스럽게 해보았다. SF는 캐릭터를 설정할 때 현생 인류를 특정하지 않는다. 그것이 로봇이어도 서사의 중심으로 아무런 문제가 없고, 외계인이거나 심지어는 형태를 가지지 않은 존재여도 상관이 없다. 포스트휴먼(Post-Human)이나 행위자 네트워크(Actor Network), 객체지향 존재론(Object-Oriented Ontology)과 같은 개념들이 일반적으로 구현되는 곳이 바로 SF라는 장르의 장인 것이다. 때문에 존재에 대한 다양한 가능성이 탐구

되고 사고 실험되기도 하지만 현생 인류가 아니기 때문에 대상을 너무 쉽게 타자화하고 대상화할 수 있다는 위험성이 발생하기도 한다. 특히 섹슈얼리티를 형상화하는 대상이 비인간 개체들이기 때문에 인간을 중심으로 적용된다고 인식하는 윤리적인 개념 등의 적용 마지노선이 희박하게 작용할 수 있다.

이러한 논의의 기준들을 통해서 대상으로 선정된 흥적의 『피자 타이거 스파게티 드래곤』은 SF가 가지고 있을 수 있는 다양한 방식의 사고실험, 그리고 웹소설이 가지고 있는 연재의 호흡과 그 안에서 담아낼 수 있는 회차별 에피소드의 전개가 돋보이는 작품이었다. 특히 미래에 대한 특정한 상황을 가정하고 그 안에서 논리적으로 나타날 수 있는 상황들을 사고 실험해 구성되는 에피소드 전개는 웹소설 형식에서 SF가 가지고 있는 또 하나의 서사적 전개 양상을 특정할 수 있겠다고 여겨지는 좋은 예라고 할 수 있다. 또한 제목에서 보여주는 일종의 파격과 같이 서사의 전개 내내 보여주는 다소 그로테스크할 수도 있지만 기발한 전개들은 전체 회차를 읽는 내내 그다음 서사를 궁금하게 하는 힘을 가지고 있었다. 심사위원들은 이것이 웹소설이 가지고 있는 가장 큰 서사적 특징이라고 보았고, 최종 논의된 작품 중에서 이를 가장 많이 충족시킨 작품이기도 했다.

이지용 ◇ 웹소설 부문 심사위원

SF 어워드에 웹소설 부문이 신설된 지 올해로 2년 차. SF가 여러 지평으로 넓어지고 있는 이때, 웹소설은 거꾸로 더 보수적인 조건으로 후보를 선정했다. 지난해와 마찬가지로, 과학이 주요 소재로 거의 모든 회차에 '지속적으로' 쓰이는지, 과학이 세계관의 뼈대를 이루면서 동시에 겉으로 드러난 모든 표현 방식에까지 영향을 미치고 있는지를 보았다. 즉 과학이 그 작품의 정체성을 구성하고 있어야 했다. 웹소설은 다양한 장르적 요소들이 빠르게 합

종연횡하고 있기 때문에, 기존에 쓰는 분류법, 즉 '장르'로만은 그 특성을 명확히 채취하기 힘들다. 그래서 플랫폼에서는 장르명으로 탭을 구분하면서도 다양한 해시태그를 이용한다. 이런 곳에서 SF의 지평을 넓히겠다고 섣불리 기준을 건드리는 것은, 바다에 물 한 잔을 빠뜨리는 셈이다. 그 물은 여전히 바닷속에 있음에도 우리가 마실 수는 없게 될 것이다. 따라서 웹소설 부문에서는 '장르 심사'를 하기 위해서, 그 장르만의 고유 특성을 잃지 않는 또렷한 심지를 잡아내는 작업이 필수였다.

그래서 대상으로 선정한 것이 바로 『피자 타이거 스파게티 드래곤』이다. 이 작품을 처음에 읽기 시작했을 땐, 지나치게 여러 차례 반복해서 설명한다는 점, 굳이 설명하지 않아도 충분히 추측 가능한 부분까지 소거법까지 써가며 집요하게 해명한다는 점에서 진입장벽을 느꼈다. 그러나 웹소설들이 때로 이렇게까지 방어적인 건 충분히 이해할 수 있는 일이다. 매 회차마다 댓글이 달리는 웹소설로서는, 마이크로(?) 단위로 질문과 평가를 받는 것이나 마찬가지이기 때문이다. 나올 만한 질문들을 미리 모든 각도에서 예상하고 해명해가면서 쓰는 것 같은 초반 부분을 지나고 나면, 다음 편을 읽지 않고는 못 배기게 설계된 플롯이 독자의 멱살을 잡을 준비를 하고 기다리고 있다. 클론 부대의 한 개체(?)에 불과한 주인공이 수상한 사건에 휘말리면서 어느 편도 믿을 수 없는 눈치 게임 한중간으로 떨어진다. 우주를 배경으로 한 첩보 기관들이 움직이는 스케일 큰 이야기가, 미스터리 요소를 적용한 플롯의 힘을 받아 달려나간다. 게다가 주인공의 사고방식, 대사 스타일, 문체 등은 그야말로 트렌디한 웹소설의 특징을 있는 힘껏 살렸다. 이런 이야기를 웹소설 스타일에 실어낸 점이야말로 이 작품의 가장 빼어난 점이 아닐까 한다.

전혜정 ◇ 웹소설 부문 심사위원

● 심사평 전문은 https://sfaward.kr/48에서 볼 수 있습니다.

작가의 말

우리나라의 SF 시장은 상당히 빈약합니다. 물론 과거에 비하면 상당히 늘어났습니다만, 아직도 다른 장르의 작품들에 비하면 그 수가 적습니다. 특히나 제 글이 첫 선을 보인 웹소설 시장에선 더더욱 말이죠. 판타지, 무협, 로맨스 등등 여러 장르의 작품들이 기운차게 솟아나는 곳에서도 유독 SF만큼은 수가 적습니다.

시선을 잠시 돌려 영화나 TV 쪽을 봐도 그렇습니다. 비록 〈인터스텔라〉나 〈트랜스포머〉 시리즈 등은 성공을 거두었지만, 〈스타워즈〉나 〈스타트렉〉, 〈닥터 후〉 시리즈 등은 고전을 면치 못하고 있지요.

왜 SF가 왜 국내 시장에서 고전할까요? 쓰기 힘들어서일까요, 읽기 힘들어서일까요? 아마도 두 가지 다일 것입니다. 우선 SF라 하면 일단 과학적 상상력에 기반한 서사를 기반으로 해서 이야기가 펼쳐집니다. 일단 여기서 많은 분들이 쓰기를 꺼려하는 경우가 많습니다. 일단 이야기의 바탕이 되는 틀을 잡고 시작해야 하는데 그 틀을 잡기가 쉽지 않거든요. 다음으로 작가가 자신의 이야기를 글로 표현하는 과정에서 독자분들에게 잘 읽히지 않는다면 독자들은 따라오기 힘듭니다. SF는 그게 좀 심한 편입니다.

예를 들어봅시다. '나의 세계가 파괴되었다.'

이 문장을 읽은 독자분들은 어떻게 받아들일까요? 아마도 그 문장이 나온 작품에 따라 다를 것입니다.

먼저 순문학에선 주인공의 정신세계나 그를 형성하는 사회기반, 인간관계, 혹은 지금까지 이뤘던 업적 등이 붕괴한 것으로 이해할 것입니다. 판타지에선 말 그대로 그의 세계나 차원, 우주 등으로 읽힐 수 있고요. SF에선 매트릭스 같은 사이버 공간이나 우주 식민지 등의 멸망 정도로 보이겠죠.

이처럼 SF는 그 이야기가 펼쳐지는 무대를 설명할 때 그 소재를 설명하는 데 있어 좀 더 준비가 필요합니다. 즉 작가가 소재와 이야기를 풀었을 때, 독자들은 그것을 머릿속으로 그려내는 과정이 하나 더 필요하단 것이죠.

〈인터스텔라〉나 〈매트릭스〉 시리즈의 경우는 꽤 무거운 주제를 다루지만 황홀한 영상미로 보는 이를 빠져들게 해 이야기를 부드럽게 풀어나갑니다. 반면 문자로 이뤄진 소설의 경우 아무래도 정보 전달력이 떨어질 수밖에 없고, 거기서 제반 지식이 없는 독자들은 흡입력이 떨어지지 않을까 추측해봅니다.

제 글은 SF이긴 합니다만, 딱딱하진 않습니다. 가볍고 부드럽게 쓰려고 노력했습니다. 또 이른바 스페이스 오페라입니다. '스타크래프트'에서 장갑복을 입은 테란 해병들이 전투자극제를 써 저그와 프로토스와 싸우는 장면은 익숙하실 겁니다. '헤일로' 시리즈라면 인체 개조를 한 슈퍼솔저들이 장갑복을 입고 전투합니다. 슈퍼솔저라면 암울한 세계의 '워해머 40K'도 빼놓을 수 없죠.

제 글은 그런 전투가 펼쳐집니다. 장갑복을 입고 벌이는 전투와 우주 전함들의 함대전, 그리고 이야기가 단조로워질까 싶어 추리 요소도 조금 집어넣었지요. 뭐가 손님들의 마음에 들지 몰라 이것저것 준비한 파티인 셈입니다. 다행히도 많은 독자분들께서 제 글을 재밌게 읽어주셨고, 평도 좋게 받았습니다. 글쓴이로서 정말 행복합니다.

책으로 접하는 여러분께도 부디 제 글이 재미있게 읽히길 바랍니다.

훙적

001

· · · ✦ · · · ·

눈을 뜬다. 여느 때처럼 수면 캡슐의 천장이 보인다. 그리고 머릿속에 현재의 시간과 위치 정보가 떠오른다.

> **연방 표준시 2217년 12월 27일 오전 4시 38분.**

> **마카로니 항성계 네 번째 행성 마카로니 4.**

페가수스 급 강습함인 솔리드 베타의 수면실에서 김빈우는 욕부터 내뱉었다.

"개새끼들. 크리스마스 날아갔네."

지난번 수면으로부터 고작 376시간, 그러니까 15일 정도밖에 지나지 않았다. 빈우와 형제들의 평균 수면 시간에 비하면 꽤 짧은 편이다. 이들이 수면 부족이라는 건 인류 사회 어딘가에도 불행한 일이 생겼다는 걸 뜻한다. 빈우와 형제들은 그런 불행한 일을 해결하는 존재다.

수면 캡슐이 본격적인 기상 모드에 들어간다. 근육 마사지가 시작되고 주사기로 영양제와 각종 약물이 투입되자 육체가 활성화되고, 두뇌칩으로 정보가 밀려들어오고 전투OS가 부팅되어 사고에 간섭하면서 정신이 활성화된다.

일어나는 것은 사람만이 아니다. 옷도 깨어나고 있다. 캡슐 바로 앞에 있는 어벤저 장갑복이 대기 모드로부터 부팅되는 둔중한 소리가 들려온다.

일할 시간이다.

수면 캡슐이 열리고 밖으로 나온 빈우는 주변을 둘러보았다. 좌우에 줄줄이 늘어선 캡슐에서 나온 사람들은 모두 빈우와 똑같은 얼굴이다. 클론이니까 당연하다.

눈앞에는 장갑복이 대기 자세로 착용자를 기다리고 있다.

"나오자마자 또 기어들어가는구나. 제길, 바깥 공기 맡아본 게 언젠지."

툴툴거리며 불만을 내뱉어본다. 잠에서 깨면 장갑복을 입고, 장갑복을 벗으면 잠을 잔다. 바깥 공기를 제대로 맡아본 게 언제인지도 모르겠다. 작전 중에 맡으라면 맡겠지만 기분상 그건 바깥 공기라고 할 순 없지 않나.

같은 모습의 클론들이 똑같이 생긴 수면 캡슐에서 몰려나와 동시에 똑같은 장갑복을 착용하는 건 어찌 보면 장관이다. 빈우도 장갑복에 몸을 밀어넣었다. 신체 곳곳의 접속 단자를 연결하자 사용자 인증 절차와 함께 인공 근육과 장갑들이 줄줄이 달라붙는다. 장갑복의 상태 점검이 시작된다.

> **착용자 Ultor C-18 인증.**

> **동력계 정상.**

> **구동계 정상.**

> **통신계 정상.**

> **화기 제어 시스템 정상.**

> **전투OS 업데이트 점검.**

> **최종 업데이트 2217-12-23.**

> **전투OS와 장갑복 간의 동기화…… 에러.**

> **동기화 재시도. 정상.**

언제나처럼 빈우와 장갑복에 별다른 이상은 없다. 굳이 이상한 점을 찾자면, 백 명의 중대원 중 빈우의 헬멧에만 해골 마크가 그려져 있다는 것 정도다.

"부라~더! 잘들 잤냐."

중대 공용 회선으로 큰소리로 인사를 날려봤지만, 빈우와 똑같은 뇌를 가진 클론 형제들에게서는 아무런 대답이 없다. 전투 시에는 그렇게나 나불대는 놈들이 이런 자리, 그러니까 아주 잠깐의 '평상시'에는 무슨 꿀을 빠는지 도통 입을 열지 않는다.

"제길, 입 여는 새끼가 하나도 없네."

이윽고 빈우의 잡스러운 생각을 무시하듯 장갑복의 회선을 통해 중대원들의 두뇌 통신이 시작되었다.

> **울토르 중대 두뇌 통신 회선 활성화.**

> **접속자 목록 갱신.**

> **중대원들의 두뇌칩 동기화.**

중대원들의 두뇌 통신 회선은 금방 활성화되었고 그때부터 빈우의 중대원 백 명은 서로의 정보와 사고를 공유하기 시작했다. 말은 필요 없다. 그냥 느끼기만 하면 저절로 알게 된다.

두뇌 통신은 통신자 간에 뇌와 보조 칩을 연결해 직접 정보를 전하는 방법이다. 음성과 영상을 쓰는 일반 통신보다 훨씬 정확하고 빠르게 정보를 전달한다는 장점이 있다. 물론 잘못된 정보까지도 정확하고 빠르게 전달한다는 단점도 있다.

빈우의 머릿속으로 감정이 흘러들어오기 시작한다. 어렴풋하고도 희미한, 하지만 확실한 느낌.

- **저 새끼 또 왜 저래?**

- **몰랐냐? 원래 저랬잖아.**

- **원래 안 저랬을 텐데?**

- **그럼 언제부터 저 꼴인 거야?**

중대원들의 말과 사고가 빈우의 머릿속에 그대로 느껴진다. 형제들이 대답하지 않는다고 무관심한 것은 아니라는 데 만족한 빈우는 "……개새끼들." 이라고 짧게 욕설을 내뱉었다.

이게 바로 클론 부대인 울토르 중대의 장점이다. 클론으로 구성돼 있어 같은 뇌, 같은 두뇌칩, 같은 전투OS를 장착한 데다 동기화 훈련을 거치고 나면 동종 모델 간 두뇌 통신은 일반인보다 훨씬 빠르고 쉽게 이루어진다. 보통 인간이었다면 회선을 만드는 데만 수초가 걸렸을 터다.

클론 부대의 단점 아닌 단점이라면 방금과 같은 감정의 공유까지 일어난다는 점이다. 아마 같은 육체와 신경계를 가졌기에 일어나는 현상이라고 추측만 할 뿐 상부에서는 이를 해결할 생각이 별로 없는 것 같았다. 딱히 그럴 필요가 없을 수도 있다.

"형제들끼리 그러는 거 아니다."

구시렁거리던 빈우는 코일 건을 들었다. 장갑복에 싸인 손바닥으로 돌격소총의 손잡이를 쥐자 곧바로 점검과 연결이 시작되었다. 이렇게 소총과 장갑복이 연결되면 총의 조준기와 시야가 동조되어 결과적으로 눈이 하나 더 늘어나는 셈이 된다. 이 세 번째 눈으로 본 피사체들은 사실 좋은 꼴을 못 봤다. 뭐, 세상을 보는 데는 여러 가지 관점이 있다지만 초음속으로 날아오는 니켈강 탄환에 갈기갈기 찢기는 게 좋은 꼴이라고 볼 수는 없을 테니까.

대부분은.

'알아서 기면 그런 꼬락서니는 안 돼도 될 텐데.'

딱히 적들을 불쌍히 여기는 건 아니다. 빈우가 든 총에 맞아 죽을 놈들은 인류 연방 정부가 답이 없어 손 놓을 정도로 막 나가는 놈들이니까 말이다. 그리고 이 울토르 중대가 하는 일은 연방이 손 놓은 놈들을 정신줄마저 놓게 만드는 거다.

그러는 사이 이번 작전의 무대인 마카로니 4의 행성 지도와 작전 내용이 중대원들의 뇌에 입력된다.

작전 지역은 마카로니 행성 북반구에 있는 마카로니 시와 그곳의 궤도 엘리베이터 터미널. 목적은 궤도 엘리베이터 및 지상 터미널의 탈환과 작전 지역 내 시가지의 모든 적 제거.

작전 지역 내 시가지의 모든 적 제거? 울토르 중대의 장기 중 하나인 수색 섬멸을 뜻한다. 이번에도 '외계종족이 마카로니 시를 침략했다 → 정의의 연방군이 출동해 침략자들을 모조리 잡아 족친다'라는 식의 스토리 같다.

그런데 샅샅이 찾아서 제거해야 할 적에 대한 정보가 없다. 하긴, 적에 대한 자세한 정보는 없었던 때가 더 많았고, 없다고 한들 큰 상관은 없었다. 작전 지역 안에서 아군 외에는 모두 적이니 찾는 족족 다 죽이면 만사 오케이라는 것이 클론 대원들의 일반적인 사고방식이다.

"음, 이번에는 여기에서 꼬라박으라는 건가."

작전 지도를 살펴보며 빈우는 심드렁하게 혀를 찼다. 언제 어디서든, 시간과 장소가 바뀌어도 빈우와 중대가 하는 일은 한결같다. 선을 긋고, 그 안에 있는 건 다 죽이는 거다. '심플 이즈 베스트'라지만 작전 내용도, 정보도 단순함을 넘어 빈약할 지경이다. 일반적인 부대라면 결코 이딴 식으로 명령을 내리지 않는다. 그러나 클론 부대에 내려오는 명령은 언제나 이렇게 모호하거나 단순했고, 복잡한 세부 사항들은 중대원들이 메워야 할 일이었다. 울토르 중대는 그러라고 만들어진 클론 부대다.

클론 중대원들은 전원이 중대원이며 분대장이고 소대장에 중대장까지 될 수 있다. 모두 같은 교육을 받았기에 직책은 필요에 따라 정할 뿐 모두가 동등한 권한을 가지고 있다. 연방의 인간들이 누구나 하원 의원으로서 의정 활동에 참여할 수 있는 것처럼, 클론들은 모두 최고 명령권자 권한으로 작전 회의를 할 수 있다. 빠르고 쾌적한 두뇌 통신을 통해서 말이다. 즉, 이렇게 대략적이고 한정적인 정보를 준 다음 클론들 스스로 작전을 짜고 해결책을 구하도록 유도하는 것이 클론 중대를 만든 목적 중 하나였다.

- 자, 작전 회의다. 그런데…… 궤도폭격? 이거 어느 놈 생각이야?

클론들은 서로의 뇌와 두뇌칩을 연결해 거대한 병렬 뇌를 만들어 두뇌 통신으로 작전 회의를 시작했다. 중대원 전원의 사고가 동조되는 두뇌 통신 덕에 회의는 음성이나 영상도 필요 없고 빠르기 그지없다. 효과적인 아이디어도 나오지만 방금 것처럼 허튼 생각도 나온다. 괴상한 아이디어라고 무작정

17

무시할 수도 없다. 종종 작전 수립 단계에서의 평가와 실제 실행 단계에서의 평가가 확 뒤바뀌는 경우가 있었기에 모든 안건을 유심히 검토해야만 한다. 두뇌 통신이 아니었다면 시간 좀 걸렸을 작전 회의다.

인간들도 두뇌 통신으로 작전 회의를 할 수 있지만, 클론들처럼 이렇게 대규모로 하는 건 불가능하다. 열 명 정도의 분대 규모 두뇌 통신 회의는 가능해도 중대 규모쯤 되면 사고에 혼선이 일어나기 때문이다. 반면 같은 모델, 같은 규격의 클론인 울토르 중대원들은 백 명이 동시에 작전 회의를 하는 것이 가능하기에 모두 열심히 작전 회의를 하기 시작했다.

한 놈만 빼고.

'뭐, 다른 형제들이라면 그냥 시키는 대로 하겠지만 난 좀 다르단 말이지.'

빈우는 형제들이 세부 작전 계획 수립을 위해 회의를 시작하자 연결을 끊었다.

이건 최근에 생긴, 아무도 모르는 빈우의 취미였다. 다른 형제들은 주어진 명령에 충실히 복종하는 데 그쳤지만, 그 뒤에 숨겨진 목적 같은 것에 호기심을 느끼고 조사까지 하는 것이다. 물론 전투OS는 이런 호기심이나 돌발적인 생각을 하지 못하게 되어 있지만 강도 높게 제재하는 것은 아니었기 때문에 가능했던 취미였다.

'그러고 보니 이번엔 같이 가는 손님이 있었지.'

현재 빈우가 속한 울토르 중대를 태운 강습함 솔리드 베타는 '마카로니 독립 소요 진압 전대'에 파견된 상태였다. 울토르 중대는 대개 단독으로 투입되지만, 가끔 이번처럼 다른 부대와 함께 투입될 때도 있었다. 이런 경우는 백이면 백, 서로 소 닭 보듯 행동한다. 같은 장소에 투입되지만 서로의 목적은 다르기 때문이다.

어쨌든 빈우는 이 둘의 작전을 비교하면서 클론들에게는 감춰진—딱히 감춘다기보다는 그냥 알려주지 않은—사실들을 추리하는 재미를 즐겼다. 그런데.

'이거 어째 뭔가 좀 수상한데.'

이번에는 조사하자마자 수상한 조짐이 느껴졌다.

> **개척 행성 마카로니의 독립 소요 진압.**

이게 전대 회선에 접속해서 알게 된 전대의 작전 목적이었다. 마카로니는 지난주에 개척이 마무리된 행성인데, 개척민들 중 연방으로부터 독립하겠다는 무장 세력이 봉기했고 이를 진압하는 것이 이번 작전이라는 것이다. 즉, 찾아 죽여야 할 적이 외계 세력이 아니라 개척민, 즉 민간인들이라는 얘기다. 다른 대원들은 별 생각 없겠지만 빈우에게는 걸고넘어질 게 한두 개가 아니다. 아니, 멱살 잡고 흔들어도 시원찮을 정도다.

"이 부대로 진압하라고? 지랄하네."

전대의 규모를 살펴본 빈우는 헛웃음을 지었다. 어차피 이 클론 중대는 실험적인 목적으로 만든 독립 중대라 필요에 따라 이리저리 불려 다닐 수밖에 없다. 느닷없이 듣도 보도 못한 곳에서 별 해괴한 작전을 주입받고 곧바로 전투에 투입되는 게 일상이다. 싸워야 할 적이 누구든, 같이 싸울 아군이 누구든 신경 쓸 필요가 없다.

이번에는 소속된 전대가 굉장히 신경 쓰인다. 독립 소요라면 개척민들에 의한 무력 행위나 폭동이 있다는 것이고, 진압 부대는 이를 평화적으로든 폭력적으로든 제압해서 해산시켜야 한다. 그런데 전대의 함선 구성을 보면 무려 호위 항모 1척에 전함 1척, 순양함 2척, 구축함 7척이다. 2선 급 구형 함들로 구성했다고는 하지만 규모만큼은 전단급이다.

빈우와 클론 중대는 지금까지 이보다 더한 대부대에도 숱하게 파견된 적이 있다. 문제는 이번 '진압 전대'가 가진 화력이 개척 행성의 독립 소요 따위에 투입되기에는 엄청난 과잉 화력이라는 점이다. 까놓고 말해, 전함 1척이 궤도폭격만 갈겨도 마카로니 시는 테라포밍 이전으로 돌아가고, 전대가 줄지어 행성을 한 바퀴 돌면 반짝반짝 빛나는 방사선 유리구슬이 탄생한다.

분명히 이번 마카로니 진압 작전은 정상적인 상황이 아니었다.

'우는 애를 달래라면서 머리통 깰 도끼를 주네? 뭐지? 아니, 잠깐. 문제는 이게 아니지 않을까? 더 중요한 문제가 있는⋯⋯.'

그때 두뇌칩에 있던 전투OS가 적극적으로 개입했다. 순간, 빈우는 호기심을 가지고 작전 목적을 파헤치는 것이 싫증 나기 시작했다. 복잡한 생각 안 하고 단순하게 임무만 수행하고 싶은 생각이 굴뚝같다. 상부에 충성하고 명령에 복종하면 금방 행복해질 것 같다.

평범한 클론이라면 여기에서 모든 것을 그만두었을 것이다. 그러나 빈우는 달랐다. 그는 자신의 전투OS가 제한하고 있는 사고 권한을 조금 더 확장했다.

'임무 수행, 충성, 복종⋯⋯ 다 중요하지. 명령에는 의문을 가지지 않고 따라야 해. 하지만 이 모순점을 밝히지 않는다면 자칫 인간을 적대하는 상황이 올지도 몰라. 그러면 중대의 임무 수행에는 중대한 차질이 올 수도 있어.'

생각이 여기에 이르자 새로운 의무감이 솟아나 나태함과 불쾌감에서 벗어날 수 있었다. 문제는 부대의 규모가 아니었다. 부대의 성질이 더 큰 문제였다. 무력 시위를 해서 기를 죽이려는 거라면 몰라도 개척민들을 진압하려면 일단 지상 병력이 행성에 투입되어야 하는데, 지상 병력이랍시고 배치된 것이 울토르 중대의 강습함 1척에 장갑보병 일개 중대뿐이라니.

이건 함대의 화력이나 규모보다 더 큰 문제다. 직접 강하할 진압 부대가 클론이라는 것과 작전 목적이 수색 섬멸이라는 점, 그 대상이 민간인이 될 확률이 높다는 점을 같이 생각해보면 명확했다. 빈우와 클론 중대원들에게는 절대 불가능한 일이기 때문이다. 울토르 중대의 클론들은 인간에게 어떤 위해도 가할 수 없도록 전투OS의 제어를 받는다. 즉, 인간을 해칠 수 없는 군인이라는 얘기다.

그 제어의 강도는 방금 빈우가 겪은 OS의 사고 유도와는 차원이 다르다. 아예 신체 행동을 강제로 구속해버리는 것이다. 그래서 살인을 할 수 없는 빈우의 부대는 주로 인류 거주권 밖에서 외계종족을 상대로 싸워왔다. 간혹 이번처럼 인간의 거주 지역에 투입된 적도 있었지만, 그때는 작전 지역에 인간이 없었기 때문에 마음 놓고 대량 파괴 병기를 날려가면서 싸울 수 있었다.

이런 클론 부대를 인간을 상대해야 하는 개척 행성의 진압 작전에 투입하다니. 도대체 상부에서는 뭘 생각하는 건가? 개척민이 공격하면 클론 부대는 아무것도 못 하고 멍하니 당할 수밖에 없다. 평화적으로 체포하는 것조차 불가능하다. 위해를 가할 수 없게 프로그래밍되어 있기 때문이다.

위화감이 든다. 빈우는 그 원인을 찾기 위해 잠시 생각을 되짚어보았다. 전투OS는 계속해서 사고의 확장을 막았지만, 새로운 방식으로 우회해가며 모순된 점을 찾아냈다.

작전 지역은 개척 행성 마카로니.

진압 함대의 작전 목적은 행성의 독립 소요 진압.

클론 중대의 작전 목적은 시가지의 수색 섬멸. 적에 대한 정보는 없음.

모순점은 이것이었다. 울토르 중대는 마카로니 소요 진압 함대에 따라왔지만, 목적은 진압이 아니라 수색 섬멸이었다.

002

· · · ◆ · · ·

처음 빈우는 중대의 작전 목적만 보고 이번 임무는 개척 행성 시가지 내에서의 수색 섬멸이라고 생각했다. 적은 지금까지와 마찬가지로 당연히 외계 세력일 것이다. 그렇다면 전대의 목적도 외계 세력과의 전투가 되어야 한다. 울토르 중대와 동행하는 부대가 각자 따로 논다고 해도 그건 말 그대로 서로 방해하지 않고 자기 할 일만 한다는 뜻이지 이렇게 서로 어긋나는 목적을 가진다는 뜻은 결코 아니다.

'아니, 잠깐. 진짜 시위하는 개척민들을 대상으로 수색 섬멸이라고? 이것들이 미쳤나? 일 제대로 안 해?'

이건 클론들이 인간을 해칠 수 있고 없고의 문제가 아니다. 반란군도 아니고 농성하는 민간인들을 상대로 수색 섬멸이라니, 애초에 정상적인 작전이 아니다.

"얘들아, X 된 거 같다."

빈우는 투덜거렸다.

장갑보병이 투입되는 상황은 크게 두 가지다. 하나는 X 된 상황. 나머지 하나는 곧 X 될 상황.

지금까지 아무것도 모른 상태로 냅다 전투에 꼬라박는다고 해도, 잠에서 깨자마자 작전 같은 것도 없이 바로 장갑복 입고 폭염 속으로 돌진해야 했을 때도 크게 신경 쓰지 않았다. 뭔지는 몰라도 장갑보병이 필요한 상황이라는 건 알 수 있었기 때문이다. 장갑보병이 해야 할 일을 충실히 하면 문제는 대체로 잘 해결되었다. X 같은 놈들은 보이는 족족 죽여버리기. 그러면 세계에 평화가 찾아온다.

그러나 이런 신선한 X 같은 경우는 처음이다. 작전 내용이 희미한 거야 하루 이틀 일이 아니지만, 이렇게 수상한 경우는 처음이었다. 빈우는 이번 작전이 순탄하게 흘러가지 않으리라는 것을 예감했다.

'혹시 외계종족이 침입했나? 시위하는 개척민들 사이를 누비면서 놈들만 찾아서 족치라는 건가?'

해괴한 상상이지만, 그런 임무를 수행하는 부대가 있긴 했다. 그러나 울토르 중대는 아니다. 빈우와 형제들은 그냥 단순무식하게 부수는 게 특기지, 그런 섬세한 일은 불가능하다.

그래도 혹시나 해서 중대가 아닌 진압 전대 회선으로 마카로니의 상황에 대한 정보를 알아보았다. 그쪽도 자세히 알고 있는 것은 없지만 적어도 마카로니 시에는 외계인의 침공은 없고 자치정부의 개척민들이 봉기한 상황이며 연방 시민들은 모두 퇴거했다는 것을 알 수 있었다. 또 지상에 대한 정보가 부족하다는 건 알고 있지만 자기들 임무는 행성 궤도에만 국한되어 있고 지상 임무는 파견된 울토르 중대가 할 테니 일절 간섭하지 말라고 명령받은 터라 크게 신경 쓰지 않는 분위기였다. 이쪽의 실제 임무가 뭔지 알았다면 기겁하겠지.

'적이 누군지도 알 수 없는 상황에서 개척 행성으로 강하해 수색 섬멸하라고…….'

울토르 중대가 맡은 임무는 단순하고, 내려오는 명령은 모호한 경우가 많았다. 클론들의 작전 수행 능력 향상과 다양한 전투 경험 수집을 위해서였다. 욕 나오는 명령을 수령해 투입되는 게 일상이었지만 이렇게 '위험한' 경우는 없었다. 물론 장갑보병들에게 '위험'이라는 단어는 별 인연이 없지만, 지금 중대원의 발아래에서 마주칠 인간들과 위쪽에서 명령을 내린 인간들에게는 그렇지 않은가?

'진압을 하든 섬멸을 하든 현장 상황에 따라 유동적으로 대처하라는 거겠지. 하지만 인간에게 손도 발도 못 대는 우리한테 뭘 어쩌란 거지?'

빈우는 스스로를 납득시키기 위해 다른 시나리오도 생각해봤다.

'외계 세력이 개척민을 선동해 독립을 노리나?'

턱도 없다. 만약 그랬다면 진압 전대나 클론 중대에 그 정보가 전해졌을 것이다.

다음으로 생각해볼 만한 예상은 클론들은 인간을 공격할 수 없으니 무인 병기나 적대적 시설물 같은 것만 파괴하라는 것이다. 이것도 문제다. 아무리 프로그램으로 인간을 해칠 수 없도록 만들어놓았다고 해도 난장판인 전쟁터에서 눈먼 총알이나 파편까지는 막을 수 없다. 난전이 벌어지면 인간이 다치는 경우가 반드시 생길 것이다.

형제들의 반응이 궁금하기도 했지만 — 대체 어떤 논리 폭탄이 터질까 — 그보다 더 궁금한 건 상부가 도대체 무슨 생각으로 클론들을 개척지에 처박는지였다. 설마 정보사령본부 직속의 비밀 실험 부대인 클론 중대가 착오로 배치되지는 않았을 거고, 분명 무슨 꿍꿍이가 있을 것이다.

'설마 작전 지역 내에서 개척민들은 다 소개했나?'

> **연방 시민들은 전원 퇴거, 자치정부 출신 개척민들만 남아 있음. 숫자는……**

여기도 제대로 된 정보를 주지 않고 있었다. 정작 중요한 남은 개척민의 숫자와 위치도 없었다. 하기야 연방 시민이든 자치정부 개척민이든 클론들이 상대하기에 껄끄러운 '인간'이라는 점은 마찬가지다.

빈우는 이쯤에서 복잡한 생각을 접었다. 물론 자의는 아니었고 전투OS가 끊임없이 강요했기 때문이다. 두뇌칩 속에 박혀 클론들의 의지와 사고 영역을 간섭하는 프로그램이 싫긴 했지만 어쩔 수 없다.

'그래. 시키는 대로 하면 되지 뭐.'

그렇게 마음먹자 드디어 거북하고 껄끄러운 감정이 사라지고 평정심을 되찾을 수 있었다. 클론 중대원들은 그냥 주어진 명령만 묵묵히 수행하면 아무 문제 없었다. 아무리 복잡한 상황이 닥쳐도 할 수 있는 것, 허락된 것만 하면 잘 해결되었다.

빈우는 지친 머리를 식힐 겸 마카로니 4의 위성 영상을 띄워보았다. 행성은 검붉은 암석 지대가 대부분이었지만 북반구 일부에 푸른 수원과 녹지가 생성되어 있고 그 위에 다시 건물들이 지어져 시가지를 이루고 있었다. 도시 가운데에서는 궤도 엘리베이터가 대기권을 뚫고 행성 중력권 밖으로 올라와 진압 함대 뒤까지 쭉 뻗어나가 있었다. 궤도 엘리베이터의 끝에는 다른 항성계로 통하는 점프 게이트가 있겠지만 현재 마카로니 4의 점프 게이트는 닫힌 상태였다.

'이것 봐라? 아주 독하게 나가는데?'

지금처럼 점프 게이트를 아예 닫아버리면 통신조차 안 된다. 즉, 마카로니 4는 다른 인간 세상과는 완전히 단절된 상태인 것이다. 파면 팔수록 수상한 구석이 늘어만 간다. 마카로니 4 같은 개척 행성에서 독립 주장이 나오는 것은 드물지만 없는 일은 아니다. 자치정부는 과거 지구제국이 붕괴한 이후 뿔뿔이 흩어져 살던 인류가 연방이라는 하나의 집합체로 합쳐질 당시 통일을 거부하거나 그 과정에서 떨어져 나간 세력들의 후손으로, 지금에 이르러서는 이름만 연방 소속일 뿐 거의 독립 국가 취급을 받는다.

이들 각 자치정부는 연방과 대개 우호적인 관계를 맺고 있지만 적대적인 곳도 적지 않다. 그렇다고 그것이 큰 문제가 되지는 않는다. 모든 자치정부를 끌어모은다 해도 기술력, 국력 등 모든 면에서 연방과는 비교조차 안 되기 때문이다. 연방이 개척하고자 하는 행성은 당연히 연방 세력권 외곽에 있고, 이런 곳은 대개 자치정부에서 가까운 곳이다. 그래서 연방이 개척을 시작하면 종종 자치정부 측에서 러브콜을 보낸다. 특별한 이유가 없으면 연방은 대체로 자치정부와 협력하는 것을 선택한다. 물론 개척 행성이 연방의 영토가 될 것을 명시하는 것은 당연한 전제다.

개척 공사가 끝나면 연방이 얻는 것은 새로운 행성이고, 자치정부가 얻는 것은 임금과 남은 자재다. 대부분은 이렇게 서로 웃으며 원윈으로 끝나는 것이 자치정부와의 협력 사업이지만 이번 같은 경우도 간혹 있긴 하다. 자치정부 쪽에서 무단으로 행성에 이주해 와 소유권을 주장하거나, 개척민들을 구슬려 자치정부 쪽으로 편입시키려고 시도하는 것이다.

이럴 때는 대기하고 있던 연방 법무팀이 출동해 그들의 영혼까지 털어버린다. 그러다 수틀리면 개척 행성에 설치한 점프 게이트마저 철수시키는데, 여기까지 오면 어지간한 자치정부들은 꼬리를 말고 물러나게 마련이다.

'결국 교섭이 파투가 난 거군.'

전쟁이란 다시 말해 폭력적인 방향으로 연장된 정치다. 쉽게 말하면, 말로 해서 안 되니까 주먹이 나간다는 말이나 똑같다.

그렇다고 연방 정부가 호전적인 것은 아니다. 오히려 인류는 우주 종족 중 상당히 평화적인 축에 속하며, 연방 정부도 당연히 평화적이고 유화적인 정책을 편다. 군사 조직인 연방군 역시 마찬가지다. 자치정부의 방위군이 목줄 풀린 개라면 연방군은 겨울잠 자는 곰이다. 자고 있으면 아무 문제가 없다―자고만 있으면.

그러나 우주는 넓고 병신은 많은 법이다. 곰과 싸우고 싶어 발악하는 놈들이 꼭 있다. 심지어 곰이 일어나 제대로 날뛰는 모습을 똑똑히 보고도 정신을 못 차리는 미친놈들도 있다. 이 넓은 우주에서 그냥 서로 상관하지 않고 남남으로 살면 좋으련만 기를 쓰고 시비를 거는 외계종족 말이다.

이쯤 되면 평화적인 연방 정부의 군대가 출동해 제대로 갈아버리는 수순이 펼쳐진다. 같은 인류인 자치정부는 최대한 인명 피해를 줄이면서 우주 행동이 불가능할 정도로 박살을 낸 다음 모성에 처박아버리는 선에서 끝나지만, 외계종족의 경우에는 대량 학살은 기본 옵션이고 풀 옵션은 모성 파괴에 서비스로 멸종까지 간다. 목타하라고 불리던 한 곤충 종족은 멸종당해 모성은 채굴 행성이 되었고 위은쏠납학이라고 불러달라던 하마 새끼들은 모성과 식민 행성 모두가 박살 나 소행성대가 되어버렸다. 쓸모없는 행성이라면 궤도폭격으로 방사선 쑥과 대나무를 심지만, 가치 있는 행성이면 좀 수고를 들여서라도 단물 쓴물 다 빨아먹는다. 그리고 이렇게 수고를 들일 때 쓰는 수단 중 하나가 빈우 같은 장갑보병들인 것이다.

마침 작전 회의가 끝나고, 빈우도 두뇌 통신 회선에 접속해서 세부 내용을 공유했다. 몇몇은 회의에 참석하지 않은 빈우에게 핀잔을 주고 싶은 듯했지만 다른 몇몇은 오히려 이해한다는 뉘앙스를 풍겼다. 회의에 직접 참여하지 않은 멤버의 객관적인 시선이 필요하다고 착각하는 거다.

'미안, 너희들이 뻉이칠 동안 난 그냥 땡땡이쳤거든.'

빈우는 잠시 공유를 끊고 생각했다. 미안한 감정을 조금이라도 내보여서는 안 된다. 그래선 형제들이 눈치챌 테니까.

회의 내용을 보니 빈우가 골머리 썩은 것들을 형제들도 고민한 모양이다. 그러나 누가 클론 아니랄까봐 결론은 똑같았다. 주어진 상황에서 할 수 있는 것은 하고 할 수 없는 것은 안 한다. 즉, 보이는 적은 모두 제거하되 인명수색 모드를 켜서 인간이 있으면 최대한 거리를 두고 전투를 회피한다는 거다. 클론이라는 한계를 생각하면 이게 최선이긴 하다.

모든 준비가 끝났지만 작전 시작까지는 아직 시간이 있다. 빈우는 수면기 속에서 영양을 공급받긴 했지만 입이 심심했다.

"춥고 배고프고. 그냥 도로 잘까."

빈우는 구시렁거리며 수면기에 달린 개인 사물함을 뒤적였다. 이유는 모르지만 왠지 뭔가 먹을 게 있을 것 같다. 예를 들면 치킨 파이나 초코칩 쿠키 같은 것 말이다. 정확히 말하자면 '닭고기 맛 탄수화물 바'와 '초코 향 단백질 칩'이긴 하지만.

사물함을 뒤지던 빈우의 손이 멈칫했다.

"없어? 어디 간 거야? 내 치킨 파이! 내 초코칩 쿠키!"

사물함 안에는 어떤 먹을거리도 없었다. 하다못해 혼합 에너지 바도 없다. 장갑복을 입은 채로 물건을 만지다가 부수거나 못 느끼는 일이 있다지만 그건 초짜들 얘기고, 빈우 같은 베테랑들은 장갑의 압력 센서를 자기 손처럼 느낀다. 그런데 지금 손에 만져지는 것은 먹을 게 아니라 하늘하늘한 천 조각이었다.

뭔가 싶어 꺼내 보니 팬티다. 군용 남성 팬티가 아니라 검정 레이스가 화려한 여성 팬티였다. 그리고 그 팬티에는 기능성 마커로 이렇게 적혀 있었다.

> 이거 믿지 마라.

빈우는 중대원 간 회선을 닫고 잠시 혼자만의 고독한 시간을 가졌다.

'어떤 미친놈이 이런 거지? 수면실은 관리용 로봇이나 경비 교대하는 대원들만 출입하는데, 설마 로봇들이 이랬을 리는 없고. 중대원 중에 또라이가 또 있나?'

이리저리 둘러봤지만 모두 같은 장갑복을 입은 클론 형제들이라 전혀 알 수가 없다. 헬멧에 해골 모양 그림을 그린 빈우만이 개중 다른 모습일 정도다. 빈우는 마커를 쓴 작성자를 조회해보았다. 기능성 마커는 실제로 뭘 쓰는 건 아니고 정보를 담은 잉크를 뿌리거나 바르는 것인데, 이 팬티에 쓰인 마커는 빈우와 중대원들이 입고 있는 장갑복의 것이었다. 그러니 범인은 중대원 중 하나다.

마커 ID 조회 결과, 해답은 가장 이상하면서도 가장 그럴듯한 것이었다.

"내가 썼네?"

마커의 ID는 빈우의 장갑복 ID였다.

"난 이런 거 쓴 기억이 없는데⋯⋯."

기억이 없다고 하지 않았다는 건 아니다. 좀 더 자세한 정보 수집이 필요하다.

빈우는 헬멧 커버를 벗고 맨눈으로 팬티를 관찰했다. 그러나 맨눈이 장갑복 센서보다 좋을 리 없다. 새로운 정보는 없었다. 다음에는 팬티를 코로 가져가 냄새를 맡았다. 팬티 곳곳에 섬유가 닳은 흔적이라거나 레이스가 해진 부분 등 입었던 흔적이 있다. 하지만 그 외의 흔적, 그러니까 체취는 없다. 대신 뭔가 다르면서도 익숙한 냄새가 나서 좀 더 자세히 조사해보기로 했다. 팬티를 입으로 가져가 미각 조사를 시작하려는 찰나. 빈우는 뒤통수에 작은 충격을 느꼈다.

"뭐야?"

황당해서 돌아보니 옆에 있던 동료가 빈우의 뒤통수를 후려갈긴 것이다. 그 녀석만이 아니다. 주변 몇몇 녀석들의 시선도 빈우를 향하고 있었다. 놈들이 헬멧을 쓰고 있었기에 망정이지 맨눈으로 봤다면 형제들의 안구에서 뿜어져 나오는 감정의 광선에 빈우는 쪽팔려서 죽었을지도 모른다. 아니, 시선보다 더한 감정의 화살 끝이 두뇌 회선을 통해서 빈우의 머릿속을 콕콕 쑤셔댄다.

- 뭐야 저거?

- 저런 건 또 어디서 났대?

- 가지가지한다.

민망해진 빈우는 두뇌 통신을 끊고 헬멧 커버를 닫았다. 그러고는 마음껏 외쳤다.

"에라이! 다른 사람한테 까인 거라면 모를까 나한테 까이다니! 쪽팔려서! 제길!"

그런데 빈우는 음성 통신이 켜진 걸 깜빡 잊고 있었다. 아니, 원래 당연히 켜져 있는 건데 두뇌 통신에 익숙해진 클론들이라서 신경을 안 쓴 탓이다.

"두뇌 통신 끊고 음성으로 외치는 건 또 뭐냐."

"그런 건 구석에서 하지."

"상담이라도 받아보지?"

이번에는 형제들이 드물게 육성으로 갈군다. 중대 회선으로 잡담하는 건 무슨 심보냐, 그럴 거면 헬멧은 왜 쓴 거냐 등등. 음성까지 끄고 싶었지만 그랬다간 무슨 일이 생길까 몰라 그냥 이를 갈며 욕하는 빈우였다.

"그래, 입으로 욕해줘서 정말 고맙다 새끼들아."

빈우가 시답잖은 장난질을 치는 와중에도 시간은 흘렀고, 작전 시작 시각이 다가오자 중대원들은 이동해서 강하 포드에 들어갔다. 장갑보병을 작전 지역에 투입하는 방법에는 강하 포드를 쓰는 게 가장 일반적이다.

대기권 돌입을 위한 든든한 내열 기능에 대공 포화를 견디기 위한 적당한 방호력, 자세 제어와 착지를 위한 빈약한 추진력을 가진 이 강철 관에는 장갑보병 네 명이 들어간다. 포드 두 개면 1개 분대고, 중대원 전원이 들어가기 위해서는 25개의 포드가 필요하다. 강습함은 한 번에 30기의 포드를 사출 가능하니, 한 번에 중대원 전원이 강하할 수는 있지만 실제로 한꺼번에 강하하는 경우는 별로 없다.

중대원들이 짠 세부 작전은 이랬다. 빈우가 속한 1소대가 궤도 엘리베이터의 지상 터미널로 강하한다. 2소대는 항구의 바다에 입수하여 배수로로 우회한 뒤 1소대의 상황을 지켜보다가 궤도 엘리베이터 터미널에 가세하거나 시가지로 돌입한다. 3소대는 셔틀로 강하해서 상공에서 예비대로 기다리다가 필요하면 투입하기로 한다.

방어가 견고할 것으로 예상되는 궤도 엘리베이터부터 직접 두들기는 건 중대의 전통이라면 전통이다. 그러나 주변의 고층 빌딩들이 신경에 거슬린다. 빈우라면 저기에 대공 포대나 중화기를 촘촘히 박아놨을 거다. 만약 그렇다면 1소대가 궤도를 변경해서 저기부터 갈기겠지.

같이 온 진압 함대는 어떨까? 그쪽은 아예 지상에는 관심을 끈 상황이다. 정찰용 드론들을 행성 궤도에 뿌리고는 있는데, 궤도 공격 능력이 없는 개척 행성에 뭐 하는 짓인가 싶다. 어차피 울토르 중대는 타 부대에 파견을 나가더라도 각자 정해진 임무만 수행할 뿐 서로의 영역에 간섭하지 않는다. 울토르 중대는 중대의 일을 하고, 진압 함대는 자신들만의 임무를 수행한다는 뜻이다.

빈우는 그런 것들을 좀 더 캐보고 싶었지만 아쉽게도 작전 시작 시각이 다가왔다. 빈우가 탄 강습함 솔리드 베타는 함대에서 떨어져 나와 마카로니 4의 대기권 강하 궤도에 진입했다. 원래라면 이런 강습 작전 시에는 모함이 궤도 포격으로 엄호 사격 정도는 해주는데, 솔리드 베타의 조함 인공지능은 마카로니 4에 행성 방어 능력이 없다고 추정하고—대체 무슨 배짱인지—그냥 맨땅에 헤딩하듯이 포드 진입 궤도로 들어갔다. 이제 강습함은 정해진 위치에서 중대원들을 사출한 다음 다시 궤도 위로 올라와 대기할 것이다.

> 강하 개시.

드디어 출격이다. 강하 포드가 사출된다. 함대의 엄호 등 지원 없이 돌입하는 것은 언제나 기분이 더럽다.

강습함의 관성 제어 범위에서 벗어나자 포드의 가속도가 느껴진다. 곧이어 대기권 진입과 함께 진동이 시작된다. 조금 더 있자 포드 외벽이 벌겋게 달아올라 잠시 동료들과의 두뇌 통신이 끊긴다. HUD로 현재 부대의 전개 상황과 목표 지점이 표시되고 착지 시간은 점차 가까워져갔다. 고도가 더 낮아지자 포드에서 더미가 발사되었다. 강하 포드의 열원과 전자파를 흉내 낸 더미들은 지상 부대의 공격으로부터 대원들을 일차적으로 지켜준다. 더미들이 발사되기 무섭게 위험 경보가 울렸다.

> 대공 사격이다. 회피 가동.

"내 이럴 줄 알았다니까."

아니나 다를까 고층 빌딩들에서 위장막이 걷히고 대공 사격으로 총알들이 솟구쳐 올라온다. 자기가속탄 계열로 추정되는 금속탄들이 1소대 포드 무리로 날아와 덮친다. 대공 포대는 총 3대로, 민간 기술력으로 만든 레일건이라 큰 위협은 안 되지만 신경에 거슬린다.

함포 사격까지는 안 바라도 함재기의 폭격으로 대공 진지로 추정되는 곳을 박살 냈다면 이런 일은 없었을 텐데. 하지만 이렇게 몸으로 때우게 될 것은 이미 예상하고 있었다. 연방은 평화주의자인데다가 구두쇠라서 무분별한 파괴 행위는 별로 선호하지 않는다. 정성스레 지어놓은 건축물을 박살 내는 것보다는 장갑보병들을 밀어넣어 상처 없이 통째로 삼키는 것을 더 좋아하기 때문이다.

- 1소대, 작전 변경. 대공 진지부터 제압한다.

- 2소대, 예정대로 진입. 이후 터미널 배수로로 진입한다.

- 3소대, 셔틀로 강하하여 궤도 엘리베이터 터미널로 돌입한다.

두뇌 통신으로 즉시 작전이 수정, 보강된다. 궤도 엘리베이터로 강하하던 1소대 포드들이 방향을 바꿔 대공 진지를 향했고, 모함에서 기다리고 있던 3소대가 셔틀로 옮겨 탄 뒤 1소대의 임무를 이어받았다. 셔틀은 중간까지 내려와 3소대 중 3개 분대만 강하시킨 뒤 나머지 대원들과 함께 귀환 지점에서 대기할 것이다.

- 1분대 목표 북동쪽 포대, 로미오골프 알파.

- 2분대 목표 동쪽 포대, 로미오골프 브라보.

- 3분대 목표 남서쪽 포대, 로미오골프 찰리.

- 4분대 목표 남동쪽 포대, 로미오골프 찰리.

1소대 회선으로 분대별 세부 목표가 지정된 후 빈우가 탄 강하 포드는 날아드는 포화를 향해 직접 쏟아져 내려갔다. 분대원은 여덟 명이지만 장갑보병 여덟 명이면 저 정도의 급조된 대공 포대는 순식간에 박살 낼 수 있다.

대공 포화가 점점 가까워지는지 경보음이 더 격하게 울린다. 강하하면서 위장용 더미를 먼저 뿌려놨지만, 이 정도 고도가 되면 열원이나 전자파 조준보다는 직접 눈으로 보고 쏴야 할 거다. 물론 포드들은 회피 기동을 하며 낙하하지만 그래도 맞을 놈은 맞는다.

갑자기 포드를 뒤흔드는 강력한 충격. 이럴 때 느끼는 감각은 하나다.

'아. X 됐다.'

이 정도 충격이면 포드가 제구실을 못 하겠다 싶었는데, 아니나 다를까 대원들을 태운 포드는 순식간에 자세를 잃고 빙빙 돌며 떨어진다. 현재 고도는 3천. 이제는 밖으로 뛰쳐나가 제트팩을 써서 강하해야 한다. 예정이 바뀌었으면 작전도 바뀌어야겠지.

- 2분대 2조 피탄! 포드 버리고 제트팩으로 강하한다.

빈우가 변경한 내용은 이의 없이 분대원들과 소대원들이 공유한다. 찢어진 포드 외벽을 타고 몰아치는 강풍 사이로 목표 대공 포대가 펑펑 돌아간다. 빈우가 폭발 볼트를 작동시키자 포드의 문이 폭발해 튕겨 나갔다. 순서를 정할 필요는 없다. 모두 느끼고 있으니까. 대원들은 입구에서 가까운 순서부터 뛰어나갔다. 그리고 빈우가 마지막으로 뛰쳐나가자마자 바로 뒤에서 포드가 대공 사격에 박살이 났다.

'자치정부의 기술로 만든 무기로 이 정도 위력이 나올까?'

턱도 없는 소리. 애초에 대부분의 군용 물품은 민간용 프린터로 만든 장비 가지고는 이빨도 안 들어간다. 그렇다면 저 레일건은 사람이 직접 만든 거란 얘긴데, 자치정부 중에서 대기권에서 강하하는 포드를 맞추고 파괴할 정도의 레일건을 만들 기술력을 가진 곳은 드물다.

　빈우는 불길한 예감과 함께 왼손의 총방패를 들어 정면을 감쌌다.

　그리고 기절했다.

*

　보리밭이다. 익숙한 보리밭이다.

　눈이 지루할 만큼 사방으로 끝없이 펼쳐진 보리밭.

　이제까지 봐왔고 앞으로 계속 보게 될 보리밭.

　태양이 보리밭에 떨어지자 하늘을 물들인 석양이 땅에도 스며든다.

　노랗게 눈부신 것이 붉고 따뜻하다.

　그 따뜻한 빛이 따뜻한 그녀에게도 스며든다.

　머리카락에 휘감긴 석양이 얼굴을 감싸며 그녀의 사랑스러운 미소에도 흘러들어간다.

　그래서인지 그녀는 마치 석양처럼 따뜻하고 눈부시게 웃는다.

　이리 오라며 손을 내밀고 뒷걸음치는 그녀를 잡으려 하지만 나는 아직 작다.

　손이 짧고 다리가 여리고 나이가 어리다.

　막 달려가면 그녀의 허벅지 즈음에 매달려 머리를 묻을 거다.

　나는 그녀가 좋다.

　나에게 눈높이를 맞춰 앉는 그녀의 얼굴이 황혼에 다가간다.

　부드럽고 따뜻하다.

　손을 내밀어 그녀의 얼굴을 쓰다듬고 미소를 어루만지고 싶다.

　아장아장 뒤뚱뒤뚱 달려가자 그녀는 웃으며 나를 맞이한다.

　손바닥이 그녀의 볼에 닿았다.

　부드러운 볼살을 거머쥐자 익숙한 감촉이 느껴진다.

딱딱하고 허연 해골이다.

일그러진 눈구멍에 이를 악문 해골.

어벤저 장갑복의 헬멧에 그려 넣은 스컬마크다.

*

"젠장!"

빈우는 피와 흙먼지가 뒤섞인 침을 뱉으며 장갑복 헬멧을 들고 일어섰다. 추락할 때 충격에 떨어져 나갔는데 정신없는 와중에 어떻게 기어가서 잡은 것 같다. 일그러지고 구멍이 난 헬멧을 막 아물어가는 머리에 뒤집어쓰자 다시 동체와 연결된다. 이어서 장갑 안의 유동 젤이 원래의 형상에 최대한 가깝게 얽히고설켜 굳어지고, 그 위로 적층 장갑이 다시 겹쳐진다. 복구된 HUD에 자신을 노리는 화선이 표시되는 걸 확인하자마자 빈우는 한 번 더 외쳤다.

"에이, 씨발!"

빈우는 제트팩을 급가속시켜 앞으로 날아갔다. 뒤이어 빈우가 뒹굴던 자리로 포화가 쏟아진다. 여기서 보니 맞았더라도 별 탈 없었을 것 같긴 하지만 맨머리에 그냥 맞았다면 좀 위험했을 것이다.

화선을 추적하자 거기에는 전차가 있었다. 제아무리 날고 기는 장갑보병이라 해도 이런 평지에서 전차를 만나면 그냥 보병이랑 도토리 키 재기다. 전차의 기관포와 도약 지뢰는 보병을 조용하게 만들고, 주포와 미사일은 장갑보병을 얌전하게 만든다. 그러나 더 중요한 건 전차도 전차 나름이라는 사실이다.

"저런 건 또 어디서 튀어나온 거야!"

빈우를 공격한 전차는 스콜피온 전차였다. 녹색 연맹이라는 자치정부 행성 방위군이 쓰는 주력 전차인데, 그쪽 동네에서는 꽤 괜찮은 놈이라 다른 자치정부에서도 이놈을 사다 쓰고 있었다. 하지만 그건 어디까지나 그들만의 리그에서나 그럴 뿐 연방군 기준으로 본다면 '영 아니올시다'였다.

빈우는 반격하기 전 먼저 확인을 시도했다. 중대 회의에서 결정한 대로 목표로 삼은 전차에 인간이 있는지 없는지부터 확인해야 한다. 인명수색 모드로 설정된 센서가 전차를 훑었지만 인간은 없었다. 그 즉시 스콜피온 무인 전차는 붉은색 타깃, 적성 목표로 지정되었다. 그리고 빈우의 코일건은 현재 대물 파괴용으로 설정되어 있었기 때문에 탄환 교환 없이 곧바로 사격을 가하기 시작했다.

초음속 니켈강 탄환이 총구를 빠져나오자마자 공기와 마찰하며 불꽃과 굉음이 발생했고, 곧이어 정면의 전차에서도 화염과 폭음이 솟구쳐올랐다. 재수 없게 탄약이 유폭되었는지 포탑이 거하게 날아오른다. 작은 전차 하나뿐이었고 다른 전차나 병력은 보이지 않았다. 만약 보병이나 인간 병력이 같이 있었다면 문제가 좀 심각했을 거다. 물론 보병이 호위하는 전차가 더 위험하기도 하지만, 그것보다 빈우는 클론이기 때문에 인간에게 해를 끼칠 수 없기에 보병에게 꼼짝 못 하고 두들겨 맞으며 도망가야 한다는 뜻이다.

우선 동료들과 합류하는 게 먼저다. 폭발광이 보이는 목표 지점으로 달려가며 빈우는 상황을 파악했다. 포드에서 피격당하고 정신을 잃은 지 32초가 지났고, 위치는 목표물에서 동남쪽으로 1,200m가량 떨어진 평지다. 손상 부위는 장갑복의 왼쪽 총방패와 헬멧. 둘 다 복구 가능하다. 왼쪽 이마에 꽤 심한 상처를 입었지만 현재 수복 중이고 십 분 내로 완치될 것이다.

"어이구, 죽다 살았네."

왼손의 발포 장갑 방패가 걸레 조각이 되어 덜렁거린다. 프레임은 살아 있으니 재생성은 되겠지만 이걸 보니 정말 구사일생이라고 느꼈다. 아마 포드를 뛰쳐나갈 때 재수 없이 대공 포탄에 맞았고, 방패를 뚫은 포탄이 머리를 스치고 지나간 것 같다. 만약 방패가 없었다면 스치는 것만으로도 사망이었을 거다. 착용자인 빈우는 정신을 잃었지만 장갑복이 자동 제어로 감속하며 추락했고, 그 결과 이렇게 땅바닥에 꼬라박혔다가 정신을 차리게 된 것이다.

004

・・・◆・・・

- 찰리하나팔. 복귀한다.

찰리하나팔은 빈우의 코드로 C열 18번째 클론이란 뜻이다. 중대 회선에 재접속하자 현재 전투 정보가 갱신된다.

- 목표 로미오골프, 알파, 브라보, 찰리 제압 완료.

빈우는 다른 동료들과 합류하려 했으나 이미 1소대는 자기 할 일을 마무리해버렸다. 하긴, 건물 옥상에 엉망으로 건설한 대공 포대에 장갑보병들이 강하했으니 상황은 순식간에 끝났을 것이다.

- 2분대 레이저건 사수 브라보둘넷이 전투 불능 상태다. 찰리하나팔이 구조하고 레이저건 사수를 맡으라. 이후 터미널에서 1소대와 합류하라.

뒤이어 1소대는 대공 포대를 쓸어버린 다음 건물 옥상에서 제트팩을 쓰면서 뛰어내려 최종 목표인 궤도 엘리베이터 터미널로 강하했고, 빈우는 재설정된 목표 지점으로 향했다. 원래 부상당한 동료에겐 두 명 이상이 달라붙는데 빈우 혼자만 보내는 것을 보면, 다른 중대원들이 봐도 자치정부의 무인 방어 시스템은 어지간히도 별 볼 일 없는 것 같다.

브라보둘넷, 즉 B열 24번째 클론은 빈우와 같은 분대였지만 다른 포드를 타고 강하했는데, 포드에서 뛰어나올 때 뒤에서 공격을 받고 그대로 실신, 추락하여 빈우가 있는 곳 바로 옆 건물에 박혔다고 한다. 하긴 낙하 궤도가 비슷했으니 추락지점도 비슷하겠지.

- 1소대 2분대 찰리하나팔. 전투 복귀.

- 1소대 2분대 브라보둘넷. 전투 불능.

현재 중대 상황을 보니 전투 손실은 전부 1소대 2분대에서 일어났다. 자치정부 상대로 둘이나 피해를 보다니. 예상과는 달리 놈들도 제법 하는 듯싶다.

'근데 레일건 포대는 어떻게 한 거지?'

동료들이 별문제 없이 대공 포대를 제압한 걸 보면 거기도 무인 시스템인 듯싶다. 하긴 무인 병기 상대로 클론을 투입한다는 생각은 꽤 인간적이긴 하다.

"브라보둘넷!"

- 브라보둘넷!

쇼핑몰로 보이는 목표 건물에 도착한 빈우는 안으로 들어가며 음성과 두뇌 통신으로 동료를 불러보았지만 역시나 대답은 없었다. 전투 상황으로 봐서 브라보둘넷의 손상 부위는 등 부분과 장갑복 뒤에 장착된 레이저건 부위였고, 현재 3층에서 중상을 입은 채 유도가사상태에 빠져 있다.

센서로 안을 대강 조사해봤을 때 별다른 반응은 없었다. 빈우는 엘리베이터 문을 박차고 들어간 뒤 제트팩으로 3층까지 상승했다. 그리고 다시 엘리베이터 문을 부수며 나와 3층으로 들어갔다.

브라보둘넷은 10m쯤 앞쪽에 앞으로 넘어져 있었다. 사주 경계하며 조심히 다가가는 빈우의 눈에 브라보둘넷의 레이저 건이 눈에 띄었다. 레이저 건은 접혀서 등에 얹혀 있었고, 방열판은 고열에 녹은 것처럼 휘어져 있었다.

'녹았다고? 저게?'

어지간한 고열을 버티도록 만든 방열판이다. 휘어지고 부서지는 꼴은 종종 봤어도 저 정도로 엉망진창 녹이려면 플라스마 병기가 아니면 불가능하다. 일단 급조 대공포는 레일건이었고 스콜피온 전차는 전열화학포를 쓴다. 그리고 자치정부의 기술력으로는 플라즈마 병기를 개발할 수 없다.

- 전 중대. 경고.

빈우는 자신이 알아챈 사실을 중대의 두뇌 통신 회선으로 공유하며 경고를 날리고 자신의 총방패를 복구했다. 방패 프레임 안에 발포수지가 차오르고 굳어서 스티로폼 같은 장갑이 다시 생성되었다. 이 발포 장갑 방패는 물리적 충격에 대한 방어력은 그럭저럭이지만, 레이저나 플라즈마 병기에 대해서는 탁월한 내열 능력을 지닌다. 빈우는 방패를 재생시킴과 동시에 어깨의 유탄발사기에 소이탄을 장전하고 사방으로 발사했다.

폭발음과 함께 3층 내부가 화염으로 불타오르자 일렁이는 불꽃 사이로 '적'들이 모습을 드러냈다. 돌고래와 중세시대 갑옷을 합친 듯한 유선형 장갑복, 연방 코드명 스팸. 그리고 그것을 입은 인간형 외계인 셋.

불길한 예감이 적중한 빈우는 중대 회선에 쌍욕을 박았다.

- 새끼들아! X 같은 우주 엘프 떴다!

우주 엘프라고 불린 적들은 바로 샤다이. 인류 연방의 주적이다. 인간과 비슷하지만 푸른 피부에 길고 뾰족한 귀를 가져, 농담조로 우주 엘프라 불리는 종족. 이 드넓은 우주에서 인류 연방과 맞짱 뜰 수 있는 얼마 안 되는 종족. 길쭉한 귀가 무색하게 대화는 귓등으로도 안 듣고 냅다 싸움부터 거는 종족. 워프 기술은 인류와 비교조차 할 수 없을 만큼 뛰어나고 다른 과학 기술도 인류를 상당히 앞서지만 단 하나, 전투 기술만이 그걸 다 까먹을 정도로 젬병이어서 언제나 연방에게 밀리는 종족.

이 새끼들 세 놈이 빈우와 빈사의 형제를 가운데에 놓고 11시, 1시, 5시 방향으로 포위 매복하고 있었다. 하지만 온몸에 불꽃을 뒤집어쓰고 신나게 춤추고 있는 시점에서 매복은 물 건너갔겠지.

"이래서 수색 섬멸 노래를 불렀구나."

빈우는 타깃팅된 적들을 노려보며 이를 악물었다.

- 샤다이와 조우. 스팸 셋으로 추정.

- 경계 철저히 해. 센서 감도 최대로.

- 내열 장갑 여분 챙겨.

- 레이저 건은 저출력 광역조사로 해서 수상한 곳은 다 훑어.

상대가 상대인 만큼 중대 전투 정보가 빠른 속도로 갱신된다. 아직 샤다이가 모습을 드러낸 것은 이곳뿐이지만, 파죽지세로 터미널로 몰아치던 중대는 잠시 멈춰서 상황을 파악하며 전열을 가다듬기로 했다. 샤다이의 위장 능력은 연방의 탐색 능력보다 위에 있기에 놈들의 매복에 걸리면 피해가 심각해지기 때문이다.

- 찰리하나팔. 2소대에서 3분대가 지원 나간다. 버텨라.

중대 회선으로 지원이 온다는 얘기가 나왔지만, 입맛이 쓰다. 만일 처음에 브라보둘넷을 구하러 왔을 때부터 매뉴얼대로 두 명이 왔더라면 적 세 명을 상대로 괜찮은 싸움을 했을 거다. 뒤늦게 분대 하나가 달려온다 한들 당장은 별 위로가 되진 않는다.

그때 샤다이들 중 11시 방향에 있던 놈이 불길을 이겨내고 창처럼 생긴 무기로 빈우를 겨눴다. 저거다. 시즐러. 동료의 뒤통수를 친 무기.

"지원 오기 전에 끝날 것 같다."

1시 놈은 아직 땅바닥을 구르는 중이지만 5시 놈은 몸을 추스르고 있었다. 재수 없으면 앞뒤로 협공당할 상황이다.

결정을 내린 빈우는 11시 쪽으로 방패를 세우며 제트팩을 써서 돌진했다. 거의 동시에 샤다이가 플라스마를 쐈다. 고온의 플라스마에 맞은 방패의 발포 장갑이 열 폭발을 일으키며 증발한다. 한 번의 공격은 막았지만, 방패는 끝장났다. 두 번째 공격을 당하면 끝이다. 몰아치는 열 폭풍과 파편에 휩싸인 빈우는 코일건을 뒤로 돌려 돌진 반대 방향인 5시 방향으로 연사했다. 코일건의 조준경에도 시야가 연결되어 있으니 조준에는 전혀 무리가 없다. 간신히 무기를 잡고 일어나려던 5시의 놈에게 코일건 탄환이 쏟아지자 방어막이 반응해 푸른색 섬광이 번득인다. 그러나 쏟아지는 니켈강 탄환의 소나기는 방어막의 한계를 넘어 장갑에 쇄도해 착용자를 바닥으로 도로 넘어뜨렸다. 그와 동시에 빈우도 돌진하던 놈에게 부딪쳐 그대로 벽으로 처박아 넣었다.

"헨칼라 유에네스!"

샤다이 놈이 장갑복의 투명한 안면 보호대 너머로 욕지거리를 한다. 그러든지 말든지 빈우는 프레임만 남은 방패로 계속해서 놈을 밀어붙이며, 우그러진 방패 프레임 사이로 코일건을 밀어넣고 연사했다. 샤다이는 어떻게든 벗어나려고 발악했지만 장갑복의 출력은 어벤저 쪽이 우위다. 코일건을 막으려는 방어막 때문에 샤다이의 가슴 부분에서 푸른 섬광이 번득였다. 이어서 탄환에 맞은 장갑에서 노란색 불꽃이 튀더니, 마지막으로 스팸의 안면 보호대 안쪽으로 착용자의 검푸른 피와 살 조각들이 비산하여 들러붙는다.

'남은 하나는?'

그 사이 1시의 놈이 빈우의 바로 뒤까지 다가와 있었다. 빈우는 몸을 돌려 대응하려고 했지만 조금 늦었다.

"다로! 유에네스!"

그놈이 고함을 지르며 대검을 내리쳤다. 고온의 플라즈마 칼날들이 일렁이는 길이 2m의 대검이다. 놈은 빈우와 동료가 겹쳐져 있어 사격 무기를 쏘지 못하고 가까이 다가와 검을 휘두른 것이다. 플라즈마 칼날에 베인 총신은 대번에 달아올라 물방울 튀기듯 흩날리며 잘려나갔다. 오른쪽 어깨의 장갑은 조금 더 버텼지만 마찬가지였다. 외부 적층 장갑은 순식간에 녹아내렸고 내부 젤도 거의 증발해버렸다. 조금만 더 있으면 오른쪽 어깨부터 구워질 기세다.

빈우는 머릿속으로 울리는 피해 경보를 느끼며 본능적으로 왼손 장저로 놈의 턱을 후려쳤다. 아니 치려고 했다. 빈우의 반응과 현재 상황을 종합한 전투OS가 그보다 효율적인 공격을 위해 방패 프레임으로 찍는 것을 우선시했기 때문이다.

"크읏!"

손목이 아래로 꺾여가며 샤다이를 갈긴 빈우는 주춤하는 놈을 발로 차 밀어냈다. 연방의 장갑보병에 비해 엄청나게 가벼운 샤다이 장갑보병 스팸은 뒤로 굴렀다가 다시 일어나 자세를 잡았다.

"그래, 내가 바로 유에네스다! 이 새끼야!"

빈우는 잘린 코일건을 버리고 허리 뒤쪽에서 플라스마 도끼를 꺼냈다. 분출하는 플라스마를 자기장으로 잡아 칼날로 만든 이 도끼는 원래 대원들의 기본 무장은 아니다. 본래 공병들이나 쓰는 작업 도구인데, 잘만 하면 연방 주력 전차의 전면 장갑마저도 썰어낼 수 있다. 물론 서로가 인내심을 가지고 참아주기만 한다면 말이다.

도끼를 장갑복 동력에 연결하고 전원을 켜자 머리 부분에서 플라즈마가 뿜어져 나와 도끼날을 형성했다. 그러나 앞에 서 있는 샤다이의 플라스마 대검에 비하면 빈약하기 짝이 없다. 샤다이의 주력 무장은 플라스마 병기이며 그 기술력은 연방의 것을 월등히 앞선다. 또한 주로 플라즈마 같은 열병기 방어에 초점이 맞춰져 있어 아까 코일건 탄환을 많이 막지 못한 방어막도 플라즈마 병기에 대해서는 우수한 방어력을 가진다. 덧붙이자면 아까 이놈들이 소이탄 맞고 생쇼를 한 것은 그냥 불꽃에 놀라 지레 몸부림을 친 것일 뿐이다.

그런데도 빈우가 이 도끼를 들고 설치는 이유는 현재 이 도끼가 샤다이의 플라스마 대검에 대한 유효하고도 유일한 방어책이기 때문이었다. 샤다이가 엉성한 폼으로 베어오는 플라스마 소드를 빈우는 도끼로 맞받아쳤다. 그러자 도끼 머리에 형성된 자장이 샤다이의 플라스마 칼날을 잡아 밀어냈다. 그때 아주 잠깐, 빈틈이 — 플라스마가 없는 샤다이의 검신이 — 일부 드러났다.

빈우는 왼손으로 빈 검신을 붙잡아 잡아채는 동시에 도끼를 버린 오른손으로 원래 장갑보병의 근접무기인 초음파 나이프를 꺼내 놈의 목을 찔렀다. 저속저온의 초음파 나이프에 방어막이 반응하지 않아 곧바로 장갑을 찌를 수 있었다. 샤다이의 장갑복은 칼날을 붙잡고 손상 부위를 복구하려 했지만 빈우는 나이프를 더욱 세게 찔러 넣었다.

"카학! 커어억!"

놈의 겁에 질린 얼굴이 투명한 안면 보호대 너머로 보인다. 샤다이는 살기 위해 적을 밀어내려고 발버둥 쳤지만 빈우는 제트팩을 작동시켜 위로 날아올랐다. 그리고 천장에 충돌하며 그 반동으로 칼날을 놈의 머릿속 깊숙이 박아 넣었다. 안면 보호대 안이 검푸른 피로 격렬하게 차오르고 놈의 몸이 버둥거리다가는 끝내 멈췄다.

다시 바닥에 착지했을 때 빈우는 놈의 시체를 방패마냥 앞으로 내세우며 쓰러진 동료 브라보둘넷에게 다가가 코일건을 주웠다. 다행히 총에는 이상이 없었다. 총과 장갑복의 연결은 순식간에 끝나 다시 일어나려고 허둥대는 5시의 샤다이에게 듬뿍 쏴주었다. 푸른 피를 흩뿌리며 널브러진 그놈까지 확실히 죽은 것을 확인하고 빈우는 볼일 없어진 '방패'를 버렸다.

빈우는 주변을 경계하면서 다시 브라보둘넷의 상태를 확인했다. 운 좋게 등의 방열판부터 맞은 덕분에 레이저포는 박살 났지만 착용자는 죽지 않았다. 하지만 중상을 입고 가사상태에 빠진 터라 빨리 응급조치를 해야 했다.

- 지원조 도착 시각은?

- 2분 34초.

대답하는 형제의 목소리에도 약간의 다급함이 배어난다. 아무리 서두른다 해도 샤다이의 매복을 경계하면서 와야 하기에 시간이 걸릴 수밖에 없다.

- 이놈들 3인 1조로 움직이긴 하던데…….

중대 회선으로 봐도 이곳 외에는 샤다이가 모습을 드러내지 않았다. 그러나 안 보인다고 없는 것은 아니다. 어딘가 숨어 있다가 빈우가 응급처치를 할 때 얼마든지 뒤통수를 칠 수 있다.

> 경고. 경고. 브라보둘넷이 위험.

망설이는 사이 동료의 생체신호는 점차 약해져 장갑복이 경고를 띄우기 시작한다. 장갑복의 자체 치료기능으로는 더는 사망을 막을 수 없다는 뜻이다.

"좋아. 한번 해보자."

빈우는 즉시 수류탄을 꺼내 장전했다. 그리고 신관을 동작 감지로 설정해서 샤다이의 진입 루트로 예상되는 곳마다 하나씩 던져놨다. 만약 불청객들이 온다면 폭풍 같은 환영을 해주겠지. 별 피해는 못 주겠지만 시간 끌기에는 충분할 것이다.

그리고 응급키트를 꺼내 부상당한 동료의 옆에 앉았다. 다른 대원들의 보호도 없이 전투 지역 내에서 하는 응급처치는 아차 하면 동반 자살이다. 중대 회선으로 빈우의 행동에 대해 찬반 의견이 오갔지만, 적극적으로 막는 이는 없었다. 빈우는 형제의 장갑복 회로에 접속해 수동으로 장갑복을 해제하려 했지만 녹아서 들러붙은 장갑들 때문에 잘 열리지 않았다. 결국 초음파 나이프를 써서 붙은 부위를 자르며 장갑복을 억지로 비틀어 열었다. 이미 유동 상태로 바뀌어 있는 안쪽의 젤을 걷어내자 환부가 드러났다.

'상태가 좀 심한데.'

드러난 브라보둘넷의 부상은 심각했다. 여기서 응급치료를 하고 원대 복귀를 한다 해도 재수 없으면 치료보다는 폐기하고 재생산할 확률이 더 높을 것이다. 하지만 그렇다고 해서 치료를 멈출 수는 없었다. 먼저 브라보둘넷의 두뇌칩에 유선으로 접속해서 관리자 모드로 들어가 환자의 신체 상태를 가사상태에서 수면치료상태로 바꿨다. 이어 브라보둘넷의 비어버린 응급치료 마이크로 머신 팩을 빈우 자신의 것으로 대신 채워 넣었다. 걸쭉한 젤 안에 든 마이크로 머신들이 금세 몸속으로 주사되어 손상된 체내 조직들을 응급치료하기 시작했다.

외부는 빈우의 몫이다. 심한 화상으로 군데군데 피가 나는 상처 부위에 지혈 스프레이를 분사하자 피가 멈춘다. 다음으로, 박살 난 견갑골 쪽에 주사기를 꽂고 접착제를 주입해 뼈들을 고정했다. 그리고 찢어진 상처에 스테이플러를 박아 꿰맨 뒤 의료용 마이크로머신이 든 캡슐을 추가로 신체 말단 곳곳에 박아 넣었다.

> **지원 분대 도착.**

OS의 전투 정보 메시지와 함께 지원 온 형제들의 통신이 들린다.

- 찰리하나팔, 3분대가 올라간다.

치료가 마무리되었을 때쯤 지원하러 온 동료들이 빈우가 뿌려놓은 수류탄을 회수하며 올라왔다. 이제 쇼핑몰에 있는 것은 멀쩡한 대원 아홉, 중상 입은 대원 하나, 죽은 샤다이 셋이다. 이렇게 되면 다시 계획은 바뀐다.

- 현재 인원은 부상자와 외계인 샘플을 회수하여 귀환 지점으로 이동.

이견 없는 만장일치다. 현재 터미널로 돌입한 1, 3소대는 상황 종료. 2소대는 시가지에서 전투 진행 중. 빈우 조는 귀환 지점으로 이동이다. 현재까지 피해는 중상 한 명, 경상 한 명. 중상은 샤다이를 상대로 입은 것이고 개척민들의 자동 병기에는 빈우만 재수 없게 당했을 뿐이다. 이만하면 이번 작전은 성공적으로 마무리다.

귀환 루트는 2소대가 정리한 지역을 지나가는 것이 최선이지만 부상자가 있는 만큼 최단 루트로 골랐다. 셔틀로 착륙한 3소대가 착륙지 주변을 미리 정리해서 안전 지역을 확보해놓은 덕분에 조금만 더 가면 된다. 아까 보기로는 개척민들이 지상에 남아 있다고 했는데 다들 피신했는지 거주 구의 건물들이 텅 비어 을씨년스럽다. 그러나 그 빈자리에 샤다이들이 숨어 있을지도 모른다고 생각하니 구석구석 소이탄을 하나씩 까 넣고 싶어진다.

마침 빈우 앞에서 걷고 있는 동료의 등에는 죽은 샤다이가 장갑복째로 매달려 있었다. 저 시체와 무기, 장갑복은 연방에게 귀중한 연구재료가 될 것이다. 아직 샤다이를 생포한 적은 없다. 상부에선 가능하다면 생포하라고 말은 하지만 그게 어디 쉽나.

빈우가 상대했던 놈들이 입었던 보병용 기본 장갑복은 연방 코드명으로는 스팸이라고 하는데 이놈은 여러모로 어벤저 장갑복보다 우위에 있다.

먼저 방어력을 보면 레이저나 플라스마 무기에 대해서 입이 딱 벌어지는 성능을 보여준다. 장갑보병들이 쓰는 레이저포는 죽어라 갈겨봤자 기별도 안 가고 전차의 플라스마 포도 한두 대는 버틴다. 하긴 자기들이 쓰는 게 플라스마 병기이니 납득이 간다. 물리 공격에 대한 방어력도 어벤저에 비해 월등하다. 연방 장갑보병의 기본무기인 HM-22A 코일건으로 스팸의 방어막과 장갑을 뚫고 착용자를 살상하려면 1km 거리에서 40~50발은 쏴야 한다. 거기에다 장갑에는 자기재생능력도 있어서 손상을 입으면 스스로 복구할 수도 있다. 구멍 난 부분을 어찌어찌 땜질하는 어벤저 장갑복과는 차원이 다르다.

공격력 쪽으로 넘어가면 연방이 더더욱 암울해지는데, 스팸을 입은 샤다이들은 기본적으로 두 가지 무장을 가지고 다닌다. 원거리용 플라스마 발사기인 시즐러와 근거리용 플라스마 대검 클레이모어. 둘 다 연방 쪽에서 붙인 코드명이다. 시즐러는 길이 170cm가량의 장창 형태의 무기인데 거기서 발사되는 플라스마는 기본 사양의 어벤저를 한 방에 무력화시킨다. 어찌어찌 내열 방패로 막을 수 있는 건 한 발이 한계고 그다음엔 맞은 부위가 증발해버린다. 맞는다면. 그리고 근접무기인 클레이모어는 장갑보병 따위는 순식간에 일도양단해버린다. 제대로 쓴다면.

마지막으로 위장기능이다. 가시광선, 자기장, 전자파 등으로부터 은신하는 이 기능은 일반 장갑보병용 센서로는 감지할 수 없다. 그나마 다행인 것은 위장 중인 샤다이는 자신의 탐지능력과 기동성에 심각한 제한이 걸릴 것이라는 추측이 ― 어디까지나 추측이 ― 있다.

요약하자면, 사람 크기에 전차 급 방어력을 지닌 놈이 보이지 않게 숨어 있다가 갑자기 뒤통수에 전차포를 갈긴다는 건데, 입고 다니는 놈들이 등신들만 아니었어도 연방은 진작에 쓸려나갔을 거다. 이 사실을 잘 아는 연방은 샤다이의 기술력을 분석해서 흡수하기 위해 샘플 수집과 연구에 박차를 가하고 있지만 뭐 하나 제대로 진행된 것이 없다. 저 시즐러만 해도 작동원리를 모른다. 분명 플라스마 병기인데 동력원도 없고 사출 기관도 없다. 그런데도 샤다이의 손에서는 잘만 작동하니 미치고 팔짝 뛸 노릇이다.

- 정지.

앞서 가던 동료가 적을 발견하고 정지 신호를 보냈다. 녀석이 50m 전방의 지하 주차장에서 나오는 소음과 진동을 감지해 모두에게 공유했다.

- 여긴 아직 2소대가 쓸지 않았지.

재수 없으면 샤다이들과 한 번 더 싸워야 할지도 모른다. 부상자와 샘플이 있는 마당에 빈우는 딱히 전투를 벌이고 싶지 않았다.

- 우회할까?

그러나 형제들의 생각은 조금 달랐다.

- 일단 샤다이는 아닌 것 같다.

하긴 샤다이라면 보이지도 들리지도 않겠지. 빈우는 형제가 채집한 소음의 정체를 들어보았다. 아는 소리, 그리고 방금도 들었던 소리다.

- 스콜피온의 구동음이다.

그렇다면 개척민들의 무인 방어 시스템일 가능성이 크다. 샤다이는 연방이나 자치정부나 가리지 않고 공격하는지라 스콜피온이 살아 있다면 아직은 근처에 샤다이가 없다는 얘기가 된다. 발견한 적이 만만한 대상임을 파악한 일행은 부담 없이 주차장을 향해 나아갔다. 여기 모인 병력이라면 스콜피온 따윈 대대 단위로 갈려나간다. 약간의 무력마찰이 있겠지만 우회하는 것보다는 시간을 더 단축할 수 있다.

- 야, 야, 저쪽에서도 우릴 감지한 것 같은데?

상대 쪽의 액티브 센서가 이쪽을 훑고 있다는 정보가 장갑복의 HUD에 뜬다. 하긴 은·엄폐도 안 하고 뚜벅뚜벅 걸어갔으니 당연히 알아채겠지.

- 하기야 감지한들 별일 있겠냐.

클론치고는 불성실한 말을 한 빈우는 두뇌 통신으로 대형을 다시 짰다. 부상자와 샘플을 든 세 명은 뒤로 빠지고 빈우와 다른 두 명이 주차장 입구로 전진, 나머지 셋은 건물 뒤로 돌아서 우회.

- 스콜피온 하나. 나온다.

주차장 출구로 스콜피온 전차가 튀어나옴과 동시에 빈우는 옆의 동료와 함께 코일건을 겨눴다. 조준과 동시에 인명수색을 해봤지만 역시나 전차 안에서는 아무 반응이 없었다.

'근데 인명수색 모드가 저 정도 장갑까지 투과해서 감지하던가?'

빈우의 머릿속에 의문이 떠올랐지만, 생각은 거기서 끝났다. 곧이어 이쪽으로 포탑을 돌리던 스콜피온 전차의 정면과 측면 장갑이 코일건에 꿰뚫리며 폭발과 화염이 일었다. 샤다이에 비하면 싱겁기 그지없다.

그리고 그때 불길이 솟구치는 전차의 해치가 열리며 탑승자가 불에 타고 있는 채로 뛰쳐나왔다.

"끄아아아!"

온몸에 불이 붙은 인간이 전차 옆으로 떨어지더니 발버둥을 치다 곧 오그라들었다.

"어어?"

뜬금없이 눈앞에서 인간이 죽어가는 광경을 본 빈우의 사고가 잠시 멈췄다. 인간을 해칠 수 없는 클론의 손에 인간이 죽는다는 사실은 꽤 엄청난 충격이었다.

'젠장, 이런 사고 있을 것 같더라니. 눈먼 클론의 총에 인간이 죽는 최악의 사고.'

작전 시작 전부터 빈우가 지적했던 문제였다. 그러나 그 당시 형제 중 누구도 중요하게 받아들이지 않았고, 그 결과가 이거다. 곧이어 전투OS로부터 엄청난 강제가 올 것이다. 정신적 구속은 물론, 육체적인 구속도 당연한 순서다. 방아쇠를 당긴 재수 없는 클론들은 강제로 수면에 들어간 다음 장갑복 AI의 움직임으로 귀환할 가능성이 크다. 아니면 이 자리에서 머릿속의 논리 폭탄이 터져 백치가 될지도 모른다.

그러나 아무 일도 일어나지 않았다. 빈우는 물론이고 주변의 동료들, 그리고 작전 중인 형제들 누구에게도 OS의 강제가 오지 않았다. 더구나 빈우의 HUD는 타 죽는 인간형 대상을 여전히 적색—적—으로 인식하고 있었다.

'인간을 적으로 설정하는 게 가능해? 클론인 우리가? 그럼 이게 인간이 아니라는 건가?'

연방의 인명수색 모드는 상당히 깐깐해서 불탄 시체는 물론이고 갈린 고기 조각도 인간의 시체로 판독해낸다. 그리고 클론 중대원들과 장비는 인간을 적으로 설정할 수 없기에 어쩌면 저 적성대상은 인간이 아닐 수도 있다.

그러나 빈우는 불안한 마음에 아직 불타고 있는 시체를 붙잡아 다시 한 번 인명수색 모드로 정밀 스캔을 해보았다. 이번에도 인간이 아니라고 뜬다. 하지만 빈우가 보기에 이 시체는 너무나도 인간 같았다. 혹시나 해서 빈우는 센서가 측정한 데이터의 세부 항목 하나하나를 수동으로 재점검해보았다.

"제길."

결과는 충격적이었다. 모든 측정값이 이 사체가 호모사피엔스임을 증명하고 있었다. 그러나 수색 모드는 판별 과정의 마지막 단계에서 결정적인 것 하나로 저것이 인간이 아니라고 결론을 내렸다.

> **두뇌칩 반응 없음.**

이 대상에게 연방의 두뇌칩이 없다는 것. 바로 그것 때문에 장갑복의 인명수색 모드는 저 개척민을 인간으로 인식하지 않는 것이다. 두뇌칩은 말 그대로 인간의 두뇌에 삽입하는 칩으로서, 기억을 기록하거나 여러 가지 프로그램을 넣는 용도로 쓰인다. 말하자면 인간의 머릿속에 컴퓨터와 보조기억장치를 집어넣는 것이다. 즉, 인간의 활동과 능력에 엄청난 향상을 가져다주는 물건이지만 어디까지나 인간에게 도움을 주는 도구일 뿐 그것이 인간의 조건이 되진 않는다. 빈우의 기억으론 이제까지 인명수색 모드는 연방의 시민이든 자치령의 주민이든 모두 인간으로 판별했다. 적어도 저번까지는 그랬다. 하지만 지금은 아니었다.

'23일에 있었던 전투OS 업그레이드에서 이게 바뀌었어!'

중대의 인명수색 모드가 나흘 전에 변경되었다. 원래의 인명수색 모드는 인간의 생체 반응, 생활 반응을 감지해 대상을 판별했다. 그러나 지난번 수면 때 업그레이드된 현재의 인명수색 모드는 거기에 마지막 과정이 추가되어 연방의 두뇌칩 유무로 인간을 정의하고 있었다. 즉, 아무리 인간이어도 연방의 두뇌칩이 없으면 인간으로 인식하지 않는다는 말이다.

두뇌칩은 연방의 인간들에게만 있고 자치정부의 사람들에게는 없다. 저 사람은 두뇌칩이 없으니 자치정부 개척민일 것이고 동시에 인간일 것이다. 그런데 장갑복의 센서는 두뇌칩이 없다는 이유 하나만으로 이들을 인간으로 인식하지 않았고 그 때문에 피아 식별 시스템에는 붉은색, 적으로 뜨고 있었다. 그리고 그것은 빈우에게만 국한된 것이 아닐 것이다. 클론 중대원들의 전투OS에 업그레이드가 있었다면 현재 울토르 중대원들―클론들 전원―은 개척민들을 인간이 아닌 적으로 볼 것이다.

빈우는 두뇌 통신으로 방금 같이 사격을 했던 동료의 감각을 느껴보았다. 아주 평온했다. 녀석의 머릿속에는 살인을 저질렀다는 일말의 동요도 없었다. 오로지 임무를 수행하고 있다는 충실감만이 가득할 따름이다. 불쾌한 소름이 목덜미를 훑는다.

"사격 중지! 전원 사격 중지!"

뭐가 어찌 되었든 빈우는 일단 주위의 형제들을 멈추기 위해 소리쳤다. 그런 뒤 동료들의 두뇌 통신 회선을 통해 피아 식별 시스템과 인명수색 모드를 점검해보았다. 역시나 아니나 다를까 이쪽도 마찬가지로 결과가 같다. 클론 중대원들에게는 개척민이 인간이 아닌 적으로 정의되어 있었다.

"아니 설마, 그래도, 제길, 제길, 제발."

불길한 예감을 느끼며 빈우는 중대의 전투 기록을 재생해보았다. 형제들이 공격했던 대공 포대와 시가지에서 있었던 전투의 기록들이다. 당시에는 중대 전투 정보로 모조리 쓸어버렸다는 대략적인 것만 알았을 뿐, 자세한 것은 알지 못했다. 자세한 것을 알려면 당시의 기록을 봐야 한다.

영상과 음성이 재생되자 최악의 상상이 현실로 나타났다. 대공 포대에 소이탄이 작열하며 불에 붙은 인간들이 나뒹군다. 도망치는 개척민들 등에 코일건 탄환이 작열하자 사방으로 고깃덩이가 비산한다. 난간에 매달려 숨은 적의 머리를 걷어차 떨어뜨린다. 좁은 복도 사이를 제트팩을 켜고 돌진해 모여 있는 적들을 부딪쳐 죽인다. 형제들은 보이는 적들을 모두 죽였다. 빈우는 급히 중대의 현재 전투 상황을 공유해보았다.

"항복입니다! 항보옥!"

떨어져 나간 팔을 부여잡고 울부짖으며 항복하는 남자가 형제의 주먹질 한방에 으깨졌다.

"항복한다고 했잖아요! 쏘지 마세요! 제발! 아악!"

무기를 버리고 손을 든 여자 역시 초음속으로 날아온 코일건 탄환에 갈기갈기 찢긴다. 불타는 시가지는 아비규환이었다. 싸우는 적, 도망치는 적, 항복하는 적. 모두 죽임을 당하고 있었다. 거리에서 코일건에 맞고, 건물 안에서 소이탄에 불타고, 덤비다가 나이프에 찔리고, 도망치다 레이저포에 증발하고, 항복하다 짓밟히고. 적이 형제들에게 죽고 있었다. 아니다. 인간이 클론들에게, 죽고 있었다.

'어떻게 이런 일이 가능하지? 인간을 해칠 수 없는 안전 프로그램은 제대로 작동 중인데? 아무리 시스템이나 프로그램이 인간이 아니라고 해도 인간인지 아닌지는 우리 스스로가 판단할 수 있잖아!'

그러나 판단 대부분을 OS가 정해놓은 가이드라인에 따라서 하는 클론들은 피아 식별에서 적이라고 뜨고 인간이 아니라고 한다면 의심 없이 믿고 실행해버린다. 막아야 한다. 클론이 인간을 죽이게 해선 안 된다. 아니 그보다 이런 학살은 막아야 한다.

> 모든 적 세력 말살.

빈우의 머릿속에 주입된 명령이 다시 발동한다. 클론들은 명령에 충실하다. 모든 적 세력 말살이란 명령이 내려진 지금, 인간이 아닌 적들을 죽이는 데에는 아무런 문제가 없다.

'애초에 왜 인명수색 모드의 마지막 과정에 이런 게 추가되었지? 자치정부 사람은 인간이 아니라고? 연방의 인간만 인간 취급하자는 건가!'

문득 빈우는 처음에 조우한 스콜피온 전차가 떠올랐다. 그 당시엔 인간이 없다고 생각했지만, 현재 상황으로 미뤄 볼 때 분명히 사람이 타고 있었을 거다. 빈우는 인간을 죽였다.

'인간을 죽인 게 처음은 아닌데 왜 이렇게 혼란스러운 거지?'

- 찰리하나팔? 괜찮나?

형제가 혼란스러워하는 빈우를 걱정한다. 오락가락하는 정신 상태가 공유되었으니 당연히 걱정될 거다.

"어, 어. 괜찮아."

진정하자. 상대는 연방의 인간이 아니다. 개척민은 연방의 인간이 아니다. 인간이 아니다. 모든 적 세력 말살. 인간에게 어떠한 위해도 가할 수 없다. 저것은 인간이 아니다.

머릿속이 모순으로 가득 찬다. 씨발, 씨발, 저 개척민들은 인간이라고, 씨발.

· · · ✦ · · ·

'멈춰! 우린 인간을 죽여선 안 돼! 저들은 인간이야! 망할 두뇌칩이 없지만 인간이라고!'

참다못한 빈우는 이렇게 외칠 뻔했다. 당장 민간인 학살을 막아야 한다. 어서 중대원들을 멈추고 현재 상황을 상부에 보고해야 한다. 그러나 이렇게 생각만 했을 뿐 말하지는 않았다. 빈우의 훈련받은 이성과 본능이 입을 막고 여기서 돌출 행동을 해선 안 된다고 경고하고 있었기 때문이다.

이 민간인 학살은 결코 클론들이 독단으로 벌인 행동이 아니다. 클론들은 주어진 명령과 프로그래밍된 사고 루틴대로 행동하도록 만들어졌고, 그렇게 뇌 속을 주무를 권한은 오직 연방군 정보사령본부만이 가지고 있다. 즉, 이런 사달이 나도록 클론들의 전투OS를 업그레이드하고 마카로니에 처박은 것이 사령부의 지시라면, 클론들에게 인간을 죽이도록, 민간인 학살을 하게 한 것은 바로 사령부란 얘기다.

그러므로 지금 여기서 섣불리 이상 행동 — 클론답지 않은 행동 — 을 했다가는 바로 들켜서 불량 판정을 받고 뇌가 포맷되거나 아니면 영영 수면 캡슐에 처박힐 수도 있다. 어설프게 움직이면 죽도 밥도 안 된다. 조용히 증거를 모아야 한다.

'근데 클론인 내가 왜 이런 생각을 하는 거지?'

빈우의 생각처럼 애초에 클론은 이런 생각을 할 필요도 없고 할 수도 없다. 클론들은 주어진 명령을 실행하는 게 고작이고 복잡한 사고를 하는 것은 허락받은 범위 안에서만 가능하다. 빈우의 생각은 일반적인 클론들의 사고 영역을 넘어서 뻗어나가기 시작했다. 거기에 반응한 두뇌칩 속의 클론용 OS가 필사적으로 빈우의 사고에 목줄을 매려 한다. 의심할수록 불쾌감이 들고, 가이드라인을 벗어나려 할 때마다 좌절감이 커진다.

'치킨 파이, 초코칩 쿠키······.'

이럴 때 뜨끈한 김이 나는 치킨 파이나 쫀득쫀득한 초코칩 쿠키라도 먹으면 머리가 좀 돌아갈 성싶다.

'미친놈이 돌았나, 이 상황에서 지금 뭔 생각을 하는 거야?'

정신 저 밑바닥부터 올라오는 비정상적이고 본능적인 식욕을 이성으로 간신히 억눌러 정신을 수습하던 빈우에게 새로운 소식이 들려온다.

- 주차장 내부에도 적 발견.

말을 꺼낸 대원은 아까 전차를 발견한 형제다. 우선 정찰용 드론을 주차장 안으로 보내려는지 녀석은 백팩에 손을 가져갔다. 그리고 정찰용 드론을 꺼내더니 아래쪽 하드 포인트에 소이탄을 장착했다. '만일 주차장 안에 적이 있다면 드론으로 소이탄을 터트리고 그다음 우리가 안으로 쳐들어가 다 쓸어버리자.'라는 대원들의 생각이 빈우에게도 공유되었다. 또다시 살인이 시작될 찰나, 빈우가 급히 앞으로 나섰다.

"잠깐 기다려! 안에 인간이 있으면 어쩌려고. 내가 선두에 서겠다. 아니, 내가 혼자 들어간다."

혼란스럽다. 저 안에 있는 적이라면 십중팔구 개척민이다. 작전 명령대로라면 구역 내에 있는 적은 모두 찾아서 섬멸해야 한다. 그러나 빈우는 개척민을 살리고 싶었다. 인간이 아닌데도.

- 연방 시민들은 다 퇴거했잖아?

- 일단 하나 까 넣고 들어가는 게 낫지 않아? 인간 있으면 안 쏘면 되는 거고.

- 찰리하나팔의 의견은 타당하다. 행여 남아 있는 연방 시민이 인질일 경우도

고려해봐야 한다.

- 그러나 찰리하나팔, 혼자서는 위험하다.

빈우—찰리하나팔—의 의견은 그다지 호응을 받지 못했다.

"아니, 안에는 기껏해야 개척민들이 있을 거다. 나 혼자서도 충분해. 그리고 그 드론은 너무 시끄러워. 잘못하면 적들에게 들킬 수 있다고. 대기하고 있다가 내가 신호하면 들어와."

빈우는 대답을 기다리지도 않고 주차장 안으로 들어갔다. 형제들이 뭐라고 툴툴댔지만 그다지 위험할 것도 없고 하니 빈우의 의견을 존중하자는 쪽으로 기울었다.

주차장 출입로를 따라 내려간 빈우는 모퉁이를 돌기 전에 내부를 탐색했다. 소총의 조준 카메라를 살짝 들이밀어 살펴보니 세라믹과 플라스틱으로 만들어진 급조 진지와 무장한 개척민들이 있었다. 개척민. 빈우의 눈에 붉게 타깃팅된 것들. 모두 인간이 아니며 적이다. 애초에 형제 말대로 소이탄 하나까 넣으면 깔끔하게 끝날 일이다. 주입된 명령이 빈우를 압박한다.

> 작전 지역 내 모든 적 세력 말살.

개척민들은—적들은—먼저 나간 전차가 파괴당한 것을 알고 우왕좌왕하고 있었다. 기습하기에는 절호의 기회다. 행동할 때다. 빈우는 모퉁이를 나와 총을 겨눴다.

"연방군이다! 전투는 끝났다. 모두 항복해라."

외부 스피커로 울려 퍼진 장갑보병의 항복 권고에 적들은 순간 놀라서 잠깐 아무 반응도 하지 못했다.

"아악! 연방군이다!"

"우린 모두 죽을 거야! 죽을 거라고!"

"이 미친 살인마들!"

빈약한 무장을 한 적들—민간인들이—우왕좌왕 무기를 겨눴다. 적들이 공격한다. 적에게 공격받기 전에 공격해야 한다.

> 작전 지역 내 모든 적 세력 말살.

전투 시에 언제나 도움이 되었던 전투 사고 보조 프로그램이었지만 지금은 혼란스럽기만 하다.

"저항은 무의미하다. 항복해라."

빈우는 재차 항복 권고를 했다. 대답 대신 개척민들의 가스압 발사식 총에서 화살 탄들이 쏘아져 날아왔다. 이딴 걸로는 장갑복에 흠집 하나 낼 수 없다. 맨몸으로 맞아도 큰 피해는 없다. 머릿속에 공격받고 있다는 경고가 울리지만 무시해도 된다. 안전하다. 모든 적 말살. 더 이상의 살상은 무의미하다.

그때 저쪽 구석에서 적 하나가 시즐러를 들고 나왔다. 잘못 본 게 아니다. 장갑복의 HUD에 분명히 시즐러라고 떠 있다. 장갑보병에게 치명적인 샤다이의 플라스마 발사 병기다.

'왜? 어째서 개척민이 샤다이의 무기를 들고 있지?'

의문에 대한 해답은 간단했다. 이미 목표 지정은 완료된 상황이다. 표적을 따라 총구를 그으며 방아쇠를 당기기만 하면 된다. 굉음을 동반한 초음속 탄환이 모든 문제에 답을 내주었다. 위험한 적들이 안전한 쓰레기로 변했다. 빈우는 급히 방아쇠에서 손을 뗐지만, 눈앞의 붉은색 타깃은 모두 사라졌다. 방아쇠울에 올린 집게손가락이 덜덜 떨린다.

"큭……."

굉음이 메아리치다 잦아든 주차장 안에는 망연자실한 장갑보병 하나가 홀로 서 있을 뿐이다. 뭘 어떻게 해볼 틈 없이 반사적으로 일어난 일이다. 전투 상황에 적성대상이 고위험군 병기를 들고 왔으니 코가 간지러워서 재채기하듯 반사적으로 살인을 해버렸다. 그렇다 해도 이런 반사 행동이 저절로 일어났다는 건 정상이 아니다. 장갑복의 모든 반사 행동은 전투OS와 빈우의 결정을 거쳐서 이뤄진다. 그게 안 되었다는 것은 지금 빈우의 뇌 속 상태가 정상이 아니라는 것을 의미한다.

'내가 왜 이러지.'

빈우는 계속 혼란스러웠다. 인간을 처음 죽여본 것도 아닌데, 자치정부의 인간을 한두 번 죽여본 것도 아닌데 도대체 왜 이러는지 모르겠다. 밖의 형제들이 뭐라고 통신을 보내오지만 잘 들리지 않는다. 두뇌 통신도 오지만 어지럽기만 할 뿐이다.

그때 생체 반응 하나가 주차장 제일 안쪽 창고에서 잡혔다. 이번에도 인간이 아닌 인간형 생체 반응이다. 피아 식별에는 적으로 잡힌다. 정신을 가다듬은 빈우는 주변을 경계하며 창고 쪽으로 다가갔지만, 딱히 부비트랩이나 샤다이의 징후는 없었다.

- **찰리하나팔! 조심해!**

"괜찮아. 들어오지 마! 나 혼자 먼저 살펴보겠다."

동료들이 안으로 들어오려는 것을 막은 빈우는 창고 쪽으로 다시 시선을 돌렸다. 허름한 자재 창고 안에서 소리가 들린다. 듣기 싫은 소리, 이런 곳에선 절대 듣고 싶지 않은 소리다.

불길한 예감에 빈우는 조심스레 문을 열었다. 창고 안에는 다섯 살은 됨직한 여자아이가 손으로 입을 막고 울고 있었다. 빨갛게 된 눈에선 쉴 새 없이 눈물이 흘러내리고 작은 어깨는 울음과 공포에 떨리고 있었다. 빈우를 본 아이는 울음을 참던 손을 내리고 소리 질렀다.

"엄마아! 엄마아아아아!"

악을 쓰며 불러보지만 대답해줄 사람은 없다. 아마 위에서 불타고 있거나 뒤에서 갈려졌겠지. 빈우에게 부모를 잃은 아이는 벌벌 떨면서 울음을 터뜨렸다.

"엄마아아아, 무서워, 무서워어! 아빠아아아!"

구하려고 다가갔다가 적으로 인식되는 아이를 보며 빈우는 그 자리에서 멈췄다. 이 이상 다가가기가 무섭다. 현재 빈우의 상태로선 저 아이에게 더 가까이 가면 근접 신관이 작동하듯 반사적으로 목을 꺾어버릴지도 모른다.

어떻게 하지? 모든 적 세력 말살.

저 아이를 어떻게 하지? 모든 적 세력 말살.

나는 뭘 해야 하지? 모든 적 세력 말살.

빈우는 필사적인 정신력으로 OS의 강력한 권고를 억지로 무시했다. 타당한 이유를 가지고 우회하는 게 아니라면 이 '인공 본능'을 억누르긴 쉽지 않다. 혼란에 빠져 어찌할 바 모르는 빈우는 일단 문으로 돌아서려 했다.

바로 그때.

"로봇아! 가지 마!"

아이가 벌떡 일어나 울면서 외쳤다. 그리고 이쪽으로 달려와 옆을 지나쳐 갔다. 머릿속의 신관이 격발하기 직전, 빈우는 간신히 멈출 수 있었다.

"로봇아! 멈춰! 가지 말고 멈춰!"

아이는 나가려던 빈우의 앞을 가로막고 섰다. 그리고 필사적으로 손을 들고 살인 병기에게 명령을 내렸다. 앞으로 든 손은 바들바들 떨리고 있었고 반대쪽 손은 옷을 꽉 쥐어 하얗게 되었다. 모르는 이가 본다면 장갑보병은 인간형 로봇으로 착각할 수도 있다. 아이는 처음 보는 로봇에게 명령을 내리고 있었다.

"로봇아! 도와줘!"

여자아이는 눈물을 뚝뚝 흘리면서 빈우에게 부탁했다. 이 아이가 도움을 청할 수 있는 것은 눈앞의 로봇밖에 없었다.

'울고 있는 아이에게 내가 뭘 할 수 있지? 인간에게 해를 끼칠 수는 없다. 저 아이는 인간이 아니다. 두뇌칩이 없다. 연방의 인간이 아니다. 인간이 아니다.'

"로봇아아! 안아줘어!"

아이는 눈물을 뚝뚝 흘리며 빈우에게 안아달라고 팔을 올렸다. 그 모습에 무심코 손이 내려갔다. 그러나 안으려 내려간 손이 아이의 목을 조르려고 한다. 간발의 순간에 빈우는 황급히 손을 치웠다. 안을 수도 없고, 안아서도 안 된다. 원래 안아줘야 할 사람들을 죽인 놈이 무슨 자격으로 이 아이를 안아

줄까. 하지만 어떻게든 이 아이는 구해야 한다. 이렇게 여기서 죽게 내버려둘 수는 없다. 일단 안아서. 일단 안아서.

'그다음에 어떻게 해야 하지?'

혼란스러워 멈춰 선 빈우 앞에서 아이의 올라간 팔이 바들바들 떨린다. 감긴 눈에선 눈물이 흘러내리고 열린 입에선 울음이 터져 나온다. 한 걸음 다가오는 아이에게 빈우는 코일건을 겨눴다. 조준 카메라에 엉엉 우는 아이가 들어온다.

어서 쏴―아니다. 내가 겨눈 게 아니다. 조준하고 있는 것은 브라보둘아홉이다. 쏘지 마, 안 돼―찰리하나팔 괜찮아?―난 괜찮아. 오지 마―찰리하나팔의 상태가 이상하다―난 정상이야―적 발견―아냐. 적이 아냐. 쏘지 마―서둘러. 찰리하나팔이 위험하다―쏘지 마. 안 돼. 쏘지 마. 쏘지 마.

"쏘지마아아아!"

빈우의 손가락이 방아쇠를 당길 때 아이의 뒤에서 코일건 탄환이 날아왔다. 인명 살상용의 아음속 화살에 맞은 아이는 갈기갈기 찢어진 고기 조각이 되어 방 안으로 흩뿌려졌다.

순식간에 벌어진 일이다.

- 찰리하나팔! 괜찮아?

형제들이 빈우를 걱정하며 뛰어오고 있었다. 빈우의 혼란스러워하는 감정을 느끼고는 바로 따라 들어온 것이다.

"얘야? 꼬마야. 꼬마야?"

잦아드는 피 구름을 헤치고 빈우는 죽은 아이의 얼굴을 주워 들었다. 눈물이 흐르던 얼굴은 피로 뒤덮여 있다. 바들바들 떨리던 손은 저쪽에서 펄떡대고 있다. 어떻게든 아이의 눈물을 닦아주려 했지만 되려 얼굴이 으깨진다. 머리를 쓰다듬려 했지만 둔탁한 장갑복 손에 머리카락이 뜯겨 나간다.

이 아이가 왜 죽어야 하지? 어째서? 도대체 왜? 왜?

부모와 함께 행복한 시간을 보내고 사랑 속에서 자랄 아이다.

왜 인간도 아닌 것들에게 인간 취급을 못 받고 죽어야 하는 거지?'

격한 감정을 참지 못한 빈우는 주먹을 들어 아이의 얼굴을 후려갈겼다.

묵직한 충격과 함께 브라보둘아홉의 헬멧에 빈우의 펀치가 꽂혔다.

- 찰리하나팔! 무슨 짓이야!

찰리하나팔 진정해 ― 찰리하나팔이 브라보둘아홉을 공격했다 ― 샤다이의 정신공격에 당했나 ― 아니, 이유는 모르지만 혼란상태다 ― 발작이다 ― 두뇌칩에 접속해 강제로 서브로 돌려 ― 불가능하다 ― 찰리하나팔의 두뇌에 접속할 권한이 없다 ― 사양이 다르다.

머릿속이 뒤죽박죽이다. 어떤 생각이 나의 생각이고 어떤 생각이 형제들의 생각인가. 찰리하나팔을 구한 브라보둘아홉이 빈우에게 무방비로 두들겨 맞고 있다.

- 브라보둘아홉, 괜찮나?

- 난 괜찮아! 찰리하나팔부터 도와줘.

빈우에게 깔려 얻어맞던 형제가 빈우를 걱정한다. 빈우를 도와주려고 한다. 형제를 구하려고 한다.

'내가 지금 뭘 하고 있는…….'

브라보둘아홉은 순전히 빈우를 걱정해서 총을 쏜 것이다. 형제가 제정신이 아닌 상태인데 그 앞에 적이 있으니 당연히 구해야겠지. 빈우라도 그랬을 것이다.

"미안……."

빈우는 주먹질을 멈추고 일어섰다. 그리고 주먹 쥔 손을 펴 쓰러진 형제에게 내밀었다.

"미안. 내가 잠시 정상이 아니었던 것 같다."

찰리하나팔이 브라보둘아홉의 손을 잡고 일으키며 사과했다. 두뇌가 연결된 형제들끼리 숨김은 없고 거짓말은 불가능하다. 꾸밈없는 걱정이 빈우의 머릿속으로 밀려들어온다.

- 추락하면서 어딜 다친 거 아닌가.

- 샤다이와의 공격에서 뭔가 잘못되었을 수도 있어.

"그럴지도 모르지. 귀환하면 정밀 점검을 받아봐야겠다."

반은 형제들에게, 반은 자신에게 한 빈우의 푸념에 형제들은 격려의 감정을 보내주었다.

'이번엔 내가 발작하는 건가.'

전투 도중 클론들이 이성을 잃고 발작을 일으키는 경우가 있다. 전투 스트레스를 막기 위해 전투OS와 보조 AI가 있음에도 불구하고 이 발작은 드물게나마 일어난다. 아직 이유는 명확하게 밝혀진 것이 없고 해결책도 없어서, 발작을 일으킨 클론은 모함에서 심리 검사 후 수면 상태로 대기하게 된다. 치료가 가능하다면 좋겠지만 자칫하면 폐기될지도 모른다.

빈우가 잠시 숨을 고르는 사이 형제 중대원들이 주차장 내부를 샅샅이 청소했다. 남은 적들이 없는 것을 확인하고 주차장을 나선 일행은 다시 귀환 지점을 향해 걸었다. 시가지에선 아직도 잔당 소탕이 계속되고 있었다. 적들은—개척민들은—압도적인 전력 차 앞에 쓸모없는 저항과 무의미한 투항을 하며 학살당하고 있었다.

그러나 빈우는 말릴 수 없었다. 여기서 또 튀었다간 다음 수면에서 영원히 깨어나지 못할 수도 있다. 이런 삶을 선택한 것은 바로 빈우 본인이다.

'내가 왜 군인이 되려고 했더라? 그래. 연방 시민으로서 의무를 다하기 위해 지원했지.'

인류 연방의 영역은 넓고 그만큼 적도 많다. 그래서 군인은 언제나 필요했다. 비록 참정권에 제한을 받게 되지만 군인이 되는 것은 연방의 구성원으로서 연방에 기여하는 방법의 하나다.

'응? 내가 군을 지원했다고?'

클론으로서의 자아와 상충하는 기억에 빈우가 뭔가 이상함을 느낄 때 갑자기 전투 정보가 갱신되었다.

> **진압 본대가 샤다이에게 공격받고 있다.**

행성 궤도에 대기하고 있던 본대에 샤다이가 나타나 공격했다는 정보다.

'그럼 그렇지, 언제 오나 했다.'

샤다이의 지상 병력이 있으니 높은 확률로 우주 병력도 있을 것인데, 그놈들이 지금에야 튀어나와 본대를 공격한 것이다. 타이밍 참 뭣 같다. 장거리 센서를 가진 중대원이 고개를 들어 본대의 위치를 바라보자 그 시각정보가 중대원들에게 공유되었다. 샤다이의 함대는 아군 함대에서 600km 떨어진 지점에 공간 도약, 점프로 들어와 기습 공격을 감행했다.

공간 도약. 이게 샤다이의 진정한 무서움이다. 연방은 먼 거리를 이동하기 위한 공간 도약을 할 때 출발 지점과 도착 지점에 게이트가 있어야 점프할

수 있다. 자체적으로 점프가 가능한 순양함조차도 좌표 고정과 게이트 생성
에 반나절은 걸린다. 그러나 샤다이는 게이트 따위 없이 자유자재로 점프를
하며 거기에 걸리는 시간도 겨우 1~2초에 불과하다. 다만 하고 난 후에 15분
가량은 다시 점프하지 못한다는 단점이 있지만 정말 사소한 단점이다. 수백
광년 떨어진 거리를 징후도 없는 점프로 쳐들어오고, 도망칠 때도 순식간에
점프로 달아난다.

그러나 샤다이는 도약 기술 외의 모든 분야에서도 연방과 비교하면 압도
적인 우위를 점하고 있음에도 불구하고 그것을 모조리 다 까먹을 만큼 전투
에는 전혀 재능이 없었다. 그게 지금 마카로니 행성 궤도에서 벌어지는 우주
전투에서 증명되고 있었다. 그리고 그것을 보며 빈우는 확신할 수 있었다.

'아주 작정하고 왔구나.'

마카로니 소요 진압 함대의 구성은 호위 항모 1척, 전함 1척, 순양함 2척,
구축함 7척, 덧붙여 울토르 중대의 강습함 1척인데, 그 중 강습함을 제외하곤
모두 2선 급 구형함이다.

반면 샤다이의 함대는 모니터함 1척, 전열함 2척이다. 저 함선 분류는 샤
다이 스스로 밝힌 게 아니라 연방이 붙인 것으로, 저런 이름을 붙인 것만 봐
도 샤다이의 고리타분한 함대 전술 교리를 알 수 있다. 모니터함은 자기 함체
의 3분의 1은 됨직한 거대한 주포를 두 문 가지고 있었고 그 위력은 일격에
연방의 전함을 소멸 — 침몰이 아니고 소멸 — 시킨다. 전열함은 함선 좌우로
수많은 포를 빼곡히 장착하고 있으며 포 하나하나가 연방 전함의 주포를 능
가한다. 게다가 방어력도 함선 1척 1척이 연방의 기동요새에 필적한다. 하지
만 사용하는 놈들이 샤다이라서 큰 의미가 없다.

전투는 마카로니 소요 진압 함대의 선공으로 시작되었다. 먼저 정찰기나
요격기를 탑재해야 할 호위 항모에서 할버드 폭격기들이 발진했다. 16기의
폭격기들은 저마다 기체 좌우에 자기보다 큰 질량 가속 어뢰를 달고 있는데,
이 사이클론 어뢰는 오직 샤다이 함선을 공격하기 위해 만들어진 특제품이

다. 구축함들은 전진해 진형을 짜고 함수의 중력충각을 가동해 대 플라스마 방어진을 만들었다. 최전선의 구축함이 날아오는 플라스마를 척력장으로 휘어서 흘려보냈지만, 그 대가로 실드는 소멸, 충각 쪽의 동력도 바닥나 뒤로 물러섰다. 그리고 후열의 구축함들이 앞으로 나서 그 틈을 메웠다.

순양함과 전함은 주포인 플라스마 캐논을 발사하는 대신 부포인 레일건을 적함에 퍼붓기 시작했다. 샤다이의 실드에 모두 막히긴 하지만 어찌 되었건 통하는 무기다. 그리고 실드가 모두 마모되면 핵미사일과 폭격기들의 어뢰가 쏟아질 차례. 전형적인 대 샤다이 함대 전술이다. 사령부는 샤다이가 있다는 것을 이미 알고 있었고 작정을 하고 마카로니로 쳐들어온 것이다. 그리고 위아래에서 샤다이와 개척민들을 동시에 쓸어버리고 있다.

'개척민과 샤다이 사이에 뭔가 관계가 있는 걸까?'

아까 개척민이 시즐러를 들고 있는 것도 그랬고 샤다이가 개척민을 공격하지 않았던 걸로 봐서는 뭔가 모종의 관계가 있는 것 같다. 그 때문에 연방이 마카로니의 자치정부 주민들을 공격했을지도 모른다. 더욱 자세한 것은 좀 더 자료를 수집한 다음 알 수 있을 것이다. 빈우 자신이 제거되지만 않는다면.

- 작전 종료. 전 중대원 귀환.

작전 목표인 궤도 엘리베이터의 탈환과 모든 적의 수색 섬멸이 끝나자 울토르 중대는 철수에 들어갔다. 시가지 곳곳에 소이탄을 뿌리며 마무리를 짓던 대원들은 귀환 지점으로 속속 모여들었다.

전투는 싱겁게 끝났다. 지상전이든 우주전이든. 지상의 적들은 클론 중대가 완전히 소탕—소각했고, 우주의 적들은 도약으로 도망가지도 못하고 전멸했다. 샤다이의 함선이 재도약하기 위해 필요한 약 15분의 지연시간 안에 아군이 밀어붙인 것이다. 전투는 승리로 끝났지만, 귀환 셔틀에 탄 빈우의 마음은 심란했다. 이번 마카로니에서 벌어진 클론의 민간인 학살 때문이다.

클론이 인간에게 위해를 가하는 것은 금지되어 있지만, 전투 중에 불가피하게 일어나는 일이라면 어쩔 수 없을 것이고 변명의 여지도 있을 터였다. 그러나 클론 중대원들은 항복하는 개척민들까지 모조리 죽였다. 아무리 따로 노는 자치정부라 해도 엄연히 연방의 일원이기에 마카로니의 개척민들이 연방군에 의해 학살당했다는 사실이 밝혀지면 군 상층부는 모가지로 도미노를 할 것이고 심하면 연방 자체가 흔들릴 수도 있다. 그러나 아까 개척민이 들고 나온 시즐러가 걸린다. 연방의 주적인 샤다이의 함선이 궤도 상에 있고, 그 무기가 지상의 개척민들에게 있었다면 이들에겐 내통혐의가 있다. 그리고 내통자에 대한 연방의 대처는 매우 가혹하다.

'하지만 이 사건이 세상에 밝혀질 일은 없겠지.'

일단 클론 부대는 그 존재 자체가 극비다. 완전한 클론은 한정된 경우에만 제조하도록 제약이 걸려 있기에 군부와 의회가 밀약을 맺고 비밀리에 만든 것이 빈우가 소속된 울토르 중대다. 때문에 울토르 중대가 한 작전은 모두가 비밀작전이며 세간에는 알려지지 않는다. 이번 작전도 아무도 모른 채 묻힐 것이다. 한 가지 마음에 걸리는 것은 이런 작전이 과연 마카로니에만 국한된 것일까 하는 것이다. 빈우가 아는 클론 부대는 울토르 중대 하나뿐이다. 다른 클론 부대는 얼마나 있는지 모르며, 있다 한들 어떤 작전을 수행하는지 모른다.

빈우 자신은 손을 더럽힐 각오를 했지만 이런 일을 직접 겪자 심란했다. 거기다 자신은 클론으로서 전투 중에 발작을 일으키기까지 했던 터라 머리가 더욱 복잡하다.

셔틀이 대기권을 돌파하고 정지 궤도에 올라가 모함인 솔리드 베타에 다가간다. 그런데 함선 옆에 연락선 하나가 도킹하고 있었다. 서로 못 본 척하는 진압 함대 쪽에서 올 일은 없으니 아마 상부에서 파견 온 것 같다. 부대 특성상 외부에서는 이런 접촉을 잘 안 하는데 꽤 급한 일이 생겼는지 평소에 안 하던 짓을 하고 있다.

셔틀이 모함에 착륙하자 대원들은 수리와 치료를 위해 정비창으로 향했다. 그게 끝난 다음에는 잠시 짧은 휴식을 취하고 다시 잠을 잘 것이다. 그리고 필요할 때가 오면 또 깨어나서 전투에 투입되겠지.

빈우가 셔틀에서 내려 모함에 첫발을 내디딜 때였다.

- 찰리하나팔은 즉시 ─로 출두하라.

통신 하나가 빈우에게 도착했다. 무선이 아닌 유선으로 ─ 장갑복과 함선의 접촉 통신으로 ─ 오직 빈우에게만 온 명령이다. 더구나 장소의 표기는 암호문으로 되어 있어서 한 번 더 해석해야 했다.

- 찰리하나팔은 즉시 제2식당으로 출두하라.

클론들에게 식당은 그리 중요하지 않은 시설이다. 영양분은 주로 수면기나 장갑복으로 투입받기 때문에 중대원들은 인간성과 소화기관 유지를 위해 오늘같이 깨어 있는 날 가끔 먹는 흉내만 낼 뿐 식당은 그리 자주 사용하지 않는다. 게다가 이 작은 강습함에 제2식당이라니, 처음 듣는 곳이다.

빈우는 격납고에 이미 대기하고 있던 거치대로 걸어가 장갑복을 벗었다. 임시로 복구된 장갑복이 차례차례 벗겨져 수납되었고 이후 완전 수리를 거친 후 다시 빈우의 수면기 앞에서 대기할 것이다.

이너 슈트만 입은 빈우가 대열을 이탈해서 엉뚱한 곳으로 걸어가자 형제들이 걱정 어린 시선을 보낸다. 지금 빈우가 명령대로 행동하는 것을 아는지라 녀석들도 무슨 딴지를 걸진 않지만 만약 빈우에게 무슨 해가 되는 일이 일어나면 가만있지는 않을 것이다.

'치료도 없이 바로 출두하란 건가. 뭐 이리 서둘러.'

머리와 어깨의 부상은 이미 자가 치료되긴 했으나 귀환한 다음 신체와 장비의 점검은 가장 먼저 해야 하는 필수 사항이다. 그걸 건너뛰고 한 호출이니 부르는 쪽에서 꽤 서두르고 있음을 알 수 있었다.

'2식당, 2식당……. 내가 이곳을 간 적이 있던가?'

초행이지만 자주 다니던 길 같다. 이전에도 자주 오던 곳이 바로 2식당이었다. 뜬금없이 데자뷔를 느끼던 빈우는 마침내 제2식당에 도착했다. 빈우가 가까이 다가서자 문이 열리고 안에서 익숙한 고토 준장의 목소리가 들려왔다. 하지만 왜 익숙한지는 모른다.

"왔구먼. 들어오게, 소령."

안으로 들어간 빈우는 주위를 둘러보았다.

긴 식탁들이 ㄷ자 형태로 빈우를 둘러싸도록 배치되어 있었고 거기에 사람들이 앉아 있었다. 그중에서 빈우를 가장 먼저 맞이한 것은 사관학교 동기인 마커스 타이 소령이었다.

"자식, 안 죽고 살아 있었나."

복잡한 미소를 띠며 다가와 자신의 어깨를 치는 그에게 빈우는 친숙하면서도 안쓰러운 감정을 느낀다.

'마커스 타이 소령? 사관학교 동기인데 내가 아는 사람인가?'

정신이 오락가락하지만, 옷매무새를 보아 식당 안의 준비는 녀석이 한 것 같다. 그리고 마커스 뒤로는 쟁쟁한 인물들이 삼각형으로 포진해 있었다. 그들에 대한 정보가, 이미 알고 있던 기록들이 하나둘씩 되새겨지고 있다.

가운데 식탁의 통신 패널 너머에 있는 인물은 연방군 정보사령본부 산하 연방군사정보국 국장인 이노우에 고토 준장이다. 속을 알 수 없는 미소를 띤 이 중년의 남자는 빈우가 속한 정보국 톱이자 직속 상관이다.

왼쪽에는 과학기술국의 응우옌 티 빈 중령이 의자에 앉아 있었다. 통통한 체구에 푸근한 인상을 주는 이 중년 여성은 클론 생산에 관련된 핵심 인물로서 클론들의 관리 감독을 총괄하는 사람이다.

오른쪽에는 보안국의 피에르 라캉 중령이 통신 패널 너머로도 느껴지는 불쾌한 표정을 짓고 있었다. 클론 부대의 감사역이라 할 수 있는 이 자는 정보부에 무슨 원한이라도 있는지 마치 사적 감정으로 움직이듯 사사건건 훼방을 놓던 놈이었다.

마지막으로 식당 맨 왼쪽 구석에는 빈우의 안드로이드 메이드인 아나스타샤가 불안하게 서 있었는데 고개를 숙인 채 치맛자락을 꽉 쥐고 있었다.

빈우가 안을 한번 둘러볼 만큼의 짧은 시간이 흐르고 통신 패널에서 이노우에 준장이 특유의 능글능글한 얼굴로 말했다.

"바로 본론부터 시작할까? 김빈우 소령. 자네는 인간일세."

이건 무슨 미친 말씀입니까? 난 클론인데? 이름은 김빈우. 코드는 C-18. 도대체 무슨 반응을 보여야 할지 모르는 빈우를 보며 다시 고토 준장이 말했다.

"먼저 자네의 두뇌칩부터 확인해야겠지. 타이 소령."

"네."

마커스가 자신의 사무용 패드를 만지자 바로 앞에 빈우의 두뇌칩 정보가 홀로그램으로 떠올랐고 그 옆에 'Ultor. C18'이란 제목이 붙었다.

"역시 대단해. 아직도 클론의 두뇌칩으로 뜬단 말인가."

이노우에 준장의 감탄에 마커스가 말을 이었다.

"헤더를 정말 정교하게 조작해놨습니다. 본부의 코더로도 이렇게 뜨지만 역시 흔적을 나타내기 시작했습니다."

그때 피에르 라캉 중령이 끼어들어 툭 내뱉었다.

"흥, 애먼 클론 불러놓고 착각하는 건 아닌가?"

이어서 응우옌 중령도 조심스레 질문했다.

"정말 클론이 아니고 본인인 게 확실한가? 그렇다면 신체 정보를 소회해 보면 될 텐데. 유전자 정보는 같다 해도 클론과 인간은 세부적인 곳에서 다르 잖아."

맞는 말이다. 클론은 기본적으로 급속 성장을 하며 필요에 따라 이런저런 조작을 하기에 원본이 되는 인간과는 육체의 세부 정보가 다르다.

"원래대로라면 그렇겠죠. 하지만 보십시오."

그러면서 마커스가 다시 새로운 정보창을 띄웠다. 이것은 빈우의 현재 육체 정보인데 뼈와 근육조직에 새겨진 클론의 제조 코드를 보여 준다. 그리고 부상과 치료 경력도 뜨는데 이것 역시 급속 성장 도중 일어난 클론의 부상 건으로 뜬다.

68

008

· · · ✦ · · ·

"보시다시피 김빈우 소령은 울토르 중대에 파견될 때부터 신체를 클론의 것으로 위장해놨습니다. 더구나 신체 곳곳에 심어둔 정보 조회 칩마저 조작해 클론 칩으로 바꾸어놨지요. 이 정도로 숨겨놨으니 정체를 알아내려면 이런 스캐너보다는 의무실에서 실제 검사를 해야 할 겁니다. 하지만 지금 상황에선 더 확실한 방법이 있습니다. 바로 부상 코드입니다."

말을 마친 마커스는 가만히 서 있는 빈우에게 다가갔다. 그리고 약간 긴장된 표정으로 암호화된 홀로그램을 띄웠다. 승인받은 안구를 가진 사람만이 인식하고, 두뇌칩에 승인받은 프로그램을 가진 사람만이 이해할 수 있는 홀로그램이다.

빈우가 그 홀로그램을 보자 머릿속에서 하나의 프로그램이 작동했다. 잠수에서 떠오르는 부상 프로그램이다.

"반응했습니다. 김 소령이 부상 코드에 반응했습니다."

이제야 안심이 되었는지 마커스의 말투가 약간 풀렸다.

"하, 그렇다면 일단 '정상적'인 방법으로 '잠수'했다는 얘기군."

라캉 대령이 대놓고 비꼬는 어투로 말했지만 아무도 그의 말에 반응하지 않았다. 다만 고토 준장만이 희미하게 비웃을 뿐이다.

바깥 사정과 관계없이 빈우의 머릿속에선 복잡한 계산이 일어나고 있었다. 두뇌칩이 부상 코드를 받아 부상을 시작했고 뇌 안에 묶어놓았던 부분을 차례차례 풀어나간다.

"빈우야, 훈련받은 대로 해. 훈련받은 대로. 암호를 풀어. 떠올려."

지금 마커스가 하는 말은 어디선가 많이 들었던 말이다. 훈련받을 때 많이 들었던 말이다. 훈련받은 대로 암호를 해독하며 암시를 푼다. 암호를 해독하는 순서와 방식이 정확히 맞아야 한다.

"천천히…… 떠올려. 떠올라, 물 위로. 끄집어내."

수면을 가르며 물 위로 올라가듯 깊숙이 잠수했던 자아를 떠올린다. 흐릿하던 것이 또렷해지고 막혔던 게 뚫려간다. 마지막으로 해야만 할 일이 강압적으로 떠오른 빈우가 말했다.

"내…… 내 초코칩 쿠키와 치킨 파이는 어디 있지?"

그 말에 마커스가 손에 든 플라스틱 판 두 개를 들어 보여주었다.

부상의 마지막 코드.

아이가 그린 것 같이 삐뚤빼뚤한 음식 그림들이 빈우의 눈으로 들어와 뇌 속에서 기억을 자극했다. 그제야 모든 것이 명확해졌다.

나는 누구인가. 나는 연방의 시민이다.

나는 누구인가. 나는 연방군 군인, 군사정보국의 김빈우 소령이다.

나는 누구인가. 나는 인간이다.

클론으로 위장했던 기록과 군인으로서의 기록이 서로 구분되며 빈우는 자기 자신을 확실히 되찾을 수 있었다.

연방의 시민이자 인간으로 살아왔던 기억.

군에 지원하고 정보부에 들어갔던 기억.

클론 프로젝트, 울토르 프로젝트에 지원했던 기록.

클론으로 위장하고 전투한 기록.

일련의 기억과 기록들이 꿈에서 현실이 되었다.

그 순간 빈우의 두뇌칩 정보가 갱신되었다.

> **군번 82-A5-713845.**

> 소령 김빈우.

"흥. 본인이었군."

"이게 '잠수'란 말입니까. 대단하군요."

툴툴대는 라캉 중령과는 달리 눈앞에서 클론의 두뇌칩이 인간의 것으로 바뀌는 것을 본 응우옌 중령이 감탄했다. 그 와중에 마커스는 스캐너를 들고 빈우의 몸 구석구석을 훑고 있었다.

- 신체 내부에 심어놓은 식별 코드도 이제 정상 작동합니다. 김빈우 소령 본인 이 맞습니다.

마커스는 확인한 사실을 이노우에 준장에게만 메시지로 보냈다. 그리고 그 사실을 빈우에게도 살짝 보여주었다. 안심하라는 의미일 거다.

작은 안도의 한숨과 함께 스캐너를 내려놓는 마커스를 보며 빈우가 피식 웃자 마커스도 주먹으로 빈우의 가슴을 가볍게 친다.

"이 자식, 사람 애먹이고 말이야."

마커스의 쓴웃음. 아마 빈우의 얼굴에도 똑같이 떠 있을 거다.

그리고 아샤는, 아나스타샤는 울먹이며 이쪽을 뚫어져라 보고 있었다. 얼른 달려가서 달래주고 싶었지만, 지금은 더 중요한, 심각한 일이 있다.

"자, 자, 자. 그럼 바로 시작해볼까, 김 소령."

홀로그램 너머의 이노우에 준장이 주의를 환기하듯 손뼉을 치며 앞으로 당겨 앉았다. 여기서 시작이라면 당연히 빈우가 상부에 아무런 보고 없이 무단으로 잠수한 이유를 밝히는 것이다.

"음, 그러면…… 2216년 6월 8일부터입니까?"

빈우의 기록이 옳다면 그날이다.

오늘 사건의 발단이 된 날.

울토르 중대의 지휘관이자 정보부 요원이었던 빈우가 자신의 정체를 감추고 클론으로 위장한 날.

"응, 그래. 6월 8일 03시 30분경이지. 그럼 그때 기록부터 비교해보면서 애기해보지."

"지금 바로 말입니까? 김 소령은 방금까지만 해도 자신을 클론이라고 알고 있었습니다. 조금 더 정신적 휴식을 취할 시간이 필요하지 않습니까?"

응우옌 중령이 바로 심문하는 것은 너무 빠르지 않으냐는 어투로 물었다.

"필요 없다네."

단칼에 거절이다.

원래대로라면 잠수에서 부상한 요원들은 자아 회복을 위한 휴식 시간을 가진다. 그러나 정보국 사람들은—특히 고토 국장은—빈우의 안부 같은 것은 안중에도 없이 서두르고 있었다.

'좀 이른데.'

정보국에게 중요한 미덕은 '속도'보다 '신중'이다. 그들에게 지금 중요한 것은 작년에 솔리드 베타에서 일어난 사건일까, 아니면 방금 마카로니 시에서 벌어진 사건일까. 일단 그들은 빈우가 잠수했던 당시의 기록을 원하고 있었다. 겉으로는.

그러나 그날의 기록은 상당 부분 유실되었다. 부대의 책임자인 빈우의 기록은 물론이고 함내의 기록과 클론들의 기록조차도. 복구를 해봤지만 빠진 부분이 너무 많다. 해서 진실을 밝혀내기 위해서는 서로가 가진 정보와 기록을 비교해 빠진 부분이나 오류를 고쳐가야 한다.

마커스가 기록 홀로그램을 띄우자 거기에는 페가수스 급 강습함 솔리드 베타가 나타났다.

연방 표준시로 2216년 6월 8일 03시 34분.

당시 클론 중대의 모함인 솔리드 베타는 다른 임무 부대로 배속되기 위해 단독으로 점프를 했었다. 홀로그램 화면에는 워프 공간으로 들어가는 솔리드 베타가 보인다. 그러나 도착 지점에는 아무런 변화가 없었다. 게이트는 있었지만 솔리드 베타가 나오지 않고 있었다.

그것을 이노우에 준장이 지적했다.

"여기서부터야. 점프한 솔리드 베타가 통상공간으로 나오지 않은 게. 처음에는 점프가 실패한 줄 알고 시작 지점에 확인 통신을 보냈지."

점프가 실패하면 물체는 시작 지점으로 도로 튕겨 나온다. 드물지만 없는 일은 아니다.

"하지만 솔리드 베타의 소식은 어디에도 없더군. 그것도 92분간."

점프는 아주 안전한 이동 방법이다. 성공하면 도착 지점에 가는 것이고 만에 하나 실패하더라도 도로 시작 지점으로 돌아간다. 연방이 지금까지 수많은 점프를 했지만, 점프 중 실종 사고는 단 한 건도 없었다.

"행여 다른 게이트로 나왔나 싶어 조사해봤지만, 도약 가능한 거리의 게이트에선 솔리드 베타의 소식은 없었어. 그러다가 92분이 지나자 짜잔 하고 시작 지점으로 배가 되돌아왔지. 공격을 받은 채로."

홀로그램에는 원래 출발 지점에 나타난 솔리드 베타가 보였다. 그리고 이노우에 준장의 말대로 선체 여기저기에는 전투의 흔적이 남아 있었다. 빈우는 당사자였기에 그 이유를 알고 있었다. 이제는 두뇌칩 안에 있는 당시의 기록을 정확히 열람할 수 있었기 때문이다.

"네. 당시 울토르 중대는 워프 공간 안에서 샤다이의 공격을 받았습니다. 상상도 못 한 기습이었죠."

점프를 시도한 울토르 중대는 워프 공간 안에서 샤다이의 기습을 받았다. 점프한 배는 워프 공간을 지나 다시 통상공간으로 나오는데, 워프 공간에서는 오직 해당 함선만이 존재하며 다른 물체들과는 접촉할 수 없다. 그러나 솔리드 베타는 점프 전이나 후가 아닌 점프 도중 워프 공간 안에서 샤다이에게 공격받은 것이다.

"김 소령, 자네 말대로 워프 공간에서 다른 존재와 접촉한다는 것은 전대미문의 일이야. 보고를 받았을 때는 누구도 믿지 않았다고. 나조차도. 그러나 자네가 남기고 우리가 찾아낸 기록이 확실한 증거였지."

잠시 시간이 지난 화면에는 페가수스 급 동형함들이 상처 입은 솔리드 베타에 도킹하고 있었다. 저들도 군사정보국 소속임이 분명하다.

"솔리드 베타가 빠져나왔을 때 우린 급히 대응반을 파견했어. 극비 중의 극비인 울토르 중대가 공격받았으니 비상사태였거든."

화면은 다시 페가수스의 내부를 보여주고 있었다. 당시의 격렬했던 전투의 흔적이 여실히 보인다.

"클론 중대원들은 깡그리 전멸. 수면 상태로 대기 중이던 B, C열 예비용 클론만 남고 나머지는 모두 파괴되었지."

죽 나열되는 것은 어벤저 장갑복의 파편 조각들이다. 그리고 운 좋게 남은 클론의 시체 파편들 약간.

"소령 자네 역시 장갑복만 격납고에서 발견되었네. 플라스마에 공격받은 장갑복은 헬멧과 등 부분 일부만 찾을 수 있었고 시신은 발견할 수 없었지. 우리는 장갑복에 남겨진 전투 기록만 회수하는 게 고작이었다네."

화면에 보이는 것은 빈우 전용의 어벤저 장갑복—이었던 것의 일부였다. 그 부위는 고열에 녹아내린 헬멧 뒷부분과 장갑복 척추 프레임 약간이었다.

"정말 예술적으로 남지 않았나? 예비 메모리칩이 아슬아슬하게 안 녹았지?"

빙긋 웃으며 이노우에 준장이 말을 이었다.

"우린 자네가 전사한 줄 알았어."

누가 봐도 그렇게 생각했을 거다. 플라스마에 맞고 장갑복이 저것밖에 안 남았는데 인체가 남아 있을 리 없으니까. 장갑복에 있던 메모리칩이 남아 있는 것만 해도 운이 좋았다고 할 수 있다.

"장갑복에서 회수한 기록만 봐도 최악의 상황이더군. 자네의 두뇌칩에 남아 있는 기록은 어떤가?"

이노우에 준장은 빈우의 장갑복에서 회수한 당시의 기록을 재생시켰다. 동시에 빈우도 자신의 기록을 재생시켰다. 클론이었을 때는 결코 존재조차 알 수 없었던 숨겨진 기록을.

2216년 6월 8일 03시 30분.

정보국에서 복제한 기록과 빈우의 두뇌칩에서 나온 원본 기록이 비교되며 재생되고 있었다. 이제 모자랐던 부분이 맞춰지기 시작할 것이다.

*

솔리드 베타는 포말하우트 항성계로 점프하기 위해 점프 게이트로 다가가는 중이었다. 기록은 전투 지휘소의 조타석에 앉은 빈우의 시선 영상과 음성이었고 그는 함내 상황을 점검하고 있었다. 대부분의 클론은 수면기에서 자고 있고 최소 경비 인원만 만약의 사태에 대비해서 완전 무장 상태로 대기하고 있었으며, 그 외의 함내 작업은 로봇들에게 맡긴 상태였다.

> **게이트 활성화. 점프 준비 완료.**

- **점프.**

인공지능의 알림이 뜨자 빈우는 점프를 명령했다. 열린 게이트 안으로 함선이 들어가고 뒤쪽으로 게이트가 닫힌다. 그리고 앞쪽으로 곧바로 게이트가 열려야 하지만 그러지 않았다.

- **뭐지? 점프 실패인가? 출발 지점으로 돌아가면 다시 점프한⋯⋯.**

다소 의아해하는 빈우의 목소리를 자르고 인공지능의 경고가 울렸다.

> **경고! 경고! 이것은 점프 실패가 아닙니다. 출발 지점과 도착 지점의 점프 게이트가 열리지 않습니다. 현재 알 수 없는 이유로 점프 공간에 갇힌 상태입니다.**

- **갇혔다고?**

처음 접한 일에 놀란 빈우의 목소리에 함선 관리 인공지능은 대답 대신 또 다른 경고를 울렸다.

> **경고! 경고! 정체불명의 함선 접근 중! 방위 90-25, 거리 6500.**

정체불명의 함선은 처음 보는 형태였는데 은빛 유선형의 함체로 미루어 보아 마치 샤다이의 함 같았다. 그러나 이제까지 보았던 어떤 것보다 컸다.

> 샤다이로 추정되는 정체불명 함선 계속 접근 중.

점프 공간에 갇히는 것만 해도 전대미문의 사건인데 다른 함과 마주치기까지 하다니 놀라움의 연속이다. 그러나 빈우의 판단은 냉철했다.

- **정체불명의 함선은 적함으로 규정한다. 적함을 향해 준비되는 함포부터 사격. 호위기 발사시켜. 중대원은 전원 긴급 기상 후 함내 방어 매뉴얼 A-3로 배치.**

적의 정체가 아직 확실히 밝혀지지 않았지만 일단 아군은 아니다. 반면 가장 위험한 적일 확률은 매우 높다. 이럴 때는 선제공격을 하는 게 최선의 수일 것이다.

빈우의 판단은 틀리지 않았지만 전세는 불리했다. 솔리드 베타의 모든 함포와 미사일이 적에게 날아갔지만 아무런 효과가 없었다. 기존의 샤다이 함이라면 나름 피해를 주었겠지만, 이번 함에게는 명중하기도 전에 모두 요격당했다.

> 경고! 방어막 45%! 경고! 방어막 소실!

반면 적은 단 한 번의 공격으로 솔리드 베타의 함선 방어막을 절반 넘게 날려버렸고 그다음 공격에는 정확히 방어막을 모조리 벗겨냈다. 그리고 이어지는 정밀 공격들은 이쪽의 함포와 추진기만을 정확히 노리고 있었다.

> 1번, 3번 주포 대파. 주 추진기 손상. 주 추진기 대파.

> 전방 미사일 발사구 대파. 4에서 7번 부포 소실.

인공지능의 음성 경고가 함선 피해 상황 표시를 따라가지 못하고 있다. 적은 솔리드 베타를 무력화하고 있었다. 함내 관성 제어장치도 피해를 보았는지 적의 공격에 함이 흔들리는 것이 느껴졌다. 빈우는 전투 통제실을 뛰쳐나가 장갑복을 입으러 달려갔다.

> 함선의 모든 추진력을 상실했습니다. 적함이 접근하고 있습니다. 본 함을 나포하려는 것으로 추정됩니다. 자침 과정을 밟겠습니까?

- **아니. 함내 방어 매뉴얼 D-2로 전환해.**

인공지능의 권고를 거부한 빈우는 마지막 수를 뒀다. 처음 내린 함내 방어 매뉴얼 A-3가 지정된 장소에서 구역 방어를 하는 것이라면 D-2는 모든 병력을 모아 적함으로 침투하는 반격 작전이다.

- 울토르 중대 전원 격납고로.

격납고에는 셔틀과 함재기가 있어 역습을 위한 D-2 계획에 있어 안성맞춤이다. 그 와중에도 계속해서 경고가 뜬다.

> 적함이 3번 미사일 발사구에 접촉. 샤다이로 추정되는 적들이 발사구를 통해 침입합니다.

화면에 보이는 것은 역시나 은빛 유선형의 갑옷들이다. 솔리드 베타에 침투한 적들은 언뜻 샤다이의 장갑복 같았지만 이제까지 봤던 녀석들과는 전혀 달랐다. 기존의 스팸과 비교해 볼 때 이놈들은 덩치도 더 크고 한눈에 봐도 전투형으로 만들어졌다는 것을 알 수 있었다.

009

· · · ✦ · · ·

빈우는 트램을 타고 격납고로 향하면서 현재 상황을 점검해보았다. 전투 가능한 클론들은 모조리 일어나 격납고로 모이고 있었다.

- 함내 방어 시스템이 적에게 통하지 않습니다.

화면에는 자동 방어 화기들이 침입자를 공격하는 장면이 보였지만 놈들에겐 무인 포대나 어떤 공격도 먹히지 않았다. 이번 적은 현재까지 만나본 놈들 중에서 최악의 상대였다.

트램이 격납고에 도착하자 빈우는 자신의 장갑복을 향해 달려갔다. 그러나 장갑복을 입기 직전 빈우는 잠시 멈춰 섰다.

- ……

무언가 생각을 하는 듯 빈우는 잠시 가만히 서 있었지만, 영상과 음성 기록만으론 무슨 일이 있었는지 알 수 없었다. 조금 후 장갑복을 착용한 빈우는 곧바로 명령을 내렸다.

- 함재기용 폭탄, 한 발씩 각 분대에 배당해.

이미 모든 함재기는 격추되었지만, 폭탄은 아직 있다. 이번 샤다이의 방어막이 예전의 놈들 것과 같은 것이라면 장갑보병이 직접 들고 저속으로 날아가면 감지하지 못할 것이다. 마침 적은 솔리드 베다를 나포하기 위해 가까이 붙은 상황이니 폭탄으로 적의 장갑을 부수고 들어가 내부에서 싸우려는 계획일 것이다.

- 뇌관 설정은…… 크앗!

그때 격납고 문이 통째로 뜯겨나가고 적들이 침입했다. 아까 미사일 발사구를 통해 침투한 녀석들과 같은 모양의 놈들이다.

- 양동작전이었나.

영상 속 빈우의 말대로였다. 놈들은 병력 중 일부를 일부러 모습을 드러낸채 미사일 발사구 쪽으로 돌입시켰고 본대는 스텔스 상태로 격납고를 급습한 것이다.

- 사격 개시!

울토르 중대의 어벤저 장갑복들이 제각기 공격했으나 이번에도 별 효과는 없었다. 코일건도, 레이저 캐논도, 미사일이나 로켓도 적들에게 분명히 명중했지만, 놈들은 아무런 피해 없이 이쪽으로 다가와 공격했다. 미들 급에서도 준수한 방어력을 가진 어벤저 장갑복이 적의 플라스마 공격에 맞는 순간 폭발하며 섬광과 함께 사라져버렸다. 맞은 부위만 날려버리는 시즐러와는 격이 다른 위력이다.

- 내열 방패 최대한 생성! 접근해! 거리를 두지 마! 붙어!

기록 속의 빈우는 필사적으로 적들을 향해 다가가려 했다. 샤다이와는 접근전을 하는 게 오히려 승률이 높은 편이고 그걸 잘 아는 클론들도 어떻게든 거리를 좁히려 했다. 제트팩을 써서 돌진한 아군 몇몇이 접근전을 시도했다. 대원 하나가 찌르는 초음파 나이프를 샤다이가 손등을 들어서 막는다. 그리고 빙글 돌리며 손바닥으로 잡아채 당긴 다음 반대쪽 손으로 어벤저 장갑복의 멱살을 거머쥐었다.

- 크헉!

신형 샤다이 장갑복의 손에 붙잡힌 클론 장갑병은 벗어나려고 했지만 적은 미동도 하지 않았고 오히려 잡힌 어벤저의 목 부위가 우그러진다. 그리고 이어지는 고열 공격에 폭발했다. 저쪽에선 다른 대원이 제트팩을 써서 어깨로 태클을 했지만 샤다이는 아무런 충격을 받지 않은 듯 그대로 팔꿈치로 내리찍었다. 그리고 바닥에 쓰러진 어벤저의 등에 플라스마 대검을 꽂았다.

일방적인 싸움이다. 절망적인 상황이다. 아군의 어떤 공격도 적에게 통하지 않는 반면, 적의 공격은 치명적이었다.

그러나 아직 방법은 있었다. 아까 모아둔 함재기용 폭탄이 그것이다. 함선이나 요새를 공격하기 위해 만든 이 무기라면 적에게 통용될 것이다. 하지만 3m에 달하는 이 폭탄은 원래는 요격기에서 발사하는 용도다. 장갑보병이 들고 움직일 수는 있지만, 이 상황에서 사용하기란 불가능에 가깝다. 폭탄을 들고 둔해진 움직임으로 나가는 순간 플라스마를 뒤집어쓸 거다.

- 방패 조. 방패 대형으로 약진.

빈우의 목소리지만 빈우의 명령이 아니다. 클론이 육성으로 명령을 내린 것이다. 급박한 상황에서 빈우의 허락을 기다리기 힘들 때는 이렇게 육성으로 통보하곤 했다. 그리고 양손에 방패를 든 대원들이 각기 대형을 짜 앞으로 나섰다. 시간을 벌기 위해 총알받이를 하는 것이다. 이미 자기들끼리 두뇌 통신으로 결정을 내렸겠지.

- 제길. 폭탄 분배는 임의로 한다. 준비되는 조부터 돌격!

빈우는 이를 악물며 폭탄을 들고 방패 조를 따랐다. 그 뒤를 따른 클론들도 앞서 나간 형제들이 사라지는 섬광을 좇아 돌격했다. 적의 공격을 막은 중 대원들은 약간의 잔해만을 남기고 사라졌고 그걸 넘어 플라스마들이 이쪽으로 쇄도했다. 그리고 그중 하나가 빈우의 시선으로 들어왔다.

장갑복의 기록은 거기까지였다.

*

"우리가 회수한 기록은 여기까지일세."

빈우의 두뇌칩의 기록도 거기서 멈췄다.

"어이구, 자네의 기록도 여기까지로군. 별 차이 없구먼?"

영상을 끈 이노우에 준장이 말을 이었다.

"그런데 말이야, 여기서 전사한 줄로만 알았던 중대 관리자가 예비용 C열 클론으로 위장해 잠수하고 있다가 바로 오늘 부상을 시도해서 우리 쪽으로 연락이 오더군. 김빈우 소령. 저 기록 이후 자네에게 어떤 일이 있었던 건가? 또 무엇을 위해 '잠수'를 하고 클론으로 위장한 거지? 으응?"

능글능글 비꼬는 듯한 말투였지만 고토를 잘 아는 빈우로서는 그 물음에 문책이나 비난의 기운은 없다는 걸 잘 알고 있었다. 사실 빈우가 한 행위는 일반적인 전투 부대라면 중죄인 전선 이탈에 해당한다.

그러나 빈우는 달랐다. 정보국 소속인 그에게 가장 중요한 것은 정보다. 당시의 빈우는 무언가 중요한 정보를 알아냈고 그것을 숨기고 나중에라도 알리기 위해 '잠수'를 한 것임이 틀림없다.

'잠수'란 현재의 기억과 기록을 감추고 가상의 인격을 덮어씌워 정체를 감추는 방법으로, 정보국 요원들의 위장술 중 하나다. 본인도 모르게 위장한 요원은 그 어떤 심문이나 조사에도 걸리지 않고 잠입해 임무를 수행한다. 그리고 때가 되면 미리 계획한 대로 회수되어 '부상'을 통해 다시 본인으로 돌아온다. 이번처럼 급작스러운 잠수를 하게 될 때는 동료나 상부가 알 수 있도록 흔적을 남겨둔다. 그러나 빈우는 일체의 흔적을 남기지 않고 잠수했다가 뜬금없이 지금 '부상'하게 된 것이다.

지금까지의 기록을 보건대 빈우는 당시 기록에 담긴 마지막 공격을 받고도 살아남았지만 죽은 것으로 위장하고 잠수를 했을 것이다. 하지만 당사자인 빈우는 아무것도 기억나지 않았고 아무런 기록도 떠올릴 수 없었다. 일단 빈우는 솔직하게 대답하기로 했다.

"어, 음. 글쎄요. 저도 잘 모르겠습니다. 그 기록에는 접근이 안 됩니다. 무슨 일이 있었는지, 왜 잠수했는지도 모르겠습니다."

"뭐라고!"

좌우의 두 중령이 고함을 질러도 어쩔 수 없다. 빈우는 거짓말을 하는 게 아니다. 자신을 되찾은 빈우는 당시의 기록을 열람하려 했지만, 일부가, 가장 중요한 부분이 열리지 않는다.

당황한 응우옌 중령이 이노우에 준장에게 질문한다.

"어찌 된 겁니까, 국장님. 혹시 무슨 후유증이나 오류일까요?"

이어서 라캉 중령은 기회라는 듯 몰아붙인다.

"김 소령이 적에게 나포되어 기록을 조작당했을지도 모릅니다."

반면 정보부 사람들은 모두 태연했다.

"아니, 그런 건 아닐세. 타이 소령. 확인되었나?"

빈우의 두뇌칩에 접속해 있던 마커스가 해당 기록 구역을 검색했다. 시간상 공격을 받은 후의 기록이다.

"두뇌칩에 당시의 기록은 있습니다만 역시나 잠겨 있군요. 예상했다시피 보안 패턴은 '트리니티'입니다."

마커스와 이노우에 준장은 이럴 줄 알았다는 듯한 표정이지만 라캉 중령은 애가 타는 것 같다.

"잠겨 있다니, 그럼 풀면 되지 않습니까?"

"너무 서두르지 말게나, 중령. 이 트리니티 패턴의 보안은 풀고 싶다고 바로 풀리는 것이 아닐세. 해제에 두뇌칩과 뇌, 당사자의 삶, 이 세 가지가 필요해서 트리니티라 불리는 이 패턴은 단순히 칩의 기록만으로는 해독이 안 되지."

마치 약 올리듯 뜸을 들이던 이노우에 준장이 천천히 말을 이었다.

"풀기 위해선 먼저 해당 '칩'이 '원래의 뇌'에 삽입된 상태여야 하고 그 해독에도 단순한 암호가 쓰이는 게 아니라 '일상생활'에서 일어나는 뇌의 신경 신호가 필요하다네. 정보를 지닌 인물이 설정된 생활을 하면서 살아가면 그 기억에 자극된 뇌 신경 신호들이 점차 모이고 중첩되어 기록에 걸린 암호를 여는 키가 되는 거지."

다시 말해 칩의 기록을 복사하거나 당사자를 납치해봤자 소용이 없다는 것이다. 뇌, 칩, 행동, 이 세 가지가 일치하지 않으면 풀리지 않는 것이 트리니티 패턴의 핵심이다.

"꽤 복잡하군요. 그렇다면 그 기록은 김 소령의 머릿속에 들어 있는 상태에서 소령이 미리 정해진 대로 생활해야 보안이 풀린다는 겁니까?"

응우옌 중령이 기가 막힌다는 듯이 물었다.

"물론이지. 자네들이 보기엔 번거롭겠지만 이건 꽤 좋은 방식이라고. 두뇌칩과 두뇌, 당사자의 삶, 이 세 가지가 모두 맞아야 풀리니까. 때문에 칩에서 기록을 복제하거나 본인을 잡아 고문해도 소용없어. 지정된 행동이 아니면 암호를 건 자신이나 본부조차 풀 수 없으니 말일세."

"그런데 그 기록을 가진 사람이 패턴이 풀리기 전에 죽으면 어떻게 됩니까? 자료를 잃어버리지 않습니까? 김 소령은 지난 6개월간 자신의 정체를 숨기고 잠수해서 장갑보병으로서 클론들과 함께 전투를 치러왔습니다. 만약 도중에 전사했다면 모든 게 허사가 되었을 겁니다."

라캉 중령의 의문도 당연하다. 애써 숨긴 정보를 전하지도 못하고 허공에 날려버리는 데다 본인은 죽어버리는 것이다.

만약 안전하게 하려 했다면 빈우는 잠수 후 그 사실을 아군이 알 수 있도록 흔적을 남겨놨어야 했다. 그랬다면 솔리드 베타가 구조받았을 때 빈우도 바로 정보국과 접촉할 수 있었을 것이다.

그에 대한 대답은 빈우의 두뇌칩 설정을 살펴보던 마커스가 했다.

"트리니티 패턴은 전달보다는 은닉에 더 중점을 둔 방식입니다. 정보의 가치는 때와 장소에 따라 변합니다. 그것도 아주 민감하게요. 어제까지만 해도 당장 필요했던 정보가 오늘은 숨기거나 폐기해야 할 때도 있습니다. 하지만 중요한 것은 김 소령이 트리니티 패턴으로 숨긴 게 당시의 기록만이 아니란 겁니다."

그러면서 마커스는 빈우의 두뇌칩 설정 중 하나를 화면에 띄웠다. 빈우의 잠수와 부상 설정이다.

"보시다시피 김 소령은 잠수에서 깨어날 부상의 시동에조차 트리니티 패턴을 걸어놨습니다. 자신이 울토르 부대에서 장갑보병으로 계속 활동하고 있어야 부상하도록, 프로젝트가 정상적으로 진행되고 있어야 인간으로 돌아오도록 설정해서 말입니다. 임무 도중 전사하거나 샤다이의 습격 이후 정보 노출을 우려한 우리가 프로젝트를 중지했다면 김 소령은 그냥 클론인 채로 폐기되었을 겁니다. 본인은 그것을 각오했을 거고요."

즉, 빈우는 최악의 상황일 때 정보는 물론이고 자기 자신조차 아예 없애버리고자 한 것이다. 이런 것은 정보부 사람들에겐 당연한 인식이지만 다른 외부인들을 질리게 하기에 충분했다.

"다행히 프로젝트는 계속되었고 김 소령은 살아남아 클론으로 정체를 계속 숨겨왔습니다. 그리고 장갑보병으로 일정 시간 생활하자 트리니티 패턴에 의해 우리 쪽으로 신호를 보냈습니다. 잠수하고 있으니 부상을 도와달라고."

마커스가 다음 띄운 음성 기록은 빈우의 암호 통신이었다.

- 없어? 어디 간 거야? 내 치킨 파이! 내 초코칩 쿠키!

뜬금없이 왜 치킨 파이와 초코칩 쿠키를 찾나 싶었더니 그게 빈우가 사전에 설정해둔 몇 가지 부상 신호 중 하나였던 모양이다. 해당 조건을 만족하자 자기 최면을 통해 빈우는 본인도 모르게 저 두 단어를 말하게 되었고, 중대의 모든 회선은 정보부가 24시간 감청하고 있었기에 암호가 수신되자 요원의 회수를 위해 일행을 급파한 것이다.

일행을 둘러보던 빈우는 잠시 생각했다.

'그런데 그게 이 양반들이 우르르 몰려올 만한 일이던가.'

마커스는 당연히 올 것이다. 그 역시 울토르 프로젝트의 담당자 중 하나였으니까. 이노우에 준장은 사안이 사안이니만치 저렇게 패널로나마 얼굴을 비추고 있다. 그런데 클론 제작 담당인 과학기술국의 응우옌 중령이나 보안국의 라캉 중령은 대체 왜 여기 있는지 알 수 없다. 분명 울토르 프로젝트에 깊은 관여를 하고 있지만, 정보국 요원이 회수되는 자리에 올 만한 사람들은 아니었다.

그러나 빈우는 내색하지 않고 마커스의 말을 계속 들었다.

"그리고 여기 이 부분에 감춰진 기록, 김 소령이 공격을 받고도 살아남아 잠수를 할 때까지 남겼던 기록은 부상 이후의 행보에 따라 풀리도록 설정이 되어 있습니다."

즉, 빈우는 보안을 이중으로 걸어놓은 것이다.

먼저 자신은 정체를 숨기고 클론으로 위장해 잠수했다. 인간으로 부상해서 돌아오기 위해서는 울토르 프로젝트가 정상적으로 진행되고 있어야 한다. 바꿔 말하면 프로젝트가 중지되면 본인은 인간으로 돌아오지 않는다. 클론인 채 폐기될 것임에도.

그다음은 당시의 중요한 기록조차 트리니티 패턴으로 숨겨놓았다. 이 기록과 정보는 빈우가 지정해놓은 생활대로 살아야 풀리게 될 것이다.

이렇게 정보가 유실되는 것보다 숨기는 것에 더 중점을 둔 방식이라면 꽤 민감한 사안이 분명했다. 상황에 따라 연방에, 정보국에 치명적일 수도 있을 것이 분명했다.

마커스가 말을 마치자 고토 준장이 나섰다.

"그렇다면 김 소령, 이것 하나는 알겠구먼."

그러면서 홀로그램에 떠올라 있는 빈우의 기록 구역을 자신의 포인터로 쿡쿡 눌렀다.

"여기에 감춰진 정보가 이번 프로젝트와 깊이 관련이 되어 있겠지? 그리고 그건 울토르 프로젝트가 진행 중이라면 이익이 되는 정보일 것이고, 반대라면 확실하게 증거 인멸을 해야 하는 성질의 것임이 분명해. 뭐, 한두 가지 짚이는 게 있긴 하지만 말야."

증거 인멸이란 말이 나오자 외부인 중령 두 사람이 움찔한다. 이 울토르 프로젝트는 연방 내부에서도 극비다. 사실이 알려지면 그 여파는 엄청나다.

그 때문에 빈우는 최악의 경우를 대비해 극단적인 처리 방법을 택한 것일 수 있다.

"잠깐만. 그렇다면 기억은? 기록은 열지 못한다 해도 김 소령은 당시의 일을 기억하고 있지 않나요?"

응우옌 중령의 질문에 빈우는 선뜻 대답하지 못하고 고토 준장의 눈치를 잠깐 보았다. '밝혀도 되겠습니까'라는 질문이 담긴 시선에 이노우에 준장이 대신 대답했다.

"아쉽게도 소령에게 기억은 없다네. 보통 사람들이라면 주로 뇌에 기억을 남기고 중요한 걸 골라 다시 두뇌칩에 기록하곤 하지? 하지만 정보국 요원들은 달라. 우리는 기억을 할 수 없어. 복무 기간의 모든 것은 암호화되어 두뇌칩에 기록될 뿐, 당사자의 뇌에는 아무것도 남지 않아. 그게 우리의 방식이라네."

이노우에 준장의 말에 과학기술국의 응우옌 티 빈 중령과 보안국의 피에르 라캉 중령 모두 할 말을 잊어버렸다. 인간에게 기억이 없다니 그게 말이 될 법한 소리인가.

"기억하지 못한다고요? 아니, 정보를 다루는 사람들이 기억을 못 한다고요?"

010

· · · ✦ · · ·

기가 막힌다는 듯 말문을 연 응우옌 중령에게 마커스는 대수롭잖게 설명해주었다.

"뭐, 처음엔 이상해도 곧 익숙해집니다. 중령님도 중요한 사항은 칩에 기록하지 않습니까? 우리 요원들이 기억을 못 하게 되어 있는 것은 보안상의 이유가 가장 큽니다. 그리고 노출되거나 당장 필요 없는 요원들을 재배치할 때도 편리하지요. 비밀엄수 서약이나 세뇌를 할 필요 없이 기록만 빼내버리면 되니까 말입니다."

응우옌 중령은 납득하지 못한 눈치였지만 현 주제와는 상관없는 이야기라 더는 말하지 않았다.

정보부에서의 삶은 뇌로 기억하는 것이 아니라 칩에 기록하는 것이기 때문에 시각, 청각, 촉각, 후각, 미각 등의 모든 감각 정보만 기록될 뿐 감정은 기록되지 않는다. 그 때문에 열람하면 마치 제3자의 시선으로 보는 것 같다. 감정이 없는, 무미건조한 삶이다.

"그렇다면 지금부터 그 행동을 해서 암호를 풀도록 합시다. 김 소령, 대체 어떤 행동을 해야 자네의 기록이 풀리나? 주지육림? 왕후장상? 뭐든 좋으니 어서 실행해!"

라캉 중령의 이 말에 저게 보안국에서 중령이나 달고 있는 작자가 할 말인가 싶어 빈우가 뭐라고 하려고 할 때 이노우에 준장이 끼어들었다.

"중령. 자네 이제까지 뭘 들었나? 트리니티 패턴은 조건에 맞지 않으면 본인과 본부조차 못 푼다고 했지? 그런데 본인이 푸는 조건을 알면 어떻게 되겠나? 응? 으응?"

능글능글 갈구는 모습이 연방군 장성이라기보다는 흡사 양아치 같다.

"아, 아닙니다, 국장님. 그런데 그 조건 중의 하나인 '지정된 행동'이란 것이 애매하지 않습니까? 이후에 무슨 일이 있을 줄 어떻게 알고 설정을 한단 말입니까? 자칫 잘못하면 트리니티는 영원히 파묻혀버리지 않겠습니까?"

라캉 중령이 당황한 어투로 변명을 하는데 영 표정 관리가 안 되는 게 빈우의 눈에 보인다. 어쨌든 빈우는 포커페이스를 유지했다.

"이봐, 꼬마 피에르. 너 말야, 우리 요원들을 너무 띄엄띄엄 보는 거 아냐?"

이노우에 준장의 표정이나 말투는 이제까지와 별반 다를 바 없었지만, 분위기는 확실히 바뀌었다. 빈우의 경험상 여기서 한 단계 더 나가면 바로 주먹다짐할 낌새다.

"내 부하들은 말야. 일류 중에서도 일류야. 숨겨놨던 정체나 정보가 드러나야 할 때를 계산해서 행동을 설정해놓는 머리는 당연히 가지고 있지. 또 그게 아닐 때는 그대로 지워져버리는 것도 각오하는 배짱도 있고."

말을 하면서 기분이 약간 풀린 듯 이노우에 준장이 의자 뒤로 기댔다.

"아니 뭐어……. 그렇다고는 해도 일단 우리 쪽이 회수한 요원들의 트리니티 패턴을 풀 때 주로 잘 쓰는 방법이 있긴 하지만 말이야."

움츠러든 라캉 중령을 흘깃 보며 응우엔 중령이 질문했다.

"그건 뭡니까?"

질문하기를 기다렸다는 듯이 싱긋 웃으며 이노우에 준장이 앞으로 다가앉았다.

"그건 말이야. 회사에 박아놓고 뺑이 돌리는 거지."

의외로 무식한 방법에 정보국이 아닌 사람들은 긴가민가한 반응이었지만 사실이었다. 정보국에서는 유령 회사 몇 개를 운영하고 있는데 요원들이 트리니티 패턴의 조건으로 즐겨 설정하는 것 중 하나가 바로 유령 회사에서 일하는 것이었다. 회수된 요원들이 정보국에서 직접 일하는 것은 그들의 '잠수상태'에 따라 보안상의 문제가 있을 수 있지만, 유령 회사에서 일한다면 그런 문제는 없을 것이고, 오히려 요원을 감시하고 보호할 수 있으니 일거양득이다. 즉, 잠수했거나 기록을 잠갔거나 일단 트리티니 패턴이 달려 있다면 그 요원은 제법 높은 확률로 유령 회사에 처박히게 되고, 거기서 고강도 업무 스트레스를 받아가며 그 뇌파를 받아 트리니티 패턴을 풀게 된다.

"만약에 안 풀린다면 어떡합니까?"

"어쩌긴. 풀릴 때까지 처돌려야지."

저것도 사실이다.

'호랑이 기운은 안 솟습니다. 피자 타이거!'

썰렁한 광고 카피가 지금까지도 무의식중에 떠오른다. 빈우는 정보국 소속 유령 회사인 '피자 타이거'에 파견되어 구른 적이 있다. 거기서 피자라면 치가 떨릴 지경이 되었을 때 머릿속에서 트리니티 패턴이 하나 풀렸고, 그 대가로 도망치듯 휴가를 나간 기록을 가지고 있다.

뭔가 막무가내인 듯도 하면서 정보국답지 않은 대답을 들은 두 중령이 뭐라 할 말을 찾지 못하고 있을 때 빈우가 나섰다.

"국장님, 제가 잠수한 다음에 울토르 중대는 어떻게 되었습니까?"

"흐음. 하긴 자네도 모르겠지."

빈우의 질문에 이노우에 준장은 기록을 공유해 보여주는 대신 자신의 말로 설명을 시작했다.

"일단 회수한 울토르 중대는 전체 점검을 했고 별다른 이상은 없었기에 다시 프로젝트를 재개했지. 원본이자 관리자인 자네가 없어졌지만 크게 문제가 되진 않았어. 프로젝트는 중반을 지났던 터라 조만간 자네는 그 부대를 떠날 계획이었고 당시에도 자네 없이 작전은 잘 진행되었으니 말이야."

예상한 대로다. 빈우는 울토르 중대의 원본이며 또한 관리자로서 파견 나가 있었고 프로젝트가 궤도에 오르면 복귀할 예정이었다. 어차피 사라질 사람이 사라진 거였으니 ─방법이 좀 잘못되었지만─ 부대의 운영에는 문제가 없었다.

"자네가 위장한 클론 C-18은 2216년 7월 20일까지는 대기 모드로 있었네. 그러다가 그날 오후 4시 30분부터 작전에 참여하기 시작했지."

클론으로 일어나 지금까지 한 행동은 빈우 본인이 잘 알고 있다. 기록도 있고 기억도 한다. 그러나 빈우가 알고 싶어 했던, 대기 중에 있었던 일은 알려주지 않았다. 빈우가 클론으로서 자고 있던 6월 8일부터 7월 20일까지의 일이 두리뭉실하게 넘어갔다.

"하지만 언제부턴가 징조가 보이더군. 부대의 전투 기록을 보다 보니 이상한 클론이 하나 있었네."

이노우에 준장은 정확한 날짜가 아니라 '언제'라는 막연한 표현을 썼다.

"혹시나 발작을 일으키는 클론인가 싶어서 예의 주시했었지만 설마 그게 자네였을 줄이야. 이상 행동을 했다고 폐기해버렸으면 큰일 날 뻔했지 뭐야."

이노우에 고토 준장은 늘 짓는 희미한 미소와 함께 무서운 말을 했다. 이 느물거리는 국장은 아직 빈우를 정보국 요원이자 부하로 보고 있지 않은 것 같다. 불안하다. 좋지 않은 경우다. 이대로 흐름에 쓸려가면 결코 좋은 꼴을 못 볼 것 같다는 게 빈우의 예상이었다.

"왜 그때 미리 조사하지 않았습니까? 이상 행동을 하는 클론을 발견했을 때 정밀 조사를 했으면 좀 더 빨리 저를 찾을 수 있었을 텐데요."

호랑이를 잡기 위해서는 호랑이굴로 들어가야 한다.

"자네에게 이 이상 자세한 것은 말해줄 수 없네."

예상은 했지만 산 채로 호랑이에게 뜯기는 기분이다. 외부인이 있어서 말해줄 수 없다는 것이 아니다. 시간이나 장소가 적절하지 않아 말할 수 없다는 것도 아니다. 울토르 프로젝트 참가자이자 현장 관리자인 빈우에게 알려줄 수 없다는 것은 빈우가 프로젝트에서 제외되었다는 것을 의미한다. 또한 높은 확률로 정보부에서도 방출될 것이다.

빈우에게 이 정도는 예상 범위다. 이제는 호랑이의 수염을 잡아챌 차례다.

"그러면 마카로니에서 일어난 일에 대해서도 말해줄 수 없습니까?"

호랑이들의 표정이 제각각이다. 응우옌 중령은 영문도 모르겠다는 듯 멀뚱멀뚱하고, 라캉 중령은 눈알만 돌려 고토 준장의 눈치를 살핀다. 마커스는 표정 변화가 없었지만 책망하는 눈치라는 것을 오랜 동료이기에 알 수 있었다. 빈우와 눈이 마주친 호랑이의 얼굴은, 이노우에 고토의 얼굴은 마치 장난꾸러기 같았다. 자기가 쌓아놓은 블록을 무너뜨리기 직전의 악동의 표정이다.

"당사자가 무슨 소린가? 샤다이에 습격당한 마카로니 시를 자네가 탈환하지 않았나. 비록 도착이 늦어 샤다이의 침략으로부터 단 한 사람도 구하지 못한 것이 안타까울 뿐. 나는 그렇게 알고 있네. 보다 자세한 것은 중대의 책임자인 자네가 알고 있겠지."

이노우에 준장은 마음껏 블록을 짓밟았다. 빈우는 호랑이 꼬리를 잡고 매달려 가는 도중 호랑이에게도 꼬리 자르기가 있다는 것을 안 기분이었다. 여차하면 상부는 모든 책임을 현장 지휘관인 빈우에게 넘길 의향이 있고, 그 경우 빈우는 손도 발도 못 쓰고 처리될 것이다. 늘 하던 대로 정보 조작만 하면 만사 오케이다. 머릿속의 정보는 정보국에서 한 번 더 잠근 다음 형기를 치르고 나온 빈우에게서 추출하면 된다.

잘린 꼬리를 든 사나이는 별다른 내색 없이 다시 질문했다.

"그럼 전 이제 '세탁'되는 겁니까?"

일부러 세탁이란 단어를 꺼냈을 때 외부인 중령 두 사람은 역시나 별다른 반응을 보이지 않았지만, 정보국의 두 사람—이노우에 고토 준장이나 마커스 타이 소령—은 조금이나마 반응을 보였다. 정보국 요원들에게 세탁이란 가볍게는 모든 내·외부 기록을 말소당하고 다른 부서로 발령받는 것을, 무겁게는 문자 그대로 연방에서 사라지는 것을 의미한다.

"그럴 리가. 자네는 프로젝트에서 제외되었을 뿐 여전히 믿음직스러운 내부하 요원일세."

즉, 협조만 잘하면 외부 파견 요원으로 재활용하겠다는 뜻이다. 그러나 안심하기엔 이르다.

'과연 그럴까?'

잠수에서 부상했던 빈우는 슬슬 결정적인 행동을 할 필요성을 느꼈다. 이를테면 호신을 위한 반격이다. 다행히 빈우가 지금부터 할 행동에 필요한 정보들은 이미 수집했고 떡밥도 뿌려놨다. 빈우는 식당 구석에서 초조한 얼굴로 이쪽을 바라보는 자신의 안드로이드 메이드를 불렀다.

"아나스타샤."

"예, 주인님."

빈우의 말에 메이드는 기쁘게 반응한다. 이쪽을 바라보는 눈에는 기대와 기쁨이 가득한데 그 기대를 외면하는 게 미안하다.

"팬티 보여줘."

순간 식당 안에는 정적이 흐른다.

"네? 주인님?"

우물쭈물하는 메이드에게 주인은 다시 명령한다.

"나는 연방 군인으로서 원활한 임무 수행을 위해 너에게 수행 불가능한 명령을 강요한다. 네가 이해할 수 없는 이 명령은 사실 군 사령부에서 내려온 군사 작전을 실행하기 위한 필수 조건 중 하나이다. 상기 이유에 의거해 명령한다. 팬, 티, 보, 여, 줘."

"아아, 네, 네에."

그러자 안드로이드 메이드는 울상을 짓고 어쩔 줄 몰라 하면서도 긴 치마를 주섬주섬 걷어 올렸다. 치맛단은 검은색 단화와 갈색 팬티스타킹을 스치고 올라가 마침내 하얀색 팬티를 아슬아슬 비춰 보였다. 이제 얼굴이 발갛게 달아오른 아샤는 팬티스타킹에 엄지손가락을 걸었고 마지막으로 내리기만 하면 주인의 명령을 완벽하게 수행하게 된다.

"오케이, 거기까지."

빈우의 말에 아샤는 허겁지겁 치마를 내려 다리를 감췄다. 굉장히 미안하지만 할 필요가 있는 일이었다.

"지금 도대체 뭐 하는 짓인가!"

응우옌 중령이 빈우의 행동에 일갈했다. 그러나 이번에도 결정적이다. 화난 사람의 말과 행동이 너무 다르다. 빈우는 그녀에게 성큼성큼 걸어가 식탁을 뛰어넘어 그녀를 의자에서 일으켜 세웠다. 이어 오른손으로 그녀의 어깨를 밀어 넘어뜨렸다, 아니 넘어뜨리려 했다.

"어? 소령? 자네 지금!"

응우옌 티 빈은 한발 뒤로 물러나서 자세를 바로잡았다. 그러나 거기까지만이었다. 표정도, 다른 행동도 없다. 한 발 더 나가 빈우는 그녀의 치마를 잡고 확 잡아 내렸다.

"이, 이 미친!"

응우옌 중령의 말에는 분노와 당황이 섞여 있지만, 표정은 약간 짜증 난 표정이고 목 아래는 균형만 잡을 뿐 별다른 행동을 하고 있지 않았다. 모습을 본뜬 안드로이드를 내세우고 동기화도 않은 채 단순 원격조작을 하는 사람에게 미쳤다는 말을 듣고 싶진 않다. 응우옌 티 빈 중령은 본인이 오지 않고 본인 모습의 안드로이드를 대신해서 보냈는데, 그것도 직접 조종하지 않고 대략적인 조작만 할 뿐 세부적인 것은 인공지능에 맡긴 상태였다.

"김빈우! 너 이 새끼!"

이제 빈우는 팔팔 뛰는 피에르 라캉 중령에게 화살을 돌렸다. 그는 자신이 알던 보안국 차장, 피에르 라캉의 사뭇 다른 모습에 피식 웃는 통신 패널에 삿대질했다.

"거기 너. 연방군 정보 사령부 군용 AI 추가 모듈 3b3을 실행해. 그리고 바지 벗고 팬티 보여.”

“무슨 개소리야!”

그러나 말과는 다르게 피에르 라캉의 모습을 한 안드로이드는 자리에서 일어나 허리띠를 풀고 바지를 벗으려고 했다. 그때 패널 너머에서 사람들이 우당탕 달려들어 안드로이드를 잡아 앉히고 화면을 껐다. 그 모습을 본 빈우는 시큰둥하게 내뱉었다.

“저쪽도 안드로이드를 썼네요. 그러고도 통신으로 보내다니 아주 티를 냅니다.”

이 모든 광경을 흥미진진하게 지켜보던 이노우에 준장이 잔뜩 기대한 표정으로 질문했다.

“나한텐 안 물어보나?”

“물어본다 한들 그게 무슨 의미가 있습니까?”

“의미라…… 팬티를 보여달라는 게 무슨 의미라도 있는가?”

지금 국장이 짓고 있는 표정은 음흉함 그 자체다. 누가 봐도 내 등 뒤에 칼 있소, 하는 표정이다. 이렇게 표정 관리를 못한다면 정보요원으로 실격이랄 수도 있겠지만 상황에 따라 필요한 표정을 사용하는 것도 요원의 실력이다.

어쨌든 빈우는 자신의 예상이 맞은 것에 안도했다. 이제 관계자들끼리 얘기할 시간이 왔다. 응우옌 티 빈 중령의 모습을 한 안드로이드는 작동이 중지되었고, 피에르 라캉 중령 쪽의 통신 패널도 꺼진 상태다. 마커스는 사무실 책상을 정리하듯 나직한 콧노래를 부르며 정지된 안드로이드와 통신 패널을 챙겨 옮기기 시작했다. 이제 제2식당 안에는 정보국 사람과 메이드 안드로이드만 있으니 마음껏 얘기해도 된다.

“일반적인 인공지능이라면 주인이 벗으라고 홀딱 벗지는 않죠. 특별한 추가 프로그램을 깔지 않는 한.”

011

· · · ✦ · · ·

여기서 추가 프로그램에는 여러 가지가 있지만, 그중에는 군용 프로그램도 포함된다. 군에 소속된 인공지능들은 일반적인 명령보다 상관의 명령을 더욱 우선시하여 평상시에는 할 수 없는 일을 할 수 있게 된다. 물론 살인이나 직접적인 상해는 불가능하더라도 인공지능에게 금지된 행동들보다 우선순위가 높은 명령을 내릴 수 있다.

아나스타샤는 빈우의 개인용 가사 도우미 안드로이드였지만 주인이 군으로 가면서 자신도 따라간 경우인데 이럴 때는 추가로 군용 프로그램—보안용이나 다른 몇 가지—를 깐다. 물론 군용 프로그램을 깔더라도 팬티를 보여달라, 가슴을 만지게 해달라는 명령에는 당연히 거부하지만, 방금처럼 명령우선순위를 모호하게 하는 꼼수를 쓰면 가능하다.

"아나스타샤가 군용인지 아닌지 확인하는 것도 중요하지만 진짜 저의 아나스타샤인지가 더 중요했습니다. 모습을 똑같이 만든 동일 모델을 내세웠다면 일단 의심했겠지만 확인해보니 맞군요."

그러면서 빈우는 울먹이는 안드로이드 메이드에게 사과했다.

"아샤. 미안해."

안드로이드 메이드 아나스타샤는 웃는 듯 우는 듯한 표정을 한 채 머리카락을 휘날리며 고개를 끄덕인다. 인간과 오래 살아 여러 가지 반응 경험이 축적된 행동이고 빈우와 같이 살아온 아나스타샤가 하던 버릇 그대로다.

"이제 판이 깔렸으니 마지막으로 할 건 바람잡이 두 명을 치우는 겁니다."

"음, 그렇지."

AI와 인간을 구분하는 건 훈련받은 전문가라면 누구나 할 수 있다. 그러나 직접적인 테스트도 없이 이렇게 관찰만으로 빠르게 분간해내는 사람은 드물다. AI 전문가가 득시글대는 정보사령본부에서도 이 정도 실력가는 빈우와 몇 명 정도다.

"저 둘이 인공지능에 의해 움직이는 안드로이드라는 건 너무 뻔하더군요. 좀 더 조작을 잘하면 모를까 저렇게 성의 없이 움직인다면 누구든지 알아볼 겁니다. 그런데 조작한 건 본인입니까? 아니면 사고를 본뜬 허수아비?"

"고맙게도 과거에 본인들이 사고복제 AI인 허수아비를 만드는 데 도움을 주셨었지. 그걸 꺼내고 무리하게 그 사람들을 부른 건, 일단 당시 책임자였던 자네가 부상했으니 두 부서에도 언질은 줘야 하기 때문이야. 그 참에 이렇게 간접적으로나마 대질신문도 시켰고. 지금까지의 기록만으로 두 부서는 잠잠할 거야."

저쪽에선 마커스가 과학기술국과 보안국 쪽 통신을 열고 연신 사과를 하고 있었다. 일단 형식적으로나마 양념을 뿌려놨으니 저 두 부서는 냄새만 맡고 떨어질 거고 본격적인 메인디시는 식구들끼리다.

고토 국장의 시선을 마주 보며 빈우가 물었다.

"이만하면 저답지 않습니까?"

정보국이 회수한 요원들을 찔러보는 것은 당연한 일이다. 변절하지 않았나, 포섭당하지 않았나, 문어발 다중 스파이는 아닌가. 그리고 요원들이 오래간만에 마주한 회사를 떠보는 것도 당연한 일이다. 나를 이용하지 않았나, 나는 버리는 패가 아닌가, 현재 회사의 시류에 내가 맞는가.

고로 재회의 순간에서 깽판 나는 것은 드물지 않다.

"훌륭해. 역시 김 소령이야. 저 둘이 안드로이드였다는 걸 알아보는 이는, 아니 그것이 사람이 아니라 인공지능에 의해 조작된다는 걸 이렇게 짧은 시간에 알아보는 사람은 드물지. 그리고 그 사고의 허점을 손쉽게 찌르는 사람은 더더욱. 요원으로서의 실력이 녹슬지 않았구먼."

일단 정보국 요원 김빈우의 실력은 인정받았다. 그렇다면 다른 나머지는 어떨까.

"좀 물어봅시다."

"물어보게."

빈우는 한 템포 쉬고 아까 했던 질문을 다시 했다.

"제가 잠수했던 동안 일어난 일에 대해 알려주십시오."

"울토르 프로젝트는 폐지되지 않았지만 잠시 중지. 솔리드 베타는 예비열대원들을 활성화해서 임무에 투입되었지. 그리고 여기저기 끌려다니며 일하면서 감시를 받았다네. 우리의 히든카드는 그때 반쯤 버린 패였던 데다 손에서 떠난 터라, 부대에 자세한 검사를 할 수도 없었어. 만약 그때 클론들을 정밀 검사했다면 자네를 찾을 수 있었을 텐데 말일세."

이번에도 기록은 없고 말뿐이었지만 그걸로도 충분했다.

"다른 것도 좀 물어봅시다."

"음. 물어뜯어도 되네."

"마카로니에서 일어난 일은 어떻게 된 겁니까?"

고토 국장으로서는 드물게 침울한 표정을 지었다.

"믿든 말든 그건 자네 자유네만, 마카로니의 일은 사고였어. 아까 말했다시피 울토르 중대는 이리저리 돌려져 사용되었는데 그때 주입된 프로그램들이 서로 충돌을 일으킨 것 같아."

하긴 인명수색 모드의 맨 마지막 조항에 두뇌칩 판별에 대한 부분이 있었다지만 빈우가 알던 예전의 울토르 클론들이었다면 OS의 지시에도 불구하고 스스로 인간임을 판별해 인명 보호를 최우선시했을 것이다. 고토의 말은 이전에 깔린 프로그램들과 새로 들어온 프로그램 간에 명령 우선순위 혼동이나 논리 오류로 문제가 생겼을 거라는 추측이다.

"그걸 믿으란 겁니까? 정보국에선 울토르 중대의 일거수일투족을 훤히 보고 있는데 그 사건이 일어나는 걸 보고도 가만히 있었다는 말입니까?"

"사실이야. 이제 울토르 부대는 선조치 후보고 형식으로 작전에 투입되고 우리 정보국에서는 감시만 할 뿐 일체의 개입이 금지되어 있어. 그래서 OS의 업그레이드도 자료만 넘어왔지 실제 분석을 할 수 없었기 때문에 이런 참극을 미리 막지 못한 걸세."

정보국 직속 실행부대나 마찬가지였던 클론 중대가 이렇게까지 돼버렸다니. 당시 현장 책임자였던 빈우는 환멸감까지 느낀다.

"응우옌 중령이 최종 검사를 했다면 이런 일은 없었을 텐데요."

그 질문에 대한 답은 뒷정리를 대강 마친 마커스가 했다.

"아니, 당시 응우옌 중령은 울토르 프로젝트에 접근할 수 없었어. 과학기술국에도 나름대로 입장이란 게 있거든."

아무리 그렇다고 해도 이건 너무 초보적인 실수다.

"그렇다면 국장님. 결국 이 학살극은 클론 중대의 화력이 탐나 이곳저곳에서 당겨썼으면서 누구도 제대로 관리를 안 해서 일어난 사달이란 말입니까? 그럼 책임 소재는요?"

"자세한 것은 더 조사해봐야겠지만, 아마도 그럴걸세. 그리고 뒷일은 우리 쪽에서 덮어야겠지."

사공이 많으면 배가 산으로 간다지만 이번에는 배에 탄 사람들은 전부 사공을 하고 싶은데 아무도 노를 잡으려고 하지 않는 경우다. 우연에 의한 사고인지 필연에 의한 사고인지는 몰라도 일단은 믿는 수밖에 없다.

"앞으로 울토르 프로젝트는 어떻게 됩니까?"

울토르 프로젝트는 빈우의 야심작이다. 이리저리 칼질당하고 대형 사고를 냈음에도 관심이 가는 긴 어쩔 수 없다.

"그건 앞으로 심사숙고해서 결정해야겠지. 그리고 미안하네만 소령, 자네는 이쯤에서 발을 빼게."

"이쯤에서…… 자르는 겁니까?"

빈우의 날 선 질문에 고토 국장은 온화하게 대답했다.

"자네를 위해서일세."

'정보국을 위해서, 겠죠.'

마지막 말은 삼킨 빈우는 다른 질문을 했다.

"그럼 이제부터 저는 어떻게 됩니까?"

"드디어 본론인가? 그걸 정하기 위해서 질문을 하나 하지. 자네는 자네가 왜 잠수했는지 짐작이 가나?"

아까 외부인들과의 심문에서 나온 잠수와 트리니티 패턴에 관한 이야기는 진실을 적당히 버무린 것으로, '최악의 경우를 대비해 울토르 중대와 김빈우라는 연결고리를 지우고 민감한 정보를 시기에 맞춰 풀기 위해서'라고 말했었다. 틀린 말은 아니다. 단지 모든 것을 다 말하지 않았을 뿐. 지금부터 할 이야기가 진짜배기다.

"왜 잠수했냐면 말이지요……."

그러나 빈우에게도 난감한 질문이다. 워프 공간 안에서 신형 샤다이에게 공격받고 거기서 살아남은 뒤 죽은 척 위장해 클론으로 잠수한다. 그것도 당시의 기록은 트리니티 패턴으로 잠근 채. 대체 무슨 일이 있어야 일이 그렇게 돌아갈지 사건의 당사자로서도 궁금하지만 몇 가지는 추측할 수 있었다.

"일단 클론으로 위장했다면 아군한테도 정체를 숨겼어야 했다는 거겠죠."

빈우가 말한 아군은 단지 정보국만을 가리킨 것은 아니다. 울토르 프로젝트는 군사정보국의 주도로 이루어졌지만, 단독으로 진행한 프로젝트가 아니었기에 몇몇 부서와도 관련이 있다. 그중에서 배신자가 있을 수도 있다. 그리고 빈우는 샤다이의 습격 당시 그것을 알게 되었고 적군과 아군을 구분할 수 있을 때까지는 정체를 숨기는 방법을 택했을 수도 있다.

"역시 자네도 그렇게 생각하는군?"

"짐작 가는 곳이 있습니까?"

빈우도 이름을 거론할 수는 있다. 울토르 프로젝트에 반대하는 곳, 군사정보국과 적대적인 곳, 샤다이와 내통 가능성이 있는 곳 등등. 그러나 빈우 자신이 잠수하고 있는 동안 정보국이 많은 조사를 했을 테니 고토 국장으로부터 더 자세한 대답을 들을 수 있을 것이다. 잠깐 뜸을 들인 고토 국장이 대답했다.

"많다면 많고, 적다면 적지."

"당신 그렇게 모호하게 말하는 사람 아니잖아?"

여기까지 와서도 미적거리는 고토 국장에게 빈우가 화를 내자 저쪽에서 마커스가 '또 시작이냐' 하면서 한숨을 쉬는 게 들린다.

고토는 빈우의 분노에 억울하다는 듯이 울상을 지으며 어깨를 으쓱였다.

"너무 그러지 마, 김 소령. 우리로선 아직 자네를 100% 믿을 수 없다고. 이 정도는 너그럽게 이해해줘야지, 응?"

빈우는 아까부터 자기 머릿속의 기록들을 열람해보고 있었다. 그러나 두뇌칩 안의 데이터 중 몇 가지가 잠겨 있었다. 울토르 프로젝트와 그 외 몇 가지들이 대략적인 개요만 보일 뿐 세부 내용은 알 수 없게 닫혀 있다.

힐끗 돌아보니 쓴웃음을 짓는 마커스와 눈이 마주친다. 아마 잠수에서 부상할 때부터 녀석이 미리 손을 쓴 것 같다. 요원의 자아를 형성하는 데 필요한 기록은 놔두면서 위험하다 싶은 것은 막는 방식으로. 그리고 명령을 내린 것은 저 고토 국장이겠지. 물론 요원의 머릿속에 있는 자료는 요원의 것이 아니다. 정보국의 것이다. 그래서 필요할 때는 이렇게 잠가놓기도 한다. 주로 요원을 완전히 신뢰할 수 없을 때.

이리저리 용을 써봤지만, 정보국은 부상해서 돌아온 빈우를 완전히 믿지 못하고 있는 게 확실해 보인다. 하긴 입장을 바꿔보면 빈우 자신도 그랬을 것도 같다. 빈우가 몸을 숨기고자 한 대상에는 정보국도 들어 있을 가능성이 크니까.

'텄군.'

정보국은 부하 요원들에게 그다지 친절한 부서가 아니다. 성향이 불분명 해진 요원에겐 더더욱. 아까 빈우가 '세탁'되느냐고 물었을 때 고토는 아니라고 했었다. 외부인들 앞에서. 그러니 지금 무슨 대답이 나올지가 중요했다.

"정말 무서운 표정인데, 소령? 내 아까 분명 자네를 믿음직스러운 부하라고 하지 않았나? 내가 부하를 험히 다루는 사람이던가? 설마 자네를 세탁하거나 그럴 거로 생각하는 건 아니겠지?"

빈우가 알기로 이노우에 고토는 충분히 그럴 만한 사람이다. 그래도 칼자루를 쥔 쪽은 저쪽이니 어쩔 수 없는 노릇이다.

"김빈우 소령. 현 시각 부로 자네를 울토르 프로젝트에서 제외하네. 이후 명령이 올 때까지 대기하도록. 자네도 알겠지만, 우리 쪽에서 위험하다고 판단되는 기록들은 모두 잠가놓겠네."

세탁이 아니라 대기다. 기록도 삭제하는 것이 아니라 동결이다. 즉, 유예 기간을 얻은 것이다. 최악의 경우는 피했으니 이 정도면 납득할 만하다.

"이후 자세한 것은 타이 소령에게 듣게. 아, 참. 그리고 김 소령."

통신을 끊으려던 고토 준장이 갑자기 뭐가 생각난 듯 자리를 고쳐앉았다.

"자네 십계면이라고 아나?"

'어떻게 대답해야 할까.'

뜬금없는 질문에 빈우는 답을 잠시 망설였다. 지금 워프는 열린 상태다. 그렇다면 연방의 포톤 웹으로 접속해 정보를 검색할 수 있겠지만 빈우는 솔직하게 대응하는 게 더 나을 것 같다고 판단했다. 즉, 검색하지 않고 자신의 뇌와 칩에 들어 있는 정보 내에서 대답했다.

"웬만하면 하지 말라."

"라멘."

국수 건지개를 엄숙히 들어 올린 이노우에 고토 준장이 통신을 끊었다.

012

· · · ✦ · · ·

한바탕 폭풍이 몰아친 것 같다. 빈우는 식당 의자를 끌어와 거기에 털썩 주저앉았고 그런 그에게 마커스가 다가와 물을 건네주었다.

"기록 건은 미안하게 됐다."

"미안하긴. 신경 쓰지 마. 우린 원래 이렇게 살잖아."

빈우는 자신의 머릿속과 칩의 내용을 조작당했지만 불쾌함은 그다지 없었다. 이런 것쯤은 감수하고 사는 것이 정보국의 삶이다. 오히려 자신의 친우인 마커스가 해준 것이 고마울 따름이다.

그때 다다다, 뛰는 소리가 나더니 아나스타샤가 빈우에게 날려와 빈우를 와락 껴안았다.

"도련님! 도련님! 도련님!"

빈우는 울면서 자신을 끌어안는 그녀의 볼에 흐르는 눈물을 닦아주었다. 사각거리는 금발 귀밑털에 말랑거리는 볼살. 빈우로서는 정말 오래간만에 느껴보는 감촉이다.

"울지 마, 아샤."

"하, 하지만, 하지만, 1년 반이에요. 1년 반 만에 돌아오신 거라고요."

아나스타샤는 어떻게든 울음을 참아보려 하지만 다시 눈가에 눈물이 맺힌다.

"설마 그동안 계속 작동하고 있었니?"

이 불쌍한 안드로이드 메이드는 우느라고 대답 대신 눈물을 흩날리며 고개를 끄덕거렸고 마커스가 대답해주었다.

"아나스타샤는 사건 뒤에 회수되어 조사받았다가 바로 풀려났어. 샤다이의 공격 때엔 네 개인실에서 대기하고만 있었기 때문에 별다른 건 없었지. 그런데 회수되고 나서 사정을 듣고 나더니 솔리드 베타에서 네가 돌아오길 기다리는 것을 허락해달라고 하더라고. 좀 생뚱맞은 질문이라 혹시나 해서 재검사를 해봤는데 두 번째 검사에도 달리 주목할 만한 건 없었어."

아나스타샤는 주인을 잃은 뒤에도 포기하지 않았다. 그녀는 예전부터 그랬다. 어떤 일이 있어도 주인을, 빈우를 포기하지 않았었다.

"그랬구나."

빈우는 이제야 울음을 그친 충성스러운 메이드의 머리를 쓰다듬어주었다. 유년 시절부터 빈우를 돌봐온 아나스타샤는 그의 보모이자 누나였고 부모였다.

"뭐 빈우 너의 부재 시 네 개인 재산관리자로 쓰이기도 했고 정보국에선 정보 백업용으로도 활용했던 군용 안드로이드니까 절차나 보안상으론 문제 없지. 해서 그냥 함선 관리용으로 돌렸지. 밖으로 나가 봐야 동결 상태로 창고에 보관하는 게 고작일 테니 오히려 그게 나을 것 같아서 말이야."

그렇지 않아도 아나스타샤는 피부와 머릿결 등이 많이 상해 있었다. 생체 안드로이드인 그녀에게 척박한 군함의 생활은 아주 힘들었을 것이다.

"그래도 타이 소령님께서 저를 많이 신경 써주셨어요. 보급 물자에 제 전용 소모품들도 넣어주시고 가끔 연락도 해주셨어요. 소령님께서도 그때 많이 힘드셨을 텐데 절 도와주시느라 더 힘드셨을 거예요."

상식적으론―정보국의 상식이라면―관리자인 빈우가 작전 중 실종이 된 다음에는 아나스타샤도 어떻게든 처분되었을 것이다. 마커스 말대로 정지 상태로 동결시키는 것은 양반이고, 기록을 지우고 재가공을 해서 사회로 방출하거나 아니면 아예 존재 자체를 말소하는 게 기본이다. 그런 삭막한 정보국을 상대로 안드로이드가 하는 말은 씨알도 안 먹혔을 테지만 마커스는 친구의 가족이 하는 부탁을 들어주었다.

"고맙다. 마커스."

빈우의 감사에 마커스는 말없이 피식 웃을 뿐이다. 반대의 경우엔 빈우 역시 그렇게 할 것을 알고 있기에. 하루하루 피 말리는 정보국의 삶에서 동기였던 빈우와 마커스는 서로를 의지하며 살아왔다. 사관학교 이후부터 이어져온 둘의 유대는 결코 가벼운 것이 아니었다.

"제가…… 저한테 권한만 있었더라면 주인님을 찾을 수 있었을 텐데……. 죄송해요. 제가 검사만 했어도 주인님을 찾을 수 있었는데……."

아나스타샤로서는 같은 배 안에서 자신의 주인을 두고도 찾지 못한 것이 못내 억울한 모양이었다. 그러나 그럴 수밖에 없다. 군용 프로그램이 주입된 그녀는 주인인 빈우나 명령권자의 지시 없이는 정해진 행동 외에는 할 수 없기 때문이다.

마커스가 어깨를 으쓱하며 말을 이었다.

"그동안 아샤는 네 방과 전투 정보실을 오가며 이런저런 잡무를 하는 게 고작이었어. 나도 그 이상의 명령을 내릴 수는 없었고."

그러고는 다시 사무용 패드를 꺼내 들었다. 그 모습에 아나스타샤는 잔뜩 겁먹은 표정으로 빈우를 자기 등 뒤로 숨기려 했다. 마커스가 앞으로 할 일이 자신의 주인에게 그다지 좋지 않을 것이라는 점을 예상했기 때문이다.

'귀여워.'

어릴 때부터 봐왔던 아나스타샤의 등이다. 사랑스럽고 든든했던 그녀의 등이 약하고 귀엽게 느껴진 것은 언제부터였을까.

"괜찮아, 아샤. 비켜줘. 할 일은 해야지."

아나스타샤는 주인의 말에 겁먹은 표정으로 머뭇거리며 비켜섰다. 이제 마커스는 빈우의 두뇌칩을 최종 조정할 것이다. 정보국의 목적에 알맞게. 고토 국장이 판단하고 내린 명령을 따라서.

"난 언제 복귀할 수 있냐?"

빈우가 자기 두뇌칩의 접속 권한을 넘겨주며 다시 정보국으로 돌아갈 수 있는지를 물어보았다. 그러나 주변 인물들의 반응으로 미뤄 보건대 그 확률은 희박할 것이다.

"음, 아마 당분간은 안 될걸. 알 만한 사람들한테 노출되었으니까."

첩보 계열에서 일하는 요원들은 보안에 민감하다. 그래서 정체가 드러나거나 보안 쪽에 문제가 있는 요원들은 철저히 신분 세탁을 하거나 일선에서 물러난다. 정확한 것은 알 수 없지만 마커스의 말로 보아 샤다이의 습격 이후 울토르 중대가 대대적인 조사를 받게 되면서 덩달아 자신에 대한 정보가 여기저기 흘러갔다는 추측을 할 수 있었다.

"이제 트리니티 패턴으로 잠겨진 '그' 정보는 해석이 되더라도 빈우 네가 접근할 수 없을 거야. 암호가 풀리면 자동으로 다른 방식으로 잠길 거고 우리 쪽으로 넘겨진 다음에는 삭제되겠지."

빈우가 목숨을 걸고 구하고 숨긴 자료는 이제 당사자가 볼 수 없게 된다. 자기 자신이 아니라 정보국과 연방을 위해 했던 일임이 분명할 텐데도 약간의 섭섭함을 느끼는 것은 어쩔 수 없다. 그리고 마커스가 이번에 할 일은 그것만이 아닐 것이다.

"야, 마커스. 그거 말고 내가 가진 기록 더 잠글 거 있냐?"

"응? 아니, 잠글 건 이미 다 잠갔어. 오히려 지금은 잠그는 게 아니라 색인 남기는 거야. 나중에 위화감 느끼지 말라고."

마커스의 말대로 장시간의 기록이 송두리째 사라져버린다면 해당 요원은 기록의 단절에 의한 정신적인 부작용을 겪는다. 그래서 이번처럼 이러저러한 기록은 어떤 이유로 열람이 금지된다는 식으로 각인시켜놓으면 요원들은 어떻게든 이해하려 노력한다.

기억은 자신이 살아온 증거이며 경험이다. 했던 일과 느꼈던 감정이 모여 앞으로의 자아를 만드는 데 하나하나 밑거름이 된다. 그러나 정보국에서 겪었던 것들은 감정이 배제된 기록으로만 남는다. 풍화되거나 변질하는 기억과는 달리 기록은 변하지 않는다. 대신 감정은 일절 저장되지 않는다.

만약 과거의 기록을 조회했을 때 본인에게 기억이 있다면 다시 그때의 기분을 느낄 수 있고 그때의 자신을 다시 되새길 수 있다. 그러나 애초 기억을 할 수 없는 정보부 요원들은 자신의 기록이 마치 제삼자의 것처럼 느껴질 때가 종종 있다. 덕분에 요원들은 자신의 기록이 조작당해도 큰 거부감을 느끼진 않는다.

"자, 완료. 이제는 걱정하지 마, 아나스타샤."

마커스가 패드를 말아 넣고 자신도 의자를 가져와 마주 앉았다. 평소보다 조금 가까이. 빈우의 경험상 마커스의 이런 행동은 뭔가 켕기는 것이 있는 개인적인 대화를 할 때 하던 것이다.

"아샤, 뭐 먹을 것 좀 있어?"

"네, 주인님. 잠시만 기다리세요."

재빨리 식당의 조리시설 쪽으로 몸을 돌리는 아나스타샤의 등 뒤로 빈우가 한마디 더 던졌다.

"침묵 모드 사용."

이제 이니스타샤는 두 사람의 대화를 듣지 못한다. 그리고 마커스도 아까 셋만 남았을 때부터 이 제2식당에서 도청에 대한 대비를 여기저기 해놓았다. 잠시 머뭇거리던 마커스가 입을 열었다.

"우린 처음에 마카로니 학살에 네가 관여된 게 아닐까 의심했어. 그래서 이렇게 한달음에 달려온 거지."

뜬금없지만 어찌 보면 합리적이다. 울토르 중대의 관리자에다 인공지능들을 후려치는 데 도가 튼 빈우다. 권한이나 능력은 차고 넘친다. 빈우도 그건 잘 알고 있기에 도로 질문했다.

"그렇게 생각한 근거는?"

빈우로서는 그런 걸 할 이유가 없다. 아직은. 다만 워프 공간에서 있었던 일이 동기가 되었을 수도 있다.

"할 이유는 없지만 능력은 있으니까. 지금은 원인이 대강 밝혀졌으니까 크게 걱정하지는 마. 서두른 것도 너나 우리의 결백을 밝히기 위한 것이었거든."

그때 아나스타샤가 쟁반에 뭔가를 들고 왔다. 김이 나는 블랙커피와 빵, 그리고 발라먹을 꿀과 버터인데 이것들은 예전부터 빈우와 마커스가 즐겨 먹었던 간식이다. 두 사람의 옆에 탁자를 펴고 그 위에 쟁반을 올린 아나스타샤는 몇 걸음 뒤로 물러나 가만히 기다렸다.

마커스는 커피잔을 들어 향을 맡더니 말을 이었다.

"네가 징조를 보였을 때 정보국은 뒤집혔어. 죽은 줄 알았던 요원이 살아서 잠수하고 있었으니까. 하지만 아까 말했다시피 울토르 프로젝트는 거의 정보국 손을 떠난 상태라 우리는 감시만 할 뿐 행동할 수는 없었어."

커피 한 모금을 마신 마커스는 쓴웃음을 짓더니 말을 계속했다.

"그때 너 정체 숨긴다고 고생 좀 했다. 이젠 사고가 터졌으니 숨겼던 이유를 둘러대야 하겠지만."

그러면서 마커스는 아나스타샤를 힐긋 쳐다봤다.

"아나스타샤한테도 미안하지만 비밀로 했었지. 아까도 울고불고 난리가 아니었어. 그래서 강제 집행으로 식당에 묶어놓을 수밖에 없었다. 두 사람한테 정말 미안해."

"신경 쓰지 마. 그런데 말이야……."

빈우는 빵을 들어 잘린 면에 꿀과 버터를 발랐다. 칼로리 만땅인 군용 빵에 합성 꿀, 합성 버터다.

"보안국과 기술국은 어떻게 됐냐?"

연방군 정보사령본부에는 네 개의 부서가 있다. 정보분석국, 연방군사정보국, 과학기술국, 보안국. 그중 과학기술국과 보안국은 정보국 다음으로 울토르 중대의 창설에 가장 많이 기여한 부서다. 기술국은 클론 제조에, 보안국은 정보국을 내부 감사하는 척하며 거짓 정보를 밖으로 흘리는 것으로 타 부서를 견제했다.

"샤다이하고 워프에서 마주쳤을 때 다 들켜서 그때 목줄 하나씩 달렸지. 세 부서 다 따로따로. 덕분에 주인들이 끄는 대로 서로 견제하고 있었어."

애초에 그다지 사이가 좋은 부서들은 아니었다. 각각 정보사령본부 휘하라는 명목으로 무소불위의 권력을 휘두르며 서로 눈을 부라리던 곳이다. 그런데 외부의 압력으로 서로 물어뜯게 되었다니 꽤 볼 만했을 거다.

"그리고 이번에 마카로니 건으로 한 번 더 뒤집힐 거다. 이번엔 목줄 쥔 사람들이."

"허, 참."

그때 울토르 프로젝트에 차질이 생기면서 안전장치란 명목으로 여기저기 목줄이 채워졌으니 책임은 목줄을 쥔 사람들이 져야겠지. 더군다나 울토르 중대는 정보국 소속에서 벗어나 여러 곳을 전전했다고 하고, 사고의 원인도 복잡하게 깔린 보조 AI나 전투OS 탓이란 게 밝혀지면 책임 소재가 꽤 복잡해질 거다.

차라리 다행이었다. 만약 마카로니 학살 사건이 정보국 관할하에서 일어났다면 고토나 마커스, 빈우를 비롯해 책임자들은 전부 모가지 신세가 되었을 테니 말이다. 물리적으로.

"새옹지마로 봐야 하나."

"뭐, 그렇게 됐지."

고개를 끄덕이며 커피잔을 바라보던 마커스가 질문을 하나 했다.

"아까 내가 한 말 기억나?"

"뭐? 무슨 말…… 어?"

마커스와 했던 대화 기록을 다시 불러오려고 했을 때 빈우는 한 가지를 깨달았다. 기억이 난다. 기억을 할 수 있다. 정보국에 들어오기 전처럼. 잠수하고 뇌를 위장했을 때처럼.

"야, 마커스! 이거 어떻게 된 거냐."

013

・・・✦・・・・

　기억을 할 수 없는 정보국 요원이 기억할 수 있는 경우는 몇 가지 없다. 대표적인 것은 잠수해서 신분을 감추거나 외부 파견 요원으로 빠져나가는 경우인데 이때는 외부인들과 접촉하면서 살아갈 때 자신이나 주변에 위화감을 주지 않기 위해서 이런 조치를 취한다.

　아니나 다를까,

　"응, 너 외부 파견으로 돌리기로 결정 났어."

　마커스 녀석이 쐐기를 박는다. 외부 파견의 경우는 잠수처럼 인격을 감추지는 않지만, 요원들의 머릿속에 중요 기록은 지워지고 보안 등급은 팍팍 떨어지며, 위기 상황 시 버려질 확률은 팍팍 올라간다.

　약간 일그러진 빈우의 얼굴을 살피며 커피를 한 모금 마신 마커스가 다시 말했다.

　"왜 그래? 너도 이 정도는 짐작했잖아?"

　물론 빈우도 짐작했다. 중요한 정보를 가졌지만 찜찜한 전력을 가진 요원이라면 관리를 하면서 밖으로 돌리는 게 최선이다. 하지만 빈우는 자신을 외부로 돌리는 정보국 때문에 얼굴을 찌푸린 게 아니다. 과거의 자신이 과연 어떻게 현재 상황을 설계했을까 하는 생각 때문이다.

　2217년 12월 27일 현재의 김빈우가 이 상황을 예상했다면 2216년 6월 8일 잠수하면서 트리니티 패턴을 설정했던 과거의 김빈우 역시 이 상황을 예상했을 가능성이 크다. 그렇다면 이대로 순순히 짜인 판에서 춤추기만 해도 머릿속의 트리니티 암호는 풀릴 것이다. 그다음에는 아까 마커스가 했듯 자신이 목숨을 걸고 구했던 정보는 다시 암호화된 뒤 정보국으로 이동될 것이고 결국에는 빈우 자신은 결코 알 수 없는 정보가 될 것이다.

연방군사정보국 요원인 빈우는 어디까지나 연방과 정보국을 위해서 일한다. 일에 개인적인 감정이 끼어드는 것은 최대한 배제한다지만 그래도 목숨을 바쳤던 일에서 소외된다니 찝찝함과 서운함을 느끼는 것은 어쩔 수 없다.

"외부 파견이라……."

빈우는 혼잣말을 하며 과거의 자신이라면 어떻게 했을까 생각해보았다. 아마 순순히 따르며 때를 기다릴 것이다. 그리고 때를 기다리자면 정보가 더 필요하다.

"이제 난 어떻게 되는 거냐?"

아까 빈우는 울토르 프로젝트에서 제외된다고 했다. 그렇다면 외부자인 빈우와 아나스타샤는 연락정에 태워 따로 보내는 것이 올바른 취급 방법일 것이다.

"어, 이 배를 타고 목적지까지 간 다음 거기서 새로운 명령을 받으면 돼."

"뭐? 간다고?"

의외의 말에 빈우는 놀랐지만 마커스는 대수롭잖게 반응했다.

"그래. 목적지는 말해줄 수 없어. 도착하면 너도 알겠지만."

어딜 가냐고 물은 게 아니라 뭘 타고 가냐고 물은 거다. 약간 당황해서 말이 헛나와서 그렇지.

대가리가 맛이 가서 개척 행성의 민간인들을 깡그리 죽여버린 클론들과 같은 배를 탄다는 것은 스릴 넘치는 일이지만 그래도 하라면 할 수 있는 일이다. 그보다 더 중요한 것은 이 배, 솔리드 베타는 울토르 프로젝트의 최중요 시설 중 하나란 점이다. 정보국 내에서도 아는 이는 극히 드물고 현재의 빈우로서는 접근 권한조차 없다. 당장 쫓겨나도 시원찮을 판국인데 타고 간다니.

빈우는 말없이 마커스를 보며 집게손가락으로 바닥을 가리켰다. 이 배, 솔리드 베타를. 그걸 보고 마커스도 눈치챘는지 버터 바르던 빵을 내려놓고 해명했다.

"지금 클론 중대는 전원 강제 수면 상태로 수면기에 감금되어 있고 솔리드 베타는 추진기가 정지된 상태로 다른 배들에게 예인되어 끌려가는 중이야. 마카로니에서 대형 사고를 쳤으니 말이야."

하기야 개척 행성에서 민간인 학살이라는 전대미문의 사고를 쳤으니, 클론 중대원들은 모두 동결 상태일 것이고 솔리드 베타는 주위에 감시하는 배들로 둘러싸여 끌려가는 중이겠지.

그러면서 마커스는 식당의 대형 스크린에 주변 상황을 띄워주었다. 언제 도착했는지 동형의 페가수스 급 상륙함 2척이 솔리드 베타를 사이에 끼고 이동하는 중이다. 동형 함이니 아마 저 안에도 클론들이 타고 있을지도 모른다. 다른 부대는 어떨까? 그런데 사고 전력이 있는 클론들을 다시 쓸까? 그러고 보니 현재 이 배 솔리드 베타에는 울토르 프로젝트의 주요 인물들이 타고 있는 셈이다. 배 옆구리에 어뢰 몇 발만 쑤셔 넣으면 세상이 조용하고 깔끔해진다.

'좀 너무 나갔나.'

빈우는 쓸데없이 가지를 치는 생각을 잘랐다. 그래. 마커스의 설명은 바른 말이다. 그런데 척하면 척하는 놈이 오늘따라 왜 이러는지 모르겠다.

"……진짜 이 배 타고 가나?"

"안 그래도 나 혼자서 일손 모자란데 현지 요원의 협조란 형식으로 좀 도와주라."

"너 이 새끼 일부러 그러는 거지?"

빈우가 빵을 잡아 던지자 마커스는 그걸 받아 채며 낄낄거린다. 그런 녀석의 장난질 덕분에 빈우는 조금이나마 안심할 수 있었다.

"너랑 아나스타샤를 솔리드 베타에 태우라는 건 국장님의 지시였어."

"……이 양반은 또 무슨 꿍꿍이를 꾸미는 거야."

자기 입으로 빈우를 프로젝트에서 제외한다고 해놓고서는 프로젝트의 핵심 시설에 콕 박아놓는 것은 도대체 무슨 심보일까.

"한때 네가 프로젝트 현장 책임자여서 이 배에 태운 건 절대 아니라고 본다."

그런 건 마커스도 잘 알고 있었다. 빈우는 자기가 이 배 안에서 어디까지 출입할 수 있는지 보안 등급을 조회해보았다.

'꽤 많이 막아놨는데…….'

솔리드 베타 안에서 빈우가 갈 수 있는 곳은 얼마 없다. 탑승은 허락하되 갈 수 있는 구역은 제한해놓은 것 같은데 왠지 지정된 구역들이 눈에 익다.

'이거 클론들 행동 범위잖아.'

치밀하다고 해야 하나, 허술하다고 해야 하나. 빈우가 갈 수 있는 곳은 과거 클론으로 잠수했던 시절 갈 수 있었던 곳이다. 끽해야 수면실, 식당, 격납고, 의무실, 훈련실 등등. 아마 고토 국장은 빈우가 과거 행동 영역에서 서성거리며 뭔가 건지기를 바라는 모양이다. 아니면 숨긴 것을 찾거나. 그게 뭐든 트리니티 패턴을 푸는 데 도움이 되는 거라면 대박일 테지. 아닌 게 아니라 빈우도 집히는 게 있긴 했다.

"그러니까 깔아놓은 판 위에서 춤추다가 목적지에 도착하면 새로운 명령을 받고 제 갈 길 가라는 얘기네?"

"떠나기 전까진 밥값 하란 얘기지. 자."

마커스가 반으로 잘라 건네주는 빵을 받은 빈우는 한입 베어 물고 접시에 내려놓은 다음 새로운 명령을 내렸다.

"침묵 모드 해제."

그제야 옆에서 조용히 시중들던 아나스타샤의 얼굴이 조금 밝아졌다.

"타이 소령님, 커피 더 드릴까요?"

"아니, 난 이제 슬슬 일어나봐야지. 둘이서 못다 한 얘기라도 하라고. 잘 먹었어, 아나스타샤."

볼일이 끝난 마커스는 둘을 위해서 자리를 비켜주려는 건지 남은 커피를 후룩 마셔버리곤 의자에서 일어섰다.

"방은 예전에 쓰던 거 그대로 쓰면 되고, 일정표 보내줄 테니까 나중에 확인해봐."

"그래."

마커스가 식당을 나가자 아나스타샤가 빈우의 무릎에 앉더니 자신의 주인을 가슴으로 와락 품어 안았다.

"주인님……."

빈우는 떨리는 그녀의 목소리에서 다음에 나올 말을 알 수 있었다.

"이제 그만해요, 주인님. 그만두고 고향으로 돌아가요."

아나스타샤는 빈우가 하는 일을 싫어했다. 물론 군인은 위험하다. 무력을 다루는 집단인 만큼 폭력에 노출되는 빈도도 높고, 현재 연방은 적이 많다. 인류 역사상 유례없을 정도로.

"예전처럼 보리밭을 일구며 사는 건 어때요? 제가 관리를 잘해서 농장도 많이 커졌어요. 농사가 싫으시다면 다른 일도 있잖아요."

어릴 때부터 같이 살아와 친숙했던 그녀를 업무보조용으로 썼던 게 빈우의 실수였다면 실수였다. 빈우의 부모로서, 누이로서, 보호자로서 살아온 그녀는 자신의 주인이 군에 입대할 때 같이 따라가고자 했고, 빈우는 흔쾌히 허락했다. 그때는 둘 다 심각하게 생각하지 않았다. 같이 살아온 동거 AI 로봇이나 안드로이드가 주인이 성인이 되어서도 업무를 도와주며 생활하는 것은 연방에서 흔한 일이었으니까.

하지만 눈앞의 총만이 아니라 등 뒤의 칼도 신경 써야 하는 정보국의 일은 그렇지 않았다. 차라리 예전처럼 아나스타샤가 일반 가사용이었다면 별다른 문제가 없었을 것이다. 그랬다면 빈우가 밖에서 힘든 임무를 마치고 돌아올 때 아나스타샤는 아무것도 모르는 채 그를 웃으며 맞이하고 위로해주었을 것이다.

그러나 주인의 업무를 돕기 위해 군용 보조 프로그램을 받고 빈우가 하는 일을 지켜봐온 아나스타샤는 도저히 그럴 수 없었다. 자신이 키웠고 같이 커온 주인이 스스로가 믿는 연방의 질서와 안녕을 지키기 위해 법과 도덕의 경계선상에서 줄타기하고 괴로워하는 것을, 그리고 자신의 결과물로 인해 스스로 환멸하고 고통받는 것을 차마 지켜볼 수 없었다. 정작 아나샤타샤는 중요한 일은 알지 못하고 가끔 빈우가 기억을 지웠음에도 불구하고 말이다.

"또 그런다. 난 괜찮아, 아샤."

울먹이는 아나스타샤의 머리를 쓰다듬자 이마 부근에 희미한 흉터가 만져진다. 생체부품이 많은 그녀였기에 남아 있는 흉터다. 주인인 빈우를 말리지 못해 괴롭게 했다고 생각한 안드로이드 메이드가 스스로를 책망하며 제발 벌을 달라고 애걸할 때 생겼던 흉터다. 그리고 그런 흉터는 아직 몇 군데 더 있다. 그녀의 몸에도, 정신에도. 자신의 잘못된 선택 때문에 괴로워하는 아나스타샤를 보며 빈우는 가슴이 쓰렸지만 포기할 수는 없었다.

"이제 외부 파견이니까……. 이번 임무가 끝나면 생각해보자."

"……예, 주인님."

언제나처럼 확답 없이 얼버무리며 빈우가 자리에서 일어서자 아나스타샤는 눈가에 막 맺히려 한 눈물을 소맷자락으로 훔치며 뒤로 물러났다.

"먼저 방에 가 있어. 볼일 보고 금방 갈 테니까."

아나스타샤는 약간 움찔하고는 공손하게 인사를 했다.

"예, 주인님. 부디 조심해서 다녀오세요. 기다릴게요."

그러면서 아나스타샤는 두 사람이 먹었던 식기를 치우기 시작했다. 방금 마커스가 잘라준 빵은 잘린 면이 접시 바닥으로 놓여 있어, 거기에 발린 꿀과 버터가 이리저리 뭉개져 끈적인다. 방금까지 그 버터와 꿀은 '백업'이란 암호―오직 마커스와 빈우 둘만의 암호―로 적혀 있었다. 마커스가 빈우를 백업하겠다는 뜻이다.

그리고 그것은 빈우가 마커스에게 던졌던 빵에 적힌, 역시 버터와 꿀로 적은 '현 상황'이라고 물은 암호에 대한 대답이다. 이 역시 빈우가 마커스에게 은밀히 물은 질문이다. 다른 누구에게도 알리지 않고 빈우와 정보국의 현 상황이 어떤지를 물은 것이다.

정상적인 상황이라면 '이상 무'라고 적거나 마커스가 이상이 없다고 직접 말해야 했다. 위험하다면 '위험'이라고 적어놓을 것이다. '백업'이라고 적어놓은 것은 마커스 자신도 갈피를 못 잡는 혼란스러운 상황이란 뜻이다. 아마 서로서로 봐주자는 의미도 들었겠지.

지금 빈우가 처한 상황은 최악이라고 할 만하다. 속했던 부대는 대형 사고를 쳤고, 과거에 얻었던 정보는 잠겨 알 수 없는 데다 상부로부터의 라인은 간당간당하다. 여기서 마커스마저 등을 돌리면 답 없는 상황이다. 하지만 현재 믿을 만한 사람은 마커스밖에 없다.

'어차피 마커스가 돌아섰다면 뭘 하든 끝난 거다. 지금은 녀석을 믿는 수밖에.'

빈우는 먼저 집히는 것을 찾아 제2식당을 나섰다. 그러면서 가는 길에 이리 기웃 저리 기웃하면서 쓸 만한 영상 기록도 미리 채집해뒀다. 이 기록을 쓸지 안 쓸지는 조금 있다가 판별할 일이다.

여기저기 들르며 시간을 끌다가 클론들의 수면실에 도착하자 이미 모든 클론 중대원들은 수면기에 들어가 자고 있었다. 평상시와 다른 점이라면 수면기와 앞의 장갑복 둘 다 잠금 상태로 되어 있다는 점이다. 당연하다면 당연한 조치다.

빈우는 조금 전까지만 해도 자신이 잠들어 있던 수면기 앞에 가 서서 다시한 번 자신의 두뇌칩 기록 설정을 확인했다. 외부 파견 요원으로 되어 있는 덕에 기억은 가능하고, 실시간 기록 감시는 없다. 나중에 때가 되면 기록을 수거할지 모르지만 적어도 지금은 정보국의 감시로부터 안전하다고 볼 수 있다.

빈우는 서 있는 상태 그대로 주변을 둘러보며 아까 촬영했던 영상과 음성 기록을 편집해 자신의 기록을 조작했다. 기억을 할 수 있으면 이런 장점도 있다. 정보국 요원이 본인의 기록을 직접 조작한다면 그것은 본인의 기억을 조작한다는 것과 같은 뜻이기 때문에, 미리 확실한 증거나 신호를 남겨두지 않으면 조작된 기록에 자신이 속는 자승자박의 꼴이 날 수도 있다. 그러나 이렇게 외부 파견 요원이 되면 기록과 기억이 분리되기에 조작해도 아무런 문제가 없다. 단, 나중에 일이 꼬이거나 들키게 되면 정보국 특산 자백제에 절여지는 문제가 생기지만.

빈우는 자신의 기록 조작이 끝나자 관리자 시절 몰래 심어두었던 백도어로 들어가 수면실의 보안 카메라의 기록도 조작했다. 이제 빈우의 두뇌칩 기록이나 수면실 보안 카메라의 기록을 보아도 빈우는 수면실에 들어와서 잠시 둘러보다가 나간 것으로 보일 뿐이다. 잠시 시간을 번 빈우는 수면기 옆에 달린 개인 사물함을 열었다. 거기에는 빈우가 찾던 물건이 있었다.

"이건가……."

클론 시절 잠시 혼란하게 했던 검정 레이스 여성 팬티다. 역시나 기능성 마커로 '이거 믿지 마라'라고 적혀 있었다. 그리고 그 작성자는 김빈우 본인이다. 하지만 빈우는 이걸 적은 기억도, 기록도 없다. 아마 잠겨진 기록 속을 보면 밝혀질지도 모른다. 여러모로 수상한 이 팬티는 아직 정체를 밝히기엔 껄끄럽다. 한동안 아는 사람이 적으면 적을수록 좋을 것이다.

'이 팬티의 존재는 장갑복이나 클론들의 기록에도 찍혀 있을 건데……. 내가 하기엔 무리겠고, 마커스에게 부탁해야겠군.'

빈우는 팬티를 주머니에 집어넣고는 수면실을 나섰다.

마커스는 자신의 방으로 들어가 패드를 책상 위에 던지고는 피곤한 표정으로 자리에 앉았다. 아직 그의 일은 끝나지 않았다.

"오, 어서 오게. 타이 소령."

책상 위에는 고토 국장의 홀로그램이 띄워져 있었다. 마커스는 그와 만나는 게 오늘만 해도 벌써 세 번째다. 먼저 빈우가 부상했을 때 라캉 중령, 웅우옌 중령을 동석해서 한 번, 그다음 바로 정보국 사람들끼리 두 번, 이제 단둘이서 세 번.

"그래, 김 소령은 어떻던가?"

어떻다는 건 빈우의 상태를 묻는 것이지만 당연히 몸이나 정신의 건강상태가 걱정되어 묻는 것은 아니다.

"세뇌나 전향의 징후는 없다고 봐도 될 겁니다. 또 우리를 굉장히 경계하고 있더군요."

"흠, 안전하긴 한데 역시 뭔가 숨기는 게 있다?"

사뭇 진지한 표정으로 팔짱을 끼는 고토 국장의 모습에 마커스는 기가 찬다. 아까 당사자와 직접 대화를 해놓고도 친구를 시켜 뒤를 캐는 모습이라니. 그답게 빈틈없는 모습이다.

"무슨 헛소리입니까. 김 소령은 살기 위해 그러는 것 아닙니까."

부하의 통명스러운 핀잔에 고토는 바로 시무룩해졌다.

"우리 정보국이 얼마나 요원들을 험하게 쓰는지 아십니까? 요원 손실률이 어떤지 잘 아시는 분이 무슨 그런 개소리를 하십니까."

연방군 정보사령본부 산하의 군사정보국은 군의 첩보 활동을 실행하는 부서로서 정보전과 첩보전 그리고 온갖 비밀작전의 최전방을 담당한다. 그만큼 위험한 부서이기도 해서 요원들의 손실률이 높은데, 근래 조직을 개편하며 그 손실률이 더더욱 높아졌다. 그리고 현재의 정보국을 만든 사람이 바로 전 부국장이자 현 국장인 이노우에 고토 준장이다.

원래 연방 군사정보국은 연방에 적대적인 외계종족에 대해서만 활동할 수 있다. 같은 군사작전을 하더라도 자치정부 쪽은 보안국 관할이다. 그런데 외계종족과 내통하는 반 연방 세력은 때에 따라 정보국과 보안국 둘 다 접근할 수 있는 회색 지대가 된다.

고토 국장은 이 회색 지대를 적극적으로 확대해 정보국의 작전 범위를 늘렸다. 그 과정에서 부서의 권한과 능력은 증대되었지만, 타 부서와의 충돌이 잦아졌다. 같은 정보사령본부 소속인 보안국과 관할 영역을 놓고 아웅다웅하는 것은 어제오늘 일이 아니지만, 지금까지 소 닭 보듯 했던 국방부 외 정보부서—연방 중앙정보국이나 연방 수사국—와의 마찰은 결코 좋은 일이 아니다.

또한, 우수한 요원들을 갈아가며 연방의 국방 안보를 확립하는 하이 리스크 하이 리턴 방식을 주로 썼기 때문에 성과는 확실히 좋지만, 내부는 개판 오 분 전이다. 요원들은 상부로부터 뒤통수를 맞지 않기 위해 별의별 생존책으로 무장하고 또 상부는 요원들의 이상 징후에 민감히 반응하여 뒤를 캐고 사지로 밀어넣는다. 아까 잠수에서 부상한 빈우에 대한 반응을 보면 알 수 있다. 오죽했으면 단둘이 있는 자리—마커스가 도청에 대비한 제2식당—에서조차 과거 사관학교 시절 장난삼아 만들었던 암호로 몰래 대화를 했을까.

"으음, 근데 김 소령 말이야. 메이드와 굉장히 알콩달콩하더군. 원래는 좀 쌀쌀맞지 않았나? 보는 내가 안타까울 정도였는데."

빈우는 아나스타샤에게 단지 미안하다고 했을 뿐인데 그게 알콩달콩하단다. 그렇다고 고토 국장이 딱히 꼬투리 잡는 것은 아니다. 수상한 점이 있으면 물고 늘어지는 게 정보국 사람들의 버릇이니까.

하긴 마커스에게도 그 점이 가장 걸렸다. 빈우를 마지막으로 봤을 때만 해도 녀석은 아나스타샤를 아예 없는 존재로 취급하고 있었다. 가족과도 다름없었던 그녀를.

"둘은 원래 사이좋았습니다. 다만 그 사건 이후로 김 소령이 많이 바뀌었지요."

"응? 그 사건?"

홀로그램 속의 고토 국장이 고개를 갸웃거린다. 모르는 건지 모르는 척하는 건지 어느 쪽이나 얄밉기 그지없다. 빈우가 잠수에서 부상하자마자 잠그라고 한 기록 중 하나인데 말이다.

"어떤 사건을 말하는 건가? 김 소령의 성격이 바뀔 만큼 큰 충격을 준 사건이 어디 한두 개여야 말이지."

마커스는 이제는 그러려니 한다. 빈우라면 좀 유쾌하게 받아쳤겠지.

"그리고 말이야, 타이 소령. 사람이 사건 하나둘 가지고 그렇게 막 바뀌긴 힘들어요. 인격이란 건 말이지……."

"네, 차츰차츰 쌓이고 쌓이던 걸 터뜨린 사건이 있었지요."

마커스가 한숨을 쉬며 말허리를 자르자 고토가 눈을 동그랗게 뜨며 손뼉을 쳤다.

"사건? 어…… 옳거니! 그런가! 그렇다면…… 아니 그래도 몇 개 되는구면. 뭐, 하지만 지금 그게 중요한 건 아니지."

화면 속의 고토 국장은 양심 따윈 장식이라는 걸 여실히 보여주는 소리를 하며 자리를 고쳐 앉았다. 본격적으로 시작해볼 심산이다.

"타이 소령, 김빈우 소령은 본인인 게 확실한가?"

"거의요. 한 99%쯤?"

마커스가 부상한 빈우의 몸과 두뇌칩을 직접 살펴보았을 때 빈우는 본인이 맞았다. 변심이나 조작된 흔적도 없고 깨끗하다. 다만 빈우의 성격이 조금 걸렸다. 방금 만난 빈우는 과거의, 순수했던 시절의 성격을 지니고 있었다. 그래서 고토 국장은 비밀리에 마커스에게 빈우와 사적인 대화를 하며 재조정을 빌미로 다시 두뇌칩을 재조사하라고 했었다. 그 결과가 바로 99%이다.

"99%라. 좋아. 그러면 안드로이드 메이드는 뭐라던가? 주인임을 정확히 인식하던가?"

"네, 주인으로 인식했습니다."

원래 아까와 같은 자리는 업무보조용으로 쓰던 안드로이드가 끼일 자리가 아니다. 그러나 주인과 오래 살아온 인공지능들은 축적된 데이터와 여러 요소를 통해 자신의 주인을 판별하는 데 탁월한 성능을 발휘하기 때문에 동석시킨 것이다.

"음, 메이드는 우리가 깔끔하게 검사했으니 믿을 만하지만……."

마커스는 그때의, 검사 당시의 영상 기록을 떠올려보았다. 해체 직전의 상황에서도 울면서 자신의 주인을 살려달라고 부탁하던 아나스타샤의 모습이 생생히 보인다.

"본인은 본인이다. 그런데 우리가 알던 김 소령과는 조금 다르단 말이지? 자네 말대로라면 1% 정도?"

'당신이 알던, 이겠죠.'

마커스는 그 말이 입 밖으로 나가는 것을 간신히 막았다. 고토가 알고 있는 빈우는 현실에 갈려나가 피폐해진 정보국 요원이다.

"네, 현재 김빈우 소령은 정보국에 들어오고 얼마 안 되었을 때의, 그러니까 좀 과거의 밝은 성격을 지니고 있습니다."

만약 마커스가 알고 있는 현재의 빈우라면 아까 제2식당에서 난리가 났을 거다. 날카롭게 깨져 흉포해진 내면을 냉철함의 주머니로 간신히 감싸고 있지만, 필요하면 그 유리 조각 날리는 주머니를 휘둘러 상대방을 피투성이로 만드는 데 주저하지 않는 놈이 무슨 반응을 보였을까. 아까는 꽤 원만하게 끝난 셈이다.

"밝다, 라……. 내가 아는 김 소령과 이미지가 좀 다른데?"

"많이 바뀌었고, 이번에 또 바뀌었죠. 아니, 돌아갔다고 해야 하나요."

"이런 사례가 종종 있었지?"

그러면서 화면 너머의 고토 국장은 과거 정보국 요원들의 성격이 변한 사례들을 띄워 보고 있었다. 기억이 없는 정보국 요원이라 해도 적게나마 기록에 의해 영향을 받는다. 당시의 감정만 되새김하지 못할 뿐, 그때그때의 사건들은 본인에게 영향을 준다. 빈우도 그렇게 서서히 바뀌어갔다.

다른 사례로는 과거의 기록을 잠그거나 푸는 바람에 성격이 바뀌는 예도 있다. 뇌에 저장되는 기억과는 달리 기록은 두뇌칩에 저장되지만, 칩에 과도한 조작을 가했을 경우 그 영향이 뇌에까지 미치는 사례는 드물긴 하지만 분명히 존재했다. 아마 지금 빈우의 경우는 그것과 유사한 경우일 것이다.

"네, 아마도 김 소령이 부상하자마자 별다른 조치 없이 중요 기록을 잠가 버렸기 때문이라고 추측됩니다. 아니면 혼자 했던 잠수의 영향일 수도 있고요."

본인 스스로가 자신 기록과 기억을 조작하면서 자아가 뒤틀리는 경우도 보고된 바 있다. 그리고 이러한 여러 종류의 부작용들은 과학기술국의 협조하에 천천히 자아 재정립 과정을 거쳐 치료되거나 완화된다. 물론 100%는 아니지만.

"으음. 성격이 바뀐 거야 유감스러운 일이지만, 그걸 고친답시고 트리니티 패턴의 존재를 알릴 만한 가치는 없어 보인단 말야."

고토 국장의 말은 크게 틀린 것은 아니다. 과학기술국에 보인다면 차근차근 빈우를 원상복구할 수 있겠지만 트리니티 패턴으로 잠긴 부분이 뜨거운 감자다. 피에르 라캉이나 응우옌 티 빈 같은 안전한 사람들이라면 모를까 아직 외부에 알리기엔 이르고 위험한 정보다. 그리고 마커스가 아까 살펴본 바로는 정보국 요원으로서의 활동에 관련된 기록들에는 별 이상이 없기에 외부 파견 요원으로 보내도 문제 될 것은 없었다.

"타이 소령, 자네 생각은 어떤가? 동기이자 친구인 자네의 의견도 듣고 싶네만."

마커스는 빈우의 성격이 바뀐 것이 조금은 걱정이 되긴 했지만 동시에 약간 안심이 되기도 했다. 언제나 고통스러워했던 빈우가 잠시나마 밝았던 때의 성격을 되찾았다는 점이 마음의 위로가 되었다. 그러나 신경 쓰이는 것은 또 있었다.

"성격이 바뀐 거야 시간이 걸릴 뿐이지 지속적인 멘탈 케어를 해준다면 원래대로 돌아올 겁니다. 정 안 되면 사태가 조금 진정된 다음 과학기술국에 협조를 요청해야겠죠. 그러나 중요한 점은 김 소령의 성격이 과거로 돌아갔다 곤 해도 정보국에 대한 불신은 그대로란 겁니다. 이 점을 해결하지 않는 한 김 소령은 우리의 시선 밖에서 행동하려 할 겁니다."

"그렇게 불신이 심한가?"

고토 국장의 말에 마커스는 잠시나마 할 말을 잃었다. 지금까지 빈우에게 수없이 당해놓고서는 무슨 개소리를 하나 싶다.

"과거의 김 소령은 정보국에 충성심 강하고 헌신적인 요원이었습니다. 그러나 거듭 자신을 사지로 내몰고 팽하는 상부에 대비해 자기방어수단을 강구했죠. 뭐 근본적인 원인은 국장님에게 있는 것 아닙니까? 부하를 희생양으로 몰아세우니 성격이 더러워지고 불신감이 생기는 거지요."

그 말에 고토는 사뭇 억울하다는 표정으로 변명을 했다.

"너무해, 소령. 나는 나름 그때는 대를 위해 소를 희생한다는 생각이었는데……."

"소탐대실이죠. 인적 자원은 대체 불가능한 자원입니다."

고토가 또 뭐라고 변명을 하려 할 때 밖에서 누군가가 벨을 눌렀다.

"임마, 마커스. 지금 시간 괜찮냐?"

문밖에는 빈우가 와 있었다.

"으음, 그러면 여기까지. 타이 소령, 성격 건은 김 소령에겐 되도록 비밀을 유지하게. 그의 실력으론 아주 작은 흔적만으로도 잠긴 기록을 유추할 수 있어. 그리고 가능한 한 많은 정보를 캐도록."

고토 국장의 홀로그램이 꺼지자 마커스가 문을 열었다. 방 안으로 들어온 빈우가 침대에 털썩 주저앉으며 물었다.

"뭐 하고 있었냐?"

"국장님이 네 뒤를 캐란다."

마커스가 히죽 웃으며 한 대답에 빈우의 얼굴이 팍 일그러진다.

"아, 제기랄 놈의 영감탱이."

방금까지 식당에서 취조해놓고선 또다시 친구를 시켜 호박씨를 까려는 고토 국장에게 빈우는 질려버렸다. 그리고 툴툴대는 빈우에게 마커스는 새로운 사실을 알려주었다.

"마침 잘됐다. 시간이 나면 말하려고 했던 건데, 아까 빈우 너한테 말 못한 게 하나 있어."

"뭔데?"

"빈우 너…… 잠수 전과 비교해서 성격이 조금 바뀌었어."

그 말에 빈우의 눈매가 약간 날카로워졌다. 마치 베테랑 정보국 요원 김빈우처럼.

"내가? 어떻게?"

"정보부 들어오고 초임 시절의 성격 같아."

그 말에 빈우는 팔짱을 끼더니 오른손으로 턱을 만지작거리며 생각에 잠겼다. 기록을 되새길 때 하는 버릇은 여전하다. 그러더니 표정이 험상궂게 변했다.

"세상에……."

"기록을 살펴보는 중이냐?"

"그래, 이제까진 그럴 시간도 없었는데…….. 맙소사."

자신의 기록을 살펴본 빈우가 머리를 감싸쥐었다.

"내가, 아나스타샤를…… 이렇게 대했다고?"

빈우는 자신의 기록을 믿을 수 없었다. 그에게 있어서 아나스타샤는 가족이나 다름없다. 아니 가족 그 자체다. 어릴 때부터 자신을 돌봐줬던 누나이자 보모였고, 모든 것을 가르쳐준 부모이자 선생이었으며, 지금까지 고락을 같이한 동료이자 전우였다.

그런데 빈우의 기억 속에서 언제부턴가 아나스타샤는 철저한 무시의 대상이 되었다. 마치 일반 안드로이드를 대하듯, 아니 안드로이드나 로봇이라도 그렇게까지 엄하게 대하진 않았다. 빈우 주변의 인물, 사물 중에서 오직 아나스타샤만이 차갑고 건조하게 배척당했다. 아나스타샤가 이유를 물어봐도 빈우는 일절 대답해주지 않았다. 그녀는 자신의 주인이 바뀐 원인을 알기 위해 부단한 노력을 했지만 모두 허사로 돌아갔다.

슬퍼하고 괴로워하는 그녀의 모습에 기록을 보는 빈우도 안타까웠다. 그러나 빈우에게 그보다 더 답답한 것은 자신이 그렇게 행동하는 이유를 모른다는 점이다. 만약 기억이 있다면 그렇게 행동한 이유를 알 수 있을 것이다. 그러나 정보국 요원은 기억할 수 없다. 만일 기록이 있다 한들 왜 그렇게 행동을 했는지는 당시의 기록만 봐서는 모른다. 그렇게 행동하게 된 원인이 되는 기록을 봐야 한다. 하지만 그 원인이 되는 기록이 잠기고, 그 외의 기록들도 군데군데 잘려나간 상태라 그 이유를 알 수는 없다.

빈우는 침울한 표정으로 마커스에게 물었다.

"마커스, 내 성격이 이렇게 바뀐 건 언제부터지?"

물어보는 빈우는 이미 돌아올 대답을 알고 있었다. 자신은 그 이유를 알 수 없었기에. 그리고 그 원인이 된 기록을 볼 수 없었기 때문에.

"미안해. 말할 수 없어."

마커스가 백업을 한다고 했지만, 그것도 일정 선을 지키면서다. 무작정 무한대로 도움을 줄 순 없는 노릇이다. 차갑게 질문을 끊은 마커스에게 빈우는 다시 질문했다.

"고토 국장이 눈치챘나?"

"그래. 안 그래도 그것 때문에 너한테서 정보를 캐내라고 하더라."

이번엔 빈우도 별로 반응하지 않았다. 더 심각한 문제가 자신을 짓누르고 있기 때문이다. 성격이 바뀐 것은 몇몇 선례가 있으니 그렇다고 쳐도 아나스타샤를 그렇게 대한 것은 도저히 용납이 안 되었다.

"내 성격이 원래대로 돌아온 건 아마 부상하면서 잠긴 그 기록의 영향이겠지?"

마커스는 '아니'라고 대답하지 않았다. 빈우에게 그걸로 충분했다.

빈우는 마른세수를 하며 몸을 숙였다. 산 넘어 산이다. 하나를 해결했다 싶으니 또 다른 문제가 새끼 치는 격이다. 자신이 맡은 프로젝트는 엎어졌고, 그 결과물이 대형 사고를 쳤고, 머릿속엔 정체를 알 수 없는—그러나 대단히 중요할 거라 추정되는—정보가 트리니티 패턴으로 묶여 있고, 자신의 중요한 기록들은 잠겨 있고, 성격은 정보부 초임 시절로 바뀌었다. 그리고 자신의 소중한 가족에게 크나큰 상처를 입혀버렸다.

'혼란스럽군.'

그렇게 몸을 숙이고 생각에 잠긴 빈우에게 마커스가 뭐라고 말하려 할 때 빈우가 몸을 벌떡 일으켰다.

"너 이거 아냐?"

빈우는 아까 수면실에서 구한 팬티를 꺼내 책상 위에 올려놓았다.

"여성용 팬티?"

의아해하는 마커스에게 빈우가 팬티를 들어 보이며 설명했다.

"그래, 그것도 군납이 아니고 민간용. 클론으로 잠수했을 때 쓰던 수면기 사물함에서 꺼낸 거야. 마카로니 강하 전에 부상기로 치킨 파이와 초코칩 쿠키가 떠오르는 바람에 뒤지다가 발견했지."

"클론 사물함에 이게 들어 있었다고?"

마커스는 팬티를 건네받아서 여기저기 살펴보았다. 다 큰 사내 둘이서 여자 팬티를 가운데 놓고 진중한 대화를 나눈다는 게 일견 꼴사납긴 했지만 둘의 표정은 사뭇 진지했다.

"일단 눈에 필터 씌워서 봐. 기능성 마커로 뭔가 적혀 있어."

그제야 마커스도 볼 수 있었다. 팬티 위에 적혀진 메시지를.

"흐음, '이거 믿지 마라'라고? 네가 적은 거잖아?"

"그래. 그런데 난 이걸 적은 기억이나 기록이 없어. 아까 말했다시피 이 팬티는 오늘 마카로니로 강하하기 직전에 처음 찾은 거야. 이게 과연 어디서 났을까?"

빈우의 말대로라면 이 팬티는 꽤 중요한 증거물이 될 수 있다. 솔리드 베타는 샤다이의 습격을 받은 뒤 철저하게 조사, 수색받고 나서야 수리를 받았다. 빈우가 잠수했던 올토르 클론 C-18의 경우도 마찬가지다. 만약 이 팬티가 그때도 사물함에 들어 있었다면 조사 측이 당연히 발견했을 거다. 그렇다면 검정 레이스가 달린 민간용 여성 팬티는 빈우가 클론으로 잠수해서 행동하던 기간에 사물함에 들어간 물건이란 뜻이다.

"잠깐, 이런 거 함부로 꺼내도 되냐?"

지금 빈우는 외부 요원인 상태에다 여러 가지 내·외부 요인으로 인해 상부의 마크를 받는 상황이다. 그런 와중에 이런 수상한 물품의 존재가 밝혀지면 이노우에 고토 국장은 눈을 뒤집고 달려들 거다. 이런 상황에서 빈우가 선택할 수 있는 길은 두 가지다. 팬티를 공개하는 것과 감추는 것.

"아까 식당은 보안 카메라가 있어서 그랬다지만 여긴 네 개인 숙소잖아. 안전하니까 꺼냈지."

빈우는 후자를 선택했다. 아까 식당에서의 대화를 보면 당연하다.

"아니, 그렇긴 하다만……."

아까 백업을 해준다고 했으니, 이건 빈우 나름대로 마커스를 믿는다는, 그리고 자신도 백업해주겠다는 무언의 제스처일 것이다.

"흠, 그러면 이 팬티는 발견했을 때 챙겨놓은 거냐? 대단한데?"

그때는 아직 빈우가 클론의 단순한 사고방식을 가지고 있을 때였다. 그런데도 용케 이런 중요 증거물을 챙겨놨으니 마커스가 감탄할 만하다.

"아니, 방금 다시 가서 찾아온 거야."

더 대단한 빈우의 대답에 마커스가 헛웃음을 지었다. 고토 국장이 빈우가 잠수했던 시절의 모든 물품을 수거해 오라는 지시를 해놨었는데 그 전에 선수를 치다니. 녀석답다.

"설마 그냥 다녀오진 않았겠지?"

그러면서 마커스는 제2식당에서 클론 수면실까지 가는 보안 카메라 기록을 훑어보았다. 깨끗하다. 수면실 내부도 마찬가지로 아무도 출입하지 않았다. 방금 보안 카메라가 어떻니 하면서 구시렁거리던 놈이 약간의 유예를 주니 보안 카메라를 마구 썹어먹는다. 역시 정보국의 엘리트 요원다웠다.

"미리 손쓰긴 해놨는데 나중에 뭐 이상한 곳 있으면 좀 봐주라."

현재 솔리드 베타의 현장 최고 책임자는 마커스이니 그 정도는 손쉬운 일이다.

"그래그래. 물론 네 두뇌칩 기록도 역시 손봤을 테고."

빈우는 당연하다는 듯이 고개를 끄덕이는데 그 기세에 마커스가 질릴 지경이다. 아무리 정보국 내부의 분위기가 안 좋지만 몸을 사리는 마커스와는 달리 빈우는 대놓고 적대 행위를 한다.

"좀 머뭇거리는 기색도 없냐……."

일단 빈우로서는 할 수 있는 일은 다 했으니 이제부터는 마커스가 나설 차례다. 함내 기록을 다시 살펴 팬티의 기원을 조사하고, 팬티가 들어간 기록을 조작해서 이 중요한 증거를 숨겨야 한다.

마커스는 즉시 솔리드 베타 안의 모든 보안 카메라 기록들을 최고 관리자 권한으로 열람했다.

"일단 지금까지의 영상 기록으로는 이 팬티 같은 이상 물품이 찍혔다는 보고가 없었어. 어쩌면 검색 중에 누락이 되었을 수도 있지. 어디 보자, 검색할 것은 검정 여성 팬티, 2217년 12월 27일 오전 4시 38분이 기상 시작이니까 검색은 그전부터……."

1년여간의 기록을 살펴보려면 작정하고 봐야겠지만, 지금처럼 AI를 시켜 영상 속의 특정 사물만 지정해서 검색하는 방법을 쓰면 순식간이다. 그렇게 화면을 살펴보던 마커스의 표정이 약간 굳어졌다.

"어라, 빈우야. 이거 좀 골치 아픈데."

자못 심각한 마커스의 말에 빈우도 덩달아 긴장했다.

"없어."

그 말이면 충분했다. 빈우도 즉시 문제가 뭔지 알아챘다.

"팬티가 들어간 적이 없군."

그리고 마커스는 클론 수면실 보안 카메라의 영상 검색 결과를 보여주었다. 화면에는 클론들이 수면실을 드나드는 영상들이 여럿 보였지만 사물함에 팬티가 들어가는 장면은 검색되지 않았다. 더군다나 빈우의, C-18의 사물함은 아예 열린 적이 없었다.

- 없어? 어디 간 거야? 내 치킨 파이! 내 초코칩 쿠키!

강하 직전 빈우가 사물함을 뒤진다. 아무것도 들어간 게 없는 사물함에서 뭐가 잡힐 리 있나. 그러나 검은색 팬티가 잡혔다.

"이 기록이 맞는다면 이 팬티는 오늘 강하 직전에 사물함에 생긴 거군."

그럴 리는 없다는 것을 두 사람 다 잘 알고 있다. 그리고 동시에 가장 확률이 높은 케이스를 떠올렸다.

"누가 조작한 거지?"

"설마 아샤가?"

아나스타샤는 지정된 구역을 벗어나 클론 수면실에 올 권한이 없고, 보안 카메라 기록을 조작할 능력도 없다. 빈우야 방금 함내를 오가며 보안 기록을 조작했다지만 실제로는 고도의 기술이 필요하다. 그러나 아나스타샤는 당시의 솔리드 베타에서 유일하게 능동형 AI를 가지고 있는 존재이고, 정보국 요원들은 본능적으로 모든 것을 의심하고 조사한다. 혹시나 해서 마커스는 데이터 패드를 들어 과거 솔리드 베타의 보급품 목록을 살펴보았다.

"으음, 일단 아나스타샤나 네가 가지고 온 사물 중에는 없어. 그리고 내가 구해준 물건은 아냐. 그렇다면……."

몇 가지 더 조사해본 마커스는 고개를 갸웃한다.

"함내 물질 생성기로 만들어진 물건도 아닌데. 원래 아나스타샤가 입고 있던 거 아니냐?"

"아니, 아샤는 이런 거 안 입어. 팬티는 흰색이나 베이지색. 스타킹도 살구색이나 옅은 갈색. 아까 봤잖아?"

물론 마커스도 보았다. 갈색 팬티스타킹에 하얀 팬티.

"확실해?"

"어릴 적에 이런 거 입혀보려다 귀싸대기 처맞은 뒤로는 확실해."

잠시 생각하던 빈우가 혼잣말 비슷하게 말을 이었다.

"설마 트리니티……인가……."

그 말인즉슨 빈우 자신이 팬티에 메시지를 적어 숨기고 영상 기록을 조작한 다음 트리니티 패턴으로 잠그지 않았을까 하는 생각이다. 그러나 그럴 가능성은 적다. 만약 그랬다면 솔리드 베타가 회수된 다음 대규모 조사를 할 때 발견했을 것이다.

아무튼. 이 팬티는 빈우가 몰래 가져온 증거이니 당분간은 둘만이 알고 있는 것이 좋을 것 같다.

"그럼 누가 입었던 건지 알 수 있을까?"

빈우의 말대로 이 팬티는 누군가 입었던 흔적이 있다. 마커스는 정보국에서 가져온 스캐너에 팬티를 넣고 검사를 돌려 보았다.

"이것도 안드로이드가 입었던 거군."

확대해 보자 팬티에는 생체 조직이 약간 묻어 있었고 그 조직을 더욱 확대하자 안드로이드의 제조 번호와 모델명이 새겨져 있었다. 그걸 보고 빙긋 웃은 마커스가 고개를 들자 화면 너머로 빈우의 굳은 얼굴이 보인다. 자신의 가족이 용의자인 셈이니 당연히 그럴 만도 하다.

"자식, 쫄지 말고 이거 봐."

그러면서 마커스는 화면을 잡아 빈우에게도 공유해주었다. 홀로그램 화면이 빈우의 앞에 뜨지만, 그의 표정은 변함이 없다.

"……안 보여."

"뭐? 안 보인다고?"

마커스가 화면을 다시 살펴보지만 별 이상은 없었다.

"그래. 인식 불가 필터가 걸려 있어."

"아하, 너 파견 요원이었지."

마커스는 혀를 찼다. 솔리드 베타에 타고는 있지만 빈우는 어디까지나 파견 요원이다. 배 안은 특례로 권한이 주어졌기에 돌아다닐 수 있고, 과거에 심어놓은 백도어로 침투해서 보안 카메라의 기록 조작이 가능하지만 거기까지가 한계다. 마커스가 방금 사용한 스캐너는 정보국에서 가져온 정보국 물건이다. 파견 요원의 안구와 두뇌칩의 보안 등급으로는 정보국 기기에 접근할 수가 없다.

"안심해. 아나스타샤는 아니야. 미등록 안드로이드다."

"그래, 다행이군."

한시름 놓은 빈우와는 달리 이번에는 마커스의 표정이 차츰 썩어 들어간다.

"하아, 체조직의 상태를 보니 얼추 1년은 되어 보여. 역시 샤다이와 조우한 다음이라고 보는 게 좋겠다. 최악의 경우엔 정체불명의 안드로이드가 이 배 안을 싸돌아다녔다는 얘기가 되는데."

미등록 안드로이드가 정보국의 기밀작전 함선 내부를 보안 카메라를 피하며 돌아다니다가 팬티를 벗어서 넣었다. 실로 두려운 일이 아닐 수 없다.

"그걸 밝히는 게 네 일이지. 열심히 해라."

팬티를 착착 접어 주머니에 넣으며 빈우는 일어났다.

"가려고?"

"그래. 안드로이드 점검용 데이터 패드 하나 줄 수 있나?"

그 말에 마커스가 멈칫한다. 어디에 쓸지는 뻔하다. 마커스는 패드 하나를 꺼내 빈우에게 사용 권한과 함께 넘겨주었다.

"푹 쉬어. 뒷일은 내게 맡기고."

"고생해라."

빈우가 방을 나서자 마커스는 이제까지 빈우가 했던 일들의 뒤처리를 시작했다. 가장 먼저 팬티의 스캔 기록을 지웠다. 자료만 지우는 게 아니라 메모리까지 뽑아 물리적으로 부숴버렸다. 다음은 빈우가 편집한 영상을 최종 점검하는 것이었는데, 이건 시간이 좀 걸리지만 큰 문제는 아니다. 어차피 빈우가 손댄 영상에서 이상한 부분이 있다면 그곳만 수정하면 되는 일이다. 마지막으로 해야 할 것은 지난 1년여간의 함내 보안 기록을 집중적으로 재점검하는 것이다. 이것은 AI의 도움을 받아서 조작 흔적을 찾아내는 일인데, 빈우 레벨의 실력자가 했다면 그것도 힘들다. 그리고 이제까지 이 방에서 있었던 일련의 사건들은 이노우에 고토 국장에게 보고되는 일 없이 빈우와 마커스 둘 사이에서만 진행될 것이다. 국장에게 알려질 때는 두 사람의 안전이 보장된 후가 되리라.

자신의 방으로 돌아간 빈우가 문을 열고 들어가자 침대에 앉아 있던 아나스타샤가 벌떡 일어났다.

"어서 오세요, 주인님!"

잠깐 보였던 불안감은 흔적도 없이 사라지고 밝게 웃는 미소가 그녀의 얼굴에 가득하다. 노을이 지는 보리밭에서 늘 봐왔던 따뜻한 미소다.

"아나스타샤."

"네, 주인님."

기대에 찬 표정으로 명령을 기다리는 그녀의 모습에 빈우는 잠시 머뭇거렸지만 결국은 질문했다.

"내 성격이 원래대로 돌아온 거 알고 있었니?"

그 말에 아나스타샤가 움찔했다. 몸은 약간 떨렸을 뿐이지만 그걸로 그녀가 얼마나 충격을 받았는지 알 수 있었다.

"앗, 네……. 죄송해요."

고개를 숙이고 사과하는 아나스타샤에게 다가간 빈우는 부드럽게 그녀의 어깨를 감싸 안으며 달랬다.

"아니, 널 탓하는 게 아니야. 괜찮아."

아나스타샤가 조금 진정하자 빈우가 다시 물었다.

"예전에 내 성격이 왜 바뀌었는지 말해줄 수 있어? 그러니까 정보국에 들어오고 나서 뭐 때문에 내 성격이 그렇게…… 바뀌었지?"

임무나 일 때문이 아니다. 빈우는 순수하게 궁금할 뿐이었다. 사랑하는 자기 가족에게 그렇게 매몰차게 대한 이유를 알고 싶었다.

"어, 음……. 모르겠어요. 저도 주인님께 물어보았지만, 주, 주인님은 절대 알려주시지 않으셨어요."

빈우는 언제나 당당하고 활발했던 아나스타샤가 주눅이 들어 주인의 눈치를 살피며 말을 더듬는 모습에서 자신의 과거 모습을 유추할 수 있었다.

"그게 언제부터지? 언제부터 내 성격이 바뀐 거야?"

"어…… 말이…… 말을, 아니…… 아는데."

아나스타샤는 대답하려고 입을 열었지만, 말을 하지 못했다. 그녀는 필사적으로 입을 벙긋거리지만 가냘픈 헐떡임만이 새어나올 뿐이다.

"아샤, 말하지 마! 됐어, 말하지 마!"

빈우는 자신이 한 몹쓸 실수에 후회하며 아나스타샤를 끌어안았다. 그녀는 주인의 품에 안겨 벌벌 떨면서 흐느끼고 있었다.

"마…… 말…… 할 수 없어요. 말할 수…… 없어요."

빈우는 조심성 없는 자신에게 욕지기가 일었다. 빈우가 파견 요원이 되면서 몇몇 기밀 기록들이 잠겼으니 그 기록들을 외부에서도 얻을 수 없어야 했다. 예를 들자면 업무보조용으로 쓰인 아나스타샤라든가. 만약 빈우가 해당 기록에 접근 권한을 가지고 있다면 아나스타샤는 당연히 대답할 수 있었을 것이다. 그러나 현재 빈우에게는 그 권한이 없으며 아나스타샤도 그 사실을 함내 네트워크로부터 수신받아 알고 있다. 그러니 아나스타샤는 자신이 알고 있는 사실을 빈우에게 말할 수 없는 것이다. 아까 인간인 마커스가 같은 질문에 대해 스스로의 판단과 선택으로 말하지 않는 것과는 달리, 안드로이드인 아나스타샤는 복종해야 하는 주인인 빈우의 명령과 그것을 수행해서는 안 된다는 정보국 프로그램의 명령 사이에서 모순에 빠져 잠시 혼란스러워했다.

"죄송해요, 주인님. 도움이 못 돼서 죄송해요."

"아냐, 아샤. 넌 잘못한 거 없어."

빈우가 달래봤지만 한번 불거진 죄책감은 그녀를 떠밀었다.

"말…… 하려고 했는데, 너무…… 너무 기뻐서…… 주인님이 저를 불러주신 것에 너무 기뻐서…… 으흑."

짐작이 간다. 자상하고 친절했던 주인이 어느 날부터 자신을 차갑고 매몰차게 대한다. 이유는 모르고 알려고 해도 알려주지를 않으니 그저 답답할 뿐이다. 그러던 어느 날 갑자기 주인이 실종되었다. 어릴 적부터 자신이 키워왔던 주인이, 자신을 부모와 누나처럼 따랐던 주인이 사라졌다. 주변에선 죽었을 거라고 말한다. 그녀 자신이 보기에도 죽었을 가능성이 크다. 그런 상황에서 인간이 아닌 안드로이드인 아나스타샤가 할 수 있는 일이라고는 없다. 그저 주인이 마지막 있었던 장소에서 기다리는 것이 고작이고, 최선이다.

그렇게 무의미한 기다림이 이어진 지 1년 만에 주인인 빈우가 살아서 돌아왔다. 어찌 안 놀라울까. 행복했던 시절의 성격을 가지고 옛날처럼 대해준다. 어찌 안 기쁠까.

"죄송해요…… 미안해요."

아나스타샤를 침대에 앉힌 빈우는 그녀가 좀 진정되기를 기다렸다가 울음과 흐느낌이 잦아들자 손을 들어 눈물을 닦아주었다. 오늘 들어 몇 번이나 그녀를 울리는 걸까. 씁쓸해하는 빈우가 그녀의 얼굴을 어루만지자 아나스타샤는 주인의 손길에 행복해하며 미소를 짓는다. 그녀의 웃는 얼굴을 보면서 빈우는 꺼내기 힘든 말을 간신히 꺼냈다.

"아샤, 잠시 검사할 게 있어."

빈우가 억지로 웃으며 안드로이드 검사용 패드를 꺼내 보이자 아나스타샤가 눈물기 남은 얼굴로 씩씩하게 고개를 끄덕인다.

"네, 주인님. 얼마든지 하세요."

아나스타샤는 밝게 웃더니 몸을 돌려 머리카락을 들어 올렸다. 그러자 접속 단자가 보인다. 그녀는 빈우가 왜 자신을 검사하는지 모른다. 단지 주인이 시키는 일이기에 기쁘게 따를 뿐이다. 빈우는 패드를 작동해서 아나스타샤의 두뇌 모듈에 접속했다. 그리고 메모리 영역으로 들어가 원하는 정보를 검색하기 시작했다. 혹시나 해서 빈우는 자신의 잠겨진 기록과 연관된 아나스타샤의 메모리에 접근해보려 했지만, 검사용 패드가 즉각 거부 신호를 보냈다. 어차피 예상했던 바였으니 빈우는 실망하지 않고 아나스타샤의 시각 기록에서 여성용 검정 팬티과 클론들 수면실에 대해 검색해보았다.

'없다.'

몇 번이고 검색해도 마찬가지였다. 아나스타샤는 클론 수면실 근처로 온 적이 없고 검은 팬티를 클론 사물함에 넣은 적도 없었다. 아니, 애초에 이런 검은색 레이스가 달린 팬티를 가지고 있지도 않았다.

"다행이다."

패드를 끈 빈우는 뒤에서 아나스타샤를 꼭 껴안았다. 불안감이 안도감으로 바뀌는 순간이었다.

"주, 주인님?"

아나스타샤는 잠시 당황했지만, 곧 자신의 목에 두른 빈우의 팔을 잡으며 뒤로 기대었다.

"괜찮아요. 주인님. 제가 있잖아요."

빈우도 힘들어한다는 것을 아는 아나스타샤가 주인을 어루만져주었다. 서로를 꼭 붙들고 있는 둘은 알고 있었다. 한 차례 폭풍이 잦아들었지만, 폭풍은 끝나지 않았다는 것을. 그리고 자신들은 지금 폭풍의 눈에 들어와 있다는 것을.

그러나 지금 이 순간은 서로를 느끼는 게 더 중요했다.

016

· · · ✦ · · ·

마리는 식료품 가게 계산대에서 두근대는 마음으로 서 있었다. 비단 마리만이 아니다. 가게 안의 사람들 모두가 뿌듯한 마음으로 쇼핑하고 있었다. 아마 거리에 나와 있는 모두가 그럴 것이다. 텅텅 비었다가 꽉꽉 들어찬 매대엔 사람들의 활력이 진열된 것 같고, 아직 비어 있는 곳에는 곧 노력으로 채울 수 있으리란 희망이 전시된 것만 같았다.

계산을 마친 뒤 마리가 근래에 드물게 무거워진 장바구니를 들고 가게를 나오자 반가운 목소리가 그녀를 맞이했다.

"엄마."

깜짝 놀란 마리의 고개가 목소리가 들린 쪽으로 돌아가더니 저절로 미소가 지어진다. 아들이 마중 나와 있었다.

"자크, 집에서 기다리라고 했잖니!"

마리가 걱정할 만큼 아들의 다리는 개척지의 험한 거리를 달리기에는 아직 불편했다.

"계단은 어떻게 내려왔니? 엘리베이터는 아직 안 움직이던데."

"괜찮아요. 지나가던 분들이 도와주셨어요."

걱정하는 엄마와는 달리 아들은 마냥 활기찬 모습이다. 언제나 그랬지만 요 며칠간은 더더욱 그렇다. 아마도 마리가 근래에 축 처져 있자 자기 딴에는 기운을 북돋워줄 생각으로 그러는 것이리라. 아직 어린 아들이지만 대견하단 생각에 마리는 쓴웃음을 지을 수밖에 없었다.

"엄마가 뭐 샀는지 보여줄까?"

이번에는 엄마가 아들을 즐겁게 해줄 차례였다. 마리가 장바구니를 슬쩍 펴 보이자 그중 하나가 자크의 시선을 끌었다.

"마가린! 마가린이다! 엄마 이거 진짜예요? 합성 버터 아니죠?"

신나서 마가린을 이리저리 살펴보는 자크에게 마리는 포장지에 그려진 그림을 보여주었다.

"그럼, 고래기름으로 만든 천연 마가린이란다. 또 뭐가 있을까아?"

"우와! 빵도 있다! 와아! 신난다. 엄마, 어서 집에 가서 빵에 마가린 발라 먹어요."

신나서 폴짝폴짝 뛰는 아들의 모습에 마리는 흐뭇해하면서도 한편으로 씁쓸한 마음이 일었다. 이런 일상적인 음식 하나에 아이가 이토록 기뻐한다는 것은 그리 좋은 일이 아니었다.

"파운드 케이크~ 파운드 케이크~."

가장 좋아했고 또 먹고 싶지만, 지금은 먹을 수 없는 음식 이름을 노래 부르며 자크는 마리 앞을 가고 있었다. 모자가 가는 길 앞으로는 하늘로 솟구친 궤도 엘리베이터가 보인다. 그 끝에는 점프 게이트가 있다. 한때 거길 통해 수많은 물류가 오갔고 궤도 엘리베이터는 쉴 새 없이 오르내렸었다. 그러나 지금 게이트는 닫혀 있고 엘리베이터는 멈추었으며 외벽에는 페인트로 개척민들의 메시지가 적혀 있었다.

> **우리는 독립을 원한다.**

> **연방은 우리 땅에서 떠나라.**

개척민들이 독립을 주장하자 연방은 처음에는 교섭을 시도했으나 얼마 지나지 않아 게이트의 사용을 제한하는 차단 정책을 쓰기 시작했다. 행성의 개척 사업이 제 궤도에 오르기 전에 연방으로부터의 지원이 중단되자 생활이 불편해졌다. 엎친 데 덮친 격으로 다른 자치 행성으로부터의 무역마저 끊기자 삶이 힘겨워졌다. 비상용 생필품이나 음식들이 있다지만 어디까지나 비상용. 생존의 최저한도를 충당시키는 거칠고 투박한 생활에 사람들은 지쳐갔다.

정착 당시 가져왔던 싸구려 합성 음식으로 지낸 지 얼마였을까. 결국에 물에 불린 톱밥 같은 비상식량을 배급받아 온 날 마리는 울음을 터트린 자크를 껴안고 자신도 한참을 울었었다. 서로가 서로를 달래며 울던 그날 밤을 마리는 결코 잊지 못할 것이다.

그러나 개척민들은 절대 포기하지 않았다. 농지를 개간해 작물을 키우고, 농장을 운영해 동물을 기르고, 순환이 끝난 바다에 풀어놓은 어류들을 채집했다. 마침내 발전소가 돌아 공장이 재가동되고 거기서 나온 물건들이 개척지의 시장에 풀려나가면서부터는 드디어 희망이 보이기 시작했다.

연방의 차단 정책은 개척지의 독립을 늦추기만 했을 뿐 막지는 못했다. 이제 개척민들의 힘든 생활은 머지않아 완전히 끝날 것이고 행성의 개발과 발전도 연방의 도움 없이 이뤄져나갈 것이다. 그 증거로 마리의 눈에 건설 현장들이 다시 재가동되고 있는 것이 보였다. 멈춰버린 궤도 엘리베이터 근처의 고층 빌딩들은 입주민들이 떠나서 텅텅 비었지만, 옥상에서는 한창 공사가 진행 중이었다. 그곳에선 정체를 알 수 없는 기둥 같은 것들이 하늘을 향해 지어지고 있었는데 지금의 마리에겐 그런 것들이 제대로 눈에 들어오지 않았다. 방금 들었던 아들의 흥얼거림이 더 신경 쓰였다.

'파운드 케이크라⋯⋯.'

예전이었다면 완제품을 사 먹거나 물질 생성기로 만들려고 했겠지만, 이제는 직접 만들어야 한다. 다행히도 친절한 자치정부 출신 개척민 이웃들이 여러 가지 개척 생활 노하우를 알려줬는데, 그걸 응용하면 어떻게 가능할 듯도 싶다.

'음, 계란은 메추라기 알로 대신할 수 있다고 했었고, 버터는 마가린으로, 그리고 설탕은⋯⋯.'

"미안해요, 엄마."

자크의 말에 마리는 생각을 멈추고 앞을 보았다. 어느덧 모자는 집의 정문에 도착해 있었다. 한때 많은 사람이 살았던 개척민용 5층짜리 간이주택에 여태까지 사는 사람은 마리 모자뿐이다.

독립에 모든 개척민이 동의한 것은 아니었다. 독립에 반대하는 연방의 시민들은 독립 선언 후 하나둘 떠나기 시작해 결국에는 모두 떠나버렸다. 그들이 떠난 다음 개척 사회의 인프라가 제대로 돌아가지 않아 남은 이들은 물자 부족과 함께 이중고를 겪어야 했다. 이제야 발전소가 가동되긴 했지만 아직 전력이 완벽하게 공급되는 것은 아니어서 마리 모자가 사는 집의 엘리베이터는 아직 작동하지 않고 있었다. 그 때문에 5층에 사는 마리네 가족은 계단으로 다녀야 했는데 자크는 계단을 오를 수 없는 자신의 다리를 내려다보며 풀에 죽은 목소리로 말했다.

"제 다리만 괜찮았어도……."

"그런 말 하지 말렴. 어서 집에 가서 파운드 케이크를 만들자꾸나. 엄마 도와줄 거지?"

"와아! 진짜요?"

파운드 케이크를 만든다는 말에 자크는 신나서 엄마에게 폭 안겼다. 한 손엔 아들, 나머지 한 손엔 장바구니를 안은 마리는 성큼성큼 계단을 걸어 올라갔다. 개척 작업을 마치고 힘든 몸이지만 아들과 짐을 동시에 껴안은 엄마는 전혀 힘들지 않았다. 5층에 도착해서도 마리는 자크를 내려놓지 않고 집 앞까지 걸어갔다.

"엄마, 이제 내려주세요."

"뭘, 다 왔잖니."

마리는 보채는 아들을 다시 한 번 고쳐 안고 걷다가 집 문 앞에 도착해서야 자크를 내려놓았다.

"고맙습니다."

문이 열리자 개구쟁이 아들은 냉큼 안으로 쏙 들어갔다. 그런 자크의 뒤로 마리의 잔소리가 따라 들어갔다.

"자크, 나갔다 오면?"

"손 씻기."

자크가 화장실에 들어가서 손을 씻을 동안 장바구니를 거실 바닥에 내려놓은 마리는 뒤에서 문이 닫히는 소리가 들리지 않자 한숨을 푹 쉬었다.

"아휴, 문을 고쳐야 하는데……."

마리는 고장이 나 잘 닫히지 않는 문을 닫기 위해 돌아섰다가 그 자리에서 굳어버렸다. 낯익은, 그러나 결코 만나고 싶지 않은 남자 한 명이 마리를 대신해 문을 닫아주고 있었다. 집 안에 들어와 문을 잠근 사내는 마리를 보며 한 음절씩 끊어서 말했다.

"마리. 라캉."

그가 자신의 이름을 말하는 것만으로 마리는 온몸이 얼어붙어 꼼짝달싹할 수가 없었다.

"아저씨, 누구세요?"

막 화장실에서 나온 자크가 약간 겁먹은 목소리로 물어볼 때 마리는 그만두라고 말리려 했다. 그러나 말하는 게 늦었는지 그 사내가 빨랐는지 자크는 불청객에게 거세게 걷어차여 부엌까지 날아갔다.

"자, 자크!"

마리는 비명을 지르며 아들에게 달려가려고 했다. 그러나 할 수 있는 건 비명을 지르는 것뿐이었다.

"악!"

마리는 뒷머리를 잡혀 그대로 들린 채 부엌으로 들려간 다음 식탁에 얼굴이 짓이겨졌다.

이번에는 비명조차 지르지 못했다. 바닥에 쓰러져 가물가물해지는 의식 속에 자크의 놀란 비명이 들려온다. 뇌진탕의 충격에 빠져 몽롱해져가는 마리의 의식을 아들의 비명이 간신히 깨운다. 마리는 피 때문에 코가 막혀 제대로 숨을 쉴 수 없는 와중에서도 필사적으로 말했다. 아니 필생적이리라.

"김 소령, 김빈우 소령…… 오해예요."

그러나 빈우는 마리를 보고 있지 않았다. 식탁 위에 장바구니를 올려놓고 내용물을 살펴보고 있었다.

"고래기름 마가린, 견과류 분말로 만든 빵, 식물 뿌리를 태워 볶은 커피, 옥수수로 만든 감미료……."

그러던 빈우의 시선에 피투성이가 되어 바닥에 널브러진 엄마와 그녀에게 기어오는 아들이 보였다.

"엄마, 엄마아아!"

걷어차여 심하게 다친 자크는 겁에 질려 망가진 다리를 하고도 어떻게든 엄마에게 가고 싶어 했다. 마리는 굽어진 바퀴를 질질 끌며 두 팔로 기어오는 자크가 어찌 될지 잘 알고 있었다. 그래서 그것을 막기 위해 입을 열었다.

"아…… 안 돼. 콜록. 자크…… 오지……."

그녀가 말을 채 끝내기도 전에 빈우는 자크의 발을 무참하게 밟아 부줬다.

"아아악!"

모자의 비명으로 가득한 식당에는 구원자만 있을 뿐 도와줄 사람은 없었다. 아니, 이 주택 안에는 아예 사람이 없다. 건물이 속한 구획에서도 거주민은 그리 많지 않은 상황이다. 비명이 잦아들 무렵 마리는 간신히, 조금이나마 냉정함을 되찾기 시작했다.

'고문, 고통, 죽음, 자비, 도주, 자결…….'

그러나 지금 마리의 머릿속에 떠오르는 생각들은 소름 끼치는 것뿐이었다. 빈우가 자신들을 바로 죽이지 않았다. 그렇다면 원하는 정보가 있을 것이다. 하지만 빈우는 심문을 하지 않았다. 그렇다면 고문이 있을 것이다.

"울토르."

짧게 뱉어진 빈우의 말에, 마리는 두 눈을 질끈 감았다.

'어째서, 그렇게 숨기고 도망 다녔는데 어째서……'

마리는 자신의 몸으로 자크를 안아 덮으며 간신히 대답했다.

"몰라요. 진짜예요. 저는 아무것도 몰라요, 김 소령. 믿어주세요."

빈우는 말없이 다가왔고 마리는 발작적으로 울부짖었다.

"제발! 제발! 아이만은! 제 아들만은 손대지 말아주세요!"

마리는 필사적으로 저항했지만 빈우는 별로 힘들지 않고 그녀를 들어치운 다음 자크를 들어 오븐 쪽으로 걸어갔다.

"정말이에요! 전 아무것도 몰라요! 제발! 자크!"

피와 침이 범벅이 되어 흐르는 입에서는 진실이 쏟아져 나왔지만 아쉽게도 구원자가 원하는 것은 진실이 아니었다.

"엄마! 무서워!"

빈우의 손에 들린 채 덜덜 떨며 이쪽을 보는 자크의 모습에 마리는 가슴이 찢어질 것만 같았다. 마리가 있는 힘을 다해 몸을 일으킬 때 빈우는 오븐을 열더니 자크를 안에 집어넣었다.

"아악!"

비명을 지르는 마리. 발버둥 치는 자크.

빈우는 살기 위해 오븐 문을 잡고 버티는 자크를 발로 걸어차 안으로 넣고 문을 닫았다. 그리고 오븐을 켰다.

"안 돼!"

간신히 한 걸음 뗀 마리의 턱에 빈우의 주먹이 꽂혔다. 그녀는 목이 덜컥 꺾이며 다시 바닥에 처박혔다. 그리고 어질어질한 그녀의 귓속으로 다시금 빈우의 목소리가 꽂혔다.

"대답하세요."

그 말에 마리는 소름이 돋으며 정신이 쫙 들었다. 빈우의 뒤로 예열되는 오븐 속에서 발버둥 치는 소리가 들려오자 마리의 정신은 절망감에 지배되어 갔다.

"울토르에 대해 대답하세요."

빈우가 재차 질문했지만, 산 채로 타들어가는 아들을 보는 엄마의 대답은 비명과 울음과 애원뿐이었다. 그런 마리를 보던 빈우가 무릎을 굽혀 앉았다.

"Save yourself."

빈우가 재킷 안주머니에서 무언가를 꺼냈다. 자치 행성에서 수렵용으로 쓰이는 가스식 화살 권총이다.

"From Hell."

가스가 충전되고 화살이 장전된 총이 마리의 앞에, 식당 바닥에 놓였다. 그 총을 바라보던 마리는 빈우가 무슨 말을 하는지 알아들을 수 없어 그를 바라보기만 했다. 예전이었다면 알았겠지만, 지금은 전혀 모르는 언어다.

그런 마리의 눈빛을 본 빈우가 혀를 찼다.

"역시. 두뇌칩이 없나."

"엄마아아아아아!"

그때 뜨거워진 오븐 안에서 자크의 비명이 들렸다.

"자크!"

마리는 어떻게든 일어나보려 했지만, 다리가 말을 듣지 않았다. 빈우는 선택하라는 듯 식당 벽에 기대서서 마리를 보기만 할 뿐이다. 그제야 마리는 빈우의 잔인한 의도를 눈치챌 수 있었다.

"구할 방법은 많습니다."

쐐기를 박는 듯, 재촉하는 빈우의 말에 마리의 손은 주춤주춤 권총으로 다가갔다.

"아아아아……."

마리는 흐느끼면서 권총을 잡아 쥐었다. 이걸로 저 남자를, 빈우를 쏴 죽일 수 있을까? 그리고 아들을 구할 수 있을까?

찰나의 고민에 답은 금세 나왔다.

'힘내, 마리. 넌 할 수 있어. 아들을 구해야 해.'

스스로 굳게 다짐한 마리는 권총을 들어 겨눴다.

"엄마아아아! 뜨거워어어! 살려줘어어!"

마침내 불에 타 몸부림치는 아들을 구하기 위해 마리는 방아쇠를 당겼다. 확실한 죽음을 위해 계속해서. 그리고 엄마가 쏜 총에서 발사된 화살촉들이 오븐 문을 뚫고 들어가 아들을 죽였다. 이어지는 화살촉 세례에 자크는 움직임을 멈췄고 마침내 고통에서 해방되었다. 비명도, 몸부림치는 소리도 더는 들리지 않게 되자 식당 안에는 잠시 정적이 찾아왔다.

"아아아아악!"

그 정적을 깬 건 마리의 비명이었다. 그녀는 미친 듯이 소리를 지르며 계속해서 방아쇠를 당겼다. 빈우를 향해.

그러나 소용없는 짓이다. 압축가스에 의해 발사되는 세라믹 화살은 군인인 빈우의 피부 정도에나 상처를 낼뿐, 군용으로 강화된 두개골과 안구에는 전혀 피해를 주지 못했다. 마리도 잘 알고 있는 사실이었지만 이성이 아닌 무언가가 그녀의 손가락을 움직이고 있었다.

화살이 떨어지고 빈 총에서 방아쇠 당기는 소리만 들려오자 마리는 퍼뜩 정신이 들었다. 그리고 허겁지겁 총구를 입안에 집어넣고 방아쇠를 당겼지만, 이 역시 소용없는 짓이었다.

그녀는 아들을 따라갈 수도 없었고, 빈우로부터 도망칠 수도 없었다.

빈우는 천천히 다가와 그녀의 입에서 총을 꺼내고는 다시 질문했다.

"울토르. 말하시오."

그 질문에 대한 마리의 대답은 분노였다. 자기 자신의 손으로 자식을 죽이게 만든 자에게 엄마의 노호가 쏟아졌다.

"죽여버릴 거야! 죽여버리겠어! 네가! 네가!"

분노는 거기서 끝이었다. 마리의 목뼈를 부러뜨린 빈우는 오븐으로 걸어가 문을 열었다. 그리고 불에 달궈져 타들어가고 있던 가정용 도우미 로봇을 꺼냈다. 원통형 몸체에 두 개의 바퀴와 두 개의 작업용 팔이 달린 이 로봇은 화살촉에 맞아 여기저기 부서져 있었다. 빈우는 로봇을 차근차근 분해하면서 자기가 원하는 정보들을 하나씩 찾아나갔다. 뇌 없음. 두뇌칩 없음. 포지트론 웹 연결 없음. 그렇다면 결론은 하나뿐이다.

"허수아비."

이 로봇은 자크라는 소년의 인격을 본떠 만든 사고복제 AI를 탑재한 허수아비였다. 그런데도 마리는 이 로봇을 제 아들인 자크로 대하고 있었다. 진짜 아들로서. 마리는 이 로봇이 허수아비라는 사실을 알고 있었을까, 모르고 있었을까? 만약 허수아비인 줄 몰랐다면 마리는 이 로봇을 아들의 뇌나 두뇌칩을 넣은 육체로 알고 있었을까? 반대로 허수아비라는 것을 알았다면, 대체 무엇이 마리에게 이 로봇을 아들로 보게 한 걸까?

이번에도 별다른 소득을 얻지 못한 빈우는 로봇의 CPU와 메모리칩을 바닥에 던지며 창밖을 내다보았다. 맞은편 건물에는 찢어진 현수막이 펄럭이고 있었다.

> 오늘 2217년 12월 25일은 우리 마카로니의 독립 기념 축제가—.

끊어진 메시지에서 시선을 돌려 하늘을 보자 뭔가 희미한 게 보였다. 호주머니에서 망원경을 꺼내 궤도 상의 물체를 확인한 빈우가 혼잣말을 했다.

"내일이나 모레쯤 되겠군."

그리고 빈우는 구원하지 못한 집을 나섰다.

017

· · · ✦ · · ·

오스카 4 스테이션은 오스카 항성계 내의 행성 간 이동을 돕는 중계 기지로서 연방 어디에서나 흔히 볼 수 있는 군과 민간의 복합 우주선 정거장이다.

솔리드 베타에서 내린 빈우와 아나스타샤는 다음 명령이 올 때까지 이곳에서 신변 정리를 하며 대기하라는 명령을 받았다. 그도 그럴 것이 빈우는 지난 1년여간 실종 중이었던데다 마카로니의 대형 사고와 연관이 깊어 파견 요원으로 쓰기 위해서는 이런저런 처리가 필요했다.

빈우는 군 시설에서 몇 가지 사무를 보고 외곽 복도를 걷다가 잠시 멈춰서 벽으로 걸어갔다. 오스카 스테이션의 바깥을 한 바퀴 도는 외곽 복도의 벽면은 전부 거대한 투명창이고 군데군데 앉을 수 있는 의자가 있어서 잠시 시간을 보내기엔 좋다. 그리고 꼬리에 붙은 불청객을 상대하기에도 나쁘지 않다.

조금 전부터 빈우의 시야 바깥에서 뒤를 밟는 미심쩍은 사람이 있었다. 미심쩍은 점은 두 가지다. 첫째는 두뇌칩 반응이 잠겨 있다. 간단한 개인 신상이 뜨는 두뇌칩의 정보가 닫혀 있다는 것은 얼굴을 가리고 다니는 것과 같다. 이상은 해도 수상한 것은 아니다. 둘째는 이게 미행 같아 보이진 않는다는 점이다. 이 사람은 그냥 일정 거리를 두고 졸졸 따라오고 있을 뿐이다.

의자에 앉아 식탁 위의 과자 몇 개를 집어 든 빈우가 이번엔 어떻게 반응할까 생각하던 차에 뜬금없이 또 다른 손님이 찾아왔다.

빈우가 시선을 돌리자 그쪽에서 민간인인 '콘래드 스미스'가 조심스레 다가오고 있었다. 자치정부 출신으로 45세의 남성인 그는 5일 전에 연방 시민권을 획득했으며 현재 가족과 함께 새로운 정착지로 이동하던 중이다. 그리고 지금은 잠시 시간을 내어 경유한 이 스테이션을 견학하고 있었다. 콘래드의 약간 뒤에서 이쪽을 보는 사람들은 아내인 테레사 스미스와 아들 빈센트 스미스로 마찬가지 연방 시민 5일차다.

이상이 콘래드 스미스의 두뇌칩이 공개하고 있는 정보였다. 그가 주춤주춤 다가오자 빈우는 자리에서 일어나며 인사했다. 시민이 된 지 닷새밖에 되지 않은 데다 군 시설을 방문한 민간인에겐 그에 맞는 에티켓으로 대해야 한다.

"안녕하세요. 콘래드 스미스 씨. 김빈우 소령입니다. 무엇을 도와드릴까요?"

콘래드는 초면에 자기의 이름을 부르며 악수를 청하는 빈우에게 조금 놀랐으나 웃으며 악수를 받았다.

"아, 그렇군요. 네. 반갑습니다. 콘래드 스미스입니다."

군 시설은 보안이 필요하기에 민간인들이 군사지역에 들어갈 경우에는 이처럼 두뇌칩에 들어 있는 개인 정보가 어느 정도 공개된다. 그래서 군인들은 민간인들의 정보를 대부분 볼 수 있지만, 그 반대의 경우는 그렇지 않기 때문에 약간의 배려가 필요하다.

"허허, 이거 익숙해지지 않는군요. 꼭 발가벗겨진 기분입니다."

자치정부에서 살다가 성인이 되어 뒤늦게 연방 시민인 된 그에게는 아직 두뇌칩의 활용이나 인식이 미숙하다.

"아직 닷새밖에 되지 않았잖습니까? 걱정하지 마십시오. 곧 익숙해지실 겁니다. 그리고 연방에서는 지역마다 다르지만, 이 정도의 개인 정보는 항시 공개하는 곳도 있지요."

"그게 정말인가요?"

두뇌칩 없이 살던 콘래드로서는 놀라운 일이다.

"흠, 자치정부 식으로 하면 전자 명함이나 SNS가 상시 켜져 있는 거라고 보시면 됩니다."

콘래드 가족의 정보 공개 정도는 양반이다. 화성 번화가에 가 보면 거긴 개인이 풀어놓은 정보들의 전자 폭풍우가 몰아치는 곳이다. 정신 사나워서 회선을 꺼놓으면 그걸 또 신기해하는 토박이들이 둘러싸서 혼을 빼놓는다.

"그렇군요. 아! 실은 제 아들 녀석이 전투기를 보고 싶다고 해서요."

"아하."

빈우가 맞장구를 치며 슬쩍 뒤를 보니 엄마인 테레사에게 꽉 잡혀 있는 빈 센트의 손에는 롱소드 전투기 모형이 들려져 있었다.

빈우가 알아본 바로는 스미스 가족은 오스카 스테이션의 견학을 요청했고 스테이션 관리소 측은 견학용 프로그램을 깔아주었다. 두뇌칩의 프로그램이 스미스 가족을 스테이션 여기저기로 안내해주었을 테지만 상대는 시민권을 딴 지 5일밖에 되지 않은 사람들이다. 프로그램이나 두뇌칩의 사용에 익숙지 않은 이들에게 안내인을 붙여주지 않고 프로그램만 덜렁 던져준 것은 좀 무신경한 처사였다. 거기다 중요한 목적이었던 전투기의 견학은 거부당했다. 물론 특별한 시기가 아니면 일반인은 군용 병기들을 접할 기회가 별로 없지만 그런 것을 제대로 설명해주지 않고 밑도 끝도 없이 안 된다고 하니 스미스 가족의 기분이 좋을 리 없다.

이런 사실들은 빈우가 조회해서 알아본 것들이지만 지금 여기서는 당사자들 앞에서 음성이나 시각정보로 다시 알려주는 것이 예의일 것이다.

"잠시 실례. 흠, 과연. 전투기 견학을 신청하셨는데 거부당했군요."

빈우는 홀로그램을 띄워 스미스 가족이 볼 수 있게끔 그들의 정보들을 보여주었다. 바깥에서라면 군인인 그가 할 수 없는 일이지만 군 시설에 들어온 이상 시민들의 개인 정보는 어느 정도까지 공개되고 조회할 수 있다.

"아쉽게도 행사 기간이나 장소가 아니면 군사 병기를 보기는 힘듭니다. 연방 시민이라 할지라도요."

"네, 그것을 어떻게 할 수 없나 싶어서……."

그래서 콘래드는 근처에서 만난 군인인 빈우에게 물어본 것이리라. 거기다 소령 계급장을 달고 있으니 어느 정도 권한이 있으리라 생각했겠지. 그러나 엄밀히 말하면 이건 빈우가 도와줄 수 있는 일이 아니다. 빈우는 이 스테이션 소속이 아니고, 전투기 병과도 아니다. 하지만 그렇다고 또 불가능한 일은 아니었다. 마침 빈우로서도 귀찮은 꼬리가 붙었던 터라 잘 되었다 싶었다.

"네, 제가 도와드릴 수 있을 것 같군요. 다만 가까이서 직접 보지는 못할 겁니다. 그래도 괜찮으신가요?"

말은 콘래드에게 말했지만 빈우의 눈웃음은 뒤쪽의 빈센트에게 향해 있었다. 축 처져 있던 빈센트가 단번에 신나서 고개를 끄덕였다.

"네! 좋아요."

"알겠습니다. 여러분, 따라오시죠."

빈우는 가족 세 명을 이끌고 우주항 쪽으로 갔다. 항구는 조금 멀기에 일행은 트램으로 이동했고 그 안에서 호기심 많은 아빠와 아들은 빈우에게 여러 가지 궁금한 것을 질문했다. 물론 빈우는 그 질문 하나하나에 성실히 대답해 부자를 만족시켜주었다.

"저기, 그런데…… 회선이나 개인 정보를 닫아놓으면 안 될까요?"

남편과 아들의 질문이 뜸해진 틈을 타 조심스레 묻는 테레사 스미스에게도 빈우는 친절하게 대답했다.

"일상생활에서는 닫아놓아도 전혀 문제가 없습니다. 다만 보안이 필요한 곳, 예를 들어 여기 같은 군사 시설에서는 저절로 열리는 점 양해해주시길 바랍니다. 아, 닫히지는 않겠지만 혹시라도 억지로 닫으려 하지는 마십시오. 거동 수상자로 보여 헌병들이 올지도 모르니까요."

빈우의 대답에 테레사는 움찔하더니 쭈뼛쭈뼛 용기를 내 다시 질문했다.

"그럼 연방에선 경찰들이 사람을 막 구속할 수도 있나요? 무선으로? 여기선 경찰들이 스위치만 누르면 사람이 꼼짝 못한다면서요?"

테레사의 의문은 자치정부 사람들이 흔히 가지는 의문 중 하나이다. 빈우도 백 번은 넘게 들었지만, 이번에도 친절하고 솔직한 태도로 대답해주었다.

"체포 프로그램 말씀이군요. 걱정하지 마십시오. 현행범이거나 영장이 없는 이상 프로그램은 절대 작동하지 않습니다."

빈우의 말에 안심하는 엄마의 옆으로 아들이 불쑥 끼어들었다.

"그럼 군인들은 어떻게 하나요? 무슨 프로그램을 써요? 이런 기지에 도둑이 들면 뭐로 잡아요?"

순수하게 질문한 빈센트에게 마저 '우린 그냥 대가리를 날려버린단다.'라고 솔직하게 대답할 수는 없었다.

"하하하, 당연히 정당한 절차를 거쳐 체포해서 경찰에 인도해야지. 우리 군인은 민간인 여러분께 아무것도 할 수 없어요. 군대는 연방을 위협하는 외계 세력으로부터 연방 시민, 자치정부 주민들을 지키기 위해 존재하거든."

그제야 스미스 부인은 조금 안심한 모습이다.

트램이 도착하자 빈우는 스미스 일가를 자신의 보관소 쪽으로 안내했다. 빈우의 사물 몇 가지는 아직 우주항 보관소에 있고 이곳은 인솔자만 있으면 민간인도 별다른 절차 없이 올 수 있는 구역이다.

"우와! 와아아!"

빈센트는 후다닥 달려가더니 보관소의 창에 이마를 맞대고 전투기들을 보았다. 오스카 스테이션의 군사 시설은 그다지 크지 않아서 보관소 너머에는 바로 전투기 격납고가 있었다.

"롱소드! 할버드!"

지금의 빈센트를 보면 뚫어지게 쳐다본다는 표현이 실제처럼 느껴진다. 전투기 이름을 외치며 창에 머리를 비비는 개구쟁이의 기세는 진짜 이마로 강화유리를 뚫어버릴 것 같다.

그 모습에 빈우는 마치 자신의 어릴 적을 보는 것 같은 기분이 들었다. 빈우도 저렇게 군사 무기를 보고 군을 동경했고 결국은 군에 입대했었으니. 연방 구역이었지만 외곽 농업 행성이 고향이었던 빈우는 우람한 장갑복과 늘씬한 전투기를 보며 어린 시절의 심심함을 달랬고 커서는 유년기의 트라우마에 도망치듯 고향을 떠나 사관학교에 들어갔다. 그리고 이상이 현실이 되었을 무렵, 꿈을 잃어버린 소년은 후회감으로 가득 찬 청년이 되었다.

"진짜 사이클론 어뢰다."

놀란 빈센트의 외침에 빈우는 스미스 가족을 쳐다보았다. 옆에선 아들이 신나서 들떠 있고 아버지는 웃으며 맞장구를 쳐주며 뒤에서는 어머니가 못 말린다는 듯하면서도 흐뭇한 표정을 짓고 있었다. 빈우는 그런 가족들의 모습을 볼 때마다 자기 일에 자부심을 느끼고 죄책감을 덜 수 있었다.

"대접이 변변찮아서 죄송합니다."

"아뇨, 아뇨. 정말 감사합니다."

빈우는 음식물 생성기에서 민간인용의 다과 몇 가지를 만들어 가족들에게 권했다. 생성기에서 만들어지는 음식을 의심스럽게 보던 테레사도 한입 먹어보더니 입에 맞는 듯 전투기에 정신이 팔린 아들의 팔을 잡아끌었다.

그리고 30분 뒤 빈센트의 팔을 다시 잡아끈 것은 빈우였다. 이 개구쟁이는 사진을 찍으려고 카메라를 꺼냈다가 한 번 제지당했으며, 그다음에는 자기가 봤던 것을 두뇌칩에 기록하려다가 빈우에게 걸려 부모에게 혼쭐이 났다. 종내에는 빈우가 흥분한 빈센트를 진정시키기 위해서 홍보용 전자 책자를 주는 것으로 마무리지었다.

예정에 없던 군 시설 소개를 마친 빈우는 스미스 일가를 다시 민간 구역에 돌려보낸 다음 다시 한 번 두뇌칩 반응을 체크해보았다.

'아직도냐.'

아까 빈우의 시선을 끌었던 사람이 빈우의 뒤를 계속 따라붙고 있었다. 원래대로라면 이렇게 두뇌칩의 정체를 감춘 사람이 군사 시설 내를 돌아다니면 보안 프로그램에 걸려 한바탕 소란이 있었겠지만, 그러지 않은 것을 보면 그는 그럴 권한이 있는 사람이었다.

빈우는 생각을 바꿔 그 사람에게로 다가갔다. 따라오던 사람은 빈우의 행동에 잠시 멈칫했지만 계속 이쪽으로 걸어왔다. 차츰차츰 거리가 좁혀지고 마침내 멀리서 따라오던 이의 얼굴을 맨눈으로 확인한 빈우는 좀 의외란 생각을 했다. 빈우는 방향을 돌려 조금 더 걷더니 근처의 가게로 들어갔다. 예전 홈그라운드라고 할 피자 타이거의 오스카 스테이션 지점이다. 빈우가 자리를 잡고 앉을 무렵 그 사람도 곧이어 피자 가게로 들어왔다.

"앉으시죠. 라캉 중령님."

피에르 라캉은 넋이 나간 표정으로 털썩 자리에 앉았다. 예전에 홀로그램으로 보았던 허수아비에 비하면 산송장이라 할 지경이다. 같은 정보사령본부 산하지만 군사정보국과 보안국은 견원지간처럼 다투는 두 부서다. 거기다 라캉 중령과 빈우의 사이도 썩 좋지는 않았다. 그러나 그것과는 별개로 저런 표정을 짓고 있는 사람을 빈우는 내버려두지 못했다.

"무슨 일 있으십니까?"

조심스럽게 묻는 빈우에게 라캉 중령은 사진을 하나 내밀었다. 홀로그램이 아니라 사진이다.

"누군지 알아보겠나?"

사진에는 피에르 라캉의 아내인 마리 라캉과 아들인 자크 라캉이 찍혀 있었다. 정보국 시절의 만남이라 빈우는 기록으로만 알고 있다. 마리 라캉과 자크 라캉의 영상은 지금 눈앞의 사진과 일치한다.

"사모님과 자크 아닙니까?"

"그래 내 처와 아들일세. 다행히 알아보는군."

빈우가 피자 타이거의 사원이었을 때 피에르 라캉은 스파게티 드래곤의 사원으로서 업무 협업차 종종 만났었고, 그 가족들과도 사석에서 몇 번 만난 적이 있었다. 그걸 아는 피에르 중령이 왜 이런 질문을 했을까. 이 질문을 했다는 것은 파견 요원이 된 빈우의 기록이 잠긴 것을 알지도 모른다는 뜻이다. 울토르 프로젝트의 관계자였으니 이후 보고를 받았겠지.

그러나 빈우는 그것보다 다른 것을 물었다.

"두 분께 무슨 문제라도 있습니까?"

"내 가족들이 어떻게 되었는지 알 수 있겠나?"

뜬금없는 질문에 빈우는 불안해졌다. 아무리 정보국이 관할을 넘나들며 여기저기 들쑤신다지만 그건 어디까지나 회색지대의 일이고 이런 건 관할 외다. 오히려 이런 건 보안국의 일이다.

"죄송합니다만, 중령님. 이건 오히려 중령님 쪽 전문이 아닙니까?"

빈우의 질문에 피에르는 이쪽을 보았다. 불안감과 무력감에 찌든 눈이다. 보안국 중령쯤 되는 사람이 저런 눈을 하려면 보통 사태로는 안 된다.

"처가 아이를 데리고 떠났네. 17일 전에."

단순히 별거는 아닐 것이다. 어지간한 애처가라도 그런 일로 사람이 이렇게까지 망가지지는 않는다.

"처도 보안국 요원이었어."

당연히 예측할 수 있는 정보다. 첩보 부서에 일하는 사람은 보안상의 이유로 보안이 확실한 사람이나 동종 부서의 사람과 결혼하는 경우가 많다.

"그랬군요."

알고는 있었지만 빈우는 예의상 대답했다.

"추적했지."

아마 공식적인 추적은 아니었을 것이다. 정보사령본부의 추적에서 2주 넘게 도망친다는 것은 불가능하다. 그러나 피에르 중령 정도 되는 사람이 17일 동안 못 찾았다면 상대가 작정하고 도망쳤다는 얘기다.

"오늘에야 알았다네."

그리고 피에르 중령은 이를 악물며 간신히 말을 이었다. 꽉 감긴 눈은 자기가 하는 말을 듣기 싫어서겠지.

"……마지막 장소가 마카로니였다는 걸."

그 말에 빈우도 굳었다.

"아내와 아이가 어떻게 되었는지, 알 수 있을까."

"제발 부탁이네."

보안국 중령 정도 되는 사람이 스스로 찾지 못하고 이렇게 다른 이에게 도움을 청할 정도라면 보통 사안은 아니다. 그리고 빈우에게 부탁하는 것은 그가 바로 마카로니 사건의 당사자이기 때문일 것이다. 그것도 아주 직접적인 당사자다. 개척 행성 마카로니의 지표면에 강하해서 거기에 있는 사람들과 대면했으니까. 그리고 마카로니에 있는 모든 사람을 클론 중대원들과 함께 죽였다.

정확히는 두뇌칩이 없는 자치정부의 개척민들이다. 개척민들은 두뇌칩이 없다는 이유만으로 인간이 아니라고 판별되어 빈우와 그의 클론인 울토르 중대원들에게 무차별로 학살당했다. 만약 연방 시민인 마리와 자크라면 당연히 두뇌칩이 있을 테니 클론들은 그들을 건드릴 수 없었을 것이다. 아마도. 당시 정상적인 상태가 아니었던 클론들에게 무사했을 거라는 보장은 힘들다.

그러나 당시 중대원들에게서 연방 시민을 발견했다는 보고는 없었고 어디에서도 두뇌칩 반응은 없다고 했다. 빈우는 불안한 예감을 달래며 다시 질문했다.

"혹시나 해서 여쭤봅니다만…… 사모님과 자크가 떠난 이후 두뇌칩의 현재 상태는 어떻습니까?"

그 질문에 피에르는 고개를 절레절레 흔들었다.

"지금 두 사람에게 두뇌칩은 없네. 아마 추적을 피하려고 빼냈을 거라 예상되네."

최악이다.

물론 두뇌칩을 빼면 추적하는 쪽에서 기본적인 소재 파악이 힘들어진다는 장점이 있다. 직접 배우지 않고 두뇌칩에 입력해 습득한 정보는 모조리 포기해야 한다는 단점도 있지만. 그러나 최악이라 한 것은 두뇌칩이 없는 마리 라캉과 자크 라캉이 그 지옥도 속에서 클론에 의해 죽었을 가능성이 대단히 크기 때문이다.

"제발…… 알려주게."

지금 피에르 라캉 중령은 자기 가족을 죽였을지도 모르는 사람에게 가족의 안부를 물어보고 있다. 물론 빈우로서는 가족을 찾는 아버지이자 남편을 도와주고 싶지만, 정보국 요원으로서 몸에 밴 버릇과 두뇌칩에 든 사고 유도 프로그램 때문에 일단 의심부터 하게 된다.

'라캉 중령은 과연 어디까지 알고 있을까.'

아까 라캉 중령의 첫 질문은 자신의 처와 아들을 알아보겠냐는 것이었다. 마치 면식이 있는 빈우가 못 알아볼 수도 있다는 것처럼.

정보국 요원들은 기억을 남기지 못하고 오직 기록만을 한다는 것은 마카로니의 궤도 상에 보낸 자신의 허수아비를 통해 들었을 것이다. 그렇다면 직후에 일어난 빈우의 기록 동결은 어떻게 알았을까. 이후 보고서를 통해서 알았을 수도 있다. 빈우의 후속 처리에 대해서는 관계 부서에 알려야 할 테니. 현재 빈우의 기록이 잠긴 부분은 정보국의 일급 기밀 사항과 울토르 프로젝트 전반에 관한 것이다. 이것에 대해 빈우는 대략적인 정보과 색인만 알 뿐 자세한 것은 열람할 수 없다. 만약 피에르 중령이 한 질문이 빈우의 기록이 어디까지 잠긴지 모르고 한 것이라면 큰 문제는 없다. 그러나 울토르에 대한 기록이 묶인 것을 알고 한 질문이라면 라캉 모자는 울토르 프로젝트의 관련자일 수 있다.

'하지만 그게 뭐 중요할까⋯⋯.'

지금 피에르 중령이 자신의 가족을 찾는지 울토르 프로젝트의 관계자를 찾는지는 알 수 없지만, 지금 눈앞에 있는 사내의 얼굴은 아내와 아들을 찾는 사람의 것이었다.

"글쎄요⋯⋯."

에두른 대답과 달리 빈우의 머릿속은 피에르를 돕기 위해 움직이기 시작했다. 원래 이런 일은 하면 안 되는 일이다. 그러나 애초에 빈우가 속한 부서는 하면 안 되는 일을 하는 부서다. 내일의 승리를 위해 오늘을 배신하는 것.

'기억해내라. 기억을.'

당시 마카로니에서의 기록은 묶였다. 그러나 클론으로 잠수했을 때는 정보국 요원이 아니었기 때문에 기억할 수 있었고 그건 그대로 남아 있다. 물론 마커스가 기록을 잠글 때 기억 쪽에도 손을 봐두긴 했었지만 적어도 지워지지는 않았다.

현재 연방의 기술로 기억을 지우기는 쉽지만 지웠다가 다시 살리는 것은 힘들다. 그래서 요원들의 위험한 기억에 보안이 필요할 때는 기억을 방해하도록 통제 프로그램을 넣는 방법을 쓴다. 정보사령본부에서 이렇게까지 하는 것은 오직 군사정보국뿐이다.

빈우는 피자 가게의 탁자를 손가락으로 톡톡 두들기며 당시의 기억을 되새겨보았다.

*

나는 당황해하는 아나스타샤를 깔아뭉개고 있다. 그녀의 양팔을 한 손으로 쥐어 잡고 나머지 한 손으로 메이드 복을 잡아 뜯는다. 아나스타샤는 작은 주인이 왜 이러는지, 무슨 일이 일어나는지 모르겠어서 그저 자신과 함께 커온 주인의 이름을 부른다.

"도련님? 왜 이러세요, 도련님. 잠깐만, 아파요."

나는 애원하는 그녀의 눈을 보는 것이 무섭다. 지금 아나스타샤의 눈을 볼 용기가 없다. 그런 주제에 다른 용기를 내어 서두르고 있다.

조금 더, 조금만 더.

나의 거친 움직임에 아나스타샤의 침대 머리맡에서 뭔가가 떨어진다. 봐서는 안 되는 것이다. 그러나 강박적으로, 이끌리듯 시선이 향한다. 거기에는 트랙터 너머로 일하고 있는 엄마가 보인다.

"빈우야, 가까이 오면 안 돼."

엄마는 지금 트랙터의 엔진에서 샤프트를 연결해 농기계를 돌리고 있었다. 이런 중장비의 움직임은 마치 전차를 연상케 해 어린 나의 관심을 끌었다. 호기심과 장난기에 자세히 보려 가까이 다가간 내 옷자락이 맹렬히 돌아가는 샤프트에 부딪혀 탁탁 튕긴다. 그게 신기해서 멍하니 있을 때 비명이 들렸다.

"빈우야! 뒤로 가!"

샤프트 반대쪽에서 엄마가 날 뒤로 밀어냈다. 그리고 엄마의 허리띠가 샤프트에 걸려버렸다.

"아앗!"

엄마는 잠시 버텼을 뿐, 짧은 비명과 함께 샤프트에 말려 돌아갔다. 이어지는 비명, 굉음, 부딪히는 소리, 부러지는 소리, 피보라.

비명은 스위치를 끄라고 했다.

그러나 내가 할 수 있는 것은 그저, 발을 동동 구르며 오줌을 싸고 소리 질러 우는 것뿐이었다.

비겁하게 도망친 겁쟁이의 기억이다.

바로 앞의 스위치만 껐으면 될 일이었다.

그러나 아나스타샤가 달려와 나를 안아줄 때까지 스위치를 끄지 못했다.

엄마가 으깨져 죽을 때까지 스위치를 끄지 못했다.

스위치를 끈 것은 아나스타샤였다.

아버지와 누나와 형들에게는 사실을 말하지 못했다.

가족들은 나를 달래기만 했다. 아무것도 못한 나를 눈앞에서 어머니가 죽어가는 것을 본 불쌍한 어린이로 취급했다.

난 엄마를 구하지 않았다는 사실을 밝히지 못했다. 무서워서.

겁이 나서 구하지 못했다는 것을 말할 용기가 없었다.

떠오른다. 비겁하게 도망친 겁쟁이의 기억이다.

마카로니에서도.

클론들에 의해 사람들이 죽어갈 때 왜 그들을 구하지 못했을까.

왜 클론들을 말리지 못했을까.

뭐가 증거를 모은다는 것인가.

그저 폐기당하는 게 무서웠을 뿐인데.

*

빈우가 빠르게 눈을 깜빡였다. 얼굴에서 동요는 보이지 않는다. 지금 머릿속에 떠오르는 게 정보국에서 심어놓은 정신 방벽이 작동해 벌어진 일이라는 걸 알고 있기 때문이다.

이게 정보국에서 쓰는 '기억을 막는 방법'이다. 지우는 게 불가능하다면 떠올리기 싫은 기억과 연결해서 기억을 되새기고 집중하는 걸 방해하면 된다. 때문에 대부분 과거의 거북한 기억에 떠밀려 원하는 기억을 피하고 떠올리지 못한다.

거의, 대부분은.

그리고 빈우는 대부분에 속해 있지 않은 사람이었다.

2217년 12월 27일 마카로니의 상황을 기억해낸 빈우는 찡그린 눈썹을 손으로 비볐다. 그 당시의 전투 상황에서 마리 라캉과 자크 라캉을 본 기억은

158

없었다. 정확하게 모두 본 것은 아니지만 클론들이 보여줬던 영상 정보에서 모자의 용모와 비슷한 사람들은 없었다.

이제 이것을 피에르 중령에게 알리는 방법을 택해야 한다. 상부에서 막아 놓은 정보를 타 부서에 넘기는 것은 당연히 금지되어 있다. 아무리 피에르 라캉 중령이 울토르 프로젝트의 관계자라 할지라도 먼저 공문을 보내고 그것이 승인받는 등 적법한 절차를 거쳐야 비로소 정보가 전해진다. 이렇게 바로 정보를 전하는 것은 그리 권장하는 방법이 아니다. 특히나 현 상황에서는.

빈우는 식탁 옆의 메뉴판을 들었다. 채집되는 기록은 시각과 청각이며 아직 촉각과 후각, 미각은 채집되지 않는다.

"죄송합니다. 중령님. 제가 도와드릴 수 있는 건 없군요."

멍하니 이쪽을 보던 피에르 중령의 시선이 빈우가 만지는 메뉴판으로 흘러갔다. 수백 수천 번을 봐서 안 봐도 뻔한 메뉴판 위를 빈우는 보지도 않고 손가락으로 훑어 원하는 토핑과 옵션을 클릭했다.

"식사는 챙겨 드십니까? 이거라도 드시고 기운을 차리십시오."

빈우가 주문을 마치자 도우 위에 토핑들이 뿌려지고 피자는 두 사람의 앞에서 금방 구워졌다.

"아아……."

멍한 눈으로 피자를 보던 피에르 중령의 입에서 역시 멍한 대답이 나왔다. 피에르 라캉의 눈은 빈우의 손가락이 움직인 순서를 좇았다. 명색이 그도 보안국 사람이다. 빈우의 손가락은 그가 애써 피하려 했던 사실을 알려주었다.

> **소재 불명. 사망 추정.**

"……고맙네, 소령. 정말 고맙네…… 잘 먹겠네."

피에르 중령은 감정 없는 대답을 하고 자리에서 일어섰다. 들어올 때나 마찬가지로 힘없는 걸음으로 나가는 그에게 빈우는 하고 싶은 질문이 많았지만, 아무 말도 하지 못했다.

마카로니 학살의 주체는 정보국이고 실행자들은 정보국의 클론 부대원들이다. 프로젝트 책임자이자 당시 현장에 있었던 인간은 빈우인데 라캉 중령은 분노하지 않았다. 오히려 빈우에게 부탁했다. 이유가 뭘까. 고토 국장의 말대로 책임 소재가 흩어진 탓일까. 빈우는 궁금한 것은 많았지만 멀어져가는 피에르 중령의 등을 차마 붙잡지 못했다.

아나스타샤는 콧노래를 부르며 방을 정리하고 있었다. 반감금 상태로 지냈던 솔리드 베타에서의 생활은 이제 끝이고 예전처럼 정상적인 숙소에서 생활할 수 있게 되었으니 기쁠 수밖에. 얼마 지나지 않아 다시 옮겨야 할 임시 숙소지만 그래도 정리하는 그녀의 손길에는 신이 난다.

빈우가 실종되었을 당시 전부 보관소로 갔던 물건들은 이제야 원래 주인에게로 돌아왔다. 보존팩을 뜯어 정리하던 아나스타샤는 예전 물건들을 다시 보며 과거의 추억을 떠올렸다.

"오와우. 이게 있었네."

짐을 정리하던 아나스타샤는 추억의 물건을 발견하고 감탄사를 불렀다.

> **우주의 영웅 이 섬.**

방금 연 보존팩에선 그 밖에도 여러 가지 영화들을 담은 메모리칩들이 제법 나왔다. 과거 농장에서 일할 때 아나스타샤가 용돈을 모아서 산 안드로이드 AI들을 위한 오락 영화다.

AI는 출고 당시 정해진 인격과 연령대가 있지만, 그 이후에도 자신의 주인들과 살아가면서 인격이 성숙해진다. 그것을 돕는 것 중 하나가 이런 AI용 오락 영상물인데 주로 권선징악이나 효도, 충성 등등의 미덕을 간접적으로 주입하는 오락물들이어서 인간 아이들에게도 꽤 인기 있었다.

"이거 도련님과 아가씨들도 좋아하셨는데."

가정에서 안드로이드 가사 도우미와 아이들이 이런 영화들을 같이 보는 것은 연방에선 흔한 일이었다. 아나스타샤 역시 농장에서 살 때 작은 주인들―빈우와 그녀의 여동생들―과 함께 이런 영상물들을 재밌게 봤었다.

"옛날 생각 나네."

지금 아나스타샤가 들고 있는 〈우주의 영웅 이 섬〉은 과거 지구제국의 전사인 이 섬이 우주를 휩쓸며 인류의 적을 쳐부수는 내용의 활극물인데, 빈우가 어렸을 때 가장 좋아했던 시리즈였다. 그리고 또한 빈우가 군에 지원하게 된 계기 중 무시 못할 지분을 차지하고 있다. 추억을 되새기며 칩을 재생하자 바로 즐겨찾기가 된 부분부터 나왔다.

"에잇! 죽어라! 인류의 적들! 이얍! 이얍!"

화면 속에선 장갑보병 이 섬이 기합을 넣을 때마다 총구에서 '삐용삐용' 하는 소리와 함께 섬광이 뿜어져 나와 보이는 적들을 모조리 초토화하고 있었다. 이 장면에서 어린 빈우는 흥분해서 침대 위를 방방 뛰어다녔고 삐걱거리는 침대를 수리하는 것은 아나스타샤의 몫이었다.

이어 다른 칩들을 재생하자 아나스타샤가 좋아했던 작품이 나왔다.

> **불가능을 가능케 하는 영웅들! 무림십건웅!**

"이야, 진짜 오랜만에 본다, 이거."

고대 중국에서 복수, 정의, 야망 등 자신이 원하는 걸 이루기 위해 노력하는 열 명의 영웅들이 불가능에 도전하는 이야기다. 마침 사천당가의 비기가 화면에 작렬한다.

"만천화우! 내가 죽일 수 없다면 모두 죽여버리리!"

도망친 원수를 추적할 방법을 잃어 영영 잡지 못하게 되자 대노한 주인공이 이렇게 된 이상 한 놈만 걸리란 심보로 강이란 강마다 독을 풀기 시작하는 장면이다. 아나스타샤는 이 장면을 볼 때마다 머리가 두근두근한다. 복수라는 명분으로 무차별적인 살인을 행하는 것은 AI로서는 상상도 못 할 일이다. 결코. 그 뒤로 금의위의 오랏줄이 천라지망세로 닥쳐들 무렵, 문이 열리는 소리가 났다.

"주인님!"

아나스타샤는 벌떡 일어나 돌아온 빈우를 반긴다. 그러나 반가운 표정도 잠시.

"……웩."

빈우의 손에 들린 것을 보더니 아나스타샤의 표정이 확 일그러졌다.

피자 타이거. 다시는 보고 싶지 않은 상표다.

"어어, 아냐. 일 때문에 사 온 거 아니야. 진짜야."

아나스타샤의 썩어 들어가는 표정을 보고 쭈뼛거리는 빈우에게 다시 메이드의 날카로운 눈길이 날아든다.

"정말이죠?"

"응, 그럼. 물론이지. 저녁은 이걸로 하자."

빈우가 아까워서 들고 왔던 피자가 아나스타샤에겐 영 못마땅했다. 오래간만에 생성기가 아닌 자신이 직접 만든 요리를 대접하려고 했는데 그게 틀어진 것이다. 더구나 정보국의 유령 회사인 피자 타이거라니 영 엮이기 싫은 회사다.

"토마토소스 시카고 피자에 토핑은…… 으음."

아나스타샤는 의심스러운 눈으로 토핑을 이리저리 본다. 머릿속으로 토핑의 머리글자로 애너그램을 맞춰보고 있지만 이렇다 할 메시지는 없는 듯싶다. 그녀도 나름 정보국의 사무를 볼 수 있는 능력이 있다.

"정말 무슨 메시지를 받아온 거 아니죠?"

"그럼 그럼."

허겁지겁 피자 포장지를 뜯는 빈우의 볼을 아나스타샤가 양손으로 잡아, 눈을 마주 본다.

"제 눈을 보고 얘기하세요."

빈우로서는 지금 아나스타샤의 저 맑고 파란 눈을 마주 보는 것은 왠지 무섭다. 저기에 물기가 맺혀 그렁그렁해져 있다면 더더욱.

"좋아요, 거짓말을 하는 것은 아닌 것 같군요."

"음……."

돌아서는 아나스타샤의 등 뒤로 빈우는 한마디 더 붙였다. 반은 장난기로,

반은 양심 때문에.

"진실을 다 말한 건 아냐."

그 말을 들은 아나스타샤는 일순 멈칫했다. 아주 잠깐.

"흥!"

그러더니 얼굴을 짓궂게 일그러트리더니 혀를 날름하곤 식기를 가져와 식탁 위에 가지런히 놓고 식사 준비를 했다.

"자, 먹을까."

"네, 맛있게 드세요. 주인님."

마침내 둘은 오래간만에 평화로운 식사를 할 수 있었다. 식사가 두 사람 입맛에 맞지 않는다는 것을 빼면.

"이거 일반인용이네요."

"뭐, 그렇지."

두 사람은 피자 위에 연신 자신들만의 소스를 뿌려댔다. 일반인용 식사는 빈우나 아나스타샤에게 그다지 좋지 않다. 먹어봐야 간에 기별도 안 갈 식사에 빈우는 영양제와 칼로리 보조제를 뿌리고 있었고 아나스타샤는 안드로이드용 소화제와 연료 겔로 피자를 덮을 기세였다.

그럼에도 불구하고 둘의 식사는 정말 즐거웠다.

019

. . . ✦ . . .

식사를 마치자 아나스타샤가 식기를 정리하고 차를 준비했다.

"주인님, 차는 뭐로 하실래요? 참, 이제 커피는 뽑을 수 있어요."

"그래? 그럼 커피."

아무리 맛을 비슷하게 한다 해도 생성기에서 나오는 카페인 음료는 커피에 비할 게 아니다. 아나스타샤는 아직 풀던 중인 짐 안에서 커피메이커와 커피 원두를 꺼내 자연산 커피를 우려내기 시작했다. 빈우가 보관품 목록을 살펴보니 울토르 프로젝트 때문에 솔리드 베타로 가면서 보관소에 맡겼던 개인 사물들은 얼추 다 온 것 같다. 나머지 사물들은 우주항 보관소에 있다.

"짐 정리하는 중이었구나. 거의 다 왔지?"

이 짐들은 빈우가 오스카 스테이션에 온 다음 날부터 하나둘씩 오기 시작해서 닷새째인 오늘까지 오고 있었다. 아마도 정보국에서 검열하고 보내는 중일 것이다.

"네, 오늘까지 일단은 다 온 것 같은데 만약에 하나라도 없어지거나 망가진 게 있다면…… 음, 담당자를 칠공분혈할 거예요."

"응? 너 요새도 그런 거 보니?"

생뚱맞은 단어를 들은 빈우의 표정은 처음엔 의아하다는 것이었지만, 한쪽에 꺼내진 영상물 칩들을 보고선 아직도 그러냐는 듯한 비웃음으로 바뀌었다. 거기에 발끈한 아나스타샤가 아직 덜 풀린 보존팩 더미 쪽으로 가더니 뭔가 뒤적뒤적하며 꺼내 들었다.

"혜혜, 이거 기억나세요?"

아나스타샤가 불쑥 내민 물건에 빈우가 기겁했다.

"억! 너 그거 언제 챙겼어?"

"챙기긴요. 옛날에 주인님이 입대하실 때 저도 따라가려고 부랴부랴 짐 챙기다가 딸려 들어간 거 같아요. 그게 어디 구석에 처박혀 있다가 방금 제가 찾았지~용."

아나스타샤가 든 것은 〈평화를 지키는 마법 소녀 피스메이커〉에 나오는 주인공 '피스메이커'의 장난감이다. 이 시리즈는 빈우의 여동생이 특히 즐겨 보았던 작품으로 아나스타샤 역시 팬이었다.

"피스메이커! 사악한 강강대마왕으로부터 나를 지켜줘~."

"야아아임마!"

장난기 가득한 메이드는 두 눈을 질끈 감은 주인의 얼굴에 피스메이커를 부비부비 문지르고 있었다.

"아유, 정말이지 위험했다니까요. 그때 피스메이커가 안 지켜줬으면 큰일 났을걸요?"

"큭, 그만해."

버틸 수 없게 된 빈우는 자리에서 일어나 침대로 도망갔고 아나스타샤는 끈질기게 따라붙었다.

"그래요. 그때도 침대 위에서 피스메이커가 나와서 저를 지켜줬죠. 아, 아니다. 사실 나를 지켜준 게 아니라 주인님을 지켜준 건가?"

"내…… 내가 잘못했다."

빈우가 침대에 누워 이불로 얼굴을 덮자 아나스타샤는 날름 그 아래쪽으로 파고들었다.

"들어오지 마!"

아나스타샤가 이불을 비집고 다리에서부터 꼬물꼬물 기어 올라오자 빈우는 비명을 질렀다. 그러나 충성스러운 메이드는 전혀 개의치 않고 용감하게 이불 속에서 포복해 올라갔다.

신장 183cm에 강화 육체를 가져 102kg이 넘는 빈우의 저항을, 신장 172cm에 체중 56kg의 가녀린 메이드는 솜씨 있게 돌파했다.

"영차."

마침내 이불 위로 아나스타샤가 쑥 올라왔다. 머리가, 목덜미가, 가슴이 빈우의 얼굴을 지나 올라갔고 마침내는 아랫배까지 턱을 스치고 올라간다. 그리고 아나스타샤는 의기양양한 표정으로 빈우의 얼굴 위에 무릎걸음으로 서 있었다. 한 손에는 피스메이커를 든 채.

"어머나? 이젠 그때랑 반대네요?"

그때라면 빈우가 15세, 한창 혈기 왕성할 무렵이다. 그 철없던 꼬맹이는 자신의 누나 같은 아나스타샤를 덮친 적이 있었다. 실제로 뭘 어찌 해보겠다는 건 아니었고 그냥 꼭 안고 침대 위에 넘어진 게 고작이지만, 그래도 덮친 건 덮친 거다. 사실 음흉한 마음이 좀 있기도 했고.

그리고 마침 두 사람이 넘어지는 충격에 아나스타샤의 침대 머리맡에 놓여 있던 인형이 떨어졌는데 그게 바로 빈우의 여섯 살 된 막내 여동생과 아나스타샤가 함께 가지고 놀던 마법 소녀 피스메이커의 인형이었다.

인형을 보니 어른스러워 보이던 아나스타샤의 모습 위로 막내 여동생과 천진난만하게 소꿉장난을 하던 모습이 겹쳐져, 자신에게 깔린 아나스타샤가 마치 여동생 또래의 여자아이 같아 보였다. 생각이 여기까지 미치자 빈우는 죄책감과 자괴감에 빠져 그 자리에서 도망을 쳐버렸고 그때부터 마법 소녀 피스메이커는 아나스타샤가 빈우를 놀려먹을 때 종종 등장하는 비밀병기가 되었다.

그리고 세월이 무상하게도 이제는 역으로 메이드가 주인을 덮치고 있었다.

"그다음에도 계속 정신 못 차리고 나중에는 희한한 속옷이나 사주시고 말이죠."

"으아아, 으아아."

아나스타샤의 과거 폭로에 기겁하던 빈우는 살랑거리는 메이드 복의 치맛단이 얼굴을 스치자 움찔움찔한다.

"또, 또 오래간만에 만났더니 처음 한다는 말이 뭐어? 팬티 보여줘?"

"내려가, 내려가, 내려가, 아유, 제발. 좀."

빈우가 제대로 힘쓰면 가녀린 안드로이드 메이드는 그냥 날아가겠지만, 이 불쌍한 강화군인은 주인에게 목줄 잡힌 강아지처럼 낑낑거리며 힘을 못 쓰고 있었다. 그렇게 자기 다리 사이에 깔린 빈우를 보며 아나스타샤는 짓궂게 히죽 웃더니 자기 치마를 살금살금 들어 올리며 약을 올렸다.

"자아~ 오늘의 제 팬티는 뭘까~요?"

"검정 망사!"

촥, 하고 아나스타샤의 손바닥이 빈우의 이마를 찰지게 때렸다. 맞은 쪽보다 때린 쪽의 얼굴이 더 빨개진다.

"아이 씨! 못됐어! 아직도 그런 거 생각해요? 전 그딴 거 절대로 안 입는다고요!"

아나스타샤가 아픈 손을 허벅지에 문지르며 다시 뭐라고 하려 할 때.

딩동.

공이 살렸다고 해야 하나, 벨이 울리는 바람에 아나스타샤의 장난과 빈우의 수난은 멈출 수 있었다. 아나스타샤는 잽싸게 일어나 짐과 방을 정리했고 빈우도 대충 물건을 치우며 문 옆의 인터폰으로 걸어갔다.

인터폰의 화면에는 군인 한 명이 아무 말 없이 서 있었다. 말이 필요할 리가. 인터폰의 화면 옆으로 그의 정보가 뜨고 있고, 또 무엇보다 빈우가 아는 사람이기도 하다.

"조지 레드우드 중장?"

뜬금없이 연방군 특수전 사령부 부사령관이 오스카 스테이션에 있는 자기 방문 앞에 서 있자 빈우는 급히 문을 열며 경례를 했다.

"레드우드 중장 각하, 여긴 어쩐 일이십니까?"

"반갑네, 김 소령. 안에서 얘기하지."

레드우드 중장은 성큼성큼 걸어 들어오더니 아나스타샤가 준비해준 자리에 앉았다.

"안전하겠지?"

그의 질문은 짧았지만 많은 뜻을 담고 있었다.

"예, 각하. 제 방은 안전합니다. 아나스타샤, 잠시 자리 비워줘."

"네. 주인님."

차를 준비하려던 아나스타샤는 빈우의 말에 공손히 고개를 숙이며 방을 나섰다. 아까와는 영 다른 얌전한 미소를 띠며. 그리고 문이 닫히고 빈우도 자리에 앉자 레드우드 대장이 말을 꺼냈다. 언제나 그렇듯 본론부터.

"이노우에 국장과 대강 얘기가 됐어. 자네가 팀 하나 맡아."

중장이나 되는 인물이 아무런 연락도 없이 불쑥 찾아와 밑도 끝도 없이 자기 하고 싶은 말만 한다. 그다운 행동이다. 과거 빈우가 전투 훈련을 받기 위해 특수전 사령부로 파견되었을 때 처음 만났던 레드우드 중장은 이후로도 몇 차례의 합동 비밀작전을 하면서 제법 얼굴을 트게 된 사이다.

"김 소령."

빈우가 뭐라고 하기도 전에 레드우드 중장은 짧은 한마디와 함께 자신의 가슴, 계급장 옆에 붙은 휘장들을 가리켰다. 그 손가락이 가리키는 것을 본 빈우는 마음속으로 혀를 찼다. 텅스텐으로 만든 해골 모양의 휘장. 통합 특수전 훈련인 닉스 과정을 3단계까지 모두 수료해야만 받게 되는 이 휘장은 연방 군인들에게 있어 선망의 대상이자 당사자가 인간 흉기라는 증명이기도 하다. 그만큼 닉스 과정은 흉악한 난이도를 가진 훈련이라 시속 60km로 달리고 800kg을 들어 올리는 강화군인들조차 버거워하며, 이를 필수적으로 수료해야 하는 장교들은 1단계를 통과하는 게 고작이다. 물론 1단계만 되어도 그 사람의 능력을 의심하는 사람은 없다. 2단계를 통과하면 연방의 최정예 특수부대원임이 증명되고 3단계가 되면 마주치는 적마다 재앙을 선물하는 최종 병기가 된다.

빈우는 타 부서 사람치고는 드물게 3단계까지 수료했던 터라 레드우드 중장 외 특수전 사령부 사람들에게 눈도장을 단단히 찍었고 수차례 러브콜을 받기도 했다. 그런데 그랬던 빈우가 지금은 휘장을 안 차고 있으니 레드우드 중장이 곱게 볼 리가 없다.

"이전 임무 때문에 사물을 모두 맡겼는데 그때 보관소로 가서 아직 도착하지 않았습니다. 양해해주십시오. 각하."

"흠."

레드우드 중장이 납득의 의미인지 불만의 의미인지 모를 콧소리를 낸다. 한참 휘장을 만지던 그가 갑자기 손가락을 딱 튕겼다. 빈우는 자리를 박차고 뛰쳐나가 날아오는 텅스텐 카바이드 휘장을 이마로 받으며 레드우드를 향해 오른손을 내질렀다. 레드우드는 빈우가 내지른 오른주먹을 왼팔꿈치로 막으며 반격하려 했지만 막은 건 주먹이 아니라 손바닥이었다. 빈우는 레드우드의 옷자락을 잡아당기며 왼무릎을 찔러나갔고 그 와중에 두 사람 사이의 식탁이 박살이 나면서 두 군인이 부딪혔다.

"제길, 중장이란 작자가 아직도 전투용 강화를 하고 있네."

"안 하면 휘장 떼야지."

소령과 중장이 치고받는 풍경은 다른 곳에서라면 상상도 할 수 없었겠지만 특수전 사령부에선 종종 벌어지는 광경이다. 상관이 때린다고 그냥 허허 맞고 있을 모범군인은 그 동네엔 없으니까.

레드우드의 박치기에 빈우도 박치기로 맞받아치자 둔탁한 금속음과 함께 두 사람의 이마 피부가 터져 나간다. 부상 부위는 곧바로 재생을 시작했고 상처에 묻은 상대의 피와 살은 곧 아군의 것으로 판단되어 재생의 재료로 함께 쓰였다.

"왜 또 남의 방에 와서 시빕니까!"

"깨죽깨죽 말이 많다."

빈우와 레드우드는 격렬한 육박전을 시작했다. 빈우가 몸을 오른쪽 뒤로 돌리며 허리춤의 권총을 잡으려는 것을 본 레드우드는 그걸 막지 않고 먼저 자기 품속으로 손을 넣었다. 근거리에서는 총보다 칼. 그러나 권총을 잡으려고 뒤로 뺀 빈우의 손은 페이크였고 그 손이 그대로 어퍼컷으로 레드우드의 턱을 올려쳤다. 그리고 레드우드가 잡으려던 진동 나이프를 왼손으로 빼앗아 쥐고 텅 빈 목덜미를 그으려고 할 때 레드우드의 손이 빈우의 왼손목을 붙잡았다. 하지만 빈우는 나이프를 재빨리 오른손으로 토스해서 레드우드의 머리를 찔렀다. 전원이 켜지지 않은 나이프에 찔린 레드우드는 씩 웃었다.

"괜찮군."

흡족하게 웃으며 옷매무새를 가다듬는 레드우드 중장을 보며 빈우는 욕지거리를 뱉었다.

"아니, 뭐가 괜찮습니까! 남의 방 개판 만들고."

"일이야."

일을 벌인 사람이 이렇게 당당하게 나오니 방 주인은 속이 탄다. 빈우는 주섬주섬 자리를 치우며 레드우드 중장에게 의자를 권했고 자신은 그냥 침대에 앉았다. 빈우의 엉덩이가 침대에 닿기가 무섭게 다시 레드우드 중장의 본론이 시작됐다.

"자네도 잘 아는 거지?"

레드우드 중장이 보여주는 홀로그램은 과거 솔리드 베타를 습격한 신형 샤다이의 자료들이다.

"이 신형 샤다이는 리퍼라고 명명되었어. 그날 이후 모습을 드러내진 않았지만, 그 위험성에 대해서는 누구나 잘 알고 있지."

그리고 직접 겪은 빈우는 그 사실을 누구보다도 잘 알고 있다. 두 사람 사이의 정지 영상에는 리퍼와 울토르 중대원들 간의 전투 장면 몇몇이 나오고 있다. 전투라기보다는 일방적인 학살이지만.

"객관적으로 볼 때 울토르 클론들은 어느 정도의 전투력을 가지고 있다고 보나?"

레드우드 중장의 그 질문에 빈우가 먼저 한 생각은 이 양반이 대체 어디까지 알고 있을까 하는 것이었다. 그러나 이노우에 국장과 이미 얘기가 되었다고 하니 의미 없는 생각일 것이다.

"한정적으로 닉스 2레벨은 됩니다."

제아무리 클론들이라고 해도 유전자 제공자의 모든 것을 그대로 따라 할 순 없다. 그러나 따라 하기 쉬운 것은 사실이다. 그래서 빈우는 자신이 배웠던 것을 클론들에게 철저히 꼼꼼하게 가르쳤고 클론들도 열심히 따라와줬기에 그 성취도는 높았다.

"그래, 나도 그렇게 생각해. 그리고 장갑복은 어벤저지?"

울토르 중대는 현재 연방군의 주력 장갑복 중의 하나인 어벤저를 몇 군데 개조해서 썼다.

"네. 손보긴 했지만, 기본적으로 큰 차이는 없습니다."

"그렇다면 당시 울토르 중대는 우리 27연대급의 전투력을 가지고 있었다고 봐도 무방하겠군? 아주 골치야."

제27연대. 일명 뱅가드 연대로 불리는 연방군의 최정예 부대 중의 하나로 침투, 암살, 게릴라전 등의 기밀작전을 하는 여타 특수 부대와는 달리 문제가 되는 전장에 신속 투입되어 소방관 역할을 하는 정규전 기동 타격 부대다. 뱅가드 연대는 정규전 부대임에도 불구하고 특수전 사령부의 직할부대로 편성이 되어 있는데, 이는 뱅가드 연대가 중요한 현장에 가장 먼저 투입되는 최정예 부대이자 연방이 가진 창의 날카로운 맨 앞부분이기 때문이다.

즉, 레드우드 중장의 우려는 연방의 창끝이 전혀 통하지 않는 상대—신형 샤다이, 리퍼—를 향한 것이다.

020

· · · ✦ · · ·

빈우가 리퍼들과 실제로 마주친 것은 1년 반 전이고 그 기억이 되살아난 것은 닷새 전이다. 놈들에 관한 기록은 정보국에서 크게 손을 안 댔었기에 빈우도 그 위험성을 여실히 파악하고 있었다.

"연방의 최고 전력으로도 감당 안 되는 놈들이 위험한 건 사실이죠. 그런데 그 얘기를 하시는 이유는 뭡니까? 전담 대응팀이라도 만드는 겁니까?"

"비슷해. 추적팀이야."

"추적요? 그때 한 번 말고는 안 나타났다는 놈들을 어떻게 말입니까? 새로운 단서라도 찾은 겁니까?"

뭔가 이상하다. 최초의 등장 이후로 모습을 보인 적 없는 적을 지금에 와서야 추적한다면 타당한 이유나 목적이 있어야 한다. 할 수 있거나, 해야 하거나. 연방에는 그럴 계기가 있었다.

"설마 리퍼가 모습을 드러내지 않았다는 게 연방의 영토 내에서만입니까?"

이어진 빈우의 질문에 레드우드 중장은 쓴웃음을 지었다.

"예리하군. 맞아. 놈들은 포말하우트 점프 게이트에서 울토르 중대를 습격한 이후로 단 한 번도 연방의 영역 내에서는 활동하지 않았어. 직할령이나 자치령 통틀어서 말이야."

빈우가 알기로 레드우드 중장은 속전속결에 직설적으로 말하지 이렇게 말을 숨기거나 배배 꼬는 사람이 아니다. 만약 그랬다면 놈들의 출현에 대해 뭔가 켕기거나 숨겨야 할 이유가 있다는 뜻이고 이런 얘기일수록 기밀 등급이 꽤 높다.

"잠깐만요. 전 이제 그 말을 들을 자격이 되는 겁니까?"

"뭐, 녹슬지 않았으니 됐지. 합격이야. 우리 팀에."

만약 방금의 전투에서 레드우드 중장이 만족하지 못한 결과가 나왔다면 빈우는 아마 이 '면접'에서 잘렸을 것이다. 그리고 중장은 '팀 얘기는 없던 것으로 하지.' 하면서 그대로 돌아갔을 테고 빈우는 이런 대화를 들을 필요가 없었겠지.

"아니, 전 한다고 안 했는데……."

"개소리 닥치고 봐, 이 새끼야."

빈우가 뭐라고 말하려 했지만, 레드우드 중장은 무시하고 새로운 화면을 띄웠다.

"2216년 6월 8일, 리퍼들의 최초 등장 이후 동선이야."

그러나 빈우의 눈에는 검게 모자이크된 화면이 보일 뿐이다.

"좀 보여주시죠?"

"응? 아아."

방금의 화면은 영상 자체의 기밀 등급 때문인지 정보국에서 빈우에게 걸어놓은 록 때문인지 빈우의 눈에는 보이지 않았다.

"권한 줬어. 보이나, 김 소령?"

"……동선이라기보다는 발견 지점의 연결이군요."

"이제 우리 팀에 들어온 거다?"

"끈질기시네. 이 양반."

포말하우트 게이트는 연방 영역권의 가장자리이고 리퍼의 등장 지점들은 거기서부터 시작해 전부 연방 영토 바깥에서 아슬아슬하게 나타나고 있었다. 그리고 항성도를 보던 빈우는 리퍼들의 출현 지점이 특정한 구역과 아주

가깝다는 것을 알고 쓴웃음을 지었다.

"이 새끼들 이렇게 움직이다가는 언젠가 한번 크게 당할 텐데 말입니다?"

"응, 맞아."

"어? 진짜?"

놀라서 반문하는 빈우에게 레드우드는 항성도 위에 작전도를 띄워주었다. 작전명은 토끼몰이. 아주 직설적인 네이밍 센스다.

"자네가 습격당한 이후 우리는 놈들을 추적했지. 그러나 이상하게도 리퍼 놈들은 우릴 피하더군. 하지만 무서워서 피한다거나 쫓기는 것 같진 않았어. 뭐랄까, 더러워서 피한다는 느낌이었지."

화면에서도 연방의 함대에 포위당한 신형 샤다이의 함선이 별다른 행동도 하지 않다가 그냥 점프하는 것만 보였다. 심지어 위협 사격에도 멀뚱히 있을 뿐이었다.

"하지만 그게 무슨 상관이야. 몰이만 하면 되는 것을."

'몰이'라는 단어에 빈우는 살짝 긴장했다. 이곳 연방의 영토 끄트머리에서 상대를 몰아간다면 그 이유는 하나뿐이다. 그리고 당시 작전도에 보이는 리퍼들의 동선을 보며 빈우는 자신의 불안감이 현실이 되는 것을 보았다.

"마침내 2주 전, 리퍼가 루비콘 라인에서 비홀더 함대 하나와 조우했다."

"아……."

빈우가 한숨을 내쉰 것은 루비콘과 비홀더란 단어, 구 지구제국의 단어들 때문이다. 지구제국은 2100년부터 2124년간의 짧은 통치 기간을 가졌지만, 당시의 유산들은 오늘날까지도 연방에 이렇게 영향을 미치고 있었다.

비홀더 함대는 총 17개의 전대로 이뤄진 구 지구제국의 변경 지역 순찰 함대이자 제국 유일의 군사 집단이었다. 그들은 출입 금지 구역인 루비콘 라인 바깥에서만 움직일 수 있었고, 그 안쪽인 제국 영토로는 결코 들어올 수 없었다. 이들의 임무는 제국의 영토 밖에서 자급자족하며 순찰하다가 조우하는 모든 외계종족을 모조리 갈아버리는 것. 일체의 대화나 교섭 없는 일방적인 공격에 많은 외계종족들이 멸종당했다. 이 악명 높은 부대는 2124년, 지구제 국이 인류 연방으로 다시 태어난 이후로는 '연방을 인정은 하나 복종하지는 않겠다'며 우주를 떠도는 독립 무장세력 — 통제 불능의 위험 세력 — 이 되어 버렸다. 연방 성립부터 93년간.

덧붙이자면 비홀더 함대의 외계종족 말살은 오늘날까지도 계속 이어져 현재 외계종족에게 인류 연방의 이미지가 매우 안 좋은 것에 크게 이바지하 기도 했다. 현실 파악을 못하는 자들은 빨리 비홀더 함대를 연방의 관리하에 둬야 한다고 주장하지만, 턱도 없는 소리다. 인류 연방은 과거 지구제국의 기 술력을 거의 물려받았지만 군사 기술 부분은 그러지 못했다. 왜냐하면 그 당 시의 유일한 군대랄 수 있는 비홀더 함대는 제국의 기관에서 거의 독립적이 었기에 아는 이들이 드물었고, 결정적으로 제국 붕괴 시에 비홀더 함대에 관 련된 상당수의 자료가 사라져버리면서 동시에 군사 무기에 관한 기술들까지 대부분 소실되었기 때문이다.

그래서 현재의 인류 연방군은 설립 당시 남아 있던 행성 방위용 경찰병력 의 집합체에서 시작해 그때부터 남아 있는 자료와 발전하는 기술들을 합쳐 서서히 발전시켜나갔다. 그런데도 비홀더 함대와 연방군 간의 군사력 차이 는 메워지질 않았다.

그렇기에 이제까지 연방군이 몇 차례 병합을 시도했지만, 번번이 실패했 고 그 외에도 이런저런 공작을 하려고 할 때마다 흉흉한 무력 시위를 해서 기를 꺾곤 했다. 그러니 이번 몰이 작전에 자신들이 이용당한 것을 알면 어떻 게 나올지 반우는 걱정이었지만 중장은 딱히 신경 쓰는 분위기가 아니었다.

"이게 당시 상황이야."

레드우드가 보여주는 영상에는 과거 점프 게이트에서 울토르 중대를 습 격한 신형 샤다이의 함선이 있었다. 화면 한쪽에 뜬 정보로 이것이 비홀더 함 대 중 하나인 비홀더 1전대와 리퍼 간의 전투라는 것을 알 수 있었다. 1전대 는 최초의 비홀더 전대이며 가장 최강이자 최악으로 널리 알려져 있었다. 연방 외계인 할 것 없이.

"그쪽에서 잘도 보내줬네요."

"뭐, 달라니까 주기는 하던데 말이지. 개새끼들."

소중한 자료를 받았는데도 레드우드 중장은 욕지거리를 뱉어내며 툴툴대고 있었다. 이유는 보면 알겠지.

*

화면은 비홀더 1전대가 엉망이 된 리퍼 함선을 쫓는 장면에서부터 보여줬다. 얼마 지나지 않아 비홀더 1전대의 그리폰형 돌격 순양함에서 쏜 무기가 리퍼 함선의 옆구리를 강타했다. 심광과 함께 맞은 표면이 사라지는 것을 보면 반물질 어뢰로 추정되었다. 이어서 3연장부포에서 뭔가 특이한 포탄이 발사되었고 그때부터 화면은 포탄의 시점으로 전환되었다.

- **전대장이다. 통신 체크.**

- **요시오 체크.**

- **낭소로호 체크.**

이 미친놈들은 부포로 장갑보병을 쏴 재낀 것이다. 물론 연방에서도 이런저런 가속기를 통해 장갑보병을 사출하는 방법을 쓰긴 하지만 이것처럼 포구에서 최고 탄속으로 쏘지는 않는다. 장갑복은 몰라도 안에 있는 사람은 죽는다. 그런데도 이 셋은 당연히 죽지 않을 거라는 태도로 날아가고 있었다. 전투에 투입된 대원은 세 명이었다. 비홀더 1전대의 전대장이라면 이 섬 준위이고 나머지는 노노무라 요시오 상사와 낭소로호 중위. 그야말로 전설적인 인물들이다.

바뀐 화면은 이 중 요시오 상사의 시점인데 오른쪽에는 낭소로호 중위가, 앞에는 이 섬 준위가 날아가고 있었다. 연방의 그 어떤 헤비 급 장갑복보다 거대한 지구제국의 어설트 급 장갑복은 사람이라기보다는 그 자체로 로봇

같아 보였다. 리퍼들은 이 치명적인 탄두를 요격하려 대응 사격을 했지만 셋은 적절히 막거나 피해가면서 부서진 부위로 꺾어 들어갔다. 만약 이때 리퍼들이 점프로 도망가면 돌입한 세 명은 본대와 생이별을 하겠지만, 그럴 염려는 없어 보였다. 그리폰에서 메이화 함장이 연락을 해왔다.

- **중력 닻 걸었습니다. 전대장.**

- **알겠습니다. 함장님.**

확실히 중력 닻으로 걸면 샤다이들은 점프로 도망가지 못한다. 물론 연방에도 중력 닻이 있지만, 그 정도의 출력과 그걸 걸 시간이 없어서 그냥 공격해서 부수는 방법을 쓸 뿐이다. 세 명의 구 지구제국 장갑보병들은 함선 안으로 날아가 자신들을 막기 위해 모인 리퍼들에게 그대로 돌진, 충돌했다. 섬광과 함께 리퍼들의 파편과 파란 피보라가 깔렸고 거기서부터 비홀더의 장갑보병들이 튀어나와 리퍼들에게 쇄도했다. 죽음이 덮치듯이.

- **인류를 위하여!**

그렇게 외치며 영상의 주인인 노노무라 요시오 상사가 총을 난사했다. 어벤저의 코일건을 가볍게 튕겨냈던 리퍼들의 갑옷이 입자가속기로 추정되는 무기에 맞아 붕괴하며 터져나간다.

- **평화를 위하여!**

낭소로호 중위는 투명하게 일렁이는, 검으로 추정되는 병기로 리퍼들을 토막토막 썰어댔다. 그렇게나 빨랐던 리퍼들이 낭소로호의 공격에는 반응도 못 하고 속절없이 흩어졌다. 이 섬도 공격하려 총을 겨눴지만, 웬일인지 바로 쏘지 않고 잠시 기다렸다. 그러다가 손에 든 총을 요시오에게 던져버리고는 자신에게 검을 휘두르며 덤비는 리퍼에게 걸어갔다. 리퍼의 검이 이 섬의 목에 닿았지만 아무런 반응이 없었다. 오히려 이 섬의 두 손이 놈을 붙잡았다. 오른손으로는 적의 어깨를, 왼손으로는 적의 허벅지를.

- **모두 죽여라.**

이 섬은 리퍼를 머리 위로 들어 반으로 찢어버리고 다음 적을 향해 달려나갔다. 오른손으로 리퍼의 멱살을 잡고 당기자 목뼈가 뽑혀나왔고 왼손으로 그대로 밀자 상대의 척추가 뒤로 접힌다. 별다른 무기를 쓰지 않고 장갑복의 육탄전만으로도 학살극을 벌이고 있다.

일방적이다. 울토르 중대와 리퍼 간의 전투도 이 정도는 아니었다. 울토르가 일방적인 전투를 당했다면 비홀더 전대는 일방적인 학살을 하고 있었다. 학살은 순식간에 끝났다. 요시오의 발길질에 두 리퍼가 엉켜 나뒹굴자 이 섬이 걸어가 둘을 짓밟았다. 그리고 윗놈의 팔을 잡고 당기자 푸른 피보라와 함께 놈의 허리가 뜯겨 나왔고 남은 상체를 휘둘러 아랫놈을 패 죽였다.

- 결국 이놈들이 여기까지 온 건가…….

의미심장한 말이다. 만약 이 섬이 말한 '이놈'들이 일반 샤다이라면 문제는 없다. 그러나 리퍼를 지칭한 것이라면 녀석들은 이전부터 연방 영역권 바깥에 존재했다는 말이 된다.

- 소탕합니까?

주위를 둘러보던 낭소로호 중위의 질문에 긴장감은 없었다. 마치 차 한잔 할래요, 따위의 일상 대화 같다.

- 또 유령선 하나가 떠다니겠네.

노노무라 요시오 상사가 낄낄거리며 리퍼들의 시체를 이리저리 살펴보고 있었다. 이들은 귀중한 샤다이제 병기에 큰 관심이 없어 보였다. 하긴 그들의 수준을 보면 납득이 간다.

- 걸리적거린다. 반물질 폭탄 넉넉히 채워서 저기에 떨어트리자.

이 섬은 리퍼의 함선이 우주 공간을 떠다니는 게 싫은지 어떤 행성 중력권 내에 처박아 박살 내려는 심산이다. 다만 이 섬이 '저기'라고 가리킨 '어떤 행성'에서 '발 가르단 하스' 종족의 모성이란 정보가 뜬다는 게 문제다. 발 가르단 하스는 아직 우주를 항해할 능력이 안 되어 연방에는 보호 관찰이 필요한 종족으로 분류되어 있고 모성은 보호 구역이 되어 아무도 들어갈 수 없었다. 비홀더 함대들은 과거에도 몇 차례 이런 보호 종족들의 행성을 지나쳤지만,

연방의 의사를 존중해서인지 아니면 아직은 공격할 필요가 없어서인지 건드리지 않고 있었다.

그러나 지금 이들 종족의 운명이 정해졌다.

- 연방에선 보호 종족이라고 하던데요?

요시오는 말은 그렇게 하면서 모함에서 쏴 보내온 반물질 탄두들을 감속시켜서 붙잡아 자신과 팀원들의 등에 장착했다. 반물질 병기는 안전장치고 나발이고 터지면 빛과 함께 사라지는 무기인데 그걸 저렇게 무성의하게 다루다니. 빈우는 자기도 모르게 침을 꼴깍 삼켰다.

- 분배 끝났지? 요시오는 동력로, 낭소로호는 추진기. 나는 무기고로 간다. 우리 빼고 다 죽여.

이 섬은 대답 대신 다음 명령을 내렸고, 질문했던 요시오도 딱히 대답을 기다린 것은 아닌 듯했다.

그다음은 일사천리였다. 그들은 목적지로 가는 도중 보이는 샤다이, 리퍼들을 모조리 죽였고 목표 지점에 폭탄을 설치한 다음 이탈해서 본 함으로 돌아갔다. 그리고 비홀더 1전대의 모함인 그리폰은 중력 닻으로 리퍼의 함선을 당겨 발 가르단 하스의 모성으로 던졌고 대파된 리퍼의 함선이 대기권 안으로 들어가자 폭탄을 기폭시켰다.

그러자 강렬한 섬광이 발 가르단 하스의 지표를 밝혔다.

*

"이 미친 새끼들."

빈우는 자신의 입을 가리며 한숨을 내쉬었다. 자신을 그렇게 괴롭힌 강적들이 무참하게 죽어가는 것은 제법 놀랍긴 했어도 그다지 큰 충격이 아니었다. 그다음에 이어진 것이 진짜 충격이었다. 그들은 외계종족이라고는 하지만 생명체를, 문화와 종족 그 자체를 아무런 거리낌 없이 날려버린 것이다.

"저들이 울토르 중대를 공격한 리퍼인지는 모르겠지만, 아직 잔해가 남아 있어."

화면을 끈 레드우드 중장이 드디어 본론을 꺼냈다. 샤다이의 신체와 병기는 연방의 최우선 수집 대상이고 리퍼라면 더 말할 필요가 없다.

"그게 저기에 있단 말이군요."

한쪽에 뜬 작전도에는 연방의 보호 구역인 발 가르단 하스가 보인다. 특별한 일이 없는 이상 결코 들어가서는 안 되는 곳.

"그래."

"발 가르단 하스는 일단은 아직 보호 구역이고?"

"잘 아네."

이제 태스크포스 팀을 꾸린 이유를 알 것 같았다. 발 가르단 하스는 비홀더 전대에 의해 큰 피해를 보았지만 따지고 보면 그 초석을 제공한 것은 연방군이다. 이 사실이 밝혀지면 군은 꽤 공격을 받을 것이다. 때문에 지금 연방군에게는 비밀리에 발 가르단 하스로 들어가 남아 있는 리퍼들의 잔해를 회수할 공작 부대가 필요했다. 그리고 다음은 주어진 자료를 가지고 정보국에서 신나게 조작을 해대겠지. 샤다이가 발 가르단 하스를 공격했다고.

"각하, 하나 물어봅시다. 이번에 꾸리는 팀이 이 작전 한 번만 하는 겁니까?"

"글쎄, 일단 상황을 봐야겠지만 후속 작전을 계속할 거야."

"다음부터는 어딜 가서 뭘 하면 됩니까?"

"있어서는 안 될 곳. 해서는 안 되는 일."

특수전 사령부가 하는 일이 원래 그렇고 그런 일이지만 부사령관인 레드우드 중장이 직접 이렇게까지 말할 정도라면 어려울까.

"더럽다. 더러워."

치를 떠는 빈우를 보며 레드우드는 쓴웃음을 지을 수밖에 없었다.

021

$\bullet \bullet \bullet \; + \; \bullet \bullet \bullet$

"그 더러운 일을 할 팀이 바로 태스크포스 373이야."

태스크포스란 특정 임무를 위해 임시로 만드는 팀이다. 특수전 사령부에는 이미 다수의 특수부대가 있다. 비밀리에 침투하여 고가치 목표를 타격하거나 회수하는 단검뿔 토끼, 신속 기동타격을 하는 뱅가드 연대, 연방 외 구역에서 게릴라 임무를 하는 실리콘 아머 등 어느 하나 연방군 최고의 특수부대라 하기에 모자람이 없다. 그런데도 태스크포스를 만드는 건 이들이 맡을 임무가 특수한 성격을 띠어 다방면의 전문가들이 필요한 경우다. 그래서 여러 부대에서 각 분야의 전문가들을 모아 팀을 만들고, 해당 임무가 완료되면 태스크포스는 해산되고 팀원들은 원대 복귀한다.

그러나 방금 레드우드 중장의 말에 의하면 태스크포스 373은 회수팀이 아니라 추적팀이었고 발 가르단 하스에 있는 리퍼 잔해를 회수한 후에도 계속 활동한다고 했다. 뭔가 더러운 활동을.

"근데 왜 접니까? 저 말고도 쟁쟁한 인물들 많을 텐데요?"

"물론 선정 기준이 있지. 첫째, 샤다이와 전투 경험이 있을 것. 그런데 심지어 빈우 넌 리퍼들과 직접 싸워본 적이 있잖아. 연방에서 유일하게. 귀중한 경험이지."

아쉽게도 지금의 빈우는 그 경험을 100% 살릴 수가 없다. 울토르 중대의 지휘관으로서 리퍼와 싸웠던 당시의 기록은 있지만, 도중의 핵심 부분이 트리니티 패턴으로 잠겨 있는 것이다. 리퍼의 공격을 받고 화면이 꺼진 다음부터 클론으로 잠수할 때까지의 기록은 정해진 생활을 해야 풀리는 트리니티 패턴으로 잠겨 있다.

"둘째, 닉스 레벨 3을 수료할 것."

닉스 레벨 3단계는 단순한 전투 훈련이 아니다. 닉스 1단계가 각종 병기 사용법이나 개인 전투술에 관한 것이라면 2단계는 소규모 병력의 지휘와 연계, 팀 단위 전술에 관한 것으로 확장된다. 3단계는 거기서 더 나아가 주어진 상황에서 승리하고 목적 달성을 위해 연방의 모든 자원과 인류가 알고 있는 모든 지식을 활용하는 방법을 배운다. 그래서 3단계를 수료한 재원들은 적의 팔다리를 자를 때면 진동 나이프부터 연방 세법까지 망라해서 사용하고, 적을 추적하기 위해서라면 우주권 전투기부터 심리학이나 역사학까지 다룰 수 있다. 태스크포스 373이 맡아야 할 임무가 미지의 영역이란 것을 볼 때 이 정도의 능력을 갖춰야만 예상치 못했던 위험한 상황에서도 유연하게 대처할 수 있을 것이다.

"셋째, 소령일 것."

"설마 팀원 전원이요?"

"아니, 너 한 사람만."

그러면서 레드우드 중장이 자신을 콕 집어 가리키자 빈우는 좀 납득이 가는 것 같았다. 보통 특수전 사령부가 만드는 태스크포스의 지휘관은 중장이나 대장이고 현장 책임자는 소령이 맡는다. 즉, 여기까지 내건 조건으로 보아 레드우드 중장은 팀원이 아니라 팀장으로서의 빈우를 원했던 것이다. 하지만 정보국 요원이 타 부서가 주관하는 태스크포스에서 팀장을 맡는 것은 전례가 없는 일이다.

"팀 맡으라고 얘기는 하셨지만…… 특수전 사령부 소속이 아닌 외부인이 팀장 맡는 경우가 있습니까?"

"내가 사령관인데 내 맘이지."

하긴 특수전 사령부의 태스크포스 지휘관은 자기 팀원들을 꾸리기 위해서 꽤 높은 수준의 인사 권한과 재량권을 가진다. 그리고 정보국 국장인 이노우에 고토 국장과 미리 이야기되었다고 하니 빈우가 레드우드 중장이 꾸리는 태스크포스로 팔려 가는 것은 기정사실이 된 것 같다.

잠시 빈우는 현재 자신의 처지를 되새겨보았다. 머릿속에 잠겨 있는 트리니티 패턴은 빈우 자신에게나 정보국, 연방 모두에게 중요하고 치명적인 자료다. 그러나 이것이 과연 어떤 생활을 해야 풀릴 것인가에 대해서는 아는 이가 없다. 당사자인 빈우조차. 현재 외부 파견 요원이 되어 언제 어디로 팔려 갈지 모르는 상황이란 것을 숙지하고 있었기에 앞으로 어떤 일이 일어나도 순응하려 했던 빈우였지만, 울토르를 공격한 신형 샤다이를 추적하기 위해 구성된 태스크포스로 파견된다면 이야기가 조금 다르다. 과연 일이 이렇게 굴러갈 것을 과거의 자신이 예측했을까. 아니, 적어도 살아서 돌아올 수는 있을까.

"잠시만 기다려주십시오."

빈우는 즉시 자신의 상관인 이노우에 고토 준장과의 회선을 열어보았다. 도대체 둘 사이에 무슨 얘기가 오갔는지 궁금하기도 하고 현 상황을 보고할 필요도 있었다. 다행히 회선은 바로 연결되었다.

"국장님. 지금 레드우드 중장님께서 태스크포스 건으로 오셨습니다만."

- 엥? 벌써? 빠르기도 하지. 혹시 중장님이 거기 계신가?

"네. 제 앞에 계십니다."

- 잘됐네. 자세한 얘기는 중장님께 들었겠지? 건투를 비네. 김 소령. 좋은 결과를 기대하지.

빈우가 채 무슨 말을 ─ 예를 들어 '제길, 좀 일찍 말하라고' 같은 말을 ─ 하기도 전에 회선이 끊겼다. 이미 윗선에서 자기들끼리 얘기는 다 되어 있으니 너는 그냥 까라는 대로 까라는 흐름이다. 이런 일이 있으면 좀 빨리 알려줬으면 싶었지만, 이노우에 준장에게도 레드우드 중장의 이렇게 빠른 움직임

183

은 예상외인 듯싶었다. 그리고 이노우에 국장의 반응을 보니 중요한 자료를 가지고 있는 빈우를 파견 보내는 것에 대해선 정보국 내에서 이미 정해진 것 같고, 일이 여기까지 왔으니 선택권은 없다.

"하겠습니다."

"자식. 쓸데없이 질질 끌고 말이야."

당연하다는 듯이 레드우드 중장이 씩 웃는다.

"그런데 말입니다. 언질을 주셨으면 제가 직접 찾아뵈었을 텐데, 굳이 여기 오스카 스테이션까지 오실 필요가 있습니까?"

사실 빈우가 특수전 사령부로 출두하란 명령을 받았더라면 좀 더 여러 가지 준비나 대책을 할 수 있었을 것이다.

"무슨 소리냐. 내가 불러서 네가 여기 왔는데."

"네?"

레드우드 중장의 반응을 보니 이미 빈우가 마카로니를 떠나 이동하던 도중에 정보국과 특수전 사령부 간에 이야기가 진행되었던 것 같다. 그래서 타고 있던 사람도 영문 모른 채 목적지가 여기 오스카 스테이션으로 바뀐 거겠지. 마커스에게서 아무런 얘기도 못 들었으니 아마 녀석도 몰랐을 것이다. 알았으면 귀띔이라도 해줬을 테니까.

처음부터 이럴 계획이었다면 아까부터 신경에 거슬리던 사실 하나를 이해할 수 있었다. 아까 우주항에서 보았던 사이클론 어뢰. 이 질량 가속 병기는 대 샤다이 특제품이라 다른 곳에선 쓰이지 않는다. 이런 병기가 있다는 것은 곧 샤다이와 맞붙을 준비가 되었다는 뜻이다.

"그렇다면 설마 여기 오스카 스테이션에 태스크포스 373이 와 있는 겁니까?"

"내가 여기 있으니 당연하잖아. 아까 막 도착했다."

레드우드 중장의 말에 빈우는 기가 찼다. 모함이 오스카 스테이션에 있는 상황에 소령 하나 오라고 하면 될 것을 중장이 직접 행차한 상황이다.

"아니, 그렇다면 배로 날 부르지 왜 제 방에 와서 행패십니까?"

"쓸모없는 녀석을 내 배에 태울 필요는 없어."

빈우의 말을 다 쳐낸 레드우드 중장은 힘차게 일어섰다.

"자, 이제 가자."

"어디로 말입니까? 설마 배로?"

"당연하지, 인마."

절차고 나발이고 서두르는 자신의 직속 상관의 행패에 빈우는 마른세수를 하며 힘없는 목소리로 말했다.

"짐 좀 챙깁시다."

"오냐, 있을 건 다 있으니까 필요한 것만 챙겨 와. 30분 후에 보자."

그러면서 레드우드는 태스크포스 373의 모함에 대한 간략한 정보와 약식 출입증을 주고 방을 나섰다. 지금 빈우가 373의 현장 지휘관이 되었다고는 하지만, 어디까지나 구두 임명이었고 정식 절차는 모함의 기밀 구역에서 승인을 받아야 할 것이다. 전자 정보로 된 출입증을 두뇌칩에 각인한 빈우는 미간을 주무르며 몸을 뒤로 푹 기댔다. 이 복잡한 상황을 조금 정리할 시간이 필요했다.

마침 방 안으로 들어온 아나스타샤는 그런 주인을 보고선 자신만의 시간을 가지게 놔두고 조용히 방을 청소하기 시작했다. 어느 정도 정리가 끝낸 아나스타샤가 '커피라도 준비할까요'라고 물으려고 할 때 빈우가 일어섰다.

"아샤."

"네, 주인님."

주인의 부름에 아나스타샤가 긴장하면서 대답했다.

"난 이제부터 특수전 사령부 소속 팀으로 간다. 같이 갈래?"

갑작스러운 빈우의 질문에 아나스타샤는 잠시 멍하니 섰다. 울 듯한 표정도 잠시, 그녀는 눈을 질끈 감고 세차게 고개를 끄덕였다.

"네네네! 갈래요! 저도 갈 거예요!"

간신히 재회한 주인과 또 떨어지기 싫다는 의지는 꽉 쥐어진 두 손만 봐도 알 수 있다.

"짐 챙겨."

말이 떨어지기가 무섭게 아나스타샤는 풀어놓은 짐들을 도로 싸기 시작했다. 의욕적으로 움직였건만 뒤에서 날아온 주인의 말은 그녀를 절망하게 했다.

"참, 아샤. 필요한 것만 챙겨. 어디 보자, 10분 뒤에 나간다."

"아아악! 안 돼요! 조금만 더! 흐에엥. 기껏 다 풀어놨는데 도로 싸래! 이게 무슨 경우야."

울상이 되어 바리바리 짐을 포장하는 아나스타샤를 보고 빙긋 웃은 빈우는 간단한 개인 사물만을 챙기고 우주항 보관소에 남아 있던 개인 화기들을 모함으로 보내도록 절차를 밟았다. 그다음 '정보국식' 뒷정리를 했다. 딱히 할 필요는 없었지만 버릇이다. 그리고 마지막으로 마커스에게 연락을 하기 위해 통신을 켰다. 서로 백업을 하기로 했으니 정보 교환을 하는 건 필수다.

'잠시 자리를 비웠습니다. 나중에 다시 연락해주세요.'

그러나 마커스와는 연락이 되지 않았다. 모르는 사람은 그러려니 하겠지만 이건 정보국 임무를 나가 당분간 연락을 할 수 없다는 암호 메시지다. 지금의 마커스라면 자기와 연락을 할 수 없는 상황이 되면 미리 빈우에게 언질을 줬을 것이다. 뭔가 찝찝했지만 빈우는 모함으로 가서 다시 알아보거나 메시지를 남기기로 하고 아나스타샤를 재촉했다.

"일단 나머지는 스테이션 쪽에 말해서 보관소에 넣어달라고 해. 다 챙겼으면 나가자."

"이건 괜찮죠?"

징징대며 피스메이커 인형을 챙기던 아나스타샤는 이마에 딱밤을 한 대 맞고 빈우에게 끌려갔다.

*

단출하게 한 손에 들 짐만 챙긴 두 사람은 우주항에 도착해 레드우드 중장이 알려준 곳으로 갔다. 아까 빈우가 스미스 가족과 왔던 우주항이지만, 지금은 더 깊은 곳, 민간인들은 올 수 없는 통제구역으로 가고 있다. 꽤 먼 곳이라 자동 차량을 타고 이동하던 중 아나스타샤가 조심스레 말을 꺼냈다.

"주인님. 저 잠시……."

"응, 도착할 때까지 쉬어."

아나스타샤가 말하려는 것은 빈우도 알았다. 통제구역이 다가오자 승인받지 않은 안드로이드인 그녀의 인공지능이 제한받기 시작한 것이다. 허가증을 받은 빈우의 물품이라 주인을 따라 들어올 수는 있지만, 인공지능의 능동적인 행동과 사고는 나중에 인증을 받은 다음에야 가능하게 된다. 쿠델카 타입 특유의 희미한 미소만 남고 무표정이 된 아나스타샤는 이제 빈우를 따라 이동하는 로봇에 불과하게 되었다.

레드우드 중장이 알려준 위치는 군사 구역 중에서도 따로 떨어진 곳이었고 도착하자 거기엔 구축함이 1척 정박해 있었다. 순양함이나 강습함이 아닌 것은 의외였지만 자세한 것은 안에 들어가면 알게 될 것이다. 배의 입구에는 한 사람이 서 있었는데 현재 빈우의 상태로는 그쪽의 두뇌칩 정보가 뜨질 않았다. 아마도 태스크포스 373의 사람이라 기밀이 걸려 있겠지. 조금 더 가까이 다가가니 녹색으로 빛나는 사나이가 빈우 일행을 맞이했다.

"어서 오십시오. 김빈우 소령. 본 함의 함장 지마 오르입니다."

"반갑습니다. 함장님."

오르 함장은 경례 대신 악수를 위해 오른손을 내밀었다. 그 손을 맞잡은 빈우는 즉시 정보가 갱신되는 것을 느꼈다.

태스크포스 373의 이동 기지이기도 한 이 구축함의 이름은 블랙 랜스였다. 빈우는 정식으로 태스크포스 373의 화력조 팀장이 되었고 그에 걸맞은 권한과 기밀 접속 취급 인가가 떨어졌다. 원래대로라면 외부와 차단된 함내 기밀실에서 행해져야 할 정보 이동이 이렇게 밖에서 이뤄진다는 것도 의외지만, 접촉만으로 이런 정보 처리가 된다는 게 더 놀랍다. 아마 특징적인 외모를 가진 함장의 특수한 능력이리라.

지마 오르 소령의 옷 밖으로 드러난 피부—얼굴과 손, 신발을 신지 않은 맨발—는 반질반질한 녹색의 금속 재질이었다. 처음 봤을 땐 우주 생활에 적응하기 위해 한 신체개조라고 추측했지만, 그것뿐만이 아니었다. 이 구축함과 오르 함장은 연방군의 구형 함정 전면 개수 프로젝트 중 하나인 '롱 훅' 프로젝트의 산물이었다. 단편적인 정보만 잠시 훑어보고 있을 때 오르 함장이 말을 걸어왔다.

"이쪽의 안드로이드는 무엇입니까?"

"비서이자 가족입니다."

"이런, 실례했군요. 아나스타샤 양, 잠시 제가 접속해도 될까요?"

오르 함장이 부드럽게 권유하자 안드로이드 메이드는 먼저 빈우에게 고개를 돌려 시선으로 주인의 의사를 물어보았다. 그리고 빈우가 고개를 끄덕여 허가하자 접속 단자를 드러냈다. 오르 함장은 그 단자에 집게손가락을 댔다. 그것만으로 아나스타샤의 인공지능은 다시 원래대로 돌아왔다. 능동 상태로 바뀐 아나스타샤는 그동안 자신이 수집했던 정보를 토대로 예의 바르게 인사했다.

"안녕하세요, 지마 오르 함장님. 김빈우 소령님을 모시는 아나스타샤라고 합니다."

"어서 와요. 블랙 랜스에 온 것을 환영합니다."

안드로이드 메이드에게 미소와 함께 인사하는 사람은 연방에서도 그리 많은 편은 아니다.

"함장님은 안드로이드에 관대하시군요."

"살아온 환경과 관계가 있죠. 자, 걸으면서 얘기할까요?"

오르 함장의 안내로 함 내부로 들어간 두 사람은 의외로 사람이 없는 것에 놀랐다.

"와아, 이 배 정말 대단하군요."

빈우의 개인 비서로 임명된 아나스타샤에게도 기본적인 정보가 전해졌는지, 그녀는 자신이 알고 있던 기존의 배들과 다른 점을 깨닫고 감탄했다.

"팀장도 롱 혹 프로젝트는 들어보셨지요?"

앞서서 걷는 오르 함장의 질문은 빈우의 전력을 알고 던진 것 같았다.

"노후화한 구형 함선의 전력화 프로젝트란 것만 알고 있습니다만……."

"그리고?"

이어지는 질문에 빈우는 어차피 한솥밥 먹을 처지인데 더 가릴 게 없다 싶었다.

"응우옌 중령이 참가했었죠."

군사정보국의 클론 기술 전문가인 응우옌 티 빈 중령은 올토르 프로젝트 말고도 이 롱 혹 프로젝트에도 참가하고 있었다.

• • • ✦ • • •

022

롱 훅 프로젝트는 함선 개조에 클론 기술자인 응우옌 중령을 불렀다는 것으로 잠시나마 화제가 됐었다. 자세한 건 알려지지 않았으나 사람들은 그 두 가지 기술을 어떻게 섞느냐에 대해서 이런저런 추측을 했었다. 빈우는 큰 관심이 없었기에 그냥 승무원을 클론으로 쓰려나보다고 넘어갔었다.

오르 함장은 빙긋 웃으며 말을 이었다.

"응우옌 중령은 클론 분야의 전문가이죠. 육체와 의식 둘 다."

사실 클론 육체 제조는 그다지 어려운 것이 아니다. 정신과 의식의 정립 없이 클론의 몸만 필요하다면. 단, 이런 고깃덩어리 클론은 대부분 원본이 되는 사람의 신체 부품이—부상에 의한 교체나 치료가—필요할 때 만들어진다.

그러나 울토르 중대처럼 클론의 육체에 원본의 지식을 복제하는 경우는 그 난이도가 확 올라간다. 현재 연방의 기술로는 원본 뇌의 기억을 클론 뇌로 옮기는 것에 대해서는 답보 상태이다. 두뇌칩의 기록을 옮기는 건 쉽지만 그 기록을 실제 사용할 수 있는 경험으로 대응시키는 데에는 꽤 어려움이 있다.

어쨌든 기록과 경험을 복제한 클론들은 원본에 준하는 능력을 갖출 수 있기에 울토르 프로젝트는 주목을 받았다. 물론 이런 능동적인 클론은 아직 연방에서 불법인 부분이기에 실제로 연방에서 행해지는 클론 시술은 신체 일부를 교체하는 경우나 원본의 뇌를 클론의 육체에 이식하는 것에 한정돼 있다. 후자의 경우 이식자는 새로운 육체에 적응하기 위해 안팎으로 부단한 노력을 기울여야 한다.

뇌 이식. 생각이 여기까지 닿자 빈우는 하나의 실마리를 잡은 듯싶었다.

"설마 함장님은…… 이 배에……."

오르 함장은 빈우의 못다 한 질문에 긍정하듯 고개를 끄덕이며 대답했다.

"네, 저의 뇌는 이 배에 이식되어 있습니다. 저는 제 육체를 움직이듯, 블랙 랜스를 움직일 수 있죠."

뒤에서 아나스타샤가 놀라서 숨을 삼키는 소리가 들린다. 빈우도 그 정도 까지는 아니지만 제법 놀랐다. 비인간형 동체에 뇌를 이식하는 것은 그다지 성공률이 높은 방법이 아니기 때문이다.

"……꽤 힘드셨겠습니다."

"대단히."

짧지만 많은 것을 함축한 대답을 하면서 오르 함장은 배의 벽면을 매만졌 다. 그의 말대로라면 빈우의 눈앞에 선 오르의 몸은 자신의 육체가 아니라 인 간 형태의 로봇일 것이다.

"저 스스로 지원한 프로젝트였지만, 현실은 의지와는 달랐죠."

안구가 없는 눈 모양의 시선이 함선 복도를 훑는다. 지금까지 보였던 오르 함장의 움직임들은 인공지능 허수아비의 행동이나 원격 조종되는 로봇의 것 이 아니라 마치 진짜 사람 같아 보였다. 녹색으로 빛나는 오르의 얼굴에서 그 가 과거에 겪은 고통을 조금이나마 엿볼 수 있을 정도로. 그런 고통이라면 빈 우도 짐작 가는 것이 있다.

"환상통…… 같은 겁니까?"

환상통은 신체 일부를 상실했을 때 사라진 말단부에서 발생한 신경 신호 가 뇌에 오류를 일으켜 고통이나 가려움 등의 이상 감각을 겪는 증상으로써, 재생 의술이 발달한 현재에는 보기 힘들고 과거의 기록에서나 찾을 수 있다. 물론 오늘날에도 신체를 사이버 부품이나 클론 육체로 교체하게 되면 당연 히 나타나는 증상이지만 이를 예방하기 위해 여러 프로그램이 있어 시술자는 느끼지도 못하고 새로운 신체에 적응하는 것이 보통이다. 그러나 '인간과 배'라는 전례 없는 경우라면? 어떤 예방책이나 대응책도 이론에 불과할 것이고 오르 소령은 스스로가 실험체가 되어 해결 방법을 찾았을 것이다.

"비슷합니다. 미칠 것 같았죠. 예상했던 예방책들은 결국 예상에 불과했습니다. 몸이 있는 상태에서 의지와 사고만으로 배의 시스템을 움직이는 건 손쉽게 할 수 있었지만, 뇌를 이식한 다음 육체 없이 배를 실제 손발처럼 움직이기란 결코 쉬운 일이 아니었습니다."

실제로 우수한 조종사나 조타수들은 두뇌칩과 배, 비행기들을 연결해 수동 조종 없이 자신의 의지대로 멋들어지게 움직일 수 있었다. 아마도 롱 훅 프로젝트는 거기서 연장된 것이겠지만 이건 연장해도 너무 연장했다.

"이제까지 있었던 신체 대응용 OS들을 다 써봤지만 제대로 작동하는 것은 없었어요. 하긴 당연한 일이죠. 신체의 어느 부위 감각을 배의 어느 시스템에 대응해야 하는지는 상상에 불과했으니까요."

인간이 인간 형태의 로봇에 들어가는 건 그나마 쉽다. 같은 형태이기에 본인의 움직임에 적응도 쉽고 시술 사례와 적용되는 프로그램도 많아 부작용은 거의 없다.

"최악의 경우 저의 뇌는 보존해둔 원래의 육체로 도로 돌아가야 했습니다. 그러나 응우옌 중령이 해결책을 하나 내주더군요."

그러면서 오르 함장은 미소와 함께 자신의 가슴을 손가락으로 톡톡 두들겼다.

"이 육체가, 저의 모습을 한 단말이 해답이었습니다."

그의 말에 빈우는 해결 방법을 이해할 수 있었다.

"과연. 인간 형태의 단말에 의식과 신경 신호를 분산시켜 오류를 무마한 겁니까? 단순하지만 직관적인 방법이었군요."

설명은 쉽지만, 실행과 실현에는 부단한 노력이 있었을 것이다.

"네, 이 단말 육체는 여러분과 저를 연결하듯 저와 배도 연결합니다. 저의 생각에 따라 이 육체가 움직이고, 육체가 보고 느낀 것은 모두 저에게 전달됩니다."

단순히 움직이기만 하는 인간 형태의 단말은 아니다. 실제로 아까 오르 함장의 단말은 손가락으로 아나스타샤에 접속해 권한을 변경할 수 있었다.

"더 나아가 저는 숨을 쉬는 감각으로 함내의 대기 순환 시스템을 느끼고, 심장 박동 대신 동력로의 상태를 캐치합니다. 힘차게 발을 내디디면 융합 추진기가 가열하고 적에게 주먹을 날리려 하면 함포와 미사일들이 장전되지요."

수의근뿐만 아니라 불수의근 쪽 신경마저 연결했다면 본인 스스로는 불가능하다. 반드시 다른 프로그램이 필요하다.

"직접적으로 연결된 겁니까?"

"예리하시군요. 처음에는 아니었습니다. 제 신체 감각과 함선 사이에는 시스템이 하나가 더 있었지요. 저의 신경과 감각들을 함선 시스템 신호로 번역해주는 시스템이. 그러나 번역 프로그램을 써보셨으면 알 겁니다. 처음에는 프로그램이 시킨 대로 말을 하지만 서서히 배워나가면서 자기 스스로 말을 할 수 있게 되지요."

그것도 본인의 능력과 노력에 따라서 다르다. 아무리 두뇌칩 속의 프로그램들이 인간을 돕는다고 해도 당사자가 노력하지 않는다면 아무런 의미가 없다.

"지금의 저는 배 안에 존재만 한다면 그곳이 어디든 상관없이 함장실이자 기관실이며 전투 정보실입니다."

어느 것이나 다 중요한 시설이라 빈우는 슬쩍 질문을 던졌다.

"함장님의 그 단말 육체는 중요한 겁니까?"

오르도 빈우의 질문이 가진 의미를 깨닫고 고개를 저었다.

"설마요, 아닙니다. 얼마든지 만들 수 있는 소모품이기에 유사시에 구하려 할 필요는 없습니다. 하지만 이 단말기를 겸하는 육체라도 몇 가지 유용한 부가 기능들이 있지요. 아까 아나스타샤 양에게 접속한 것처럼 말입니다."

그러면서 자신의 손가락을 들어 보였다. 아까 아나스타샤에게 무선 접촉이 아니라 유선 접촉을 했던 손가락을. 그 끝에 마치 사람의 지문처럼 일렁이는 파문이 잠시 보였다 사라졌다. 아까의 악수에서도 느꼈고 지금도 봤지만 저런 움직임을 하는 물체를 빈우는 잘 알고 있다.

"혹시 재질은 헬레나 겔입니까?"

헬레나 겔은 장갑복의 인공 근육과 내부 장갑을 담당하는 재질로, 투입되는 전력에 반응해 탄성이 부드러운 액체에서 단단한 고체까지 자유롭게 변한다. 마치 녹말처럼.

"맞습니다. 내부에 몇 가지 시스템이 있지만, 몸은 헬레나 겔입니다."

"그건 검은색일 텐데 새로운 개량이 가해진 겁니까?"

"아닙니다. 색은 응우옌 중령이 저의 심리상태를 분석해서 맞춰준 겁니다. 제 고향의 색이죠."

오르 함장이 바로 말을 잇지 않고 잠시 멈춘 이유는 곧 알 수 있었다.

"사실 전 제 고향을 그리 좋아하진 않습니다. 팀장도 아실 겁니다. 아직도 자치령의 몇몇 곳에선 피부색이나 신체의 차이로 인간을 차별하고 박해한다는 것을."

얼굴의 윤곽이나 이목구비의 모습을 보면 원래 오르 소령의 피부색은 아주 짙은 쪽이었을 것이다. 제국 이전 시절부터 박해를 받아온 인종의 색이다.

"무채색의 숙소에서 사육되고 초원에 풀려날 때면 노리개 역할을 했던 저에게 풀과 나무의 녹색은 그다지 좋아하는 색이 아니었습니다. 오히려 하늘의 푸른색을 동경했지요. 때문에 응우옌 중령의 색 선택은 그다지 탐탁지 않았습니다만 그게 정답이란 것을 깨닫게 되기까지는 오랜 시간이 걸리지 않았어요."

아마 응우옌 중령은 오르 자신이 터부시했던 기억과 상처들을 부정하기보다는 정면으로 받아들이게 함으로써 그의 심리 상태를 더욱 굳건하게 만들었던 것 같다. 실제로 지금까지 오르 함장의 말투와 움직임에서 과거를 부정하거나 꺼리는 기색은 없었다. 있었던 사실 그대로 덤덤히 받아들이고 있었다. 빈우는 거기서 조금 더 떠볼 요량으로 말을 꺼냈다.

"제 고향의 색은 초록색과 노란색이었습니다."

"초록색과 노란색이라고요? 흐음, 밀입니까? 쌀?"

두 가지 색만으로 오르 함장은 빈우의 고향이 농업 행성임을 바로 알아맞혔다.

"보리입니다."

"오, 보리."

고개를 끄덕이며 이쪽을 보는 오르의 표정은 빈우의 다음 말을 기대하고 있었다.

"지평선 끝에서 끝까지 펼쳐진 초록색 보리밭은 해가 뜨고 질 때마다 붉게 변하죠. 바람이 불 때마다 보리 파도가 일렁이는 모습은 아무것도 모르는 어린 저에게도 장관이었습니다. 그 보리들이 노랗게 익으면 가족들은 바빠집니다. 수확해야 하거든요. 다행히 한꺼번에 수확하지는 않습니다. 구획별로 수확 시기를 달리하기 때문에 짧으면 일 주, 길면 한 달의 간격을 두고 보리를 베지요."

오르 함장의 시선은 안구가 없었지만, 이쪽을 보는 것 같진 않았다. 아마 머릿속으로 빈우가 말하는 풍경을 상상하고 있으리라.

"수확이 다 끝난 밭에는 일조량 조절용 거울로 빛을 모아 불을 지릅니다. 그러면 남은 보릿짚들이 불타오르고 검은 연기가 하늘로 올라간 다음 닷새 정도가 지나면 비가 내리죠. 그 짧은 시간 동안 아나스타샤와 저는 별미를 즐기고요."

"어떤 별미입니까?"

그 대답은 빈우의 눈짓에 아나스타샤가 대신했다. 공범이자 같은 추억을 공유한 메이드는 짓궂은 미소를 주인에게 한 번 보내고 설명을 시작했다.

"옆 밭에서 다 익은 이삭을 한 움큼 뜯어 잔불이 남은 밭으로 가요. 그리고 아직 숨 쉬는 재 위에 이삭을 올리고 바람을 일으켜 불씨를 조금씩 살리는 거죠."

오르 함장은 그때 당시를 회상하며 몸짓을 곁들여 설명하는 아나스타샤를 흥미롭게 바라보고 있었다.

"불이 커져서 이삭을 태우면 그걸 걷어내 발로 밟아서 불을 끈 뒤에 손바닥 사이에 놓고 비벼요. 싹싹. 그다음 탄 겨를 후후 불어내고 익은 보리를 먹는 거예요."

"그때 아나스타샤의 입은 제대로 바람을 불 수가 없어서 제가 불었죠."

얄밉게 끼어든 주인에게 아나스타샤는 쏘아붙였다.

"불기 전까지 일은 전부 다 제가 했고요. 또 먹고 난 다음에 검댕으로 엉망이 된 도련님 얼굴은 누가 닦았는데요."

빈우와 아나스타샤의 장난기 가득한 추억담을 들은 오르 함장은 해맑게 웃고 있었다.

"놀라워요. 영상이 아니라 말로 설명을 듣다니. 이런 자극은 정말 오래간만에 느끼는 기분입니다."

오르는 일체의 불편해하는 기색 없이 순수하게 감탄하고 있었다. 조금만 설명을 해도 홀로그램으로 자료 영상을 띄우는 세상이니 신선했을 것이다.

"자, 이제 다른 팀원들을 만나러 가보죠."

오르 함장의 말에 빈우는 약간 이상함을 느꼈다. 팀원이라고 하면 빈우나 오르의 부하일 것이다. 원래 이런 상황이라면 레드우드 같은 최상급자를 만나는 게 최우선인데 그 양반은 여태 코빼기도 보이지 않고 있었다.

"레드우드 사령관님은 안 오셨습니까?"

"다른 팀원 면접을 보러 간다고 하셨습니다."

빈우는 곤욕을 치를 미래의 동료에게 잠깐의 애도를 표하고는 오르 함장을 따라갔다.

023

· · · · ✦ · · · ·

현재 블랙 랜스에 빈우보다 먼저 와 있는 태스크포스 373의 팀원들은 두 명. 정보를 보니 오스카 스테이션에 오기 전에 이미 레드우드 중장이 뽑아 온 대원들이다.

빈우는 그들을 만나기 전에 먼저 우주항 보관소에서 이쪽으로 보낸 자신의 물건 중 하나를 먼저 찾기로 했다. 원하는 물건을 찾은 빈우는 그것을 자신에게 보내도록 했고, 명령을 받은 사무 보조용 로봇은 다행히 팀원들을 만나기 전에 그 물건을 빈우에게 전해줄 수 있었다. 그 물건은 다름 아닌 닉스 과정을 3단계까지 수료했다는 해골 휘장으로 앞으로 만날 사람들에게 빈우의 가치를 증명해줄 물건이다.

휘장을 가슴에 차고 있을 때 뒤따라오던 아나스타샤가 질문했다. 방금 지나간 로봇이 한가득 들고 있는 짐이 신경 쓰여서일 것이다.

"주인님. 저는 방에 가서 짐 정리를 하고 있을까요?"

"아니, 넌 내 사무보조용으로 되었으니 이참에 얼굴 익히자."

오르 함장은 두 사람을 팀원들이 있는 훈련실로 직접 안내했다. 블랙 랜스는 함장인 오르 덕분에 대부분이 자동화되거나 함장이 직접 관리하고 있어서 승무원은 태스크포스 373의 현장 팀원뿐이었다.

"여러분, 김빈우 소령입니다."

훈련실의 문을 열며 오르 함장이 빈우를 소개했다. 소개는 꽤 정중했다.

블랙 랜스의 함장은 그였지만 373의 팀장은 빈우이고 팀원들은 빈우의 직속 부하들이기에 대우를 해주는 것이다. 아니면 본래 오르 함장 원래 성격일 수도 있고.

일행이 들어가자 앉아서 잡담하던 두 사람이 일어서며 경례를 했다. 건장한 체구의 남자와 비교적 여린 체구의 여자 팀원은 호기심 어린 시선으로 빈우와 아나스타샤를 보고 있었다.

"반갑다. 373의 팀장인 소령 김빈우다."

빈우의 말에 이어 키가 2m는 넘어 보이는 원사가 자기소개를 했다.

"아룹 라마누잔입니다."

이어서 여자 중위가 말했다.

"파트리샤 피아프입니다."

둘의 인사는 정규 부대라면 설렁설렁하다 할 수준이었으나, 이쪽 바닥치고는 꽤 예의 바른 편이다.

"그리고 이쪽은 내 사무용 안드로이드인 아나스타샤."

빈우의 소개에 아나스타샤가 공손하게 인사를 했다.

"만나게 되어 반갑습니다, 여러분. 여러분의 임무 수행에 도움이 되도록 노력하겠습니다."

"음, 나도 반가워."

"잘 부탁해."

안드로이드의 인사에 인간 두 명은 가볍게 답례를 해주었다. 다행히 둘 다 안드로이드에게 친절한 듯 보여 빈우는 안심했다. 자신의 옆에서 같이 일할 아나스타샤를 막 대하는 사람과 한 팀이라면 주인인 자신도 껄끄럽다.

빈우는 맞은편에 앉으며 팀원 두 사람을 살펴보았다. 현재 빈우는 373의 팀장이기에 팀원들의 기본적인 정보는 얼마든지 볼 수 있었다. 반대의 경우는 조금 제한적이지만.

먼저 아룹 라마누잔 원사는 단검뿔 토끼에서 왔다. 나이는 56세로 빈우의 두 배이고 군 복무 경력으로 따지면 세 배가 넘는다. 아룹은 단검뿔 토끼에서 오랜 경험을 쌓은 베테랑으로 그가 맡은 임무들은 당장 여기서는 볼 수 없을 정도로 기밀 작전들이 많았다. 암호화되어 가려진 경력이 벌써 3분의 1가량. 물론 빈우는 팀장이고 정보국 소령이라 기밀 취급 레벨도 높지만 그래도 이런 기밀 사항들은 보안 시설 안에서만 열람할 수 있다. 여기에서 이미 빈우는 아룹 원사를 부팀장으로 점찍어놓았다. 앞으로 팀원이 누가 오든 계급이나 경험에서 아룹을 능가하는 사람은 없을 것이다.

그 옆에서 의외로 연약한 체구를 한 여성은 파트리샤 리아프 중위. 여기서 연약하다는 것은 어디까지나 군인 기준으로, 실리콘 나이트 출신인 그녀는 얼핏 봐서는 마치 일반인 같은 육감적인 몸매를 뽐내고 있었다. 아무리 실리콘 나이트가 후방 침투해서 게릴라 임무를 맡는 부대라 해도 엄연히 전투 부대인데 저런 늘씬한 몸매를 하고 있다니. 빈우로서는 조금 신경이 쓰일 수밖에 없다. 조금 걱정이 되어 살짝 신체 정보를 조회해보니 아나 다를까, 파트리샤 중위의 신장 173cm는 그렇다 쳐도 체중이 63kg이다. 군인치고 꽤 가볍다. 이 정도 체중은 일반인과 마주하는 비전투병과 부서 수준이고 일반 성인 남성의 수치다.

빈우는 183cm, 102kg으로 강화군인 기준에서는 표준적인 수치이고 정보국 소속치고는 무지막지하다. 아룹 라마누잔의 경우 212cm, 178kg. 이 정도면 금속계 사이버 부품이 꽤 들어갔고 맨몸으로도 강화복을 입은 적들과 어느 정도 교전이 가능할 정도다.

일행이 만난 짧은 시간, 빈우가 팀원들을 살펴보고 있을 때 아룹도 빈우를 평가하고 있었다.

'흐음, 이분이 팀장인가.'

팀장으로 올 사람이 정보국 소속의 젊은 소령이란 얘기는 레드우드 중장에게서 이미 들어 알고 있었다. 스물여덟의 나이에 소령이라면 아무리 계급을 찍어주는 정보사령본부라지만 엘리트 중의 엘리트란 얘기고, 이는 정보국 쪽과의 파이프라인이 탄탄하다는 말도 된다. 이번 태스크포스 373이 맡을 임무들이 구리다는 것은 이미 알고 있었기에 기밀 취급 레벨이 높은 영관급 장교가 팀장으로 올 것이라고는 예상했지만, 사령관인 레드우드 중장이 정보국에서 직접 빼올 정도의 인재일 줄은 몰랐다. 굳이 흠을 잡자면 아직 군 경력이 짧다는 것이다. 아룹이 본 기록에 빈우는 15세에 사관학교를 들어가 후반기 교육을 마치고 20세에 소위로 임관한 것으로 나온다. 그렇다면 군 경력은 8년밖에 되지 않는다. 그러나 닉스 레벨 3이면 지휘관으로 삼기에 부족함이 없다. 8년간의 경력도 초반을 제외하고는 모조리 위장되거나 얼버무리거나 잠겨 있는 것들이라서 빈우가 어떠한 임무를 했는지는 몰라도 상당히 위험하고 중요한 임무였다는 걸 충분히 알 수 있었다.

"어머나? 팀장님, 저한테 관심 있으세요?"

빈우와 아룹이 짧은 시간 동안 서로 머리를 굴릴 때 첫 마디를 뗀 것은 생글생글 웃는 파트리샤였다. 빈우가 자신의 몸을 이리저리 살펴보니 장난스레 말을 건 것이다. 몸매를 강조하는 포즈를 취하는 파트리샤에게 빈우가 솔직히 대답했다.

"응, 나 중위 몸이 엄청 궁금해."

뒤에서 아나스타샤의 눈이 동그래지는 소리가 들리는 것 같다.

"어머나, 직설적이셔라."

호들갑을 떨며 까르륵거리는 파트리샤의 옆머리를 아룹이 가볍게 쥐어박았다.

"걱정하지 마십시오, 팀장님. 중위는 할 만큼 합니다."

빈우의 그런 반응이 익숙한 듯, 말을 거든 것은 아룹이었다. 아마 둘은 이전부터 아는 사이인 듯했다.

"아 그래요? 뭐 그렇다면 됐고. 원사?"

"예, 팀장님."

자세를 바로 하는 아룹에게 빈우는 오른손을 내밀었다.

"이제 원사가 부팀장입니다. 잘 부탁합니다."

아룹은 빈우가 내민 손을 힘차게 악수하며 대답했다.

"예. 최선을 다하겠습니다."

"에에, 난 원사님이 팀장 될 거로 생각했는데? 참 근데 중장님한테 인가 안받아도 됩니까? 나중에 지랄할 텐데."

아마도 이 둘은 빈우와 마찬가지로 레드우드와 잘 아는 사이인 듯한데 빈우와 마찬가지로 이미 눈도장 찍어놓은 사람 중에서 뽑아온 것 같았다. 빈우는 파트리샤의 걱정에 심드렁하게 대답했다.

"지랄하면 밟아야지. 내 팀원 내가 쓰겠다는데 뭘."

천하의 레드우드를 이렇게 대하다니. 두 사람도 조금 놀란 듯 빈우를 다시봤다.

"와, 팀장님 멋져라. 저기, 저기, 그럼 내가 사고 쳐도 사령관님한테 커버해줄 거예요?"

해맑게 웃는 파트리샤에게 빈우도 미소로 화답했다.

"응, 중장님이 그리울 정도로 밟아줄게."

"아이쿠."

금방 꼬리를 말아버리는 파트리샤에게 아룹이 손가락질하며 고자질했다.

"팀장님, 조심하십쇼. 얘 지금 사고 치고 여기 온 겁니다."

이런 경우는 종종 있다. 대원이 사고 치고 그 대신 스스로 임무에 지원하는 경우나, 반대로 부대가 사고 친 대원을 방출 비슷하게 다른 임무로 쫓아내는 경우.

"호오, 그래요? 부팀장은요?"

"이번에는 아닙니다."

마치 입 싹 닦듯 정색하는 아룹 원사를 보며 빈우는 지난번에는 어땠는지 궁금해졌다. 동시에 레드우드 중장의 사람 보는 눈에 다시 한 번 감탄하며 자신의 앞날을 짐작했다. 그 양반 성격상 인성보다는 실력을 우선할 게 뻔하니 모이는 팀원들은 저마다 개성을 마음껏 뽐낼 게 뻔하고, 그런 종자들을 다스려가며 작전을 진행해야 하는 게 빈우의 임무가 될 것이다.

"그럼 얘기들 나누시죠."

팀원들의 화기애애한 모습을 보자 안심이 된 듯 오르 함장은 훈련실을 나섰다.

"예, 함장님. 그럼 나중에 뵙겠습니다."

오르 함장이 나가자 빈우는 팀원들을 가까이 오라고 손짓했다.

"그래, 다들 지원한 건가? 아니면 차출? 방출? 나는 납치였어. 방금까지 오스카 스테이션에 멍하니 있다가 레드우드 중장이랑 한판 하고 여기로 끌려온 거지."

보통 이런 임무는 알려지지 않기에 지원자는 거의 없고 위에서 권유하거나 뽑아가는 경우가 대부분이다.

"저는 예전에 중장님께 신세 진 적이 있어서 필요하면 불러달라고 했습니다. 그러던 차에 이번에 연락이 와서 지원한 겁니다."

"거기 위에서 별말 없었어요?"

"네, 얘기 다 된 건이었습니다."

단검뿔 토끼는 자기 대원들을 금이야 옥이야 아끼기로 유명해서 베테랑 대원들을 빼오려면 좀 고생해야 한다. 하지만 레드우드는 원래 단검뿔 토끼 출신이라 아룹 정도 되는 인재를 손쉽게 데려온 편이다.

"어…… 전 영창 갈래 여기 갈래, 하길래 온 겁니다. 근데 그건 왜요?"

실리콘 나이트는 이전부터 군기가 개판이기로 소문났는데 거기서도 저런 선택지를 줄 정도면 파트리샤는 대체 어떤 사고를 친 걸까 싶다.

"아니, 팀원들 과거를 보면 미래가 보이거든. 아, 이 부대는 찍소리 못하고 시키는 대로 까야겠구나, 아니면 야 X 됐다, 이 부대는 꼬라박는구나. 뭐 이런 거."

"그럼 우리 부대는 어때요?"

호기심에 초롱초롱한 파트리샤의 눈을 보니 과거에 저지른 전과에 대해 견적이 조금씩 잡히는 것 같다.

"글쎄, 좀 더 와야 알겠는데? 근데 사령관이란 양반은 뭐 하는 거야. 나한 테 명단도 안 주네?"

레드우드 중장은 팀장인 빈우에게 팀원들 명단도 안 주고 자신이 직접 발품을 팔아가며 면접을 보고 있었다. 이런 점에서 빈우는 태스크포스 373의 성격을 또 한 번 짐작 할 수 있었다.

특별 혼성 부대인 태스크포스라고 해서 다 같은 게 아니다. 정규전 임무 중에서 특화된 임무를 맡기 위해 만드는 부대가 있는가 하면 이 같은 비밀 작전을 위해 구성되는 부대가 있다. 전자의 경우는 대원들의 모집이 공개적 이고 그 진행도 공식적인 계통을 따라 이뤄진다. 그러나 후자의 경우는 모집을 비밀리에 하게 되며 접촉도 비공식적이라, 불합격한 대원은 아예 지원이 나 모집했던 기록조차 안 남게 된다. 또한 이처럼 사령관이 직접 발품을 팔아 대원들을 모으는 경우는 사령관 개인의 성향도 있겠지만 부대가 엘리트들을 모아 만든 비밀 부대라는 것을 말해준다.

그때 양반은 못 되는지 레드우드 중장에게서 연락이 왔다. 팀원 전체가 아 니라 팀장인 빈우에게 단독으로 보낸 연락이다.

- 어이, 김 팀장. 또 하나 간다.

할 말만 하고 바로 끊긴 내용은 팀원의 충원 얘기였다. 아마 새로운 팀원 의 면접이 끝난 것 같은데 레드우드 중장의 말에서 지친 기색이 없는 걸 보 아 면접은 평화적으로 진행되었다는 것을 짐작할 수 있었다. 만약 레드우드 중장이 지치지 않을 정도의 실력이라면 바로 잘라버렸을 테니까.

"방금 사령관님에게서 연락 왔습니다. 또 한 명 온다네요."

"호오, 어떤 사람입니까?"

아룹 부팀장의 질문에 빈우는 대답이 궁색해졌다. 사령관이 아무것도 안 가르쳐줬으니 대답할 게 없다.

"……제길."

"알겠습니다. 팀장님."

다행히 여기 있는 사람들은 레드우드에 대해 익히 알고 있는 사람들이라 빈우의 욕설에서 대강의 전후 사정을 짐작할 수 있었다. 빈우가 툴툴거리며 뭐라 다시 말하려 할 때 이번에는 지마 오르 함장으로부터 연락이 왔다.

- 팀장님, 군사정보국 국장인 이노우에 고토 준장님으로부터의 통신입니다. 받으시겠습니까?

사령관인 레드우드 중장이 팀장 빈우에게 직통으로 연락하는 것은 당연하다. 그러나 정보국 국장이 정보국 파견 요원에게 바로 연락하지 못하고 한 다리 거친다는 것은 태스크포스 373과 블랙 랜스가 어느 정도의 기밀 레벨을 가졌는지를 보여주고 있었다. 그리고 방금 오르 함장은 통신을 받으라고 하지 않았다. 받을지 말지 물어본 것은 태스크포스 373의 팀장인 빈우가 가진 위상이 연락해온 쪽과 대등하다는 얘기였다.

"네, 연결해주십시오."

- 이야, 김 팀장.

아까 번갯불에 콩 볶아먹은 이노우에 고토 국장이 싱글벙글 웃으며 말했다. 전후 사정 아무런 설명도 없이 너 팔렸으니까 잘해보란 식으로 일방적인 통보를 해놓고선 얼마 지나지 않아 다시 연락하다니 뻔뻔하다. 뭐, 그래야 고토답지만.

- 일이 어떻게 굴러가는지 이제야 대강 파악이 되더라고. 레드우드 사령관이 좀 서둘러야 말이지. 그래서 말인데 묶어놓은 기록 중 몇 가지를 풀기로 했네. 이게 좀 도움이 됐으면 하는 내 마음, 김 팀장은 잘 알아주겠지?

당시 묶였던 기록들은 울토르 프로젝트의 핵심 부분들이다. 그걸 지금 푸는 이유가 뭘까? 게다가 리퍼들과의 전투 기록이라면 지워지지 않았고 트리니티로 잠긴 부분은 아직 풀릴 기미가 없다.

- 제길. 잘 알죠.

- 허허허, 고맙네.

그러면서 고토 국장은 이번에도 자기 할 말만 하고 기록 해제를 위한 암호 코드를 던진 다음 일방적으로 통신을 끊었다. 열 받아서 이쪽에서 연락해도 답이 없는 것은 당연한 일이다. 왜 내 위는 이런 사람들뿐일까. 툴툴거리는 빈우에게 부팀장 아룹의 말이 들려온다.

"팀장님?"

"별거 아닙니다. 방금 정보국에서 정보가 좀 넘어와서 말이죠."

"오오. 어떤 겁니까?"

빈우는 자신의 기록 중 풀린 것을 훑어보고 있었다. 마카로니 궤도 상의 솔리드 베타에서 부상한 다음 잠겼던 기록들은 완전히 모르게 되는 건 아니었다. 그렇게 했다가는 기록 전후에 모순이 생겨 요원의 사고에 혼선이 생기거나, 최악의 경우 의문을 가진 요원이 잠긴 기록을 강제로 풀려고 시도하는 경우도 있다. 그래서 세부 내용은 막아두고 대략적인 색인 정보만 열람할 수 있도록 해두면 만약의 사태를 미연에 방지할 수 있고 방금처럼 단순한 암호 신호 하나로 잠겼던 기록들이 바로 명확해진다.

이번에 풀린 기록들은 울토르 프로젝트에 관한 몇 가지 기록들이다. 이것은 현재 연방 정보사령본부는 물론이고 연방군 전체에 뜨거운 감자가 된 프로젝트다. 그러나 실망스럽다고 해야 할지, 다행이라 해야 할지 풀린 부분들은 핵심적인 부분은 아니고 곁가지 몇몇에 관한 것들이 고작이었다. 이 시점에서 이런 민감하면서도 중요하지 않은 정보를 풀어주는 이노우에 고토의 꿍꿍이는 과연 무엇일까.

민감한 정보란 것에 생각이 닿자 문득 빈우는 리퍼에 관한 것들을 떠올렸다. 레드우드의 말에 의하면 현재까지 리퍼와 직접 조우한 것은 울토르 중대뿐이다. 앞으로 마주쳐야 할 적들에 대해 팀원들은 과연 어느 정도 알고 있을지 궁금해졌다.

"좀 애매한 것들이라 나중에 다시 살펴봐야겠습니다. 그런데…… 부팀장은 우리 임무가 어떤 건지 알고 있습니까?"

"대강은 들었습니다. 리퍼라 명명된 신형 샤다이들이 비홀더 전대에 박살 나서 발 가르단 하스에 처박혔고, 우리가 그걸 찾으러 간다는 거 아닙니까?"

옆의 파트리샤도 고개를 끄덕이는 걸 보니 둘 다 그 정도는 알고 있는 듯했다.

"그 리퍼에 대해서는 어디까지 알고 있습니까?"

"아직은 기존의 샤다이에 비해 극히 위험하다는 말밖에 못 들었습니다. 또 연방과 최초로 접촉한 것은 1년 반 전에 한 비밀 부대와의 전투였다는 것, 그리고 이후로는 방금 말씀드린 대로입니다."

"그래요? 파트리샤는?"

"저도 알아보려고 했는데 열람 거부가 뜨길래 뭐, 때 되면 가르쳐주겠지 싶어서 참고 있죠."

단검뿔 토끼와 실리콘 나이트는 연방에서 온갖 비밀스러운 임무를 하는 부대임에도 불구하고 그 대원들이 알 수 없다면 연방에선 꽤 높은 수준의 정보 제재를 가하는 모양이었다. 물론 레드우드쯤 되면 당연히 알고 있겠지만 이들이 아직 모르는 것을 보면 팀이 제대로 갖춰질 때까지는 허투루 얘기하지 않으려는 듯했다.

"바로 제가 그 리퍼들과 싸웠던 생존자입니다."

"정말입니까?"

"와우."

두 사람의 입에서 놀란 감탄사가 나오고 눈에는 호기심과 기대가 깃든다. 그리고 왜 빈우가 팀장이 되었는지 이해하겠다는 표정이다.

"궁금하겠지만 자세한 것은 사령관님과 팀원들이 다 모이면 하죠."

"근데 팀장님, 다른 사람들은 언제 다 모인답니까?"

장난스레 손을 들고 까딱까딱 흔드는 파트리샤에게 빈우는 대답할 게 궁해졌다.

"글쎄? 아까 말했다시피 나도 방금 끌려와서 아무것도 못 들었어. 사령관 혼자서 다 하려는 건가 싶은데 말이야. 부팀장?"

"저도 아무것도 못 들었습니다. 그냥 여기서 대기하라고 하시고는 사람들 데려오겠다며 가셨죠."

세 명이 레드우드에 대한 뒷담화를 막 시작하려 할 때, 이번에는 오르 함장의 통신이 왔다.

- **팀장님. 지금 격납고로 새로운 팀원이 착함하고 있습니다.**

아까 레드우드 사령관이 말했던 팀원인 모양이다. 격납고로 온다면 셔틀을 타고 오거나 자신의 기체를 몰고 오는 경우다. 그러나 항구에 정박해 있는 블랙 랜스에 셔틀이 올 리는 없으니 전투 인원일 것이다.

- **전투기 쪽 인원인가요? 아니면 전차?**

- **아니요. 스테이션 쪽에서 장갑복을 입고 옵니다.**

그 말을 들은 빈우는 이건 또 무슨 경우인가 싶었다. 작전 시가 아닌 평시라면 보통 장갑복 같은 무기류는 따로 보내고 몸만 오는데 완전 무장하고 격납고로 오다니, 얘는 또 무슨 관심종자인가. 빈우는 심히 궁금해졌다.

그러나 그전에 빈우는 행여 자기가 잠수한 사이에 세상이 바뀌어 뭔가 새로운 전술이나 교리가 생겼나 싶어 팀원들에게 물어보았다.

"새 팀원이 장갑복 입고 격납고로 온다는데?"

그 말을 들은 아룹과 파트리샤도 고개를 갸웃하는 걸 보니 그동안 뭐가 크게 바뀐 건 아닌가보다.

"보러 갈 사람?"

팀장의 말에 심심했던 일행 전원이 손을 들었다. 빈우가 훈련실을 나가려고 할 때 아나스타샤가 물어왔다.

"주인님, 저는 어떻게 할까요?"

빈우는 팀원들에게 자신의 사무보조용인 아나스타샤를 소개하려 했는데, 지금 상황으로 보니 팀원들이 언제 다 모일지 모를 일이다.

"먼저 방에 가서 짐 정리하고 있어."

아나스타샤가 방긋 웃으며 고개를 끄덕였다.

"네."

*

격납고와 훈련실 간 거리는 그리 멀지 않았다. 블랙 랜스는 팀원들의 주거 구역을 중심으로 해서 훈련실과 식당, 격납고를 둘러서 구성해놨기 때문이다. 자칫 한 방에 대원들이 떼로 몰살당할 수 있는 이런 구조는 구축함이나 순양함보다는 강습함, 상륙정 등에서 주로 볼 수 있는 것으로, 신속 대응을 해야 하는 태스크포스 373의 성격을 잘 보여준다고 할 수 있다.

일행이 격납고에 다다르자 빈우가 본 적이 없는 신형 강화복이 몇 개의 컨테이너를 등 뒤에 달고 착륙하고 있었다. 그것을 본 빈우는 기가 막혀 속으로 말했다.

'날아?'

물론 장갑복에는 제트팩이 있어서 날 수는 있다. 그러나 그것은 어디까지나 일시적인 점프나 고속 이동이지 우주 공간이 아닌 1G 상에서 저렇게 부드럽게 비행하는 기종은 본 적이 없다.

"저건 부머 같군요."

아룹의 말에 빈우는 해당 정보를 검색해보았으나 별다른 건 없었다. 과학기술국에서 실험용으로 만든 헤비 급 실증기 중 하나에 그런 코드명이 붙어 있기는 했다.

"아는 겁니까?"

"흐음, 제 친구가 기술국에서 테스트 파일럿을 한 적이 있어서 잠깐 들은 거라 저도 자세히는 모릅니다만, 샤다이의 기술을 역설계해서 만든 비행형 장갑복이랍니다."

'날아다니는 장갑복이라고? 그걸 어디에 쓰는데?'라는 게 빈우의 솔직한 감상이었지만 일단 개발만 해놓으면 사용법은 자연히 발견된다는 것이 기술국의 모토였다. 그런데 그것보다는 샤다이의 기술을 역설계했다는 사실이 더 놀라웠다. 궁금한 것은 빈우만이 아니었는지 파트리샤가 질문을 해왔다.

"샤다이의 기술을 역설계했다고요? 놀랍기는 한데, 그럼 저거 실험기 아닙니까? 그런데 우리한테 왔다는 건 실전 배치될 정도로 검증되었다는 걸까요, 아니면 여기서 실험을 하겠다는 걸까요? 팀장님?"

이번에도 빈우는 질문에 대답할 수 없었다.

"아니, 나도 몰라."

명색이 팀장이 되어서도 아는 게 없다. 하지만 알아낼 수 있는 것은 있다. 바로 팀장의 권한으로 블랙 랜스에 들어오는 사람들의 신원을 조회하는 것이다. 지금 장갑복을 입은 사람은 모니카 보르자 대위로 과학기술국의 실험중대 소속이었다. 빈우는 자신이 알아낸 정보를 바로 팀원들에게 넘겼다.

"모니카 보르자라. 25세에 과학기술국 대위라고? 어머? 오호, 이히히."

금세 파트리샤의 얼굴에 장난기가 돌며 아룸을 힐끔힐끔 쳐다본다. 딱 봐도 뭔가 희한한 수작을 부릴 낌새인데 정작 시선의 피폭자인 부팀장은 그냥 사람 좋은 미소만 짓고 서 있을 뿐이다.

그때 컨테이너를 내린 모니카가 장갑복을 입은 채로 이리로 걸어오기 시작했는데 걷는 폼이 빈우의 생각과는 약간 달랐다. 넓적다리 관절의 가동 방식이 헤비 급에서 흔히 보이는 기계식 관절의 움직임이 아니라, 라이트급이나 미들 급에서 보이는 헬레나 겔 인공 근육의 움직임이었다. 그리고 상체의 움직임도 체중 이동이 외부 장갑에 의존하는 것이 아니라 마치 척추가 있는 것처럼 움직이고 있었다.

'저거, 부하가 심할 텐데. 근육이 신소재인가? 아니면 장갑이 경량화 소재인 건가?'

빈우가 이런저런 상상을 할 때 모니카는 일행의 앞에 와서 헬멧 상부를 열고 인사를 했다.

"만나서 반갑습니다. 모니카 보르자에요. 모니카라고 불러주세요."

"응? 어, 반갑다. 팀장인 김빈우다."

모니카의 인사에서는 이상하고 불길한 기운이 느껴졌다. 빈우는 의아해하면서도 일단은 받아주었다. 기본적인 정보는 두뇌칩에 의해 서로 보인다고 해도 첫 만남에서 자기소개를 할 때는 예의란 게 있는데 방금 같은 경우는 뭔가 달랐다. 뭔가.

그때 또 다른 불길한 기운이 뒤에서도, 파트리샤 쪽에서 뿜어져 나오는 것이 느껴졌다. 슬쩍 돌아보니 히죽거리는 얼굴이 무슨 꿍꿍이가 있어 보이지만 그래도 할 건 해야지.

"그리고 이쪽은 우리 부팀장."

빈우의 소개에 아룹도 모니카에게 인사를 했다.

"반갑습니다. 아룹 라마누잔 원사입니다."

그리고 모니카도 인사를 했다.

"응, 반갑다. 원사."

그때 뭔가 터졌다. 빈우의 어이와 파트리샤의 웃음보다. 불행인지 다행인지 피해자인 아룹은 무관심한 듯 허허 웃기만 하고 있었다.

"푸흐흡, 크큭."

뒤에서 파트리샤가 필사적으로 웃음을 참으려 노력한다. 그제야 빈우는 아까 그녀가 왜 그렇게 건수 잡은 개구쟁이처럼 시시덕거렸는지 이해했다. 파트리샤는 모니카가 아룹에게 이런 사달을 낼 것을 예측한 것이다.

'깜빡했다. 과학기술국에서 대위라면……'

빈우와 모니카가 속한 연방 정보사령본부는 계급 체계가 일반적인 군에 비해 좀, 많이 개판이다. 방첩 활동을 하는 보안국은 내부 수사를 할 때 꿀리지 않기 위해, 첩보 활동을 하는 군사정보국과 정보 수집 임무를 맡은 정보분석국은 보안과 기밀 접근을 위해, 그리고 과학기술국은 민간에서 수준 높은 엘리트 섭외와 연구 시 기밀 접근을 위해 계급을 팍팍 찍어준다.

특히 과학기술국의 경우는 민간 연구소의 인재들을 영입할 때 기본적인 군사 훈련보다는 간단한 신분화 과정을 거치는 게 고작이고, 하는 일도 일반적인 군 생활과는 동떨어진 연구나 기술 업무만 줄곧 맡기 때문에 보편적인 군사 상식이 결여된 인원들이 좀 있었다. 바로 앞의 모니카 보르자 대위 같은 경우가 좋은 예시다.

자기가 무슨 짓을 했는지도 모르고 천진난만하게 웃고 있는 그녀가 25세의 젊은 나이에 대위를 달았다면 아마도 임관할 때부터 바로 대위였을 것이다. 그러기 위해선 다수의 박사학위나 연구 성과가 그것을 뒷받침해줬을 것이고 당연히 과학기술국에서는 금이야 옥이야 하는 귀한 인재일 게 뻔하다. 하지만 태스크포스 373에 온 이상 따라야 하는 규칙과 상식이 있다.

"대위."

방금 모니카가 저지른 사고는 모르고 저지른 것이다. 그렇기에 빈우는 최대한 부드럽게 사실을 알려주고 사태를 해결하려고 했다.

"넹."

귀여운 대답은 그냥 귀엽게 듣기로 하자. 어차피 지금 중요한 것은 그게 아니니까.

"자네가 몰라서 그랬을 것 같아서 가르쳐주는데 말이야. 방금처럼 원사에게 함부로 대해서는 안 돼."

"왜요? 계급은 제가 위인데요?"

만약 모니카가 일반적인 대위였다면 여기서 박살이 났을 것이다. 그러나 그녀는 앞으로 빈우의 부하가 되어 같이 생활할 사람이자 과학기술국의, 나아가 연방군의 보물이다. 함부로 대해서는 안 된다. 살펴보니 아예 전투 개조도 않은 민간인의 육체를 하고 있었다. '개조도 하지 않은 몸으로 잘도 헤비급을 입네? 스치면 뒤지겠네?'라는 생각도 잠시 들었지만 잘 타일러서 이끌어줘야 한다고 마음먹었다.

"부사관은 결코 장교의 부하가 아니야. 장교가 작전을 수립해 지휘하면 그걸 현장에서 실행하는 계급이 바로 부사관이지. 게다가 병에서부터 차근차근 올라오기 때문에 경험은 당연히 장교보다 위라서 보통은 서로 상호존중을 하는 게 일반적이야. 특히 부팀장인 라마누잔 원사 같은 경우는 군 경력이 36년째야, 네 나이보다도 많다고, 팀장인 나조차 함부로 대할 수 없는 분이란 말이야."

데이터나 문서상으로는 알려주지 않은 지식을 접한 모니카의 얼굴은 점차 굳어져갔다.

"아…… 그거 혹시…… 현장 기술직 준위하고 연구 사무직 소령의 관계 같은 건가요?"

모니카는 그녀의 경험과 지식에서 가장 어울리는 비유를 했고 그것을 긍정하는 빈우의 표정에서―준위를 아는 애가 그따위로 행동하냐는 표정에서―자신이 무슨 사고를 쳤는지 대번에 깨달았다.

"죄! 죄, 죄송합니다! 원사님! 제가 큰 실례를 했습니다!"

사색이 된 모니카의 사과를 아룹은 너그럽게 받아주었다.

"하하. 아닙니다, 대위님. 경험해보지 못한 낯선 곳의 일이고 누가 가르쳐주지도 않았잖습니까. 전 괜찮으니 전혀 신경 쓰지 마십시오."

사건이 하나 해결되자 빈우는 다시금 모니카를 환영했다.

"어흠, 태스크포스 373에 온 것을 환영한다. 대위, 앞으로 우리 팀에서 많은 활약 바란다."

"네, 환영 감사합니…… 어? 네? 뭐라고요?"

모니카가 버벅대는 모습이 조금 수상하다.

"왜 그래? 뭐 잘못되었나?"

"저, 저는 이 컨테이너만 가져다주기로 했는데요? 그리고 다시 돌아갈 거에요. 셔틀이 스테이션 궤도에서 기다리고 있을 텐데."

뭔가가 잘못되었다고 느낀 빈우는 즉시 모니카의 정보를 다시 열람해보았다. 그리고 팀장의 권한으로 모니카의 소속과 동선을 다 파악한 다음 잔인한 선고를 내렸다.

"대위, 너 태우고 온 배. 떠났는데?"

"예엣! 아니 배가 왜 떠나요! 날 두고? 그럴 리가."

당황하는 버벅대는 모니카에게 빈우는 문서 화면을 하나 띄워주었다.

"저기, 대위? 진정하고. 여기 이 내용이 보이나?"

그것은 모니카 보르자 대위가 과학기술국에서 태스크포스 373으로 파견되었다는 기밀문서다. 그리고 그 내용 중에는 작전 도중 사망 시에 관련된 사항을 비롯해 별의별 흉악한 내용들이 줄줄이 이어지고 있었다. 문서의 내용을 차근차근 살펴보던 모니카의 얼굴이 울상이 되었고, 급기야 진짜로 눈에 눈물이 맺힌다. 일련의 과정을 살펴보는 빈우의 머릿속에선 또 뭔가 불안한 가정이 생겨났다.

"전 아무것도 못 들었어요."

마침내 모니카는 울음을 터트렸다. 종일 연구소에서 연구만 하던 연구원이 졸지에 최전방 특수부대로 파견되었으니 그럴 만도 하다. 그리고 빈우의 가정이 확신으로 바뀌었다.

'레드우드 이 양반이 진짜.'

모니카의 경우는 빈우 때보다 더 심하다. 과학기술국에서 보쌈을 당했는지 아니면 뭔가 딜을 하고 넘겨받았는지는 몰라도 당사자는 아무것도 모른 채 여기 지옥 일번지에 떨어진 것이다. 감당할 수 없는 진실을 마주하고 울고 있는 모니카를 보면서 그것을 알려준 빈우는 불쌍함을 느꼈다. 모니카와 자기 자신에게. 모니카야 불쌍해도 팀장인 빈우가 퇴짜를 놔서 돌려보내면 된다지만 빈우 자신은 앞으로 이런 처지의 팀원들이 얼마나 더 올지도 모르고, 최악의 경우 이런 민간인들의 머리끄덩이를 잡아당겨가며 임무를 수행해야 할지도 모르는 것이다.

뒤에서 파트리샤의 키득거리는 소리가 들리자 빈우는 가볍게 손가락을 튕겼고 곧 아룹의 주먹이 파트리샤의 관자놀이에 꽂혔다.

025

· · · ✦ · · ·

원래 모니카 같은 인력은 현장에 잘 나오지 않는다. 태스크포스 373의 현장팀이 있어야 할 곳이 여기 블랙 랜스라면 그녀 같은 연구 인력들은 참모들과 같이 후방—특수전 사령부에서 근무하게 될 것이다. 적어도 모니카 보르자 대위가 위험에 노출되는 일은 없기에 그녀가 공포에 떨며 우는 일 또한 없을 것이다. 그러나 문제는 레드우드가 그녀를 끌고 온 방식이었다.

"진정해, 대위. 본인의 의사도 묻지 않고 아무런 통보 없이 이런 일이 일어나선 안 되지. 내가 사령관께 말해보겠어."

빈우는 우는 모니카를 달래며 격납고에 자리를 마련해 앉힌 다음 우선 자신의 메이드 아나스타샤부터 불렀다.

- 아샤. 보내자마자 미안한데 지금 바로 격납고로 와줄 수 있어?
- 네, 무슨 일인가요, 주인님?
- 음, 부당한 현실에 마주쳐 공황에 빠진 대위 대우 여성 연구원 한 분이 계시는데. 네가 와서 좀 달래드리고 숙소로 안내해드려.
- 네, 알겠습니다. 즉시 그리로 가겠습니다.

그다음 빈우는 바로 회선을 자신의 직속 상사인 조지 레드우드 중장에게 연결했다.

- 사령관님. 모니카 보르자 대위, 꼭 필요합니까?
- 응, 뭔 소리야? 걔 벌써 도착했어? 아니, 혹시 퇴짜 놓으려고? 안 돼! 모니카

는 절대 안 돼! 꼭 붙잡아.

'아이구야.'

방금 통신은 모니카에게는 절대 보여줄 수 없는 내용이었다. 레드우드는 무슨 수를 써서라도 모니카를 태스크포스 373에 집어넣고 싶은 모양이었다.

지금 레드우드 사령관은 다른 사람과 얘기를 하는 중인지 통신이 띄엄띄엄 이어졌다.

- 근데 위르겐은 안 왔냐? 아까 간다고 했는데.

- 온다고 했던 사람이 위르겐이라고요? 보르자 대위 아니었습니까?

- 아니. 위르겐 도른베르거라고 뱅가드 소속인데 그 녀석 아까 거기로 보냈어.

일 처리가 뒤죽박죽 엉망진창으로 진행되고 있었다. 빈우는 뭔가 정리를 해야 할 필요성을 느꼈다.

하나, 현재 레드우드 사령관은 팀장인 빈우에게 팀원은 물론이고 팀에 대한 아무런 사전 정보도 없이 막무가내로 일을 진행하고 있다. 물론 이럴 수도 있다. 현장 지휘관에게 큰 권한이 없다면 대부분의 일 처리는 사령관이나 참모가 하고 현장에선 주어진 명령을 묵묵히 수행하면 된다. 근데 이 경우 현장 지휘관은 보통 부사관이나 위관급이 맡는다.

둘, 태스크포스 373의 팀장인 빈우는 정보국 국장인 이노우에 고토 준장조차 직접 호출할 수 없는 중요 기밀 시설에 있으며, 그 기밀 시설의 책임자인 오르 소령은 빈우에게 통신이 왔을 때 거부권이 있음을 암시했다. 이는 팀장 빈우를 보는 주변의 인식이 장성급에 맞먹는다는 뜻이다. 적어도 오르 소령은 그렇게 대하고 있었다.

여기서 뭔가 결론을 도출해내기엔 아직 자료가 부족하지만, 자료는 찾으면 되는 법이다.

"아니, 씨발! 조직 관리 진짜 X 같이 하네!"

빈우는 사령관에게 육성으로 고함을 질렀다. 빈우가 레드우드와의 개인 통신이 아니라 주변에서 다 들을 수 있게 회선을 공개해놓고 쌍욕을 퍼붓기

216

시작하자 주변 사람들의 눈이 동그래졌고 빈우가 욕하는 대상이 누구인지를 알게 되자 식겁했다.

"어이, 중장님. 현장 팀장인 나한테는 일언반구도 없이 저 꼴리는 대로 사람 잡아다가 던져주면 내가 뭘 어쩌라고? 적어도 인선에 대한 기초적인 윤곽은 알려줘야 할 거 아뇨! 씨발."

소령이 직속 상관인 중장에게 쌍욕을 퍼붓는 진귀한 풍경에 배짱 두둑하기로 둘째가라면 서러운 특수 부대원들도 말리거나 끼어볼 틈 없이 눈치만 보고 있었다. 그들이 아는 레드우드라면 격노해서 맞받아칠 게 당연하니까.

"아, 새끼 성깔하고는. 진정해, 인마. 다 얘기해줄 테니까 조금만 기다려."

놀랍게도 레드우드는 마주 폭발하는 게 아니라 이해한다는 듯, 한발 물러서서 타이르고 있었다. 이것도 좀체 볼 수 없는 광경이다. 천하의 레드우드가 말이다. 레드우드가 빈우를 이렇게 대우한다는 것은 태스크포스 373의 사령관인 그가 현장 지휘관인 빈우를 자신의 전권 대리인으로 놓고 팀을 꾸리고 있으며, 그건 빈우의 권한과 위상이 사령관에 버금간다는 뜻이기도 했다.

그런데도 레드우드가 이렇게 손수 비밀리에 행동하는 것은 몇 가지 이유로밖에 설명할 수가 없다. 대원의 정보 노출을 극히 꺼리는 것이다. 적으로부터. 우선 빈우에게 팀원 후보를 보여주지 않는 것은 해당 후보의 신원을 보호한다는 뜻도 있지만 반대의 뜻도 있다. 바로 빈우를 외부에 드러내지 않는 것이다. 빈우가 서류만 본다면 모를까 직접 팀원 면접을 하게 된다면 그 후보는 빈우와 만나게 될 것이고 필연적으로 빈우의 행적이 노출된다. 물론 비밀 엄수를 위한 기밀처리를 하겠지만 레드우드는 그런 사태를 아예 미리 방지하고 싶은 모양이었다.

그렇다면 이렇게까지 해서 정보를 감춰야 할 대상은 누구일까? 라이벌 군부 세력? 아니면 외계인과의 우호 세력? 태스크포스 373의 첫 임무가 연방군의 수작 때문에 보호 행성에 샤다이 함선이 추락하고 반물질 폭탄이 터진 것을 수습하는 것이라고 예정되어 있으니 시작부터 적이 많을 것은 당연한 일이었다.

여기까지 생각한 빈우는 다음 팀원은 보안국에서 오지 않을까 예상했다. 군 내부의 안보와 첩보를 담당하는 보안국의 인원이 온다면 그쪽과의 파이프라인이 생기게 될 것이고, 내부의 적과의 다툼에서 유리한 고지를 차지할 수 있을 것이다. 어쨌든 빈우도 지금의 대화에서 유리한 고지에 섰다.

"알겠습니다. 그럼 계속 대기하겠습니다."

원하는 정보를 얻어내고 다시 냉정함을 되찾은 빈우가 대화를 마무리했을 때 주변의 반응은 저마다 제각각이었다. 아룹은 대략적인 역학관계를 깨달았는지 신중한 표정이 되었고, 파트리샤는 어안이 벙벙한 듯 빈우를 바라보고 있었으며, 모니카는 입을 막고 울음을 끅끅 참고 있었다.

"어어, 대위. 침착해. 일단 심호흡을. 야!"

빈우가 모니카를 어떻게 달래보려 할 때 다시 오르 함장의 말이 들려왔다. 통신이 아니라 육성으로.

"늦어서 죄송합니다. 중요한 일이 있느라."

그러면서 오르 함장의 육체가 격납고 바닥에서 쑥 솟아올랐다. 하필이면 모니카 앞에서.

"꺄아아!"

기겁해서 뒤로 넘어가는 모니카를 오르 함장이 잡아주었다.

"이런, 실례했습니다."

그런 오르의 몸은 아까와는 달리 군복을 입지 않은 녹색 헬레나 겔 육체 그대로였다. 아마 오르 함장은 단말 육체를 배 안 곳곳에 놔두었을 것이고 이건 그중 하나일 것이다.

"모니카 대위. 인사가 늦어서 죄송하군요. 블랙 랜스에 오신 것을 환영합니다. 함장인 지마 오르입니다. 갑작스럽겠지만 필요한 절차가 있어서요. 두뇌칩에 접속할 수 있을까요?"

오르 함장은 어버버 하는 모니카의 뒤통수에 손가락을 대어 그녀의 칩 기록을 갱신했고 들어오는 정보에 모니카는 진정과 당황을 반복하고 있었다.

"화, 확실히 놀라운 배에요. 롱 훅 프로젝트는 어, 관심이 컸던 프로젝트니까요. 응우옌 중령님과도 얘기해본 적이, 아니, 아니 저 엄마하고 연락할래요. 엄마하고 연락하게 해주세요."

그러나 모니카는 자신의 엄마와의 회선을 열 수가 없었다. 태스크포스 373에 파견된 이상 외부와의 연락은 거의 불가능할 것이고 그것은 팀장이나 사령관의 허가를 받아 검열을 거친 후에나 가능할 것이다.

"소령님, 팀장님. 제발 저 엄마 좀, 엄마 좀 보게 해주세요."

눈물 콧물 다 흘리며 빈우에게 매달리는 모니카를 파트리샤가 어떻게든 달래고 있을 때 다행히 아나스타샤가 격납고에 도착했다.

"자, 대위님 진정하세요."

아나스타샤가 손수건으로 모니카의 얼굴을 닦고 머리를 쓰다듬으며 어떻게든 달래려 했다.

"엉엉엉, 누구야, 넌?"

"팀장님의 사무보조용 안드로이드인 아나스타샤라고 합니다."

주변의 흉험한 특수부대원들 대신 상냥한 여성형 메이드가 곁에서 말을 걸어주자 모니카도 서서히 진정되고 있었다. 한숨 돌린다 싶었을 때 오르 함장이 빈우 옆으로 다가오며 말을 꺼냈다.

"모니카 대위에 관한 건 저도 방금 알았습니다. 과학기술국의 셔틀에서 장갑복이 올 때까지 아무런 정보도 없더군요."

블랙 랜스는 태스크포스 373의 기함으로서 함장인 오르는 빈우와 맞먹을 정도의 기밀접근 권한을 가지고 있다. 그런 그가 알 수 없었다는 것은 방금의 거래는―모니카 대위의 전출은―꽤 은밀하고 음험한 것임을 나타내고 있었다. 거래의 주역인 레드우드 중장도 도착을 모르고 있을 정도다.

"그리고 그쪽에서 우리 정보를 빼가려고 했던 흔적이 있습니다."

"확실합니까?"

"거의."

"팀에 대해서?"

"배에 대해서."

블랙 랜스와 오르를 탄생시킨 롱 훅 프로젝트는 과학기술국의 것이다. 그런데 과학기술국 소속의 셔틀이 접근해서 이쪽의 정보를 빼가려고 했다면 뭔가 아귀가 안 맞는다. 맞추려면 새로운 가정이 필요하다. 방금의 셔틀은 롱 훅 프로젝트와는 다른—아마도—적대적인 파벌이나 소속이란 것.

"팀장님, 지금 새로운 팀원이 격납고 쪽으로 오고 있습니다."

빈우의 생각을 깬 것은 오르의 알림이었다.

"지금요? 이번에는 어떻게 오고 있습니까?"

"목숨이 걸린 듯 달려오고 있군요."

오르가 가리키는 쪽으로 시선을 돌리자 격납고 입구로 전력 질주해 들어오는 한 사나이의 모습이 보였다. 위르겐 도른베르거 상사였다.

*

위르겐 도른베르거 상사는 가슴둘레가 키보다 더 큰 듯한 고양감을 가지고 우주항을 걸었다. 다름이 아니라 바로 그 전설적인 '조지 레드우드' 중장이 자신을 불러준 것이다. 위르겐은 뱅가드 소속으로서 저번 작전에서 레드우드의 밑에서 움직인 적이 있었는데 그때 잠시 얘기를 나눴던 레드우드 중장이 언젠가 한번 부르겠다고 말을 했었고 지금에야 부른 것이다. 조지 레드우드는 연방군 창설 때부터 일병으로 시작해 중장까지 올라간 전설적인 군인으로서 그 존재 자체로 연방군의 역사라 할 수 있는 사람이다. 그런 맹장이 불러줬으니 어찌 가슴이 뛰지 않겠는가. 오스카 스테이션에서 도착해 대기하다가 레드우드의 명령을 받고 항구로 이동한 위르겐의 눈에 마침내 블랙 랜스가 보였다. 그때 갑작스러운 레드우드의 통신이 들어왔다.

- 야, 너 지금 어디야.

유사 이래, 그리고 앞으로도 상사에게서 들을 수 있는 말 중에서 가장 소름 끼치는 말 중 상위 10위에는 꼭 들어갈 말이다.

- 네, 각하. 지금 항구에 도착해서 말씀하신 위치로 가고 있습니다.

침착하게 대답한 위르겐은 동시에 발걸음을 빨리했다.

- 달려, 이 새끼야. 네 윗대가리 지금 뚜껑 열렸다.

그리고 위르겐은 전력 질주했다. 다른 누가 아닌 무려 특수전 사령부 부사령관이자 태스크포스 373의 사령관인 레드우드 중장이 한 경고다. 그가 경고했다면 위르겐이 빨리 만나야 할 직속 상관은 그를 조져버릴 권력과 폭력을 가지고 있으며, 재수 없게도 지금은 그게 발동될 확률이 높은 타이밍이란 것이다.

강화 육체를 최고로 채찍질해 달리는 위르겐의 눈에 블랙 랜스와 격납고가 보인다. 격납고는 열려 있으며 거기로 사람 몇 명이 보인다. 자세히 보기 위해 확대를 하자 웬걸, 바로 차단이 걸려버렸다. 이곳은 보안 구역이라 두뇌 칩의 조회는 할 수 없다 쳐도 저쪽 센서에서 위르겐의 안구에 저출력 레이저와 전자파를 쏘아 시야를 방해하고 있는 것이다.

'입구로? 아니면 격납고로?'

자신의 현재와 앞날을 결정짓는 선택에서 위르겐은 격납고를 골랐다.

그리고 미친 듯이 달려 격납고로 들어가 재빨리 주변을 훑어 필요한 정보를 수집했다. 가장 먼저 눈에 띄는 것은 녹색으로 빛나는 안드로이드였고 그 옆에는 가슴에 해골 휘장을 단 소령이 있었다. 닉스 레벨 3. 그가 바로 직속 상관이 될 사람이겠지. 그리고 사이보그로 추정되는 원사와 비전투원 중위, 마지막으로 장갑복 이너 슈트를 입고 의자에 앉은 사람은 여자라는 것 외엔 잘 모르겠다. 그러나 장갑복 여인 앞에 앉아서 안 보였던 인물이 이쪽을 보며 몸을 일으키자 위르겐의 가슴속 깊은 곳에서부터 올라온 외침이 터져 나왔다.

"오오오! 쿠델카 모델!"

메이드용 안드로이드 중에서 가장 인간답다는 쿠델카 모델이 바로 위르겐의 눈앞에 있었다. 생체 부품의 비율도 비율이지만 쿠델카 모델 특유의 AI 학습 패턴은 시간이 지나면 지날수록 개성이 발화하여 연방이 가진 안드로이드 중에서 가장 인간다워진다. 때문에, 안드로이드를 좋아하고 연구하는 이들에겐 최고의 모델이었고 위르겐도 예외는 아니었다.

"지금은 생산이 중단되어 다시는 살 수 없는 꿈의 안드로이드가! 남아 있는 모델 전부 매력과 개성을 뽐낸다는 환상의 안드로이드가 바로 내 앞에!"

흥분한 것도 한순간, 위르겐은 자신이 친 사고를 깨닫고 얼어버렸다. 그리고 녹색 남성형 안드로이드가 자신에게 걸어올 때까지도 차렷 자세로 얼어 있었다.

"실례합니다. 위르겐 상사. 잠시 두뇌칩에 접속하겠습니다."

심기가 불편한 위르겐은 안드로이드에게 퉁명스레 대답했다.

"빨리 끝내."

곧이어 접속과 정보 공개가 끝나자 알몸의 안드로이드가 함장인 오르 소령이란 것을 알게 된 위르겐은 말 그대로 굳어버렸고 자신에게 걸어오는 팀장 김빈우 소령 ― 메이드 아나스타샤의 주인 ― 이 정말로 사신 같아 보였다.

"태스크포스 373에 온 것을 환영한다. 위르겐 도른베르거 상사."

빈우는 새로 온 팀원이 아나스타샤의 가치를 알아보는 사람인 걸 알게 되자 기분이 아주 좋아졌다. 그러나 곧이어 자신 앞에서 대답도 못 한 채 굳어버린 그의 모습을 보고선 마음속으로 한숨을 내쉬었다. 명색이 뱅가드 연대란 놈이 이렇게 굳을 정도면 보통 충격이 아닐 것이다.

'이 불쌍한 새끼는 또 무슨 사연을 달고 납치되었을까……'

026

· · · ✦ · · ·

"죄! 죄송합니다! 팀장님!"

위르겐은 빈우를 향해 가까스로 말할 수 있었다. 첫 만남에서 뻘짓을 하고 개인 메이드를 상대로 실례되는 말을 했으니 입이 있어도 어떻게 떨어지질 않던 것이다.

"뭐가?"

"그…… 그…….'

말문이 막힌 위르겐을 달랜 것은 빈우의 말이었다.

"위르겐 상사. 지금까지 네가 잘못한 것은 하나도 없다. 그러니 사과할 필요도 없어. 아, 혹시 안드로이드나 AI 쪽 관련자인가?"

"예! 그렇습니다. 대학 전공이 그쪽이었습니다."

칼같이 대답하는 위르겐의 모습에 빈우는 픽 웃었다.

"군인 장학생 되려고 입대한 거냐?"

"예! 그런데 이 일도 의외로 적성에 맞습니다."

그저 적성에 맞을 뿐이라고 하기에는 뱅가드 연대까지 들어간 것을 보면 너무 잘 맞는 모양이다. 뱅가드 연대가 비록 개개인의 전투력 면에서는 단검 뿔 토끼나 실리콘 나이트에 한발 처진다고 하지만 엄연히 특수전 사령부 소속의 부대이고 연방의 1티어 부대 중 하나다. 빈우는 자칫하면 군인 장학생이 될 수 없을지도 모르는 위르겐의 어깨를 두들겨주며 격려했다.

"앞으로 팀이니까 자주 볼 테니, 아샤하고도 자주 얘기를 나눠봐. 너한테 도움이 될지도 모르지."

"가…… 감사합니다, 팀장님."

지금 위르겐의 눈에 비치는 빈우는 지옥 밑바닥에서 구원의 손길을 내민 천사와도 같았다. 아직은.

대화를 마친 빈우는 격납고에 모인 팀원들을 한번 둘러보았다. 블랙 랜스에 도착해서 가장 먼저 함장인 지마 오르를 만났고 그다음은 팀원인 아룹 라마누잔과 파트리샤 피아프를 만났으며, 이어서 모니카 보르자와 위르겐 도른베르거가 도착했다.

"자, 또 누가 더 올까."

빈우가 한숨 돌리려 할 때 간신히 진정된 모니카가 조심스레 말했다.

"저기, 팀장님. 제가 가지고 온 물건들 수령하셔야 해요."

"아, 그렇지. 그게 있었지."

모니카는 자신이 입고 온 헤비 급 장갑복 부머에 컨테이너를 달고 블랙 랜스에 들어 왔었다. 그 컨테이너에는 아마 과학기술국에서 보낸 자재나 장비가 들어 있겠지.

"대위, 열어봐."

그러나 모니카는 빈우의 눈치를 보며 우물쭈물했다. 빈우는 아마 모니카가 현재 그녀 자신의 처지에 충격을 받고 그러는 것이리라 생각했지만, 사실 모니카는 빈우의 폭발에 겁먹어서 쩔쩔매는 것이다.

"저기, 저는 못 열어요. 권한이 없어요."

"흠."

운반자가 열 수 없다는 얘기는 꽤 중요한 물건이 들어 있다는 말이겠지. 역시나 컨테이너는 팀장 김빈우, 함장 지마 오르, 사령관 조지 레드우드 세 사람만이 열 수 있도록 잠겨 있었다. 빈우의 보안 승인으로 첫 번째 컨테이너가 열렸다. 그 안에는 미들 급 장갑복들 4기가 죽 늘어서 있었다. 인간이 사는 곳에서 인간을 죽이기 위한 병기들. 인간이 자신을 지키고 상대방을 죽이기 위한 무기들.

그것을 본 빈우의 뇌리에 뭔가 하나 스쳐 지나간다. 마카로니에서의 궤도 엘리베이터. 석양에 타오르는 고향의 보리밭. 장갑복을 입은 클론들에 의해 죽어가는 인간들. 둔탁한 장갑복의 주먹에 부드러운 살갗이 으깨져가는 것이 보인다. 김이 나는 핏덩이들이 장갑복에 밟히는 게 느껴진다.

"로보트야아아! 안아줘어!"

나를 보고 살려달라 우는 아이. 내가 살려줘야 하는 아이. 핏덩이가 된 아이의 울음소리가 귀에 들린다. 방아쇠를 당긴 촉감이 손가락에 선명하다.

분명 당시의 기억은, 마카로니에서의 기억은 정보국에서 잠가났을 터였다. 그래서 아까 오스카 스테이션에서 피에르 라캉 중령을 도와주기 위해 마카로니의 기억을 떠올릴 때도 빈우는 온갖 고생을 다 하며 정신 방벽을 뚫었었다. 그런데 그렇게 잠겼던 기억이 이렇게 자연스레 떠오른다면 정보국에서 기록을 풀면서 동시에 잠가났던 기억도 같이 풀었다는 말이 된다. 빈우에게 한마디 언급도 없이.

'이노우에 고토, 이 새끼가.'

"팀장님?"

옆에서 아룹이 걱정스레 부르는 소리에 빈우는 정신을 차렸다.

"음? 아니에요. 괜찮습니다."

컨테이너 문을 잡고 옆으로 기대 있던 빈우가 자세를 바로 했다.

"모니카, 이 기종들은 뭐지?"

"이, 이건 컨커러예요!"

모니카도 안의 내용물을 몰랐는지 조금 놀라며 말을 더듬었다. 운반자가 열 수 없게 되어 있을 뿐더러 안의 내용물이 뭔지도 모르고 있었다니. 이 컨커러란 장갑복은 상당히 기밀 병기인 듯했다.

"특수전 사령부에서는 리퍼들을 상대하기 위한 신형 장갑복 기종을 우리 과학기술국과 국방과학연구소에 각각 의뢰했고, 우리 쪽에서 개발한 기종이 컨커러인데…….”

뭔가 내키지 않았는지 잠시 말을 멈췄던 모니카가 말을 이었다.

“저희 팀이 특수전 사령부에서 요구한 사항에 따라 스펙을 맞춰 개발했습니다만…….”

모니카는 흘깃 빈우의 눈치를 보더니 다시 말을 이었다.

“정작 완성품을 만들고 나니 착용자가 움직임을 따라가질 못하거나 음, 반동이 너무 심해서 결함 기기로 판명이 난 기종이에요. 왜 이런 걸 보냈지?”

즉, ‘왜 이딴 게 왔지’라는 말이다. 궁금함이 해결된 빈우는 실망했지만, 모니카의 말을 들은 팀원들은 눈을 빛냈다.

“리퍼에 대응하는 스펙이라고?”

“착용자가 못 버텨?”

이건 자신들의 실력에 대한 자부심으로 블랙홀마저 찌를 수 있는 특수부대원들의 호기 어린 말들이고.

“결함기란 말이지…….”

이건 골치 아파하는 팀장 빈우의 말이다. 스펙을 맞췄다는 말은 사실일 것이다. 어느 정도는. 결함기란 말도 사실일 것이다. 확실히. 문제는 과학기술국에서 저 컨커러란 결합 장갑복을 태스크포스 373의 요청에 따라 그냥 던져 준 거냐 아니면 레드우드가 직접 콕 찍어서 ‘컨커러’를 달라고 한 거냐는 점인데, 지금까지의 정황으로 보면 레드우드가 직접 보고 점 찍었을 가능성이 컸다. 아마 무언가 레드우드의 마음에 쏙 든 게 있거나 작전에 필요한 특징이 있거나 하겠지. 그렇다면 스펙을 살리며 결함기를 쓸 수 있게 운용법을 찾아내는 것이 지휘관의 일이 된다. 여기서 지휘관은 윗대가리인 조지 레드우드가 아니라 앞대가리인 김빈우지만.

“저, 사실은 팀장님께만 드릴 말씀이 있는데…….”

골머리 썩히는 빈우에게 모니카가 조심스레 말을 걸었지만, 대답은 옆에

다가온 아룹의 입에서 나왔다.

"하하하, 문제가 있다고 해도 쓸 만하니까 레드우드 중장님이 징발하셨겠죠. 사용은 저희가 할 테니 걱정하지 마십시오. 대위님."

아룹이 호탕한 웃음 뒤로 파트리샤의 빠른 말소리가 들렸다.

"이거, 기존 개량이나 발전이 아닌걸? 아예 척추 프레임부터 새로 만들었네. 처음 보는 규격인데? 팀장님, 이거 이전 것들이랑 외장 근육 구조가 달라요. 가동 영역이 근접전을 상정하고 만들었네요. 뭐 접합부는 공용이라 입는데는 문제 없지만 움직임에는 신경 써야겠습니다. 어머나, 동력으로 한번 빵빵하다. 출력은 헤비 급인데?"

그새 파트리샤는 컨커러를 이리저리 뜯어보고 있었다.

"저, 이거 말해도 되겠습니까?"

빈우에게 다가온 위르겐은 할 말이 있는 것 같았다. 궁금한 것을 물어보는 게 아니라 자신이 아는 것을 말해도 되는지 허락받고 싶어 하는 모습이다.

"혹시 컨커러에 관한 거냐? 상관없어. 이건 이제 우리 거고, 관련된 기록도 기밀이건 뭐건 전부 우리가 가져간다. 알고 있는 게 있으면 말해봐."

조금 문제가 있는 장갑복이니 만큼 빈우는 그 이력을 낱낱이 조사할 예정이었고, 그 덕에 위르겐은 자신이 알고 있는 것을 말할 수 있었다.

"3주 전에 우리 뱅가드 연대에서 신형 장갑복의 모의전 상대를 한 적이 있었는데, 그 대상이 바로 이 컨커러였습니다. 당시의 일은 전부 기밀에 붙였지만, 뭐 어쩌겠습니까?"

어깨를 으쓱하는 위르겐 말마따나 기밀이고 나발이고 어쩔 건가. 이제 쓰는 처지가 되었으니 그 기밀 기록도 싹싹 긁어 가져가야 하는 상황이 되었다. 직접 착용이 아니라 아쉽지만, 모의전을 해봤다면 그 성능을 눈과 몸으로 직접 느꼈을 것이다. 빈우는 기대에 차서 질문했다.

"어땠어?"

"그게, 평가하기엔 시간이 너무 짧았습니다."

지긋이 바라보는 빈우의 시선은 좀 더 자세히 말해보라는 뜻이다.

"평범하게 사격하다가 근접전으로 들어갔는데, 완전히 죽 쑤던데요? 초짜처럼 장갑복에 휘둘리다가 제풀에 쓰러지거나 힘 한번 제대로 못 써보고 제압당하곤 했습니다. 상대 테스트 파일럿도 꽤 베테랑 같아 보였는데 아마 장갑복의 문제로 추정되었습니다."

"그래?"

위르겐의 말을 들은 빈우는 고개를 갸웃했다. 아직까진 뭐가 레드우드의 마음에 들었는지 모르겠다.

"모니카, 컨커러가 3주 전과 바뀐 것 있나?"

"아뇨! 그때 회수해서 데이터 수집하고 고장 부위 수리한 다음에 계속 보관 중이었습니다."

황급히 대답한 모니카는 빈우에게 뭔가 계속 말하고 싶어 하는 눈치였다. 그걸 보다 못한 빈우가 뭐라고 말하려 할 때였다.

"에그머니나! 이게 뭐야!"

파트리샤의 낮은 호들갑이 ─조금은 흉흉한 기운을 띤 말이─ 일행의 주의를 끌었다.

"파트리샤, 뭐야?"

파트리샤는 빈우에게 컨커러의 동력로 근처에서 발견한 하나의 파편을 보여주었다. 은빛으로 빛나는 파편. 이가 갈리고 신물이 나는 파편이다.

"샤다이의 부품이군."

빈우의 확정에 일행의 시선이 모니카에게 향했고 그녀는 다시 얼어붙었다. 누구도 입을 열지 않았으나 팀원들의 시선이 모든 걸 알려주고 있었다. 이게 왜 여기 있지? 왜 말하지 않았지?

"어, 수, 숨기려고 한 게 아니에요. 말하려고 했는데……."

연방군에서 무기 개발, 연구와 관련된 부서는 크게 두 군데가 있다. 하나가 국방과학연구소이고 다른 하나가 과학기술국이다. 이 둘의 영역은 겹치긴 해도 본질적인 차이가 있다. 국방과학연구소는 신기술을 개발하긴 해도 검증된 인류의 기술로 무기를 개발하는 게 우선이고, 과학기술국은 외계종족 기술의 역설계, 구 지구제국 시절의 기술 복원, 현재 연방에서 법적으로 금지된 기술의 응용 등이 주요 업무다. 클론 기술을 쓴 울토르 프로젝트나 롱훅 프로젝트가 좋은 예다. 그리고 과학기술국에서 불분명한 기술을 역설계하거나 실험해서 검사를 마치면 그 기술들은 국방과학연구소로 넘어가 실용화 과정을 거쳐 무기로 만들어진다. 때문에 과학기술국이라 해서 딱히 터부시되는 것은 아니지만 이런 경우는 곤란하다. 자신이 입고 자신의 목숨을 맡겨야 하는 장비에 설명하지 않은 부분이 있다면 썩 즐겁진 않다.

빈우가 모니카를 향해 한 걸음 내딛자 팀원들도 말없이 빈우의 뒤로 다가서려 했다. 단지 그뿐인데도 모니카는 겁에 질려 부들부들 떨었다. 빈우는 오른손을 약간 들어 팀원들을 제지하고 아나스타샤에게 눈짓으로 모니카를 달래주라고 했다. 아나스타샤가 자리에 앉혀주고 옆에 같이 앉자 다시금 진정한 모니카가 말을 이었다.

"커, 컨커러는 샤다이의 기술을 응용하기 위해 만든 기체에요. 샤다이의 방어막은 우리 것에 비하면 월등하기에 그걸 역설계해서 개발하는 게 목적이었죠. 그런데 저 방어막을 생성하는 부위를 완전히 분석한 게 아니라 단지 장착만 해놨기 때문에 사용 도중 오작동이 되어 착용자의 움직임을 제한하는 때도 있었습니다."

거기까지 말한 모니카는 자신은 당당하다는 듯, 빈우에게 고개를 들고 눈을 마주 보며 말했다.

"실은 이것이 기밀 사항이라 팀장님께만 말씀드리려 했는데 틈이 없어서 말할 수 없었습니다. 죄송합니다."

대강 상황을 파악한 빈우는 가볍게 손가락을 들어 흔들었다. 그게 내포한 의미는 '상황 끝. 일 봐. 애 괴롭히지 말고.'였고 알아들은 팀원들은 다시 각자 제 할 일에 몰두했다. 빈우는 모니카 앞에 서서 부드럽게 말했다. 그녀가 한 실수의 이유가 짐작이 가기 때문에.

"대위, 긴히 할 말이 있으면 개인 통신을 넣어."

"통신을…… 아! 네, 그렇네요. 요즘 써본 적이 없어서…… 알겠습니다."

비밀 이야기가 하고 싶으면 두뇌칩끼리 통신을 하면 다른 사람들은 들을 수 없다. 말하지도 않고 머릿속으로 문자를 생각했을 뿐이니 누가 엿들을 수가 없다. 도청이라면 몰라도. 아마 모니카는 연구소나 기밀 구역같이 보안상 두뇌칩의 개인 통신을 금지하는 곳에서 오래 생활했기에 이런 사용법을 잊어버리고 있었을 것이다. 빈우도 이 같은 경우를 종종 봐왔기에 딱히 나무라고 싶지는 않았다. 전투 요원이었다면 얘기가 다르겠지만.

"지금까지는 외부 통신기를 썼겠지?"

"네, 이걸 썼습니다."

빈우의 질문에 모니카는 자신의 손목에 달린 통신기를 보여주었다. 보안칩을 넣어야만 설정 구역에서 통화할 수 있는 통신기다. 그걸 본 아룹이 뒤에서 감탄사를 날렸다.

"햐, 고풍스럽구나."

56세나 먹은 아저씨가 저런 말을 할 정도니 어지간히 오래된 모델이다. 피식 웃은 빈우는 분위기를 누그러뜨려준 부팀장에게 눈인사를 한 번 하고 다시 모니카에게 주의사항을 말해주었다. 그러나 딱히 모니카에게만 하는 것이 아닌, 팀원 전원에게 하는 말이기도 했다.

"잘 들어. 팀원들끼리는 일체의 비밀이나 기밀은 없다. 모든 정보를 공유하도록. 물론 프라이버시는 빼고. 그것도 공유하려면 각자 맘대로 하든가."

말이 끝나기 무섭기 파트리샤의 비명이 울렸다.

"꺄! 팀장님 화끈해. 부디 저의 비밀부터 파헤쳐주세요~."

빈우가 가볍게 손가락을 튕기자 다시금 아룹의 주먹이 파트리샤의 관자놀이에 꽂혔다.

뒤에서 투닥거리는 소리를 무시하고 빈우는 다음 컨테이너를 열었다. 이번에는 무기, 장갑보병용 총이 들어 있었다. 일반적인 사이즈보다는 좀 큰 이 총은 빈우가 이제까지 본 적이 없는 모델이었다. 아마 이것도 과학기술국의 실험제작품일 것이다.

"모니카, 설명해봐."

방금 빈우의 손가락 튕김 한 번으로 발생한 폭력을 눈이 동그래져서 구경하던 모니카가 놀라서 대답했다.

"앗! 저, 사실 저희 팀이 작업한 것은 컨커러고 이건 다른 팀이 작업한 거라 저도 잘 몰라요. 아마 직접 보셔야 할 거예요."

"그래?"

빈우는 총기 거치대의 콘솔에 자신의 ID를 등록하고 직접 무기의 정보를 조회했다. 그리고 알게 된 정보는 맨 처음의 문장부터 빈우를 매료시켰다.

"장갑보병용 시험형 플라스마 발사기 XPS라…… 호오오! 응? 가변형 플라스마 유도기구? 이거 설마?"

XPS는 그 이름만으로도 빈우의 가슴을 도가니처럼 뜨겁게 달구었다. 장갑보병용, 개인용 플라스마 병기라면 앞으로의 보병 전술에 새로운 패러다임을 제시하게 될 것이다. 물론 연방에도 플라스마 무기는 있었다. 함포나 전차 포 같은 대형 병기뿐이지만. 플라스마 무기의 어마어마한 발사 열과 무지막지한 요구 동력은 도저히 장갑복으로는 감당이 안 되었기에 개인 화기로는 개발이 요원했었는데, 지금 빈우의 눈앞에 그 시제품이 있는 것이다. 구 지구제국군이나 샤다이의 전유물이었던 개인용 플라스마 병기를 드디어 우리도 장비할 수 있다는 기대감도 잠시. XPS는 보면 볼수록 빈우의 머리를 혼돈의 도가니로 밀어넣었다.

"가변형이라, 왜 가변형이지?"

이 XPS의 가동 원리는 간단하다. 플라스마를 잡고 가속하기 위해 자기장을 형성하는 총신이 필요에 따라 접혔다 펴졌다 하면서 변하는 것이다. 라이플 모드에선 총신을 모아 자기장을 안으로 집속해 플라스마를 가속시켜 발사하고, 실드 모드에선 총신을 펼쳐 플라스마 폭풍을 바깥으로 순환시켜 적의 탄환을 튕겨낸다는 원리다. 참고로 이런 묘기를 부릴 수 있는 것은 총신을 구성하는 부품이 샤다이의 것이라서 가능한 일이다.

'컨커러는 샤다이의 방어막이고, XPS는 샤다이의 플라스마 조절기술인가. 근데 이거 둘 다 검증 안 된 거잖아.'

샤다이의 방어막을 운용 가능한 신형 장갑복과 상황에 따라 총으로도 쓰고 방패로도 쓸 수 있는 플라스마 병기. 발상은 좋다. 현실이 시궁창이어서 그렇지. 일단 컨커러는 문제가 있다는 게 위르겐에 의해 밝혀졌다. 그리고 XPS는 실제로 써보진 않았지만, 눈으로 본 스펙 데이터만으로도 뭔가 불안한 것을 알 수 있었다.

하지만 머릿속으로만 앓아선 해결이 안 되는 법. 빈우는 실제로 사용을 해서 검증해보기 위해 저번 컨테이너에서 컨커러를 하나 부팅시켰다. 다음에는 XPS를 거치대에 올려둔 채 기동된 컨커러 장갑복과 연결했다. 그러자 장갑복과 플라스마 건이 최초로 연결되며 바로 점검 모드로 들어갔다.

"야아. 이거 뭐 공장에서 바로 들고 왔네."

빈우는 툴툴거리며 점검 모드의 창을 이리저리 돌려봤다. 원래 장갑복과 무기는 사용하기 위해 연결하면 서로 인식을 한다. 예를 들어 장갑복이 코일건을 들면 장갑복의 화기 관제 시스템에서 총기의 설명과 설정 상태를 볼 수 있고 총기의 조준점을 장갑복의 시선 중 하나에 추가할 수 있다. 그러나 지금 컨커러와 XPS의 연결은 그렇지 않았다. 서로 시험제작품이다 보니 운용이 완벽하지 않아 사용자가 직접 설정을 해줘야 했다.

"하아."

두 시험제작품의 개발과 실험 내력을 살펴보자 저절로 한숨이 터져나온다. 컨커러는 그나마 뱅가드 연대와 모의전까지 한 녀석이라 어느 정도 틀이 잡히긴 했는데 XPS는 아예 장갑복과 연결해 실사용이나 운용을 해본 기록이 없었다. 그저 실험실의 거치대에서 시험 사격한 게 전부였다. 최소한 운용 기록이라도 있다면 그걸 토대로 어떻게 써볼 수가 있겠는데 XPS는 개발, 제작 중인 물건이니 사용하는 처지에서는 속이 타들어간다.

'레드우드 사령관은 대체 무슨 생각일까.'

고성능의 실험 무기를 준다 해도 어느 정도 쓸 만한 걸 줘야지 이건 아예 빈우의 팀을 테스트 팀으로 취급하는 격이다. 더구나 태스크포스 373은 리퍼나 샤다이와 교전할 가능성이 큰 부대이기 때문에, 이런 미완성 결함 품들을 다룰 부대가 아니다. 그러나 빈우는 무턱대고 사령관인 레드우드를 씹으려곤 하지 않았다. 레드우드 중장은 연방군의 창설부터 시작해 오랜 기간 차근차근 잔뼈가 굵어져온 베테랑 중의 베테랑이다. 그런 그가 이런 결함 무기들을 팀에 주었다면 합당한 이유가 있을 것이다.

"이야! 개인용 플라스마 병기입니까!"

한창 컨커러를 살펴보던 아룹과 팀원들이 어느새 빈우의 뒤로 다가와서 이번에는 XPS를 이리저리 살펴보기 시작한다.

"꽤 크네요. 컨커러 전용인가? 어머나? 둘 다 첫사랑이야?"

권한을 넘겨받은 파트리샤는 이번엔 XPS를 뜯어서 살펴보기 시작했다. 이들도 내로라하는 베테랑이니 곧 문제점을 찾아낼 거다. 잠시 고민하던 빈우는 자신이 먼저 말을 꺼내기로 했다.

"부팀장, 이거 어떻게 어떻게 생각해요?"

"네? 무슨 말씀입니까?"

빈우는 대답 대신 맨몸으로 XPS를 들고 시연을 보였다. 장갑보병용 총이라 무겁긴 해도 못 들 건 아니다.

"이게 상황에 따라 가변을 하는데…… 이렇게 변한답니다."

먼저 XPS를 들고 라이플 모드로 사격 자세를 취한 다음 실드 모드로 변형을 시켰다. 그리고 다시 방패에서 총으로 XPS를 원래대로 변형시키고는 아룹을 물끄러미 쳐다봤다.

"허어."

그제야 아룹도 문제점을 눈치채고 쓴웃음을 지었다. 빈우는 XPS를 아룹에게 들려준 다음 모니카를 불렀다.

"모니카, 봤냐? XPS 이거 총으로 쓸 때는 방패로 못 쓰고, 방패로 쓸 때는 총을 못 쓰는데?"

이게 XPS의 문제점이다. 필요에 따라 변형을 한다 쳐도 하나를 쓸 때 다른 하나를 못 쓴다는 것은 꽤 문제가 된다. 더구나 XPS의 변형에는 약간의 시간이 필요하기에 가변 도중에는 총과 방패, 둘 다 못 쓰는 시간이 존재한다. 이건 치명적인 문제. 모니카도 이 사실을 알아듣고 어떻게 변명을 해보려고 했다. 팀은 달라도 같은 과학기술국 소속이니 팔이 안으로 굽었겠지.

"그러면 두 개를 들면 되지 않을까요?"

"그럴 거면 총하고 방패를 따로 들지 왜 엄한 가변형을 두 개나 쓰냐고."

한숨을 내쉰 빈우는 이번에는 장갑복의 상태 창을 보여주었다.

"이거 봐라. XPS를 두 개 동시에 들면 컨커러의 출력이 못 버틴다."

아니나 다를까, XPS를 하나 더 연결하려 하자 장갑복의 HUD에서 동력 부족을 경고하는 메시지가 뜬다. 개인용이니 뭐니 해도 결국은 플라스마 병기. 동력 잡아먹는 귀신이다.

"역시 삼각관계는 안 되네용."

234

파트리샤는 어떻게든 컨커러에서 XPS를 두 개 장착해볼 요량으로 장갑복을 이런저런 방식으로 재부팅하며 동력을 확보해보려고 했다. 그러나 아무리 동력을 끌어모아도 XPS 두 개를 동시에 사용하면 컨커러의 운동 능력에 지장이 올 수밖에 없다는 결론이 나왔다.

"뭐 총을 주 무장으로 하고 방패를 보조로 한다면 그냥 플라스마 소총에 기존의 발포 방패를 쓰면 될 것이고, 반대의 경우에는 코일건에 자기장 방패를 쓰면 되는데 말이지."

빈우가 공장 모드에서 조금 더 개발 이력을 살펴보니 이 가변형 무기에도 프로토타입이 있었다. 초기 모델들은 총과 방패가 각각 따로 이루어져 있어 XPS보다 동력은 적게 먹으며 성능은 더 좋다. 일단 데이터상으론 컨커러는 어찌어찌 이 총과 방패를 동시에 장비할 수 있었다. 여기까지 보자면 XPS는 이 두 가지를 합친 개량형 ─ 아니 개악형 ─ 이라 할 수 있다.

"모니카, 이거 어딨어? 프로토타입들."

"음, 해체해서 다음 물건 만드는 데 쓰였다네요. 이거."

모니카가 보여준 자료에 의하면 프로토타입에 쓰였던 샤다이의 부품들을 다시 재사용해서 만든 게 바로 이 XPS였다.

"그렇단 말이지……"

지금까지 레드우드 중장이 한 일은 수상한 점이 너무 많았다. 우선 빈우 자신은 사령관이 직접 쳐들어와 우격다짐으로 태스크포스 373의 팀장에 임명했고, 과학기술국의 모니카 보르자 대위는 거의 납치에 가깝게 ─ 아니 그냥 납치로 ─ 팀에 넣었으며, 그녀가 알지도 못한 채 가지고 온 것은 미완성인 결함 병기들이다.

일이 돌아가는 꼬락서니가 심히 궁금하다. 알고 싶어도 대답해줄 사령관은 지금 이 자리에 없다. 그러나 상대방에게서 얻어낸 정보로 그다음 단계를 유추해내는 것이 정보국의 주특기 아닌가. 부머, 컨커러, XPS에 대해서 좀 더 알아낸다면 추리와 사고의 폭이 넓어질 것이고 원하는 대답에 한층 가까워질 수 있을 것이다.

"모니카. 잠깐 얘기 좀 할까?"

빈우가 그 말을 하며 모니카에게 한 발 내딛자 그것을 신호로 팀원들이 천천히, 그러나 일사불란하게 움직이기 시작했다. 일단 아룹이 빈우와 모니카의 사이로 부드럽게 들어왔고 파트리샤는 방실방실 웃는 얼굴로 빈우의 뒤로 돌아갔으며, 대강 팀 내의 분위기를 눈치챈 위르겐은 어느새 손에 고릴라 스패너를 들고 있었다. 빈우도 이들의 움직임을 눈치챘지만 왜 그러는지는 몰랐다. 결정타는 오르였다.

"팀장, 그녀는 잘못이 없습니다. 분풀이는 부디 사령관에게."

그제야 빈우는 팀원들이 그렇게 움직인 이유를 알았다.

"아니, 나 아무것도 안 할 거라고!"

아마 팀원들은 결함 장비를 받고 빡친 또라이 빈우가 해까닥 돌아서 모니카를 패 죽일 거라고 상상한 듯하다. 그래서 그걸 어떻게든 말려보려고 움직인 것이다. 하필 움직이는 방식이 대화가 아니라 하극상에 가까웠지만. 아니, 이 팀원들은 이 정도는 하극상으로 생각하지 않겠지. 하마터면 특수부대원들에게 둘러싸여 봉변당할 뻔했던 빈우가 부하들에게 하소연했다.

"이상한 게 있으면 사령관을 조져야지 왜 애꿎은 모니카한테 화풀이하겠냐고, 내가."

그러던 빈우는 문득 조금 전 팀원들의 움직임이 떠올랐다. 그러고 보니 아까 컨커러에서 샤다이 부품이 나왔을 때도 걸어가던 빈우의 뒤로 팀원들이 따라붙었다.

"잠깐, 아까 컨커러 있던 컨테이너에서 내 뒤로 우르르 모인 거, 혹시 나 말리려고 그런 거야?"

"우르르 모이지는 않았습니다만……."

믿었던 부팀장마저 빈우를 정상으로 보진 않았던 것 같다. 하긴 중장에게 개쌍욕을 박는 소령이 정상으로 보일 리는 없었겠지. 작은 해프닝이 끝나자 팀원들은 저마다 신장비들을 살펴봤고 빈우는 오르를 불렀다.

"함장님, 다른 장비는 블랙 랜스에 없습니까?"

"장갑복과 개인 화기, 장비들의 여분은 아직 없습니다. 이곳 오스카에서 보급받을 예정이었죠. 다만 장갑복은 각자가 들고 왔습니다."

장갑복은 착용자 개인에게 철저히 세팅된 물건이라 착용자가 움직이면 같이 따라가는 것이 일반적이다. 빈우는 팀원들을 불러모았다.

"각자 개인 장비와 장갑복은 들고 왔다고 했지?"

"네, 저와 파트리샤는 자기 걸 들고 왔습니다."

아룹의 대답 다음 빈우가 위르겐을 돌아보자 녀석이 정보창 하나를 빈우에게 띄워주었다. 현재 드론에 의한 장갑복의 운반 상황이다.

"제 것은 거의 도착했습니다. 조금 있으면 올 겁니다."

"그래? 그럼 어디 팀원들 장갑복 구경 좀 해볼까."

그러자 아룹과 파트리샤는 격납고 한쪽의 보관소에서 각자 자신의 장갑복을 꺼내 왔고, 모니카는 쭈뼛거리며 자신의 장갑복 부머 옆에 섰다.

부팀장인 아룹 라마누잔 원사가 자신의 본대였던 단검뿔 토끼에서 들고 온 장갑복은 그라인더였다. 그라인더는 현재 연방군이 사용하는 장갑복 중에서 단연 최강의 장갑복이라 할 수 있는 고성능의 물건이며, 단검뿔 토끼의 상징이기도 한 장갑복이다. 그 그라인더가 흠집 하나 없이 빈우 앞에 서 있었다.

"신품?"

"아뇨, 계속 써오던 겁니다."

아룹의 그라인더는 어딜 봐도 신품처럼 보였다. 아룹 같은 베테랑이 사용했다면 오랜 기간 쓰여 세월의 흔적이 보여야 하겠지만, 단검뿔 토끼 같은 특수부대라면 장갑복 같은 개인 장비는 한 번 출격 이후 개인 전용 정비창에 들어가 완전분해 정비를 받고 소모품은 전부 교체한다. 그러니 겉보기로는 신품과 차이가 나질 않는다.

다음으로 파트리샤가 실리콘 나이트에서 가져온 것은 빈우가 처음 보는 장갑복이었다. 특이하게도 외부 장갑 없이 헬레나 겔의 인공 근육만으로 이뤄진 듯 인체의 굴국이 잘 드러나는 장갑복이었다.

"파트리샤, 이건 실리콘 나이트에서 쓰는 거냐?"

"아, 팀장님은 처음 보시나요? 인필트레이터입니다. 우리 쪽에서도 채용한 지 얼마 되지 않았습니다."

그러면서 파트리샤는 인필트레이터의 정보를 빈우에게 넘겨주었다. 인필트레이터는 이름답게 은밀 기동과 침투 작전을 위한 장갑복으로서 실리콘 나이트의 임무에 최적화된 장갑복이었다. 그렇다고 전투 성능이 떨어지는 것도 아니다. 차세대 인공 근육을 사용한 덕분에 비록 외부 장갑은 없지만, 방어력은 그리 뒤떨어지지 않았다.

"저, 팀장님. 제 것도 막 도착했습니다."

위르겐의 말에 빈우가 고개를 돌리자 거기엔 익숙한 장갑복이 드론에 실려 격납고로 들어오고 있었다. 연방 장갑보병의 대명사라 불리는 어벤저였다. 수많은 생명을 죽이고 수많은 생명을 구한 장갑복이다. 어깨에 뱅가드 연대의 마크가 그려진 위르겐의 어벤저는 뱅가드 연대 전용으로 여러 면에서 조정되고 튜업된 버전이다.

이렇게 개조된 어벤저는 빈우에게도 익숙한 물건이다. 울토르 중대에서 클론용으로 조정된 어벤저를 입고 사용했었으니까. 그리고 헬멧을 벗기면 그 안에는 빈우 자신과 똑같은 얼굴들이 줄줄이 늘어서 있었을 것이다.

빈우가 위르겐의 어벤저를 보며 헬멧 안을 상상하고 있을 때, 갑자기 경보가 울렸다. 적색경보다. 태스크포스 373이 공격받고 있다는 경보가 블랙 랜스 함내와 팀원 전원의 두뇌칩에 울려 퍼졌다. 정확히는 사령관인 조지 레드우드 중장이 오스카 스테이션의 주거 구역에서 기습을 당했다는 정보다. 빈우는 즉시 태스크포스 373에서의 최초 명령을 내렸다.

"모두 장갑복 입어! 긴급 출동이다!"

028

· · · ✦ · · · ·

마침 격납고에서 자신들의 장비를 점검하고 있던 터라 타이밍이 좋았다.

"각자 자기가 들고 온 장갑복과 장비를 사용한다. 모니카, 넌 대기. 내가 컨 커러 입는 것 도와."

한 번도 같이 훈련해보지 않았지만, 연방의 내로라하는 특수부대원들이라 반응이 빨랐다. 팀원들은 빈우의 말이 채 끝나기도 전에 자신의 장갑복을 익 숙하게 입기 시작했다. 빈우는 자신의 장갑복이 없었기에 컨커러를 입으려 고 했지만, 아직 세부조정이 덜 끝난 물건이라 혼자 입을 수가 없었다. 불렀 던 모니카가 오질 않자 뭐 하고 있나 보니 그녀는 자신이 입고 온 장갑복인 부머 앞에서 입을까 말까 망설이고 있었다.

"모니카!"

"네, 아, 네!"

"잘 들어, 넌 대기한다. 그리고 이리 와서 내가 컨커러 입는 것을 돕는다. 알겠나?"

갑작스러운 적색경보에 갑작스러운 출동 명령. 부머 앞에서 우왕좌왕하던 모니카는 팀장의 호령에 정신을 차리고 컨커러를 입는 빈우에게 달려왔다.

"팀장님, 괜찮겠습니까?"

이미 그라인더를 다 입은 아룸이 물어보았다. 아직 검증되지 않은 장갑복 을 사용하니 후방에 있는 게 어떻냐는 물음이다.

"어쩔 수 없죠. 지금 사령관이 공격받고 있다니 하나라도 더 나가야지. 사령관님!"

모니카가 재조정해주는 컨커러를 입으며 빈우가 레드우드를 호출하려 할 때 그쪽에서 먼저 연락이 왔다.

- **샤다이다! 적어도 스팸 넷에 정체불명 하나. 이쪽은 나와 팀원 후보자 둘. 한 명은 이미 전사했다. 대략적인 정보 보내마.**

- **지금 출격 준비 중입니다.**

오스카 스테이션이란 아군 지역에서 샤다이에게 공격받았다는 사실에 팀원들의 안색이 굳어진다. 사령관인 레드우드 중장은 닉스 레벨 3이고 다른 둘은 못 해도 레벨 2의 정예대원들이겠지만, 현재 비무장 상태로 샤다이에게 공격받고 있다. 거기다 한 명은 이미 사망한 상황이다.

"함장님, 적함은 어디에 있습니까?"

"아뇨, 근처에 샤다이의 함선은 없습니다."

대답하는 오르의 표정만큼 빈우의 표정도 심각해졌다. 샤다이의 함선이 없는데 레드우드가 공격받고 있다는 것은 놈들의 배가 연방의 탐지능력을 벗어날 정도가 되었거나, 지상 병력이 배 없이도 오스카 스테이션에 침투할 방법을 찾았다는 얘기다. 급박한 상황 속에서 빈우는 레드우드가 보내준 정보를 점검했다. 현재 레드우드가 적에게 공격받고 있는 곳은 여기서 오스카 스테이션의 반대쪽에 있는 민간 거구 주역이다. 지금 상황에서 우주항을 나와 가로질러 가기엔 시간상으로 너무 먼 거리다.

"함장님. 긴급 발함을 요청합니다."

빈우와 오르는 계급과 지휘권은 동급이지만 화력 팀의 지휘권은 빈우에게, 블랙 랜스의 지휘권은 지마 오르 함장에게 있기에 요청을 하는 것이다.

"알겠습니다."

오르는 빈우의 요청을 순순히 받아들이고는 긴급 발함을 시도했다. 항구 측에 일방적인 통보를 한 다음 아무런 명령도 없이 함장의 생각만으로 날아오른 블랙 랜스가 주변 시설물을 들이받으며 급가속하더니, 마침내 오스카 스테이션의 격벽을 뚫고 항구 밖으로 나갔다. 항구 측에겐 날벼락이지만 긴급상황이라 어쩔 수 없었다.

"함장님. 사령관님이 있는 쪽으로 가주십시오. 전 팀원 가속기 사출이다. 가속기 앞에서 대기."

팀원끼리 두뇌 통신을 연결하면 좋겠지만 이런 급한 상황 속에서 그런 세부조정을 할 틈이 있을 리가 없다. 태스크포스 373의 네 명은 각자 격납고의 가속기 앞에 섰다. 이 가속기는 함끼리 물건을 주고받거나 전투기를 발사할 때 쓰는 용도인데 장갑보병이 출동할 때도 쓴다.

빈우는 팀원들 각자의 상태와 무장을 분석했다. 전혀 통일되지 않은 장비를 한 데다가 미리 합을 맞춰두지 않고 나가는 상황이라 이런 것도 파악해두지 않으면 나중에 골치 아파진다.

먼저 위르겐과 어벤저는 아주 정석적인 상태다. 착용자인 위르겐은 강화 병사로서 가장 기본적인 신체 강화를 하고 있으며 어벤저도 뱅가드 사양이지만 순정이라 알기 쉬웠다.

다음 아룹과 그라인더는 이게 뭔가 싶다. 예상대로 아룹은 강화 병사라기보다는 사이보그에 간당간당한 육체개조를 하고 있다. 장갑복인 그라인더도 단검뿔 토끼에서 아룹 개인에게 맞춰 특별 사양으로 개조된 녀석이다. 보나마나 엄청난 위력을 가지고 있겠지만 정확히 어느 정도의 위력을 가지고 있을지 파악이 안 되기에, 명령을 내리는 입장에서는 조금 신경이 쓰인다.

파트리샤와 인필트레이터는 꽤 골치 아프다. 아까 체중을 봤던 대로 그녀는 기본적인 신체 강화를 하는 대신 실리콘 나이트 특유의 신체 강화를 하고 있어서 출력이나 방어력 면에서 일반적인 강화 병사와는 궤를 달리하고 있었다. 또 인필트레이터는 아까 파트리샤가 자료를 넘겨주었다지만 실제 사용을 보지 못했기에 아직 장단점을 제대로 파악하지 못했다.

그러나 그보다 더한 문제는 빈우 자신과 컨커러였다. 아직 완성품도 아닌 장갑복 컨커러를 여분의 장비가 없다는 이유만으로 울며 겨자 먹기로 입어야 했다. 그러나 아무리 빈우라도 차마 XPS까지 쓸 용기는 없었다. 아니 그건 용기가 아니라 만용의 영역일 것이다.

"위르겐, 진동 나이프와 코일건 여분 있지? 좀 쓰자."

"예, 팀장님. 여기 있습니다."

다행히 위르겐에게 여분의 장비를 받은 빈우는 무장과 예비 탄창, 여분의 배터리를 장착했다. 그리고 팀을 둘로 나눴다.

"쐐기 대형. 파트리샤와 아룹이 주공을 맡아 사령관이 있는 곳으로 돌입, 구출한다. 나와 위르겐은 우회해서 적의 후방을 치거나 주공에 가세한다."

아룹과 파트리샤는 일 인분은 너끈히 한다. 일 인분이 뭔가. 단검뿔 토끼와 실리콘 나이트의 이름값으로 볼 때 그들 개개인의 단순 전투력은 일반 장갑보병 일개 소대를 능가하고도 남는다. 이 두 명이면 샤다이 장갑복 스팸 다섯은 너끈히 해치울 것이다. 그리고 약간 처지는 위르겐과 열외를 해도 시원찮을 빈우는 주공이 적과 교전할 때 후방에서 상황을 보기로 했다. 일반적인 상황이라면 팀원 네 명이 전부 돌입하겠지만 샤다이는 스텔스 모드를 써서 몸을 숨기는 경우가 많기에, 시야를 넓게 볼 후속팀이 필요한 경우가 많다.

- 블랙 랜스! 즉각 정선하라! 반복한다. 블랙 랜스, 즉각 정선하라.

오스카 스테이션에서 온갖 통신이 날아들었지만 오르 함장은 그것을 무시하며 블랙 랜스를 몰아 나갔다. 지금 사령관 모가지가 오락가락하는 상황이니 뭘 따질 계제가 아니다.

"팀장님."

오르의 부름과 동시에 빈우의 장갑복 HUD에 정보가 올라온다. 마침내 블랙 랜스가 오스카 스테이션의 외곽 궤도를 무차별로 휘저으며 돌아가 사령관 레드우드를 사출기의 사정거리 안에 넣었다는 것을 알려주었다.

- 사출 개시!

빈우의 명령에 태스크포스 373의 대원들이 격납고에서 발사되었다. 스팸은 샤다이 중에서도 가장 기본인 장갑복이다. 때문에 가장 빈약한 무장을 하고 있다. 그러나 완전히 무시할 수준은 아니다. 어느 정도냐면 연방 전차의 플라스마 포 정도는 한두 발은 막는 방어력에 장갑보병 따위는 일격에 날려버리는 공격력이다. 아무리 신체 강화를 한 특수부대원이라 해도 맨몸으로는 상대할 수 없다. 일반적인 특수부대원이라면.

*

"오냐 씨발! 너 잘 걸렸다!"

레드우드는 스팸 한 놈을 뒤에서 끌어안고 놈의 목덜미에 진동 나이프를 지그시 밀어넣었다. 고온의 플라스마와 고속의 코일건 탄환을 막는 방어막이지만, 진동 나이프 같은 느린 물건에는 반응하지 않아 이렇게 관절 부위를 노린다면 죽일 가능성이 커진다.

- 크아아, 커흑!

투명한 헬멧으로 푸른 피가 솟구치며 스팸 안의 샤다이가 발버둥을 친다. 연방의 장갑보병 어벤저보다 떨어지는 완력을 지닌 스팸이라 맨몸의 레드우드라도 이렇게 기습으로 비벼볼 수는 있다. 가까스로 한 놈을 죽이자 저쪽에서 다른 샤다이 한 놈이 나타나 시즐러를 겨눴다. 어벤저도 한 방에 날려버리는 샤다이의 플라스마 무기다. 맨몸으로 맞으면 어딜 맞아도, 아니 스쳐도 사망이다.

레드우드는 죽은 샤다이의 시체를 놈에게 집어 던지고 복도의 격벽 너머로 몸을 날리며 문을 닫으려 했다. 그러나 문이 채 닫히기도 전에 열 폭풍이 휘몰아쳤고 녹아내린 문은 더 닫히질 않았다. 폭풍에 밀려 넘어졌던 레드우드는 고열에 타서 눌어붙은 눈꺼풀을 손으로 잡아 뜯으며 몸을 일으켰다. 어차피 이런 문은 샤다이를 상대로는 제대로 시간을 벌 수 없다. 그래도 없는 것보다는 낫겠지.

"우지! 잘 숨어 있냐! 절대 나오지 마라!"

마지막으로 스카웃한 태스크포스 373의 대원 시에 우지는 레드우드의 명령대로 몸을 숨기고 있었다. 팀의 조커가 될지 모르는 녀석이라 레드우드는 자신이 죽는다고 해도 저 녀석만큼은 빈우에게, 태스크포스 373에 살려서 보내야 한다고 마음먹었다.

"빌어먹을! 내가 방심을 하다니. 내가! 이 병신새끼!"

열심히 내달리며 레드우드가 욕지거리를 내뱉는다. 사령관 스스로가 발품을 팔아가며 기밀을 유지하려 했으나 결과가 이것이다. 그러나 레드우드의 자책은 좀 심한 감이 없잖아 있었다. 오스카 스테이션 같은 아군 영역 깊숙한 곳에서 샤다이에게 습격받을 줄 누가 알았겠는가. 그것도 배도 없이 장갑복만 입은 샤다이들이 뜬금없이 눈앞에 나타날 줄은.

다시 한 번 날아온 플라스마에 뒤쪽에서 문과 복도 벽이 통째로 녹아내린다. 그러나 레드우드는 이미 코너를 돌아 옆 복도로 건너간 다음 오히려 스팸 쪽 방향으로 서서히 거리를 좁혔다.

'둘은 경비 병력과 대치 중에 이쪽을 추적해 온 것은 셋. 어찌어찌 하나는 잡고 나머지 둘.'

레드우드는 팀원 두 명을 새로이 영입하고 복도로 나설 때 샤다이의 습격을 받았었다. 생각지도 못했던 기습이라 천하의 레드우드조차 제대로 대응하지 못했다. 하긴 무장한 샤다이 다섯을 상대로 맨몸의 연방 병사 세 명이 할 수 있는 것은 얼마 없다. 필사적으로 도망칠 때 봤던 적들은 스팸 넷에 막은신을 푸는 샤다이 하나. 팀원 중 한 명은 그 방에서 나오지도 못한 채 떨어졌고 나머지 한 명은 레드우드가 이끌고 도망쳐 숨겨두었다.

달아나는 레드우드와 시에 우지를 추적해 온 것은 샤다이의 장갑복 스팸 셋이다. 나머지 둘은 원래 레드우드가 팀원들과 만났던 방에 있다가 증원되는 스테이션의 경비 병력을 상대하고 있었다. 방에 남아 있던 팀원의 두뇌칩 반응은 도망치고 얼마 있지 않아 사망으로 떴다.

'모이는 기미는 없는데.'

레드우드는 일방적으로 도망치기보다는 주변의 지형지물을 이용해 치고 빠지며 기회를 노리고 있었다. 그러다가 방금 샤다이들이 수색을 위해 서로 거리를 벌렸을 때 기습을 해서 한 놈을 잡는 데 성공했다. 얼핏 보면 목숨을 내버리는 위험천만한 행위지만 맨몸으로 도망을 쳐봤자 장갑복으로 무장한 샤다이들을 떨쳐버리기는 힘들었다. 또 도망을 치면 칠수록 거주 구역의 피해가 더욱 늘어날 것이기 때문에 이러는 것이다. 레드우드의 이러한 노력에도 불구하고 오스카 스테이션의 거주 구역은 엉망이 되었다. 샤다이의 공격에 거주 구 이곳저곳이 폭발해 불타고 있으며 피난하던 사람들도 애먼 공격에 휩쓸렸다. 그런 피해를 보는 와중에 연방 측은 샤다이 한 놈을 죽인 게 고작이다. 그것도 진동 나이프 하나를 든 레드우드가 지리적 이점을 살려 기습에 성공한 것이다. 오스카 스테이션의 경비 병력은 오는 족족 샤다이들에게 쓸려나가고 있었다.

"젠장. 우리 애들이 제시간에 올 수 있으려나."

레드우드는 부서진 경비 로봇의 파편을 등에 업고 포복으로 복도를 기어 자신을 찾아 헤매는 샤다이 쪽으로 서서히, 아주 서서히 다가갔다. 강화된 신체라지만 맨몸에 무장이라고는 진동 나이프 하나. 그것만 가지고 여태까지 버틸 수 있었던 것은 레드우드의 실력과 경험 덕분이다.

"사람 살려! 누가 도와주세요!"

"경비 로봇! 경비 로봇!"

"여보! 콘래드! 누가, 누가 좀!"

샤다이의 공격에 휩쓸린 민간인들이 여기저기서 비명을 지르고 있었다. 만약 이곳이 군사 구역이었다면 그나마 나았을 것이다. 훈련받은 군인들이라면 이런 기습에 좀 더 나은 대응을 했을 것이고, 무장된 병력도 가까이에 있었다. 그러나 레드우드가 새로운 팀원을 만났던 이곳은 민간 구역이었으며 병력이라고는 경비용 무인 로봇이 전부였다. 증원되는 병력도 썩 믿음직스럽지 못했다. 목표로 삼은 샤다이를 향해 천천히 나아가던 레드우드는 놈이 민간인 일가족 세 명을 향해 걸어가는 것을 보았다.

"아빠! 아빠아!"

아들은 잔해에 깔린 아빠를 구하려 매달려보았지만, 어린아이의 힘으로 어떻게 해볼 수 없는 큰 잔해였다.

"놔라, 빈센트! 어서 도망가! 여보, 어서 빈센트를 데리고 도망가요! 어서!"

피투성이가 된 아빠는 자신을 버리고 가족들에게 피신하라고 하지만 상황이 여의치가 않다.

"오지 마! 오지 마, 이 괴물! 저리 꺼져!"

빈센트의 엄마이자 콘래드의 아내인 테레사는 벌벌 떨면서 샤다이에게 악다구니를 썼다. 그게 공황상태에 빠진 그녀가 할 수 있는 최선의 행동이었을 것이다. 잠시 세 명을 보던 샤다이는 테레사를 툭 밀쳐서 바닥에 넘어뜨렸다.

"아악!"

"안 돼! 테레사! 어서 피해! 빈센트! 엄마와 도망가거라! 어서!"

"엄마아아!"

남편과 아들의 비명에도 넘어진 테레사는 일어날 수 없었다. 넘어진 충격보다는 샤다이를 앞에 둔 공포에 몸이 짓눌려 일어날 수 없었다. 그리고 그런 테레사를 향해 샤다이가 시즐러를 겨눴다.

"야이 개새꺄! 이쪽이다!"

레드우드는 고함을 지르며 일어나 길쭉한 파편을 던졌다. 날아간 파편은 샤다이의 장갑복에 맞고 아무런 피해를 주지 못했지만 적어도 시선을 끄는 데는 성공했다. 그리고 레드우드는 진동 나이프를 고쳐 쥐고 샤다이에게 달려갔다. 그런데 샤다이의 반응이 뭔가 이상했다. 파편을 맞은 그놈은 자신을 향해 덤비는 레드우드를 그냥 보고만 있었다. 이어서 경험이 경고했다. 샤다이 다섯, 하나 사망, 이쪽에 둘, 저쪽에 둘.

레드우드는 재빨리 앞으로 몸을 날렸다. 그리고 간발의 차이로 고온의 플라스마 대검이 레드우드가 있던 자리를 휩쓸었다. 한 놈이 스텔스 모드로 숨어 있다가 가까이 온 레드우드를 공격한 것이다. 바닥을 한 바퀴 굴러 재빨리 일어난 레드우드는 기세를 죽이지 않고 계속해서 첫 번째 목표물을 향해 달려갔다. 그제야 놈은 서둘러 시즐러를 겨눴지만 이미 늦었다. 레드우드는 왼손을 휘둘러 시즐러를 막고 오른손의 진동 나이프를 힘차게 휘둘렀다. 놈의 목젖을 노리고.

그때 강력한 중력장이 그곳에 있던 모두를 덮쳤다. 나이프를 찔러 넣던 레드우드는 그대로 고꾸라졌고 일가족 세 명도 비명을 지르며 바닥에 짓눌려졌다. 샤다이 두 놈은 잠시 무릎을 굽혔을 뿐 곧바로 자세를 바로 하고 레드우드를 향해 걸어왔다. 놈들의 손에 들린 플라스마 대검 클레이모어가 잠시 뒤 그곳에 있는 이들을 모두 죽일 것이다. 절체절명의 순간이지만 레드우드는 기뻤다. 그리고 간신히 고개를 들어 샤다이를 보며 미소를 지었다.

"귀여운 새끼들!"

그의 말이 채 끝나기도 전에 거주 구역의 천장이 부서지며 태스크포스 373의 팀원들이 돌입해 들어왔다. 사출기에서 쏟아진 팀원들이 거주 구역의 천장을 부수고 들어온 것이다. 부서진 천장을 통해 거주 구역 내의 공기가 진공의 우주로 빨려나가나 했지만, 블랙 랜스에서 쏟아진 중력장이 사람들을 그대로 바닥으로 짓눌렀다.

최초의 공격은 선두였던 아룹이었다. 바닥에 내리꽂으며 그라인더가 휘두른 주먹에 스팸의 고개가 휘청 꺾였고 그 틈으로 코일건을 총검째 밀어넣은 아룹이 연사로 놓은 방아쇠를 당겼다. 탄환이 방어막에 튕겨 나가며 푸른 섬광이 번뜩인 것도 잠시, 곧이어 장갑과 부딪혀 노란색 불꽃이 튀었고 마침내 장갑복을 뚫고 샤다이를 갈기갈기 찢어 푸른 피보라를 날렸다. 그때 뒤에서 샤다이 한 놈이 플라스마 대검을 휘둘렀다. 저 고온의 플라스마에 맞는다면 아무리 그라인더라도 무사하지 못하다.

그러나 아룹은 몸을 돌리지도 않고 등의 추진기 노즐을 펼쳐 그것으로 클레이모어를 받아내는 묘기를 부렸다. 아무리 내열 성능이 뛰어난 노즐이라 해도 애초에 방어용으로 만든 것이 아니라 잠깐밖에 버티지 못한다. 하지만 잠깐이면 충분했다. 천장에서 파트리샤가 쏜 코일건 탄환이 쏟아져 내려 샤다이의 장갑복 스팸을 휩쓸었고 휘청이는 놈을 아룹이 멱살을 붙잡아 배에 수류탄을 안겨준 다음 바닥에 처박았다. 폭발과 함께 샤다이가 두 동강 났다.

- 사령관님, 괜찮으십니까?

"오냐, 아룹. 때맞춰 왔구나."

부팀장 아룹이 사령관 레드우드를 일으켜 세웠다. 마침 스테이션의 외벽 응급 수리 시스템이 작동해 끈끈한 발포 점착액들이 외벽을 덮었고 그걸 본 오르 함장은 블랙 랜스의 중력장을 껐다.

"김 팀장은?"

한숨 돌린 레드우드가 물었다.

- 나머지 놈들 쪽으로 갔습니다.

아룹의 대답에 레드우드는 고개를 끄덕였다. 원래 연방에서는 샤다이와 상대할 때 스팸 하나에 장갑보병 1개 분대를 대응시킨다. 그러나 태스크포스 373의 팀원들은 혼자서 스팸 한둘은 너끈히 상대하는 실력자들이다. 빈우와 위르겐이라면 나머지 샤다이 둘 정도는 가볍게 잡을 것이다. 그때 통신으로 팀장인 빈우의 외침이 들려왔다.

- 씨발! 리펴다! 아룹! 그쪽으로 간다!

029

• • • ✦ • • •

　가속기에서 발사되어 날아가던 중 빈우는 레드우드 사령관이 보낸 정보와 오스카 스테이션의 보안 카메라 기록을 재빨리 검토했다. 일단 레드우드는 공격해 온 적이 샤다이 다섯이라고 했다. 스팸 넷에 정체불명 하나. 그리고 이후의 정보들을 보면 스팸 셋은 레드우드를 쫓아갔고 나머지 둘은 원래 장소에 그대로 있었다. 하지만 3인 1조로 잘 움직이는 놈들의 특성상 한 놈이 스텔스 모드로 근처에 숨어 있을 가능성이 대단히 크다. 이렇게 되었으면 작전을 바꿔야 한다.

　- 주공은 사령관 구출에 그대로 돌입. 위르겐과 나는 나머지 놈들을 친다. 일
　단 여섯이라고 생각해.

　아룹과 파트리샤 둘의 실력이라면 스팸 셋은 혼자서 가지고 놀 거다. 그리고 위르겐과 빈우 두 명 역시 스팸 셋은 부담 없이 상대한다. 괜히 따로 쳤다가 놈들이 오스카 스테이션 안에서 스텔스 모드로 숨어버리면 곤란하니까 이럴 때는 동시에 치는 게 낫다. 빈우는 정체불명이라고 한 샤다이가 조금 마음에 걸렸지만 안 되면 지연 전투를 하면서 발을 묶다가 아룹 쪽과 합류하기로 했다.

　- 함장님, 우리는 외벽을 부수면서 돌입합니다. 제가 신호하면 지정한 위치에
　중력 닻을 쏴주십시오.

　- 알겠습니다.

그리고 빈우 조와 아룹 조는 타이밍을 맞춰 동시에 외벽을 부수며 돌입했다. 외벽을 부수기 전 중력장을 쏴 혹시 있을지 모를 추가 피해를 막는 것은 덤이다. 사령관 구출 조의 전투는 예상대로 순식간에 끝났다. 아룹이 하나를, 파트리샤가 하나를, 그리고 레드우드가 하나를 이미 잡아 놨다.

그러나 빈우 쪽은 그렇지 않았다. 빈우 조 역시 코일건을 쏴 외벽을 부순 다음 중력장을 등 뒤로 받으며 위르겐이 먼저 돌입했다. 녀석의 어벤저가 위에서 내리꽂히며 스팸 하나를 깔아뭉갠 뒤 난사로 갈아버렸고, 파괴된 외벽 위에 서 있던 빈우는 위르겐 바로 옆의 샤다이를 출력을 높인 저격 모드의 코일건으로 쏘려고 했다. 그러나 코일건의 조준 카메라로 본 놈의 모습은 스팸이 아니었다. 레드우드가 정체불명이라고 말했던 녀석은 빈우가 아는 놈이었다.

'저건!'

놀라는 것과 별개로 저격용으로 성형된 탄환은 최고 출력으로 발사되었지만, 그 샤다이는 초음속으로 날아오는 니켈강 탄환을 완전히 무시했다. 기존의 스팸이 쓰는 방어막이 아니었다. 코일건의 탄환은 녀석의 방어막에 튕겨 나가는 것이 아니라 그대로 소멸해버렸다. 이 역시 빈우가 예전에 본 적이 있는 것이다.

위르겐도 놈을 향해 사격을 퍼부었지만, 마찬가지로 별다른 효과는 없었다. 어벤저가 코일건을 난사하는 모습 위로 울토르 중대의 클론들이 아무런 힘도 못 쓰고 죽어가는 광경이 겹쳐진다. 잠수하기 전의 마지막 기록들이 다시 떠오르고 있다. 울토르의 클론과 어벤저라면 지금의 위르겐과 어벤저와 비교해 스펙상으론 큰 차이가 없다. 위험하다.

- 사격중지. 위르겐, 내가 붙는다.

동시에 위르겐은 사격을 멈추고 빈우는 놈에게 뛰어내리며 진동 나이프를 내리꽂았다. 분명히 목덜미에 꽂혔는데 크게 먹히는 기미는 없었다. 오히려 나이프가 놈의 방어막에 서서히 갈려나간다. 마치 고온의 플라스마에 녹

250

아나는 것 같다. 그러나 다음 순간 놈은 잠시 머뭇거리더니 몸을 공중으로 띄워서 레드우드가 있는 쪽으로 날아갔다. 일체의 추진기도 없이 마치 중력을 무시하는 듯한 움직임이었다. 빈우는 놈의 뒤로 코일건을 난사하며 통신으로 경고를 날렸다.

- 씨발! 리퍼다! 아룹! 그쪽으로 간다!

정체불명의 샤다이 하나는 바로 리퍼였다. 빈우가 지휘했던 울토르 중대를 기습해 전멸로 몰아넣은 샤다이 최강의 히든카드. 당시 클론들의 실력과 어벤저의 성능으론 아무것도 할 수 없었던 존재가 오스카 스테이션에 다시 모습을 드러낸 것이다.

- 리퍼가 확실한가?

놀란 레드우드의 목소리가 들려온다. 그러고 보니 사령관이 용케 살아남았다 싶다. 만약 리퍼가 추격조에 들어갔다면 레드우드는 반항도 못 해보고 죽었을 것이다.

- 확실합니다. 위르겐, 거리를 두고 따라가! 절대 혼자 붙지 마. 아룹, 파트리샤. 사령관님을 지켜. 그쪽 상황은?

- 사령관님을 확보했고 민간인 세 명도 구조해서 응급처치했습니다. 아 그리고…… 사령관님 말씀으론 근처에 새로운 팀원이 숨어 있답니다. 곧 합류하겠습니다.

이 상황에 민간인 구조자까지 있다니 지킬 게 많아진다. 전투 인원 네 명에 비전투 인원 두 명. 그리고 민간인 세 명. 다가가는 상대가 스팸이라면 코웃음을 치겠지만 리퍼라니 위험하다.

- 일단 민간인들을 안전한 곳에 숨겨. 놈은 사령관님을 노릴 거다.

여기서 위르겐이 스팸 하나를 잡았고 리퍼 하나가 사령관 쪽으로 갔다. 그러면 혹시 남아 있을지 모르는 샤다이에 대해 대응해야 한다. 빈우는 컨커러의 센서를 인명수색 모드로 돌려 근처를 훑었다. 그리고 스테이션의 센서에도 접촉해 주변 구획까지 감시했다.

'지금 이거 버전이 어떻게 되지?'

빈우는 센서의 인명수색 모드가 행여 마카로니에서처럼 두뇌칩이 없다고 이상 작동을 할까 불안했다. 다행히 컨커러와 스테이션의 시스템은 울토르 중대의 것처럼 두뇌칩의 여부로 인간을 판단하지 않았다. 빈우는 자기 할 일을 하면서도 팀원들에게 리퍼에 대해 아는 것을 최대한 설명했다.

- **리퍼의 방어막은 기존의 역장 방어막이 아니라 플라스마 계열로 추정된다. 코일건 같은 질량이 작은 탄두는 아예 증발하니까 주의해. 장갑복의 출력도 어벤저보다 월등히 위다. 헤비 급이나 그 이상. 플라스마 병기도 어지간한 구축함 부포 위력이라고 생각해라. 그건 내열 방패로도 못 막아. 가장 중요한 건 전투 실력이다. 이전의 스팸처럼 비리비리하지 않아. 놈들은 제대로 싸울 줄 안다.**

그런 것치곤 방금의 리퍼는 좀 어리숙하긴 했지만 장갑복의 성능은 그대로였다. 컨커러와 스테이션의 센서 수색 결과 일단 이 주변에 살아 있는 인간은 없었다. 다 대피했거나 죽었다.

그것을 확인한 빈우는 근처의 구역관리 시스템에 들어가 보수 장치를 강제 작동시켜 발포 점착액들을 지정한 구역으로 쏘게 했다. 쏘아진 발포 점착액들은 잠시 끈적이더니 촘촘하고 단단하게 굳어서 기둥처럼 되었다. 이제 이 구역 안을 지나가기는 힘들 것이다. 이것은 해당 구역이 심각한 데미지를 입어 그 피해가 주변부의 붕괴에까지 미치려고 할 때 강제로 결속시키는 극약처방이다. 어쨌든 이렇게 하면 제아무리 스텔스 모드로 숨어다니는 샤다이라 해도 움직이는 이상 들키지 않을 수 없다.

대강 처리를 한 빈우는 제트팩을 써서 위르겐을 따라 날아가며 자신의 뒤쪽으로 점착액을 쏘게 했다. 앞서간 위르겐도 제트팩을 가속해 리퍼를 쫓고 있었지만 따라잡지는 못하고 있었다. 아마 리퍼가 아룹 조와 먼저 만날 것이다. 샤다이의 신형 장갑복 리퍼는 어벤저나 스팸과 비교하면 압도적인 성능을 지니고 있기에 저쪽의 그라인더와 인필트레이터로 어느 정도까지 대응

가능할지 미지수다. 그때 차갑게 가라앉은 아룹의 통신이 들려온다.

- 젠장. 놈이 민간인 쪽으로 향합니다.

골치 아프다. 우연이나 실수가 아니라면 놈은 대단히 영악한 놈이다. 저쪽에 전투 인원은 두 명뿐이니 민간인들을 지키기 위해 한 명이라도 이동하면 레드우드 쪽은 비게 된다. 아직 한 놈이 더 있을지 어떨지 모르는 상황에서 함부로 이동할 수는 없다. 지금 태스크포스 373이 최우선으로 지켜야 하는 것은 레드우드 사령관이지만 그것을 위해서 민간인 세 명을 희생할 수도 없는 노릇이다.

빈우는 즉시 해당 구역의 지도를 본 다음 새로운 명령을 내렸다.

- 부팀장, 민간인들을 데리고 비상 대피실로 이동해서 방어하세요. 사령관, 새 팀원, 민간인 세 명 전부 대피실로 몰아넣고 바로 앞에서 싸웁니다. 수틀리면 사출해서 블랙 랜스가 견인합니다. 함장님?

- 알겠습니다. 대피실이 사출되면 구조하겠습니다.

오르는 즉시 부포와 견인장치를 빈우가 지정한 곳으로 돌렸다.

- 대피실은 지금 사출해야 하지 않겠습니까?

아룹의 걱정은 당연하다. 리퍼와의 전투는 격렬할 것이다. 재수 없게 플라스마 탄이라도 날아가 대피실의 문을 날려버린다면 그 파편에 군인은 몰라도 민간인은 위험하다.

- 미끼가 날아가면 도망칠지도 몰라서 그래요.

조용해진 통신 회선 속에서 레드우드의 킬킬거림이 들려온다.

- 그렇지. 그래야 내 팀장이지.

- 아이구, 영감님은 너무 나대지 말고 대피실 안에서 민간인들이나 잘 지키세요.

빈우는 현재 팀원들과 리퍼 간의 배치를 살펴보았다. 아룹 조는 민간인들에게 응급조치를 취한 뒤 약간 후퇴해 거주 구역의 사거리 쪽으로 나갔고 레드우드와 다른 팀원을 가까운 곳으로 피신시켰다. 원래 놈들이 레드우드를 노렸으니 사방이 트인 곳에서 전투하며 빈우 조가 오길 기다리기로 한 것이다. 그런데 리퍼가 민간인을 향해 방향을 돌리자 모든 게 틀어졌다. 아룹 조는 비전투 인원들을 다시 데리고 와 전부 대기실로 넣었다. 그 다음 아룹은 리퍼가 오는 복도 방향의 정면에서 대기하고 파트리샤는 사거리 옆으로 돌아가 다른 복도 너머에서 매복했다. 그리고 마침 복도 저 끝에서 리퍼가 나타났다. 아무런 추진도 없이, 관성을 무시하며 날아오는 모습이 무시무시하다.

- 리퍼 발견, 교전합니다.

아룹의 그라인더가 코일건을 쐈다. 어벤저가 쓰는 HM-22A보다 고출력의 HM-64는 대공포로 쓰이는 물건이다.

- 이것도 안 먹힙니다.

기존의 샤다이 방어막은 코일건을 튕겨내며 섬광을 뿜었지만, 리퍼의 방어막은 근처에 다가온 탄환을 녹이며 그대로 증발시켜버렸다. 아룹은 이어서 레이저 캐논을 쐈지만 스팸에게도 안 먹히는 게 리퍼에게 통할 리 없다. 마지막으로 아룹은 무장을 등에 짊어지고 양손에 너클 가드를 씌웠다. 근접전을 할 생각이다. 그러나 그 전에 한 번 더.

- 파트리샤.

- 오케이.

부팀장의 신호와 함께 파트리샤가 복도 벽 너머에서 사격했다. 길이 50cm는 족히 됨직한 거대한 탄이 인필트레이터의 레일건에서 쏘아져 나와 복도 벽을 뚫고 리퍼에게 명중했다. 물론 녀석의 방어막은 작동했지만, 탄의 크기가 워낙에 컸기에 다 소멸시키지 못했고 결국은 처맞은 다음 반대편 벽에 처박혔다.

- 이야, 이 정도는 돼야 먹히네.

파트리샤는 빈우의 설명을 듣고 임기응변으로 가장 먹힐 법한 방법을 썼는데 그게 통했다.

- 좋았어. 역시 큰 거로 때려 박아야 하나. 파트리샤, 다음 발사까지 얼마 걸리

254

지?

방금 파트리샤가 쏜 레일건 탄자는 정상적인 발사가 아니라 상당히 무리해 억지로 쏜 것이다. 다시 발사하려면 레일을 재조정해야 할 것이기에 아룹이 물어본 것이다.

- 어…… 내일?

즉 지금 여기서 고치긴 글렀다는 얘기다. 그러나 파트리샤가 보낸 너덜너덜한 레일건 총신의 상태를 본 아룹은 그냥 어깨를 한번 으쓱했을 뿐이다.

- 그럼 이제 내 차례냐?

아룹의 그라인더가 달려가 바닥에 쓰러진 리퍼를 걷어차 올린 다음 이름 그대로 갈아버리기 시작할 때 위르겐이 도착했다. 그리고 맛깔나게 리퍼를 두들겨 패는 그라인더와 아룹의 실력에 감탄했다. 역시나 리퍼의 방어막 작동 메커니즘은 스팸과 비슷한지 그라인더의 주먹은 방어막을 작동시키지 않고 상대를 때리고 있었다.

- 이놈 엄청 튼튼한데?

아룹의 말대로 확실히 스팸이었다면 예전에 박살 났을 타격이다. 그러나 리퍼는 그걸 버티며 반격을 해왔다. 마구잡이로 휘두르는 주먹에 복도의 벽이 비스킷처럼 바스러진다. 그라인더라도 맞으면 제법 위험할 정도다.

- 확실히 방어력이나 출력 면에서 기존의 샤다이 장갑복들과는 차원이 다르네요. 그런데 안에 놈은 그대로 같아 보이는데요? 무장도 없는 듯하고.

그 말을 하며 파트리샤는 자신이 레일건으로 뚫어놓은 구멍으로 날름 나오더니 리퍼의 무릎 뒤쪽을 걷어찼다. 인필트레이터라는 이름답게 우아할 정도로 부드러운 움직임이다. 그걸 맞고 휘청이는 리퍼의 턱과 배에 다시금 아룹의 주먹이 연달아 꽂혔다. 마침내 놈은 복도 구석으로 몰아붙여졌다. 스팸의 투명한 헬멧이 아니라 표정을 볼 수 없었지만, 몸의 움직임만 봐도 꽤 데미지를 입은 것 같다.

- 그거 다행이네. 내가 아는 리퍼였다면 꽤 위험했을걸.

막 도착한 빈우가 상황을 보니 아룹과 파트리샤가 쉴 새 없이 리퍼를 몰아붙이고 있고 위르겐도 뒤에서 끼어들 틈을 찾고 있었다.

- **근데 팀장님은 뭐하십니까?**

진동 나이프를 만지작거리던 위르겐이 뒤에서 가만히 있는 빈우를 돌아봤다.

- **글쎄다. 전원, 내가 하는 일에 장단 좀 맞춰라.**

뭔가의 꿍꿍이를 마친 빈우는 팀원들이 뭐라고 대답하기 전에 앞으로 나섰다.

"중지! 전투 중지!"

빈우는 두 팔을 벌리며 리퍼와 팀원들의 사이로 뛰어나가 싸움을 말리는 시늉을 했다.

"모두 무기를 내려! 절대 공격하지 마. 어서 무기를 내려."

- **빈우 너 무슨 속셈이냐.**

레드우드가 통신을 보냈지만 빈우는 씹었다. 태스크포스 373의 팀장이자 정보국의 파견 요원인 빈우는 샤다이, 리퍼를 향해 돌아서며 자신의 헬멧을 벗었다. 그리고 민얼굴로 샤다이를 보며 필사적으로 말했다.

"일 알루. 네라미 일 알루."

발음이나 성조가 맞을지는 몰라도 대강은 알아들을 것이다. 경험상. 그리고 경험상 지금까지의 샤다이들은 대강은 알아들었어도 냅다 공격해 왔다. 그러나 지금의 상황이라면 다를지도 모른다. 역시나 리퍼도 싸움을 멈추고 대화를 해보려는 듯했다. 어깨를 보면 잠시 숨을 고르는 것 같다. 그리고 헬멧을 벗어 분노한 얼굴을 드러내더니 빈우를 향해 삿대질했다.

"동포의 유품을 훔친다."

역시 조금 틀려도 대강은 알아들을 수 있다. 아마도 저 분노는 컨커러에 있는 샤다이 방어막의 부품 때문인 듯하다. 그리고 여인의 모습을 한 샤다이는 연방 쪽의 말을 할 줄 알았다.

"내가 한 게 아니야. 내가 훔친 게 아니다."

빈우의 변명에 샤다이는 약간 누그러들더니 다시 말했다.

"거짓을 말하지 말라. 우리는 참과 거짓을 구분할 수 있다."

과거 연방과 샤다이가 대화를 한 적은 극히 드물게나마 있었다. 결과는 모두 파토났지만. 보고서의 기록에 의하면 샤다이에겐 이쪽의 거짓말을 귀신같이 간파했다고 한다. 그게 이런 의미였을 줄이야.

'그거 다행이군.'

상대방의 패를 하나 알아낸 셈이다.

"나는 너에게 거짓을 말하지 않는다."

그러면서 빈우는 천천히 구석에 몰린 리퍼에게 다가갔다. 푸른 피부와 길쭉한 귀. 그것을 제외하곤 인간과 놀라울 정도로 닮은 외관. 연방의 주적인 샤다이가 살아 있는 채 이쪽과 대화하고 있는 모습은 빈우를 제외한 팀원들에겐 생소한 광경이다.

"나는 너를 죽이지 않는다. 절대 죽이지 않는다."

그 말을 알아들은 샤다이는 조금이나마 안심한 듯 보였다. 그러자 빈우는 천천히 자신의 팀원들을 소개했다.

"파트리샤다. 나의 부하."

샤다이와 눈이 마주친 파트리샤는 자신도 헬멧을 열고 방긋 웃어주었지만 샤다이는 무표정 그대로였다.

"위르겐. 나의 부하."

위르겐은 명령에 따라 칼을 집어넣었지만, 불만은 있는 모양이다. 그는 자신을 보는 샤다이에게 목을 긋는 시늉을 했다.

"아룹! 넌 지그, 난 재그다."

이 말에도 샤다이는 별다른 반응을 하지 않았다. 그저 아룹을 흘깃 쳐다만 봤을 뿐. 대강 확신을 얻은 빈우와 귀띔을 받은 아룹은 천천히 마음의 준비를 했다.

소개를 마친 빈우가 여성형 샤다이에게로 한 걸음 다가가자 상대가 움찔한다.

"나를 믿어다오. 무장을 버리겠다."

그러면서 빈우는 코일건을 땅바닥에 천천히 내려놓았다. 그리고 발로 밀어 코일건을 샤다이에게 보냈다. 자신에게 미끄러져 온 코일건을 본 샤다이는 조금 놀랐지만, 다시 눈을 들어 빈우를 주시했다. 그다음 빈우가 진동 나이프와 보조배터리를 꺼내려 뒤쪽으로 손이 가자 즉시 소리쳤다.

"멈춰. 정지."

"아냐, 아냐, 속이는 게 아니다. 칼과 배터리다. 봐라."

천천히 진동 나이프와 보조배터리를 꺼낸 빈우는 진동 나이프를 작동시켜 보여주었다. 그리고 초음파 음이 나는 나이프를 천천히 보여주며 샤다이에게 설명했다.

"난 이걸로 너를 찌르지 않는다. 절대로."

그리고 작동된 진동 나이프를 배터리와 겹쳐 쥐었다. 날이 배터리에 닿게. 배터리는 즉시 고온으로 달아올랐다.

"그쪽으로 보내겠다."

빈우는 진동 나이프와 배터리를 바닥에 내려놓은 다음 발로 차서 샤다이에게 보냈다. 나이프의 날이 배터리를 찌르도록 해서. 고온으로 달아오른 배터리가 나이프에 베이자 스파크가 튀더니 폭발하듯 불꽃과 연기가 튀어 올랐다. 어차피 이걸로는 피해를 주지 못하지만 그게 목적이 아니다.

샤다이가 놀라자 그 순간을 놓치지 않고 빈우와 아룹이 각각 오른쪽과 왼쪽에서 동시에 달려들었다. 그다음 서로 한쪽 팔씩 잡은 다음에 바닥으로 내리꽂았다. 강력한 충격과 함께 헬멧이 벗겨졌다. 충격의 반동 때문인지 샤다이는 기절했다.

030

· · · ✦ · · ·

"포박해!"

빈우의 외침에 팀원 전원이 달려들어 기절한 리퍼를 저마다의 방법으로 포박했다. 견인용 탄소 케이블이나 선외 접착용 자기 패드는 물론이고 스테이션의 보수용 발포 점착액까지 뿌려 아예 꽁꽁 싸매버렸다. 이 정도면 제아무리 리퍼의 출력이라도 움직이지 못할 것이다.

"이 자식, 말발로 잡은 거냐? 대단한 놈."

어느새 레드우드가 옆에 와서 감탄하고 있었다.

"어디 빨빨 기어나옵니까. 들어가요."

"거기보다 여기가 더 안전할걸?"

하기야 민간인 세 명보다 장갑보병 네 명에게 둘러싸인 게 더 안전하겠지. 살아 있는 리퍼를 생포한 것을 본 레드우드는 흥분해 있었다. 리퍼의 부품을 비밀리에 회수하기 위해 창설한 부대가 첫날부터 아예 리퍼를 생포해버렸으니 흥분하지 않을 수가 없다. 그러나 곧 진정한 레드우드가 뒤에 따라온 새로운 팀원을 소개했다.

"이쪽이 새로운 팀원, 시에 우지 이병이다."

"바, 반갑습니다. 시에 우지입니다."

여기저기 그을리고 상처가 난 청년 한 명이 버벅거리며 인사하는 모습에 빈우는 고개를 갸웃했다. 이병이란 계급이 이상하긴 하지만 그래도 레드우드가 뽑았다면 그 나름대로 이유가 있을 것이다. 그런데 우지 이병에게서는 두뇌칩 반응이 뜨질 않는다. 게다가 하는 행동이 영 군인 같지 않다. 설마 이번에는 자치정부의 사람을 강제 징집한 건가 싶어서 물어보려고 할 때 뒤쪽 대피실에서 민간인 가족이 비틀거리며 걸어나왔다. 빈우와 안면이 있는 사람들, 아까 도움을 청했던 콘래드 일가다. 부상과 공포에 싸인 그들에게서 우주항에서의 명랑했던 모습은 찾아볼 수 없었다.

"아니, 아직 나오시면 위험합니다."

레드우드가 나오는 그들을 말리려 했지만 막무가내였다. 잔해에 깔렸다가 구출되어 응급치료를 받은 콘래드 스미스는 아내와 아들의 부축을 받고 걸어와 가까이에 있던 레드우드의 팔을 붙잡고 부탁했다.

"빈우, 김빈우 소령님을 불러주세요."

의외의 인물에게서 팀장의 이름을 들은 위르겐은 자신도 모르게 빈우 쪽을 돌아보았다. 모든 팀원 중에서 혼자서만. 그러나 빈우는 물론이고 다른 팀원들은 아무런 반응 없이 그냥 서 있을 뿐이다. 다만 팀장이 통신 회선에서 작게 혀를 찼을 뿐.

- 쯧.

자신의 실수를 깨달은 위르겐은 곧바로 자세를 바로했다.

스미스 가족이 빈우가 무슨 사이건, 언제 만났건 간에 그때의 빈우와 지금의 빈우는 분명히 다르다. 연방의 군인 김빈우 소령은 연방의 시민 누구에게나 친절한 인사와 상냥한 봉사를 하겠지만 태스크포스 373의 팀장 김빈우는 일반인은 알 수 없고 알아서도 안 되는 존재다.

"실례지만 그분과는 어떤 관계인가요?"

아는 이라면 결코 상상할 수 없는 친절한 미소를 띤 레드우드가 정중하게 물어보고 있다.

- **어머, 나 저거 찍었어.**

파트리샤 얘는 지 대가리에 총알이 박혀도 그걸 소재로 농담 따먹기를 할

년이다.

"오늘 스테이션에서 만난 분입니다. 아주 친절한 분이셨어요. 우릴 꼭 도와주실 겁니다."

자치정부에서 연방으로 귀화한 지 얼마 안 되는 스미스 가족이다 보니 이런 일이 일어났을 때 어디 의지할 데가 없다. 그러니 지금 상황에서 도움이 될 만한 사람을 찾는 것이다.

"알겠습니다. 최선을 다해 도와드리겠습니다만 저도 이 스테이션의 사람은 아니라서 확답은 드릴 수 없습니다. 양해해주십시오."

그러면서 팀원들에게 살짝 눈짓을 보내는 게 민간인은 스테이션에 넘기고 우리는 챙길 거 챙겨서 내빼자는 분위기다. 그게 맞는 일이고.

- **위르겐. 저분들을 안전한 곳까지 모셔다드려.**

빈우의 명령에 위르겐이 허둥지둥 나선다.

- **헬멧 열지 말고.**

이어진 팀장의 말에 뱅가드의 정예대원은 열리는 헬멧을 부여잡고 필사적으로 고개를 돌렸다. 이게 부대의 특징에서 오는 차이다. 단검뿔 토끼나 실리콘 나이트는 비밀 임무를 맡는 부대라 민간인을 소 닭 보듯 하지만, 뱅가드는 주로 통상 작전을 맡고 대민 행사도 종종 하는 편이라 위르겐은 평상시 버릇으로 얼굴을 보이려 한 것이다.

"어흠, 저를 따라오십시오."

위르겐이 콘래드를 부축하며 안내하자 스미스 일가가 주춤주춤 따라나섰다. 간신히 울음을 그치고 딸꾹질을 하는 빈센트의 눈이 다시 호기심을 띠며 어벤저를 바라본다. 다른 팀원들을 보는 겁먹은 시선과는 확연히 다르다. 그래서 빈우는 위르겐에게 스미스 가족의 인도를 맡긴 것이다. 컨커러는 실험 제작품이고 그라인더나 인필트레이터는 특수부대들이나 쓰는 장갑복이라서 민간인을 대하긴 조금 껄끄럽다. 하지만 어벤저는 연방의 주력 장갑복으로 여러 매체를 통해 얼굴도장을 찍은 터라 비교적 친숙하며 인기도 좋다. 피자 타이거나 스파게티 드래곤에서 피규어 행사를 열면 부동의 1위는 어벤저였다.

"빈센트, 어벤저구나. 봤지?"

"응! 아빠, 이거 진짜 어벤저야."

콘래드는 다친 몸으로도 아들을 달랬고 빈센트는 그런 아빠의 마음을 알았는지 함박웃음으로 답했다. 그런데 스미스 가족이 지나갈 때 구석에 속박되어 있던 리퍼가 잠깐 움직였다. 잘못 보거나 기분 탓이 아니다.

빈우가 코일건을 들어 겨냥했다. 리퍼의 뒤로 접혔던 헬멧이 다시 머리에 씌워지며 방어막이 강제로 작동했고 그 즉시 묶어놨던 것들이 전부 고온에 녹아 증발한다.

- 리퍼!

빈우의 경고에 팀원들은 즉각 반응했다. 아룹과 파트리샤는 레드우드 중장을, 위르겐은 스미스 가족을 자신의 뒤에 놓고 빈우가 지정한 표적에 코일건을 난사했다. 그러나 역시나 소용이 없었다. 리퍼는 자신의 구속을 풀고 일어나 태스크포스 373의 집중사격을 받으면서도 스미스 가족에게 달려들었다. 전신에 플라스마 방어막이 쳐져 움직일 때마다 스치는 모든 것이 녹아서 사라진다.

리퍼와 스미스 가족 사이에 있던 위르겐은 리퍼가 휘두르는 팔을 왼손의 방패로 분명히 막았다. 그리고 막은 뒤 반격을 하려고 미리 오른손에 나이프를 준비해두었지만 휘두를 새도 없이 압도적인 출력차에 밀려 저 멀리 날아가버렸다. 그게 오히려 다행이었다. 내열 방패의 프레임조차 녹아버릴 지경이니 조금만 더 버텼으면 위르겐의 왼팔도 녹았을 것이다.

방해물을 치운 리퍼는 곧바로 빈센트 일가에게 고온으로 달아오른 손바닥을 들이밀었다. 아버지인 콘래드는 옆에 있는 아내와 아들을 껴안고 필사적으로 지키려 했다. 그러나 무의미한 행동이다. 1년 전, 솔리드 베타에서 저 손아귀에 잡힌 울토르 중대원들은 남김없이 폭사했다. 하물며 맨몸의 민간인이라면 흔적도 없이 사라질 것이다. 그때 빈우가 끼어들어 두 손바닥을 코일건으로 막았다.

- 팀장님!

"김 팀장!"

팀원들의 비명과 함께 순식간에 총이 녹아 흩어진다. 그리고 빈우가 채 반응을 하기도 전에 리퍼의 손이 컨커러의 팔에 닿았다.

"큭."

각오하고 이를 악문 빈우였지만 아무런 일도 일어나지 않았다. 리퍼의 손이 컨커러의 팔에 막혔다. 정확히는 리퍼의 플라스마가 컨커러가 장착한 샤다이의 방어막을 뚫지 못한 것이다. 얼떨결에 승기를 타고 반격을 하려는 순간, 빈우는 뭔가 잘못된 것을 깨달았다. 움직일 수가 없다. 혹시 리퍼의 공격 때문인가 싶었지만 장갑복의 동력계와 구동계는 정상이다. 그때 위르겐이 했던 말이 머릿속을 스쳐 지나간다.

'평범하게 사격하다가 근접전으로 들어갔는데, 완전히 죽 쑤던데요? 초짜처럼 장갑복에 휘둘리다 제풀에 쓰러지거나, 힘 한 번 제대로 못 써보고 제압당하곤 했습니다. 상대 테스트 파일럿도 꽤 베테랑 같아 보이던데 아마 장갑복의 문제로 추정되었습니다.'

이거 백 퍼센트 샤다이 방어막이 작동하면서 생긴 문제다. 그러건 말건 빈우는 즉시 명령을 내렸다.

- 리퍼를 대피실로 날려보내. 그리고 긴급 사출!

파트리샤가 달려나가며 아룹에게 받은 레이저 캐논의 방열판으로 리퍼의 배를 후려갈겼고 떨어져 나간 놈에게 아룹의 두 너클 가드가 강렬하게 명중한다. 그리고 리퍼가 열린 대피실 안으로 날아 들어가자 즉시 문이 닫혔고 그와 동시에 스테이션으로부터 분리되어 우주 공간으로 사출되었다.

- 블랙 랜스. 리퍼를 확보했습니다.

그리고 대기하고 있던 블랙 랜스가 리퍼가 든 대피실을 견인했다. 아무리 연방보다 뛰어난 샤다이의 기술력에 더더욱 특출난 리퍼라고 해도 장갑복은 장갑복이다. 발버둥 치고 대피실을 뚫고 나온다 쳐도 구축함의 포격에는 버틸 수 없다. 죽다 살아난 스미스 일가는 서로 껴안고 벌벌 떨고 있었다. 오늘은 그들에게 있어 고난의 연속이었다.

- 이제 괜찮습니다. 안심하세요.

그제야 장갑복의 동력을 끄고 간신히 움직일 수 있게 된 빈우가 스미스 가족에게 다가가 변조된 목소리로나마 안심시키려 했다. 만약 빈우 자신이 여기서 정체를 밝힌다면 그들은 좀 더 안심하겠지만 그럴 수는 없는 일이다. 그때 불현듯 콘래드의 머리가 바닥으로 툭 떨어진다. 그리고 뜯어져 나간 아버지의 목에서 울컥울컥 피가 솟구친다.

"아악! 엄마! 아파아!"

비명을 지르며 온몸을 비트는 빈센트의 배에 테레사의 손이 꽂혀 있다. 놀란 빈우가 테레사의 손을 잡자 그녀가, 아니 그것이 빈우를 돌아보았다. 오스카 스테이션에서 겁을 먹고 주변을 살피던 테레사의 눈은 허옇게 되어 이리저리 뒤룩거린다. 빈우가 내온 다과를 조심스레 맛보던 입에선 날카로운 이빨들이 솟아 나온다. 사랑스럽게 아들을 꼭 안아주던 팔은 그 아들의 배를 뚫고 들어가 강화 병사의 완력에 저항하고 있다. 테레사 스미스가 인간이 아닌 무언가로 변하는 모습을 본 빈우의 머릿속에선 가라앉았던 한 프로그램이 튀어오르기 시작했다. 그러나 지금 빈우는 그걸 신경 쓸 겨를이 없었다.

- 파트리샤! 제압해!

빈우의 외침에 파트리샤의 인필트레이더가 테레사였던 괴물에게 덤벼들었다.

- 뭐지? 무슨 일이야? 샤다이가 방금 뭐 이상한 짓을 했나?

파트리샤는 말은 그렇게 하면서도 괴물을 후려쳐 바닥에 넘어뜨린 뒤 발로 밟아 못 움직이게 했고, 아룸은 여전히 레드우드의 앞을 철통같이 지키면서도 괴물을 향해 코일건을 겨눴으며, 빈우는 엄마였던 괴물의 손에서 빈센트를 구해내 바닥에 눕혀서 상태를 살펴봤다. 배가 뚫린 중상이지만 일단 빈센트의 두뇌칩을 생존모드로 전환하면서 치료할 준비를 했다. 갑자기 인간이 괴물로 변하는 예상외의 상황에서도 태스크포스 373은 침착하게 대응했다.

- 위르겐! 괜찮나? 이리 와.

- 네, 알겠습니다. 팀장님.

어느새 회복한 위르겐은 빈우 옆으로 달려왔다.

"우지, 내 뒤에서 나오지 마라."

조금 전까지만 해도 친절한 미소를 짓던 레드우드는 험악한 표정이 되어 자신의 뒤로 우지를 숨긴다. 그 표정은 이 상황에 놀랐다기보다는 각오하던 것을 드디어 마주했다는 것에 가까웠다.

- 팀장님, 이쪽 좀 보셔야겠습니다.

아룹이 가리키는 곳에선 목이 없는 콘래드의 시신이 꿈틀대며 괴물로 변하고 있었다. 목의 상처가 뒤틀리며 찢어지며 새로운 입이 나오더니 관절이 꺾이며 바둥거리다가 새로운 다리가 되었다.

- 쏴.

빈우의 명령이 떨어지자마자 코일건의 폭풍에 콘래드의 시신은 갈가리 찢겼다. 아버지였던 존재가 고기 조각으로 변모해 휘날려 복도에, 군인들의 장갑복에, 아들과 아내의 몸에 들러붙는다.

- 뭔가의 생체병기 계열 공격일지도 몰라. 위르겐, 내 옆에서 경계해.

- 네.

위르겐은 배에서 피를 흘리는 빈센트의 위에 서서 코일건을 겨눴다. 입에서 피거품을 힐떡거리는 아이에게 그토록 보고 싶어 했던 어벤저가 총을 겨누는 모습이 빈우에겐 슬퍼 보였다.

"엄마…… 아파……. 나 아파…… 엄마."

고통 속에서 엄마를 찾는 빈센트를 빈우가 철저히 조사했다. 센서에는 감염이나 별다른 이상 징후는 없었다. 이 이상 알아보려면 연구소의 장비가 필요하다.

- **위르겐. 응급 팩.**

빈우의 컨커러에는 아직 응급 용품이 탑재되어 있지 않아 부하들에게서 구할 수밖에 없다. 위르겐이 급히 응급 팩을 꺼내 아이에게 조치를 취한다. 그때 움찔했던 빈센트에게서 쉰 목소리가 들린다.

"소령님…… 살려주세요. 소령님……."

빈우는 자신도 모르게 헬멧을 벗었나 싶어 얼굴을 매만졌다. 다행히 헬멧은 그대로다. 빈센트는 그저 오늘 만났던 멋진 군인 형을 찾았을 뿐이었다. 아이는 손가락을 힘겹게 놀려 자신의 가방을 뒤졌다. 아까 빈우가 줬던 팸플릿들이 쏟아져 피가 흥건한 바닥에 흩뿌려진다. 그리고 빈우의 연락처가 적힌 전자 명함도.

- **팀장님! 이거 안 되겠어요.**

파트리샤가 밟고 있던 테레사는 이미 인간의 형태는 찾아볼 수 없을 정도로 변해 있었다. 완전히 괴물로 변한 테레사는 금방이라도 파트리샤를 밀치고 일어날 것만 같다. 그 괴물의 정체기 뭐든 강화복의 출력과 비등한 힘을 가진 놈이란 건 확실하다. 샤다이와 전투, 우주 공간에 확보한 리퍼, 상처를 입은 민간인. 이 상황에서 생포하기는 무리다.

- **죽여.**

빈우의 그 말 한마디에 테레사였던 괴물은 파트리샤의 진동 블레이드에 도륙되었다. 아버지가 죽고, 어머니가 죽고, 죽어가는 자신에게도 응급 주사가 꽂혔다. 이제 마이크로 머신들이 들어가 손상된 장기들을 치료할 것이다.

- **팀장님, 이거 이상한데요…….**

위르겐이 응급 패드로 보여준 상황은 심각했다. 빈센트의 몸으로 들어간 마이크로 머신들이 점차 행동불능에 빠지기 시작한 것이다. 어지간한 병균이나 미생물쯤은 잡아먹는 응급용 마이크로 머신이다. 이걸 잡으려면 보통

킬러 머신으로는 불가능하다.

"켁…… 케헥."

빈센트의 목에서 밭은기침이 나오며 몸이 뒤로 휘었다. 손가락이 있을 수 없는 각도로 꺾이고 손톱들이 튀어나온다.

- 제길! 이 애도…….

차마 말을 잇지 못한 위르겐이 일어나 코일건을 고쳐잡자 빈우가 먼저 진동 나이프를 꺼내 들었다.

'미안하다 빈센트. 정말 미안하구나.'

이제 빈우는 결단을 내려야 했다.

'아악! 빈우야! 버튼을 눌러!'

버튼을 누르면 엄마가 살듯이, 나이프를 휘두르면 아이가 죽는다. 엄마가 죽어갈 때 아무것도 못 했던 겁쟁이는 언제까지 따라올까. 허연 눈을 번뜩거리며 그르렁대는 빈센트의 급소 곳곳을 진동 나이프가 훑고 지나갔다. 그제야 아이는 부모를 따라갔다. 우주항에서 신나게 웃던 개구쟁이의 얼굴이 흉측하게 일그러져 바닥으로 떨어졌다.

- 이거, 도대체 무슨 일이지? 혹시 아는 사람 있나?

나이프를 집어넣으며 일어난 빈우의 질문에 팀원들은 서로 눈치를 보고 있었다. 인간이 괴물로 변하는 사태를 누군들 알겠는가. 헬멧을 벗은 빈우는 레드우드를 똑바로 바라보며 다시 물었다.

- 정말 모르십니까?

레드우드는 이 사태를 알고 있는 눈치였다. 팀원들의 시선이 모이자 사령관은 명령을 내렸다.

"오르 함장, 리퍼는 잠깐 블랙 랜스 외부에 견인하고 있게, 그리고 화력 팀은 샤다이의 시신과 부품들을 모두 회수하도록. 이 '워프 비스트' 사체도 블랙 랜스로 옮긴다. 김 팀장. 자넨 날 따라오게. 마지막 팀원을 데리러 가야지."

레드우드는 인간이 변한 괴물을 워프 비스트라고 불렀다. 적어도 특수전 사령부의 부사령관은 알고 있는 사실이란 뜻이다.

빠르게 뒷정리를 시작한 팀원들을 뒤로하고 빈우와 레드우드는 마지막 팀원이 있었던 방으로 향했다.

"괜찮겠습니까? 아직 샤다이 하나가 더 있을지도 모르는데?"

"아니, 이쯤 되면 없을 거야. 놈들이 숨어서 게릴라전을 하지 않는다는 것쯤은 너도 알잖아?"

샤다이는 숨어 있다가 기습을 하긴 해도 몸을 숨기며 치고 빠지거나 하진 않았다. 게다가 의심되는 곳마다 뿌렸던 점착액에도 발견되지 않았으니 없다고 봐도 될 것이다. 빈우는 말없이 굳어진 점착액들을 부수며 나아갔고 레드우드가 그 뒤를 따라갔다. 어느 정도 팀원들로부터 멀어졌을 때 레드우드로부터 기밀통신이 들어왔다.

- 이건 극비 중의 극비야. 1년 반 전부터 샤다이들이 이상한 방법을 쓰기 시작했어. 인간을 괴물로 변이시키는 거지. 거기에 당한 사람들은 아까 봤던 것처럼 워프 비스트로 변해.

- 변이요? 감염 같은 겁니까?

아까 리퍼가 달려들고 얼마 안 있다가 스미스 가족들은 괴물, 워프 비스트로 변이했다. 그러나 당시 센서의 검사 결과로는 별다른 징후를 발견하지 못했었다.

- 정확한 메커니즘은 아직 밝혀지지 않았어. 왜, 어떻게, 누구를. 아무것도 몰라. 아는 거라곤 샤다이가 가까이 오고 인간들이 괴물로 변하는 거지. 그것도 마주칠 때마다 전부 그런 건 아냐. 현재까지의 변이 사례는 3건이 고작. 이제 4건이지. 피해자는 전부 민간인들이었어.

잠시 생각하던 빈우는 단단하게 군은 점착액 구조물을 발로 차며 질문했다. 아마 개인적인 감정이 조금이나마 녹아든 것처럼 보였다.

- 왜 제게 말해주지 않았습니까. 그렇게 심각한 정보라면 미리 알려주셨어

야죠.

그러나 정보국 요원인 빈우조차도 워프 비스트에 대해 지금까지 상부로부터 아무런 정보를 받지 못했다. 심지어 마커스에게서조차도 언급이 없던 사실이다. 파견 요원이 되었다는 이유도 있지만 이런 치명적인 사실을 알려주지 않았다는 것은 그 정보의 기밀 등급이 대단히 높다는 얘기일 수도 있다.

- 기밀 중의 기밀이야. 현재까진 장성급이나 정부의 고위급들만 알고 있는 정보지. 생각해봐. 샤다이가 인간을 저런 괴물로 바꾼다는 게 알려지면 어떤 파장이 일어날 것 같나? 그리고 팀원들에게는 필요할 수도 있으니 천천히 기회를 봐서 말하려고 했지.

레드우드의 말대로라면 워프 비스트 건은 아마 빈우가 파견 요원이 아니었어도 몰랐을 것이다. 그리고 마커스도 모르고 있을 확률이 높았다.

- 워프 비스트가 1년 반 전부터 발생했다고요? 울토르 중대가 리퍼에게 기습당한 것과 시기가 비슷하군요. 둘의 연관성은 없습니까?

- 있을 수도 있고, 없을 수도 있지. 그걸 알기엔 사례가 너무 적어.

마침내 두 사람은 레드우드가 팀원들과 함께 샤다이에게 습격당했던 장소에 도착했다. 그 앞의 복도는 빈우와 위르겐이 대기하던 리퍼를 놓친 곳이다. 돌입했을 때 죽였던 샤다이는 점착액 기둥에 붙어 허공에 매달려 있다. 안으로 들어가자 바닥에 가슴부터 잘려나간 시신이 누워 있었다. 새로 온 태스크포스 373의 대원이다.

그러나 그 얼굴을 본 빈우는 굳었다.

"라캉 중령……."

전사한 팀원은 바로 피에르 라캉 중령이었다. 아내와 아들을 찾아 빈우에게 부탁하던 그가 새로운 팀원으로 와 여기에 죽어 있었다.

- 아는 사이지?

레드우드의 물음에 빈우는 말없이 고개를 끄덕였다.

알다마다. 군사정보국과 보안국은 같은 정보사령본부 산하의 부서이지만 활동하는 분야가 다르기에 가깝고도 먼 사이다.

- 네, 피에르 라캉 중령과는 정보국 시절부터 알던 사람이고⋯⋯.

빈우가 군사정보국의 유령회사인 피자 타이거에 있을 때 피에르 라캉은 보안국의 유령회사인 스파게티 드래곤의 사원이었다. 정보사령본부의 원활한 대외 활동을 위해 만든 이 두 유령회사는 겉으로는 라이벌 회사로 보이기 위해, 인접한 상권에 경쟁적으로 입점하는 방법으로 점차 접촉을 늘려나가 종내에는 비공식적인 정보 교환 및 합동 비밀작전을 하기도 했다. 또 나아가 협업이란 명목으로 상대방의 회사에 사원을 파견함으로써 각자에게 제한된 영역, 즉 '군사정보국의 작전은 적대적 외계종족에게만 한한다'라든가, '보안국은 연방군 내부만을 보안 감사한다'들을 우회할 수 있었다.

거기다 라캉 중령과는 울토르 프로젝트를 같이한 사이다. 당시 보안국은 정보국과 과학기술국을 감사한다는 명목으로 라캉 중령을 붙였었고 그는 훌륭하게 자기 일을 해냈다. 고토 국장이 라캉 중령의 엄격한 조사에 빠쳐서 길길이 날뛰는 것을 볼 정도로. 가정에선 온화하고 다정한 아버지이지만 업무에선 언제나 냉정하고 절도 있는 보안국 요원. 그게 피에르 라캉이었으며 그 모습을 마지막으로 본 건 빈우가 잠수하기 전이었다. 닷새 전 솔리드 베타에서 본 것은 피에르 라캉의 행동 패턴을 흉내 낸 허수아비였기에.

- 오늘도 만났었습니다.

아까 만났던 피에르 라캉은 과거의 모습을 찾아볼 수 없을 정도로 망가져 있었다. 아내와 아들의 실종에 그 정도로 망가질 사람 같진 않아 보였는데 사람 일이란 모를 일이다.

- 그래?

레드우드는 딱히 놀라지 않았다. 같은 스테이션에 있었으니 마주칠 수도 있는 일이다.

- 보안국이나 그런 곳에서 팀원이 더 올 것 같았는데 설마 이 양반인 줄은 몰랐습니다.

현재 태스크포스 373에서 연방 정보사령본부의 사람은 군사정보국의 김빈우 소령, 과학기술국의 모니카 보르자 대위가 있다. 빈우는 여기에 더해서 내부의 안보와 방첩을 담당하는 보안국의 인원이 후방 참모로 온다면 금상첨화일 것 같다고 생각했었다. 그런데 그게 라캉 중령이었을 줄이야. 아까까지만 해도 넋이 나간 채 아내와 아들을 찾던 피에르 라캉은 아주 평안한 얼굴로 죽어 있었다. 마치 죽음을 받아들인 양.

- 습격받았을 때 상황은 어땠습니까?

- 문밖으로 나가니 갑자기 샤다이들이 스텔스 풀고 들이닥치더라. 내가 앞으로 나서며 길을 열긴 했는데 라캉 중령은 못 따라왔었어. 하지만 구할 여력이 없었지.

아마 라캉 중령은 절망적인 상황에서 포기하고 순순히 죽었을지도 모른다. 빈우의 말에 가족의 죽음이 거의 확실시되었으니 그럴 수도 있을 것이다. 그러나 레드우드를 탓하고 싶은 마음은 전혀 없었다. 제아무리 연방의 강화병사라 해도 맨몸으로 무장한 샤다이를 상대할 수는 없다. 시에 우지만이라도 데리고 도망친 것이 당시의 레드우드로선 최선이었을 것이다. 빈우는 혹시나 쓸 만한 기록이 있을까 싶어 라캉 중령의 두뇌칩에 접속하려 시도했지만, 예상대로 보안국의 암호로 잠겨 있었다.

만약 라캉 중령이 태스크포스 373의 팀원이라면 빈우가 가진 팀장의 권한으로 보안국의 자료 외적인 부분에는 접속할 수 있겠지만, 피에르 라캉의 합류는 어디까지나 레드우드의 구두 명령에 따른 것이었고 오르 함장을 통한 정식 절차를 받지도 않은 상태였기 때문에 현재는 보안국 소속이다. 당시 마지막의 자료나 기록을 보고 싶으면 보안국에 정식으로 요청을 해야 할 것이다. 빡빡한 그쪽에선 온갖 검열과 삭제를 한 다음에 넘겨주겠지.

- 그런데 용케 라캉 중령을 영입할 생각이 들었습니다? 완전히 폐인이 되었던데 말이죠.

피에르 라캉이 아까 빈우와 만났던 상태 그대로라면 태스크포스 373에 들어온다 한들 별다른 활약을 보여주진 못했을 것이다. 그러나 실력 지상주의자인 레드우드는 방금 그를 직접 만나놓고도 팀에 받아들였다. 레드우드는 피에르 라캉의 무엇이 태스크포스 373에 필요하다고 여겼을까. 레드우드는 잠시 뜸을 들이다 빈우의 의문에 대해 대답했다.

- 라캉 중령은 태스크포스 373의 설립 전부터 접촉한 사람이야. 알다시피 나는 리퍼의 최초 등장 후 전문 대응팀의 설립을 주장했지. 그러나 연방의 영역에선 활동하지 않던 놈이라 사령부에서도 그다지 적극적으론 나서지 않았어. 아까 봤다시피 몰이만 했을 뿐.

확실히 리퍼가 위험한 놈이긴 하지만 그렇다고 연방이 굳이 적극적으로 대응할 필요는 없다. 천천히 그리고 확실히 정보와 자료를 수집하며 때를 기다리는 것도 하나의 방법이다.

- 그런데 라캉 중령이 내 이야기를 듣는 그쪽에서 먼저 접근해 왔어. 뭐 그때만 해도 멀쩡했지. 중령은 자기가 대응팀에 꼭 필요한 정보를 알고 있다고 하면서 팀을 만들게 되면 거기에 들어오고 싶다 하더군.

빈우는 그 말을 들으며 라캉 중령의 시신을 등에 실었다. 그다지 강화를 하지 않는 육체라 가볍다.

- 근데 말이야……. 아무래도 우리 팀으로 오는 게 꼭 도망 오려는 분위기 같
  았어.

"풋. 설마 보안국 사람의 의중을 읽었단 말입니까?"

마치 '네가?' 라는 듯한 빈우의 헛웃음에 레드우드가 발끈한다.

- 이 새끼야, 내가 정치놀음이나 밥그릇 싸움 같은 것엔 맹탕이라고 해도 공으
  로 별을 딴 게 아니야. 그 정도 눈치는 있단 말이다.

하긴 병에서 시작해 일생을 군에 바쳐가며 중장까지 올라간 인물이니 그
정도 감각은 있을 것이다.

- 그리고 다음은 너도 알 거다. 이주 전 리퍼가 루비콘 전대에 공격받아 발 가
  르단 하스에 떨어져버린 걸. 이래저래 대사건이지. 그래서 묵혀두었던 태스
  크포스 373이 바로 창설될 수 있었다. 이전부터 꾸준히 준비를 해뒀던 터라
  일사천리로 진행되었지.

그제야 빈우는 레드우드가 어떻게 닷새 전에 부상한 자신을 알고 잡아챘
는지 이해가 갔다. 이 노병은 이미 여기저기에 후보자와 자원을 물색하는 등
사전 준비를 해두었고 물이 들어오자 바로 노를 저은 것이다. 그리고 라캉 중
령은 빈우의 부상을 알게 된 후 레드우드에게 추천했을 것이다. 리퍼와 전투
후 생존한 빈우를, 그리고 나중에 알게 되겠지만 그날 마카로니의 학살에서
자신의 아내와 아들을 죽였을지도 모르는 빈우를.

- 그리고 사령관님은 약속대로 라캉 중령을 팀에 받아들였고요. 그런데 라캉
  중령이 가졌다는 정보가 뭡니까?

어지간히 중요한 게 아니고서야 레드우드가 무리해서라도 약속을 지킬
필요는 없으니 보통 자료는 아닐 것이다. 샤다이의 시신과 부품들을 마저 등
에 실어 올리던 빈우는 레드우드의 다음 말에 일순 멈칫했다.

- 리퍼와 워프 비스트에 대한 정보야.

말없이 짐을 다 실은 빈우가 일어서서 걷자 레드우드도 뒤를 따라 걸으며

말을 이었다.

- 내가 아는 한 라캉 중령은 현재 연방에서 워프 비스트에 대해 가장 많은 정보를 모은 사람이기도 하지.

그건 좀 이상하다. 원래 보안국은 외부의 첩보 공격으로부터 군을 지키고 군내 정보 기강을 잡는 부서다. 샤다이에 관한 정보라면 직접적인 정보전을 하는 군사정보국이나 연방군의 모든 정보와 자료를 모아 분석하는 정보분석국이 더 나을 것이다. 아니, 정보라는 측면에서 본다면 연방 중앙정보국이 더 깊고 넓은 수준의 자료들을 가지고 있다. 애초에 연방 중앙정보국은 연방의 수많은 정보 조직 중에서도 다른 행정 기관과는 독립적으로 움직이는 정보 기관이다. 국방부 산하 일개 부서에 불과한 정보국이나 보안국, 나아가 상위 부서인 정보사령본부와는 감히 비교도 할 수 없는 정보력을 가지고 있다.

그런데 피에르 라캉은 대체 어떻게 워프 비스트에 대한 정보를 모은 것일까. 보안국이라면 국방부 내의 모든 정보 자료에 접근할 수 있는 권한이 있긴 하다. 그러나 그렇게 모은 자료로 레드우드와 거래를 했을 성싶진 않다. 그 정도라면 레드우드도 접근 가능한 자료일 테니.

- 그 리퍼와 워프 비스트에 관한 정보, 소스는 어딥니까?

- 나도 몰라. 팀에 들어오면 전부 공개하는 조건이었기 때문에 그때는 일부만 봤다. 하지만 확실히 군의 것은 아니었어.

빈우의 머릿속에서 퍼즐들이 차곡차곡 맞춰져간다. 전혀 연관이 없던 사실들이 하나의 답을 향해 모인다. 현재 극비 중의 극비라 일부 장성이나 고위 관료만이 알고 있는 워프 비스트의 자료를 피에르 라캉 중령은 구했다. 어떻게? 어디에서? 방첩이라면 연방에서 첫째가는 보안국의 피에르 라캉 중령이 독립적인 태스크포스, 리퍼 대응팀을 만들어 그리로 도망치고 싶다고 했다. 왜? 누구로부터? 조지 레드우드는 리퍼 대응팀인 태스크포스 373의 팀원들을 자신이 직접 발품을 뛰어 면접하고 모집했다. 보안을 위해서. 특수전 사령부의 부사령관이자 연방군 중장이 대체 누구로부터? 오늘 일어난 오스카 스테이션의 전투는 연방의 영역 내에 샤다이들이 기습을 해 일어난 전투다. 점프의 반응은 없었고 근처에 샤다이 함선의 반응도 없었다. 그렇다면 대체 어떻게? 설마하니 조력자가 있는 걸까?

의문과 질문을 모아보니 답이 모아진다. 이렇게 나온 답이 오답일 수도 있다. 그러나 그 오답도 정답을 향한 과정임을 빈우는 잘 알고 있다.

- 연방 내부에 적이 있다는 말입니까? 그것도 샤다이와 손을 잡은?

빈우의 말을 들은 레드우드는 영 생뚱맞다는 표정을 지었다.

- 응? 적이 있는 것은 확실한데 샤다이와 손을 잡았다는 것은 모르겠다. 그게 가능이나 하냐?

레드우드 말마따나 연방은 이제까지 샤다이와 대화를 몇 번이나 시도했었지만 제대로 된 적은 없었다. 잠깐만의 교섭이 고작이고 그 끝도 대부분 전투로 마무리되었다. 이러니 레드우드가 그렇게 생각하는 것도 무리는 아니다. 하지만 정보국에선 비밀리에 샤다이와 접촉을 시도하고 있고 이런 부서가 연방에 몇 군데 있다는 것을 어렴풋이 짐작하고 있었다. 그렇다면 이들 중 누군가가 모종의 이유로 움직였을 수도 있다.

- 아무튼, 이게 내가 혼자서 설친 이유다. 지금 우리 프로젝트에는 반대세력이 꽤 많아.

샤다이에 대응하는 태스크포스를 반대하는 세력들은 과연 어디일까, 그리고 그 목적과 이유는 무엇일까. 그걸 알기에는 아직 정보가 너무나 부족하다.

- 등 뒤에 적이 많군요. 어딘지 짐작이 가십니까?

- 아니. 다들 직접적으로 나서진 않고 끄나풀을 풀어서 방해하는 중이라서 말이지. 꽤 교묘해. 그런데 갑자기 샤다이 얘기는 왜 나오는 거냐?

- 글쎄요. 주어진 자료로 추리를 하다 보니 그런 가설이 나왔습니다. 원 출신이 출신이다 보니 그러려니 해주십쇼.

- 흠, 네가 그렇다면 그런 거겠지. 아무튼 팀장을 잘 뽑았어.

- 아직 확정된 건 아닙니다. 좀 더 조사가 필요할 겁니다.

빈우의 말에 고개를 끄덕이면서 레드우드는 자신의 적 중 누군가가 샤다이와 내통했을지도 모른다는 가설에 흥미가 갔다. 자리가 자리니만큼 이런저런 얘기도 들었던 레드우드였기에 처음 듣는 건 아니었지만, 그 성격과 경험상 이제까진 헛소리라고 일축했었다. 그러나 자신이 선별한 팀장의 가설이라면 그 무게가 확연히 다르다. 만약 샤다이와 내통하고 있는 곳이 있다면 과연 어디일까? 모르긴 해도 샤다이나 리퍼, 워프 비스트에 관한 정보를 많이 가지고 있을 것이 분명하다.

생각이 거기까지 닿은 레드우드는 문득 빈우 등 뒤에 실린 라캉 중령의 얼굴을 보았다. 리퍼와 워프 비스트에 관한 정보를 가지고 자신과 거래를 하려 했던 보안국 중령. 시신치고는 꽤 평안한 얼굴이다. 죽기 전 마지막으로 보았던 초췌했던 모습과는 하늘과 땅 차이다.

"편안한 얼굴이구먼……. 근데 이 친구, 이유는 모르겠지만 사람이 점점 망가져가더라. 딱히 물어보진 않았는데 꽤 힘들어하는 게 보였어. 뭐 짐작 가는 거 있냐?"

레드우드가 육성으로 한 질문에 빈우는 다시 기밀 통신으로 대답했다. 이 뜻은 앞으로 행여라도 주변에 알리기 싫은 내용이 나올 수 있다는 뜻이다.

- 잘은 모르지만, 듣기로는 처와 아들이 떠났답니다.

- 저런? 언제?

레드우드도 즉시 통신으로 대화를 돌렸다.

- 오늘 나눈 얘기로는 17일 전이었다는군요.

그 말을 들은 레드우드가 고개를 갸웃한다.

- 그래? 이상하군. 중령이 점차 이상해지기 시작한 것은 두어 달은 되었으니. 아니 반대로 망가지는 라캉 중령 때문에 가족들이 떠났을 수도 있겠군. 참, 유가족들에게 연락해야 하는데……. 김 팀장, 그건 내가 하지.

이제 빈우가 대화를 기밀 통신으로 바꾼 이유가 시작되었다.

- 실은 아까 스테이션에서 라캉 중령을 만났을 때 본인에게서 들은 겁니다

276

만…… 아내 마리 라캉과 아들 자크 라캉이 마카로니로 갔답니다.

이야기가 거기까지 진행되자 천하의 레드우드 사령관도 약간 놀랐는지 걸음이 잠시 멈췄다. 그리고 다시 걸으며 뭔가 골똘히 생각하다가 질문했다.

- 너, 혹시 짚이는 거 있냐?

그 말은 울토르 중대원으로서 마카로니에 갔던 빈우에게 라캉 모자의 상태를 묻는 것이다.

- 아뇨. 아직은. 아무것도요.

마리 라캉과 자크 라캉은 17일 전 피에르 라캉을 떠났다. 피에르 라캉이 아내와 아들의 마지막 위치와 그곳이 마카로니라는 것을 알아낸 건 오늘이다. 그리고 마카로니는 5일 전 울토르 중대의 공격에 행성에 살던 모든 자치정부의 사람들이 학살당했다. 당시 클론 중대원들은 두뇌칩이 없는 자치정부 주민들을 인간으로 인식하지 않아 모두 죽였고, 당시 라캉 모자는 추적을 피하려고 두뇌칩을 뺀 상태였다. 아직 정확한 사실은 모르지만, 이 모자가 무슨 일을 당했을지는 대강 짐작이 갔다.

문득 빈우의 머릿속에서 한 가지 비약이 일어났다. 피에르 라캉 중령은 리퍼와 워프 비스트에 관한 자료가 있고, 마리와 자크는 마카로니로 갔다. 마카로니와 샤다이가 관련이 있다는 것은 너무 심한 비약일까? 아니, 실제로 마카로니에는 샤다이가 나타났고 개척민 중 하나는 샤다이의 무기인 시즐러로 무장했었다. 만약 거기 있던 개척민들이 방금 봤던 워프 비스트로 변했다면? 상대가 일반 샤다이가 아니라 리퍼였다면? 생각만 해도 끔찍하다.

아직 비약과 억지가 심한 가설이라 보다 많은 자료와 정보, 연구가 필요하다. 지금 중요한 것은 태스크포스 373의 수습과 오스카 스테이션의 뒷정리이다. 빈우는 나머지 생각은 다음에 정리하기로 하고 피에르 라캉의 시신과 샤다이의 부품들을 회수해서 블랙 랜스로 귀환했다.

032

· · · ✦ · · ·

귀환은 꽤 무식했다. 블랙 랜스는 오스카 스테이션에 침투용 터널을 박아 외벽에 구멍을 뚫고 통로를 확보한 상태였다. 적함이나 적 기지에 전투병력을 투입할 때나 쓰는 방법이지 도저히 아군의 기지에 쓸 방법은 아니다. 그리고 이런 것들이 태스크포스 373이 가진 성격을 보여주는 일면이기도 했다.

"사령관님, 오셨습니까."

레드우드와 빈우가 전투 정보실에 들어가자 모든 팀원이 그들을 기다리고 있었는데 두 사람을 맞이하는 오르 함장은 꽤 분주해 보였다. 함장 주변에 뜬 홀로그램 창들을 보니 오스카 스테이션의 각 부서는 방금 블랙 랜스가 벌인 급발진에 대해 맹렬히 항의하고 있었고, 지마 오르 함장은 그 항의 하나하나를 일일이 연결해 정중히 무시하며 시간을 끌고 있었다.

"오르 함장, 아까 잡은 리퍼의 상태는 어떤가?"

"처음에는 조금 저항했지만, 지금은 포기했는지 얌전히 있습니다."

화면에는 블랙 랜스의 견인장에 묶여 우주 공간에 둥둥 떠 있는 리퍼가 비쳤다. 제아무리 리퍼라 해도 고작해야 개인용 장갑복을 장착한 상태. 함의 출력에는 어쩔 수 없었다.

"주변의 샤다이 반응은?"

"지금 견인하고 있는 리퍼 외에는 행성 궤도까지 훑어도 없습니다."

오르 함장이 띄워준 다음 화면에는 주변에 빽빽이 뿌린 무인 정찰기들의 탐사 결과들이 보였다. 그러나 연방의 기술로는 탐지할 수 없는 샤다이의 스텔스 기술이라 아직 안심할 수는 없었고 이는 예방책 정도로 봐야 했다.

"좋아, 그럼 스테이션의 역장 쪽하고 연결이 되나?"

"네, 아까부터 계속해서 연락이 오고 있습니다. 열렬히."

"이제 내가 직접 대화하지. 그리고 김 팀장은 수비대장을 맡아."

오스카 스테이션의 역장과 통신 회선을 넘겨받은 레드우드는 빈우에게도 회선을 하나 던져주며 마무리를 지으라고 했다. 빈우가 맡아야 할 상대는 오스카 스테이션의 수비부대 대장 로저 잭슨 대령이다.

"이렇게 다시 뵙는군요, 쿠아론 역장님."

- 레드우드 중장님! 이게 대체 무슨 일입니까?

레드우드 사령관이 마주한 화면 너머로는 오스카 스테이션의 책임자 알레한드로 쿠아론 역장이 잔뜩 겁에 질린 채 흥분해 있었다.

"자자, 진정하시죠. 샤다이의 기습에 얼마나 놀라셨습니까. 하지만 사태는 이미 제 경호 부대가 완벽히 진압했습니다. 부디 안심하십시오."

- 저, 정말입니까? 그렇게 심각한 피해를 보았는데, 아니 정말 샤다이들을 다 무찌르신 겁니까?

"물론입니다. 샤다이들의 기술력은 위협적이지만 우리 군의 뛰어난 전투 실력에는 상대가 되질 못합니다. 보시다시피 몇 명 안 되는 제 부하들에게 모두 사살되지 않았습니까? 이제 마음 놓으시고 인명구조와 스테이션 수리에 전념하셔도 좋습니다."

평상시에 동료나 부하들을 대하는 조지 레드우드 중장은 불같은 성격이지만 지금 마주하는 알레한드로 쿠아론 역장은 민간인이다. 그러니 정중히 대할 수밖에. 이어서 레드우드 사령관은 쿠아론 역장에게 오스카 스테이션에서 자신이 무엇을 하고 있었는지, 그리고 어떤 일을 당했는지 등등을 알려 줄 수 있는 범위까지는 최대한 자세히 설명했으며, 블랙 랜스의 긴급 발함이 이를 해결하기 위한 유일한 방법이었음을 특히 강조했다. 요약하자면 테스크포스 373에 의해 일어난 오스카 스테이션의 피해는 샤다이를 물리치는 도중에 불가피하게 일어난 것이기 때문에 특수전 사령부 측에선 피해를 보상할 책임과 이유가 없다는 뜻이다. 물론 블랙 랜스와 팀원들은 레드우드의 경호원 정도로 위장해놓았고 그 외에도 민간시설인 오스카 스테이션에 넘겨준 정보들은 극히 제한된 것들뿐이었다.

"그렇습니까. 마침 레드우드 중장님이 계셔서 다행이었습니다. 하마터면 큰 사고로 번질 뻔했군요."

레드우드의 설득이 먹혔는지 알레한드로 역장은 샤다이의 습격이라는 오스카 스테이션 역사상 최악의 사고가 이 정도로 끝나서 다행이라 생각하는 듯했다. 이후의 마무리는 태스크포스 373의 후방 참모들의 몫이다. 그리고 빈우가 맡은 로저 잭슨 대령과의 대화도 이처럼 순조롭게 진행되어야 했다.

"앞서 말씀드렸다시피 자세한 것은 기밀 사항이라 알려드릴 수 없습니다. 더 알고 싶으시다면 특수전 사령부에 정식으로 요청하십시오."

팀장인 빈우 역시 일을 크게 만들기 싫었다. 태스크포스 373 같은 비밀 부대가 있다고 떠들어봐야 좋을 건 없기에 특수전 사령부의 이름으로 눌러서 쉬쉬하고 넘어가려고 했다. 수비대장 역시 군인이기 때문에 위에서의 명령이나 권한으로 누르면 굽혀지게 되어 있다.

보통이라면 그렇게 되어야 했다. 그러나 지금의 잭슨 대령은 그렇지 않았다. 방금 일어났던 전투에서 수비대는 아무런 활약을 하지 못했고 스테이션에는 막대한 피해가 왔기에 어떻게든 책임을 나눠 짊어질 대상이 필요했다.

- 무슨 기밀이길래 못 밝히는데? 따지고 보면 레드우드 중장께서 샤다이의 공격을 받았기 때문에 우리 스테이션에 피해가 온 것 아닌가? 게다가 수행원? 경호원인 자네들은 도대체 어떻게 대처한 거야? 스테이션 내부에서 전투를 벌이고, 또 우주항에서 막무가내로 나가는 바람에 그 피해도 무시 못 해.

로저 잭슨 대령은 어떻게든 이쪽의 흠을 잡으려고 했지만 아쉽게도 이빨이 먹힐 상대가 아니었다.

"……그거 유감이군요. 나중에 통합사령부에서 명령서가 올 겁니다. 그거 대로 실행만 하면 대령님께 큰 해가 가지는 않을 테니 안심하십쇼."

사실 이런 일의 뒤처리는 특수전 사령부의 참모부 측에서 맡는데 거기서 나온 결과는 몇 다리 거쳐 해당 사령부 쪽 명령의 형태로 내려와 로저 잭슨 대령을 강제할 것이다. 피해를 보상할 테니 눈감고, 귀 막고, 입 막으라는 것. 하지만 사태는 이번에도 빈우의 예상대로 흘러가주질 않았다.

- 자네! 정말 이러긴가! 이러면 나도 정식으로 항의를 하겠어!

이 정도면 도대체 어떻게 대령까지 올라갔는지 모르겠다. 빈우는 짧게 혀를 찬 뒤 자세를 바로 했다. 이때를 시작으로 오스카 스테이션 수비대장인 로저 잭슨 대령은 정보국 요원이자 373의 팀장인 김빈우 소령에게 조목조목 두들겨 맞았다.

"항의요? 무슨 항의 말입니까? 샤다이가 스테이션에 침투할 때까지 발견하지 못한 방만한 경비를 처벌해달라는 항의입니까? 전투가 일어났을 때 제대로 된 대응조차 못 하고 쓸려나간 수비 병력을 충원해달라는 항의?"

이어서 빈우는 수비대에게 유리한 증거와 상황보고마저 악의적으로 왜곡해 찔러나갔다.

"그것도 아니면 전투 시 지정된 수칙대로 전개하지 않고, 항구 내에서 지리멸렬하게 움직이다가 서로 추돌한 전투기들을 수리해달라는 항의겠군요? 걱정하지 마십시오. 제가 정리해서 보고할 테니. 그리고 또 말입니다."

줄줄 흘러나오는 말에 로저 잭슨 대령의 표정은 마치 실제로 칼에 찔린 것처럼 일그러져갔다.

- 오, 오해다! 그건 터무니없는…….

"그건 대령님 생각이죠. 판단은 위에서 할 겁니다."

말은 '아' 다르고 '어' 다른 법. 잭슨 대령이 경황없이 내렸던 명령 중 몇몇 유효했던 것조차 빈우에게 걸리자 실책으로 곡해된다.

- 왜곡하지 마! 난 그럴 의도가 아니었어!

"사건을 좀 더 다양한 시각에서 보는 게 상부에도 도움이 되지 않을까요?"

마침내 모든 것을 뒤집어쓴 잭슨 대령이 하얗게 질려 벌벌 떨다가 머리를 푹 숙임으로써 통신은 마무리되었다.

"어땠냐."

레드우드의 질문은 단순히 수비대장과의 대화가 어땠냐가 아니라 좀 더 의미심장했다. 샤다이와 내통자가 있을 거란 가설이 나온 마당이니, 오스카 스테이션의 각 부문 책임자인 역장과 수비대장과의 대화에서 빈우가 뭔가 건졌냐는 뜻이다.

"글쎄요, 일단 사령관님은 대화를 너무 못하십니다. 그딴 식으로 말하면 제가 뭘 알아내기 힘들어요."

"엥, 그래?"

뼛속까지 무골인 사령관은 부하의 지적에 금세 시무룩해졌다. 레드우드 중장은 휘하의 특수부대가 다른 이들과 일으키는 마찰을 수습하는 데는 익숙하지만, 정보를 얻기 위해 대화를 이끌어나가는 측면에서는 젬병이었다.

"뭐 그래도 몇 가지 수확이 있긴 합니다. 일단 잭슨 대령은 아무것도 모르는 것 같습니다."

"호, 어떻게 알아낸 거지?"

레드우드 중장의 얼굴에 뜬 표정은 그 짧은 대화만으로 어떻게 무엇을 알아냈냐 하는 호기심이다.

"정보국에 접속해서 몇 가지 얻어냈습니다. 로저 잭슨 대령은 무능해요. 무능해서 이런 일을 직접 꾸밀 위인은 못됩니다."

빈우의 대답에 레드우드 중장은 여러모로 조금 김빠진 얼굴이 되었지만, 주변에서 흥미롭게 귀를 기울이던 팀원들의 눈에서는 이채가 띤다. 이야기가 샤다이의 오스카 스테이션 공격에 수비대장을 연관 짓고 일을 꾸미니 마니 하는 쪽으로 흘러가니 보통 일은 아니다. 파트리샤나 모니카는 궁금한지 벌써 입술이 달싹달싹한다.

"그렇다면 역장은 어떻냐?"

다시금 날카로워지는 레드우드의 눈매는 사냥감을 노릴 때의 것이다. 수비대장이 아니면 역장이란 뜻이다.

"뭐 역장도 약간 구린 게 있긴 하지만 이쪽도 마찬가지입니다. 샤다이의 습격은 적어도 이 두 사람 레벨에서 일어날 만한 것이 아니에요. 이들도 어찌 보면 피해자죠. 만약 제 짐작이 틀리지 않았다면 좀 더 위나 뒤에서 움직이는 세력이 있을 겁니다."

두 사람이 잠시 생각을 정리하려고 할 때, 그리고 파트리샤의 눈치에 못 이긴 아룹이 말을 걸려고 할 때 오르 함장이 새로운 소식을 전해주었다.

"사령관님, 보안국에서 통신이 들어왔습니다."

"뭐? 보안국?"

뜬금없는 세력의 등장에 레드우드 중장의 눈썹이 휘었고 빈우의 시선도 화면 쪽으로 돌아갔다. 군 내부의 보안을 담당하는 보안국이 태스크포스 373에 대체 무슨 용무일까. 옆에서 이야기를 들은 팀원들도 표정이 좋진 않았다. 다들 자기 부대에 있을 때 한 번씩은 시달린 경험이 있기 때문이다. 물론 특수전 사령부 소속의 특수부대들은 어지간해서는 보안국의 감사를 받지 않는다. 게다가 373같이 비밀작전을 수행하는 태스크포스에 대해 보안국이 개입해 조사하려면 먼저 특수전 사령부에 요청하고 의회에서 인가를 받은 다음에, 그것도 작전 중이 아니고 팀이 해체된 이후에나 가능하다.

하지만 이런 비밀 부대에도 작전 중 직접 접촉해서 간섭할 수 있는 세력이 있으니 그것은 바로 연방의회에서 파견된 특별감사관이다. 연방의회의 상원의원으로 구성된 이 특별감사관은 일단 임명받고 파견되면 자신이 맡은 연방의 권역에 한해서는 무제한적인 조사, 수사를 할 수 있고 그것은 373 같은 곳도 결코 예외가 아니다. 그러나 이 특별감사관은 어지간한 큰일이 아니고서는 움직이지 않기에 — 부서 하나가 통째로 날아가는 건 우습다 — 이번 일과는, 보안국이 움직인 뒷배와는 관계가 없을 것이다.

그러나 빈우에게는 집히는 게 전혀 없는 것은 아니었다. 현재 보안국 요원인 피에르 라캉 중령의 영현은 블랙 랜스에 실려 있으며 정보국이나 보안국 요원들의 육체와 정보를 담고 있는 두뇌, 두뇌칩은 각 부서의 특급 기밀 사항이다. 당연히 촌각을 다투어 회수하려 들 것은 당연하다. 그래도 이건 너무 빠르다. 빈우가 이런저런 생각을 하는 동안 오르 함장의 말이 들려온다.

"네, 오스카 스테이션에서 셔틀을 타고 지금 저희 쪽으로 오고 있다고 합니다. 반드시 직접 만나서 할 얘기가 있다는데 연결할까요?"

"허허, 지금? 이 상황에? 내 앞으로? 이야아, 그 깡으로 샤다이와 싸우지 그랬어?"

레드우드가 기가 막혀 혀를 찼다. 지금 오스카 스테이션은 샤다이의 기습으로 인해 비상사태를 발령하고 주변 항행을 통제하고 있다. 그런데도 보안국 요원들은 대놓고 셔틀을 타고 블랙 랜스 쪽으로 꾸역꾸역 오고 있으니 이쪽도 만만치 않은 놈들임을 보여주는 것이다. 또 놈들의 뱃속에 숨기고 있는 게 얼마나 만만치 않은 것인지 빈우는 걱정이 되기도 하고 궁금하기도 했다.

"그래, 용건은 뭐래?"

"피에르 라캉 중령의 영현을 인도받고 싶답니다."

그 말을 들은 레드우드와 빈우의 눈매가 가늘어졌다.

"제 식구 챙기는 건 좋다만 사람 죽은 지 얼마 되었다고 벌써 보안국에서 따라붙냐. 김 팀장, 이거 수상하지 않아?"

"사령관님, 아까 라캉 중령을 만났을 때 중령은 혼자였습니까? 일행이 있다는 얘기는 없었습니까?"

질문을 질문으로 받은 격이지만 레드우드는 신경도 안 썼다.

"음, 나는 중령만을 불렀고 방에는 중령만 있었어. 다른 보안국 요원들이 있다는 얘기는 못 들었는데. 잠깐, 그럼 이거 혹시……."

"네, 이렇게 빨리 움직인 것을 보면 저들은 이미 오스카 스테이션에 있었을 겁니다. 중령 몰래 붙은 끄나풀이겠죠."

"중령에게? 왜?"

태스크포스 373으로 오게 된 라캉 중령에게 끄나풀이 붙었다는 말은 지금 상황을 모르는 이들에겐 여러 가지 의미로 해석될 수 있기에 빈우는 그것부터 설명했다.

"정보국이나 보안국 요원들은 일신에 지닌 정보의 가치가 대단히 크기 때문에 호위가 붙는 경우가 종종 있습니다. 사람이 아닌 정보 쪽에. 최악의 경우가 일어날 때 정보를 회수하거나 파기하는 역할이죠. 저 같은 경우는 현재 정보국의 파견 요원이라는 형태가 되어 태스크포스 373에 와 있으므로 본래의 정보국 요원이 가진 보안 등급이나 보유한 정보의 질이 상당히 낮게 책정되어 있습니다. 그래서 전사하거나 해도 정보국 쪽에선 바로바로 움직이지는 않을 겁니다. 나중에 시신 쪼가리나 회수해 가겠죠. 그런데 아까 두뇌칩을 살펴봤을 때 라캉 중령은 우리 팀에 들어온 상태가 아니었습니다. 아직 보안국 소속이었으니 저들은 중령의 뒤처리를 맡은 팀일 수도 있습니다."

그제야 레드우드 중장도 돌아가는 사태를 알아챘다.

"허어? 이 새끼들 봐라?"

레드우드의 얼굴은 점점 붉게 물들었다. 강화 육체에서 혈류의 흐름을 조절하려 했지만, 당사자가 그럴 마음이 없으니 소용이 없다. 373의 사령관에겐 라캉 중령이나 다른 팀원들이 샤다이와 싸울 때는 조용히 있다가 일이 다 끝나고 나니 고개를 들이미는 보안국의 꼴이 영 고깝게 느껴지는 마당인데, 거기다 다른 꿍꿍이가 있다고 하니 더더욱 열이 받는다. 만약 감시역이었던 그들이 제때 움직였다면 피에르 라캉은 죽지 않을 수도 있었을 것이기에.

"진정하시죠. 이쪽 바닥은 원래 이렇습니다."

반면에 빈우는 별다른 감정이 없었다. 이런 정보, 첩보 계열 부대나 요원들은 아군이 어떠한 상황에 부닥치더라도 오직 정보를 수집하거나 맡은 임무만을 수행할 때도 있다. 저들도 그랬을 것이다. 아마.

033

· · · ✦ · · ·

그러나 레드우드 중장은 진정하질 못했다. 보안국과의 통신을 연결한 그는 으르렁대며 일갈했다.

"태스크포스 373의 사령관인 조지 레드우드 중장이다! 현재 본 함은 작전 중이며 그 이상의 접근은 금지한다."

레드우드는 아예 상종하지 않겠다는 듯 강경한 대응을 했다. 보안국은 연방군 어디든 조사할 권한이 있지만 특수전 사령부 소속의 비밀임무 부대는 얘기가 다르다. 놈들이 이쪽과 접촉하려면 작전이 다 끝난 다음이거나 특수전 사령부와 정보사령본부 간의 합의가 난 뒤에야 가능할 것이다. 한 번만 더 깝치면 박살 내겠다는 기세로 씩씩대는 사령관 앞의 화면에서는 보안국의 젊은 남자 장교가 웃는 얼굴로 대답하고 있었다.

- 처음 뵙겠습니다, 레드우드 사령관 각하. 저는 보안국의 존 도우 대위입니다. 그리고 이쪽은 같은 소속의 제인 도우 중위입니다. 각하, 오해하지 마십시오. 저희가 온 것은 말씀드린 대로 피에르 라캉 중령의 영현을 회수하기 위해서입니다. 부디 전우를 데려갈 수 있도록 허락해주십시오.

"야이……."

레드우드가 다시 뭐라고 할 때 빈우가 슬쩍 나서며 제지했다.

"사령관님, 고정하시고 여기는 제게 맡기시죠."

"흥."

솔직히 이런 일에는 빈우가 전문이다. 게다가 군사정보국과 보안국은 같은 정보사령본부 산하의 부서에다가 평소에도 친하게 치고받는 사이라 서로서로 잘 안다. 그래서 이해하고 뒤로 물러나려는 레드우드였건만 이어지는 빈우의 통신에 눈을 부릅떴다.

- 일단 보안국을 받아들이는 방향으로 가보겠습니다.

그러자 길길이 날뛸 것 같았던 레드우드는 다행히 인상만 찡그릴 뿐 별말 없이 팔짱만 낀 채 빈우의 뒤에 섰다. 이게 조지 레드우드의 장점 중 하나다. 이 노병은 원체 호전적이고 불같은 성격이지만 동시에 자기가 인정한 상대의 말은 군말 없이 받아들이는 장점이 있다. 암묵적으로 이뤄진 사령관의 허락하에 여기서부터는 현장 팀장 김빈우가 대화를 이어받았다. 그전에 잠깐 조사를 하고.

'존 도우와 제인 도우가 진짜 본명일 수 있나?'

임무 중에 가명을 쓰는 것은 당연하지만 아군에게까지 정체를 숨긴다는 것은 제법 문제가 된다. 그것도 특수전 사령부 부사령관을 상대로 했다간 후폭풍이 장난 아닐 것이다. 부부인지 남매인지 모르겠지만 대놓고 '나 가명이요'라고 하는 이름인지라 빈우는 상대의 ID를 살펴보았다. 군사통신의 사용에는 당연히 보안이 필수라 송·수신자의 정보가 정확하게 기록되며, 통신에 밝힌 정보와 실사용자 두뇌칩 정보가 다를 경우 경고가 뜬다.

'두뇌칩 조회를 막았어? 우리를 상대로?'

두 요원의 두뇌칩에 대한 자세한 정보는 막혀 있지만, 보안국의 임무라는 이유로 경고는 뜨지 않았다. 하지만 일단 이것으로 존 도우 대위와 제인 도우 중위가 보안국 요원임은 분명해졌다. 상대방의 정체가 뭐든 일단 겉으로 보안국의 명찰을 달고 있는 이상 이제부터의 흐름은 빈우가 가져갈 수 있다.

"이쪽은 특수전 사령부의 태스크포스 373 팀장인 김빈우 소령이다. 보안국은 피에르 라캉 중령의 영현 회수 외에 다른 용건은 없나?"

- 없습니다.

짧은 대답에 짧게 생각을 마무리한 빈우는 레드우드를 향해 눈짓으로 보안국 셔틀을 받아들이자는 의견을 전달했고 레드우드는 오르 함장에게 고개를 끄덕였다.

"존 도우 대위, 착함을 허가한다."

오르 함장이 통신을 끊자 빈우가 좀 찜찜하단 표정으로 레드우드에게 말했다.

"이거 조금 수상한데요?"

"뭐? 설마 저놈들이 샤다이와 짝짜꿍이라도 했다는 거냐?"

사령관의 이 반응은 아까 둘이서 나눴던 가설 때문에 노이로제가 걸린 것은 아니고 저들을 합법적으로 조질 수 있다는 기대감에서 나온 것이다.

"아뇨, 그건 아닙니다. 제가 수상하다고 한 것은 애들이 왜 지금 여기, 제가 있는 태스크포스 373의 블랙 랜스에 오냐는 겁니다."

아쉽게도 빈우의 의문에 레드우드는 곧바로 동조할 수 없었다. 그러나 곧 자신의 부하가 설명할 것을 기대하고 귀를 기울였다.

"제가 마카로니에서 부상했을 때 라캉 중령의 허수아비가 거기 있었으니 저의 부상 소식은 당연히 보안국에 전해졌을 겁니다. 당연히 그 동네에선 비상이 벌어졌겠죠. 그리고 오늘 라캉 중령이 저를 찾아왔으니, 보안국도 높은 확률로 제가 오스카 스테이션에 있는 걸 알고 있었을 텐데 말입니다."

곰곰이 따져보던 빈우가 말을 이었다.

"아니, 설령 모른다고 해도 제가 방금 대화에서 여기 있다고 말했습니다. 그런데도 보안국에서 일부러 제가 있는 373에, 이 블랙 랜스에 대가리를 들이민다? 도대체 무슨 꿍꿍이일까요?"

심각한 얼굴로 설명하는 빈우와 달리 지금 레드우드의 표정은 이 새끼가 도대체 뭐라는 건지 전혀 모르는 눈치다. 이는 레드우드가 정보사령본부 내부의 파워 게임에 별 관심이 없고, 빈우가 자세한 전후 사성을 설명하지 않아서 일어난 일이기도 하다.

그리고 그건 팀원들과 함장도 별다를 것이 없었다. 빈우와 레드우드 간의 심각한 분위기만 아니었어도 질문 세례가 쇄도했을 것이다.

"그래서?"

표정으로 보건대 레드우드의 질문은 궁금해서라기보다는 예의상 말을 계속해보라는 뜻이다. 그제야 빈우도 뭔가 대화의 핀트가 안 맞고 있다는 것을 깨달았다.

"저기, 사령관님. 저 이러라고 뽑은 거 아닙니까?"

"응? 뭘? 그래, 확실히 네가 나보다 말발이 좋긴 하지. 다른 사람들과 대화를 푸는 것도 그렇고. 하지만 그런 건 라캉 중령이 더 잘하지 않나? 내가 널 뽑은 이유는 아까 말했잖아."

그러면서 레드우드는 자신의 가슴팍에 달린 해골 휘장을 톡톡 두들겼다. 분명히 아까 레드우드가 밝힌 빈우를 찜한 이유는 샤다이와 전투 경험이 있을 것, 닉스 레벨 3을 수료할 것, 소령일 것, 이 세 가지였다. 그리고 조지 레드우드는 성격상 말을 꾸미거나 그런 걸로 뒤통수를 칠 위인은 아니었다. 그래서 빈우는 마지막으로 다시 한 번 확인했다.

"······정말 아무것도 모르고 그 이유만으로 저를 데려온 겁니까?"

"아니 그러니까 아까부터 무슨 말을 하는 건데?"

빈우의 윗니가 아랫입술을 깨문다. 손가락은 콧등을 어루만지고 눈과 눈썹은 깊게 찡그려졌다. 혼자 헛다리 짚고 생쇼를 했으니 뻘쭘한 것이다.

"하아, 그게 뭔지는 말보다 직접 보시죠."

가타부타 말보다는 행동으로 보여주기로 한 빈우는 즉시 자신의 메이드 아나스타샤를 불렀다.

"아샤. 내 기밀 케이스 가지고 격납고로 와."

- 넷, 주인님.

꽤 중요한 명령인 듯 긴장한 표정의 아나스타샤가 통신 화면에서 사라지자 빈우가 몸을 돌렸다.

"사령관님, 우리도 격납고로 가서 손님 맞이합시다."

"저기, 우리도 가도 되나요?"

뭔가 대형사고가 터질 것을 감지한 파트리샤가 눈망울을 초롱이며 손을 들자 빈우는 쓰게 웃었다.

"오지 말라면 안 올 거냐?"

호기심을 못 이긴 팀원들이 우르르 빈우와 레드우드를 따라나섰다. 잠시 후 팀 전원이 모인 격납고에 아나스타샤가 검은색의 케이스를 가져오자 일동의 시선이 거기에 집중되었다.

"주인님, 여기 있습니다."

"음, 고마워. 아샤."

그러면서 빈우는 케이스의 겉면을 쓱 쓰다듬었다. 얼마 전만 해도 오스카 스테이션의 우주항 보관소에 내버려두었던 중요 물건이다.

"어? 이거, 정보국 물건 맞죠? 외부와 완전히 차단되는 보안 케이스."

케이스를 알아본 모니카의 질문에 빈우가 미소를 짓는다.

"알아보네, 모니카?"

"정보국의 의뢰를 받은 적이 있어요. 해체 작업하는 거요."

뾰로통한 모니카의 표정이 그 결과를 말해주고 있었다. 이 검은색 보안 케이스는 정보국에서 중요한 물품을 보관하기 위한 장비로서, 열기 힘든 건 물론이거니와 강제로 열려고 하면 안의 물건들을 소각하는 기능도 있다. 빈우의 기밀 케이스와 그 내용물들은 주인이 실종되었을 때 모두 동결되어 정보국으로 회수되었으며 빈우가 다시 돌아오게 된 지금도 그것에 대한 사용 권한이 없다. 당연하다. 기밀 케이스와 그 내용물은 정보국의 소유이며 파견 요원의 보안등급으로는 사용허가가 나오지 않는다. 다시 말해 지금 빈우가 들고 있는 케이스와 그 내용물은 빈우 개인의 것이란 뜻이다. 딱히 드문 건 아니다. 정보국 요원들은 각자 비장의 수를 숨겨놓고 있으니까.

빈우가 케이스를 열자 그 안에는 명령서들이 빼곡히 들어차 있었다. 그것도 보통 명령서가 아니다. 명령서 스스로 주변의 정보를 수집해 상황을 판단한 다음 명령의 유·무효를 정하거나 미리 설정된 대로 명령의 내용을 변환하는 기능을 가진 자율 명령서다. 이것은 상위 부대와 연락이 쉽지 않은 상황—주로 점프 게이트 소실 같은 사고—에서도 명령의 유효성을 증명하기 위한 것으로 각 방면 사령본부에서 만드는 물건이다. 지금, 이 명령서들은 블랙 랜스의 격납고에 드러나 주변과 연결해 현 상황에서 자신이 유효한지 아닌지를 즉시 파악해 활성화했고, 그렇지 않은 몇몇은 다시 아무것도 없는 회로판으로 돌아갔다.

"개새끼가."

담대한 레드우드가 이런 말을 할 정도니 빈우가 친 사고의 스케일이 짐작이 간다. 지금 빈우는 각 사령본부의 명령서를 가지고 지니고 있는 것이다. 한두 장은 이해가 간다. 레드우드도 휘하 부하들에게 백지명령서를 내려준 적이 있으니까. 하지만 빈우처럼 아예 쌓아놓고 장사하듯 굴리는 놈은 없다.

"하, 씨발. 이 새끼, 네가 아까 말하던 게 이거였구나?"

"아니, 전 사령관님이 이런 거 알고 뽑으신 줄 알았죠. 어디 보자. 감사, 감사…… 아, 여기 있네."

찾던 물건을 꺼낸 빈우는 케이스를 닫고 미소를 지었지만, 팀장의 손에 들린 명령서의 제목을 본 팀원들은 그러지 못했다. 정예 특수부대 요원들의 얼굴이 실시간으로 굳어가고 얼어가고 썩어들어가는 모습은 장관이었다.

"인마, 너 이거 어디서 구했냐?"

레드우드조차 얼빠진 목소리다. 지금 빈우가 손에 들고 팔랑거리고 있는 건 무려 '보안국 내부수사 명령서'다. 위에서부터 차례대로 빈우를 보안국 감사 인원으로 임명한다는 정보사령본부 사령관, 수사 권한을 위임한다는 보안국 국장, 그리고 파견한다는 정보국 국장의 서명들이 찍힌 진품이다. 보안국은 연방군 내부의 방첩과 보안을 책임지며 수상한 곳이 있으면 영장이고 나발이고 바로바로 들이닥쳐 조사한다. 이렇게 무소불위의 권력을 휘두르니 타 부서들과 사이가 좋을 리가 있나. 그렇다면 이 안하무인의 보안국은 누가 수사를 하는가? 해답은 바로 외부 인력에 위임하는 것이다. 정보사령본부는 하위 부서인 보안국에 대한 감사 및 수사를 정보분석국, 군사정보국, 과학기술국 등에서 인원을 차출해 맡겼으며 이는 각 부서 간의 견제와 조율, 제동 등에 탁월한 효과를 보였다.

"어디서 구했냐고오!"

"어디서는 잘 모르겠고, 그냥 예전에 받아놓은 겁니다."

"참 쉽게도 말한다. 근데 너 실종이었는데 문서효력 살아 있네?"

블랙 랜스의 회선에 노출된 명령서는 아직 파기되거나 비활성화되지 않았고 이는 이 명령서가 아직 유효하다는 의미다.

"이 바닥에서는 사람이 있다가도 없고, 죽었다가도 살아나는 경우가 꽤 많아서요. 제가 실종되었을 때는 효력이 정지되었겠지만, 다시 돌아왔으니 효력도 살아났겠죠."

실제로 정보국에서는 잠수한 요원을 회수할 때도 이 명령서 양식을 종종 쓰는데, 요원이 잠수했을 때는 명령서가 비활성화되어있다가 후일 단독으로 부상한 요원과 접촉하게 되면 즉시 활성화되어 소유자의 신원을 보증하고 인근 부대에 협조를 요청한다는 식이다.

"그런 중요한 문서를 회수하지 않았다고?"

"중요한 건 당연히 회수했죠. 이건 제 개인용이고. 그치, 아나스타샤?"

빈우가 돌아보자 아나스타샤가 우물쭈물하며 레드우드에게 답했다.

"정보부 물건은 전부 회수당했고, 이것은, 저…… 마커스 소령님이 숨겨주셨습니다."

레드우드가 빈우와 아나스타샤를 번갈아 보는 표정은 이렇게 말하고 있었다.

'이런 미친놈들.'

034

• • • ✦ • • •

"이거 한두 장이 아니잖아. 그리고 이거 개인이 은닉한 거 아냐?"

"에이, 뭘 모르시네, 우리 동네는 원래 이러고 살아요."

"네 집안 사정을 내가 어떻게 알겠냐. 어어? 맞다, 야 인마. 너 정보국 파견 요원이잖아. 파견 요원이 그런 명령서 쓸 수 있냐?"

"이 양반이 중장별을 사람 모가지만 썰어서 땄나? 좀 바깥소식도 듣고 하세요. 원래 보안국 수사는 원래 이렇게 외주를 줍니다. 지금 제가 파견이니까 쓸 수 있지 정보국 소속이었으면 작동하지도 않았을걸요? 뭐 명령서가 작동하는 것을 보니까 괜찮네요. 만약 명령서 효력이 상실되었으면 저도 이 짓 못 해요."

사실 이게 제일 중요하다. 저 진품 명령서 이상으로 설득력이 있는 것은 없을 것이다.

"와, 그럼 보안국 새끼들이 격납고에 오면 어떻게 되는 거예요?"

파트리샤는 물 만난 물고기처럼 신이 났다. 앞으로 벌어질 난장판이 너무나도 기대된다는 모습이다.

"뭐 말로는 정식으로 수사하러 온 게 아니고 영현 회수라니까 자기들은 임무 수행 중이니 뭐니 지랄하며 뻗대겠지. 그래도 피에르 라캉 중령을 감시하던 역이야. 조지면 뭐라도 나올 거다."

예전에 빈우는 마커스가 보안국을 감사할 때 따라간 적이 있었다. 그때 마커스 녀석은 예의와 규정을 원시인 몽둥이마냥 휘둘러 보안국 요원들의 대가리를 신나게 깨먹었는데 — 한 사람은 실제로 투신했다 — 이제 빈우가 그렇게 되었으니 세상 참 모를 일이다.

"아 참, 파트리샤, 아룹, 위르겐. 세 사람 전부 장갑복 장착."

"에엑 — 귀찮은데에."

대놓고 귀찮다고 뺀대는 파트리샤를 움직인 것은 빈우의 다음 말이었다.

"깝죽대는 보안국 놈들 있으면 너희가 밟아야 하는데?"

말이 끝나기 무섭게 파트리샤뿐만 아니라 아룹과 위르겐마저 달려가 장갑복을 입기 시작했다. 역시 연방 최정예 특수부대원들답게 순식간에 장갑복을 장착하고 다시 집합하는 모습에 흐뭇해하던 빈우는 문득 자신을 향한 시선을 느끼고 고개를 돌렸다. 거기에는 할 말이 있는지 머뭇거리는 모니카 대위가 있었다.

"응? 모니카. 너는 안 입어도 돼. 그냥 대기다."

"예? 아뇨. 저어, 근데 그런 서류면 보안국을 직접 조사하는 편이 더 좋지 않을까요?"

모니카가 조심스레 질문했다. 당연한 의문이다. 명령 권한이 있으면 본진을 치는 게 효과적이니까.

"아, 이 자율 명령서는 일반 요원이나 지부를 대상으로 하는 거라 보안국을 제대로 수사하려면 의회 거쳐서 정식 명령서가 내려와야 해. 한번 볼래?"

빈우는 명령서의 빈칸에 글자를 적어 넣어봤다. 수사 대상에 대한 칸이다.

"보안국."

- **불가능.**

그러자 바로 명령서가 거부하며 내용이 비활성화된다. 다시 빈우가 그 칸에 다른 내용을 입력해본다.

"사망한 피에르 라캉 중령의 두뇌칩 조사."

- **불가능.**

역시나 이번에도 명령서는 효력이 없음을 어필한다.

"그렇다면 수사 영역을 보안국의 존 도우 대위와 제인 도우 중위, 그리고 타고 온 셔틀로 바꾸면 어떨까?"

- 가능.

다시금 명령서의 기능이 활성화된다.

"봤지? 이걸로 수사할 수 있는 건 말단들뿐이야. 하지만 이렇게 제한이 있다고 해도 쓰는 방법에 따라 얼마든지 유용하게 쓸 수 있지."

빈우가 마지막으로 최종단계까지 활성화된 명령서를 몇 군데 건드리자 왼팔에 홀로그램 완장이 떠오른다.

- 보안국 수사요원.

"그억."

그것을 본 파트리샤가 온몸을 부르르 떠는 게 장갑복 너머로도 보인다. 비단 파트리샤뿐만이 아니라 팀 전원이 치를 떨었다.

"아오."

사람 좋은 아룸마저 그라인더의 고개를 획획 돌릴 지경이다. 그만큼 보안국의 수사는 연방군 내에서 악명 높기로 유명하다.

"셔틀. 들어옵니다."

녹색 헬레나 겔이 일렁이며 드물게 냉정함을 잃었던 오르 함장이 보안국 셔틀이 함 내부로 들어옴을 알렸다. 그러자 일행들의 분위기가 일변했다. 자신들의 원수를 갚을 시간임을 깨달은 것이다. 그동안 여기저기 들쑤시며 패악을 부리던 보안국 요원들이, 두 배는 흉악하고 네 배는 사악한 팀장의 앞에서 피똥 싸는 광경을 상상하며 분위기가 훈훈하게 달아오를 때 오르 함장의 목소리가 그것을 깼다.

"저, 팀장님. 뭔가 잘못된 것 같습니다."

그것도 꽤 우려 섞인 목소리다. 지마 오르 함장은 블랙 랜스에 들어오는 보안국 소속 셔틀과 인원을 검사하고 그 결과를 알려주고 있었다.

"탑승자 둘, 모두 안드로이드입니다."

블랙 랜스의 셔틀 스캔 결과 창에 존 도우와 제인 도우는 안드로이드로 나오고 있었다. 이번에 정적을 깬 것은 레드우드였다.

"씨발. 당했다."

그 말에 팀원들도 잠시 멈칫하다가 레드우드가 한 말의 의미를 깨닫고 허를 찔린 표정을 지었다. 지금 레드우드는 정보국과 보안국 간의 수 싸움에 혀를 내두르는 중이다. 그리고 보니 빈우는 아까부터 죽 의문을 가지고 있었다. 자신이 있는데도 불구하고 보안국이 밀고 들어온다고. 즉 빈우가 보안국 내부 수사명령서를 가지고 있는 것을 알면서도 굳이 호랑이 아가리 안으로 들어오려고 용을 쓰니 빈우가 수상하게 생각한 것이다. 그런데 보안국도 만만찮았다. 놈들도 믿는 구석이 있어서 강행한 것이다. 설마 보안국 요원에 안드로이드를 쓸 줄이야.

"어이, 김 팀장. 당했구나."

"네? 뭐라고요?"

"아니, 저 새끼들 안드로이드잖아?"

"그런데요? 사람들이 자주 오해하는데 정보사령본부에서도 의외로 안드로이드 많이 씁니다. 보세요. 제 메이드 아나스타샤도 사무보조용으로 쓰이잖습니까. 근데 안드로이드에게 계급까지 주고 굴릴 줄이야…… 이건 좀 참신하네요. 아하, 아까 두뇌칩 조회가 막힌 것도 이거 때문이었군."

주변의 걱정과 달리 당사자인 빈우는 태연자약했다.

"괜찮은 거야?"

레드우드의 계속된 걱정은 당연하다. 안드로이드들의 영역은 어디까지나 돕는 것이지 핵심 업무는 할 수 없다. 스스로 행동할 수 있는 권한이나 보유한 정보도 인간에 비해 엄청나게 제한된다. 놈들이 왔다 한들 블랙 랜스에 대한 수사도 제대로 할 수 있을까도 의문이다.

반대로 저쪽이 가지고 있는 권한과 정보가 적다면 이쪽이 수사를 해봐도 언어낼 수 있는 것이 적을 것이다. 안드로이드의 뇌에 들어 있는 정보의 보안 등급은 뻔하니까. 즉 보안국은 빈우가 수사명령서를 날리도록 블러핑을 한 셈이다. 그러나 빈우는 레드우드의 걱정을 일축했다.

"당연히 괜찮죠. 사람이건 안드로이드건 상관없습니다. 상대가 보안국 소속이기만 하면 됩니다. 근데 안드로이드라면 더 잘됐네요. 말발로 살살 구슬리면 다 토해낼 겁니다."

그제야 레드우드는 자신의 부하 빈우가 정보국의 AI 전문가였다는 것을 떠올렸다. 그리고 그쪽에서 악명이 꽤 높다는 것도.

"혹시 안드로이드를 미끼로 보내 명령서를 허투루 쓰게 한 다음에 제대로 된 인간 요원이 올 가능성은?"

"하이고, 걱정도 많으셔. 그렇게 나온다면 씹고 우리 갈 길 가면 되는 걸 뭘 그리 복잡하게 생각하십니까?"

"흠! 하긴 그건 그렇군."

그러는 사이 보안국의 셔틀은 착륙해서 지정된 위치로 견인되고 있었다. 불쌍한 안드로이드들은 내려오면 욕 좀 볼 거다.

"그리고 뭔가 착각하시는 거 같은데 어차피 지금 우리 목적은 보안국 수사가 아닙니다. 이런 자율 명령서는 원래 말단 조져서 경고나 견제하기 위한 거지 제대로는 못 써요. 그리고 아까 사령관님이 말씀하셨잖습니까. 우리 팀엔 적이 많다고. 놈들이 수작을 부리면 보안국을 통해서 올 확률이 높아요. 그런 와중에 보안국이 희한한 타이밍에 집적거리니까 앞으로 지랄 못 하게 미리 쇼해놓는 겁니다. 제대로 수사하려면 저놈들 팔다리 묶어놓고 똥구멍에 명령서 쑤셔 박지, 이렇게 날림으로 판 짜지 않습니다."

"호오오, 과연 그렇군. 근데 이 새끼들 왜 안 나와?"

빈우와 레드우드가 좀 길게 잡담하는 중인데도 착륙한 셔틀에서 요원들이 내리지 않고 있었다.

"오르 함장?"

"잠시만요……. 사령관님, 안드로이드들이 전부 작동 정지되어 있습니다."

의외의 사태에 빈우는 발 빠르게 대응했다.

"함장님, 일단 셔틀 주변에 방폭 바리케이드 씌우세요. 위르겐, 사령관님과 비전투 인원 호위해서 방호구획으로 이동. 아룹, 파트리샤, 수상하면 바로 쏴라."

사령관이 있는 상황이니 호들갑을 떠는 게 아니다. 이상 상황에서는 어떤 준비를 해도 이상하지 않다. 빈우가 부랴부랴 장갑복을 입을 때 다시 오르가 알려왔다.

"팀장님, 보안국으로부터 기밀 통신이 들어왔습니다."

"네, 제가 받지요."

연결된 회선에는 보안국 국장인 다샤 쿠사키나 준장이 있었다. 언제나 얼음 같고 이노우에 국장에게조차 단 한 치도 밀리지 않았던 여걸이었지만 지금은 꽤 다급해 보였다.

- **오래간만일세, 김 소령.**

"격조했습니다. 쿠사키나 국장님."

- **그쪽으로 간 셔틀과 안드로이드에는 사소한 착오가 있었어. 즉시 회수팀을 보낼 테니 손대지 말고 그대로 돌려보내게.**

'착오? 돌려보내게?'

보안국에서 이렇게 실수를 인정하고 저자세로 나온다는 것은 무언가 굉장히 잘못되었다는 뜻이다. 게다가 방금 보안국장은 안드로이드부터 말했지 인간인 라캉 중령에 대해서는 언급도 않았다. 정보의 중요도는 그쪽이 훨씬 높을 텐데도. 중령의 두뇌칩에 걸린 보안기술을 믿는다손 쳐도 이건 아니다.

"저 안드로이드들은 라캉 중령의 영현을 회수한다 했습니다만."

- **다시 말하지만 착오야. 그런 일에는 역시 사람이 직접 가야지. 전사한 부하에게 안드로이드를 쓰는 무례를 범할 순 없지.**

"지금 작동을 멈춘 상태입니다."

- 아, 알고 있네. 그냥 놔두면 되니 신경 쓰지 말게.

착오나 예의 문제라면 먼저 안드로이드에게 명령을 내려 해명한 다음 다시 책임자가 통신해서 사과하면 된다. 하지만 지금 안드로이드는 꺼져 있다. 그것은 보안국에서 끈 것일까, 아니면 다른 모종의 이유가 있는 것일까.

"······국장님. 우리는 어차피 연방을 위해 일하지 않습니까?"

그 말에 쿠사키나 국장의 안색이 굳었다. 방금 빈우가 한 말은 정보사령본부 직원들의 상투적인 어투다. 다음에 이어질 말과 함께.

"우리 사이에 비밀이 있을 순 없잖습니까?"

정보사령본부의 요원들이 서로 비공식적인 협력을 할 때 하는 말에 보안국장은 한참을 침묵했다.

- ······그렇지.

저 침묵은 빈우에게 줄 수 있는 것과 줄 수 없는 것을 고르는 과정이었을 것이다. 그렇다면 가능성이 있다.

"셔틀과 안드로이드는 손가락 하나 까딱하지 않고 그대로 두겠습니다. 대신 피에르 라캉 중령의 두뇌칩에 접속할 권한을 주십시오."

이번에는 즉답이 나왔다.

- 그건 안 돼! 지금의 자네는 정보국 파견 요원일세. 그런 보안등급으론 안 돼.

"정보국 자격이 아닙니다. 라캉 중령은 태스크포스 373에 파견 명령이 났을 텐데요? 저는 373의 팀장 권한으로 보려는 겁니다."

- 구두 명령이잖은가. 정식 절차를 거치지 않은 이상 피에르 라캉 중령은 아직 보안국 요원이야. 나중에 제대로 된 회수팀을 보낼 테니 중령의 영현과 안드로이드들에게는 철저한 보안을 유지해주게.

"중령의 두뇌칩에는 우리 측에 알려주기로 한 정보가 있습니다. 그것만 알면 됩니다. 부하가 한 약속은 상사가 지키셔야죠."

- 그건 라캉 중령의 독단이야. 인정할 수 없다.

상대방이 이토록 강경하게 나올 때 맞대응하는 것은 좋지 않다. 오히려 이쪽이 한발 물러나는 편이 효과적일 때도 있다. 빈우는 자신의 욕심을 꺾고 보안국장의 의견을 따르기로 했다.

"알겠습니다. 국장님의 말씀대로 라캉 중령의 두뇌칩에는 일절 손대지 않겠습니다. 대신 안드로이드를 수사하겠습니다."

- 너 이 새끼! 지금 장난치는 거냐!

"명령서대로 행동하는 겁니다만?"

명령서를 들먹이자 쿠사키나 국장도 대답이 궁해졌다.

- 김 소령! 다시 한 번 생각하게! 안드로이드에게 명령서를 쓰지 마! 이건 명령
이다!

이렇게까지 냉정함을 잃은 쿠사키나 국장은 빈우도 처음 본다. 감정이나 손안의 패를 감추는 데 능숙한 보안국 사람이 이럴 정도면 저 안드로이드에 무슨 비밀이 있는 건 분명했다.

"한 번? 열두 번은 더 생각하고 말했습니다. 그럼 실례."

통신을 끊은 빈우는 팀원들과 합류했다. 이미 완전히 무장한 373의 팀원들은 셔틀을 포위하고 있었다. 셔틀은 완전히 작동 정지 상태로 외부의 개폐 명령도 듣지 않았다.

"파트리샤, 돌입."

역시 인필트레이터는 이런 일에 최적화된 장갑복이었다. 두세 뼘 되는 공간을 부순 다음 잽싸게 들어간 파트리샤는 즉시 안드로이드 둘을 확보했다.

- 목표 확보. 안드로이드들은 그냥 꺼져 있습니다.

"폭발물이나 독극물 반응은?"

- 오르 함장님의 검사 그대로입니다. 이상 없습니다, 깨끗해요. AI 바이러스
검사는…… 꺼져 있는 중이라 못하겠군요. 보안국 사양이라 이쪽에선 접근
이 안 됩니다.

"좋아, 안드로이드 가지고 나와."

문을 자르고 나온 파트리샤는 정지된 안드로이드 2기를 격납고 바닥에 눕했다.

"특별한 이상은 없군."

파트리샤는 별다른 이상은 없다고 했다. 설령 정체 모를 AI 바이러스에 감염된 안드로이드들이 난동을 부린다 해도 이쪽 인원들이면 아무런 위협이 되지 않는다. 빈우는 애초에 무슨 사고가 있어 안드로이드가 정지한 거로 알았는데 그게 아니었던 것 같다. 그리고 방금 쿠사키나 준장이 보인 반응은 사태가 좀 심한 장난질이 아닌, 심각한 방향으로 흐르고 있음을 알려주었다.

'왜 그랬을까? 왜 안드로이드들을 보내고 껐을까? 보안국 국장인 쿠사키나 준장은 안드로이드와 접촉하지 말라고 했다. 그렇다면 안드로이드를 블랙 랜스로 보낸 것은 누구일까?'

빈우의 생각을 멈춘 것은 위르겐의 보고였다.

"햐, 얘네들 수동으로도 안 켜집니다."

위르겐은 어떻게든 안드로이드를 기동시켜보려 했지만, 외부의 그 어떠한 명령이나 조작도 듣질 않았다.

"내가 하지."

빈우는 명령서를 들고 안드로이드 앞에 앉았다. 그리고 명령했다.

"기동."

자신을 존 도우 대위라고 밝혔던 보안국 소속 안드로이드는 수사명령서에서 나온 최상위 명령을 받아들여 다시 눈을 뜨고 일어섰다. 그리고 만일의 사태에 경계해 자신을 겨누는 373 팀원들의 총구를 슬쩍 둘러보더니 빈우와 눈이 마주치자 뜬금없이 노래를 불렀다.

"호랑이 힘이 솟아요, 피자 피자!"

안드로이드의 예상치 못한 행동에 황당해하는 팀원들과 달리 빈우는 충격을 받아 굳어버렸다. 어째서 처음 보는 보안국의 안드로이드가 저 노래를 알고 있는가. 그러나 충격은 잠시였다. 냉정함을 되찾은 머리는 수수께끼의 실타래를 풀기 위해 분주히 돌아갔다. 지금 안드로이드가 부르는 노래는 약간 다른 점이 있지만 분명 피자 타이거의 마스코트 송이다. 실제 피자 타이거의 마스코트 송은 '호랑이 기운은 안 솟습니다. 피자 타이거'다. 틀린 마스코트 송을 듣자 그에 관한 기록이 빈우의 머릿속에서 검색되어 재생된다.

빈우가 피자 타이거의 직원으로 일할 때의 기록이다. 기록 속의 빈우는 스파게티 드래곤의 피에르 라캉 중령의 집에 초대되어 식사를 마친 뒤 가족들과 담소를 나누고 있었다.

"호라이 히미 쏘사요, 피짜 피짜!"

거실에서 시리얼 회사의 인형 잠옷을 입은 자크 라캉이 혀 짧은 소리로 노래를 부른다. 아들의 재롱에 마리가 깔깔거리며 웃고 일이 바빠 대신 보낸 라캉 중령의 허수아비도 손뼉을 치며 자크의 노래를 따라 부른다. 그걸 보고 있는 빈우 자신도 역시 웃고 있었다. 그러나 진짜 즐거워서 웃은 것인지 아니면 정보국 요원으로 연기한 것인지는 기록만으로는 알 수가 없다.

다만 확실한 것은 저 행복한 기록에서 나온 노래의 원곡을 아는 사람은 우주에서 네 사람뿐이라는 것이다. 김빈우와 피에르 라캉, 자크 라캉, 마리 라캉. 당시 자리에 있었던 라캉의 허수아비까지 포함한다면 다섯. 그렇다면 그 대답을 무엇으로 해야 할까. 역시 그 자리에 있던 사람만이 아는 내용이어야 할 것이다.

"멋진 센스인데? 자크, 나중에 커서 아저씨 회사로 와라."

빈우의 대답을 들은 안드로이드는 노래를 멈추더니 빙긋 웃으며 말을 꺼냈다. 그 행동, 표정은 이전의 존 도우의 것이 아니다. 빈우가 아는 사람의 것이었다.

"반갑습니다, 김빈우 소령님. 그날 식사 이후 오래간만에 뵙습니다."

틀림없다. 존 도우란 이름의 보안국 안드로이드의 안에 들어 있는 AI의 정체는 바로 피에르 라캉 중령의 허수아비였다.

035

· · · ✦ · · ·

허수아비란 인간의 사고를 복제한 AI를 써서 본인을 흉내 내는 안드로이드와 AI들의 총칭이다. 주로 본인이 없거나 갈 수 없는 상황에서 대역으로 쓰이는 경우가 많다. 간단한 것은 메시지를 답하는 업무를 맡거나, 좀 더 발전된 모델들은 이 피에르 라캉의 허수아비처럼 스스로 손님을 대접하는 것도 가능하다.

"오래간만이라…… 내가 부상할 때는 없었나?"

빈우가 솔리드 베타에서 부상했을 때도 그 자리에는 고토 국장이 수작을 부려 피에르 라캉 중령과 응우옌 티 빈 중령의 허수아비가 직·간접적으로 나왔었다.

"죄송합니다. 저는 라캉 중령께서 가정용으로 쓰는 허수아비라 말씀하신 것에 대해서는 잘 모르겠습니다."

허수아비를 여러 개 쓰는 것은 이상한 일은 아니다. 만약 저 녀석이 가정용이고 솔리드 베타에서 봤던 것이 업무용이라면 그때 일을 모르는 것은 당연하다.

"오르 함장님, 검사 부탁하겠습니다."

"네, 잠시 기다려주시죠."

오르 함장은 라캉 중령의 허수아비 뒤로 다가가 접속 단자로 연결해 안드로이드의 내부를 샅샅이 검사했다.

"바이러스나 수상한 프로그램은 없습니다."

"감사합니다. 그래, 널 뭐라고 부르면 되지?"

빈우의 질문에 안드로이드는 잠시 멈칫했다가 대답했다. 그때 잠깐이나마 얼굴에 떠올랐던 표정은 빈우를 타박 주려는 듯 짜증 난 표정이었다. 마치 라캉 중령처럼.

"실례했습니다, 소령님. 제 이름은 아를르캥입니다. 아를르캥이라고 불러 주십시오."

하지만 실제 나온 대답은 공손했다. 그날 저녁에 만났던 허수아비의 이름도 아를르캥이었다. 알고 있는 것이지만 일부러 빈우는 AI의 반응을 살피기 위해서 질문했다. 실제 라캉 중령의 성격이었다면 그것도 까먹었냐며 한소리 했겠지만, 현재 아를르캥은 안드로이드 역할을 하고 있었다.

"그래, 아를르캥. 이제 이 사태를 설명해봐."

뭘 어디서부터 설명할지는 아를르캥의 성능과 그를 설정한 라캉 중령에게 달려 있다. 그리고 그 반응은 빈우에게 관찰될 것이다.

"네, 이 육체, 보안국 소속의 안드로이드 존 도우는 제 주인이신 피에르 라캉 중령의 지원을 맡고 있었습니다. 아, 이건 보안국식 표현입니다. 여러분들이 알기 쉽게 풀어 설명하자면 존 도우는 라캉 중령을 감시하며 사망 시 정보의 소각과 회수를 맡고 있었습니다."

"원래 그런 지원은 늘 붙는 게 아닐 텐데?"

빈우의 질문대로 정보국이나 보안국에서 이런 감시가 붙을 때는 해당 요원의 신변이 위험하거나 색깔이 불분명해졌을 때다. 오스카 스테이션에서 태스크포스 373으로 가는 임무가 위험할 리는 없다. 그러나 레드우드의 말대로 라캉 중령이 도망치려는 상황이었으면 이런 것들이 붙을 수 있다.

"네, 맞습니다. 그러나 이번에는 라캉 중령님께서 직접 신청하셨습니다."

"뭐? 본인이?"

"네. 보호가 필요하다는 명목으로 스스로 신청하셨습니다."

진짜 말 그대로 명목상이다. 실제로 보호 역을 맡은 안드로이드였다면 샤다이의 습격에서 무슨 수를 써서라도 라캉을 지키려고 했을 터다. 그러나 그러지 않았으니 존 도우와 제인 도우는 감시역이 확실했다. 그리고 자신이 몸담은 조직에 자신의 감시를 요청할 만한 이유는 뻔하다.

"아를르캉, 네 생각은 어때?"

허수아비는 원본의 사고와 행동방식에 있어 최대한 똑같을 수 있도록 구성하기 때문에 아를르캉의 생각은 곧 피에르 라캉의 생각일 수 있다.

"……친구는 가까이, 적은 더욱 가까이."

아를르캉의 대답은, 그리고 피에르 라캉의 생각은 빈우의 예상대로였다. 어차피 붙을 감시라면 오히려 자신의 시야에 두는 게 나은 선택일 수 있다. 역시나 라캉 중령은 상부인 보안국과 적대하는 상황이 되었던 것 같다. 보안국이 적대하건, 본인이 적대하건.

"계속해."

"감시역인 안드로이드들은 라캉 중령이 오스카 스테이션에 오기 전 이미 대기하고 있었던 것 같습니다. 하지만 제 주인은 도착하자마자 안드로이드들을 제압하고 저를 이 몸 안에 집어넣었습니다. 비밀리에 하셨기에 보안국 측은 그대로 존 도우와 제인 도우를 라캉 중령님의 감시역으로 붙였고 저는 안드로이드의 저장소 깊숙이 가라앉아 깨어날 명령을 기다리고 있었습니다."

말은 참 쉽게 한다. 실제로 보안국의 안드로이드는 전투용이 아니기에 제압하는 건 그다지 어렵지 않다. 그러나 별도의 프로그램이나 허수아비를 그 안에 집어넣고도 발각되지 않았다는 것은 라캉 중령 정도 되는 내부의 실력자라 가능한 묘기일 것이다.

"그리고 제게 설정된 명령은 다음과 같습니다. 주인인 피에르 라캉 중령께서 사망하신다면, 그 사실을 이 존 도우가 인식하게 된다면, 안전한 때에 기동해 이 몸의 조종권을 빼앗을 것. 그다음은 가능한 한 서둘러서 조지 레드우드 중장님이 계신 태스크포스 373으로 가란 것이었습니다."

"중장님이 조건이었나? 그런데 왜 나에게 말을 하는 거지?"

"그야 저의 정보 전달 대상에 김 소령님도 있었으니까요."

"대상? 그 조건에 정보국의 김빈우도 들어가나?"

"아닙니다. 태스크포스 373의 김빈우입니다."

즉, 라캉 중령은 빈우가 373에 올 것을 알고 있었다는 것이다. 그러나 아까 오스카 스테이션에서 가족의 안부를 물을 때는 이런 얘기는 한마디도 하지 않았었다. 빈우를 못 믿었다기보다는 보안에 신경을 쓴 거겠지. 실제로 빈우도 위험한 내용의 대답을 빙 둘러서 했었다. 그리고 라캉 중령이 자기 허수아비에게 이런 명령들을 설정해놨단 것은 이미 자신의 신변에 심각한 위험이 왔다는 것을 알고 보험을 만들어 심어놨단 말이다. 그것도 적의 손바닥 안에.

"제인 도우는 어떻게 했지?"

"명령 우선권자는 존 도우였습니다. 제인 도우를 꼬드겨 데려오는 것은 쉬운 일이었죠. 사태가 진정되고 상황을 파악한 다음 저는 즉시 셔틀을 타고 블랙 랜스로 향했습니다."

그러나 아를르캉 일행은 셔틀을 타고 오던 중에 작동 정지가 됐다. 이어서 보안국에서 연락이 와 한바탕 소란이 난 게 조금 전이다.

"갑자기 작동 정지가 된 이유가 뭐지? 보안국에서 한 건가?"

"아뇨, 그건 셔틀에 타서 블랙 랜스로 올 때였습니다. 당시 존 도우가 가진 정보로는 그 명령서의 존재를 몰랐기 때문에 라캉 중령님의 영현을 회수하는 명목으로 블랙 랜스에 오는 데에 아무런 지장이 없었습니다. 그런데 셔틀이 가던 도중 갑자기 보안국에서 명령이 내려왔습니다. 블랙 랜스로 가는 걸 멈추고 즉각 귀환하라는 명령이었죠."

라캉 중력의 감시역을 맡았던 안드로이드들이 보안국 수사명령서가 있는 김빈우에게 간다고 했으니 위에선 난리가 났겠지. 만약 잡힌다면 보안국이 피에르 라캉을 어떤 취급을 했는지 드러날 것이고, 안드로이드의 빈약한 권한으로나마 보안국의 서버에 접속해 정보를 빼갈 것이 분명하기 때문이다.

"그걸 어떻게든 무시하려 했지만, 보안국의 명령은 제가 가진 조종권으로 는 저항할 수 없는 수준의 강제성을 가지고 다시 내려왔습니다."

"그래서 스스로 작동 정지를 했던 거군."

"네, 그것도 라캉 중령님의 안배로 보안국의 권한이 아닌 보안국 수사 권 한에 의해서만 기동되게끔 설정되어 있었습니다. 만약 블랙 랜스로 오기 전 에 보안국의 강제 명령이 떨어졌다면 저는 다른 수를 써야 했겠지만, 이미 셔 틀이 거의 도착하는 상황이었으니 저는 안심하고 작동 정지할 수 있었지요."

라캉 중령이라면 빈우에게 수사명령서가 있다는 것쯤은 당연히 알고 있 었을 테니, 허수아비가 태스크포스 373과 접촉하는 것이 힘들어지거나, 눈치 챈 보안국이 먼저 움직인다면 작동 정지가 되어 나중에 회수되더라도 이런 사실들을 숨기게 되어 있던 것이다. 정보사령본부의 안드로이드들은 빈우가 가진 기밀 케이스에 준하는 보안성을 가지고 있다. 만약 이렇게 꺼진다면 정 해진 방법으로 켜기 전에는 주인이나 보안국이라 할지라도 강제로 해체해서 여는 것은 불가능하다.

"보안국에선 이상행동을 하던 네가 갑자기 꺼졌다가 다시 켜지지 않으니 엄청나게 놀랐겠군. 여기저기 켤 방법을 살피며 살아 있는 회선을 찾아보니 그건 수사명령서에 대한 것이고, 자신이 열 수 없는 상자가 열쇠를 가진 사람 에게 가고 있는 거나 마찬가지였으니 쿠사키나 국장이 그렇게 서둘렀던 것 도 이해가 가."

드디어 이야기는 클라이맥스에 도착했다.

"그래, 그렇게 해서 아틀르캉 네가 이곳 태스크포스 373의 모함인 블랙 랜 스까지 온 다음 우리에게 전할 정보는 뭐지?"

이미 레드우드에게 들었던 터라 무엇에 관한 정보인지는 대강 짐작이 간 다. 샤다이, 리퍼, 워프 비스트에 관한 정보임이 분명하다.

"포크 트러플 피자를 추천합니다."

"뭐?"

그러나 아를르캥의 대답은 영 뜬금없는 것이었다.

"피에르 라캉 중령님께서 태스크포스 373의 조지 레드우드 중장님과 김빈우 소령님께 남긴 메시지입니다. 포크 트러플 피자를 추천합니다."

포크 트러플 피자는 정식 메뉴는 아니지만 피자 타이거의 자유 메뉴에서 만들 수 있긴 하다. 그런데 여기에 무슨 의미가 있을까.

"그 외에 다른 메시지는?"

"없습니다."

"리퍼나 워프 비스트에 대한 정보는 없나?"

"말씀하신 것에 대한 정보는 제게 없습니다."

빈우가 메시지의 의미를 곱씹을 때 뒤에서 레드우드 중장의 걱정스러운 목소리가 들려온다.

"아를르캥, 혹시 보안국이 네가 가진 정보를 지우진 않았을까?"

"아뇨, 보안국에서 접촉한 흔적은 없습니다. 리퍼, 워프 비스트란 단어와 관련된 정보는 처음부터 입력되지 않았습니다. 제게 입력된 명령들은 라캉 중령님이 사망한 이후 태스크포스 373으로 오는 여러 가지 방법들이고, 그 마지막에는 연락 대상인 조지 레드우드 중장님과 김빈우 소령님을 만난 다음 '포크 트러플 피자를 추천한다'라는 메시지를 전하는 것이었습니다."

"김 팀장, 이게 어떻게 된 일이지? 설마 라캉 중령이 시간에 쫓겨 실수한 걸까?"

피에르 라캉은 제 죽음에 대비해 이중삼중의 계책을 짜놨다. 그런 목숨을 건 기교에 실수가 들어갈 가능성은 없을 것이다.

'왜 라캉 중령은 아를르캥 같은 가정용 허수아비를 쓴 거지? 사무용을 쓰는 게 낫지 않나?'

추리와 기록 검색 속에서 빈우는 힌트를 찾아낸 것 같았다.

"가정이지만…… 해답을 알 것 같습니다."

"오오, 그게 뭐지?"

"아마도 라캉 중령은 우리에게 전하려는 정보를 아를르캉이나 이 근처가 아니라 다른 곳, 더 안전한 곳에 숨겼을 겁니다. 안드로이드 하나에 숨기기엔 중요도나 위험성이 너무 큰 정보일 테니 저라도 그랬을 겁니다."

"허어? 그럼 그걸 어떻게 찾는다는 거지?"

그에 대한 대답으로 빈우는 아를르캉을 가리켰다.

"그 답은 이제부터 아를르캉이 찾아야 합니다."

"뭐?"

"제가 말씀입니까?"

"아를르캉, 기억하나? 전통적으로 트러플, 송로 버섯을 찾는 방법을?"

빈우의 말에 아를르캉의 눈썹이 가늘게 모인다.

"……돼지에게 냄새를 맡아 찾게 하지요."

"그거야."

포크와 트러플이 의미하는 것은 그것이었다. 빈우는 몸을 돌려 373의 사령관과 팀원들에게 자신의 가설을 설명했다.

"라캉 중령은 정보를 숨긴 다음 그것을 찾을 단서도 남겨놓았을 겁니다. 그리고 그 단서를 통해 해답을 찾을 방법 또한 우리에게 전해주었고요. 아를르캉은 라캉 중령의 허수아비이니 원 주인과 가장 유사한 사고를 할 수 있는 AI죠. 단서를 모아준다면 아를르캉이 답을 찾아낼 수 있을 겁니다."

아마 라캉 중령은 아예 처음부터 정보를 이곳 오스카 스테이션에 가지고 오지 않았을 것이다. 아니, 은닉된 곳에서 꺼내지 않았을 가능성이 더 크다. 잠시 일행이 침묵했을 때 위르겐이 손을 들어 질문했다.

"잠깐만요. 전달 방식이 너무 번거롭지 않습니까? 아니 아까부터 좀 궁금하긴 했습니다만 AI에게 이런 복잡한 상황에 대처할 명령들을 설정해놓고 하는 일마다 이렇게 물 흐르듯이 진행되는 게 가능한 이야기입니까?"

위르겐의 의문은 타당했다. 전달 방식은 둘째치고 이렇게 변수가 많은 일을 예상해놓고 그게 자신이 죽은 다음에 제대로 흘러가길 바라는 것은 불확실성이 너무나도 많다.

"그런 의문도 당연해. 하지만 반대로 생각해보면 찾는 방법이 복잡한 만큼 우리가 찾아야 할 정보의 가치와 위험성이 어느 정도인지도 알 수 있지. 또 우리가 지금 겪고 있는 일들은 라캉 중령이 안배한 여러 시나리오 중 하나에 불과할 거다. 중령은 수많은 시나리오를 짜놨을 거야. 373 팀에 내가 오지 못할 경우, 방금처럼 안드로이드가 블랙 랜스로 오기 전에 강제 회수 명령을 받을 경우, 모종의 이유로 안드로이드가 작동 불능에 빠질 경우 등등 여러 가지가 있지만, 중령은 그 하나하나마다 대응되도록 시나리오를 짰을 게 분명해. 어떤 상황이 일어나더라도 마지막에는 지금 장면이 나오도록 구성된 자신의 마지막 시나리오를."

"······맙소사······."

한숨과 함께 레드우드가 얼굴을 쓸어내렸다. 장갑복 속의 팀원들 얼굴도 크게 다르진 않을 것이다. 빈우의 말이 맞는다면 라캉 중령은 자신이 죽고 난 뒤에도, 태스크포스 373에게 자신의 메시지가 전달되고 마지막 정보까지 찾도록 치밀한 계획을 설계한 것이다. 그리고 눈앞의 사실이 그것을 증명하고 있었다.

"저, 그렇다면 앞으로 어떻게 해야 하지?"

레드우드의 질문에 빈우가 당연하다는 듯 받았다.

"아를르캉을 데려가야죠."

하지만 그 말에 아를르캉이 곤란하다는 듯 입을 열었다.

"저, 소령님. 물론 저는 수사 대상이니 일시적으로 가능은 하겠습니다만, 그 명령서의 권한으로는 저를 그리 오래 붙잡고 있진 못할 겁니다. 곧바로 반환해야 할 텐데요."

"그딴 건 신경 쓰지 마. 넌 우리 373에서 징집해서 쓰면 된다."

레드우드가 호기롭게 외쳤다. 실제로 특수전 사령부 소속 태스크포스의 인사 권한이나 징집 권한은 막강하니, 존 도우 같은 보안국 소속의 안드로이드는 힘들긴 해도 어떻게든 가져올 수 있다.

"아뇨, 그렇게까지 할 필요는 없습니다."

그러면서 빈우는 자신의 완장을 추켜들었다.

"이 수사 권한으로 보안국 안드로이드에 들어 있는 '비인가 프로그램'을 압수하면 되지 않습니까? 명령서에 적힌 정당한 권한으로 아를르캥의 AI를 가져갑시다."

"아하, 과연! 그러면 되는 거였군. 그런데 나중에 보안국에서 아를르캥을 돌려달라고 하면 어떡하지?"

"해야 할 일을 한 건데 쌤으면 되죠. 근데 오늘따라 이 양반 왜 이렇게 부드러워?"

"아유 이 새끼야, 포장마차 다 떼고 장기 두는 기분이다. 난 이렇게 서로 뒤통수 노리는 싸움은 적성에 안 맞아."

전형적인 용장인 조지 레드우드는 자신에게 이런 수 싸움은 영 맞지 않는다는 것을 잘 알고 있었다. 그래서 자신의 팀에 빈우와 피에르 라캉을 넣고자 한 것에는 이런 이유도 조금은 있었을 것이다.

"그런데 마냥 안심만 할 수는 없습니다. 문제는 보안국에서도 이 방법을 쓸 수 있다는 겁니다."

"응? 아를르캥은 우리가 가지고 있는데…… 아!"

보안국에서는 당연히 피에르 라캉의 업무용 허수아비를 가지고 있을 것이다. 그렇다면 373과 같은 방법을 시도할 수 있다.

"뭐 라캉 중령의 작전이 좀 더 심도가 깊기를 바라죠. 가정용에겐 쉽지만 업무용은 찾기 힘든 단서면 좋겠는데."

만약 단서가 요리 레시피거나 집 안 청소 요령, 가족의 버릇 같은 것들이라면 이쪽이 이길 가능성이 크다. 그러나 생각은 거기까지. 보안국에서 수작을 걸기 전에 일을 마무리지어야 한다.

"이제 서두르죠. 오르 함장님, 안드로이드 하나 만드는 데 얼마나 걸리겠습니까?"

"선내 잡무용으로 만든 인간형이 몇 개 있습니다. 그걸 쓰죠."

"보안등급은?"

"제 직할입니다."

그리고 일은 순식간에 진행되었다. 즉시 존 도우의 육체를 작업실로 옮기고 빈우가 가진 수사 권한으로 안드로이드의 저장소에 접속해 '비인가 프로그램'인 아를르캥을 발견, 압수했다. 이어서 오르 함장이 마련해준 안드로이드에 아를르캥을 심어서 다시 가동했다. 새로운 안드로이드의 외모는 아를르캥의 요청대로 피에르 라캉의 외모로 설정되었다. 그게 허수아비의 선택이었고 빈우는 허락해주었다.

"저 소령님."

제작 침대에서 일어난 아를르캥이 입을 열었다.

"팀장님이라고 불러."

"네, 팀장님. 실은 라캉 중령님께서 팀장님께 전하라고 입력한 말씀이 있었습니다."

"유언인가?"

"네."

그 말에 다른 사람들은 자리를 비켜주어 이제 작업실 안에는 아를르캥과 빈우 둘만 남았다. 차츰 아를르캥의 얼굴에 표정이 생겨난다. 그리고 주인을 닮아가는 얼굴이 입을 열었다.

"김 소령, 자네는 절대 양심의 가책을 가질 필요가 없네. 아내와 아들의 일에 자네는 어떠한 잘못도 없어. 더는 그 일로 자네가 괴로워할 필요는 없어. 오히려…… 오히려 사과해야 할 사람은 나야."

아를르캥의 얼굴은 아니, 라캉 중령의 얼굴은 오스카 스테이션의 피자 타이거에서 보았던 표정이 되어가고 있었다.

"미안하네, 미안해. 자네만이 도망자는 아니었어. 나도 도망자야. 나 또한 도망자라고. 자네와 난 절망으로부터 도망치고자 했지. 그러나 실상은 그게 아니었어. 반대야. 우린 고통 어린 희망을 버리고 안락한 절망으로 도망간 거야."

얼굴을 감싸고 고개를 숙인 아를르캥의 입에서 말이 쥐어짜여 나온다.

"구더기 치즈…… 기억하나?"

물론 기록에 있다. 그날 마리 라캉이 대접해준, 치즈 안에서 꾸물거리는 구더기가 톡톡 튀는 별식이었다. 다만 빈우가 되새길 수 있는 것은 시각과 청각 정보뿐이고 그것을 먹었을 때의 맛과 촉감은 남아 있지 않다. 단지 그걸 먹은 다음 라캉 가족의 걱정스러웠던 시선들이 환호로 바뀐 것을 보면 아마도 빈우 자신은 만족스러운 표정을 지었던 것 같다.

"우린 치즈 속의 구더기야. 아무리 발버둥 쳐봤자 가는 곳은 입속이고 아무리 저항해봤자 그들의 진미가 될 뿐이지."

고개를 들어 빈우의 눈을 똑바로 바라보는 아를르캥의 눈은 라캉의 마지막 절망을 담고 있었다. 그가 왜 리퍼 앞에서 포기하고 죽음을 택했는지 알 것도 같다.

"미안하네, 김 소령. 난…… 난 더는 못하겠어. 자네에게 너무 무거운 짐을 넘기는군. 뭐라 할 말이 없네. 그래, 자네가 해줬던 말이 기억나는군. 내가 지금 자네에게 해줄 수 있는 말은 그것뿐이야."

닫혔다가 떨리는 아를르캥의 입이 간신히 다시 열린다.

"자네는, 절대…… 자신의 양심과 타협하지 말게."

기억에도, 기록에도 없는 말이다. 아마도 군사정보국에서 잠근 기록에 있는 말일 것이다. 그러나 빈우는 그것을 기억도, 재생도 할 수 없다. 도대체 빈우와 피에르는 도대체 무엇으로부터 도망치려 했던 것일까.

• • • ✦ • • •

036

2218년 1월 1일. 녹색 연맹의 도시 중 하나인 글림의 거리는 신년축제로 한껏 달아올랐다. 시곗바늘이 자정을 넘어가는 순간 거리에 있던 군중들이 지른 환호성과 하늘로 쏘아진 폭죽들 소리에 바로 옆 사람의 말소리도 안 들릴 지경이다. 축제가 한창인 거리, 번뜩이는 불빛과 시끄러운 음악 사이로 빈우가 걷는다. 붐비는 인파를 헤치고 나아갈 때 누군가가 소매를 잡아끈다.

"오늘은 축제 특가야. 놀고 가."

뭐가 번뜩인다 했는데 발광 니플 패치를 붙인 여자 스트리퍼다. 빈우가 말없이 서 있자 여자는 보란 듯이 가슴을 흔들어 폭죽 연기가 자욱한 밤하늘에 섬광을 쏘았다. 그녀가 의기양양한 표정으로 다시 앞을 봤을 때 이미 빈우는 거기에 없었다. 그러나 이런 일이 한두 번 벌어진 게 아닌지 스트리퍼는 아쉬움도 없이 돌아서서 다시 호객행위를 했다.

- 모두 비켜주세요! 비켜요, 비켜!

스피커로 울리는 목소리와 함께 팡파르 소리가 들리며 거리의 인파가 좌우로 갈라진다. 퍼레이드가 시작된 것이다. 맨 앞에는 축제용으로 장식된 스콜피온 전차가 앞장서서 서행하고 있다.

"녹색 연맹을 위하여!"

전차 위에 올라탄 사내가 크게 외쳤다. 그리고 그에 맞춰 거리의 사람들도 맞받아 소리친다.

"새로운 동지 마카로니를 위하여!"

빈우가 소란을 뒤로하며 계속 걷자 인파는 차츰 한산해져갔다. 그리고 모퉁이를 돌아 한 블럭 건너고 나니 사방은 놀랄 만치 조용해졌다. 눈부셨던 불빛은 건물의 가장자리에서 일렁이고 그렇게 시끄러웠던 음악은 작아진다. 이제 들리는 것이라고는 나직이 웅웅거리는 저음뿐이다.

큰길 뒤의 좁은 골목으로 들어가자 찾던 건물이 나온다. 간판도 없는 입구 계단을 내려가니 지하층 내문 앞에서 비대한 덩치의 남자가 팔짱을 끼고 의자에 앉아 있다. 덩치는 내려온 빈우를 힐끗 쳐다보고는 오른팔을 들어 자신의 앞에 놓인 금속 접시를 가리켰다. 덩치의 오른팔뚝이 철컥 열리며 날카로운 칼날이 삐져나와 챙 하고 접시를 때린다. 그러나 빈우는 접시에 놓을 물건이 없다는 듯 자신의 재킷 옷깃을 펼쳐 들어 보였다. 덩치는 귀찮은 한숨을 내쉬고 일어나 빈우에게 다가와 건성으로 몸수색을 한다. 위험한 물건이 없어 보이자 덩치는 다시 의자에 앉으며 말했다.

"알지?"

빈우가 말없이 고개를 끄덕이자 덩치는 턱짓으로 문을 가리키며 벽에 달린 스위치를 눌렀다. 그러자 안쪽에서 버저 소리가 나며 문이 열렸다. 안에서 열어주는 문으로 들어가자 나직한 재즈가 들려오는 어둑한 클럽이 빈우를 맞이한다. 자욱한 담배 연기를 뿜어대는 사람들은 서로 두런두런 얘기를 나누고 있고 스테이지에서 피아노 반주로 노래를 부르는 것은 여성형 안드로이드였다.

구석에서 찾던 사람을 발견한 빈우는 곧 그의 옆 테이블로 가 앉았다. 신문 속 십자말풀이에 열중한 사내는 옆에 앉은 빈우에게 눈길 하나 주지 않았다. 두 사람 사이에는 그저 재즈와 연필이 사각거리는 소리가 있을 뿐이다. 곧이어 종업원이 다가와 빈우에게 주문을 물었다.

"맥주 아무거나."

종업원이 돌아간 뒤 빈우는 동전을 꺼내 테이블 위에 있는 점괘 자판기에 넣고 돌렸다. 돌돌 말려진 점패가 굴러 나오자 빈우는 그걸 펴서 읽었다. 실제 적혀 있는 내용과 전혀 다른 말을.

"금언의 대가는 오직 금이다."

사내는 연필을 내려놓고 신문의 다음 장을 펼치며 말문을 열었다.

"무슨 일이지?"

"작년 말에 거래된 스콜피온들에 대해 알고 싶어."

그 말에 정보상은 빈우를 곁눈질로 흘금 보았다. 내키지 않는다는 반응이다.

"그건 꽤 위험한 정보인데……."

빈우는 호주머니에서 돌돌 말린 지폐 한 묶음을 꺼내 냅킨 박스 그늘에 슬쩍 올려놓으며 조용히 덧붙였다.

"자세히."

빈우가 꺼낸 돈뭉치를 보고도 사내는 잠깐 갈등했다. 방금의 질문은 도시 연맹 사이에서 정보를 사고파는 것과는 달리 자칫하면 연방과 녹색 연맹과의 관계가 심각해질 수 있는 사안이기 때문이다. 그러나 연방과 자치정부, 군과 민간, 그 사이에서 박쥐로 살아가는 정보상에겐 돈만 주면 누구나 고객이었다. 곧이어 정보상이 내려놓은 신문이 지폐 위를 덮었다.

"개척 행성 마카로니에서 스콜피온 전차를 사고 싶다고 연락이 온 것은 작년 10월쯤이었어. 처음에는 개척 사업에 필요한 중장비를 사려는 건가 싶어서 기쁘게 승낙했지. 마카로니는 연방의 개척 행성이었으니까 우리 녹색 연맹의 기술력이 연방에게 인정받았다고 착각한 거야. 그래서 자부심과 친절함을 버무려 자세한 견적서를 보내줬어."

그 당시 정보상도 냄새를 맡은 부품 제조업체들의 입찰 경쟁에 정보제공 역으로 끼어 제법 짭짤한 재미를 보았다.

"그런데 민간 사양의 견적서를 본 마카로니에서는 다시 요청해왔어. 군사 병기로서의 전차 스콜피온을 사고 싶다는 거였지. 거기다 연방 정부나 개척 업체의 발주가 아니었어. 개척민 대표가 비밀리에 한 주문이었다."

316

서로 시선은 마주치지 않고 대화가 이어진다.

"그럼 녹색 연맹이 판 게 아니라 마카로니의 개척민 측에서 먼저 사려고 했단 얘기인가?"

"그렇지. 이상하지 않아? 마카로니는 연방의 직할령인데."

마카로니는 자치정부 스스로 개척한 도시들의 연합체인 이곳 녹색 연맹과는 달리 연방이 직접 개척한 곳이다. 당연히 점프 게이트나 사회 인프라는 자치정부와는 비교도 안 되고 군사나 행정은 연방의 영토인 만큼 연방의 관할이다. 그런 곳에서 스콜피온 따위는 행성 방어는커녕 경비용으로도 쓰지 못할 성능이다.

"거기서 뭔가 잘못된 것을 눈치챈 연맹의 각 도시 시장들은 잠시 생각에 빠졌어. 도대체 무슨 이유로 마카로니의 개척민들이 지상 병기인 전차를 사려는 걸까?"

정보상은 클라이맥스에 다다른 안드로이드 가수의 노래를 피해 잠시 말을 끊었다가 다시 이었다.

"답은 간단했지. 자칭 개척민 대표라고 자신을 소개한 자가 실은 연방 시민이 아니라 되려 연방과 적대적인 자치정부 사람이었거든."

마카로니 개척 작업에는 몇몇 자치정부가 협력하긴 했지만 어디까지나 협력이었고, 개척이 끝나고 정산한 다음에는 마카로니에서 떠나기로 계약된 상태였다. 그런 개척민들이, 더구나 연방에 적대적인 개척민들이 지상전 무기를 원한다고 하면 고민할 수밖에 없다. 연방 개척지에서 연방 정부 몰래 자치정부 개척민들에게 지상전 무기를 팔았다가 들키게 되면 그 불똥은 당연히 물건을 판 녹색 연맹까지 튈 것이고, 결국엔 이곳도 활활 타오를 게 뻔하다.

"아직도 생생해. 찬성파와 반대파의 대립이……."

정보상이 그 당시의 혼란함을 되새기며 혼잣말하듯 중얼거렸다. 이 행성, 녹색 연맹은 개척 도시들의 연합체인 만큼 연방에 우호적인 곳과 적대적인 곳, 중립적인 곳들이 뒤섞여 있다. 때문에 마카로니와의 수상한 거래에는 격렬한 토론이 오고 갔다.

"사려고 하니까 그냥 팔자는 부류, 팔 때는 팔아도 연방에 물어는 보자는 부류, 수상하니 거래해선 안 된다는 부류. 어쩌고저쩌고, 이러쿵저러쿵 파벌 간의 전쟁이었지."

"여기는 어땠어? 스콜피온을 생산하는 도시였잖아."

"원래 글림은 연방에 관해서 중립이었어. 좋지도 나쁘지도 않은 감정이었지. 하지만 공업 도시라도 밥은 먹어야 하니 어쩌겠나. 반대파에서 식량 거래를 빌미로 압박을 해오자 곧 무너졌고……. 아까, 밖에 안 보이던가? 지금은 완전히 연방 적대로 돌아서고 말았어. 단 두 달 만에. 어리석지."

그때 종업원이 맥주를 가져오자 잠시 대화가 끊겼다. 빈우가 잔을 들어 한 모금 마신 다음 대답을 재촉했다.

"그래서?"

"겉으로는 농기구용 2대. 실제로는 완전 사양으로 24대를 팔았어. 연방 몰래."

"고작 24대를 팔면서 연방과의 신용을 팔았다고?"

"그 대신 새로운 도시 연맹의 신용을 산 거지. 그리고 변명거리도 만들어 놨었어. 우리는 농기구용만 팔았고 그것을 마카로니 쪽에서 불법 복제했다고 하기로 서로 말을 맞춰놓았으니까."

연방 분리파나 반대파에게 있어서 세를 불리는 것은 무엇보다 중요하다. 그러니 녹색 연맹의 반대파들은 다소 무리를 해서라도 마카로니에 스콜피온을 판 것이다. 마카로니에서 연방으로부터의 독립을 주장하면서 전차를 앞세운 무장봉기가 일어나게 된다면 일의 진행이 한결 쉬울 것이고, 그것이 성공한다면 새로운 연방 반대세력과 수많은 자재, 기구들이 손에 들어온다. 또 실패해도 그 책임은 마카로니만 뒤집어쓸 뿐 거래가 끝난 녹색 연맹은 잃을 것이 없다. 정말 탐나는 유혹이 아닐 수 없었다.

318

"그리고 여태 연방이 조용한 걸 보면 들키지 않은 것 같다. 적어도 지금까지는."

'연방에 분리, 반대, 적대라.'

정보상의 말을 들으며 빈우는 속으로 웃었다. 자기네들이 뭐라 하든 간에 연방 정부는 이들을 연방 일부이자 자치정부의 하나로 대한다. 무장하고 강력히 적대하는 행성조차 연방의 공식 문건에는 엄연히 연방의 자치 행성이자 영토로 분류되며 점프 게이트를 비롯해 각종 혜택을 받고 있으니 아이러니하다.

"대금은?"

"현물 거래로 연방의 자재를 받았지."

연방의 기계와 자재는 자치정부의 것과 질이 다르다. 그래서 어디서나 수요는 있었다.

"혹시 그 자재 중에 이런 게 있던가?"

빈우가 꺼내 신문 위에 올려놓은 것은 직접 손으로 그린 시즐러, 리퍼, 워프 비스트의 그림들이었다. 이게 진짜 목적이다.

"……자세한 내역은 말해줄 수 없지만, 당시 거래 품목에 외계종족의 물건은 없었어. 모두 연방의 물건이었다."

정보에 만족한 빈우는 그림을 도로 집어넣은 다음 신문을 사내 쪽으로 슬쩍 밀었다. 손을 뻗은 정보상은 신문과 지폐를 한꺼번에 잡더니 다시 신문을 펴 십자말풀이에 열중했다.

목적을 달성한 빈우는 자리를 뜨기 위해 자신의 오토바이를 호출한 다음 자리에서 일어났다. 정보상 한 곳에서 얻은 정보로 모든 것을 알 수는 없다. 여러 곳에서 모은 정보를 교차 검증하여 옥석과 허실을 가려내야 비로소 진짜 정보가 나오는 것이다. 그러기 위해서는 서둘러야 한다.

빈우가 부른 오토바이는 자율 운행으로 근처까지 와서 큰길에 세워져 있었다. 그곳엔 불청객들 세 명이 먼저 와 있었다.

"하! 이거 멋진데?"

야구모자를 쓴 청년이 빈우의 오토바이에 올라타 핸들을 마구 꺾고 있었고 후드티를 입은 청년은 옆에서 낄낄거리며 병나발을 불었다. 그 밑에는 붉은 원피스를 배꼽까지 끌어올린 여자가 약에 취해 입을 헤 벌리고 가로등에 기대어 있다. 불청객들은 자기들끼리 놀다가 오토바이로 다가오는 빈우를 보고는 서로 한 번 마주 본 다음 실실 웃었다. 빈우는 자신의 오토바이 앞에 서서 짧게 말했다.

"비켜."

야구모자가 약 기운에 취해 몽롱하게 풀린 눈으로 빈우를 마주 쏘아봤다.

"싫은데?"

옆에서 후드티가 앞주머니에서 칼을 꺼내 빈우에게 들이민다.

"야 이 새끼야, 키 꺼내."

원래 정보국 요원들은 눈에 띄는 행동을 하면 안 된다. 주변에 자연스레 녹아들어야 한다. 그래서 빈우는 칼을 들고 있는 후드티의 손을 잡아끌어 야구모자의 배에 깊숙이 찔러 넣었다.

"억!"

찔린 야구모자는 한번 몸을 움찔했을 뿐, 빈우에게 어깨를 잡혀 꼼짝도 못했다.

"씨발! 이…… 이거 놔! 놔!"

후드티가 저항해봤지만 소용없다. 빈우에게 붙잡힌 자기 오른손의 칼이 야구모자의 배를 난자해 내장을 쏟아내는 동안 후드티는 아무것도 할 수 없었다. 그리고 빈우는 널브러지는 야구모자의 오른손을 쥐어 후드티의 목을 졸랐다.

"켁! 케헤헥!"

순식간에 후드티의 혓바닥이 튀어나오고 입술 옆으로 거품이 뿜어져 나온다. 둘이 쓰러지고 이제 남은 것은 하나. 원피스는 자기의 일행이 죽어가는 와중에도 히죽거리며 보고만 있었다. 빈우는 원피스에게 다가가서 품에서 비강 점막용 분무기를 꺼냈다. 이 거리에서 흔히 파는, 마약이 담긴 일회용 분무기다. 그것을 원피스의 코에 끼우고 버튼을 누르자 안의 내용물이 코 안으로 분사된다. 한 개, 두 개, 세 개. 세 개째에 원피스는 몸을 부들부들 떨더니 축 늘어졌다. 일을 마무리한 빈우는 일어서서 나머지 분무기들을 바닥에 뿌린 다음 바이크에 올라탔다.

정보국 요원들은 눈에 띄는 행동을 하면 안 된다. 현장의 일상에 자연스레 녹아들어야 한다. 빈우는 약을 놓고 싸우다 자멸한 양아치들을 뒤로 무시한 채 오토바이를 몰아 달렸다.

037

· · · ✦ · · · ·

행성 오브리가도. 연방군 특수전 사령부가 있는 곳. 여기에서 빈우는 바쁘다. 그것도 무지무지 바쁘다. 오스카 스테이션을 떠나 특수전 사령부로 온 다음부터는 눈코 뜰 새가 없이 바빴다. 샤다이와의 전투에 대한 보고서를 쓰고 뒤처리에 필요한 증언을 하기 위해 여기저기 얼굴을 비춰야 했으며 그것이 끝나자 본래의 일에 매달려야 했다.

"더 올 팀원이 없다고요?"

지금 김빈우 소령과 조지 레드우드 중장은 부사령관 레드우드의 사무실에서 태스크포스 373의 향후 계획에 대해 의논하고 있었다.

"그래, 라캉 중령을 대신할 인원도 없고 원래 생각했던 규모에서 조금 보자라긴 하지만 이 정도 선에서 마무리지어야 할 것 같다."

그 이유로는 발 가르단 하스의 일을 서둘러 진행해야 한다는 것도 있지만 그것보다는 주변의 못 믿을 아군들이 손을 쓰기 전에 행동하자는 쪽이 더 크다. 또 상황이 상황인지라 앞으로 팀에 들어오는 인원이 껄끄럽기도 하다.

"하기야 이 정도 인원이면 어떻게든 팀이 돌아는 가지 싶습니다만……."

그러면서 빈우는 팀원들의 신상을 하나씩 훑어보았다. 현재 태스크포스 373의 인원을 살펴보면 우선 모함인 블랙 랜스 쪽은 함장인 지마 오르 혼자다. 롱 훅 프로젝트 특성상 승무원이 필요 없기에 원래라면 인원이 가장 많아야 할 함선 인원이 373에서는 오히려 가장 적다.

"김 팀장, 모함은 어떻던가?"

"케케묵은 탄호이저 급이라고는 상상도 안 되는 성능입니다. 요모조모 따져봐도 작전 수행에 안성맞춤입니다."

"좋아, 현장팀은 어때?"

현장 팀원은 팀장 김빈우에 팀원은 아룹 라마누잔, 파트리샤 피아프, 위르겐 도른베르거 네 명이다. 1개 화력 조밖에 안 되는 인원이지만 개개인의 실력과 은밀함을 원하는 현장팀 특성상 이 정도면 충분했다. 하지만 백업팀이 없다는 게 조금 걸리긴 한다.

"다들 훌륭합니다. 인원수가 조금 아쉽긴 합니다만 지장 없습니다."

"참, 그리고 보르자 대위는 내가 고생해서 데려온 인재다. 전투 쪽은 경험이 전무하니까 네가 잘 보살펴야 해."

모니카 보르자는 샤다이의 물건들을 분석하고 연구해줄 기술 장교다. 샤다이의 기술을 역설계해서 만든 컨커러를 제작하는 팀에 들어갈 정도니 실력은 보증된다. 물론 전투 쪽은 빼고. 빈우는 그녀에겐 후방에서 연구 분석 임무만 맡길 예정이었다.

"뭘요. 여기 사령부에서 후방 인원으로 돌릴 거잖습니까."

"무슨 소리냐. 블랙 랜스에 태워 보낼 건데? 샤다이 샘플 발견하면 현장에서 바로바로 분석해야지."

"아오."

"그리고 네가 입을 장갑복을 관리할 사람은 있어야 하잖아. 그거 손볼 사람 우리 쪽엔 없다?"

모니카가 들고 온 물건인 컨커러와 XPS는 영 찜찜하지만 남은 시간 동안 조정을 하면 어떻게든 쓸 수 있을 것이다. 빈우는 이 미완성 실험기 대신에 어벤저나 다른 장갑복을 쓸까도 생각했지만, 리퍼의 공격을 막았던 그 성능이 대단히 매력적이었기에 어떻게든 사용해보는 쪽으로 마음을 돌렸다. 그렇다면 모니카가 현장팀에 있긴 해야 한다.

다음은 안드로이드들이다. 아나스타샤는 빈우의 비서역으로 사무를 맡을 것이고, 아를르캥은 비밀의 상자를 열 열쇠, 와일드카드다.

"안드로이드 메이드는 이전부터 너랑 호흡을 맞췄을 것이니 별문제는 없을 것이고, 아를르캥은 데려갈 거냐?"

"네, 가정용 허수아비니 여기 둬봐야 주인처럼 참모 역할은 못할 겁니다. 그리고 아마도 라캉 중령은 아를르캥이 저와 함께 다니며 단서를 수집하도록 설계했을 겁니다."

"네가 그렇다면 그런 거겠지만…… 그 허수아비는 잘 지켜라. 자료는 꼭 손에 넣어야 한다."

리퍼는 그렇다손 쳐도 워프 비스트에 관한 건 반드시 얻어야 했다. 인간을 괴물로 바꾸는 샤다이의 새로운 공격을 방치했다간 사태가 걷잡을 수 없게 돼버릴 것이다.

"그건 걱정하지 마십시오. 그런데 만약의 경우에 자료의 '공유'는 괜찮겠습니까?"

"연방의 안보에 중대한 위기랄 수 있는 문제다. '협조자'에게 공유하는 것은 현장의 판단에 맡기마."

지금 빈우는 아를르캥이 얻은 자료로 거래를 할 수 있는 권한을 얻었다. 그렇다면 차후에 추적자나 방해자가 오면 좀 더 적극적인 행동을 할 수 있다. 태스크포스 373에 달려드는 개와 늑대들에게 던져줄 수 있는 고기 한 덩이가 있다는 것은 큰 메리트다.

"그건 그렇고 우리가 잡은 리퍼는 어떻습니까?"

오스카 스테이션에서 생포한 리퍼는 블랙 랜스에 잡혀 여기 올 동안 의외로 얌전하게 있었다. 모든 무장을 해제당하고 감금된 샤다이 여인에게 모니카는 어떻게든 접촉을 해보려 했지만, 그녀는 어떠한 반응도 하지 않았다. 그 리퍼가 오브리가도에 도착하자 특수전 사령부는 물론이고 정보사령본부까지 발칵 뒤집혔다. 아직 제대로 정체를 파악하지도 못한 신형 샤다이 리퍼를 태스크포스 373이 생포해 왔으니 당연한 일이다.

"아, 그거 말이지."

레드우드가 의자 뒤로 기대며 킬킬 웃었다.

"히야아, 장관이었어. 어제까지만 해도 여기 내 사무실에서 별 몇 개가 내 비위를 맞추려고 아양 떨었는지 모른다."

"그 자리에 제가 없어서 아쉽네요. 일만 안 바빴어도 좋은 구경하는 건데 말입니다. 그래서 결론은 났습니까?"

"리퍼는 이곳에 감금해놓고 조사팀을 이쪽으로 파견하기로 했다."

원래 조사용 샘플은 정보사령본부의 과학기술국이나 정보분석국으로 가는 게 일반적인데 이번엔 상당히 이례적이었다. 그러나 태스크포스 373을 반대하는 세력이 있다는 것이 거의 확실시되는 판국에 살아 있는 샤다이, 그중에서도 리퍼 같은 보물을 손에서 놓을 순 없다.

"하긴 누가 뒤통수칠지 모르는 데 그렇게 중요한 것을 넙죽넙죽 줄 수는 없죠."

"흐흐흐, 내 앞마당에서 지랄하는 놈이 없길 바란다."

레드우드는 정치나 파벌싸움에 관심이 없어 타 부서와의 암투에 밀리는 경향이 있지만, 어찌 되었든 특수전 사령부의 부사령관이다. 이곳 특수전 사령부는 레드우드의 홈그라운드다. 앞서 말했듯 그는 정치싸움에는 눈길도 안 주고 오직 군과 조직에만 충성하는 맹장이니, 특수전 사령부 내에서의 인기는 어떤 라인을 막론하고 대단히 높다. 이런 곳에서 레드우드가 눈을 벌겋게 뜨고 있는데 샤다이 여인을 가지고 헛짓거리하는 간 큰 놈은 없을 것이다.

"참, 각하. 한 놈 남습니다."

중요한 얘기가 끝나자 빈우는 문득 잊어버렸던 게 하나 떠올랐다.

"아, 걔? 불렀으니까 곧 올 거다."

그 말이 끝나기 무섭게 사무실의 인터폰이 울렸다.

- 각하, 저 우지입니다. 들어가도 되겠습니까?

양반은 못 되는지 문 앞에서 서성이는 시에 우지의 목소리에 빈우는 그의 신상에 관한 자료를 열었다.

"음, 들어와."

레드우드의 허락에 문이 열리고 시에 우지 이병이 안으로 들어왔다. 모니카보다 더욱 군인 같지 않은 이놈은 자치정부에서 막 넘어온 사람이라—그것도 오스카 스테이션에서 레드우드에게 막 징집되었기에—아직 자료가 많이 없었다. 당시 오스카에서 여기로 올 때 레드우드가 우지를 자기 친구의 손자란 것만 말했고 그다음에는 여러 가지 뒤처리로 바빠 틈이 안 났기에 빈우는 특수전 사령부에 온 다음 우지와 제대로 얘기를 해보려 했다.

"다시 소개하지. 내 전우의 손자, 시에 우지다."

레드우드와 비슷한 연배에 '시에'란 성을 가지고 있고 그의 전우라고 할 사람은 그리 많지 않다.

"우지, 혹시 조부님 성함이 시에 쉰이냐?"

"네, 맞습니다."

시에 쉰. 한 세대 전의 연방군 전투기 조종사로서 에이스 중에서도 톱이었던 노병이다. 연방과 외계종족 간의 무력 충돌이 날로 심해지자 계속된 전투에 환멸을 느끼고 군을 나가 고향이었던 자치정부로 돌아갔다고 했는데, 그 손자인 시에 우지가 지금 눈앞에 있는 것이다.

"우지는 전투기 파일럿으로 삼으려고 데려왔다. 실력은 내가 보증한다. 쉰 그놈이 어릴 때부터 빡세게 굴렸고, 또 내 눈으로 직접 봤다."

다른 것 다 제쳐놓고 레드우드의 보증이라면 믿을 만하다.

"근데 이 녀석 자치정부 인간이다 보니 몸이 태어날 때 그대론데요? 두뇌칩도 없고 강화도 안 되어 있고…… 이런 몸으론 전투기도 제대로 몰지 못할 텐데 실력은 어떻게 봤습니까?"

"시뮬레이션으로."

"……하긴 어련히 알아서 뽑았겠습니까."

자치정부의 사람을 연방군에 입대시키는 것은 그리 어렵지 않다. 그러나 사관학교나 비행학교도 나오지 않은 데다 두뇌칩도 없는 사람을 전투기 조종사로 삼는 것은 결코 쉬운 일이 아니다. 그걸 아는 레드우드가 밀어붙였을 정도니 우지는 시뮬레이션으로나마 확실한 실력을 보여주었을 것이다.

"근데 지원한 자치정부 사람을 징집해서 그냥 우리 군 팀에 밀어넣은 겁니까? 아주 주먹구구 날림으로 넘어가는구면."

"원래는 쉰 그놈을 데려오려 했는데 아주 학을 떼더라. 그리고 자식이 실력이라면 제 손주 놈이 더 낫다고 대신 데려가라길래 솜씨 한번 보고 바로 끌고 왔지. 참, 함재기로는 일단 롱소드 두 대 뽑아왔다. 한 대는 쓰고 나머지는 예비로 돌리면 충분할 거다."

다행히도 이번에는 희한한 실험기가 아니라 일반적인 주력 전투기다. 어차피 373의 임무는 우주 전투가 주가 아니고 지상팀 지원이 주 임무이니 롱소드 한 대로도 충분하다.

"그러면 우지는 육체가 자치정부민 그대로라서 일단 먼저 두뇌칩 박고 군용 강화부터 해야겠습니다. 그리고……."

"저, 말씀 도중에 죄송합니다만……."

빈우의 말을 끊은 시에 우지는 겁에 질린 표정이었다. 이병이 소령과 중장의 대화를 끊어서 그런 게 아니라 뭔가 다른 것에 겁먹은 표정이었다.

"괜찮아. 할 말 있으면 해봐."

안심시키는 빈우의 말에 우지는 간신히 입을 열었다.

"그, 두뇌칩이란 거 안 하면 안 됩니까?"

순간 빈우와 레드우드가 지은 표정은 '이건 또 무슨 개소리지'였다. 요즘 세상에 두뇌칩이 없고 그 안의 프로그램들이 없으면 장비 운용이나 일상생활에 막대한 지장이 생긴다.

"할아버지께서 늘 말씀하셨습니다. 머릿속 두뇌칩에 전투용 OS가 깔린 다음 자신이 점점 이상해졌다고요. 그런 것을 꼭 머릿속에 넣어야 합니까?"

"아, 그거."

레드우드는 우지가 하는 말이 뭔지 대강 아는 눈치였다. 그리고 빈우도 뒤늦게 알아챘다.

"얘가 말하는 거 혹시 구형 전투OS 얘기 아닙니까? 저야 써보진 않았지만, 그거 문제가 꽤 많았다고 배웠는데. 이런 건 실제 경험자인 사령관님께서 해주셔야죠."

빈우의 말이 끝나기도 전에 이미 레드우드는 우지를 향해 고쳐앉았다.

"자, 잘 들어봐 쬐쬐야. 네 할애비 대가리 속 두뇌칩에 들어 있었던 전투용 OS들은 구형이에요. 그건 전투나 살상 행동을 할 때 생기는 죄책감과 정신적 충격을 완화하기 위해 행복감이나 쾌감, 만족감 등을 고조시키는 방법을 썼는데 그게 오히려 역효과였어. 나를 포함해서 그때의 군인들은 일상생활에서는 언제나 불안했지만 싸우러 가면 즐거워 죽을 지경이 됐는데, 이게 정상이냐? 외계인 모가지를 째면 내가 기분이 째지는데 사람이 미치지 않고 배기겠냐고. 근데 그런 건 비단 네 할애비뿐만 아니라 당시의 군인들은 다 그랬다. 물론 나도 그랬었고."

당사자의 자세한 경험담을 듣자 우지의 얼굴은 점차 굳어져갔다.

"그러나 안심하거라. 이젠 그런 거 안 써. 자, 봐라. 요즘은 저렇게 신형으로 바뀌었단 말이다."

그러면서 레드우드는 빈우를 손가락으로 가리켰다. 일이 이렇게 되면 빈우도 맞장구를 쳐줘야 한다.

"그래. 두뇌칩을 삽입하고 육체 강화를 마친다면 너도 나처럼 훌륭하고 타의 모범이 되는 군인이 될 수 있다."

솔직히 빈우의 외모는 조금 반반한 편이어서 피자 타이거 시절에 행사용 전단을 만들 때 사내 모델로 활동한 적이 있었다. 빈우는 그때의 경험을 살려 표정과 포즈를 취했으나 그걸 보는 우지의 표정은 영 아니었다.

"씨발, 이 새끼 안 믿는데요?"

"아니 그건 나도 못 믿지. 왜 오버하고 지랄이야."

두 사람이 티격태격하는 동안 우지는 눈치를 보며 슬금슬금 자리에서 일어서고 있었다.

"저, 신형은 어떤 방식으로 작동하나요? 전투에서요."

"그냥 싸우는 방법에만 조언을 해주고 정신적인 충격은 네가 직접 감당해야 한다."

그러면서 빈우는 자신의 관자놀이를 톡톡 두들겼다.

"두뇌칩과 안의 프로그램들은 편리하긴 해도 그냥 도구야. 너를 도와주지만 결국 모든 건 너한테 달렸어. 옆에서 전우가 반으로 갈려져 죽거나 네 몸이 타 녹아도 전투OS는 그에 맞는 대처 방법을 알려줄 뿐이야. 네 정신이 고통받는 건 도와주지 않는다. 그걸 받아들여 해결하는 건 오로지 네 몫이고. 아, 죽일 놈 대가리 깰 때는 기차게 도와주니까 그건 기대해도 좋다."

"저기, 생각할 시간을 좀 주시면 안 될까요?"

우지는 사무실에서 나가려고 했지만 이미 문은 잠겨 있다.

"저 봐라, 새꺄. 네가 이상한 소리 하니까 애가 쫄잖아."

"아니 나를 먼저 예시로 든 게 누군데."

이런 일로 시간을 보내기엔 시간이 너무 없다. 빈우는 즉시 부팀장인 아룹 라마누잔을 호출했다.

"부팀장! 지금 부사령관실로 오세요."

- 넵!

그리고 부팀장은 자신의 각 잡힌 대답의 여운이 채 부드러워지기 전에 사무실에 출두했다. 문이 열리고 아룹의 거구를 마주한 우지는 얼어버렸다.

"무슨 일이십니까."

"잘 왔어요. 수술 일정은 잡아놨으니까 싫다고 버티는 이 새끼 데려가서 수술실에 집어넣으세요."

"흠, 돈까스 먹이면 되는 겁니까?"

아룹이 벌벌 떠는 우지의 뒷덜미를 잡아들고 사라지자 다시 빈우와 레드우드는 팀 운용에 대해 고민했다. 하나가 해결되면 또 하나를 해결해야 한다.

"그래서, 팀은 언제 출발합니까?"

"그건 김 팀장 너한테 달렸지. 네가 된다고 하면 바로, 즉시."

즉, 위에서 이미 오케이 사인은 떨어졌고 현장 판단하에 진행하란 뜻이다.

"서두르네요."

"그래 다른 부서에서도 냄새 맡은 거 같더라. 슬슬 발동 걸던데."

"걔들이랑 협조하면 안 됩니까?"

"그놈들 뭘 믿고 협조한다는 거냐."

"아니, 뒤통수 치려면 일단 손부터 잡아야죠."

"아하."

일단 발 가르단 하스의 일을 처리하기 위해 만든 것이 태스크포스 373이기 때문에 우선권은 당연히 이쪽에 있다. 그러나 시간이 지나면 이 평계 저 평계 대가며 집적거릴 놈들은 당연히 나올 것이고 빈우와 레드우드 두 사람은 그 꼴을 보고도 놔둘 위인들이 아니다.

"그럼 가는 동안에도 훈련합시다. 시간을 아껴야지."

그러면서 빈우는 지도를 띄워 항로를 계산했다. 그리고 길리는 시간에 맞춰 훈련 일정을 짠다.

"여기 오브리가도에서 점프로 출발해서 워털루 게이트로 나온 다음에, 어?"

그런데 빈우가 점찍었던 워털루 게이트가 붉은색이다. 전투 중이란 의미다.

"거기 지금 위은쏼납학 잔당 나온다. 돌아갈래, 싸울래?"

"그 하마 새끼들 아직도 살아 있습니까? 그럼……."

대화는 오랜 시간 이어졌다. 일을 마치고 지친 빈우가 레드우드의 사무실에서 나온 것은 그로부터 한참이 지나서였다.

038

· · · ✦ · · · ·

모니카 보르자 대위는 특수전 사령부 복도를 달리고 있었다. 그러나 꽉 조이는 정복의 치마와 신발이 허리와 다리의 움직임을 방해하고 있다. 방금 생성기로 만든 이 정복은 모니카의 예전 신체 치수에 맞게 만들어져 있었다. 모니카는 그 사실을 옷을 입고 나서야 알아차렸다. 그러나 다시 만들 시간이 없어 모니카는 꽉 끼는 옷을 그대로 입고 나올 수밖에 없었다.

'내가 이런 걸 실수하다니.'

마음속으로 자책해봐야 소용없다. 연구개발직인 모니카는 업무상 정복을 입을 일이 거의 없었기 때문에 부랴부랴 만들어 입고 나왔는데 이런 사태가 발생한 것이다.

- 김빈우 소령, 김빈우 소령, 군번 82-A5-713845. 여기 있다.

찾던 두뇌칩 반응이 나오자 모니카는 서둘러 그리로 달렸다. 아직 늦지 않았기를 바라며.

"팀장님!"

앞에서 가는 사람은 분명히 태스크포스 373의 팀장인 김빈우 소령이었다. 그는 보안국 소속 안드로이드 2기를 비자율 상태로 데려가고 있다가 모니카가 부르는 소리에 돌아보았다.

"응? 모니카. 무슨 일이야?"

팀장 앞으로 달려와 잠시 숨을 고른 모니카가 말했다.

"오늘 피에르 라캉 중령의 영현을 이송한다고 들었습니다."

오스카 스테이션에서 전사한 피에르 라캉의 영현은 블랙 랜스에 실려 이곳 특수전 사령부까지 옮겨져 와 오늘에서야 보안국으로 돌아가게 되었다.

빈우는 모니카를 훑어보고 피식 웃더니 그녀의 어깨를 툭 쳤다.

"그래서 따라온 거냐? 기특하구나."

"저, 근데 라캉 중령님은⋯⋯."

모니카는 뭔가 이상해서 주위를 둘러보았다. 영현이 든 관이 없다. 또 책임자인 빈우는 예복이나 정복이 아닌 근무복을 입고 있었다.

"여기."

빈우가 가리킨 곳은 보안국 안드로이드들이 들고 있는 큰 상자였다. 성인 남자 하나는 너끈히 구겨 넣을 큰 상자다. 라캉 중령이라면 딱 맞을 크기다.

"어?"

순간 모니카는 이게 무슨 일인지 잘 이해하지 못했다. 분명히 영현이라면 관에 안치해 엄숙한 절차에 따라 영현관리병들이 옮기게 되어 있다. 그런데 지금은 마치 화물 다루듯이 옮기고 있다.

"이⋯⋯ 이게 뭐예요?"

조금씩 떨리는 모니카의 목소리에 비해 빈우의 대답은 딱딱했다.

"피에르 라캉 중령의 시신."

화물운반용 상자 내부는 완전히 폐쇄되어 있어서 안의 내용물이 뭔지 전혀 알 수 없었다. 그 안에 팀으로 합류하려다 못한, 동료가 될 뻔한 사람의 영현이 들어 있다고 하니 모니카는 묘한 기분이 들었다.

모니카는 보안국과 만난 적이 없다. 같은 정보사령본부의 사람이지만 부서가 달라 마주칠 일도 없었다. 과학기술국의 동료들은 보안국의 사람들과 일로 만나게 된다면 결코 좋은 경험을 하지 못할 거라고 했었다. 하지만 보안국이 정보분석국과 과학기술국을 감시하면서도 동시에 지켜주는 것을 알고 있었기에 동료들은 애증의 시선으로 보안국을 보았다.

'첩보전에서 군사정보국이 창이라면 보안국은 방패다.'

과학기술국의 개발팀장이 보안국의 수사에 시달린 동료들을 격려하며 했던 말이다. 모니카는 일면식도 없지만 작게나마 인연이 닿았던 사람의 시신이 물건 취급을 받는 모습에 조금 서글퍼졌다. 그런 그녀를 빈우가 위로했다.

"모니카. 무슨 생각 하는지 안다. 하지만 이쪽 바닥이란 게 원래 이래. 죽음조차도 알려져선 안 되고 비밀리에 처리되어야 하지. 또 라캉 중령의 시신은 돌아가도 제대로 쉴 수가 없어. 여러 검사와 조사를 마친 다음 완전히 분해될 거고 가족들에게 가는 건 화학 물질에 절인 무해한 쓰레기가 될 거다."

잠깐 한숨을 쉰 빈우가 말을 이었다.

"나 또한 그렇고……. 그러니 너무 이런 일에 신경 쓰지 마라."

억지로 납득한 모니카는 말없이 빈우의 뒤를 따라 걸었다. 조금 걸어 나가자 자재운반용 출입구가 나왔고 거기엔 이미 사람들이 기다리고 있었다. 그들에 대한 두뇌칩의 정보는 알 수 없었다. 단지 보안국이라고만 나올 뿐이다. 빈우는 상자와 안드로이드들을 넘겨주었고 보안국 일행은 받은 물건을 확인하더니 그대로 돌아섰다. 빈우도 잠시 그들의 뒷모습을 보았을 뿐 말없이 모니카를 데리고 돌아섰다. 모니카가 여러 부산을 떨며 꼭 참석하려 했던 일은 이렇게 허무하게 끝을 맺었다.

돌아가는 길은 조용했다. 묵묵히 빈우의 뒤를 따라 걷던 모니카의 머릿속에 여러 가지 생각들이 맴돌았다. 모니카는 대학에서 여러 프로젝트를 성공시키고 실력을 인정받아 연방군의 과학기술국에 스카웃되었다. 그러나 새로운 직장은 군이라기보다는 연구소의 분위기가 강했기에 모니카는 자신이 군인이라는 자각은 전혀 하지 못했었다. 오늘까지도.

그러나 오늘 눈앞에서 동료가 되었을지도 모르는 사람의 죽음을 마주하게 되니 기분이 이상해졌다. 또한, 태스크포스 373에 오면서 알게 된 사람들 또한 죽음을 곁에 두고 살아간다는 것을 새삼 깨닫게 되었다. 순간 모니카는 자신이 부끄러워졌다. 만약 그녀가 민간인 신분이었다면 위험 속으로 뛰어드는 팀원들에게 고마움을 느끼고, 죽음으로부터 도망치려는 자신에게 약간의 양심의 가책을 느끼고 말았을 일이다. 하지만 모니카 보르자는 엄연히 군인이었다. 같은 팀원들이 사지를 오가는데, 자신만 안전한 데서 숨어 있다고 하니 무언가 참을 수 없는 기분이 들었다. 그리고 마침내 모니카의 가슴 속에서 벅차오른 무언가가 그녀를 떠밀었다.

"팀장님."

"응? 손수건 필요해?"

호주머니에서 손수건을 꺼내며 돌아서는 빈우에게 모니카는 결연한 표정으로 선언했다.

"고민했습니다만, 결심했습니다. 저도 현장에 나가겠습니다."

지금 모니카 보르자 대위는 매우 진지했다.

"어?"

그에 반해 김빈우 소령의 반응은 조금 얼빠진 것이었다.

"이미 팀에 들어온 이상 더 뺄 순 없습니다. 팀장님께서 절 후방임무로 돌려준다고 하셨지만, 저도 현장에 나가겠습니다. 다른 팀원들과 함께할 수 있도록 해주십시오."

"어…… 그래?"

그러나 수상하게 반응하던 빈우는 끝내 한숨을 내쉬고야 말았다.

"모니카, 사실대로 말할게. 미안하다. 내가 널 빼준다고 말은 했었는데 그거 망했다."

"네?"

"그래서 우리랑 같이 현장에서 뛰게 되었어. 나중에 자리를 마련해서 말해주려고 했는데 뭐 잘됐네? 너도 같은 생각을 했으니까. 어차피 이렇게 될 거였어, 그치?"

"네……?"

*

멍하니 넋을 빼놓고 있던 모니카는 어느새 자신이 오브리가도 궤도 상에 오른 셔틀에 타고 있는 것을 깨달았다. 마치 늦잠을 오래 자고 일어나 시간 감각이 흐려진 것 같다. 마치 꿈을 꾼 것처럼 모니카는 특수전 사령부에서 대화를 나눈 뒤 셔틀에 올라타기 전까지의 일련의 흐름이 몽롱하게 느껴졌다.

"세상에나……."

- 응? 못 들었어? 두뇌 통신 들어오라고.

"아, 알겠습니다."

자신이 저지른 일의 관성에 떠밀려, 지상의 사령부에서 행성 궤도의 무중력 훈련 주역까지 날아오른 모니카는 정신을 바짝 차렸다. 자신의 부머를 입고 있는 그녀는 두뇌칩으로 들어오는 신호에 긴장했다.

> 373 두뇌 통신 회선 활성화.

> 접속자 목록 갱신.

> 팀원 두뇌칩 동기화.

모니카는 태스크포스 373의 팀원으로서 처음으로 두뇌 통신 회선에 들어가는 중이었다. 아니, 성인이 되고 두뇌칩을 넣은 후 처음으로 하는 두뇌 통신이다. 이미 팀장 빈우와 부팀장 아룹, 파트리샤는 회선을 만들어놓고 들어가 있는 상태고 모니카는 이미 만들어진 팀의 회선에 추가로 들어가는 중이다.

- 모니카. 어때?

처음 느껴보는 희한한 감각이다. 마치 자기가 머릿속으로 글을 읽는 기분으로 빈우의 말을 듣고 있자니 옆에서 팀장인 빈우가 걸어오는 게 느껴진다. 고개를 돌리니 컨커러를 입은 빈우가 거기 있었다. 순간 모니카는 얼어붙었다. 빈우의 시선이 무의식적으로 자신의 온몸을 훑는 것을 느낀 것이다. 빈우는 부머의 관절부, 동력계, 장갑의 취약 부분 등을 훑어보았다. 게다가 보기만 한 것이 아니라 본능적으로 약점들을 찾고 파악했다. 빈우로서는 아무런 악의 없이 반사적으로 한 행동이었지만 모니카는 오히려 그 점이 무서웠다.

- 정신 차려. 이 정도로 겁먹으면 일 못 해. 상대의 무의식적인 반사행동에 일
일이 반응할 필요 없어. 처음에는 그냥 느끼기만 해.

겁먹은 모니카의 머릿속으로 빈우의 격려가 느껴진다.

- 하앙, 모니카와의 첫 두뇌 통신은 역시 팀장님이었나?

뒤이어 시시덕거리는 파트리샤의 생각이 떠오른다.

- 너무 걱정 마십시오, 대위님. 저희가 잘 보살펴드리겠습니다.

그리고 아룸이 생각한다.

모두 다정하지만 동시에 소름이 끼친다. 팀원들이 격려의 말과 생각을 떠
올려 모니카를 진정시키려 하지만 모니카에겐 그런 단어들이 마치 얼음 위
에 적은 것처럼 차갑게 느껴진다. 그리고 그 얼음 밑에는 뜨겁게 달궈진 용암
이 가득 들어차 있다는 것도 알 수 있었다. 항상 친절했던 팀원들의 내면에는
원한다면 언제든 폭발할 수 있는 폭력성이 잠자고 있는 것이다.

- 얘 진짜 감수성 예민하네.

- 시인이군요.

빈우와 아룸의 만담 덕에 모니카는 상념에서 깨어날 수 있었다.

"아뇨, 실례했습니다. 저는."

- 괜찮아, 처음엔 다들 그러니까. 그리고 두뇌 통신을 했으면 말보다는 생각으
로 의사를 전달해.

그러면서 빈우는 셔틀의 출구로 다가가 문을 열었다. 검고 어두운 우주 공
간 속에서 오브리가도가 푸른색으로 빛나는 게 보였다.

- 모니카, 훈련 내용 다 숙지했지?

- 옙! 제가 팀장님과 같이 나가고, 그리고, 음…… 저기서 기다리는 파트리샤
중위가 레일건으로 팀장님을 쏩니다. 그걸 제가 막고요.

- ……뭐 요점은 파악했네. 가자.

열린 문을 통해 모니카의 부머가 앞으로 나갔다. 무중력 공간을 아무런 추

진 없이 날아간 부머는 정해진 목적지를 향해 방향을 틀었고 그 뒤로 빈우의 컨커러가 날아와 부머의 등에 안착했다. 보통 이렇게 무중력 상에서 접촉한 경우에는 어떻게든 서로 반작용이 일어난다. 그러나 방금의 경우 컨커러는 아무런 반응 없이 부머의 등에 붙었다.

- **흐음. 모니카, 부머의 관성 제어가 대단한데?**

- **아, 감사합니다. 팀장님.**

기존의 장갑복들은 제트팩을 써서 점프나 단거리 비행을 하지만 부머는 중력장을 조절해 날 수 있다. 중력 제어는 이미 연방에서 요새나 함선 등에 쓰이고 있지만 장갑복 크기로 소형화한 것과 이토록 정밀한 사용이 가능한 것은 샤다이의 기술을 역설계한 결과다. 태스크포스 373에서 이렇게 샤다이의 기술을 사용한 장비는 모니카의 부머와 빈우의 컨커러, XPS가 있다.

하지만 핵심 부품이 샤다이의 것이라 대량 생산이 힘든 실험기이고 컨커러는 방어막 작동 시에 장갑복이 정지되는 결함이 있다. 가장 심각한 XPS는 애초에 설계부터 방향을 잘못 잡은 실패작이다. 그래서 빈우는 팀원들의 팀워크 훈련도 중요하지만, 장비들의 사용법과 제원을 정확히 파악하는 것도 그에 못지않다고 판단해 이런 훈련 계획을 잡았다.

- **파트리샤.**

빈우의 호출에 저 멀리 암석군에서 모습을 감춘 파트리샤가 아군이란 녹색 표시로 뜬다.

- **네, 지정 위치에서 대기 중.**

- **부팀장.**

- **네, 팀장님과 대위님을 포착했습니다.**

아룸은 저격을 맡은 파트리샤의 관제요원으로 근처에 있었다.

- **좋아, 다시 한 번 설명한다. 이번 훈련의 목적은 모니카 대위의 전투 경험을 쌓는 것과 동시에 부머의 중력 제어와 컨커러의 방어막에 대한 자료 수집을 위함이다. 첫 번째 훈련은 파트리샤가 대인용으로 설정된 레일건으로 나를**

쏘면 날아오는 탄자를 부머의 중력 제어 기술로 방어하는 것이다. 두 번째 훈련은 모니카가 부머의 중력 제어에 익숙해진 다음에 하는 것으로 컨커러의 방어막 사용법에 대한 실험을 시행한다. 질문?

- 저요 저요. 모니카는 이런 거 해봤답니까?

- 실탄 사용 훈련은 이번이 처음이란다. 그러니까 파트리샤, 살살 쏴.

- 예입, 부드러운 대인탄을 쏴드리죠.

맞는 순간 4조각에서 다시 16조각으로 흩어지는 대인탄은 장갑복에 맞으면 부드럽지만, 맨몸으로 맞으면 진짜 기분 더럽다.

- 대인탄 4발, 장전합니다.

파트리샤의 말에 이어 인필트레이터가 들고 있는 레일건 내부 프린터에서 대인탄이 생성되어 탄창으로 들어가는 게 팀원들의 전술 정보를 통해 모니카에게도 알려진다.

'실탄…… 실탄이야.'

이런 훈련을 밥 먹듯이 해온 특수부대원들은 농담을 따먹어가며 준비하고 있었으나 모니카는 달랐다. 말로 하는 것보다 몇 배는 빠른 사고의 교환에, 정보량에, 그리고 정보의 위험함에 채 따라오지 못했다.

- 어라? 얘 심박수 봐라.

이것은 모니카의 이상을 눈치챈 빈우의 생각이다.

- 진정제 쏘시겠습니까?

이어지듯 아룹이 권고한다.

- 아뇨, 훈련 순서를 바꾸죠. 모니카?

"아뇨! 저 할 수 있습니다!"

모니카는 겁먹은 자신을 격려하듯 외쳤지만, 씨알도 먹히지 않았다.

- 늦다. 말하지 말고 두뇌 통신을 써. 훈련 순서를 바꾼다. 컨커러의 방어막 실험을 먼저하고 다음이 부머 순서다. 알겠나?

- 알겠습니다, 팀장님.

잠시 기다려서 모니카가 진정하고 심박수가 정상으로 떨어지자 빈우가 다시 훈련을 재개했다.

- 자, 내가 피아 식별 신호를 바꾼다. 파트리샤, 사격 준비해.

화면에 포착된 빈우가 아군의 초록색에서 정체불명을 나타내는 노란색으로 바뀌었다. 아군 사격은 장갑복의 화기 관제시스템상 불가능하기에 훈련 시에는 식별 신호를 바꾸게 된다. 그런데 이번에도 모니카에게 이상이 발생했다.

- 모니카?

아까처럼은 아니었으나 두뇌 통신을 통해 모니카의 불안감이 빈우와 팀원들에게 전해진다.

- 흠, 아무래도 두뇌 통신으로 정체불명 기가 근처에 있는 것을 인식해서 그런 거 같습니다. 먼저 팀장님이 두뇌 통신에서 나가고 그다음에 식별 신호를 바꾸는 게 나을 겁니다.

경험 많은 아룸의 예상이었고 또한 정답이었다.

- 진정해, 모니카. 이거 훈련이야. 난 적이 아니다.

- 네, 괜찮습니다. 알고 있습니다. 전 괜찮아요.

그러나 그녀가 전혀 괜찮지 않다는 것은 팀원 누구나가 다 알고 있었다.

- 팀장님, 어찌시겠습니까?

아룸의 질문에 빈우는 잠시 생각하다 대답했다.

- 제가 근처에 아군기로 계속 있지요. 대신 파트리샤가 식별 신호를 바꾸기로 합시다.

다시 빈우가 아군으로 돌아오고 나서야 모니카는 간신히 진정할 수 있었다.

- 팀장님, 훈련 계속 진행합니까?

- 일단 본인에게 물어봐야죠. 모니카?

- 할 수 있습니다.

물론 지금 모니카가 가벼운 패닉 상태에 빠졌다는 것은 두뇌 통신으로 연결된 사람이라면 누구나 알고 있다. 그러나 이 정도로 훈련을 중지하기엔 태스크포스 373의 갈 길이 너무나 멀었다.

\- 그래? 그럼 훈련은 계속 진행한다. 파트리샤.

\- 네, 식별 신호 바꿉니다.

그러자 이번에는 저 멀리 있던 파트리샤의 인필트레이터가 갑자기 사라져서 화면에서 보이지 않았다.

\- 아니, 얘 겁먹는다. 너무 심하게는 하지 말고 모습은 보여.

\- 네.

파트리샤의 모습이 다시 화면에 잡혔다. 노란색이다.

\- 모니카, 준비되었어? 조금 있으면 파트리샤가 나를 쏠 거다. 대인탄이니 나에겐 아무런 피해가 없어. 그냥 보기만 해. 알았지?

\- 네, 팀장님.

모니카가 진정된 모습을 보이자 빈우는 부머의 등을 박차고 날아올랐다.

\- 파트리샤. 진행해.

\- 알겠습니다. 조준.

실전이라면 있을 수 없는 레이저 포인터가 컨커러의 흉부 장갑에 닿아 조준 상황을 빈우와 모니카에게 알려주고 있다. 그것을 본 모니카는 긴장하면서도 파트리샤의 카운트다운을 느꼈다.

\- 발사 5초 전, 4, 3, 2, 1, 0.

그리고 파트리샤가 레일건을 쏘았다. 발사된 탄환은 이내 날아와 컨커러에 명중했다. 장갑복에는 아무런 피해가 없지만 컨커러는 피탄의 충격에 뒤로 휙 꺾이며 날아갔다. 무중력상태의 우주에서는 어쩔 수 없는 일이다.

\- 팀장님?

모니카는 적기가 빈우를 쐈고, 빈우가 맞고 날아가는 모습을 봤다.

\- 팀장님! 아아악! 팀장니이임!

빙글빙글 돌며 멀어지는 컨커러를 보며 모니카는 비명을 질렀다.

039

⋅ ⋅ ⋅ ✦ ⋅ ⋅ ⋅

빈우는 피격 직후 방어막이 작동하지 않는 것을 알았다. 매뉴얼에 의하면 컨커러의 방어막 장비는 '외부의 치명적인 충격에 자동으로 반응한다'라고만 적혀 있고, 세부 설정이나 조작은 아예 불가능한 블랙박스였다. 컨커러의 개발에 참여했던 모니카조차도 샤다이의 방어막 장비는 받아서 쓰기만 할 뿐 원리에 대해서는 모른다고 했다. 그래서 빈우는 자료를 수집하기 위한 여러 훈련과 실험이 필요했고 이런 상황이 발생하면 두뇌 통신으로 팀원들과 회의하려고 했었다. 게다가 모니카가 회선에 있으면 말이나 글로 설명할 필요 없이 그녀가 이해한 걸 그대로 느낄 수 있기에 금상첨화다. 그리고 지금 두뇌 통신 회선은.

- 아아아악! 아아아아!

모니카의 충격과 공포로 가득 차 있었다. 두뇌 통신 초보자라면 같이 휘말릴 정도의 격류다.

- 대위님? 진정하십시오. 대위님.

- 모니카 보르자. 집중해라, 모니카 보르자.

아룹과 빈우가 모니카를 불렀다. 그러나 공황상태에 빠진 모니카는 진정될 기미가 보이지 않았다. 빈우는 만약의 사태에 대비해 급히 제트팩을 써서 모니카에게 날아갔다. 그리고 그녀를 잡고 흔들어보려 했지만 부머의 관성 제어장치가 외부의 충격을 완전히 무효화시키고 있었다. 물론 컨커러도 헤비 급 출력을 지녔으니 무리를 하면 흔들 수는 있겠으나 그다지 좋은 방법은 아니다. 이제 남은 것은 모니카의 두뇌칩을 외부에서 조종해 강제로 진정시키느냐, 진정제를 투여하느냐의 선택이다. 가장 좋은 것은 모니카 스스로가 정신을 차리는 것이겠지만 지금 상황에선 힘들어 보였다.

- 모니카~ 모니카~ 언니 젖꼭지 무슨 색이게?

그때 파트리샤의 뭔가 뜬금없는 생각이 두뇌 통신 회선을 스치고 지나갔다. 물론 이것만으론 모니카는 정신을 차리지 못했다. 그러나 두 남자의 황당하다는 반응 — 뭐 이런 미친년이 있냐는 생각 — 이 두뇌 통신으로 밀고 들어오자 그 위화감에 모니카는 정신을 차릴 수 있었다.

- 어어? 피아프 중위?

모니카는 다른 이들의 감정에 자신의 감정이 떠밀려 자기도 모르게 정신을 차린 셈이다.

- 에효, 다행이다.

저 멀리서 파트리샤가 안도의 한숨과 함께 손을 흔들더니 레일건 앞으로 앉는 게 보인다. 빈우도 손을 마주 한 번 흔들어주고 부머의 움직임을 다시 정상화했다. 그리고 모니카를 두뇌 통신 회선에서 열외시킨 다음 음성 통신으로 말을 걸었다.

- 모니카. 괜찮, 으억.

- 팀장님! 괜찮으세요? 팀장님?

그때 갑자기 부머가 움직여 빈우의 컨커러를 붙잡았다. 괜찮냐는 의미였겠지만 초보의 움직임이었던 탓에 몸이 격렬하게 흔들렸다. 사람끼리 이러면 괜찮을지 몰라도 장갑복을 입은 채 힘 조절도 안 하고 이러면 전혀 안 괜찮다. 컨커러의 척추에서 기분 나쁜 소음이 들릴 정도다.

- 아니 솔직히 말하면 아까 맞은 것보다는 지금 네가 이렇게 흔드는 게 더 위험하다. 그만.

- 아, 네.

급히 모니카가 손을 뗐다. 육중한 부머가 다소곳하게 움츠리는 모습이 다소 우스꽝스럽다.

- 이제 좀 괜찮아졌나?

- 네……. 죄송합니다.

모니카는 진짜 얼굴을 못 들 지경이다. 현장에 나가겠다고 큰소리를 쳐놓고선 막상 훈련에서 이런 흉한 꼴을 보였으니 정말 창피했다.

- 아니, 죄송할 것 없다. 훈련 상황을 제대로 파악하지 못한 내 실수지. 일단 의무실부터 가보자.

- 아뇨. 저 이제 괜찮습니다. 훈련을 계속해도 됩니다.

빈우의 말에 모니카는 어떻게든 자신의 실수를 만회하려 했으나 팀장은 단호했다.

- 간다. 의무실.

- ……네.

빈우는 모니카를 이끌고 제트팩을 써서 셔틀로 귀환했다. 정자세로 가만히 끌려가는 부머의 모습에서 착용자의 우울함이 배어나오는 것 같다.

- 그럼 우리도 철수하겠습니다.

저 멀리서 아룹과 파트리샤도 장비를 챙기고 복귀할 준비를 하고 있었다.

- 아 참, 두 사람한테는 아직 볼일이 남았어요.

빈우는 셔틀에 부머를 집어넣으면서 새로운 명령을 내렸다.

- 부팀장, 우리 훈련을 몰래 엿보는 놈들 있던가요?

관제요원을 했던 아룹은 고출력 외장센서를 따로 들고 왔었기에 다른 사람이 보지 못했던 것이라도 그의 눈에는 띈다.

- 정식으로 신청하고 참관하는 쪽을 빼면 하나입니다. 궤도 태양광 발전기 쪽에 2인 1조로 추정됩니다.

- 그러면 거기 가서 얼굴도장이라도 찍어볼까요. 나대지 말라고. 참, 파트리샤는 놓고 장비만 다 챙겨 가세요.

- 알겠습니다.

아룹은 즉시 장거리 추진기에 센서와 몸을 실었다. 그리고 매복 지점까지 파트리샤와 같이 타고 왔던 추진기를 홀로 타고 떠났다.

- **어라? 그럼 나는요? 난 어떻게 돌아가라고? 설마 혼자서?**

졸지에 암석 지대에 홀로 남겨진 파트리샤가 투덜댔다. 장갑복의 제트팩을 쓰면 돌아갈 수는 있지만, 시간도 오래 걸리고 지루하다.

- **넌 아직 훈련해야지.**

그러면서 빈우는 새로운 스케줄을 파트리샤에게 보냈다.

- **지금 침투 훈련용 셔틀을 보내겠다. 훈련 마치면 그거 타고 귀환해.**

- **아, 좀 일찍 끝나나 싶었더니.**

다시 암석 위에 등을 대고 눕는 파트리샤에게 팀장의 충고가 들려온다.

- **좋은 상관이 되려면 부하 노는 꼴을 보면 안 된단다.**

- **니예 니예, 그러믄요.**

본인은 혼자 남겨두고 자기들만 셔틀을 타고 돌아가는 모습이 얄미웠던 파트리샤는 둘의 뒷모습에다 대고 대뜸 중지를 세웠다. 그녀의 손가락에 가렸던 빈우의 셔틀이 기지로 돌아갈 때 즈음 훈련용 셔틀이 날아왔다. 두 셔틀은 가까이 스치고 지나가 하나는 궤도 기지로, 하나는 파트리샤가 있는 암석군 쪽으로 다가왔다.

셔틀의 침투 훈련은 크게 두 가지 종류다. 훈련용 무장을 한 셔틀의 공격에 맞서 강행 침입하는 첫 번째와 지금 파트리샤가 할 훈련처럼 센서에 감지되지 않도록 은밀히 침입하는 두 번째. 훈련용 셔틀은 암석군 옆을 지나면서 각종 센서로 탐지를 시작했다. 그러나 시스템은 아무런 이상을 감지하지 못했고 셔틀은 정해진 대로 계속 근처를 수색했다.

그러나 그때 이미 파트리샤의 인필트레이터는 몸을 둥글게 말고 외피를 돌처럼 변형시켜 암석으로 위장해 셔틀로 다가가고 있었다. 현재 파트리샤가 세팅한 전파 차단이나 외형의 위장 단계는 주변의 암석과 비슷한 정도일 뿐이다. 이 정도라면 당연히 탐지에 걸린다. 그러나 인필트레이터는 주변의 암석과 위험군을 판단하는 센서의 필터링 과정에서 다른 암석들과 함께 걸러져 나가 안전하게 셔틀로 접근할 수 있었다.

셔틀 표면에 닿을 정도가 되자 파트리샤는 인필트레이터의 전파 흡수 기능을 사용하며 외피의 변형을 풀었다. 그리고 동시에 기체 표면에 달라붙으며 장갑의 재질과 색을 셔틀의 것으로 위장했다. 일련의 행동들은 너무나 자연스럽게 이뤄졌다. 겉보기엔 마치 암석이 다가가다가 셔틀에 녹아 들어가는 것처럼 보일 정도였다. 파트리샤는 셔틀의 센서를 자극하지 않는 단계에서 서서히 움직이며 침입 루트를 찾았다. 그리고 원하던 것을 찾았다.

"빙고."

셔틀의 보급용 튜브가 든 반입구다. 장기간 항행을 할 때 연료나 물자를 공급받기 위한 이 통로는 외부의 입구만 열면 구멍이 뻥 뚫려 있어 침입하기 제격이다. 다만 직경이 작아 인간이 들어가기는 무리다.

"자자, 힘 빼세요. 들어갑니당."

인필트레이터의 팔을 집어넣고 가늠하자 머리는 간신히 들어갈 굵기다. 여타 장갑복은 물론이고 평범한 옷을 입고 있는 인간이라도 들어가지 못할 크기지만, 인필트레이터라면 충분히 들어간다. 손끝의 센서로 반입 튜브의 내부를 살펴보며 파트리샤는 콧노래를 흥얼거렸다.

"아앙~ 이대로 들어가면 파괴와 죽음의 아이가 잉태되어버렷~."

- **입고 있잖아. 초박형.**

뜬금없이 들리는 팀장 빈우의 말에 파트리샤는 기겁했다.

"아악! 이거 콘돔 아니에요."

빈우의 말이 콤플렉스라도 건드린 건지 평상시 느긋하던 파트리샤가 속사포처럼 쏘아댔다.

"인필트레이터가 아무리 얇다고 해도 그건 다른 미들 급에 비해서지 충분한 방어력과 완력을 가지고 있습니다. 그리고 화력도 여타 연방 표준장비를 사용할 수 있기에 유사시에는 전면전도 가능해요. 전투를 피하는 건 약해서 가 아니라 맡은 임무가 그렇기 때문이라구요."

- 아니, 난 아무 말도 안 했는데 혼자서 왜 그러는 거냐.

자기가 뭔 말을 했는지도 모르고 멍하니 대답하는 빈우는 뭔가 먹고 있는 듯 우물거리고 있었다. 보아하니 벌써 기지의 상황실에 있는 것 같다.

"혼자서 뭐 먹어요?"

- 콰트로 커피 피자.

무심한 듯 신경을 긁는 팀장의 말을 귓등으로 흘리며 파트리샤는 보급 튜브 속으로 들어갈 준비를 했다. 그러자 인필트레이터는 물론이고 그걸 입고 있는 파트리샤의 골격과 근육도 변형하기 시작했다. 어깨뼈와 갈비뼈에 이어 골반마저 변형된다. 기괴하게 일그러진 인필트레이터는 굵기가 한 뼘도 안 되는 튜브 속으로 미끄러져 들어갔다.

연방 강화군인의 일반적인 시술은 기본적으로 생존력과 전투력 강화에 초점을 맞춘다. 그러나 인필트레이터를 입는 자들은 다르다. 그들은 특수한 목적을 위해 제조된 침투 장갑복을 입기 위해 그에 맞는 특수 시술을 한다. 사람을 위해 장갑복을 만들어 입히는 게 아니라 장갑복을 운용하기 위해 인간을 개조하는 셈이다. 마치 과거 지구제국의 군인들처럼.

이러한 강화 시술을 마친 실리콘 나이트들은 신체 형태를 자유자재로 변환시킬 수 있다. 지금처럼 머리만 들어간다면 어디든 스며들 수 있게 되는 것이다. 보급 튜브 내부를 마치 뱀처럼 미끄러지듯 통과해 셔틀 안으로 들어온 파트리샤는 내부의 문을 살짝 열고 바닥으로 안착해 본래의 형태로 돌아갔다. 그리고 그런 파트리샤의 앞에는 예기치 못한 손님이 있었다.

"까꿍."

컨커러를 입은 채 웃으며 손을 흔들고 있는 빈우다.

"그악! 당신이 여기 왜 있는 거야!"

- 들어올 땐 안에 누가 있는지 봐야지, 왜 그리 서둘러.

기겁하는 파트리샤에게 빈우는 컨커러의 헬멧을 닫고 달려들어 엉겨 붙었다. 그리고 오른손은 인필트레이터의 어깨를, 왼손은 허벅지를 잡아채며 벽으로 밀어붙였다. 훈련의 여파로 여기저기 보수해놓은 셔틀 내벽이 또다시 부서졌다.

파트리샤도 엄연히 연방 특수부대인 실리콘 나이트의 대원이고 입고 있는 인필트레이터도 연방 최고의 장갑복 중 하나다. 만약 일반적인 전투상황이었다면 빈우도 승패를 장담하지 못한다. 그러나 이렇게 찰싹 달라붙어 힘겨루기로 들어간다면, 잠입과 게릴라전을 위해 만들어진 인필트레이터는 제 실력을 발휘하지 못한다. 더구나 컨커러는 미들 급의 체격에 헤비 급의 출력을 지니고 있다. 평상시엔 자체 질량이 가벼워 최대 출력을 내기는 힘들지만, 이렇게 고정된 상태라면 최대 출력으로 상대방을 짓이겨버리는 게 가능하다. 그러나 파트리샤는 아까 튜브를 들어올 때처럼 인필트레이터의 장갑 표면을 변형시켜 컨커러의 손아귀에서 벗어났다.

- 어랍쇼? 뭐가 이리 미끄러워? 맞네, 그거. 윤활제지?

- 아니라니까요! 장갑 외피 구조만 바꾸면 가능한 거예요.

인필트레이터는 무중력 공간에서 의자를 박차 그 반동으로 뒤쪽 객실 쪽으로 넘어가며 문을 닫았다. 의자를 부수며 추격하던 컨커러가 문 앞에서 잠시 멈춰 섰다. 트랩을 경계하며 문 너머의 상황을 센서로 살핀 결과는 아무 반응 없음. 함정은 물론이고 장갑복의 반응도 없었다. 역시나 인필트레이터답다. 조심스레 닫힌 문을 열고 보니 뒤쪽 객실에선 어디에도 인필트레이터의 모습은 없었다. 아니, 있는데 보이지 않을 뿐이다.

- 근데 그건 자치정부에서나 쓰지 않나? 연방에서는 두뇌칩으로 피임하든가 할 텐데?

- 아니 진짜.

발끈하는 파트리샤의 통신 신호가 저쪽 부서진 의자에서 잡힌다. 원래대로라면 훈련 중 이런 기능은 끄는 게 상식이지만 빈우에겐 켜놓는 게 상식이다. 그렇게 빈우가 못 찾은 척 두리번거리며 걷다가 냅다 목표 의자를 걷어찼다. 공중으로 떠오른 의자가 인필트레이터로 변했다.

- **어, 뭐야, 어떻게 찾은 거예요?**

말은 말대로 몸은 몸대로. 인필트레이터가 무중력 상에서 몸을 회전시켜 발차기를 날렸다.

- **통신 반응으로.**

대답하며 발차기를 컨커러의 오른팔을 들어서 막자 찼던 발이 끈적하게 달라붙는다.

- **우와 ― 그거 반칙이잖아요. 그런 게 어딨어요?**

이어서 발차기가 컨커러의 머리 쪽에 쏟아졌으나 빈우는 인필트레이터의 다리를 잡아 바닥 천장 할 것 없이 패대기를 쳤다.

- **눈이 삐었나. 바로 네 앞에 있네.**

몇 번 패기도 전에 인필트레이터는 컨커러의 손아귀를 빠져나갔다. 빈우는 빈손을 흘긋 보더니 그 손을 진동 나이프로 채웠다. 파트리샤 역시 모의전으로 설정된 진동 나이프를 꺼내 들며 맞섰다.

- **이렇게 여자를 험하게 대하는 아들을 보고 팀장님 어머님께서 뭐라고 하실까요?**

- **죽었는데 씨발아.**

빈우는 나이프를 놓고 옆의 의자를 뽑아 인필트레이터를 후려갈겼다. 파트리샤는 반응도 못 하고 처맞았다.

*

"이거 보기 드문 광경인데요?"

궤도 기지의 격납고에서 아룹은 아까 훈련에서 썼던 고출력 센서로 촬영을 하고 있었다. 완전히 박살 난 셔틀 내부의 처참함은 피사체라 부르기 민망한 수준이었다.

"아앙, 부끄러운 모습이 찍히고 있어어…….."

셔틀 바닥에 널브러진 파트리샤가 힘없이 중얼거린다. 심하게 팼나 싶어 조금 걱정했는데 입이 살아 있는 걸 보니 빈우는 안심이 되었다.

"부팀장, 어떻습니까?"

빈우의 질문에 아룹은 촬영을 멈추며 어깨를 으쓱했다.

"이미 철수했었습니다. 그런데 남긴 흔적을 보아하니 아마도 본가 같습니다."

아룹에게 본가라면 단검뿔 토끼다. 연방의 특수부대 중 최고라 손꼽히는 침투 타격 부대. 뱅가드 연대가 신속 기동의 소방관 역할이고 실리콘 나이트가 후방 침투 게릴라 부대라면, 단검뿔 토끼는 핵심 목표에 가장 최단 루트로 침입해 '알려져서는 안 될 민감한 작전'을 하는 부대다. 당연히 연방의 최고 기밀을 요구하는 부대라 비정기적으로 해산과 결성을 반복하여 정보 유출을 막는다. 문서상 쓰이는 정식명칭은 '○○년도 특수전 사령부 직할 특수임무 부대'다. 지금 쓰이는 단검뿔 토끼란 명칭은 저번 지휘관이 쓰던 패치에서 비롯된 것으로, 거의 준공식으로 굳어진 명칭이지만 부대가 바뀌면 또 바뀔 이름이다.

"흔적이라……. 혹시 일부러 남기고 갔습니까?"

비실비실 일어나는 파트리샤를 바라보며 빈우가 나직이 질문했다. 빈우도 겪어봐서 아는데 단검뿔 토끼는 당최 오간 흔적을 찾을 수 없는 부대다. 물리적인 흔적은 물론이고 부대 예산의 움직임도 알 수 없을 정도로.

"네. 아마도 뭔가를 암시하는 듯합니다만."

암시라고 해봐야 별 것 없다. 빈우로서는 익숙하지만 익숙해지고 싶지 않은 신경전이다. 빨리 여기를 떠야겠다는 생각에 빈우는 훈련 스케줄에 더욱 박차를 가하자고 마음먹었다.

"버터 있습니까?"

빈우의 질문에 가게 주인이 쓰게 웃었다.

"연방에서 지급된 합성 버터는 이제 없소. 대신 저게 있지."

주인이 가리키는 곳으로 고개를 돌리자 고래 그림이 그려진, 조잡한 포장지의 마가린이 매대 위에 놓여 있는 것이 보였다.

"고래 기름으로 만든 마가린이오. 천연 마가린이지. 짝퉁 합성 버터 따위와는 비교하지 마시구랴."

버터 보고 짝퉁이라. 애당초 마가린이란 게 버터의 대용품으로 나온 걸 생각해보면 아이러니한 상황이다. 빈우는 마가린을 들어보고는 가게 주인처럼 쓰게 웃었다. 그때 마가린을 들고 살까 말까 고민하는 빈우의 뒤쪽으로 익숙한 목소리가 들린다.

"어? 빈우 아저씨?"

누군가 싶어 돌아보니 낯이 익은 남자아이가 달려와 빈우의 바짓가랑이에 엉겨 붙었다. 갑자기 친하게 아는 척하는 아이의 이목구비를 살피자 그 이유를 알 것 같았다.

"너 혹시 자크니? 많이 컸구나."

마지막 봤을 때 아직 앳된 티가 남았던 자크 라캉은 못 본 사이 많이 커서 이제는 장난꾸러기 소년이 되어 있었다. 그리고 키득대는 자크의 뒤를 따라

한 여성이 나타났다.

"어머, 빈우 씨."

자크의 어머니인 마리 라캉은 의외의 곳에서 빈우를 만나서 놀랍다는 표정이다.

"오랜만입니다. 라캉 부인."

마리의 얼굴 위로 떠워진 미소에는 반가움뿐만이 아니라 약간의 그늘이 섞여 있었다.

"마카로니에는 무슨 일이세요? 설마…….."

"아, 일 때문에 온 건 아닙니다."

빈우는 걱정스러운 표정으로 물어보는 마리 라캉을 급히 안심시켰다. 정보국의 일이건 피자 타이거의 일이건 지금의 그녀에겐 달갑지 않을 것이다.

"그냥 개인적인 용무로 들른 것뿐입니다."

"그래요. 그럼 다행이군요."

그제야 마리는 안심하듯 밝게 웃었다.

"혹시 피에르 차장님도 같이 오셨습니까?"

손에 들었던 마가린을 다시 매대에 올려놓고 빈우가 몸을 돌렸을 때 마리 라캉은 그 자리에 없었다. 대신 장 봤던 물건들이 바닥에 널브러져 있었다.

"라캉 부인?"

정신을 차려보니 자신의 허리춤에서 장난치던 자크도 사라지고 없다.

"자크?"

주변을 둘러봐도 모자가 간 곳은 알 수 없다. 빈우는 허리를 숙여 바닥에 떨어진 물건들을 주웠다. 빵과 버터, 커피와 설탕이다. 모두 마카로니에서 직접 만든 듯 조악한 품질이었다. 이게 과연 진짜일까? 합성물이 아니고 자연 재료로 직접 만들었다고 진짜가 되는 것일까?

"음?"

그리고 언제 있었는지 모르지만 부서진 바퀴 하나가 빈우의 손에 들려져 있었다. 가정용 도우미 로봇에나 쓰일 실내용 바퀴다. 불길한 기분에 빈우는 손에 든 것들을 매대에 도로 올려놓고 거리로 나섰다. 빈우가 문을 열자마자 마주한 것은 군중들의 소음이었다.

"여러분! 이번 크리스마스는 특별합니다! 바로 우리 마카로니의 독립일이기 때문입니다!"

마카로니의 거리 곳곳에서는 스콜피온 전차들이 돌아다니며 퍼레이드를 하고 있었다. 당장 빈우의 앞을 지나가는 전차 위에는 남자 한 명이 올라서서 고함을 지르고 있었고, 그 뒤를 흥분한 군중들이 따르며 환호를 질러댔다.

"마카로니 독립 만세!"

"연방은 우리 땅에서 나가라!"

"마카로니는 우리 땅이다!"

모두 두뇌칩이 없는 자치정부민들이다. 광기에 떠밀려 자신들이 보고 싶은 꿈에 취한 몽상가들. 그들을 쫓아온 악몽의 기수들이 이 땅에 다다랐을 때는 그 개꿈이 악몽으로 변하겠지만 애도할 필요는 없다. 할 자격조차 없다. 빈우 스스로가 그 기수들의 한 명이니.

거리를 메웠던 군중이 지나가고 나자 겨우 길 건너편을 볼 수 있었다. 그리고 기기엔, 불빛이 없는 어두컴컴한 건너편 거리엔, 어자아이가 홀로 서서 울고 있었다. 그 아이는 눈이 마주친 빈우를 향해 손을 뻗으며 흐느꼈다.

"로보트야. 도와줘어."

그리고 그 울음소리를 향해 총구가 몰린다. 클론들의 조준이 느껴진다. 자신과 똑같이 생긴 울토르 중대원들이 총을 겨눈다. 방아쇠에 걸린 손가락의 감각이 빈우에게도 그대로 느껴진다. 급히 좌우를 둘러보자 저쪽에 건널목이 보인다. 건널 수 없는 길을 건널 수 있는 유일한 방법이다.

"건널목으로 뛰어! 어서!"

빈우는 길 건너편에서 아이에게 소리쳤다. 그러나 아이는 그 자리에서 계속 울 뿐이다.

"엄마아아, 아빠아아! 무서워, 무서워. 깜깜해, 여기 너무 깜깜해."

"어서 뛰어!"

다그치는 빈우의 목소리에 아이는 화들짝 놀라더니 울면서 달렸다. 아이를 쫓는 클론들의 조준경이 빈우에게도 공유된다. 울음에 지쳐 할딱거리면서도 아이는 계속 달렸다. 그 뒤를 이어 조준경이 닿을락 말락 하며 따라간다.

건널목의 신호는 빨간불이었다. 그리고 길 한가운데에는 중앙선 대신에 샤프트가 맹렬히 돌아가고 있었다. 사람의 피와 살점이 흥건한 샤프트가 불길한 굉음으로 덜덜거리며 돌아간다. 발을 동동 구르던 아이는 두려움에 못이겨 도로 위로 한 발을 내디뎠다.

"안 돼! 기다려! 아직 오면 안 돼!"

그러나 빈우의 만류에도 불구하고 아이는 울면서 눈을 꼭 감은 채 빈우를 향해 달렸다.

"로보트야! 안아줘어!"

양팔을 벌리며 달려오는 아이가 샤프트에 닿기 전에 빈우도 달려나간다. 마주 손을 뻗는다. 그러나 빈우가 늦은 것인지 아니면 망설인 탓인지 아이가 먼저 샤프트에 닿았다. 빈우의 팔에 둔탁한 감촉이 느껴진다.

"주인님?"

아나스타샤가 조심스러운 눈빛으로 빈우를 깨우고 있었다. 자기 숙소의 의자에 기대어 잠시 졸았던 빈우는 쭉 기지개를 켰다.

"아, 달게 잤다. 내가 얼마나 잤지?"

"5분도 안 되었어요. 죄송해요. 하지만 찾는 분들이 오셔서 깨울 수밖에 없었어요."

목을 주무르며 물을 마시는 빈우에게 아나스타샤가 인터폰의 통신 창을 띄워주었다.

"김빈우 소령 안에 있습니까? 24함대 사령관이신 벤자민 소여 소장 각하께서 오셨습니다."

화면에는 부관 휘장을 단 소위 한 명이 각 잡힌 모습으로 말하고 있었다. 그리고 그 뒤로는 소개대로 24함대 사령관인 벤자민 소여 소장이 서 있었다. 빈우는 자리에서 일어서며 그들을 맞이했다.

"들어오시죠."

예고도 없는 불청객은 이미 예상한 바다. 문을 열어주자 소장과 소위, 사령관과 부관이 한껏 거들먹거리며 들어왔다.

"반갑네, 김 소령. 오늘 내가 온 것은 다름이 아니라 중요한 할 말이 있어서야. 발 가르단 하스의 리퍼에 관한 것이지."

벤자민 소여 소장은 아나스타샤가 마련해준 자리에 앉자마자 거두절미하고 말을 꺼냈다. 24함대는 연방의 외곽에 위치한 포말하우트 게이트 방면 함대다. 빈우가 작년 울토르 중대의 지휘관이었던 시절 리퍼에게 습격당한 바로 그곳이다. 리퍼가 루비콘 전대에 공격받고 추락한 발 가르단 하스도 그 근처지만, 위치가 가깝다고 해서 이 두 가지 사건은 눈앞의 사람이 알 만한 것이 아니다. 연방의 특급 기밀을 일개 소장이 알아내는 건 불가능했다. 불가능해야 하는데……. 빈우는 굴리던 머리를 멈추고 입을 열었다.

"말씀하십시오."

보통 함대 사령관은 중장이나 대장이 맡지만, 눈앞에 있는 벤지민 소어의 계급은 소장이다. 사령관의 계급에서 알 수 있듯이 24함대는 2선 급 함대다. 연방의 영역에서 외곽은 다른 외계종족들과 마주한 곳이라 대부분 중요한 주역이다. 따라서 연방의 최정예 함대가 주둔하게 된다.

그러나 포말하우트 방면은 루비콘 라인과 근접해 있어서 이야기가 조금 다르다. 루비콘 라인을 따라 이동하는 비홀더 전대는 현재의 연방과는 비교를 불허하는 전력을 지니고 있다. 우주를 싸돌아다니며 보이는 외계종족마다 족족 조지는 연방의 훌륭한 보호막이자 흉악한 골칫거리인 것이다. 루비콘 라인과 인접한 함대는 비홀더 전대 덕분에 —그리고 그들을 자극하지 않기 위해—2선 급으로 구성된다. 장비나 인력 모두.

"어흠, 김 소령? 이번 발 가르단 하스의 작전은 우리 24함대가 맡기로 되었네."

벤자민 소여 소장은 자신의 개소리에 빈우가 놀라지도 않고 아무런 반응도 없이 가만히 있자 조금 당황한 듯했다. 빈우가 가만히 있는 이유는 간단하다. 그럴 가치가 없으니까. 이미 발 가르단 하스의 작전은 특수전 사령부의 태스크포스 373이 하기로 정해져 있다. 행여 변경 사항이 있다면 그건 팀 최고 지휘관인 조지 레드우드 중장에게서 명령이 내려오지, 저딴 변경 함대 소장 나부랭이에게 들을 일이 아니다.

빈우는 심드렁한 표정으로 이런 쓰레기가 꼬이지 않게 커버쳐줄 사람이 어디 있을까 하며 찾아보았다. 마침 이 작전을 맡은 태스크포스 373의 사령관이자 빈우의 직속 상관인 조지 레드우드 중장은 지금 특수전 사령부의 사령관인 캐서린 시슬 대장과 회의 중이라고 했다. 우연일 리는 없고 미리 스케줄을 알고 수작을 부린 거겠지. 아니면 뒷배가 생각보다 클 수도 있다.

"그럼 그렇게 알고 레드우드 중장께도 전해주게나."

빈우는 대꾸할 가치를 못 느껴서 그냥 가만히 있었을 뿐인데, 벤자민 소장은 자기 뜻대로 된 줄 알고 한껏 의기양양해하고 있었다. 그리고 호가호위라고 했던가. 옆에 섰던 전속부관인 소위가 퉁명스레 말을 건다.

"소령님. 각하의 질문에 대답하십시오."

황당해서 이걸 어쩌나 싶어 고민하던 빈우에게 아나스타샤가 보인다. 그녀는 주변의 눈치를 보더니 살짝 앞으로 나섰다.

"주인님, 다과를 내올까요?"

아나스타샤는 나름대로 분위기를 부드럽게 하려는 모양이었는데 저쪽 일행들에게는 그러지 않았던 모양이다.

"뭐야 넌. 안드로이드 따위가. 저리 꺼져."

소위가 아나스타샤의 멱살을 잡더니 확 밀쳤다. 아나스타샤는 이런 일을 한두 번 당해본 게 아니었는지 공손히 고개를 숙이며 뒤로 물러났다.

'오케이. 결정.'

그리고 빈우는 그들이 원하는 대답을 해주었다. 먼저 자리에서 일어난 다음 손바닥을 쑥 내밀어 소위의 입안으로 집어넣었다. 그리고 주먹을 꽉 움켜쥐자 바둥대던 놈의 아랫니가 으스러지며 잇몸 속으로 파고들었다.

"흥그어엇!"

비명을 지르며 자지러지는 소위를 팽개친 빈우는 놀라서 당황하는 벤자민 소장 앞으로 불쑥 나섰다.

"어이, 영감님."

"어, 어어. 자네 미쳐, 컥."

벤자민이 뭐라 말하기도 전에 빈우의 오른손이 그 목을 쥐었다.

"대우해줄 때 대우받으시죠."

그리고 목을 쥐고 천천히 들어 올린다. 불쌍한 소장이 건방진 소령에게 목을 졸려 캑캑댄다.

"상황 파악 안 되시나 본데, 여긴 변경에 있는 함대 사령관이 힘주고 다닐 만한 곳이 아닙니다. 제가 여태껏 날려버린 별이 몇 개인지 아십니까?"

거짓말은 아니다. 빈우는 정보국 시절 보안국과 연계해서 장성급 여럿을 작살 낸 전력이 있다. 장소가 여기가 아니고 이런 방법도 아니었지만.

"누가 시켰습니까?"

"무, 무슨 소리냐."

빈우는 소장을 내던진 뒤 데굴데굴 구르는 소위의 턱을 꽉 움켜쥐었다.

"끄아어억!"

그리고 흘러내리는 피거품에도 아랑곳하지 않고 엄지손가락으로 소위의 윗니 하나를 뒤로 밀어젖혔다.

"아악!"

함에 근무하는 군인들의 강화는 그리 높지 않다. 더구나 2선 급이라면 더더욱. 소여 소장이 덜덜 떨기만 할 뿐 아무런 대답이 없자 빈우는 다시 질문했다.

"누가 시켰습니까?"

"흐어억컥!"

소위의 치아들은 실로 동화 속에 나오는 마법의 이 같았다. 하나씩 천장으로 던질 때마다 이의 요정들이 날아와 빈우가 원하는 소리를 들려다 주었으니 말이다. 조금만 더 있으면 원하는 대답도 들을 수 있을 것이다. 하지만 아쉽게도 그러지 못했다.

"김 팀장."

아까부터 바닥에 엎드린 벤자민이 벌벌 떨면서 누구랑 줄기차게 연락을 하는 것 같더니만, 마침내 연락이 왔다. 특수전 사령부의 사령관인 캐서린 시슬 대장이다.

"지금 뭐 하는 건가."

지금 연방군의 특수부대원들을 총괄하는 여걸의 뒤로 불쾌한 표정의 조지 레드우드 중장이 있었다.

"글쎄요. 뭐 작전에 앞서 보안 테스트인가 싶어서 응하고 있습니다."

실제로 비밀작전 투입 전에 팀원들을 대상으로 한 보안 점검을 하는 경우가 있으니 빈우의 변명은 타당하다. 그리고 애초에 이렇게 빠져나갈 구멍이 없다면 아무리 빈우가 막 나간다 해도 이런 짓까지는 벌이지 않는다.

"뭔가 착오가 있는 모양인데, 그들은 실제 24함대 사람들이야. 24함대는 당시 토끼몰이 작전에 참여한 적이 있어서 도움이 되리란 생각에 부른 거야."

"도움요? 자기들이 작전을 받는다던데요?"

"뭔가 오해가 있었나 보군. 내가 도움이 필요해서 불렀고 그들은 내 손님이야."

시슬 대장의 말에 빈우는 기가 차서 웃었다.

"도움 필요한 게 있으면 우리가 가서 가져오면 되는데 뭘 또 외부인을 들입니까. 기밀이 필요해서 우리 팀을 만든 거 아닙니까?"

"그래서, 지금 내 손님들은 어쩌고 있나?"

시슬 대장의 표정은 '내 손님에게 무례를 저지른다면 아무리 선배의 부하라지만 용서하지 않겠다'라는 표정이었다. 빈우는 솔직하게 대답했다.

"이 좀 뽑았더니 울고 있네요."

그 대답에 사령관과 부사령관의 표정이 묘하게 변했다.

"울고 있다고?"

곤란한 표정으로 고개를 갸웃하는 시슬 대장 뒤로 레드우드가 기가 막힌다는 얼굴을 하고 있었다. 빈우가 화면을 발아래로 비추자 소여 소장의 부관이 으스러진 아래턱과 이가 사라진 위턱을 부여잡고 울고 있는 게 보였다.

"하이고, 씨발. 어이가 없네. 어디 사람이 없어서 저런 어중이떠중이를 데려오나 그래? 나한테 귀띔이나 했으면 좀 좋아?"

이러니저러니 해도 캐서린 시슬 대장도 닉스 레벨 3에 특수전 사령부의 사람이다. 아무리 자신의 일행이라지만 저런 추태를 부린다고 하니 절로 눈살이 찌푸려졌다.

"일단 폭력적인 행위를 멈추고 그들을 이리로 데려오게."

빈우는 시슬 대장의 얼굴을 빤히 노려보더니 뒤쪽에서 그녀의 뒤통수를 노려보는 레드우드를 향해 물었다.

"라고 하시는데, 어쩔까요?"

레드우드가 살벌하게 웃으며 대답했다.

"X까고. 까불대면 나 대신 조져라. 어디 씨발놈들이 감히 내 새끼한테 집적대고 지랄이야, 지랄이."

"랍니다."

눈앞에서 그렇게 전해주자 캐서린 시슬 대장이 한숨을 내쉬었다.

"벤자민 소여 소장. 즉시 거기서 빠져나오게."

그러자 24함대 일행은 도망치듯 빈우의 방에서 빠져나갔다. 한심한 표정으로 그들을 바라보던 시슬 대장이 다시 바로 앉으며 빈우에게 말했다.

"그리고 김 팀장. 이번 작전에 24함대는 동행할 거야."

"그거 참 끈질기시네. 무슨 자격으로 동행한답니까? 373의 팀원으로?"

빈우의 대답은 레드우드의 고함이 대신했다.

"절대 아니지!"

앞뒤로 쏟아지는 공격에 혀를 차던 시슬 대장이 쐐기를 박는다.

"24함대에서 병력을 차출, 태스크포스 373의 지원 부대를 편성하여 파견한다. 이 부대는 나 캐서린 시슬의 직속 부대가 된다."

이렇게까지 나온다니. 저 여걸은 무슨 수를 써서도 태스크포스 373에 24함대를 따라 붙일 생각이었다. 그렇다면 스스로 포기하게 만들어야 한다.

"네, 좋습니다. 다만 한 가지 조건이 있습니다. 일단 그들이 제 테스트에 합격한다면 군말 없이 받아들이도록 하죠."

빈우의 말에 특수전 사령부의 사령관과 부사령관은 아리송한 표정을 지었다. 그리고 뭔가 깨달은 듯 레드우드가 먼저 찬성했다.

"흐음, 난 찬성이야. 현장 지휘관이 김 팀장이니까 편성은 이쪽에서 하더라도 그 가부는 김 팀장이 하는 게 당연하지 않나?"

자신이 말실수했다는 것을 깨달은 시슬 대장이 입술을 깨물었다. 이전부터 특수전 사령부는 현장의 유연한 판단을 매우 높게 쳐줬다. 딱히 정해진 규범은 없으나 후속 부대나 지원 부대에 대한 최종 결정은 대개 현장에서 내렸다. 만약 24함대를 독립적인 태스크포스로 구성한다면 이런 문제가 없겠지만, 이 경우는 현장의 판단 아래 373이 공식적으로 협조를 거부할 수 있다. 그래서 명목상으로나마 373과 한 부대로 쳐주는 지원 부대로 밀어넣으려 한 것인데 빈우가 이런 식으로 반격을 한 것이다.

"좋아. 그렇다면 일단 테스트를 해야겠지."

그러나 캐서린 시슬에게도 꼭 나쁜 것은 아니었다. 테스트란 명목으로 태스크포스 373의 출발이 조금이나마 늦춰질 수 있으니까.

041

· · · ✦ · · ·

"그럼 내일 09시에 테스트를 하도록 할까?"

테스트를 하는 사람은 이쪽인데 다짜고짜 밀고 들어오는 곳은 저쪽이다.

"아니오. 지금 당장, 바로 하도록 하죠."

"그건 너무 서두르는 게 아닌가?"

"애초에 373의 지원 부대가 되고자 한 건 그쪽입니다. 그 정도 실력으로 제 팀 뒤를 따라오려면 곤란하지요."

"좋아. 그럼 자네 말대로 하지."

상대방이 수긍하는 틈을 타 빈우는 바로 밀어붙였다.

"테스트는 두 가지입니다. 지상 병력과 모함 운용. 흠, 마침 24함대의 기함인 오데이셔스가 지금 3번 항구에 들어와 있군요. 변경 2선 급 함대가 홀수 항구에 들어와 있다니 대우 좋습니다. 저희가 3번 항구로 가겠습니다. 거기서 바로 테스트 진행하지요. 자세한 내용은 가서 알려드리겠습니다."

시슬 대장은 빈우의 말을 끝까지 들은 뒤 질문했다.

"합격 조건은? 둘 다 통과해야 하나?"

"지원 부대인데 깐깐하게 굴 순 없죠. 둘 중 하나만 합격하면 됩니다."

"알겠네. 그러면 거기서 보도록 하지."

통신이 끝나자 빈우는 의자 뒤로 쭉 기대며 기지개를 켰다. 예상은 하고 있었던 불청객의 방문이지만 막상 닥치고 나니 심신이 피곤해지는 것이다.

"후유."

"저, 주인님."

의자에 기대 미간을 주무르는 빈우에게 아나스타샤가 조심스레 다가왔다.

"응?"

"캐서린 시슬 대장 각하께선 어떻게든 지원 부대를 만들어 붙이시려는 것 같은데 그런 방법으로 될까요?"

하긴 아나스타샤의 걱정도 당연하다. 이쪽이 싫다고 거절 의사를 확실히 비쳤는데도 불구하고, 특수전 사령부의 총사령관이란 작자가 굳이 강행하려 했으니, 이런 테스트에 떨어졌다고 상대방이 포기할까 싶은 것이다.

"아, 그건 걱정 안 해도 돼. 자고로 수작이란 상대를 보고 부려야 하는 법이거든. 가령 예를 들자면⋯⋯. 음 그래, 고토 국장 같은 경우라면 이런 방법으로 쳐낸다 해도 '이이잉 고토는 꼭 하고 싶어, 꼭 할 거야잉.'같이 별 지랄을 떨면서 억지로 밀어붙였겠지만 시슬 사령관은 좀 달라. 자기가 한 말에는 책임지는 성격이거든."

고개를 끄덕이는 아나스타샤를 보며 빈우가 말을 덧붙였다.

"게다가 특수전 사령부는 분위기가 거친 만큼 솔직담백한 것도 있어서, 이번 테스트로 걸러낸다면 주변 눈치 때문이라도 억지 부리지는 않을 거야."

"아하, 그렇군요."

아나스타샤는 고개는 끄덕이면서도 손으로는 열심히 바닥 청소를 하고 있었다. 아까 두 불청객이 흘리고 간 피라든가 이빨 조각, 침 등을 다 닦아낸 아나스타샤는 고개를 들어 자신의 주인을 쳐다보았다.

"저, 주인님?"

"응?"

손수 커피를 내리던 빈우가 아나스타샤를 힐끗 돌아본다.

"주인님, 요즘 너무 폭력적으로 된 게 아니신가요?"

아나스타샤의 질문에 빈우의 고개가 살짝 모로 기울어진다.

"폭력적? 내가?"

굳이 따지자면 빈우는 비폭력주의자다. 다만 불필요하게 폭력을 낭비하는 게 싫다뿐이지 필요하다면 아낌없이 대량 서비스한다. 몸보다는 말로. 다만 방금 아나스타샤가 말한 '폭력'은 정황상 물리적인 경우를 말하는 것일 테다.

본래 빈우는 폭력을 써도 주로 정신적으로 조지는 스타일이라, 갈아버릴 상대를 말발로 빼도 박도 못하게 묶어놓고 자기가 지린 똥오줌에 익사하게 두는 편이다. 방금처럼 대놓고 주먹질하는 경우는 그리 많지 않다. 평소라면 두 놈 성격을 살살 긁어서 제풀에 고꾸라지게 만들고 말았을 일이다.

빈우는 아나스타샤의 말을 듣고는 자기가 방금 폭력을 쓰게 만든 원인 대상을 물끄러미 쳐다보았다.

"음? 주인님?"

주인의 시선이 빤히 꽂히자 안드로이드 메이드는 자신의 옷매무새를 살펴보았지만 별다른 이상은 없다. 아나스타샤가 다시 고개를 들자 어느새 어렸을 때부터 키우고 모셔왔던 주인의 손이 자신의 코앞에 와 있었다.

"에……."

그 손이 귀밑털을 쓰다듬을까 볼을 어루만질까 생각하며 아나스타샤가 고개를 숙였다. 그리고 눈꺼풀이 살짝 감겼다. 이어서 빈우는 아나스타샤의 날숨이 나올 타이밍을 노려 두 손가락으로 그녀의 코를 꽉 쥐었다.

"펭."

작은 나팔 소리가 아나스타샤의 코에서 나왔다.

"아아아! 뭐예요! 남은 걱정해주는데!"

화가 나서 방방 뛰는 아나스타샤를 보고 빈우는 낄낄거리며 돌아앉아, 부팀장 아룹과의 통신 회선을 열었다.

"네. 팀장님. 무슨 일입니까?"

빈우가 방금 있었던 일의 자초지종을 알려주자 화면 속의 아룹이 난처한 웃음과 함께 고개를 저었다.

"허어, 시슬 사령관님이 우리 팀을 그렇게 보신단 말입니까? 이거 좀 충격인데요."

아룹의 쓴웃음에서 알 수 있듯이 캐서린 시슬 사령관과 단검뿔 토끼는 꽤 밀접한 관계가 있다. 조지 레드우드와 캐서린 시슬 두 사람 다 단검뿔 토끼의 이전 이름인 '우는 해골' 출신이라, 둘에 대한 단검뿔 토끼의 지지도 또한 매우 높다.

"그렇다고는 해도 대놓고 밟으려는 것 같진 않아서 조금 긴가민가한 것도 있습니다."

시슬 사령관이라면 보다 효율적인 방법으로 태스크포스 373을 압박할 수 있을 것이다. 그러나 빈우는 시슬 사령관은 한 박자 뒤쳐지는 듯이 대응하면서 슬쩍 주도권을 넘겨주었다고 느꼈다. 그런 애매한 사항들을 머릿속으로 메모를 해두며 빈우는 확실한 사항부터 처리하려 했다.

"확실한 건 떨거지들은 테스트로 쳐내면 될 일이란 거죠."

"하긴 그분이라면 뒤끝은 없겠습니다."

화면 속의 아룹 부팀장은 빈우의 말에 평상시의 미소를 얼굴에 떠우려다가 뭔가가 생각난 듯 정색하며 말을 이었다.

"팀장님, 실은 어제 훈련 때 우릴 봤던 놈들 말입니다."

"아, 그 친구들? 뭐 새로 나온 게 있습니까?"

어제의 훈련이면 부머의 테스트와 인필트레이터의 테스트다. 그때 허가를 받지 않고 원거리에서 태스크포스 373의 훈련을 주시하던 팀이 있었는데, 조사했던 아룹의 보고에 의하면 일부러 흔적을 남기고 간 단검뿔 토끼의 대원들이라고 했다.

"네. 오늘 아침에 동기한테 들은 건데 어제 그 팀은 일단 시슬 사령관 쪽 명령을 받는 라인은 아니랍니다."

아룹은 아무렇지도 않은 투로 말했지만 이건 대단히 중요한 정보다.

"그래요?"

"또 그날 장난치러 온 놈들도 없고 말입니다."

어제 자신들의 존재를 어필하고 간 단검뿔 토끼들의 정체에 대해 빈우는 몇 가지 가설을 세워 보았었다.

첫째는 단순히 심심해서 다른 팀 훈련에 난입해 사고 치는 놈들. 의외로 적지 않은 놈들이 이런다. 이들은 실제로 자기들이 왔다 간 흔적을 장난삼아 남겨놓기 때문에 꽤 가능성이 크다. 그런데 이 경우는 방금 아룹이 부정했다.

둘째는 알 수 없는 뒷배를 가진 팀이 신경전을 걸어오는 것. 레드우드 사령관이 말하기로 태스크포스 373을 방해하는 세력이 많다고 했으니 그쪽 입김이 닿은 부대일 수도 있다. 이 가설은 방금 연방군 특수부대의 명령권을 쥔 시슬 대장과의 대화에서 그녀가 태스크포스 373에 그다지 호의적이지 않다는 것을 알게 된 뒤, 무척 유력한 가설로 떠올랐다. 즉 빈우는 어제의 단검뿔 토끼들이 사령관인 시슬 대장의 명령을 받고 온 팀이 아닐까 하고 예상했는데, 아룹의 말로는 이것도 아니란다.

시슬 대장 쪽도, 장난치러 온 놈도 아니면 남은 것은 한 가지. 외부 파견부대란 말이 된다.

"팀장님도 아시다시피 우린 특수전 사령부 직할 부대라 아무나 함부로 끌어 쓸 순 없습니다."

아룹의 말마따나 단검뿔 토끼는 연방의 특수부대 중에서도 금이야 옥이야 애지중지하는 부대. 귀한 취급을 받는 만큼 특수전 사령부의 작전에만 주로 쓰이고, 다른 부대의 작전에 파견 나가는 경우는 몇몇 예외를 제외하곤 거의 없다. 그 예외의 경우만 찾으면 용의선상은 대폭 좁혀진다.

"단검뿔 토끼가 상시 파견되는 곳은 연방 국세청 그리고 연방 의회 의장 경호실 정도죠."

빈우는 가장 대표적인 두 부서를 꼽아보았지만, 전혀 연관이 없어 보이는 그쪽 부서들이 태스크포스 373에 왜 관심을 가지는지 짐작조차 가지 않는다.

그렇다면 다른 태스크포스에 파견된 팀일 수도 있지만, 이 팀들에 대한 정보는 지금으로선 알 방법이 없다. 적어도 레드우드 정도는 되어야 접근할 수 있는 정보들이다.

"흠. 부팀장, 정보 고맙습니다. 일단은 눈앞의 테스트에 집중하죠."

"네. 알겠습니다."

그리고 빈우와 아룹은 캐서린 시슬 대장이—이의를 제기하지 않을 선에서—포기하고 결과를 받아들일 만한 테스트를 설계하기 시작했다.

"아, 잠시 소개해줄 사람이 있습니다. 이번 테스트에 꼭 필요한 사람이죠. 외부인인데 괜찮겠습니까?"

"팀장님이 필요하시다면 불러야지요."

빈우는 아룹의 동의를 구한 다음 두 사람의 통신 회선에 한 사람을 더 추가했다. 바로 피자 타이거의 오브리가도 궤도기 지점의 지점장인 덱스터 커리였다. 그는 통신이 연결되고 빈우를 보게 되자 격렬하게 반응했다.

"오오! 역시 김 과장이야! 우리가 못하는 걸 태연하게 해버려! 그 점에 전율해! 동경하게 돼!"

마치 연극처럼 과장된 어투와 행동이다. 그리고 빈우도 그에 걸맞은 대답을 해주었다.

"너 지금까지 저지른 사고의 개수를 기억하나?"

그러고는 두 사람은 장난스럽게 낄낄거리며 웃어댔다. 제3자인 아룹은 그저 오랜만에 만난 친구끼리 장난을 치고 있구나 하고 생각했다. 물론 그건 겉보기에만 그럴 뿐이었다. 덱스터 커리와 빈우는 실제로는 정교하게 짜 맞춰진 합을 주고받으며 서로를 탐색하고 있었다. 일부러 근대 영어를 사용해 대화하며 눈은 상대방의 반응을 유심히 살피고 있으니, 뭔가 꿍꿍이가 있으리라. 실제로 빈우와 덱스터는 자기가 겪은 사실들을 공유하고 있는 프로토콜을 통해 말했다. 그러면서도 자세히 서로의 반응을 살피며 상대가 처한 상황을 탐사하고 있다. 이는 전적으로 빈우가 파견 요원이 되어 색깔이 불분명해진 탓에 일어난 일이다. 그리고 그 결과 빈우와 덱스터는 상대방이 깨끗하며 믿을 만하다는 판단을 내릴 수 있었다.

"부팀장, 제 예전 직장 동료인 덱스터 커리 대위입니다. 덱스터, 이쪽은 내가 지금 맡은 팀의 부팀장 아룹 라마누잔 원사다."

"부팀장을 맡는 아룹 라마누잔입니다. 처음 뵙겠습니다, 커리 대위님."

"피자 타이거 오브리가도 지점장인 덱스터 커리입니다. 이야, 원사님. 저 사고뭉치 좀 잘 부탁드리겠습니다."

아룹에게 꾸벅 고개를 숙인 덱스터는 고개를 든 다음 빈우를 보며 쏘아붙이듯 질문했다.

"야 인마! 저번에 쿠사키나 국장이 와서 한바탕 엎어놓고 갔다. 너 도대체 무슨 짓을 저지른 거야?"

다샤 쿠사키나 준장. 보안국 국장인 그녀는 얼마 전 오스카 스테이션에서 빈우에게 거하게 당한 적이 있다. 그 말을 들은 아룹은 그 당시를 떠올릴 수 있었다. 자기도 담이 꽤 크다고 자부하는 편인데, 누가 빈우처럼 해보라고 하면 절대 못할 게 분명했다. 자기 혼자만 깨지면 몰라도 자기가 속한 부서에까지 누가 될 일을 하는 건 결단코 사양이다.

"오스카에서 한 번 먹인 적이 있긴 한데……. 심했냐?"

빈우의 질문에 덱스터가 헤벌쭉하니 웃었다.

"국장님 사무실에서 한바탕 뒤엎고 갔다."

"허이구, 그래서? 그 양반 뭐라데?"

"다음은 언제냐고 묻던데? 아주 입이 귀에 걸렸더라."

즉 이노우에 고토는 자기가 봉변을 당한 것보다는 그 원인이 되는 상대방의 불행을 더 즐거워한 것이다. 잡담으로 이야기를 시작한 빈우와 덱스터는 곧 본론으로 들어갔다. 이 두 놈이 쑥떡 찰떡 빚어내는 이야기를 가만히 듣던 아룹은, 자신이 앞으로 해야 할 일에 비하면 쿠사키나 국장 건은 반드시 하고 싶다는 생각이 들 정도로 쉬운 일이었다는 것을 느끼게 되었다.

*

"기껏 사람 불러놓고선 뒤에서 수작질입니까?"

특수전 사령부 사령관실에서 레드우드 중장이 노기 어린 비웃음을 날렸다. 물론 그 대상은 자신의 후배이자 상관인 캐서린 시슬 대장이다. 레드우드 중장으로선 아닌 밤중의 홍두깨였다. 사령관이 태스크포스 373에 관해 이야기할 게 있다며 불러서 왔더니, 갑자기 한다는 말이 포말하우트 방면의 24함대를 태스크포스 373에 붙여주겠다는 헛소리였으니까.

물론 24함대는 과거 발 가르단 하스에서 토끼몰이 작전에 참여했던 전력이 있긴 했다. 원래 그쪽 방면 부대라, 작전 지역의 지리에 익숙하기도 했고. 그러나 기밀을 요구하는 이번 작전의 성격상 맞지 않는 부대였다. 레드우드도 처음에는 점잖게 사양했었다. 그러나 시슬 대장은 어떻게든 24함대를 붙이려고 은근히 고집을 부렸다. 그때 레드우드는 눈치를 챌 수 있었다. 현재의 특수전 사령부 사령관이자 자신의 후배이며, 동시에 우방이었던 캐서린 시슬 대장조차 태스크포스 373을 방해하려는 것임을.

그래서 이 상황을 어떻게 할까, 뒤집어엎을까 아니면 말로 타이를까 고민하던 차에 난데없이 24함대의 벤자민 소여 소장으로부터 시슬 사령관에게 연락이 왔다. 그리고 시슬 사령관이 통신 화면을 열자 보게 된 것은 김빈우에게 집적거리다 박살 난 것으로 보이는 소여 소장과 그의 부관이었다. 놈들이 보인 추태는 그들을 추천한 시슬마저 눈가를 찌푸릴 정도였다.

"죄송합니다. 소여 소장이 돌발행동을 한 모양이군요. 관리 감독을 제대로 하지 못한 제 불찰입니다."

레드우드의 이죽거림에 시슬은 선선히 고개를 숙였지만, 그 정도로는 배신감에 분개한 노병의 추궁을 멈출 수 없었다.

"대체 왜 그렇게 제 팀에, 태스크포스 373에 훼방을 못 놔 안달인 겁니까?"

"오해입니다. 저는 부사령관의 팀에 도움을 주기 위해 이러는 것입니다.

367

지금 373의 인원은 너무 적습니다. 지원 부대는 반드시 있어야 합니다."

레드우드는 뻔뻔하다 싶을 정도로 온화하게 대답하는 시슬을 말없이 노려보았다. 지금 그의 마음속에서 끓어오르는 것은 분노뿐만이 아니었다. 회한과 통한도 그 밑에 같이 타오르고 있었다. 조지 레드우드와 캐서린 시슬 두 사람은 연방군이 창설될 시기부터 수많은 전장을 같이 겪어온 전우였다. 물론 레드우드에겐 캐서린뿐만이 아니라 많은 전우가 있었다. 끌어주는 선배와 밀어주는 후배, 어깨를 마주하고 나아간 전우들. 그들과 함께 연방의 평화와 안녕을 위해 100년 가까이 싸워왔다. 만일 이들이 없었더라면 오늘날의 레드우드 역시 존재할 수 없었을 것이다.

그러나 세월이 흐른 만큼 많은 전우가 떠나갔다. 그렇게 전우들이 떨어져 나가는 와중에도 레드우드는 포기하지 않았고 마침내 장성에까지 도달하게 되었다. 그러나 별을 달게 된 그가 앞으로 자신이 맡아야 할 일들에는 단순한 군인의 특기뿐만이 아니라 고도의 정치력 역시 필요하다는 것을 깨닫게 되는 데에는 오랜 시간이 필요하지 않았다. 그래서 레드우드는 자신보다는 그런 쪽으로 소질이 있어 보였던 후배 캐서린 시슬을 특수전 사령관으로 추천했었다. 그 선택은 옳았다. 적어도 조금 전까지는.

"뭐 어쨌든 테스트 결과에는 승복하깁니다."

더는 대화가 통할 것 같지 않자 레드우드는 일어섰다. 문을 나가는 그의 등 뒤로 시슬의 말이 들려온다.

"선배님도요."

등 뒤로 문이 닫힌다. 레드우드는 걸음을 빨리하며 자신의 직속 부하이자 이번 테스트를 맡은 빈우를 호출했다. 앞으로의 대응에 대해 논의하기 위해서다. 레드우드는 불청객들을 불합격시키기 위해서는 약간의 무리를 하는 것도 허락할 생각이었다. 그러나 곧 자신의 상상과 상식을 초월하는 빈우의 테스트 내용을 보고는 제발 무리는 하지 말아달라고 애걸복걸하게 되었다.

오브리가도에 위치한 특수전 사령부는 지상과 궤도의 두 기지로 나뉘어 있다. 이 두 곳은 궤도 엘리베이터로 연결되어 있다. 대부분의 함선들은 궤도 기지에 정박하게 된다. 홀수번 항구는 단검뿔 토끼, 실리콘 나이트, 뱅가드 연대 등 특수전 사령부의 직할부대나, 그에 준하는 최정예 부대의 함만 입항할 수 있었다. 그 외 다른 손님들은 짝수번 항구를 써야 했다.

그럼에도 불구하고 변경의 24함대의 기함인 전함 오데이셔스와 호위로 같이 온 순양함과 구축함들은 3번 항구에 정박했다. 주위에서 호기심 어린 시선들이 쏟아졌다. 게다가 이곳은 기밀등급이 높은 특수전 사령부다. 그렇다는 건 작년 즈음에 24함대가 담당한 포말하우트 방면에서 정보국 소속의 비밀부대가 신형 샤다이에게 습격을 당했다는 얘기나, 2주 전 보호 구역인 발 가르단 하스 주변에서 샤다이와 24함대가 조우했다는 정보 정도는 암암리에나마 돌아다닌단 소리다. 그러니 시선이 24함대로 집중되는 것은 당연하다.

이렇듯 주위의 많은 관심을 받는 24함대의 배들이 입항한 3번 항구는, 현재 사령관인 캐서린 시슬의 명령하에 관계자 외에는 접근 금지 명령이 떨어진 상태였다. 전함 오데이셔스와 항구가 접한 최하층 갑판에는 태스크포스 373과 24함대 대원들, 그리고 특수전 사령부의 사령관과 부사령관이 모여 있었다.

"제군들, 안녕하신가."

어벤저를 입은 빈우와 위르겐이 24함 대원들 앞으로 나섰다. 모인 이들은 사령관인 소여 소장과 오데이셔스의 승무원 중 함장 이하 간부, 그리고 장갑보병들을 포함 50여 명뿐이다. 얼굴이 부서진 부관은 아직 치료 중인지 보이지 않았다. 장갑복의 헬멧으로 얼굴을 가린 데다, 두뇌칩의 정보마저 닫혀 있는 정체불명의 사람들이 앞으로 나오자 24함 대원들이 웅성거렸다. 하지만 그들이 이번 테스트의 담당자란 사실에 이를 납득했다. 좌중을 둘러보던 빈우가 평온한 목소리로 말했다.

"제 뒤치다꺼리를 하고자 깡촌에서 먼 길 기어오신 여러분, 감사합니다. 그런데 본관이 좀 성격이 예민해서요. 뒤쪽으로 금붕어 똥 같은 것들이 대롱거리면 일에 집중을 못 합니다. 그래서 솔직히 말하자면 테스트다 뭐다 이런 건 다 명목상 개소리고, 맥들 쳐내려고 하는 게 제 본심이니 부디 협조해주십쇼."

"뭐 이 새끼야!"

"어디서 개소리를 하는 거야!"

"다들 진정해. 저런 도발에 말려들지 마!"

욱한 24함대의 간부들과 휘하 장병들의 기세가 흉흉해졌지만 벤지민 소여 사령관이 나서서 말렸다. 이번 테스트는 그로서는 결코 놓칠 수 없는 기회였다. 앞으로 맡게 될 발 가르단 하스에서의 작전은, 변경 2선 지역을 전전하던 24함대에 있어 간신히 연결된 중앙과 특수전 사령부와의 연결고리이다. 잘만 되면 중앙으로의 진출은 떼놓은 당상이었다. 간신히 진정한 좌중은 빈우를 노려보았다. 여전히 노기등등한 시선이었으나 당사자는 신경도 안 쓰고 다음 질문을 던졌다.

"자, 첫 번째 테스트를 하기 전에 질문 하나. 장갑보병이란 무엇인가? 무엇을 할 수 있는 존재인가?"

질문에 머뭇거리는 것도 잠깐, 오데이셔스의 장갑보병 사이에서 대답이 튀어나왔다.

"연방 최강의! 무적의 지상 병력입니다."

"지랄하네. 평지에서 전차 만나봐라. 네놈 아가리에 처박힌 아이스크림보다 빨리 녹을 거다."

비웃음 섞인 반박을 받고 녀석이 수그러든다. 이어서 다른 대답이 튀어나왔다.

"인간에게 우주 공간에서의 생존을 보장하고 전투를 가능케 한 병과입니다."

"야, 이 등신아! 그러면 전투기 쓰지 왜 장갑보병을 쓰겠냐."

한심함과 짜증스러움이 반씩 섞인 일갈이었다. 머쓱해져 물러나는 녀석의 뒤로 중위 한 놈이 기세등등하게 밀고 나왔다.

"어떠한 역경에도 굴하지 않는 불굴의 용사들을……."

"너는 새끼야! 짬밥을 똥구멍으로 빨아먹어서 지금 입으로 똥 싸는 거니?"

세 번이나 오답을 받자 오데이서스 측에서는 대답이 궁해졌다. 그때 장갑보병의 대열 중 맨 앞에 서 있던 24함대 장갑보병대 대장 찰리 매버릭 중령이 나직하게 대답했다.

"우리는 지상에 내려가 줄넘기하는 붉은 머리 여자아이의 입에서 사탕을 뺏어올 수 있다."

"그래, 씨발! 잘 아네. 너 인마 정답이다. 그래도 인물이 있네?"

빈우의 삿대질을 받는 정답자, 매버릭 중령의 얼굴이 붉으락푸르락해졌지만, 그는 간신히 참아냈다. 방금 매버릭 중령이 한 말은 장갑보병의 케케묵은 금언이자 존재 이유였다. 다른 병과에 비해 화력이나 방어력, 기동력 등이 떨어지는 장갑보병의 존재 이유. 그것은 바로 민감한 지역에 은밀하게 들어가서 모호하고 정밀한 작전을 해낼 수 있다는 것이다.

장갑복은 인간이 사는 곳에 인간이 들어가서 싸우기 위해서 만들어졌다. 덕분에 이것을 입은 장갑보병들은 인간이 할 수 있는 모든 짓을 그대로 할

수 있다. 그래서 연방은 샤다이를 포함한 외계종족과의 전쟁을 치를 때 우주
전에서 밀리는 한이 있더라도, 지상전에서만큼은 인간 특유의 끈질김과 교
활함으로 승리를 갈취해왔다.

"그럼 뭘 테스트할지도 알겠네?"

빈우는 즉시 화면에 무언가를 띄웠다. 오브리가도에 퍼져 있는 정찰 위성
들의 지상정찰 결과다.

"자, 여기에."

빈우가 확대한 곳에는 특수전 사령부에서 꽤 떨어진 민간 지역의 공원에
서 산책하는 모녀가 있었다.

"이렇게 생긴 여자애가 사탕을 먹고 있습니다."

엄마 주위를 신나게 달리는 여자애는 예닐곱 살은 되어 보였고 입에는 막
대사탕 하나가 물려 있었다.

"빨간 머리는 아니고 줄넘기도 안 하고 있지만, 사탕을 뺏어오세요."

빈우의 말이 끝나자 알 만한 것을 아는 사람들은 기겁했다. 그리고 내막을
모르는 이들도 다음 이어진 빈우의 말에 기겁했다.

"사령관 각하. 손녀분을 작전 대상으로 삼아도 되겠지요?"

즉 빈우는 특수전 사령부 사령관인 캐서린 시슬 대장의 손녀인 나니아 시
슬을 작전 대상으로 삼아, 그녀가 물고 있는 사탕을 뺏어오라는 테스트를 구
상한 것이다.

"물론. 며느리한테는 나중에 내가 말해놓지."

의외로 시슬 대장은 선선하게 고개를 끄덕였다. 오히려 썩어들어간 것은
옆에 있는 레드우드 중장의 얼굴이었다.

"오케이! 그러면 지금 즉시 강하해서 저 사탕을 뺏어올 것. 단 일체의 폭력
및 강제 행위는 불허. 그리고 당연히 훈련 내용이나 우리의 정체에 대해서도
발설 금지다."

오데이셔스의 장갑보병들이 내비치는 기색은 어처구니없음 그 이상도 그

이하도 아니었다. 그러나 빈우는 알 바냐는 태도로 태연히 말을 이어나갈 뿐
이었다.

"요약하자면 나디아 시슬 양은 우리가 누군지 알아서도 안 되고, 자기가
언제 사탕을 뺏겼는지 몰라야 한단 얘기야. 작전 짤 시간 5분이면 충분하지?
그리고 10분 뒤면 너희들 손에 사탕이 있어야 해. 자, 시작."

그러나 빈우의 말이 끝나고 나서도 24함대 측에선 선뜻 나서는 이들이 없
었다. 테스트라고 해서 전투력 테스트인 줄 알았는데 해괴망측한 걸 주절거
리고 있으니, 완전히 애들 장난이라고 느낀 것이다.

"아니 왜 그래? 장갑보병이 하는 일이 뭐야? 일단 꼬라박는 거잖아? 박아
라~ 박아라~."

"이딴 게 무슨 테스트란 건가? 사탕을 뺏어오는 게 무슨 의미가 있다고!"

참다못한 소여 소장이 일갈하며 나섰고 빈우는 정중하고도 유들유들하게
대답했다.

"모릅니까? 맥들은 '알려져선 안 되는' 비밀부대의 지원 부대로 편성될 예
정이야. 그러면 앞서간 팀을 물심양면으로 도와주고 결원이 생기면 보충해
줘야 하지. 그런데 말이야, 지원해줘야 할 애들이 할 일이 이런 거거든. 못하
겠어? 그럼 그만두세요들."

소여 소장은 시슬 사령관을 돌아보며 눈치를 살폈지만, 사병부터 특수부
대원의 길을 걸어온 여걸의 반응은 냉담했다.

"안 하고 뭐 하나?"

믿었던 동아줄이 자신들을 외면하자 소여 소장은 다급히 부하들을 닦달
했다. 그렇게 24함대의 해병대원들은 매버릭 중령을 중심으로 모여서 작전
을 짜기 시작했지만 제대로 될 턱이 있나. 이리저리 계획을 짜봐도 안 될 건
안 된다. 당장 가서 뺏어온다는 것은 너무나도 쉬운 일이지만, 저 조건에 맞
게 들키지 않고 평화적으로 가져온다는 것은 그들에겐 불가능한 일이었다.

"네에~ 시간 초과. 안타깝게도 탈락입니다."

낄낄대며 까불대는 빈우에게 소여 소장이 항의한다.

"이런 말도 안 되는 테스트는 집어치워! 가능성이 있는 걸 하라고 해야지 처음부터 불가능한 걸 내놓고 이런 횡포를 하다니! 납득할 수 없다."

"에이, 설마 우리가 못하는 것을 댁들에게 시키겠어요? 근데 그럴 줄 알았어. 시범을 보여줄 테니 잘들 보셔."

그리고 돌아선 빈우는 차갑게 명령을 내렸다.

"시작해."

빈우의 명령이 떨어지자마자 오브리가도 궤도 상에서 대기하고 있던 블랙 랜스에서 강하 포드 하나가 사출되었다. 훈련이란 명목으로 시슬 대장이 민간 구역 담당자들에게 미리 양해를 받아놓은 터라, 포드는 아무런 거리낌 없이 대기권으로 돌입했다. 그리고 점차 민간 구역으로 궤도를 바꾸어 내려가다가 고고도에서 2기의 어벤저를 사출했다. 사출된 어벤저는 목표물 근처로 정밀 강하하여 저고도에서 제트팩을 써서 감속, 나디아 시슬로부터 1km 떨어진 곳에 착지했다.

- **목표 발견.**

화면에는 어벤저의 센서가 잡은 나디아 시슬이 보인다. 2기의 어벤저는 공원 수풀 속을 빠르게 헤치며 나갔다. 곧 목표물에 접근 완료한 어벤저는 5m 거리를 두고 그 둘을 따라가며 명령을 기다렸다.

"아유, 이 개구쟁이야. 엄마 말 안 듣지?"

엄마인 제나 시슬이 쓴웃음을 지으며 딸을 따라가며 타일러도 나디아는 들을 기색이 없었다.

"아냐! 이거 두 개째야, 두 개째."

그러면서 나디아는 사탕 하나를 꼬물꼬물 까서 빠진 앞니 사이로 쏘옥 집어넣으며 장난스레 웃었다.

"아까도 두 개째라고 했잖아?"

제나가 잡으려 하자 나디아는 오히려 기다렸다는 듯이 까르륵 웃으면서 엄마의 손에서 달아났다. 그러자 제나도 잡을 듯 말듯 성큼성큼 다가가며 장단을 맞춰주었다.

"이힛, 엄마. 나 잡아봐라~."

술래잡기하며 노는 모녀의 모습이 어벤저의 카메라에 찍혀 궤도 기지의 테스트 현장으로 여과 없이 송출됐다. 이를 알 턱이 없는 나디아와 제나는 땀을 송골송골 흘리며 공원을 신나게 달렸다.

"이거 정말 괜찮은 겁니까?"

질려버린 소여 소장의 말을 시슬 대장이 뒤따라 덮는다.

"보호자이고 책임자인 내가 괜찮다고 하지 않았나."

그리고 그 말을 기다렸다는 듯이 빈우가 다음 명령을 내렸다.

"돌입."

짧은 명령과 함께 어벤저 하나가 수풀을 헤치고 튀어나와 모녀의 앞에 모습을 드러냈다. 그리고 굉음이 터져 나왔다.

"오후우우우우! 나는! 우주 샤다이 대마왕이다!"

아룹이 입은 어벤저는 크롬 도금이 되어 전신이 은색으로 번쩍이고 있었다. 어느새 피자 타이거 점원의 옷으로 갈아입은 파트리샤가 그 뒤를 따랐다. 뒤에서 무인 상태로 대기하고 있는 파트리샤의 어벤저에서 익숙한 음악이 흘러나온다.

- 호랑이 기운은 안 솟습니다. 피자 타이거!

신나는 음악을 깔고 춤추며 다가오는 은색 어벤저에 나디아의 두 눈이 휘둥그레졌다. 이어 자신을 우주 샤다이 대마왕이라 밝힌 어벤저는 손가락을 들어 나디아를 겨눴다.

"헤이! 쏘녀! 뛰지 말란 엄마의 말을 무시하고 뛰는 그대! 편식하지 말라는 엄마의 말을 귓등으로 흘리는 그대! 나 샤다이 대마왕의 부하가 될 자격이 있도다."

과장된 포즈를 잡아가며 으름장을 놓는 어벤저를 본 나디아 시슬의 반응은 격렬했다.

"우와! 멋져!"

그리고 누구 손녀 아니랄까봐 환호성을 지르며 달려들어 어벤저의 허벅지에 태클을 걸었다.

"대마왕님! 저 부하 하고 싶어요. 부하 시켜주세요."

"앗, 아니, 잠깐만."

허벅지에 꼬마 숙녀가 찰싹 붙자 은빛 샤다이 어벤저가 뒤뚱거렸다. 그 모습에 제나는 박장대소를 하다가 다가오는 여자 점원에게 말을 걸었다.

"어머나, 이 행사 아직도 하네요?"

그러자 파트리샤도 마주 웃으며 제나에게 팸플릿과 시식용 피자를 건네준다.

"네. 저번에 반응이 좋아서 연장했습니다."

그다음 냅킨을 꺼내어 바닥에 떨어진 사탕을 집어 들었다.

"아, 이런. 딸이 떨어트렸나 봐요. 제가 치울게요."

"아닙니다. 고객님. 저희가 치우겠습니다."

피자 타이거의 직원, 파트리샤는 활짝 웃어 보였다. 바닥을 뒹군 사탕은 자연스럽게 냅킨에 둘러싸여 허리에 달린 주머니 속으로 들어갔다.

"앗아아, 어머님, 고객님. 따님을 좀, 앗!"

거구의 어벤저가 허리에도 안 오는 아이의 주먹질에 이리저리 비틀댄다. 모르는 이가 보았다면 장난스러운 광경에 흐뭇한 미소를 지었을 것이다. 그러나 궤도 기지에서 내막을 알고 보는 이들은 전혀 그렇지 못했다. 아룹의 어벤저는 무장을 장전하고 안전장치를 푼 상태로 나디아를 목표로 삼아놨으며, 뒤에서 무인 조종으로 설정된 파트리샤의 어벤저는 나디아의 어머니 제나를 조준하고 있었다.

애초에 훈련 목표로 삼는다고 허락을 받았다곤 했지만 이건 완전히 공갈협박이다. 지금 빈우는 '배 째고 등도 따보시지'라는 심보로 가족을 인질 삼아 시슬 대장에게 개기고 있는 것이다. 그리고 이 막장 상황을 보고 있는 빈우의 직속 상관 조지 레드우드 중장의 가슴은 타들어갔다.

이곳은 특수전 사령부. 거칠고 막나가기로 우주 둘째가라면 서러울 인간 흉기들만 모은 곳들이라, 자기 목에 칼이 들어와도 껄껄 웃을 위인들이 수두룩하다. 그러나 그 칼이 자기 가족에게 간다면? 마찬가지로 껄껄 웃으며 칼 든 놈 모가지를 꺾어놓을 사람들이다. 지금 캐서린 시슬이 이 광경을 보고도 가만히 있는 것이 참으로 용하다.

무엇보다 이런 거 저런 걸 다 떠나서 ─ 가족인 시슬 대장의 허락이고 뭐고 간에 ─ 군인이 민간인에게 총을 겨누는 짓을 저질렀다간 위아래로 줄줄이 징계 코스 확정이다. 빈우야 빠져나갈 구멍을 만들어놓고 저지른다고 장담했지만 이건 도가 지나쳐도 너무 지나쳤다.

"저 새끼가 진짜……. 하지 말라고 그렇게 말했는데."

레드우드는 한탄 섞인 혼잣말을 하며 슬금슬금 목표물의 보호자 되시는 분의 눈치를 살폈다. 하지만 의외로 캐서린 시슬은 흐뭇한 할머니의 미소를 띠고 손녀의 재롱을 보고 있을 뿐이었다.

"잘 웃네……."

그리고 빈우도 시슬 대장의 미소를 조용히 바라보며 자신의 가설과 계획을 수정했다.

043

· · · ✦ · · ·

"각하. 판결을 내려주시죠."

빈우의 말에 슬쩍 표정을 바로 한 캐서린 시슬이 화면을 바라봤다. 거기엔 한바탕 쇼를 벌인 다음 원래의 수풀 속으로 물러난 아룹과 파트리샤가 보인다. 그리고 파트리샤는 하늘―감시위성―을 향해 사탕을 들어 보이며 씩 웃고 있었다.

"테스트의 내용에는 문제가 없다는 게 증명되었군. 소여 소장. 부하들을 좀 더 단련시키도록."

시슬 대장의 말에 울상이 되어 고개를 숙이는 소여와 달리 빈우가 입은 어벤저는 미동도 하지 않고 서 있었다. 그러나 캐서린 시슬에게 있어 어벤저는 평생 입어온 그 어떤 옷들보다 더 많이 입었던 옷이다. 그렇기에 서 있는 모습과 동작에서 착용자의 속내를 훔쳐보기는 그리 어려운 일이 아니었다.

지금 빈우가 입은 어벤저의 헬멧은 약간 앞으로 치우쳐져 있다. 그리고 턱이 미세하게 안쪽으로 당겨진 상태다. 이것은 착용자가 무언가를 유심히 살피고자 할 때, 그 신경 신호를 받은 장갑복에서 일어나는 피드백 중 하나다. 물론 빈우 자신의 전용 장갑복이라면 저런 사소한 반응들의 피드백들은 꼼꼼히 지웠겠지. 그러나 부랴부랴 빌려 입은 어벤저에 그런 세심한 설정을 할 시간은 없었을 테다.

그렇다면 김빈우는 지금 무엇을 주시하고 있을까. 캐서린 시슬의 머릿속에서 몇 가지 후보가 오간다. 첫 번째. 테스트를 날려버리고 분기탱천한 소여 소장? 그럴 리가. 지상에서 임무를 수행한 팀원들? 한번 훑어보면 족하다. 자신의 뒤에서 양심의 무게에 전전긍긍하는 레드우드 부사령관? 그럴 수도 있겠지.

그러나 지금 이 상황에서 — 손녀와 며느리에게 총을 겨눴던 상황에서 — 라면 빈우가 살피고 있는 것은 자신, 캐서린 시슬밖에 더 있겠는가. 이런 판을 벌여놨으니 당연히 그 반응이 궁금할 것이다. 문득 캐서린도 궁금해졌다. 그리고 상상했다. 손녀의 목에 칼을 들이대고 협박하는 빈우와 서로 눈을 마주하고 노려보는 광경을.

'귀엽기는.'

캐서린은 자신이 20년만 젊었어도 이쪽을 향한 어벤저의 보조 카메라에 윙크를 날렸을 거라고 확신할 수 있었다.

'하지만 이 정도 가지고는 안 되지.'

자신의 며느리와 손녀를 협박했던 자들이 누군가. 조지 레드우드와 김빈우의 부하들이며 태스크포스 373의 대원들이다. 그리고 그 대원들의 면면을 살펴보면 단검뿔 토끼의 아룹 라마누잔 원사와 실리콘 나이트의 파트리샤 피아프 중위, 그리고 지금 빈우 옆에 서 있는 뱅가드 연대의 위르겐 도른베르거 상사.

이들 모두 특수전 사령부에서 내로라할 만한 인재들이기에 레드우드 중장이 뽑은 것이다. 동시에 사령관인 캐서린 시슬, 자신의 눈에서 한 번도 떨어진 적이 없는 최고의 대원들이다. 그런 그들의 실력이라면 믿을 수 있다. 믿고 가족의 안전과 생명을 맡길 수 있다. 아마 빈우는 자신을 자극하려고 했던 모양인데, 이 정도로는 조금 모자랐다. 저지른 죄가 있는 만큼 아직은 참아줄 수 있다.

"그럼 두 번째 테스트를 시작하지."

그녀의 말에 어벤저의 고개가 잠시 원래대로 돌아가더니 가볍게 고개를 숙였다.

"알겠습니다."

그리고 다음 테스트를 준비하려는 빈우에게 레드우드의 통신이 들어온다.

- **미친놈아, 내가 이런 거 하지 말랬지.**

말투를 보아 가까이 있었으면 분명히 한 대 맞았을 거다.

- **그래도 성과는 있었습니다.**

- **성과는 지랄. 오냐 그래, 내 속이 타들어가는 게 목적이었으면 대성공이다.**

"24함대 어린이 여러분 다음 테스트는 뭘까요? 어라, 정신 못 차리지? 테스트는 이 오데이셔스를 가지고 한다. 샤다이가 쳐들어온다고 가정하고 대응하란 말이다. 몇 분 줄까? 10분? 5분? 대답 안 해? 쎕니?"

빈우는 통신으로는 레드우드와 대화를 계속하면서 동시에 말로는 24함대 사람들을 살살 긁었다. 묘기라면 묘기다. 그리고 도발에 말려든 소여 소장이 또 길길이 날뛰었다.

"닥쳐! 저런 케케묵은 탄호이저 급으로 이 오데이셔스를 상대한다고? 웃기지 마라. 아무리 개장해봤자 어림도 없다. 당장 테스트를 시작해!"

소여 소장이 뭐라고 하든 빈우는 그걸 무시하고 레드우드와 대화하고 있었다.

- **진정하시고 입장 바꿔 생각해보세요. 제가 이런 테스트를 한답시고 아룹 원사한테 중장님 목에 칼 들이밀게 시키면 무슨 기분이 들까요?**

- **……언제 끝나나 싶겠지. 훈련인데 뭐 어쩔 건가. 너도 참 고생한다고 한마디 해주고 말겠지. 훈련성과 좋으면 오늘 저녁 같이 먹자고 부를 것이고.**

24함 대원들이 앞에서 우왕좌왕 소란을 피우는 와중에, 레드우드는 방금 펼쳐진 연극의 내막을 조금이나마 엿볼 수 있었다. 레드우드가 머리를 굴릴 동안 빈우는 혀를 놀렸다.

"그럼 소여 소장님 소원대로 지금 바로 시작하죠. 대 샤다이 기습 대응 훈련이다. 적기는 지금 3번 항구 진입로에 점프해 기지 내부로 침입 중이다. 잘

들 대응해보셔."

 - 아시겠어요? 며느리랑 손녀를 죽이겠다는 게 아니고 훈련한다는 건데 저 할
 망구가 거기에 졸겠냐고요.

하기야 다른 이들이라면 모를까 그들에게는 들고 있는 무기가 장갑복이
든 코일건이든 큰 의미가 없다. 특히 아룹이나 파트리샤 같은 대원들의 실력
이라면 더더욱. 이 또라이들이 죽이지 않겠다고 하면 안전핀 뽑은 수류탄으
로 저글링을 해도 안전했다. 반대로 죽이겠다고 하면 식어서 눅진해진 감자
튀김으로라도 기어이 목을 잘라갈 놈들이었다. 이 사실은 레드우드 자신이
나 시슬이나 속속들이 파악하고 있다.

 - 제대로 도발하려면 제가 직접 내려가서 겨눠야 했겠죠. 그랬으면 저 할머니
 뚜껑 열려서 내 모가지 뽑으러 친히 강하했을 겁니다.

빈우는 농담으로 말했지만, 만일 정말로 그랬다면 레드우드는 그 말이 그
대로 이뤄졌으리라는걸 장담할 수 있었다.

 - 야 인마! 아무리 그래도 그렇지. 본인이라면 모를까 가족한테 저러면 나라도
 뒤집어엎는다.

제아무리 대원들의 실력을 파악하고 있다 한들 자신을 대상으로 한 것과
가족을 대상으로 한 것은 다르다. 더구나 미리 상의하고 진행한 훈련이라면
몰라도, 이렇게 급작스럽게 진행한 마구잡이식 협박이라면 폭발했을 게 분
명했다. 아니면 최소한 언짢은 기색이라도 내비쳤어야 했다. 그러나 방금 캐
서린 시슬은 사전에 이미 얘기가 되어있다는 듯이 자연스럽게 넘어가서 테
스트를 진행했었다.

 - 그렇죠? 그런데 시슬 사령관님은 그냥 조용히 테스트를 진행했습니다. 제가
 도발한다는 것을 알아서 부러 무시하는 것도 있지만, 일부러 참아주는 것도
 있을 겁니다.

 - 뭐? 참아준다고?

빈우의 말은 캐서린 쪽에 뭔가 켕기는 게 있다는 뉘앙스다.

- 네. 이제 그걸 확인해볼 겁니다.

그때 블랙 랜스에서 발사된 롱소드가 항구로 들어와 난장판을 피우기 시작했다.

"흥! 고작 전투기 1기 가지고 전함에 덤빈다고?"

당황한 게 뻔히 보이지만 아무렇지도 않다는 듯 억지로 웃는 소여 소장과는 달리, 간부들의 얼굴은 사색이 되었다. 방금 빈우는 대 샤다이 기습 대응 훈련이라고 했다. 그렇다면 근거리 점프로 기습해 온 샤다이에 맞서서 방어, 반격하는 것이 이번 테스트의 주요 골자였다. 이 경우 가상 적기는 샤다이로 취급된다.

그 말인즉슨 저 롱소드 전투기는 가상훈련용 프로그램상에서 샤다이의 전투기가 되었다는 뜻이다. 그렇다면 공격이나 방어판정 역시 전부 샤다이의 것으로 취급된다는 것과 일맥상통했다. 샤다이 전투기가 이 정도 근거리에서 공격할 경우, 아무리 전함인 오데이셔스라 해도 무시 못할 데미지를 입을 수 있다.

"이래도 되나? 뭐 레드우드 중장님의 명령이니까 괜찮겠지."

조종석에 앉은 시에 우지는 빈우의 말만 철석같이 믿고 몰고 온 롱소드로 오데이셔스에 공격을 퍼부었다. 먼저 공격은 기체 하부에 달린 대함 미사일로 시작됐다. 발사된 미사일들은 아무런 방해나 요격도 받지 않고 날아갔다. 오데이셔스의 상부 장갑을 때린 대함 미사일은 모의 탄두에서 뿜어져 나온 도료를 장갑에 발랐다. 이어서 기체 좌우에 달린 입자가속포가 발사되었다. 전탄이 표적에 명중했다. 하지만 컴퓨터는 이 모든 공격이 전함에 간지러운 피해를 줬을 뿐이라는 판정을 내렸다.

"소, 소장님. 이상합니다. 적이 샤다이 전투기로 판정되지 않습니다."

"그게 뭐가 중요해! 격추해! 당장 격추하라고!"

오데이셔스의 간부들은 습격해 온 적의 정체를 알아내고 뒤늦게나마 — 비록 전투 정보실이 아니라 하부 갑판에서의 조작일지라도 — 대응을 시작했다. 간부들은 적이 샤다이가 아니라 보이는 그대로인 롱소드라는 걸 알고 의아해했지만, 소여 소장에게 그런 건 전혀 중요하지 않았다. 전함이 전투기를 상대로 이딴 추태를 부렸다간 테스트 탈락이 확정이었다. 초조해진 소여 소장은 입술을 물어뜯었다.

"치고 빠져나갈 때 뒤를 노린다. 전 대공포! 적기 이탈 시 후면을 노려라."

그러나 기습을 가하고 이탈할 것 같았던 롱소드는 의외의 행동을 보였다. 롱소드의 기수에서 나온 견인 빔이 오데이셔스에 닿아 둘을 연결한 것이다. 이렇게 되면 롱소드는 오데이셔스와 밧줄로 연결한 셈이 되고 기동성을 아예 죽여버리는 방법이 된다.

"뭐지? 견인 빔? 우리가 롱소드를 견인 빔으로 잡은 건가?"

"아닙니다. 저 견인 빔은 적기가 쏜 것입니다."

그 이유는 곧 밝혀졌다. 견인 빔으로 오데이셔스와 연결한 우지의 롱소드가 주변을 빙글빙글 돌며 포격을 퍼붓기 시작한 것이다. 근거리에서 계속해서 중첩되는 공격 판정은 컴퓨터 곳곳에 약간 유효함이란 결과를 띄우게 했다. 이는 소여 소장의 속을 희뜩 뒤집어놓았다.

"대공사격! 대공포는 뭐 하나! 적은 단 1기다!"

그러나 오데이셔스의 대공사격은, 절묘하게 사각을 노리고 움직이는 롱소드의 신들린 기동을 따라가지 못했다. 설령 맞는다고 해도 컴퓨터의 판정은 '유효타 없음'으로 떴다.

"겨우 롱소드잖아! 격추는 아니더라도 피해 판정은 떠야지."

분명히 몇 번의 명중탄이 나왔음에도 불구하고 컴퓨터의 판정이 이렇게 나오자 오데이셔스측은 애가 탔다.

우지의 롱소드가 방어력이 뛰어난 데에는 이유가 있다. 고속으로 이동하는 전투기의 가속도는 어마어마하기에, 아무리 파일럿이 신체를 강화하고 조종복을 입는다고 해도 가속 부하를 전부 상쇄하진 못한다. 그래서 좀 덩치가 크다 싶은 전투기들은 함내의 인공 중력이나, 가속도 상쇄를 위해 기체에 관성 제어 장치를 단다. 장치가 가속도에 의한 부하를 줄여주니 기체의 기동성이 오르고, 외부에 의한 운동에너지도 제어해서 상쇄해주니 방어력도 향상하는 것이다. 이러한 장치 덕분에 기존의 전투기에 비해 월등한 기동성과 방어력을 가질 수 있는 셈이다. 물론 전투기라 동력이 달리기에 함선처럼 선체 바깥에까지 관성 제어 역장을 전개할 정도는 아니었다. 그러나 롱소드의 역장 필드는 기체 내부 골조와 장갑 표면까지 형성될 정도로 충분했다.

하지만 우지는 거기서 더 나아가 기체 각부의 장치를 수동으로 조작해 당장 불필요한 기기들의 동력을 끄고, 여기서 생긴 여유분의 동력들을 전부 전방 관성 제어 장치 쪽으로 돌려놓은 상태였다. 이렇게 되면 우지가 몰고 있는 롱소드는 — 전방에 가해지는 운동에너지 공격에 한해서는 — 기존의 롱소드에 비해 두 배 이상의 방어력을 가지게 된다. 그래서 오데이셔스의 대공 레일건을 정면에서 맞으면서도 아랑곳없이 근거리 포격을 가할 수 있는 것이다. 그러나 버티는 것에도 한계는 있다.

"어이쿠, 슬슬 빠져나가야겠네."

차츰 대공사격의 화망이 조밀해지자 우지는 도망가기로 판단을 내렸다. 그리고 마무리 공격을 가했다. 견인 빔을 끄고 최대출력으로 올린 동축 레일건을 쏜 것이다. 그것도 빈동 상쇄용 탄자를 쓰지 않고서.

무중력상태나 고출력의 레일건을 쏠 때는 대개 발사하는 레일의 후방으로 탄자가 사출되어 사격 반동을 줄여준다. 그러지 않으면 그 반동이 발사한 롱소드를 뒤흔들기 때문이다. 저출력이라면 모를까 동축 레일건쯤 되는 물건이라면 특히나 반동이 심할 터였다. 우지가 노린 것은 바로 그것이었다. 발사 반동으로 크게 흔들린 롱소드는 그 흐름을 거스르지 않고 그대로 회전해 오데이셔스의 화망에서 벗어났다. 갑작스러운 롱소드의 회전 기동에 사람들은 놀랐지만, 이어진 우지의 기행은 넋을 쏙 빼놓기에 부족함이 없었다.

회진하던 롱소드는 새빨리 기체를 바로잡더니 후방으로 기뢰를 사출했고, 거기에 반동 상쇄용 탄자를 쏴 명중시키는 묘기를 보여주었다. 그리고 동력을 전부 후방으로 돌린 우지는 롱소드의 주 추진기를 최대출력으로 가속해, 근거리에서 일어난 기뢰의 폭발력을 발판삼아 엄청난 속도로 자리를 빠져나갔다.

순식간에 일어난 일이다. 방금까지만 해도 견인 빔으로 연결해 오데이셔스 주변을 빙빙 돌며 공격하던 롱소드가 레일건을 쏜 다음 반전하더니, 폭발과 함께 급가속해서 사라지자 오데이셔스의 사람들은 무슨 일이 일어난지도 모르고 우왕좌왕할 뿐이었다. 그러나 이런 광경을 여러 번 봐왔던 두 사람은 느긋하게 대화를 나눴다.

"시에 우지 이병이라. 예상은 했지만, 시에 쉰의 손자죠?"

과거 동료가 보였던 장기를 그의 후손이 다시금 눈앞에 다시 펼쳐 보이자 캐서린 시슬은 감회가 새로웠다.

"맞아. 잘 키웠더라고."

그렇게 대답하는 조지 레드우드의 목소리에선 뿌듯함이 흘러넘쳤다.

"그놈 참. 내가 그렇게 오라고 할 때는 콧방귀도 안 뀌더니."

"나도 마찬가지였소. 애걸복걸해서 손자만 데려왔지."

두 노병의 잡담은 갑작스레 울려 퍼진 비명에 의해 끊겼다. 오데이셔스 측에서 울려 퍼진 비명의 내용은 레드우드를 경악하게 했다.

"시, 실탄이다! 방금 저 롱소드 실탄을 쐈어!"

그를 뒷받침하듯 오데이셔스의 주 추진기 중 하나가 멋지게 박살 나 있었다. 우지가 마지막 공격, 최대출력의 동축 레일건을 실탄으로 쏘고 도망간 것이다. 교리상 연방은 전투기의 동축 레일건을 동 시기의 구축함 주포 한문에 맞먹도록 설계한다. 즉 지금 2선 급 전함 오데이셔스는 주 추진기에 최신형 구축함의 주포를 근거리에서 처맞은 셈이다. 적의 기습을 받아 항구에서 떠나보지도 못한 채, 샤다이도 아닌 롱소드 전투기의 공격에 항행 불능에 빠진 24함대 기함 오데이셔스.

아무리 2선 급이라고 하나 명색이 전함인데 전투기 하나로 저런 꼴을 당하니 처량할 따름이다. 그리고 그런 모습을 보는 24함대 사령관 벤자민 소여 소장의 얼굴은 온갖 감정으로 일그러졌다. 마찬가지로 같은 것을 보는 조지 레드우드의 얼굴도 일그러졌다.

"쉰이라면 저런 실수는 안 할 텐데……."

마치 들으라고 한 것 같은 시슬의 혼잣말에 레드우드는 뜨끔했다. 그리고 쐐기를 박듯이 시슬의 고개가 레드우드 쪽으로 돌아갔다.

"저런 건 선배님 스타일도 아니죠. 설마 김 팀장이 시킨 겁니까?"

묻는 시슬은 태연한 표정이었지만 레드우드는 이를 악물고 간신히 대답했다.

"아마 그럴 거다."

레드우드 중장의 대답에 시슬 대장은 싱긋 웃었다. 캐서린 시슬은 오히려 홀가분해졌다. 토끼를 잡으면 사냥개는 삶는 법. 하물며 두 마리 토끼를 다 잡을 수는 없으니 한 마리는 놔주어야 할 것이다.

'정말 귀엽군.'

뜻하지 않은 빈우의 도움에 마음을 정할 수 있었던 시슬의 얼굴에서 미소가 더욱 짙어졌다.

그 미소를 본 레드우드는 뭔가 이상하다는 것을 깨달았다. 첫 번째 테스트에서 빈우의 팀원들이 시슬의 며느리와 손녀에게 무기를 들이대고 협박했을 때 그녀가 참았던 것은 이해할 수 있다. 따지고 보면 개인의 일이고 실제로 피해는 없었으니까. 그때 캐서린 시슬 대장은 자신이 밀고 있는 24함대 측이 밀려나고 있음에도 별다른 말이 없었고, 오히려 손녀의 미소를 보고 웃기까지 했었다.

방금 일어난 실탄 사용 사고에선 더하다. 24함대는 시슬이나 특수전 사령부 소속의 하위 부대가 아니다. 소여 소장이 계급이 낮고 2선 부대의 지휘관이라 그렇지 엄연히 포말하우트 게이트 방면 사령부 소속의 타 부대다. 그런 타 부대의 전함 주 추진기를 박살 내는 대형 사고를 자기 부대 소속 팀이 낸 데다 자신의 계획을 확실하게 망가뜨렸음에도 불구하고 이번에도 아까처럼 상쾌하게 웃을 뿐이다.

'자신의 끄나풀과 계획이 수포가 되었는데 캐시가 웃어? 있을 수 없는 일이지. 웃었다는 건 이 상황이 캐시의 바람대로 흘러갔다는 뜻인데…….'

하나하나 곱씹어 따지고 보니 아까 사령관실에서 했던 대화마저도 조금 수상했다. 그때 시슬 사령관은 태스크포스 373에 24함대를 붙여서 보내는 게 어떻겠냐고 은근히 권유했다. 레드우드가 완곡히 거절했음에도 끈질기게 달라붙어서 언성이 조금 높아졌다. 그게 끝이다. 만약 시슬 대장이 원하는 것이 있었다면 거두절미하고 직설적으로 꽂아 넣었을 것이다.

"꼴 좋군. 전함이 전투기 1기를 못 이겨서 항행 불가 판정을 받아? 고작 이 정도 실력으로 특수전 사령부의 작전에 참여하려 했단 말이냐! 부끄러운 줄 알라."

이런 식으로. 지금 캐서린 시슬은 나직한 목소리로 분노를 뿜어내며, 초상집 분위기인 24함대를 아예 줄초상 치를 기세로 씹어댔다. 여기에 끼어들었다가는 누구든 뼈도 못 추릴 기세라 레드우드조차 조용히 구경만 할 뿐이다.

- 시슬 대장님, 속이 후련해 보이시네요.

빈우의 통신이 들려오자 레드우드는 이를 갈았다.

- 내 속은 열불이 나 터질 지경이다. 너 이 새끼, 방금 저거 일부러 그런 거지? 작정하고 실탄 쏜 거 맞지?

- 당연하잖습니까. 설마 그게 실수라고 생각하시는 건 아니겠죠?

되려 적반하장격으로 무슨 소리 하냐는 듯한 빈우의 말에 레드우드는 머리가 아찔해졌다. 아까 빈우는 조금 과격한 테스트로 24함대를 떨어트릴 것이라고 했다. 겸사겸사 캐서린 시슬을 떠본다고 하면서 '어쩌면 사소한 실탄 사고가 있을지도 모릅니다'라고 언질을 줬었다. 전우의 손녀딸에게 총을 겨누는 기막힌 계획까지 들은 마당이라, 설마 두 모녀에게 총을 쏠 거냐고 기겁하는 레드우드를 향해 빈우는 전함에 쏠 거라고 못 박았다. 방어력이 뛰어난 전함에 '실수'로 실탄을 좀 쏴봤자 '사소한 사고'로 끝나겠지 싶어 레드우드는 불안해하면서도 허락을 했었다. 그런데 지금 항행 불능 상태가 된 전함 오데이셔스의 주 추진기를 보면 사고는 맞지만 사소한 건 절대 아니었다.

- 너 인마. 상대방 떠보려고 자극하는 건 좋은데, 만약에 이번에 시슬 사령관이 미쳐서 날뛰었으면 어쨌으려고 저딴 미친 짓을 하는 거냐?

- 보이드 캄프 테스트 비슷한 거라 보시면 됩니다. 주어지는 조건에 상대방이 어떻게 반응하는지를 보고 답을 추론하는 거죠.

- 뭔 테스트? 미친놈이 사람한테 못하는 말이 없네. 지랄은 거기까지 하고. 내

말은 이거 잘못했으면 저쪽에 건수를 줄 수 있었단 말이다.

레드우드의 말이 맞았다. 결과적으로 시슬이 이쪽 편을 들면서 상황이 잘 풀린 게 천만다행이었다. 만일 일이 이렇게 흘러가지 않았다면, 시슬은 오히려 빈우가 저질렀던 일련의 사건들을 빌미 삼아 태스크포스 373에 여러 가지 압력을 가했을 것이다.

- 걱정도 팔자시네. 제가 다 빠져나갈 구멍 만들어놓고 저지른다고 말씀드렸잖습니까.
- 그래, 이제 들어나 보자. 그 빠져나갈 구멍이란 게 대체 뭐냐?
- 중장님이 시켰다고 뒤집어씌운 다음 여기서 바로 블랙 랜스 타고 발 가르단 하스로 도망치는 겁니다.
- 개새끼가…….

따지고 보면 합리적인 판단이다. 일단 작전에 들어간 특수부대는 직속 상관이나 담당 지원팀 외에는 접근하기 힘들다. 빈우 쪽에서 보안을 이유로 침묵에 들어가면 찾는 것도 불가능하다. 다만 이 경우 부사령관이자 태스크포스 373의 사령관인 조지 레드우드가 저지르지도 않은 일을 이중삼중으로 뒤집어쓴다는 문제가 있지만.

- 그리고 중장님도 대략 짐작하지 않으셨습니까?

빈우의 말대로 레드우드는 아까 보여준 시슬의 반응에서 그녀의 생각을 어렴풋이 짐작할 수 있었다.

- 어, 시슬 사령관이 결국 우리 편이었단 거 아니냐.

그 말에 빈우는 잠시 침묵했는데 레드우드로선 꽤 불편한 정적이었다.

- 거참. 정이라는 게 무섭네. 그렇게 당해놓고도 팔이 안으로 굽다니.

그리고 이어진 빈우의 말은 레드우드가 깊이 생각하고 싶지 않아 덮어두려던 것을 헤집었다.

- 아마도 시슬 대장은 우리하고 저쪽을 두고 저울질했을 겁니다. 저쪽, 그러니까 24함대의 뒷배가 누군지는 모르지만 적어도 특수전 사령부의 사령관에게

무시 못 할 영향력을 주는 놈들이겠죠.

증거는 없지만, 상황이 대강 맞아떨어진다. 처음부터 시슬이 태스크포스 373의 편이었다 하기엔 노골적으로 계획에 끼어들어 족쇄를 채우려 했고, 그렇다고 24함대의 편이었다 하기엔 너무 방치한 데다 오히려 그쪽의 탈락을 기꺼워하는 분위기였다. 그렇다면 결론은 하나였다. 캐서린 시슬은 전우의 팀인 373과 청탁이 들어온 24함대를 동등한 선에 놓고 어느 것을 선택할지 비교했다는 것.

- 다행인 것은 시슬 사령관이 저쪽을 버리고 이쪽으로 갈아탔다는 겁니다. 하긴 양다리 걸치던 연인에게 고백받아봐야 뭐 하겠습니까만.

- 새끼가 선 넘네.

- 거, 사선을 제집 드나들듯 오가던 분이 고작 이런 걸로 엄살입니까.

그러면서 빈우가 시슬의 앞으로 나섰다.

"각하."

겉보기엔 달라진 점이 없으나 이제까지 보이던 양아치의 모습은 조금도 보이지 않는다. 대신 차갑고 건조한 목소리가 헬멧에서 새어나왔다.

"이제 결론을 내주시죠."

끼어든 빈우의 말에 시슬은 레드우드와 빈우를 한번 번갈아 보더니 레드우드에게 사과했다.

"제가 하마터면 모자란 인원들을 붙여 부사령관의 팀에 누를 끼칠 뻔했군요. 죄송합니다."

"아닙니다. 사령관께서 모처럼 신경을 써주셨는데 일이 이렇게 되어 안타깝습니다."

레드우드도 그답지 않게 부드러이 대답했다. 이렇게 태스크포스 373과 그 지원 부대 건은 잘 넘어가는 듯했다.

"그게 끝입니까?"

빈우만 아니었으면 말이다. 이 당돌한 말에 시슬의 시선이 자신에게 돌아오자 빈우는 재차 말했다.

"차후에도 제 팀에 사령관님의 입김이 닿을 일이 생깁니까?"

당돌한 것을 넘어 겁대가리를 상실한 질문이다.

"아니. 그럴 일은 없다."

즉답. 그러나 해석하자면 이것은 캐서린 시슬 자신의 방해는 없다는 대답이다. 그 이상의 것은 여기서 빈우가 묻기엔 적절하지 않다.

- 이다음은 맡기겠습니다.

- 흠. 그러지.

빈우는 적절한 대상자인 조지 레드우드에게 다음을 떠넘기며 슬쩍 자리를 피했다.

"기다려!"

그때 벤자민 소여 소장의 새된 비명이 빈우를 불러세웠다.

"네놈이 감히, 감히 내 배에 이런 짓을 하고도 무사할 줄 아냐!"

흥분한 소여 소장이 길길이 날뛰었다. 하긴 고의든 실수든 빈우가 테스트를 하며 전함에 꽤 큰 피해를 준 것은 사실이다. 그러나 그것에 대한 처리는 레드우드나 시슬의 선에서 이뤄질 일이니 빈우에게 따질 일은 아니다. 그러니 이건 분풀이였다. 시슬의 서슬 퍼런 분노에 눌려 롱소드의 레일건에 대해서는 뭐라 한마디도 못 해 답답한데, 그녀의 기세가 워낙 사나워 따지긴 무서우니 테스트를 진행한 빈우에게 화살을 돌린 것이다. 하지만 빈우로서는 다 된 일에 코 빠트릴 필요가 없으니 되도록 원만하게 끝을 맺으려고 했다.

"유감이군요. 그건 실수입니다."

"개소리 집어치워!"

자신의 계획이 물거품이 되고 시슬의 앞에서 추태를 보인 데다 자신의 기함마저 저런 피해를 보았으니 벤자민 소여가 분노하는 건 당연하다. 그리고 그 분노가 낙수효과를 일으켰는지 24함대의 간부들과 장갑보병대원들이 흉흉한 분위기를 내뿜으며 빈우 쪽으로 조금씩 다가왔다. 실제로 뭘 하려는 것은 아니고 폭력적인 분위기를 병풍 삼아 항의를 하려는 모양이다. 그러나 그것도 때와 장소가 있는 법이다. 지금 이놈들은 누구 앞에서 무슨 짓을 하는지 자각이 없는 것 같았다.

흘깃 눈치를 보니 레드우드가 고개를 약간 옆으로 돌려 시슬에게 귓속말을 하는 게 보인다. 입술을 읽어보니 대강 죽이지 말라, 참으라 하는 것 같다. 하긴 이따위 일에 시슬이나 레드우드가 나설 필요는 없다. 쌍심지를 켠 시슬이 뭐라고 말을 꺼내기도 전에 빈우가 명령을 내렸다.

"납득시켜."

대답 대신 위르겐의 어벤저가 힘차게 차렷 자세를 취했다. 종아리에 달린 노즐이 부딪쳐 쩽하는 소리가 났다. 사병용과 장갑의 재질이 일부 다른 장교용 어벤저의 특징이다. 폼과 위압을 동시에 뿜어내는 어벤저 특유의 제스쳐였지만, 불행히도 지금의 소여에겐 먹히지 않았다. 오히려 역효과를 냈다면 모를까.

"너? 너구나! 김빈우 이 새끼!"

벤자민 소여의 어처구니없는 반응에 빈우로서는 얼씨구 싶다. 위르겐은 자신의 어벤저를 도색만 새로 해서 입고 왔다. 위르겐이 속한 뱅가드에는 장교용 어벤저가 지급된다. 소여는 눈앞의 멀끔한 어벤저가 장교용임을 알게 되자 저자가 빈우라고 넘겨짚은 것 같았다. 근데 그걸 알았다손 치더라도 기밀에 속하는 김빈우라는 이름을 함부로 불러대다니. 고급장교로서의 자각이 있기나 한지 기가 막힌다. 그러나 누가 뭐라고 반응을 하기도 전에 위르겐이 앞으로 튀어나가 선두에선 장갑보병, 찰리 매버릭 중령의 얼굴을 후려갈겼다. 불행히도 매버릭 중령은 헬멧을 내린 상태가 아니었기에 코가 함몰됨과 동시에 뒤통수를 바닥에 처박았다.

"어어? 대장님?"

"이 미친 새끼가!"

오데이셔스의 장갑보병들은 40명가량이지만 대부분이 2선 장갑복 헬브링어를 장착하고 있었다. 어벤저를 입은 것은 대장인 매버릭 중령을 포함한 지휘관 급 몇몇뿐이었다. 그리고 알맹이를 보더라도 24함대의 장갑보병들은 훈련도나 신체 강화도 면에서 1선 급 대원들보다는 조금 떨어지며, 눈앞의 위르겐과 비교하면 현격한 차이가 있다.

"이 새끼 뭐야! 아악!"

"둘러싸! 둘러싸서 붙잡아!"

난장판의 주역인 위르겐 도른베르거 상사는 뱅가드 연대에서도 손꼽히는 재원이다. 입고 있는 장갑복도 연방의 주력 장갑복, 미들 급의 걸작품이랄 수 있는 어벤저였다. 그것도 장교용을 개인에게 맞게 최적화 튜닝을 한 상태이니 40 대 1이라도 해볼 만하다. 서로의 암묵적인 동의하에 무기를 안 쓰고 맨손 격투로 맞붙고 있으나 한쪽만 일방적으로 피를 흘리는 꼴이 숫제 늑대와 양의 싸움 같다.

그 광경에 뭐라고 하려던 캐서린 시슬은 입을 닫더니 조용히 자리에 앉아 24함 대원들이 강제로 납득당하는 과정을 구경했다. 그리고 레드우드는 시슬이 폭발해서 날뛸 만약의 경우를 대비해서 옆에서 소방수 역할로 대기했다. 위르겐이 특수전 사령부가 어떤 곳인지를 몸소 가르쳐주는 소란을 틈타 빈우는 어느새 사라졌다.

*

얼마 뒤 빈우가 다시 모습을 드러낸 곳은 특수전 사령부 깊숙한 곳의 특수 감금구역이었다. 이곳은 저번 오스카 스테이션에서 생포한 샤다이를 가둬놓기 위해 새로이 만들어진 곳이다. 정작 생포한 당사자인 빈우는 373팀의 일로 바빠 코빼기도 비추지 못해 여기에 오는 건 처음이었다.

"안녕하십니까 소령님. 허가증은…… 아 실례했습니다. 들어가시죠."

앞에 서 있던 경비 중 하나가 빈우의 앞으로 나섰다가 그의 정체를 알고는 즉시 뒤로 물러서 문을 열어주었다. 이 리퍼용 특수 감금구역은 레드우드의 관할 아래 있어 373의 팀장인 빈우는 별다른 절차 없이 바로 면회할 수 있었다. 일단 안으로 들어가면 외부와의 통신이 차단되는 터라 빈우는 그 전에 위르겐과 레드우드 쪽의 상황을 살펴보았다. 아쉽게도 이미 상황은 종료된 상태였고 한창 뒷정리를 하는 중이었다.

'너무 빠른데.'

시선을 돌려놓은 절호의 찬스에 음흉한 짓 좀 하려던 빈우는 혀를 찼다. 그리고 다시 안쪽의 두터운 장갑 문을 밀고 들어가 신체 검색대를 지났다. 그라인더를 입은 장갑보병들이 빈우를 맞이했다. 거기서 다시 한 번 검사를 거친 다음에야 빈우는 리퍼를 만날 수 있었다.

여성형 샤다이는 지금 빈우가 있는 면회실에서 30m 정도 떨어진 독립 감옥에 감금된 채, 3개의 카메라로 감시당하고 있다. 이 카메라들은 각각 정면, 방 안쪽 구석, 그리고 바로 리퍼 앞의 탁자에 옆으로 설치되어 있었다.

"안녕?"

빈우의 인사에 화면 속의 샤다이가 고개를 들어 스피커와 카메라를 본다.

"그 목소리……."

야바위로 자신을 생포한 빈우의 목소리를 기억했는지 샤다이는 눈살을 약간 찌푸렸다.

"아, 그때의 유에네스로군. 무슨 일이지?"

"얼마 안 있으면 난 잠시 이곳을 떠나게 되거든. 그 전에 얼굴이나 한번 보려고 들른 거야."

"……거짓말은 아니네. 그리고?"

한번 당했던 게 제법 호됐던 터라 샤다이는 의심의 눈초리를 거두지 않았다. 인간형 종족이라고는 해도 이렇게까지 인간과 유사한 반응을 보이는 외계종족은 샤다이가 처음이다. 길쭉한 귀와 푸른색 피부만 아니라면 인간이라고 봐도 무방할 정도다.

"질문하고 싶은 게 있어서 왔어."

그러나 샤다이는 상대도 하기 싫다는 듯 눈을 감고 고개를 숙였다. 그때 뒤에서 약간의 소란이 벌어졌다. 이상함을 감지한 빈우가 슬쩍 돌아봤다. 경비 임무를 맡은 그라인더 둘은 부동자세로 있었지만, 조금 떨어진 곳에서 기록을 담당하던 요원들이 당황해서 분주하게 콘솔을 조작하고 있었다. 이 생포된 샤다이는 감금된 이후 외부의 어떠한 질문에도 대답하지 않고 무시했다고 들었는데 빈우의 말에는 반응하니 흥분할 수밖에 없는 것이다. 그러나 그들의 달아오른 흥분은 이어서 나온 빈우의 말에 급속도로 냉각되었다.

"워프 비스트에 대해서 알려줘."

기밀 중의 기밀. 갑작스레 허들이 높아진 빈우의 질문에 기록 요원들은 일순 경악해서 손을 멈췄다. 그들은 차마 고개도 돌리지 못한 채 곁눈질로 빈우를 훔쳐볼 뿐이다. 그리고 마침 그 말에 화면 너머의 샤다이가 고개를 움직여 카메라를 보았다.

샤다이는 정면의 카메라를 향해 고개를 들었다. 동시에 방 안쪽 구석의 카메라를 뒤돌아봤으며, 탁자에 달린 측면 카메라 쪽에는 고개를 돌린 옆얼굴이 나왔다. 각기 다른 각도의 세 화면에서 동시에 송출되는 샤다이 눈과 빈우의 눈이 마주쳤다. 있을 수 없는 일이었다. 내색하지 않았지만 빈우는 내심 놀랐다. 설마 샤다이의 정신공격인가 싶었으나 그건 아닌 듯싶다.

다시 화면을 보니 샤다이는 정면 카메라만을 통해 이쪽을 보고 있다. 빈우는 자신의 기록과 면회실의 기록을 재빨리 돌려보았다. 그러나 기록 속의 샤다이도 정면 카메라만 보고 있을 뿐이다. 빈우의 놀라움은 화면 너머의 샤다이에게도 전해진 듯싶다.

"너 설마?"

그쪽에서는 화면이 없어 이쪽을 볼 수 없지만 어떻게든 빈우의 동요를 느낀 것 같았다. 그리고 샤다이는 측은하다는 표정을 화면 너머로 지어 보였다.

"겁먹지 마. 방금 것은 내가 보여준 게 아니야. 당신이 본 거지. 그리고 선택한 것은 되돌아볼 수 없어. 그건 과거가 아니니까."

기묘한 말을 한 샤다이는 자세를 고쳐앉더니 말을 이어갔다.

"워프 비스트라. 선친께 들은 적이 있어. 재미있는 단어의 조합이었다고. 혹시 선친에게 그 말을 한 게 너였나?"

일단 빈우 본인에겐 그런 말을 한 기억이나 기록은 없다. 샤다이를 상대로 워프 비스트란 단어를 말하기는커녕 그 단어와 실물을 접한 것조차 최근의 일이다. 그러나 머릿속에 있는 트리니티 패턴 보안이 어떤 것인지 모르는 상황에서 함부로 확신할 수는 없다.

"그들은 너무…… 젖은 자들이지. 그리고 다른 말로는 계단에서 내려와 돌아온 사람들이야."

"그것은 너무…… 비유가 심한데. 알기 쉽게 말해줄래?"

빈우의 흉내에 샤다이가 키득거리며 웃었다. 마치 인간 같다.

"선친께서 말씀하셨지. 이해와 판단은 듣는 자의 몫이기에 말하는 자는 그것을 배려할 의무가 없다고. 재주껏 알아들어봐. 참, 다음에 선친을 만난다면 당신에 대해 꼭 말해줘야겠어. 진실을 말하면서도 속이는 방법에 대해서 말이야."

발 가르단 하스로 떠나기 전 좀 유용한 정보를 얻을 수 있을까 싶어 왔건만 너무나 민감한 정보들이 흘러나온다. 아무래도 지금은 시기가 그리 좋은 것 같진 않다. 일단은 빠지기로 마음먹은 빈우는 물러서기로 했다.

"너무 많은 것을 알려주니 버거운데. 나중에 혼자 찬찬히 곱씹어봐야겠어. 그리고 보답 삼아 작별 인사로 하나 알려주지. 선친이란 돌아가신 자신의 아버지를 일컫는 말이야. 다음에는 다른 말을 써보도록 해."

대답은 즉시 돌아왔다.

"알아. 당신들의 단어 중에서 가장 어울리는 뜻이지."

테스트로 시작했다가 갑작스러운 난투극으로 번진 상황이 마무리지어진 후, 자신의 집무실로 돌아온 시슬은 뒷정리를 하고 있었다. 민간 구역에 대한 군용 병기의 투사, 24함대 소속 전함 오데이셔스의 주 추진기 파손, 24함대 장갑보병들과 위르겐 상사 간의 강도 높은 근접전 훈련 등등에 대한 문서가 이곳의 책임자, 특수전 사령관 캐서린 시슬 대장 앞에 나열되어 있었다.

"미리 언질이라도 줬으면 좋았을 것을."

그때 앞에서 일을 돕던 레드우드가 멋쩍은 표정으로 퉁명스레 말했다. 딱히 시슬에게 했다기보다는 지나가듯이 흘린 말이다. 그리고 시슬은 그 말을 냉큼 주워다가 살을 붙여 돌려준다.

"선배님과 외부인을 놓고 저울질한 판국에 무슨 염치로 말을 한단 말입니까? 또 미리 알려줬다 한들 선배님 깜냥에 제대로 되겠습니까? 사달이 나도 열두 번이 났지요. 그러고 보니 선배님도 저한테 아무 말 안 했잖습니까?"

차마 부정 못 한 레드우드는 끙하는 신음과 함께 애꿎은 팔짱만 세게 꼈다. 실제로 시슬이 특수전 사령부에 모종의 압박이 들어온다는 얘기를 했다면 ─ 도움을 청한다는 얘기가 들어왔다면 ─ 레드우드는 계급장 떼고 자기 측근들을 몰아 수상한 곳을 순회공연하면서 걸리는 족족 벌집 쑤시듯 후벼 파냈을 것이다. 그리고 다시는 계급장을 달 수 없었으리라. 또 시슬의 말대로 레드우드 역시 자신의 팀인 태스크포스 373에 갖은 훼방이 들어왔었을 때 상관인 시슬에게 입도 뻥긋하지 않았었다. 특수전 사령관에게 말할 레벨의 이야기도 아니거니와, 레드우드의 성격상 이런 질척질척한 일은 자기 선에서 처리하려고 했기 때문이다.

"아무리 그래도 사령관과 저는 경우가 다르지요. 그리고 저울질이라니……."

군이 따지자면 레드우드와 태스크포스 373의 경우는 외부에서 알게 모르게 방해가 들어온 것이고, 시슬의 경우는 정규 루트를 통해 직접 압박이 들어와 전우와 끄나풀을 손에 놓고 비교하도록 강제한 차이가 있다. 하지만 그보다 중요한 사실은 지금 시슬이 본인의 입으로 레드우드와 그 팀을 저울질하고 버리는 패로 놨었다는 사실을 확인시켜준 것이다. 빈우의 예상을 듣고도 설마 했던 레드우드였지만 본인에게 직접 확인을 받자 심기가 불편해졌다. 그런 선배를 보며 시슬은 히죽 웃었다.

"예전에 선배님이 사령관 자리를 고사했을 때, 전 선배님이 엄살 부리거나 귀찮은 일을 피하려는 줄로만 알았습니다."

갑자기 시슬이 말을 돌렸다.

"그, 그랬나?"

과거 레드우드는 본인이 한 조직의 장이 되기에는 부족한 사람이란 것을 자각하고 있었다. 그렇기에 후배인 시슬에게 사령관의 지위를 양보했었던 것이다. 그러나 최고 책임자의 자리에서 정치 싸움을 하는 것에 넌더리가 나서 사령관 자리를 포기한 면도 없잖아 있다.

"저도 이 자리에 서고 나서야 보이더랍니다. 처음 별을 달고 난 다음부터 웬만큼 머리 위의 세계에 시달렸다고 생각했지만, 특수전 사령부 사령관은 또 달랐어요."

시슬의 말에 레드우드도 격하게 동감했다. 과거 대령에서 준장으로 진급했을 때 주변에서는 제 일보다 더욱 기뻐해주었지만, 정작 당사자인 레드우드는 자신의 세계와 상식이 파괴되는 것만 같았다. 혈기와 충의로 연방을 위해 고군분투하고 진급을 거듭해 준장까지 올랐건만. 그때부터의 싸움은 총보다는 펜, 장갑복보단 정복을 입고 치러야 했으며 싸워야 할 대상은 과거 자기가 지켜왔던 속칭 '높으신 분들'로 바뀌어갔다.

그리고 등 뒤에서 칼을 꽂는 전투는 늘 해왔던 일이지만 면전에 대고 혀를 놀리는 싸움은 아무리 해도 익숙해지지 않았다. 또한 높은 자리에서 멀리 봐야 하는 장성들의 특성상 레드우드는 현장에서 점차 떨어진다는 느낌을 받았다. 윗선의 간섭은 계급이 올라가면 갈수록 더욱 직접적으로 다가왔다. 그래서 가끔은 대령으로 남아 있을걸 하는 후회도 한다.

"하기야 저도 대령으로 남아 있을걸 했었습니다만."

"어이쿠, 그러면 선배님을 누가 말리겠습니까."

레드우드의 푸념 섞인 농담을 시슬은 웃으며 받았다. 그러나 다른 사람들에겐 이는 결코 웃을 수 있는 농담이 아니다. 현재 이들의 선후배들이 제독이나 장관으로 있는 상황에, 사병에서 대령까지 기어 올라간 레드우드가 장성을 포기하고 현장에서 구르겠다고 마음먹으면 그때부터는 그를 제재할 방법도, 사람도 없다. 한다고 해도 레드우드의 윗선에서 흐지부지되고 말거다.

의회와 국방부는 이 사실을 잘 알고 있었다. 무엇보다 당시 이어지던 외계 종족과의 전투에서 레드우드는 연전연승했고, 이에 따라 그가 속했던 단검뿔 토끼의 전신인 웃는 해골이 그의 준사병화돼갔다. 그래서 잔뼈 굵은 이 노병을 통합전투사령부나 국방부로 불러 책상 위에 앉혀 고삐를 채우려 했었다. 당시 제독이나 대장으로 올라갔던 전우들의 도움으로 레드우드는 어떻게든 특수전 사령부에 남을 수 있었고, 자신의 요람을 지키기 위해 시슬에게 사령관의 지위를 양보했었다. 그랬건만 믿었던 캐서린 시슬이 자신과 자신의 팀을 지켜주지 못하고 오히려 적대하려 했다는 사실에 레드우드는 적잖은 실망감을 느꼈다.

"이 자리에 와서 권한이 막강해졌지만, 책임은 더더욱 막중해진 터라 운신이 예전 같지 않습니다."

시슬은 커피잔을 단숨에 비운 다음 책상에 세게 내려놓았다.

특수전 사령부는 연방 최정예 특수부대의 집결지인 만큼 알려져선 안 되는 전투들을 도맡아 처리한다. 때문에, 장갑보병이 위주가 되는 부대임에도 불구하고 예산 편성이나 대우는 각 사령부 중에서도 최고다. 동시에 그 수장이 가지게 되는 권한만큼 따라오는 책임과 제약도 최고 레벨이다.

"그야 피차 아는 사실 아니오."

빈 잔을 다시 레드우드가 채워준다. 둘은 커피잔에 담긴 보드카로 건배를 했다. 시슬은 원래의 주제로 돌아가 말을 이어갔다.

"음, 저도 선배님 팀에 예전부터 방해가 들어오는 걸 어렴풋이 눈치채고 있었습니다만……. 잡기엔 그것의 꼬리가 미묘하게 회색 영역에 걸쳐 있었고 선배님이 별말씀 안 하셔서 때를 기다리기로 했습니다."

당시를 생각하면 레드우드는 지금도 절로 이가 갈린다. 방해라는 게 뻔하고 심증은 확실한데 아무리 후벼 파도 꼬투리를 잡을 수 없으니 미치고 팔짝 뛸 노릇인 것이다.

"그런데 이번에 제게 접근한 쪽은 당근과 재갈을 들고 왔습니다."

"재갈을?"

빈 보드카 병을 치우고 다른 술을 찾던 레드우드가 고개를 갸웃했다. 보통은 누군가를 길들일 때는 당근과 채찍이라 해서 당근이라면 보상을, 채찍이라면 제재를 의미한다. 그러나 재갈이라고 하면 말의 입에 채우는 마구다. 이는 상부에서 의무나 책임, 규약들을 이용해서 군을 강제할 때를 비꼬는 장교들의 은어다.

시슬이 레드우드의 편을 들어주지 못한 것에 대해 길게 운을 뗀 것은 자신의 처지를 되새기며 변명을 하는 것일 수도 있었고, 서로의 상황을 자학하는 것일 수도 있었다. 개개인이 뛰어난 병사이며 동시에 장성이란 계급에 있으면서도 더 큰 물결에는 무력하게 쓸려나가는 상황 말이다.

그때 문밖의 비서 안드로이드에게서 연락이 왔다.

"각하, 벤자민 소여 소장이 지금 여기서 면담을 요청하고 있습니다."

막 본론으로 들어가려던 레드우드와 시슬 두 사람의 눈살이 동시에 찌푸려진다. 그런 꼴을 당하고 또 버림을 받았음에도 불구하고 여태 사태를 파악하지 못한 채 들이미는 소여의 모습이 꼴사나운 것이다. 아까 근접전 훈련이 끝난 오데이셔스의 갑판에서 373 팀원 단 한 명에게 강제로 납득당한 모습이 측은해 부드럽게 타일렀던 게 오히려 화근이었던 성싶다.

"아직 나한테 재갈이 채워져 있다 착각하는 모양이군요."

시슬이 혀를 차며 밖에 일렀다. 그와의 얘기는 지금 중요한 것이 아니다.

"지금은 바쁘니 나중에 다시 오라고 해."

퉁명스레 말한 다음 시슬은 레드우드 쪽으로 고쳐 앉으며 말을 이었다.

"일단 김빈우 소령을 부르는 게 이야기하기 편하겠습니다."

갑자기 천방지축 예측불허 사고뭉치 부하의 이름을 들은 레드우드의 눈이 동그래진다.

"어? 김 팀장이 이 일과 연관 있소?"

"없지는 않지요. 김 소령이 정보국 출신이지요? 게다가 울토르 프로젝트의 현장 책임자였다지 않습니까. 그를 통해 확인할 게 있습니다."

울토르 프로젝트라면 클론 병사에 관련된 기밀 프로젝트다. 레드우드는 그게 지금 이야기—상부에서 시슬에게 당근과 재갈을 들고 온 것—와 무슨 상관이냐고 되묻고 싶었으나 빈우를 부르면 저절로 알게 될 일이다.

레드우드는 지금 부를 부하를 생각하니 헛웃음부터 나왔다. 오데이셔스의 장갑보병들과 위르겐이 한판 뜰 때는 소리소문없이 사라져서 몰랐는데, 나중에 안 보여서 부르려 했더니 리퍼 감금구역에 갔다가 나오는 중이랬다. 물론 빈우에게는 권한이 있으니 거기 가더라도 무슨 문제가 있겠냐마는, 자기가 안 보는 사이 또 무슨 짓거리를 했는지 몰라 당최 안심할 수가 없다.

'하여튼 이놈은 한시라도 눈을 떼면 안 돼.'

마음속으로 그렇게 다짐하며 통신을 열던 레드우드가 멈칫했다. 그리고 욕부터 나온다.

"거, 개새끼."

"무슨 일입니까?"

시슬의 질문에 레드우드가 한숨을 푸욱 내쉰다.

"373 이놈들, 아까 출항했소."

"뭐요? 허허 참."

그 말에 산전수전 다 겪은 캐서린 시슬마저 헛웃음을 터트렸다. 이런저런 사고를 쳐놓고도 직속 상관에게 보고 한마디 없이 작전을 핑계로 도망쳐버리다니. 담이 큰 건지 뇌가 작은 건지 도무지 모를 지경이다.

"아니, 내가 예전부터 준비되는 대로 작전 시작하라고도 했었고, 이번에 24함대와 일이 틀어지면 바로 작전 핑계로 내빼겠다고 지 입으로 말하긴 했는데. 진짜 이놈, 난 놈이외다."

"제 앞마당에서 그딴 짓을 해놓고도 얼굴 한번 안 비치고 바로 빠져나갔단 말입니까? 배짱 한번 좋네요."

태스크포스 373같이 기밀을 요하는 특수부대는 일단 작전에 들어가면 아예 모습을 감추고 침묵해버린다. 이렇게 되면 후방에 있는 같은 팀이나 직속 상관 외에는 연락이 불가하고 같은 아군도 위치조차 알 수 없다. 즉, 캐서린 시슬 대장이라고 해도 작전에 들어간 373 팀에 바로 연락을 할 수는 없다. 반드시 레드우드나 후방 팀을 거쳐야만 연락이 가능하다. 다시 말해 빈우는 시슬의 며느리와 손녀에게 총을 겨눈 것도 모자라, 그녀가 데려온 손님들을 개박살 낸 다음 입 싹 닫고 모습을 감춰버린 셈이다. 허탈해하는 시슬은 그렇다고 쳐도 직속 상관인 레드우드는 오죽 민망할까. 그것도 후배이자 상관인 시슬의 앞이니 더할 것이다.

"그런데 선배님, 김 소령이라면 지금 일이 풀려나가는 상황을 눈치챘을 법도 한데 왜 갑자기 도망을 친 걸까요?"

지금 시슬은 빈우가 사고를 치고 떠난 게 괘씸하다기보다는 오히려 떠난 이유가 궁금했다. 빈우는 시슬이 보인 약간의 반응만으로도 주변이 돌아가는 상황을 유추해낼 정도로 노련한 정보국 요원이다. 그라면 레드우드가 달리 말을 하지 않았다고 해도, 스스로 정보를 수집해 시슬 주변에서 벌어진 파워 게임을 대강 파악했을 것이다. 그런데도 레드우드에게 연락이나 보고도 없이 작전을 나간 것은 무슨 이유에서일까.

"확실한 건 이 새끼 이거 우리가 무서워서 도망친 건 아닐 겁니다."

"아무렴 그렇겠지요. 또 다른 사고를 쳤거나 아니면 무슨 꿍꿍이가 있을지도."

그때 시슬의 손에서 잔이 떨어졌다. 깨지진 않아도 쨍 하는 소리가 방 안에 울려 퍼진다.

"어허, 너무 역정 내지 마시오. 나하고는 라인이 연결되어 있으니 지금 연락해보리다."

후배가 열 받아 저러는 것이라고 지레짐작한 레드우드가 부랴부랴 비상통신으로 연락을 하려 했다. 그러나 시슬의 상태가 조금 이상했다. 부들부들 떨리는 손이 질끈 감긴 두 눈을 감싸고 입술이 달싹거린다.

"계단을…… 계단을 내려온 자들이…… 돌아온다."

지금 시슬의 책상에는 쏟아진 술이 뿌려져 있지만 강화된 군인이 술에 취할 리는 없다. 뭔가 이상함을 느낀 레드우드가 시슬에게 다가가 어깨를 잡고 흔들었다.

"사령관! 정신 차리시오, 사령관! 캐시!"

"내 이름은, 알탄훼아나…… 나는…… 감옥에, 여기에 있다. 당신이 가둔…… 김빈우…… 나를…… 리퍼."

띄엄띄엄 흘러나오는 시슬의 말에서 한 가지 사실을 유추해낸 레드우드가 눈을 홉떴다.

"샤다이!"

지금 시슬은 샤다이의 정신공격을 받는 게 분명했다. 기존의 데이터에 의

거해 안전거리를 충분히 확보했음에도 불구하고 이 리퍼는 그 먼 특수 감옥에서 여기 사령관실에 있는 시슬에게 정신공격을 가한 것이다. 상상도 못 할 일이지만 그것이 일반 샤다이가 아니라 리퍼라고 하면 납득 간다.

"선배, 샤다이가…… 들어왔소. 들어다오. 명령을…… 워프……."

시슬은 자신의 말과 머릿속에 침범한 샤다이의 말을 번갈아 뱉었다. 놈들의 정신공격에 저항하려 하는 것이다. 레드우드는 시슬이 꽉 잡은 자신의 팔에서 느껴지는 힘에서 그녀가 얼마나 힘겨워하는지 알 수 있었다.

"캐시, 샤다이다. 정신 차려. 샤다이의 의식을 몰아내."

레드우드는 자신의 머릿속으로 들어오려는 샤다이와 싸우는 시슬을 격려했다. 그러면서 리퍼가 있는 감옥에 명령을 내렸다.

"부사령관 조지 레드우드다. 지금 즉시 수감한 샤다이를 사살하라! 지금 즉시 사살해!"

그러나 감옥 쪽에선 아무런 대답이 없었다.

"레드우드다! 응답하라!"

아무리 호출해도 감옥 쪽의 통신은 조용했다. 그때 엎친 데 덮친 격으로 뒤에서 문이 열리며 누군가 소란스럽게 안으로 들어왔다. 비서 안드로이드를 밀쳐내고 막무가내로 방 안으로 들어온 것은 24함대 사령관 벤자민 소여 소장이었다.

"이 새끼가 미쳤나."

사령관 집무실에 침입한 불청객을 보고 레드우드가 일어섰다. 아까 분명히 축객령을 내렸음에도, 시슬에게 변고가 난 시점에서 난동을 피우니 레드우드의 눈에서 불꽃이 튄다.

"약속, 약속과는 다릅, 니다."

지금 소여 소장은 문가에 서서 비틀거리며 꺽꺽대고 있었다.

"썩 나가. 음?"

일갈하려던 레드우드는 소여 소장의 상태가 뭔가 이상한 것을 눈치챘다.

레드우드는 소여의 성화에 못 이겨 비서가 문을 열어준 줄로만 알았다. 그런데 문은 억지로 열려 있고 비서 안드로이드는 여기저기 파손되어 있으며 무엇보다 벤자민 소여의 상태가 이상하다.

"그흐어으어—."

눈에 백태가 낀 듯 허옇다. 헤 벌린 입에서 침과 함께 이가 흐른다. 그리고 이가 빠진 자리에 날카로운 이빨들이 돋아난다. 오스카 스테이션에서도 한 번 봤던 현상이다.

"워프 비스트!"

레드우드가 노성을 지르며 허리에서 코일 피스톨을 뽑아 난사해 벤자민 소여였던 워프 비스트를 산산조각으로 분쇄했다.

"비상! 사령관실이 기습당했다!"

레드우드가 비상을 알림과 동시에 다른 비상이 울려 퍼진다.

- 3번 항구에 적 발견! 3번 항구에 적 발견! 오데이셔스에서 정체불명의 적들이 나온다. 아군이 변이한 것으로 추정. 반복한다, 3번 항구—.

"이런 씨발."

아닌 밤중에 홍두깨도 정도가 있지 연방군 특수전 사령부에 워프 비스트 출현이라니 군이 발칵 뒤집힐 일이다. 3번 항구의 화면을 보니 오데이셔스에서 워프 비스트들이 떼를 지어 뛰쳐나오고 있었다. 다행히 일단 수상하면 다 죽이고 보는 특수부대원들은 상대의 정체가 뭐건 간에 모조리 쏴 재끼고 있었지만, 중과부적이라 수적으로 밀리기 시작했다.

"부사령관 조지 레드우드다! 지금 즉시 3번 항구를 봉쇄한다. 항구 저지선에 있는 방어 포탑들을 무차별 사격 모드로 설정해 저지선에 접근하는 것들은 피아 식별 없이 모두 죽여라. 3번 항구에 있는 대원들은 별도의 지시가 없는 한 그 자리에서 버티며 구출을 기다린다. 가까운 전투병력은 3번 항구 저지선에 집결해서 포탑의 봉쇄를 지원한다. 또한, 정체불명의 적들과 교전하는 대원들은 감염에 주의하라! 놈들과는 최대한 거리를 유지해! 절대 접근하지 마."

현재 워프 비스트는 연방의 최고 기밀 중의 하나다. 지금 특수전 사령부 3번 항구에 출현한 것을 포함해 총 5번 발견된 이 괴물들의 신체 능력은 장갑복과 엇비슷한 수준이다. 그러나 이 워프 비스트의 진정한 무서움은 이 괴물들이 인간이 변이해서 생긴다는 것이다. 현재로선 감염 원인과 경로도 파악하지 못하고 막연히 샤다이가 원인일 것이라고 추측만 하는 상황이다.

그렇기에 3번 항구 안에 있는 인원들의 감염 여부를 확인할 수 없는 현 상황에서는 이런 극단적인 조처를 할 수밖에 없었다. 이어서 레드우드는 긴급 대응팀을 호출해 리퍼를 가둔 특수 감옥으로 출동시켰다. 당연히 보이는 즉시 사살하라는 명령과 함께.

"조지, 코드 시에라 줄루 델타…… 발령을."

한창 병력을 분배하고 명령을 내릴 때 뒤에서 시슬의 말이 들려왔다. 레드우드는 급히 돌아가서 그녀를 부축했다. 시슬 대장은 간신히 정신을 차렸는지 정보창을 띄워서 보고를 받고 있었다. 만약의 경우를 대비해 레드우드는 창을 조작하는 시슬을 막고 물어보았다.

"확실해, 캐시? 시에라 줄루 델타라고?"

시에라 줄루 델타는 특수전 사령부가 적의 공격을 받아 점프 포인트마저 탈취당할 우려가 있을 때 내리는 최종 명령이다. 실행되는 즉시 점프 포인트를 자폭시킨다. 그렇게 되면 특수전 사령부가 위치한 궤도기지와 지상기지는 물론 행성 오브리가도와 주변의 민간인들까지 외부로부터 고립시킨다.

"나디아에겐…… 할머니가…… 미안……."

부들대는 시슬이 간신히 내뱉은 말에 레드우드는 이를 악물었다. 지금 시슬은 기지의 대원들을 포함해 행성에 있는 민간인들, 더불어 자신의 며느리와 손녀가 있음에도 탈출의 여지를 주지 않고 바로 봉쇄 명령을 내린 것이다.

046

· · · ✦ · · ·

"조지 선배…… 선배에게 지휘권을…… 이양……."

그 말을 마지막으로 캐서린 시슬은 자신의 두뇌칩을 조작해서 강제 수면에 들어갔다. 강제 수면은 강화군인들이 심각한 부상을 입었을 때 생존을 위해 주로 쓰는 방법이다. 이를 선택한 건 시슬 스스로가 샤다이의 정신공격을 더 버티지 못할 것 같다고 판단했기 때문이리라. 레드우드는 잠에 빠진 시슬을 조심스레 내려놓고 기지 내 상황을 확인해보았다.

지금이 과연 시에라 줄루 델타를 발동할 상황인지. 특수전 사령부와 행성 오브리가도를 외부와 완전히 차단할 상황인지. 사령관은 샤다이의 정신공격을 받아 가사상태에 들어갔고 24함대 전함 오데이셔스에선 워프 비스트가 발생해 기지로 침투하고 있다. 최고 지휘관의 권한을 획득한 레드우드의 뇌와 두뇌칩 안으로 현재의 비상상황 정보들이 속속 보고된다. 화면에는 오데이셔스의 주 추진기 수리 부분에서 대폭발이 일어나는 게 보였다.

두뇌칩으로 들어오는 정보에 따르면, 정비를 하던 특수전 사령부 소속 정비원들이 상황이 심상치 않게 돌아가자 추진 노즐 쪽에서부터 연료를 역주입시켜 터트렸단다. 역시 기본 훈련만 같이 받는 놈들이라지만 명불허전 특수전 사령부 소속 대원들이다. 항구 저지선의 포대와 증원된 방어 병력도 수월하게 적을 막아내고 있었다. 이곳은 특수전 사령부, 연방에서 둘째가라면 서러울 인간 흉기들이 득시글거리는 곳이다. 접근하는 것들은 모조리 갈려나간다.

"쏘지 마! 살려줘!"

아직 변이되지 않은 24함대 군인들이 멋모르고 3번 항구를 빠져나가기 위해 뛰어왔다. 그들을 향해 명령을 받은 포탑과 대원들이 포격을 가한다. 달려오던 육신들이 형체도 없이 사라진다. 항구에 침입한 전투기나 상륙함, 침투한 장갑 병력을 상대하기 위한 고출력의 방어무기다. 설령 장갑복을 입었다한들 버틸 수 없다.

여기까지만 보면 사태는 어떻게든 수습이 될 것으로 보였다. 그러나 오데이셔스의 출입구와 갑판에서 지금까지와는 다른 대형 워프 비스트들이 쏟아져 나오기 시작했다. 마치 인간을 녹여서 이어붙인 듯한 거체들이 장갑복의 소총 사격을 버티며 진격해 온다. 고출력 화기나 대 장갑 탄을 맞아야 유효한 피해를 줄 수 있는 놈들이다.

"제길, 씨발……."

레드우드는 기지 내부 전투를 상정한 대응책을 발동했다. 그러자 기지 곳곳의 무기고와 숙소에서 장갑복들이 자율행동으로 뛰쳐나와 주인을 찾아 달려갔다. 물질 생성기에서도 약식 장갑복이 생성되어 주변에 있는 맨몸의 인간들을 찾아 헤맸다. 이 약식 장갑복은 증원이 될 때까지 착용자를 지켜주는 고마운 놈들임과 동시에 장착할 때 두뇌칩과 현재 상태를 조회해서, 아군이 아니거나 위험한 상황이라고 판단되면 즉시 배터리를 유폭시켜 발화하는 흉악한 놈들이기도 하다. 아직 기지 내부에선 워프 비스트들이 발견되지 않았지만, 감염 예방과 동시에 혹시 있을 전투를 대비하는 것이다.

레드우드는 궤도 기지와 지상 기지의 방어체계를 발동시키고 궤도 엘리베이터를 정지시켰다. 통로를 차단해 행여 있을지 모를 지상으로의 감염을 방지한 것이다. 또한 민간 구역에도 생화학 공격 경보를 울려 민간인들이 대피소로 피신하도록 했다.

"현재 상황 보고."

현재 최고사령관의 명령에 따라 AI와 각 지역 책임자들의 보고가 올라온다. 단검뿔 토끼, 실리콘 나이트, 뱅가드 연대를 비롯한 모든 전투 인원들이 완전무장태세로 다음 명령을 기다리고 있었다. 기지 곳곳의 방어 총탑들도 경비 모드에서 전투 모드로 들어가 인증받지 않은 존재들은 무조건 사격하게 되었다.

그러나 24함대 쪽은 연락이 되질 않고 있다. 함대 사령관인 소여 소장이 워프 비스트로 변해 이곳에서 사살되었고 워프 비스트가 튀어나오는 아수라장이 된 상황이지만, 24함대의 순양함과 구축함의 함장과 부함장들도 통신이 되질 않고 있는 것은 이상하다. 이런 상황이면 그쪽에서 무슨 연락이나 보고가 왔어야 했다.

그 이유는 곧 밝혀졌다. 워프 비스트가 오데이셔스뿐만이 아니라 24함대의 순양함과 구축함에서도 튀어나오기 시작한 것이다.

"항구 내 NBC 병기 반응은?"

- 없습니다. 일체의 이상 반응 없습니다.

"샤다이는?"

- 발견되지 않았습니다.

공기 성분을 살펴본 결과 감염원이 되는 세균이나 바이러스 등도 없었다. 아니면 저들이 미리 감염된 상태였다는 가능성도 있다. 하지만 그렇다 해도 산산조각이 난 시체에서 무언가가 나와야 하는데 센서들은 아무것도 찾질 못하고 있었다. 그럼 사태의 원인이 되는 감염원을 현재 연방의 기술로는 찾을 수 없는 경우거나 아니면 정말로 감염원이 없는 경우다.

"사체들은 소각해. 한 조각도 남기지 마."

아직 워프 비스트의 준동은 행성 오브리가도의 특수전 사령부 궤도 기지 제3항구에서만 일어났다. 그러나 오데이셔스에서만 발생한 일이 다른 함으로 번졌다. 아직 정체를 제대로 파악하지 못한 이 증상이 언제 어디로 더 퍼질지 모르는 상황이다. 한둘이라면 모를까 지금 워프 비스트는 확인된 것만

2,357개체. 역대 최대급 감염 규모다. 이것이 궤도 기지에서 지상 기지로, 다시 행성 오브리가도로 퍼지게 되면 걷잡을 수 없을 것이다. 최악의 경우 점프 게이트를 타고 외부로 퍼지면 연방에 번지는 건 순식간이다. 마음을 굳힌 레드우드는 기지를 관리하는 메인 AI와 서브 AI들을 모조리 호출했다.

"총사령관 직무대행 조지 레드우드 중장이다. 시에라 줄루 델타! 반복한다. 시에라 줄루 델타다."

레드우드의 명령이 떨어졌다. AI들은 그의 두뇌칩에 접속해 신분과 권한을 인증하고 명령을 확인한 다음 즉시 실행에 옮겼다.

- 점프 게이트 자폭 카운트다운 시작합니다.

기지 내부에 경고 방송이 방송되자 청취자들이 열렬히 호응한다.

- 어떤 미친놈들이 여기서 개지랄이야!

- 갈아 마셔버릴까!

- 흥분되는데? 오 예, 나 오늘 허리띠 푼다!

하나하나가 전략 병기에 버금가는 인재들이다. 아군으로는 비할 데 없이 믿음직하지만, 만약 이들이 워프 비스트가 되어버린다면 그다음의 일은 상상하기도 싫다. 레드우드 앞의 화면에 점프 게이트의 자폭 카운트다운이 뜬다. 이제 곧 오브리가도는 외부와는 완전히 단절된 세계가 된다. 어찌 보면 쳐들어온 놈들이 연방 최고의 개새끼들과 오브리가도에 사이좋게 갇힌 셈이 된다. 그리고 상황이 진정되었다고 파악되기 전까지는, 외부에서 구원이 오기 전까지는 이곳에선 지옥도가 펼쳐지게 될 것이다.

"새꺄, 건투를 빈다."

레드우드는 이 난리가 벌어지기 전에 떠난 빈우의 선견지명을 축하하며, 동시에 앞으로 펼쳐질 지옥의 주인이 자신들이 되길 바라며 노병을 찾아 달려온 장갑복, 그라인더를 입었다.

> 착용자 조지 레드우드 인증.

> 동력계 정상.

> 구동계 정상.

> 통신계 정상.

> 화기 제어 시스템 정상.

> 전투OS 정상.

장갑보병이 나서는 일 중에 X 같지 않은 일이 어디 있겠냐마는 레드우드는 이번 전투가 역대 최고급으로 X 같을 거라고 확신할 수 있었다.

*

"야, 너 멋지더라?"

블랙 랜스의 작전회의실에서 위르겐이 우지의 어깨를 툭 치며 말을 걸었다. 아까 3번 항구에서 보여준 우지의 조종 실력은 연방의 탑건에서도 최고 수준의 것이었다. 위르겐은 그런 묘기를 본 게 처음이었다.

"아, 하하. 별말씀을."

"말 편하게 해."

위르겐이 그렇게 말했지만 우지는 쭈뼛거리기만 했다.

"아니, 아무리 그래도 이병인 제가 어떻게 상사님한테……."

"그런 건 정규 부대에서나 따지지, 우리 같은 임시 혼성부대는 최고 지휘관 외에는 다 팀원이라서 계급 안 따져. 언제 다시 볼 거라고."

위르겐의 말대로 일련의 소규모 태스크포스 내부에서는 계급을 안 따지는 경우가 많다. 다른 부대, 다른 병과에서 모은 인재들이기도 하거니와, 보다 유동적인 팀워크를 위해서 그러는 것이다.

"그럼 물론이지. 자, 나도 딱딱하게 중위님보다는 누나라고 불러봐."

어느새 파트리샤가 다가와 우지에게 어깨동무하며 웃는다. 찐득한 스킨십에 우지가 쩔쩔맨다.

"예에? 누나라뇨? 그런 건 조금, 어……."

"에, 진짜? 모니카는 나보고 언니라고 하는데?"

짐짓 울상을 지은 파트리샤 중위가 가리킨 곳에는 모니카 대위가 멋쩍게 웃으면서 고개를 끄덕이고 있었다. 대위가 중위보고 언니라고 부르는 것이 희한하지만, 둘의 소속과 군 경험과 나이 차를 보면 그럴 법도 하다.

그제야 우지가 눈치를 보며 힘겹게 말문을 튼다.

"네……. 그, 어, 누나."

"아유 착해라. 이제 누나랑 친하게 지내는 거다?"

파트리샤가 우지의 머리를 헝클이며 볼을 맞붙이더니 마구 문질러댔다. 장갑보병에게는 실력이 출중한 같은 팀 파일럿과 친해지는 것은 매우 중요한 일이다. 이어서 파트리샤는 우지에게 파일럿과 장갑보병의 다음 친교과정을 자연스레 권유했다.

"자, 우지. 다음은 저기 저 아저씨한테 가서 형이라고 해봐."

파트리샤가 가리킨 곳에는 아룹 라마누잔 원사가 싱글벙글 밝은 표정으로 책을 읽고 있었다.

"그, 그럴까요?"

역시 이쪽도 싱글벙글한다. 자신감을 얻고 일어나는 우지였지만, 다행히도 위르겐이 잽싸게 앉혔다.

"누님, 제발. 우지야, 앉아라."

"에, 좋았는데."

뾰로통한 표정으로 자리에 앉던 파트리샤는 엉덩이가 의자에 닿기도 전에 각 잡혀서 벌떡 일어났다. 비단 그녀뿐만이 아니라 회의실 안의 모두가 자리에서 일어나 차려자세를 취했다.

"쉬어."

팀장인 빈우와 함장인 오르가 회의실에 들어온 것이다. 빈우는 회의실 중앙의 단말기 앞에 서서 작전 화면을 띄우며 말문을 열었다.

"좋은 소식과 나쁜 소식, 그리고 X 같은 소식이 있다. 뭐부터 들을래?"

그러자 팀원들의 시선이 막내인 시에 우지 이병에게로 향했다. 귀여운 막내가 팀장에게 무슨 대답을 할까 궁금하다는 듯이. 그리고 우지는 그들의 권유를 받아들여 조심스레 대답을 선택했다.

"말씀하신 순서대로 좋은 소식부터 듣겠습니다."

"그래? 그럼 좋은 소식부터. 우지, 생일 축하한다."

말 떨어지기가 무섭게 어느새 날아온 아룹이 뒤에서 우지의 머리통을 한 손으로 잡아 들어 올렸다. 복부에는 파트리샤의 주먹이, 등엔 위르겐의 발이 꽂힌다.

"으응억!"

강화 안 했으면 분명히 사망했을 정도의 폭력이 가해지자 모니카가 질겁을 했다.

"자. 이어서 나쁜 소식."

빈우가 화면을 띄우자 대원들은 우지를 놓아주었고 화면에 뜬 정보를 보았다.

"제길, 씨발."

그리고 아연실색한다. 지금 나오고 있는 정보에 비하면 방금 위르겐의 입에서 나온 욕설은 매우 점잖은 편이다.

"우리가 떠난 직후 오브리가도에 시에라 줄루 델타가 발령되어 봉쇄되었다."

시에라 줄루 델타. 점프 게이트의 나포 위험이 극도로 높다고 판단될 경우 최고 지휘관과 AI들의 검수를 거쳐 발동되는 명령이다.

"게이트 신호가 없습니다. 소실이 확실합니다."

오르 함장이 점프 게이트가 날아간 것을 확인시켜주었다. 게이트가 닫혀 있어도 신호는 와야 하는데 지금은 아예 신호 자체가 없는 것이다.

"돌아가야 하지 않습니까?"

바닥에서 간신히 몸을 일으킨 우지가 말한다. 자기 할아버지의 친우인 레드우드가 있기도 하고 자신의 군 생활이 시작된 곳이 바로 오브리가도다. 그리고 일견 상식적인 판단이기도 하다.

"돌아가? 어떻게? 통상 항해로 가려면 한세월 걸릴걸?"

빈우의 말마따나 워털루 게이트에서 오브리가도로 가려면 통상 항해로는 불가능이다. 근처의 게이트로 경유한다 해도 가장 가까운 게이트에서 통상 항해로 오브리가도로 가려면 한 달은 족히 걸린다.

"일단 시에라 줄루 델타가 발동되면 해당 게이트는 폭파되고 멀리 떨어진 장거리 정찰 위성이 정보를 수집한다. 그리고 이를 통해 사건의 동향을 파악한 다음에 본대에서 게이트를 열어, 부대를 보내 진압하거나 아니면 아예 봉쇄를 유지하겠지."

아마 연방군 사령본부에서는 대대적인 규모의 함대를 파견해서 사태를 해결할 것이다. 원래 이런 일의 선두에는 뱅가드 연대가 섰었지만, 아이러니하게도 뱅가드 연대의 본대가 봉쇄된 판국이다. 만약 이 소식이 알려지면 연방 전역에 퍼져 있는 뱅가드 대원들이 격노해서 한걸음에 달려올 것이다.

"하지만 이건 어디까지나 일반적인 경우고, 오브리가도는 특수전 사령부가 있는 곳이다. 정확한 매뉴얼은 나도 몰라. 부팀장은 혹시 아는 거 있습니까?"

특수전 사령부에서 잔뼈가 굵은 아룹 라마누잔 원사라면 무언가 아는 게 있을까 싶어 빈우는 물었지만 아룹도 그런 종류의 기밀 정보에 대해서는 아는 바가 없었다.

"죄송합니다. 그에 대해선 저도 아는 것이 없습니다. 그런데 시에라 줄루 델타가 발령된 원인은 대체 뭡니까?"

아룹의 의문은 당연하다. 오브리가도는 연방군 최고의 지상 병력, 특수전 병력이 모인 곳이다. 그곳에서 스스로 수습을 못 해 점프 게이트를 봉쇄할 정도의 사태라면 이만저만한 사건 가지고는 명함도 못 내민다.

"바로 이것입니다."

게이트가 닫히기 전 레드우드가 보내준 정보를 빈우가 나열한다. 그중에는 3번 항구에서 질주하는 괴물들이 보인다. 인간의 형체가 곳곳에 보이는 괴물이다.

"저건?"

괴물의 정체를 알아본 파트리샤가 눈썹을 찌푸린다. 마찬가지로 다른 대원들도 저 괴물이 오스카 스테이션에서 보았던 괴물과 다른 모습이지만 같은 계통이란 것을 알아챘다. 당시 오스카 스테이션에 리퍼가 기습해 온 사건을 해결한 이후, 인간이 괴물로 변하는 미증유의 사건에 팀원들은 설명을 요구했지만, 레드우드와 빈우의 대답은 때를 기다리란 것이었다. 그리고 심각성을 어렴풋이 눈치챈 팀원들은 성실히, 그리고 조용히 때를 기다렸다.

"그때는 함구령을 내렸지만, 지금은 말해야겠지. 이것은 워프 비스트라고 한다. 샤다이의 새로운 공격법으로 추정되며 인간을 변이시키는 공격법이다. 감염원이나 경로는 아직 밝혀지지 않았어."

빈우가 보여주는 화면 위로 오데이셔스에서 나오는 워프 비스트들과 그것을 막는 특수부대원들, 이어서 다른 함에서도 튀어나오는 워프 비스트들의 홍수가 보인다.

"현재까지 밝혀진 것은 모두 다섯 차례. 그중 우리가 최초로 접한 스미스 일가의 경우가 네 번째이다. 그때까지는 민간인만 변이했다. 그리고 여기 오브리가도가 다섯 번째, 또한 군인 감염의 최초 사례다."

오스카 스테이션에서 만났던 스미스 일가. 그때 워프 비스트로 변했던 테레사 스미스의 완력은 인필트레이터와 비등했다. 바꿔 말하면 저기 3번 항구에는 장갑복 급의 신체 능력을 가진 괴물들이 몇천 단위로 뛰어다닌다는 말이다.

"혹시 감금한 리퍼가 그랬을 가능성은 없습니까?"

아룸이 손을 들어 질문한다. 당시 373의 팀원들은 리퍼와 근접전을 치렀고 결국 생포해서 오브리가도로 넘겼었다. 그리고 그 여성형 샤다이는 기지 내부 깊숙한 곳에 감금된 상태였다.

"모릅니다. 아직 불명이에요."

"더 자세한 정보는 없습니까?"

드물게 진지한 표정의 아룹 원사였지만 아쉽게도 빈우는 더 대답할 게 없었다.

"사실 저와 레드우드 사령관님도 많은 것을 알고 있진 않아요. 우리 팀에 합류하기로 했던 피에르 라캉 중령이 이에 대해 많은 정보를 가지고 있었습니다만…… 알다시피 합류 전에 샤다이의 기습에 당했지요."

그러면서 빈우의 시선이 모니카에게 향했다.

"대위. 대위 쪽은 이 사태에 대해 아는 것 없나?"

"아뇨, 저도 이런 건 처음 봐요."

인간이 정체 모를 질병에 감염되어 괴물로 변하고 또 아군에게 사살되는 광경을 본 모니카 보르자의 얼굴이 창백해진다. 과학기술국에서도 워프 비스트에 대해 알고 있는 것은 아닌 듯했다. 침을 한번 꿀꺽 삼킨 모니카가 빈우에게 질문했다.

"하지만 그때 라캉 중령의 영현을 보안국에서 회수하지 않았습니까? 정보를 요구하면 될 텐데요?"

영현을 이송하던 현장에 같이 있었던 모니카에게 당시의 기억이 떠오른 것이다.

"음, 당시 라캉 중령이 모은 정보는 불법적이거나 위험한 것이 많아서 일단 보안국으로 넘어가게 되면 심의를 거쳐서 공개할 거다."

지금 연방은 워프 비스트에 대해 꼭꼭 숨겨놓고 있지만 그게 딱히 틀린 것은 아니다. 사실 인간이 괴물로 변하고 그 원인이나 치료 방법도 알 수 없다는 게 알려지면, 연방에 작지 않은 파문이 일어날 것이 분명했기 때문이다. 그리고 이어서 빈우는 오브리가도에서 일어난 일들을, 레드우드가 마지막으로 보내준 정보들을 차례차례 보여주었다.

416

기지 내의 병력은 어렵지 않게 워프 비스트를 물리치고 있었다. 이 워프 비스트들의 신체 능력이 장갑복에 준한다 해도 하필 마주친 적들이 일당백의 특수부대원들이었기에, 나오는 족족 사살당하고 있었다. 그리고 특수부대원들은 레드우드의 명령대로 접근전을 피하고 철저히 원거리에서 워프 비스트를 사냥하고 있었다.

보이는 정보대로라면 당시 3번 항구에서 발생한 워프 비스트의 기습은 특수전 사령부가 보유한 전력만으로도 충분히 진압 가능한 수준이었다. 그러나 현재로서는 이 워프 비스트가 언제 어디로 옮을지도 모른다. 최악의 경우 특수부대원들이 감염될 가능성도 있었기 때문에 레드우드는 극단의 조치로 시에라 줄루 델타를 발동시킨 것이다. 영상이 끝나자 빈우는 창을 닫으며 주의를 환기했다.

"중요한 일이었겠지만 그냥 알아만 둬라. 어차피 이건 우리 손을 떠난 일이다. 이제 우리가 할 수 있는 일을, 우리의 임무를 해야 한다."

굳은 표정의 태스크포스 373의 대원들에게 빈우는 새로운 소식을 알려주었다.

"자, 이제 X 같은 소식."

빈우의 말에 팀원들은 긴장했다. 특수전 사령부가 워프 비스트의 기습을 받아 점프 게이트를 자폭시키고 외부와 고립된 것이 나쁜 소식에 불과하다면, X 같은 소식은 대체 얼마나 심할까 싶은 것이다.

"원래 우리 태스크포스 373이 맡아야 할 임무는 포말하우트 게이트 방면의 보호 행성인 발 가르단 하스에 비밀리에 침투해서, 거기에 추락한 리퍼 함선의 잔해와 정보를 회수하는 것이다."

인류의 기술력을 몇 단계 상회하는 샤다이의 함선과 장비라면 당연히 고가치 정보다. 샤다이의 특수부대에 해당하는 리퍼는 말할 것도 없다. 거기다 접근이 금지된 보호 행성에 비밀리에 들어가 장비를 회수하는 걸로도 모자라, 남아 있을지도 모르는 리퍼와의 전투에 대비해야 하기까지 하니. 당연히 태스크포스 373 정도는 되어야 할 것이다.

그러나 본진이 털렸다. 그런데도 이런 위험한 작전을 강행할 이유가 있나 하고 팀원들이 생각하던 찰나, 그들의 머릿속을 읽기라도 한 것처럼 빈우가 설명을 이어나갔다.

"이번 임무는 굉장히 중요한 일이지만 작금의 사태로 인해 더더욱 중요해졌다. 발 가르단 하스에서 리퍼 함선의 잔해를 회수하고 정보를 수집한다면, 본래의 목적인 적 기술력 습득은 물론이고 워프 비스트에 대한 정보를 모을 수 있을지도 모른다."

워프 비스트는 특수전 사령부가 문을 걸어 잠글 정도의 고위험 사태다. 현 상황에서는 최우선으로 수집해야 하는 정보이나, 빈우 말대로 이에 대한 정보는 샤다이나 리퍼를 통해서 얻을 수밖에 없다.

"하지만 사령부가 봉쇄되었잖습니까. 리퍼 함선을 회수한 다음 어디로 가야 합니까?"

걱정스레 질문하는 모니카에게 동의하듯 우지가 살며시 고개를 끄덕였다. 이렇게 뒷일을 걱정하는 것은 이 두 사람 정도다. 다른 사람들은 귀환이나 회수에 대한 매뉴얼들을 많이 경험해봤기 때문에 그리 신경 쓰지 않았다.

"특수전 사령부의 점프 게이트는 봉쇄되었지만 우리는 해당 매뉴얼에 따라 통합사령부로 귀환하면 된다. 단, 작전행동 도중 24함대와는 일체의 접촉을 금한다."

오데이셔스와 휘하 함선들의 장병들이 워프 비스트로 변했으니, 24함대 사령부도 그럴 가능성이 클 거라 생각해 내린 판단이었다.

"그들에 대한 정찰이나 수색도 하지 않습니까?"

해당 임무를 맡아야 할 우지가 손을 들었다.

"안됐지만 우리 일이 아니다. 특수전 사령부에서도 연락이 갔을 테니 신경 꺼. 지금 우리의 전력으로는 특수전 사령부 탈환이나 24함대의 워프 비스트 공격도 할 수 없다. 그렇다면 차라리 한시라도 빨리 발 가르단 하스로 가서 원래의 임무를 완수하는 것이 최선이다."

빈우의 말은 '어차피 지금은 돌아갈 수 없고 돌아간다 한들 이 정도 전력으로는 아무런 보탬이 될 수 없으니 승리를 위해 나아갈 뿐'이라는 말이다.

"다른 의견 있는 사람?"

그쯤에서 팀원들은 빈우의 시선이 향한 곳으로 서서히 고개를 돌렸다. 그곳에는 부팀장 아룹 라마누잔 원사가 심각한 표정으로 마카롱을 씹고 있었다. 원래대로라면 팀이 작전에 나갔을 시 팀장인 빈우가 현장지휘관이 되어 전권을 행사한다. 그런 팀장 옆에는 보좌하고 제어할 사람이 붙는 게 보통이다. 그러나 불의의 사태로 팀이 제대로 꾸려지기 전에 출발하는 바람에, 태스크포스 373은 그런 체계가 채 갖춰지지 않은 상황이었다.

태스크포스 373의 최고 지휘관은 조지 레드우드 중장이지만 현재 연락 두절 상태이고, 참모와 고문역으로 내정된 피에르 라캉 중령은 오스카 스테이션에서 전사했다. 어차피 이들은 후방 팀이라 작전을 나가게 되면 현장에서의 영향력은 줄어든다. 지마 오르 함장은 같은 소령이지만 블랙 랜스의 조함에만 권한이 있고 작전행동에는 빈우의 명령을 따르기로 되어 있다. 모니카 보르자 대위는 과학기술 자문역이라 작전권은 따로 없다. 그렇다면 현재 상황에서 빈우와 작전에 대해 상의하고 진언을 할 사람은 아룹 원사뿐이다.

"없습니다. 팀장님. 잘 알겠습니다."

부팀장이 웃으며 대답하자 빈우는 설명을 계속했다.

"그렇다면 작전 목표인 발 가르단 하스의 행성 정보부터 설명한다."

발 가르단 하스란 생소한 단어를 들은 팀원들은 일단 자신이 가진 정보에서부터 검색해보았다. 하지만 두뇌칩에서 알려주는 건 이 행성이 연방의 보호구역이라는 기본적인 정보뿐이었다. 그 이상의 것을 알려면 연방의 서버에 접속해야 했고 그러려면 게이트를 통해 통신이 연결되어야 한다. 작전을 위해 침묵 모드에 들어간 현재의 373 팀원들에겐 할 수 없는 일이다.

"현재 우리는 워털루 게이트를 나와서 포말하우트 게이트 방면으로 이동하고 있으며, 지금 보게 될 정보는 연방 정보분석국과 포말하우트 게이트의 장거리 정찰 위성에서 보내준 걸 취합한 것이다. 나도 보고 나서 안 것이지만 우리가 알고 있는 정보는 아주 기본적이고 조금 왜곡된 것이다."

화면에는 포말하우트 게이트 방면의 많은 항성계 중에서 하나의 항성계가 확대되었다.

"목표지점의 발 하스 항성계는 두 개의 태양이 있는 쌍성계이다. 이 큰 쪽이 발, 작은 쪽이 하스이다. 그리고 9개의 행성이 발과 하스 두 태양 사이를 공전하고 있다."

화면에는 발과 하스라고 이뤄진 두 개의 태양이 떠올라 있고 그 안으로 9개의 행성이 있었다. 그중 2개가 발을, 다른 3개가 하스를 돌고 있으며 나머지 4개가 두 태양을 번갈아 8자 궤도를 그리며 공전하고 있었다. 빈우가 그중에 하나를 집었다.

"이곳이 우리의 작전지역인 발 가르단 하스이다. 발과 하스의 두 태양 내부 궤도를 번갈아 공전하는 행성이지."

이어서 화면이 확대되며 행성 표면이 나온다.

"발 가르단 하스의 대기는 강산성이며 온도는 섭씨 300도가량, 장갑복의 센서 부분에 보강이 필요한 수준이다. 지표는 끓어오르다 굳은 발포 상태의 암석군으로 지하에 흐르는 중금속 구름 위에 떠 있는 상태다. 이 지하 금속운의 움직임에 따라 지표는 항시 변하니 이동 시엔 주의가 필요하다. 그리고 원주민인 발 가르단 하스 인은 이렇게 생겼다."

화면에는 해파리와 문어를 섞어 다시 평균값을 낸듯한 생명체가 공중에 떠 있었다.

"외부에 액체금속 피막이 있고 그 안이 가스로 차 있다. 아마 내부의 가스로 부력을 조절해 뜨는 모양이다. 시각이나 청각 같은 감각기관은 없고 전자기장으로 주변을 파악한다고 한다. 이들은 보호구역에 사는 보호 종족이니 우리는 이들의 눈에 결코 띄어선 안 되며 어떠한 접촉도 허락되지 않는다."

보호 행성에 대한 금제는 꽤 삼엄한 편으로 태스크포스 373의 파견은 예외 중에서도 극히 예외다. 그러나 제아무리 특수전 사령부의 비밀부대라 할지라도 아차 해서 선을 넘었다가는 연방 상원에서 바로 찍어누를 것이다.

"우리는 얘네들한테 들키지 않고 침투해야 하니 장갑복에 대전코팅이나 자장 제거 작업을 해야겠네요. 나야 괜찮지만."

침투 임무가 특기인 파트리샤가 고개를 갸우뚱한다. 아룹의 그라인더도 어느 정도 스텔스성이 있지만 위르겐의 어벤저는 특수장비를 해야만 제한적인 스텔스성을 가진다. 빈우가 입을 컨커러는 실험기라 아예 그런 건 없다.

장비에 대한 보강이 절실해지는 시점이다.

"음…… 아마 그렇겠지?"

그런데 빈우의 반응이 조금 이상하다. 비밀 임무에 각 종류의 위장은 필수 불가결 요소인데 팀장이 꺼림칙하다는 반응을 보인 것이다. 그러나 팀원들이 그 이상함을 파고들기 전에 빈우가 다음 화제로 넘어갔다.

"일단 여기까지가 우리가 가진 발 가르단 하스에 대한 과거 정보다. 지워진 것을 복구했지만 빈 곳이 많더군."

보호구역임을 감안하면 생각보다 상세하긴 했으나, 몇몇 군데가 지워져 있는 정보였다. 이런 조건을 만족시킬 자료는 아룹의 머릿속엔 하나뿐이다. 부팀장은 자신의 추측이 맞는지 확인하기 위해 입을 열었다.

"팀장님 그 말씀의 의미는 혹시……?"

"부팀장의 예상대로입니다. 이 정보의 출처는 구 지구제국의 데이터베이스에서 나왔습니다. 발 가르단 하스란 이름도 아마 원주민들이 부르는 명칭일 겁니다."

지구제국의 정보 중 지워진 것들이라면 군사 정보다. 발 가르단 하스는 지구제국의 군사 시설이거나 제국군의 시야에 들었던 행성이란 말이다.

"뭐 제국군이라 해도 다 아는 것 같진 않습니다만…… 자, 문제는 여기서부터."

빈우가 보여주는 장면은 연방군의 토끼몰이 작전이었다. 함대들이 리퍼 함선을 몰아세우다가 루비콘 라인으로 밀어넣는 치졸한 작전. 이어서 화면은 리퍼의 함선과 구 지구제국군 비홀더 1전대와의 전투를 보여주기 시작했다. 그리폰 돌격 순양함의 포격은 리퍼 함선을 엉망진창으로 만들더니, 이어 중력 닻으로 나포한 다음 3인의 장갑보병을 함선 내부로 침투시켰다. 함 외부의 전투가 일방적인 전투였다면 함 내부의 전투는 일방적인 학살이었다.

- 걸리적거린다. 반물질 폭탄 넉넉히 채워서 저기에 떨어트리자.

- 연방에선 보호 종족이라고 하던데요?

우주활극물에서 나왔던 전쟁영웅 이 섬의 실제 모습은 학살의 현신이었다. 그리고 이 학살의 마지막은 반물질 폭탄을 채운 리퍼 함선을 발 가르단 하스로 추락시키고 폭발시킨 것으로 끝났다.

"와우, 씨발."

산전수전 다 겪은 파트리샤의 입에서 쌍소리가 나올 지경이다. 보호 행성은 아직 자신들의 과학기술이 항성계를 벗어날 정도가 되지 못해 보호해야 함을 명시한 행성이다. 이는 연방 상원이 직접 지정한 곳이다. 당연히 연방의 확장 사업에서 제외되며 외계종족의 식민 행동에도 직접 연방이 나서서 차단, 보호해준다. 그런 곳에 반물질 폭탄을 거하게 터트리다니. 그것도 알면서. 팀원 대부분이 비홀더 전대의 지랄에 고개를 절레절레 흔들었다.

"토끼몰이 작전의 결과로 반물질 폭탄의 폭발이 발 가르단 하스의 대기층과 행성의 자기방어막을 일부 소멸시켜버렸다. 계산상 35시간이면 회복된다고 하지만 발 가르단 하스의 자전 속도는 17시간이다."

빈우는 발 가르단 하스의 행성 사진에 자전 방향으로 붉은 줄을 죽죽 두 번 그었다.

"2바퀴는 족히 돌 테니 이쪽 지역은 발의 태양풍과 우주방사선에 무차별적으로 노출되었을 거다."

행성의 대기층과 자기장은 태양의 자외선이나 해로운 우주방사선으로부터 지상의 생명체를 보호해준다. 만약 발 가르단 하스의 생명체들이 처음부터 이것들 없이 자랐다면 모를까, 갑자기 없어졌다면 생명체들에겐 치명적인 영향을 미쳤을 것이다.

"발 가르단 하스 인들이 버틸 수 있을까요?"

모니카가 연방 시민처럼 생면부지의 외계종족을 걱정했다.

"모른다. 이 이상의 자세한 정보는 없으니. 근데 이 붉은 선에 있는 원주민들은 높은 확률로 튀겨졌을 거라 본다."

"흐음, 살아남은 원주민들이 위협적이거나 적대적일 가능성이 크겠군요.

이를 염두에 두고 작전에 임해야겠습니다."

그렇게 말하면서 아룹은 폭심지 주변을 살펴봤다. 반물질 폭탄은 대기와 자기장뿐만이 아니라 지표면도 소멸시켜 내부의 중금속 구름을 밖으로 뿜어내게 했다. 다행히 리퍼의 함선은 구멍 안으로 들어가다가 내부에서 비중이 높은 암석군에 걸렸는지, 가장자리에 함체의 일부를 걸치고 있었다.

"그렇죠. 저도 그렇게 생각했습니다. 안일했죠. 그런데 이 사태 이후의 현재의 발 가르단 하스는 이렇습니다."

빈우가 화면에 현재의 발 가르단 하스를 띄웠다. 태스크포스 373의 작전 목표는 발과 하스, 두 태양의 가운데 지점에 있었다. 화면에 보이는 장면이 정지된 것이 아님을 알게 된 팀원들의 입에서 탄식이 터져 나왔다.

"정찰위성의 보고에 따르면 발 가르단 하스는 3일 전 발을 스윙 바이하여, 인력권에서 벗어난 다음 하스의 궤도로 들어갈 예정이었다. 그러나 원인 불명의 이유로 공전을 멈추고 두 태양 사이에 정지해 있다."

지금 태스크포스 373의 목표지점은 두 태양 사이에 멈춰 서서 직화 바비큐가 되는 상황이다. 방금 걱정했던 조그만 구멍을 통한 2회전 방사선 태닝은 이제 우스갯감으로 보일 지경이다.

"그리고 이것이 목표 주변의 현재 상황이다. 폭발의 여파로 지표에 구멍이 생겨 지하의 산성 금속운이 뿜어져 나오고 있으며, 두 태양 사이에서 태양열은 물론이고 조석효과도 기차게 받고 있다. 이제 우리는 초속 50m로 몰아치는 섭씨 400도의 강산성 폭풍우를 뚫고 가야 하는 거다."

갑갑해지는 작전지역이다. 장갑복을 입으면 어떻게든 버틸 수는 있겠지만 이건 스텔스 장비를 하고 들어가는 침투 임무다. 게다가 저기서 장갑복 벗었다간 강화군인이라도 순식간에 요단강 편도 티켓을 발급받을 것이다. 빈우도 팀원들과 마찬가지 심정인지 한숨을 쉬며 작전도를 바라볼 뿐이다.

"그래도 이 정도면 할 만하지 않나요? 잽싸게 들어가서 물건 챙기고 뜹시다."

위르겐이 호기롭게 말했다. 신속 기동을 모토로 하는 뱅가드 연대원이 할 법한 이야기다.

"그래, 말 잘했다 위르겐. 정말 잽싸게 치고 빠져야 한다."

그리고 빈우는 굳은 표정으로 화면에 발과 하스, 그리고 발 가르단 하스의 연속 화면을 띄웠다. 뭐라 말만 하면 팀장이 점점 더 심각해지는 다음 상황을 보여주니 입을 열기가 무섭다.

"이게 발 가르단 하스의 사흘 전 모습."

이어 화면을 넘겼다.

"이게 이틀 전."

"어라?"

얼빠진 소리가 모니카의 입에서 나온다. 그럴 법도 한 게, 발과 하스가 가까워졌기 때문이다.

"그리고 이것이 오늘의 발 하스 항성계의 모습이다."

두 태양이 발 가르단 하스를 가운데에 놓고 점점 가까워지고 있었다. 거대한 항성 둘이 쥐꼬리만 한 행성에 끌려가고 있는 것이다.

"이게 말이 되냐 안되냐를 떠나서 실제 일어나고 있는 일이다."

"발 가르단 하스가 폭발로 인해 중성자별이나 블랙홀이 되기라도 한 겁니까? 그러면 근처에 갔다간 끌려가버릴 텐데요?"

고개를 절레절레 흔드는 위르겐에게 대답해주는 것은 모니카였다.

"아뇨, 일단 빛의 왜곡 현상은 안 보이고 중력파에도 이상 반응이 없어요."

화면의 데이터를 살펴보던 모니카가 말했다. 그러면서 스스로 자료화면을 조작하여 다른 화면을 띄워 보여준다.

"음, 아마도 추락한 리퍼 함선의 영향이 아닐까요?"

조심스레 낸 의견에 팀원들의 시선이 집중되자 모니카는 움츠러들었다.

"지금 우리 중에서 과학적 지식이, 또 샤다이에 관한 지식이 너보다 뛰어난 사람은 없다. 설명해줘. 모니카."

빈우의 격려에 모니카는 호흡을 한번 고르더니 설명을 시작했다.

"샤다이들의 점프는 우리의 점프와는 개념이 달라요. 우리는 게이트를 열고 그 게이트를 통해 다른 게이트로 점프하죠. 하지만 샤다이는 게이트를 쓰지 않아요."

모니카는 자신이 가지고 있는 자료 중에서 샤다이와 연방의 점프 방법을 비교한 자료를 띄웠다.

"최근 연구결과에 따르면 샤다이는 질량이 있는 지점을 정하고 그곳에 중력 표식을 거는 것으로 점프를 시작한다고 합니다. 다음은 목적지와 자신 간의 인력을 극대화해 쌍방 간의 중력우물을 만들어 그 속을 통과한다는 게 현 가설입니다."

"잠깐, 그 정도의 중력 우물이면 중력 렌즈 현상이 나올 텐데? 하지만 샤다이의 점프에는 아무런 징후가 없잖아."

파트리샤의 말마따나 이제껏 샤다이의 점프 전후에 이상 중력파나 광학적인 왜곡 현상은 없었다.

"네. 이건 어디까지나 저의 생각인데 리퍼들이 폭발 직전, 최후의 순간에 점프해서 도망치려 했다면 그 장치들이 발과 하스를 목적지들로 잡았을 수도 있습니다. 항성계 내에서 가장 질량이 크니까요."

"하지만 실패했지."

나직한 빈우의 목소리에 모니카가 고개를 끄덕였다.

"폭발 때문에 다음 단계로 넘어가진 못했지만, 중력 닻이 각각 발과 하스에 걸렸고 중간에 있는 발 가르단 하스로 끌려오는 것 같습니다. 출력의 규모로 본다면 허무맹랑하겠지만 일단은 지금 제 생각은 이렇습니다."

배 1척에서 항성 두 개를 끌어오는 출력을 낸다니. 말도 안 되는 것 같지만 가설로서 들을 만한 가치는 있었다. 잠자코 듣고 있던 빈우와 오르가 고개를 끄덕인다.

"그래, 그래서 이런 일이 벌어졌겠지. 설명 고맙다, 모니카."

빈우가 올린 다음 화면에는 발 하스 항성계의 행성 궤도들이 나왔다. 발의 궤도를 도는 2개의 행성, 하스의 궤도를 도는 3개의 행성, 그리고 발 가르단 하스와 같이 내부 공전 궤도를 도는 나머지 3개의 행성도 공전 궤도가 조금씩 뒤틀려 있었다. 그걸 보는 팀원들의 얼굴도 조금씩 뒤틀려간다.

"얘들도 모종의 영향으로 인해 궤도가 바뀌어 있다. 아마 모니카 대위의 설명대로 리퍼 함선의 중력 닻 영향이겠지. 아마 닥치는 대로 목적지를 잡은 것 같다. 그리고 추정궤도는 이렇다."

아니나 다를까 항성계 내의 모든 행성이 발 가르단 하스로 집중되어 날아가고 있었다. 원래 공전 궤도에서는 큰 차이가 없었으나 비틀어진 각도로 운행된 궤도를 컴퓨터가 계산해 보여주자, 발과 하스를 포함한 모든 행성이 작전 목표인 발 가르단 하스와 충돌할 예정이었다. 여기저기 터져나오는 팀원들의 한숨을 한 귀로 흘려들으며 빈우는 작전 설명의 마지막 단계로 들어갔다.

"다들 진정하고. 음. 어디까지나 추정이지만 최초의 충돌은, 발을 공전하는 발 하스 1과 하스를 공전하는 발 하스 6이 동시에 발 가르단 하스와 부딪히는 것이라 예상한다. 최초 충돌 예상 시간은…… 우리가 발 가르단 하스에 도착하고 32시간 후다."

빈우의 말을 끝으로 회의실에는 잠깐의 정적이 찾아왔다. 결론을 내면 작전지역은 섭씨 400도의 강산성 폭풍우가 초속 50m로 몰아치고 있는 것도 모자라 양쪽에 점점 가까워지는 태양을 두고 있다는 것이다. 게다가 있을지 없을지 모르는 리퍼를 뒤지며 어영부영 시간을 보내다간, 32시간 뒤엔 형제 행성 둘이 앞뒤로 꼬라박히는 상황에 휘말릴 터였다. 물론 그 중 최고 대미는 회수 목표가 태양 두 개를 끌어들이고도 힘이 넘쳐, 항성계의 모든 행성을 빨아들이는 폭주한 리퍼 함선이라는 부분이었다.

"X 같네요."

산전수전 다 겪은 베테랑인 아룹의 입에서 이런 말이 나올 정도다.

"전 거짓말 안 했습니다?"

048

· · · ✦ · · · ·

솔직히 빈우는 팀원들의 반응에 감탄하고 있었다. 이런 흉악한 작전을 눈앞에 두고도 불평하거나 욕을 할지언정 누구도 포기를 입에 담지 않은 것이다. 과연 레드우드가 고르고 고른 인재들다웠다. 사실 빈우조차도 아까 발 가르단 하스의 상황을 알게 된 뒤 함장인 오르와 작전 지도를 보면서 골머리를 앓았었다. 이걸 실행할지 포기하고 돌아갈지.

그러나 오브리가도의 사건으로 미루어 볼 때 워프 비스트는 앞으로 연방에 크나큰 위험이 될 가능성이 대단히 커 보였다. 이런 상황에서 눈앞에 놓인 단서를 놓치기란 너무나도 아쉬웠다. 또한 빈우가 예상해보기엔 성공 가능성 역시 제법 높아 보였다. 때문에 작전을 강행하기로 했고 이에 오르도 동의했다. 따라서 이런저런 이유로 빈우는 처음부터 결과를 말하는 대신, 발 가르단 하스의 상황이 과거부터 지금까지 차츰차츰 악화하는 모습을 보여주기로 했다. 중간중간에 팀원들의 반대의견이 나오면 하나씩 설명해주면 됐으니까. 그런데 이놈의 팀원들은 표정만 심각해질 뿐 그냥 그러려니 하고 받아들이고 있다. 오히려 문제점을 찾아서 스스로 해답을 찾으려고까지 한다.

빈우의 말을 끝으로 잠깐의 정적이 찾아온 가운데 우지가 손을 들었다.

"지금 발 가르단 하스에 추락한 리퍼 함선의 중력장치가 주변의 별들을 죄다 끌어들이고 있는 것 같은데, 우리도 끌려가는 것 아닙니까?"

"그건 염려 안 해도 된다."

428

그러면서 빈우는 발 가르단 하스에 있는 정찰 위성들의 정보를 보여주었다. 저번 토끼몰이 작전 때 뿌려둔 위성들이다. 현재 연방의 정찰 위성들은 두 태양과 항성계의 모든 행성이 발 가르단 하스로 서서히 끌려들어가고 있는 상황에서도 각자 제 위치에서 정보를 수집 중이었다. 그리고 이어서 나오는 소행성이나 암석군들도 원래의 움직임과 별다른 차이가 없었다. 영향을 받는 것은 발과 하스, 그리고 나머지 8개의 행성과 그 행성의 영향권에 있는 소행성들뿐이었다.

"아까 모니카 대위가 말했지만, 발 가르단 하스에서 이상 중력파는 발견되지 않았다. 추측건대 샤다이의 중력 닻은 일정 이상의 질량을 가진 행성에만 걸려 있는 것 같다. 위성이나 소행성들에는, 특히 본 함 블랙 랜스와 비슷한 질량을 지닌 소행성들은 이번 이상 현상의 영향을 받지 않고 있다."

이제 화면은 태스크포스 373이 발 가르단 하스에 돌입할 당시 상황을 예측해서 보여주고 있었다. 확연히 다가온 두 태양과 그 중력영향권이 블랙 랜스의 예상 항로를 잡아먹고 있었다.

"다만 문제가 되는 것은 태양인 발과 하스다. 작전 개시 32시간 후 발 하스 1과 6이 발 가르단 하스에 충돌할 예정이다. 그때면 발과 하스의 영향력이 더더욱 강해질 것이다. 이에 대해서는 함장님께서 설명하실 것이다."

설명을 이어받은 오르 함장이 블랙 랜스의 상태를 보여주었다.

"본 함의 정보를 미리 열람하신 분들이 계시지만 다시 한 번 설명하겠습니다. 블랙 랜스는 구형 구축함 급인 탄호이저 급을 전면 개수한 함으로서, 순양함 급의 장거리 항행 능력을 갖추고 있어 작전 시점의 발과 하스의 인력권에서도 충분히 탈출 가능합니다. 다만……."

이어서 블랙 랜스의 발전량과 함내 에너지 소비량, 그리고 추진기의 연료 잔량과 소모량들이 화면에 떴다. 이걸 보고 고개를 갸웃거리고 눈살을 찌푸린 것은 파일럿인 우지와 공순이 모니카 두 사람 정도다.

"본 함은 혹시 있을지 모르는 리퍼와의 전투에 대비해야 하고, 최종적으로는 지표면에 추락한 리퍼 함선을 견인해 이 발 하스 항성계에서 이탈해야 합니다. 물론 여유 동력은 있습니다만, 좀 더 여유분의 동력을 확보해야 한다는 판단이 듭니다.”

오르의 말에서 대강 분위기를 파악한 파트리샤가 손을 들었다.

“저, 함장님?”

“말하세요, 중위.”

“혹시 그거 합니까?”

그 질문을 한 파트리샤의 얼굴은 빈우에게 한 가지 추억을 떠올리게 했다. 변기에 반지를 빠트렸던 어머니가 그걸 주우려고 변기에 손을 집어넣기 직전에 저런 표정을 지었었다.

“네, 예상에 부응해서 죄송하군요.”

이젠 손을 집어넣은 어머니의 표정이다. 찌푸린 눈썹과 앙다문 입이 똑같다. 그런 파트리샤를 잠시 측은하게 보던 빈우는 시선을 오르에게 돌리며 말했다.

“함장님, 통보도 한 셈이니 실행하시죠.”

“그럴까요?”

오르의 그 말과 동시에 함내의 중력이 바닥에서 벽 쪽으로 서서히 움직이기 시작했다.

“현 시간부로 본 함은 작전지역 도착 시각을 앞당기기 위해 고속 항행에 들어갑니다. 그리고 함내 관성 제어장치를 바닥 쪽 중력 생성에서 추진 방향 반대쪽 관성 경감으로 돌립니다.”

원래 배들은 함내 관성 제어장치를 써서 추진 반대 방향으로 일어나는 관성을 상쇄하고 바닥 쪽으로 설정된 방향으로 중력을 발생시킨다. 그러나 지금의 블랙 랜스는 바닥 쪽 중력 발생을 끈 다음 고속으로 가속해 거기서 나온 관성으로 추진 반대 방향에 중력을 발생시키고, 관성 제어장치로 중력을 조절하는 방식으로 바꾼 것이다. 이는 원래 체급이 작은 배들이 고속 항행을 할 때 주로 쓰는 방법이다. 그런데 순양함 급 항행능력을 가진 블랙 랜스가 이 방법을 택했다는 건 현 상황이 꽤 빠듯하다는 것의 방증이었다.

"아, 좋은 시절 끝났네. 모니카, 조심해."

파트리샤는 이런 일에 익숙지 않은 모니카를 안고 자리로 내려간다.

"고마워, 언니."

아마 지금쯤이면 원래 복도였던 곳들은 손잡이가 나와 사다리가 되거나, 발판이 튀어나와 계단이 되었을 것이다. 훈련을 받은 대원들은 움직이는 방향과 집기 속에서도 태연하게 자리를 바꾸었다. 어차피 함내 시설들은 무중력 상황에서도 쓸 수 있게끔 배치를 바꿀 수 있다. 이런 상황을 예상해 설계해놓은 덕이다. 그래도 불편한 것은 어쩔 수 없다.

"팀장님."

자리와 중력이 안정화되자 모니카가 질문했다.

"발 가르단 하스 인들의 구출은 어떻게 진행됩니까?"

당연한 질문이다. 보호구역에 있는 외계종족, 위기상황에 처한 지적생명체를 구해야 한다는 것은 기본적인 상식이다. 그래서 모니카는 373의 전투인원들이 샤다이를 신경 쓰며 임무를 수행할 동안 비전투 인원인 자신이 구출을 맡게 되리라 생각하고 이런 질문을 한 것이다. 연방의 사람답게 상식적으로. 그러나 아쉽게도 이곳은 상식이 통하는 곳이 아니다. 대화와 협상으로 해결할 수 없는 일을 총과 칼로 해결하는 정의의 폭력조직이다. 때문에 모니카를 바라보는 빈우의 눈에는 냉정함과 안쓰러움이 섞여 있었다.

"안됐지만, 그건 우리 권한 밖의 일이다."

뜻밖의 말에 모니카는 잠시 당황했다.

"네? 아니, 저기. 보호 행성이에요. 우리 연방이 보호하겠다고 한 이상 우리가 그들을 지켜줘야 합니다."

"목줄 채우고 우리에 가두는 게 보호가 아니다. 능력 이상의 파도에 휩쓸리지 않도록 보이지 않는 곳에서 지켜주는 것이 보호지."

"하지만 발 가르단 하스가 이렇게 된 원인이 바로 우리 연방입니다. 연방이 그때 토끼몰이 작전만 하지 않았어도 저 별의 생명체들은 이런 위험에 처하지 않아도 되었다고요."

모니카는 이해할 수 없었다. 연방의 보호 정책은 방임주의에 기반하기 때문에 적극적인 간섭을 배제한 보호를 한다는 것쯤은 알고 있었다. 그러나 그들이 위험해 처했을 때도 손 놓고 버려둔단 말인가? 더군다나 그 위험의 원인이 연방 자신인데도?

"그래. 모니카."

공허한 빈우의 말이 나직하게 깔려왔다. 그제야 모니카는 이해할 수 있었다. 자신이 어떤 팀에 속해 있는지를.

"우리의 임무 중 하나가 그 원인을 숨기는 거다."

애초에 태스크포스 373은 구조부대가 아니었다. 비밀리에 리퍼의 잔해를 수집하고 연방군이 저질렀던 과오를 수습해서 덮는 부대다. 주위를 둘러본 모니카는 자신을 향한 시선을 느꼈다. 언제나 존대하며 정중히 대하던 아룹 원사의 눈빛은 마치 자신을 달래고 타이르는 듯한 눈빛이다. 친근하게 말을 걸어 팀에 적응하도록 도와주던 파트리샤 중위의 눈빛은 도와줄 수 없는 자신의 무력함에 안타까워하는 눈빛이었다. 무겁게 가라앉은 위르겐의 표정은 언제나 가볍게 농담하며 장난을 받아주던 평상시의 모습과는 달랐다. 그리고 전문 군인이 아니었기에 동질감을 느꼈던 우지 일병조차 모니카가 왜 그런 행동을 하는지 이해 못 하는 눈치였다.

그들의 눈빛을 읽으며 모니카는 깨달았다. 이곳에서 비상식적인 사람은 바로 자신이란 것을.

"모니카 대위."

오르 함장이 차분하게 말문을 열었다.

"아쉽게도 블랙 랜스에게도 능력 밖의 일입니다. 본 함에 거주 구, 창고, 그리고 임시로 함 외부에 구획을 증설한다 해도 시간 내에 발 가르단 하스의 모든 생명체를 구할 수는 없습니다."

자신을 달래주려는 듯한 오르 함장의 배려가 고맙지만, 그녀는 알 수 있었다. 애초부터 373에는 구출할 의사가 없던 것이다.

"모니카."

"네, 팀장님."

빈우의 약간 높아진 목소리에 모니카는 퍼뜩 정신을 차렸다.

"우리가 발 가르단 하스에서 목표물을 회수한 다음에는 발 하스 항성계가 어찌 될지 예상할 수 있나?"

모니카는 방금의 일을 잊으려는 듯, 빈우의 질문에 몰두해서 열심히 계산했다.

"리퍼 함선의 작동 원리나 출력에 대한 정보가 전혀 없는 상황이라 확실한 대답을 드릴 수는 없지만……. 지금의 이상 중력 현상이 해결된다 해도 발 가르단 하스의 상황은 그다지 나아지지 않습니다."

모니카가 예상해서 계산한 발 하스 항성계의 궤도들이 화면에 올라온다. 그녀의 말대로 정면충돌은 피하고 빗맞는 정도로 끝날 수 있겠지만 행성 표면의 생명체들에겐 그게 그거다.

"발 하스 1과 6에 대한 인력이 사라진다 해도 지금까지의 관성대로 날아온다면 발 가르단 하스에는 궤멸적인 피해가 올 것입니다. 하지만 가장 큰 문제는 태양인 발과 하스입니다. 리퍼 함선이 끼쳤던 중력 영향이 사라지더라도, 이 엄청난 질량의 항성 두 개가 옮겨진 위치에서 어떤 영향을 미칠지는 현장에서 그 장치를 본 다음에야 알 수 있습니다."

"그렇단 말이지……."

즉 태스크포스 373이 발 가르단 하스에서 이상 중력 현상을 보이는 리퍼 함선을 정지시키고 회수한다 해도, 이미 발 하스 항성계에 미친 영향이 지대하기에 원상복구는커녕 사태수습조차도 무리라는 말이다.

"현재 우리의 목표는 최대한 빨리 발 가르단 하스에 도착해 리퍼 함선의 오작동을 정지시키고 데이터와 함선 및 기타 부품들을 남김없이 회수하는 것이다. 만일 그러지 못하게 된다면 유효한 모든 수단을 동원해 적함과 그 잔존물을 완전히 제거한다."

빈우의 결론은 연방이 저지른 일이 세상에 알려지지 않도록 모든 증거를 인멸한다는 얘기다. 거기에 죽어가는 발 가르단 하스 인의 구조는 끼어들 여지가 없었다. 그리고 모니카 또한 더는 이견을 제시할 여력이 없었다.

"질문 있나?"

무겁게 가라앉은 회의실에서 질문은 없었다.

"대략적인 작전 회의는 여기까지 한다. 다음 세부사항에 대한 회의는 이후 좀 더 많은 정보를 모은 다음 하도록 하지. 해산."

팀원들이 자리를 일어나는 가운데 모니카도 주섬주섬 일어섰다. 그때 누가 그녀 앞에 와서 섰다.

"모니카, 밥 먹으러 가자."

바로 팀장인 빈우였다.

"네? 밥이요?"

어리둥절하는 모니카 옆으로 파트리샤가 날름 끼어든다.

"왓, 데이트 신청이에요? 실의에 빠진 부하에게 계급을 빌미로 음흉한 손길을 내미는 건가요?"

"우울해하는 부하의 정신 문제 상담도 팀장의 일 아니겠냐."

"흑, 저도 여린 가슴에 생채기가 났답니다. 요기요기."

파트리샤가 짐짓 울상을 짓고 가슴팍을 풀어헤치며 들이대자 빈우가 질색을 하며 밀어냈다.

"여려? 방탄 유방 들이밀지 마라. 네 가슴에 난 생채기라면 용접을 해야지, 밥 한 끼로 될 일이 아닐 텐데?"

툭탁툭탁하는 빈우와 파트리샤가 앞서거니, 미소짓는 아룹과 위르겐, 우지가 뒤서거니 하며 모니카를 인도해 식당으로 갔다.

식당에는 이미 아나스타샤와 아를르캉이 준비를 다 마친 상황이었는데 일행이 들어오자 아나스탸사가 방방 뛰며 호들갑을 떤다.

"주인님! 방금 뭐였어요! 죽는 줄 알았다고요."

울상을 짓는 아나스탸샤의 옷과 앞치마가 얼룩덜룩했다. 뭔가 국물을 엎지른 것 같은데 색 종류로 보아 한두 개가 아닌 것 같다. 그녀 같은 베테랑이 이런 실수를 연발할 리는 없으니 지금 상황에서 빈우에게 짚이는 것은 한 가지다.

"저기, 함장님?"

"으음, 한동안 까먹고 있던 시설이어서 말이지요. 죄송합니다. 앞으로 다시는 이런 일이 없도록 주의하겠습니다."

어느새 식당에 생성된 오르 함장은 그답지 않게 평정심을 잃은 민망한 표정이었다. 함내 관성 제어를 변환할 때는 충분한 고지나 완만한 변환이 있어야 한다. 하지만 신체를 개조해 식사할 필요가 없었던 오르 함장은 자신이 오랫동안 사용하지 않았던 식당을 그만 잊어버리고 만 것이다. 갑자기 무중력 상태가 되고, 이어서 중력이 벽 쪽으로 향하는 식당과 조리실. 보지 않아도 아비규환이었을 것이다. 그러나 이 사건의 공범인 빈우는 그냥 어깨를 으쓱하고는 자기 메이드의 머리를 쓰다듬을 뿐이었다.

"고생했다."

"어우, 얄미워, 진짜 얄미워."

약 올리듯 히죽히죽 웃는 주인의 모습에 방금 벌어진 깽판의 범인이 누군지 알아챈 아나스타샤였지만, 어찌할 도리가 없이 약이 올라 발만 동동 구를 뿐이다. 참으로 유쾌한 주인과 안드로이드다. 조금 전까지만 해도 모니카는 이런 모습을 보고 미소를 지을 수 있었을 것이다. 가정용 안드로이드와 친밀한 관계를 맺은 사람들은 제법 많이 봤었다. 그리고 그런 사람들은 대부분 온화하고 친절한 사람들이었다. 물론 빈우도 그랬다.

하지만 지금은 미소를 지을 수 없었다. 모니카는 식당에 있는 사람 중 자기 혼자만 별종 같아 소외감을 느끼는 것이다. 어두운 우주에는 저마다의 색으로 빛나는 점들이 무수히 깔려 있다. 그 많은 점 몇몇 개에는 생명이 깃들어 있다. 아직 그들의 생각이 중력에 머물고, 사상이 대기권을 벗어나지 못한다면 우리 또한 보이지 않는 벽 너머에서 기다려야 할 것이다. 그러나 언젠가 그들이 스스로의 힘으로 별과 별 사이를 걸을 수 있는 날이 오면, 우리는 마침내 그들을 친구라고 부를 수 있으리라. 모니카는 그렇게 배워왔고 그렇게 살아왔다. 그러나 방금의 모니카는 미래의 친구가 가진 가능성을 빼앗았으며 도움의 손길조차 주지 못했다.

모니카는 새삼 자신의 직업이 무엇인지를 떠올렸다.

군인. 연방의 적을 무찌르고 시민들을 지키는 존재.

비록 연구직이라고 해도 그녀는 군인이었다. 대학 시절 연구 성과로 군의 과학기술국에 스카우트되었을 때만 해도 모니카에겐 새로운 과학기술에 대한 호기심이 우선이었다. 일반적으론 접근할 수 없는 기술들. 기밀로 지정된 외계 기술과 구 지구제국의 기술 연구를 군에서는 할 수 있다는 것이, 그녀에겐 엄청나게 매력적이었던 것이었다.

그래서 그녀는 군의 스카우트에 응해 연방 시민이라면 누구나 가지는 하원의원직을 일시 정지하고, 참정권을 제한받아가며 과학 장교로 임명되었다. 군인이 되고 난 다음에도 외계종족에 대한 모니카의 가치관은 큰 변화가 없었다. 군과 전쟁 중인 외계인에게도 별다른 감흥이 없었다. 그저 '안됐구나, 친하게 지내면 좋을 텐데' 정도가 고작이었다. 과학기술국에서 마주쳤던 동료들도 그녀의 생각과 크게 달라 보이지 않았다.

그러나 방금 그녀의 눈앞에 펼쳐진 현실은 그게 아니었다. 모니카와 같은 인간인 줄 알았던 동료들은─진짜 군인이라고 할 수 있는 전투병과의 동료들은─외계종족에 대해 그녀와는 전혀 다른 가치관과 시각을 가지고 있었다. 그들은 발 가르단 하스의 원주민들을 인간과는 다른 선상의 존재들로 보았고, 명령에 따라 지켜주는 동시에 명령에 따라 죽일 수 있는 존재들로 대했다. 일말의 양심의 가책도 없이.

"모니카."

"네!"

빈우의 말에 모니카는 소스라치게 놀라며 대답했다. 오히려 그녀의 반응에 빈우가 더 놀랄 지경이다. 모니카의 직속 상관이자 태스크포스 373의 현장지휘관인 빈우는 싱긋 웃으며 손바닥으로 그녀의 앞을 가리켰다.

"식사 나온다."

그의 말에 이어서 연회복을 입은 아를르캥이 모니카의 앞에 저녁을 차려주었다.

"대위님, 전채요리인 송로 버섯 소스와 바닷가재 수프입니다."

"어, 고마워."

주위를 둘러보니 식당에선 사이보그인 오르 함장을 제외한 모든 팀원이 식사를 하고 있었다. 그것도 평상시처럼 자율배식이 아니라 힘이 잔뜩 들어간 정찬이다. 아마도 팀장 빈우의 개인 메이드인 아나스타샤가 만든 듯했다. 자신의 가치관에 약간 충격이 와 경황이 없는 모니카였지만, 당장은 접시에서 올라오는 맛있는 냄새에 이끌려 저도 모르게 숟가락을 들고 한술 떠 입안으로 넣었다. 그리고 감탄했다.

"와, 맛있다."

솔직히 놀랄 정도로 맛있었다. 연구직으로 종일 연구에만 몰두하던 모니카에게 식사는 단지 에너지 보급에 불과했다. 가끔 있는 연회도 건성으로 넘겼기에 제대로 된 식사를 해본 적은 손에 꼽을 정도다. 그러나 식사에 큰 의의를 두지 않는 모니카가 느끼기에도 눈앞의 수프는 정말로 맛있었다. 앞에 앉은 팀장 빈우도 감탄하고 있었다.

"훌륭하다, 아를르캥. 라캉 중령의 솜씨와 비교해도 손색이 없어. 아니, 똑같다."

"정말입니까? 감사합니다, 팀장님."

주인이었던 피에르 라캉과 똑같은 얼굴을 한 안드로이드가 그런 말을 하자 조금 이상했지만, 당사자인 아를르캥은 순수하게 기뻐하고 있었다.

"어? 오늘 식사, 아나스타샤 네가 만든 게 아니야?"

모니카가 바삐 놀리던 숟가락을 잠시 멈추고 질문했다. 아나스타샤는 방긋 웃으며 대답했다.

"전 밑 준비와 조수 역할만 했어요. 오늘 저녁은 모두 아를르캥이 만들었답니다."

"와아."

모니카가 놀란 눈으로 돌아보니 아를르캥이 쑥스러워하며 고개를 숙였다. 아를르캥은 원래 가정용 허수아비였으니 요리를 하는 것은 이상하지 않지만, 이게 전부 라캉 중령의 솜씨를 재현한 것이라고 하니 놀랍다. 보안국 중령이라고 하면 딱딱하고 냉철한 사람 같은데 실제론 이런 요리 솜씨를 가지고 있던 것이다.

빈우와 모니카의 수프 그릇이 비어갈 때쯤 아를르캥이 커다란 접시를 가져와 팀원들 앞에 놓았다. 요리는 생선 모습을 한 파이였는데 안에는 실제로 농어가 들어 있었다. 이어 아나스타샤가 다가와 파이를 잘라서 각자의 접시에 덜어놓자 아를르캥이 소스를 얹어 서빙을 했다.

"저, 팀장님. 이런 것이 정말 도움이 될까요?"

농어 파이가 담긴 접시를 내려놓고 물러선 아를르캥의 얼굴에는 약간 그늘이 져 있었다.

"네 주인이 남겨놓은 정보 추적 건 말이냐?"

솜씨 있게 나이프와 포크로 파이 껍질을 벗겨 안에 든 농어살을 꺼낸 빈우는 파이 껍질로 다시 생선살을 싸 입으로 가져갔다.

태스크포스 373에 합류 예정이었던 피에르 라캉 중령은 리퍼와 워프 비스트에 관한 정보를 가지고 있었다. 이유는 모르겠지만 그는 자신이 소속된 보안국과 척을 지고 있었다. 그 때문에 정보를 대가로 태스크포스 373으로 피신하려 한 것이다. 그러나 그는 오스카 스테이션의 전투에서 리퍼에게 죽었다. 하지만 치밀한 피에르 라캉 중령은 이미 그전에 자신이 가진 정보들을 어딘가에 숨겨놓았었고, 그 정보들을 찾을 실마리로서 자신의 허수아비였던 아를르캉을 남겨놓았던 것이다.

아를르캉은 자신의 주인이 숨겨놓았던 중요 정보를 찾는 열쇠가 자기 자신이라는 것을 알고는 있었지만, 정작 스스로는 아무것도 알고 있지 못했다. 거기다 팀장인 빈우가 시킨 일이라곤 '주인의 레시피를 재현하라', '읽었던 책 목록을 읊어봐라', 혹은 '자장가를 불러봐라'였으니 답답해할 만도 했다. 그걸 눈치챈 빈우는 파이 옆의 소스를 모아 바르며 설명해주었다.

"레시피를 두뇌칩에 넣기는 쉬워. 하지만 지식으로 아는 것과 실제로 재현하는 것에는 엄청난 차이가 있어. 네 주인이었던 라캉 중령은 단지 레시피만을 입력하지 않고 직접 요리를 가르쳤겠지?"

"네, 그렇습니다. 하지만 레시피 정도는 보안국에서도 입수했을 겁니다. 이렇게 재현하는 것도 어렵지 않을 겁니다."

걱정하는 아를르캉과 달리 빈우는 느긋했다.

"네 주인은 안드로이드에게 직접 요리를 가르칠 정도로 꼼꼼한 사람이었다. 그 예로 개판이었던 오스카 스테이션에서, 보안국 안드로이드의 몸에 들어간 네가 우리에게 올 수 있도록 치밀한 계획을 짜놓는 사람이지. 그러니 레일 위로 올라서기만 한다면 목적지까지 도달할 수 있도록 치밀한 배차 표를 짜놨을 거다."

거기까지 말한 빈우는 화이트와인을 한 모금 마셨다. 농어와 와인의 마리아쥬를 우아하게 음미하는 그의 모습에선 냉정했던 살육 병기의 그림자는 찾아볼 수 없었다. 와인을 내려놓은 살육 병기가 말을 이었다.

"문제는 바른 레일을 찾는 것이다. 그래서 이건 보안국과 우리 간의 뭐랄까, 장님이 코끼리를 만지는 프로토콜 싸움이랄 수 있지."

프로토콜이라면 통신이나 정보를 주고받는 방식을 정한 체계다. 뜻 모를 말에 모니카는 알쏭달쏭했다.

"아를르캉. 내 접시를 봐."

거기엔 잘 발려진 파이와 농어살, 가지런히 놓인 포크와 나이프가 있었다.

"다음은 저쪽."

빈우가 가리킨 곳, 옆 테이블에는 파이를 손에 들고 통째로 씹어먹는 위르겐과 파트리샤가 있었다.

"테이블 매너를 논하는 게 아니야. 주어진 정보에 대해 대상이 어떻게 반응하느냐는 그 대상이 가진 기본 정보에 결정되지. 나야 정찬으로 나온 생선 파이를 먹는 방법을 알고 있기에 이렇게 포크와 나이프로 먹고 있지만……."

거기 즈음에서 모니카의 얼굴이 빨개졌다. 그녀 역시 파이를 손에 들고 베어먹고 있던 것이다. 그저 앞에 놓인 음식이 파이란 소개를 듣고 한 행동이었다. 그걸 눈치챈 빈우가 서둘러 손사래를 쳤다.

"아니, 아니, 이게 무슨 예복 입고 예절 차리는 정찬 자리도 아니니까 그딴 건 신경 쓰지 마. 만약 그런 자리였다면 쟤네들이 뭐 먹기도 전에 내가 먼저 대가리에 포크 꽂았을 거다."

"다 들려요."

옆 테이블에 파트리샤가 보란 듯이 농어 파이를 손에 들고 우적우적 씹어먹고 있었다. 그 모습을 보고 피식 웃은 빈우가 말을 이었다.

"보다시피 각자가 가진 프로토콜에 따라 동일한 정보도 ㄱ이 되고 ㄴ이 되어 받아들여지지. 우린 더했어. 오늘 얻은 최신 정보가 즉시 쓰레기가 되고, 어제 버렸던 쓰레기가 내일의 고급 정보가 되는 곳이 나와 라캉 중령이 살았던 정보전 세계. 라캉 중령이 안배했다면 그 정보를 얻고 해석할 방법은 오직 아를르캉만이 보여줄 수 있고, 또 그것이 세상에 공개된다 한들 오직 나만이 제대로 알아볼 수 있을 거다."

그제야 아를르캉이 고개를 끄덕였다.

"그래서 팀장님께선 이런 것들을 재현하라고 하셨군요."

"그래, 내가 너에게 주문한 이 식사는 내가 라캉 중령의 집에 초대받았을 때 처음 대접받았던 것이지. 지금 나는 이걸 먹으면서도 당시의 대화와 상황을 되새김질하고 있어. 별 소득은 없지만, 맛은 좋네."

다음 요리는 라캉 가의 비법 부케가르니로 맛을 낸 오리 콩피였다. 새로운 음식이 담긴 접시가 나올 때쯤 빈우의 말머리는 모니카를 향했다.

"모니카, 아까의 프로토콜 얘기 말이야."

빈우가 말을 건 시점은 적절했다. 향긋하고 촉촉한 오리고기를 목구멍으로 넘긴 모니카의 마음도 느긋하게 풀어졌으니까.

"너와 우린 같은 사건이 있다 해도 그걸 받아들이는 관점이 매우 다를 거다. 살아온 방식과 보고 들은 게 다른 만큼."

그건 방금 회의실에 있었던 사건으로 인해 여실히 느낀 모니카였다. 발 가르단 하스의 원주민들을 보호해야 할 외계 생명체로 보는 모니카와는 달리 다른 동료들은 단순한 작전대상, 심지어는 잠재적인 적으로 보고 있었다.

"대위라지만 네가 연구기술직인 것은 잘 알고 있으니, 나도 군인으로서의 자세를 강요하지는 않겠어. 그저 샤다이의 기술을 연구 분석하는 것만 전념하도록 해."

"감사합니다, 팀장님."

"다만, 이런 일로 인해 동료들을 경원시하지 말았으면 한다. 그들도 원해서 그런 시각을 가진 게 아니니까."

태연하게 오리 살을 바르며 말한 빈우의 마지막 말에 모니카는 멈칫했다. 사실 모니카가 전투병과 사람들과 이렇게 오래 부대낀 적은 이번이 처음이었다. 그래서 며칠 동안은 서먹서먹했지만 다들 좋은 사람들이라 얼마 지나지 않아 곧 친해질 수 있었다. 그러나 그것도 겉모습만 그랬을 뿐, 실제 속을 보고 나니 모니카는 그들을 예전처럼 대할 자신이 없었다. 오브리가도 궤도 기지에서 두뇌 통신을 했을 때도 그랬고 방금 작전실에서도 느꼈다. 이들이 얼마나 뼛속 깊이 전투 병기인지를.

"예를 들어볼까…… 그래, 여기 워털루 방면은 과거 위은쏼납학의 본성이 있던 곳이지. 모니카, 넌 위은쏼납학에 대해 어떻게 생각해?"

느닷없는 질문에 모니카는 자신이 아는 대로 대답했다.

"어, 4족 보행에 두꺼운 외피, 그리고 허리에 날카로운 낫을 가지고 있는 종족 정도로 알고 있습니다. 또 기술 레벨은 우리보다 뒤떨어져 그다지 위협적이진 않았지만, 최초의 접촉 당시 아군에게 적대적인 행위를 했었고요. 음, 이어서 출동한 군에 의해 궤멸적인 피해를 보았다는 정도만요."

"그리고 허리에 달린 갈고리 낫으로 어벤저를 두 동강 내는 X 같은 놈들이지. 모니카, 너는 놈들이 불쌍해 보여?"

잠시 머뭇거렸으나 모니카는 솔직히 고개를 끄덕였다. 모성과 식민지 모두 박살이나 소행성대가 되어버려 소수의 생존자만 우주를 유랑하게 된 종족들이니, 불쌍할 만도 했다.

"고향을 잃어서 불쌍하긴 하지만, 그래도 연방과 전쟁을 한 종족들이니 어느 정도 자업자득이라고 봅니다."

"그래, 대부분의 연방 시민들은 그렇게 생각할 거다. 적이지만 박살 났으니 불쌍하게 보인다, 그런 거지. 하지만 군인 대부분은, 특히 나 같은 종자들은 놈들에게 좋고 싫다는 생각이 없다. 그저 보이면 죽일 뿐이야. 그게 우리 일이거든."

오리 다리에 세게 꽂히는 빈우의 포크가 마치 위은쏼납학의 다리에 꽂히는 것처럼 보였다.

"왜 그런 관점의 차이가 있을까요?"

모니카의 질문에 잠시 나이프와 포크를 내려놓은 빈우가 냅킨으로 맵시 있게 입을 닦더니 대답했다.

"사견이지만, 이러한 군과 민간의 관점 차이는 단순히 군의 문제가 아니라 연방 상층부의 문제가 원인인 것으로 본다. 내가 군인이라 하는 면피성 발언이 아냐."

빈우는 잔을 들어 레드 와인의 향을 한번 음미하더니 말을 이었다.

"당근과 채찍이라고 들어봤지? 당근으로 달래고 채찍으로 겁을 준다. 고대로부터 이어져온 베스트셀러지. 그러나 연방의 대 외계종족 외교 정책은 틀려먹었어. 당근과 당근, 또 쓸모없는 당근. 그리고 안 되면 채찍은 건너뛰고 바로 단두대다."

당근은 우호적인 자세로 상대를 어르고 달래는 것, 채찍은 적대적인 무력 행동으로 상대를 협박하는 것이다. 다시 말해 당근과 채찍은 '우리에겐 이러한 무력이 있다, 그러나 동시에 우리는 너와 친해지고 싶다'라는 것을 어필함으로써 경외감을 바탕으로 한 우호적 관계를 맺는 외교방침인 것이다.

그러나 빈우의 말대로 — 당근, 당근, 당근, 단두대 식으로 — 현재 연방은 외계종족과의 접촉에서 계속 저자세를 유지하다가도 일정 선을 넘어버리면 아예 권한을 군으로 넘겨버린다. 한술 더 떠 군에게는 최고 레벨로 대응하라 명령하고선.

"여기 있었던 위은쌀납학과의 접촉이 그랬어. 첫 번째 접촉은 워털루 방면의 개척 행성에 놈들이 쳐들어오면서 이루어졌지. 당시 놈들의 움직임을 예측한 개척 행성에선 도주 준비를 하면서 동시에 평화적인 접촉을 시도했었어. 결과는 알나시피 위은쌀납학의 공격으로 사질역으로 갔던 아군 징찰 위성들이 파괴, 나포되는 걸로 끝났다. 행성 방어역으로 있던 연방 함대는 아무것도 안 하고 그저 개척민을 호위했을 뿐이었어."

후에 밝혀진 것이지만 당시 연방 방어함대의 전력만으로도 위은쌀납학의 선견대는 무리 없이 물리칠 수 있었을 것이라는 연구 결과가 나왔다.

"두 번째는 우리 쪽에서 사절단을 파견했지. 안드로이드와 인간이 섞인 사절단은 상대를 자극하지 않기 위해 군 호위병력을 원하지 않았고 회담은 사절단의 전원 사망으로 마무리되었다."

사절단 측은 양측의 평화를 위해 열심히 호소했지만 돌아온 것은 놈들의 허리 낫이었다. 호위병력 하나 없던 사절단 전원은 모조리 두 동강이 났다.

444

"세 번째도 저자세로 나갔다. 여기까지도 군의 개입은 일절 없었어. 이때도 하마 새끼들은 신나서 선방을 날리더군. 그리고 대망의 네 번째. 이때도 사절단은 나갔었다. 문제는 이 사절단은 속임수였고 그때 이미 뱅가드 연대가 위은쏼납학 본성 방면으로 전개하고 있었다는 거였지. 위르겐."

팀장의 호명에 뱅가드 연대 소속이었던 위르겐이 벌떡 일어났다.

"넷! 팀장님."

"그때 너희들한테 들어온 정보와 명령은 뭐였지?"

"대략적인 위은쏼납학의 생체 및 군사 정보와……."

위르겐은 약간 머뭇거리며 모니카의 눈치를 살폈다. 아까의 사건을 겪은 그녀의 앞에서 이게 해도 될 얘기인지를 빈우에게 물어보는 것이다.

"솔직하게."

"넷, 어흠. 놈들의 어디가 위협적인지 또 무엇이 약점인지를 보여주는 해부도와 군사기술 레벨, 무장 상태, 전력 배치 등의 전략 및 전술 정보가 주어졌습니다. 또한, 저희가 받은 명령은 행성 말살령이었습니다. 당시 저도 강하했습니다만……."

"설명 고맙다, 위르겐. 식사 방해해서 미안하군."

모니카는 빈우가 왜 거기서 끊었는지를 행성 말살령이란 단어에서 대강 짐작할 수 있었다. 분명히 위르겐과 빈우가 그녀를 배려해줄 정도로 잔혹하고 철저한 작전이었으리라.

"외교부가 무능한 건 아냐. 실제로 훌륭한 성과들도 많아서 그 덕에 새로이 교류를 맺은 우호적인 종족들도 있지. 너도 알겠지만 라출노그는 연방의 중요한 동맹이고 스퀴테르는 전쟁 났을 때 부르기만 하면 달려와주는 든든한 우방이다."

모니카는 고개를 끄덕였다. 과학기술국에서도 그들과 기술교류를 한 적이 있었다. 직접 만나본 바로는 꽤 괜찮은 매너를 가진 종족들이었다.

"우리 연방 시민들은 모두 어릴 적부터 다른 종족들과 친하게 지내라는 말을 듣고 자란다. 하지만 말이지, 군에 입대하고 나면 세상이 바뀌어버리고 말아. 다른 정보는 일절 차단된 채 만나게 되는 외계종족들은 모두 죽이라고 하거든. 그들이 저지른 죄들만 보여주면서 말이지. 어린이 여러분, 앞으로 친구가 될지 모르는 외계종족이 있어요. 그런데 말을 안 듣네요? 다 죽이세요. 깡그리, 몽땅."

귀를 기울이던 옆 테이블에서도 희미하게 고개를 끄덕이는 모습이 보인다. 이어서 나직하게 서로의 첫 경험에 관해 얘기를 주고받는 게 들린다.

"여기 있는 대부분은 그랬을 거다. 처음엔 다들 모니카 너와 같았을 거란 말이지."

오리 다리뼈가 빈우의 입에서 와작와작 씹히더니 꿀꺽 넘어갔다. 그 모습을 빤히 보던 모니카가 팀장의 입과 자신의 접시 위에 놓인 오리 다리를 번

갈아 봤다. 자기도 빼째 씹어야 하나 망설이는 모니카의 모습에 빈우가 헛웃음을 지었다.

"어이쿠, 미안. 원래 이거 먹는 거 아냐. 내가 좀 흥분해서. 어디까지 말했더라…… 그래, 분명 우린 위에서 내려오는 부당한 명령을 거부할 권리가 있다. 그러나 그것을 판단할 정보와 근거가 전혀 없어. 위에서 내려오는 거라곤 평화 권유를 세 번이나 거절한 외계종족이 있으니 조져버리란 거지. 상층부가 과거 지구제국군의 과오를 경계하고 지금의 연방군이 그렇게 되지 않도록 안전장치로 목줄을 채워놓은 셈이지만, 좀 잘못 채웠어."

남은 와인을 단숨에 비워버리자 아나스타샤가 다가와 잔을 채워준다. 주인이 걱정되는지 그녀의 얼굴은 약간 어두워져 있었다.

"내가 군사정보국 출신인 것은 알지?"

"네."

따지고 보면 모니카와 빈우는 정보사령본부 산하의 같은 식구랄 수 있다. 와인 잔에서 떨어지는 빈우의 입가에는 자조적인 쓴웃음이 서렸다.

"그래, 잘나신 군사정보국. 외계종족을 상대로 일하는 정보국이지만 실제 움직임에는 제한이 많아. 대다수의 경우에는 연방 중앙정보국이 먼저 움직인다. 우리가 나설 차례는 삼진아웃 다음에 군의 투입이 결정된 후야. 이미 우리가 손쓰기엔 늦었지."

실제 사태에 개입할 능력이 있음에도 빤히 보고 있어야만 했으니 저런 푸념이 나올 만도 하다.

"연방이 군을 쓰는 방법도, 외계종족을 대하는 방법도 잘못됐다 할 수는 없지만 조금 아쉬워. 실제 뒷공작을 하다 보면 눈에 보여. 우리가, 정보국이 미리 손을 조금만 더럽힌다면 얼마든지 평화적인 해결이 가능하단 것이 말이야. 그런데 윗분들은 그런 생각을 안 해. 오직 평화 아니면 완전한 죽음."

어쩐지 자신의 과거사를 말하는 것처럼 들리는 말투였다. 빈우는 어깨를 으쓱하며 빵을 뜯어 접시의 소스를 닦아 먹었다.

"뭐 해당 법령들이 지구제국의 죄과에서 벗어나고자 만든 것들이라 현재의 시류완 좀 안 맞긴 해. 하지만 법이란 게 하루 이틀 만에 뚝딱 바뀌는 것도 아니고. 그러니 어쩌겠어? 위에서 모자란 만큼 밑에서 그걸 채우기 위해 우리는 구르고 현장에선 갈려나간다. 이러니 외계종족에 대한 편견이 생기는 것은 당연할 수밖에."

모니카도 어렴풋이 알 것 같다. 연방 최강의 무력 조직인 군이라 해도 방아쇠와 안전장치는 의회와 국방부가 쥐고 있다. 현장과 책상 간의 인식 차이로 인한 트러블은 그녀로서도 많이 겪은 만큼 아주 잘 알고 있다.

"상대를 편견 없이 볼 방법이 있으면 좋겠어요."

자신을 따라 빵을 뜯는 모니카의 말에 빈우가 빙긋이 웃었다.

"'편견 없이'라……. 평등해지는 방법이야 물론 있지."

사뭇 진중한 표정으로 냅킨을 들어 입을 닦는 빈우의 모습에 모니카도 덩달아 긴장했다.

"어? 진짜요? 뭔가요 그게?"

빈우는 몸을 약간 앞으로 숙이더니 모니카의 두 눈을 마주 보면서 조용히, 그리고 확실하게 말했다.

"악마의 똥구멍."

빈우의 말에 옆 테이블에선 갑자기 컥, 하고 사레 들린 기침 소리가 들려왔다. 그리고 기침을 한 당사자인 파트리샤는 물을 마시며 빈우를 노려봤다.

"악마의…… 똥구멍요?"

처음 듣는 상스러운 단어에 모니카가 고개를 갸우뚱하자 빈우가 미소를 머금고 친절하게 설명해주었다.

"그래, 그걸 통해서 본 대상들은 모두 평등해지지. 인간 외계인 할 것 없이 모두 다."

만면에 비소를 띠고 그리 말하는 빈우의 모습은 마치 그가 평화의 사자라도 된 것처럼 보였다. 그때 입을 닦던 파트리샤가 투덜투덜한다.

"모니카, 귀 막아. 저 미친놈 말 듣지 말고."

"으응? 아니, 내가 뭐 잘못한 거 있나?"

파트리샤의 시비에 짐짓 억울하다는 듯이 고개를 갸우뚱대는 빈우에게 연속으로 태클을 집어넣은 것은 부팀장인 아룹이었다.

"허허. 천만에요, 팀장님도 우리랑 같은 개새끼란 것을 알게 되어 다행입니다."

늘 웃는 이 거한은 모자란 열량을 보충하기 위해 군용 마카롱을 쏙쏙 집어먹으며 모니카에게 보충 설명을 해주었다.

"대위님, 악마의 똥구멍이란 건 코일건 조준경을 말하는 속어입니다. 그걸로 본 상대는 대부분 죽지요. 팀장님 말씀대로 평등하게."

자기가 놀림 받았다는 것을 깨달은 모니카가 빈우를 모로 꼬아봤다. 이 의뭉스러운 팀장은 아무것도 모르는 척 휘파람을 불며 자기 앞에 새로이 놓인 그릇에 시선을 담갔다. 이어 물과 꽃잎이 떠다니는 유리그릇에 스푼을 담그고는 꽃잎과 물을 함께 떠서 입가로 가져갔다.

빈우의 장난질에 모니카는 뾰로통해졌지만 자기도 빈우를 따라 앞에 놓인 그릇의 물을 숟가락으로 떴다. 아직 테이블 매너에 익숙지 않은 탓에 능숙하게 선보이는 빈우의 손놀림을 따라 한 것이다. 그러나 그 모습을 본 아나스타샤가 갑자기 후다닥 달려오더니 고기를 썰 만한 커다란 식칼을 빈우의 목에 꽂아 넣지만 칼은 박히지 못하고 피부 겉에만 맴돌 뿐이다.

"야 이 주인놈아! 그런 거 좀 하지 말라고요!"

흉흉한 기세를 내뿜는 메이드를 주인은 일부러 기가 죽은 표정으로 올려다봤다.

"아잉~ 아샤, 그런 짓을 하면 모니카 대위가 놀라잖니."

"네? 어머!"

아닌 게 아니라 가정용 메이드가 달려와 주인의 목에 칼을 박아넣는 살벌한 광경을 목격한 모니카는 얼어붙어 있었다. 그것을 본 아나스타샤는 놀라서 허겁지겁 모니카를 달랬다.

"아니 잠깐. 진정하세요, 대위님. 주인님은 군인이에요. 이런 칼질로는 이빨도 안 들어간다고요. 어머나, 이를 어째. 칼에 이빨 나갔네."

이어 아를르캥이 모니카를 향해 머뭇머뭇 입을 열었다.

"대위님, 이것은 핑거 보울이라고 해서 손 씻는 물을 담는 그릇입니다. 마시는 게 아니에요. 방금 것은 아마도 팀장님이 대위님께 장난을 치신 것 같습니다."

그런 안드로이드 둘 사이로 빈우가 고개를 빼꼼 내민다.

"봤니, 모니카? 이게 정보 차에 따른 반응 차이다. 연식이 짧은 인공지능의 경우는 아를르캥 같은 반응을 보이니까 참고해두고."

회의실에선 무섭다가도 식탁 위에선 자상했던 팀장이지만 지금은 또 얄밉기 그지없다.

"아, 예에. 연식이 긴 덕분에 주인님과 오랜 시간 지내온 저는 주인님 목에 칼질하는 미친 안드로이드가 되었고요."

툴툴대는 아나스타샤 옆에는 어느새 위르겐이 다가와 흥분한 표정으로 서성이고 있다.

"이야, 쿠넬가 모델이 이렇게 막장으로 기긴 쉽잖은데."

"깜짝이야. 위르겐 상사님 그게 아니라, 이건……."

질겁하는 안드로이드 메이드 앞에서 기웃기웃하는 위르겐의 뒤통수에 마카롱이 하나 날아와 부딪힌다. 파트리샤가 던진 것이다.

"야 이 로봇박이 새꺄, 아샤한테서 떨어져."

"누, 누, 누, 누가 로봇박이입니까. 인공지능에 대한 차별은 그만두세요."

아직 메뉴가 남았을 텐데 개판 오 분 전이 될 조짐을 보이는 식당을 보며, 그 원인 제공자인 빈우는 좀 우울해졌다. 그래서 기분전환을 위해 늦어진 다음 메뉴를 재촉해보았다.

"아를르캥, 다음 메뉴는?"

"죄송합니다, 여기 있습니다……."

그렇게 나온 것은 커스터드 푸딩 위에 캐러멜라이즈한 설탕이 코팅된 크림 브륄레였다. 갑자기 순서를 뛰어넘고 나온 디저트에 빈우가 의아해하는 시선을 보내자, 아나스타샤가 자신의 얼룩덜룩한 앞치마를 가리켰다. 송로 버섯의 향과 푸아그라의 향, 그리고 잘 익은 소고기의 육즙 냄새가 난다. 짐작건대 아까의 사고로 메인 디시를 먹은 앞치마다. 이번에도 원인 제공자인 빈우는 좀 더 우울해졌다.

"달콤해에에, 행복해요."

아무것도 모르는 모니카는 부드러운 푸딩과 바삭한 설탕을 동시에 떠먹더니 디저트가 주는 행복함에 전율했다. 바로 옆에서 동료들이 일반인의 뼈 정도는 부러트릴 위력으로 장난을 치고 있건만, 조금 움찔할 뿐 더는 겁을 먹지 않는 것을 보니 이 기술직 대위도 조금은 배포가 커진 듯싶다.

옆 테이블의 싸움은 파트리샤의 도움으로 위르겐이 뒤통수로 디저트를 핥아먹고, 아룹의 도움으로 파트리샤가 거기에 키스하는 것으로 마무리되었다. 그런 광경들을 곁눈질하며 빈우가 침울히 중얼거렸다.

"모니카, 앞서도 말했겠지만 이런 일로 인해 동료들을 경원시하지 말았으면 한다."

"에헤헤, 걱정 마세요. 팀장님."

이미 난장판이 되어버린 식당이지만, 그래도 모니카는 동료들과 웃으면서 식사를 할 수 있었다.

*

빈우는 바위 그늘 밖으로 조준경을 내밀어 주변을 둘러보았다. 조용하다. 그리고 자신들의 목표지점을 살펴보았다. 삼엄하다.

"쯧."

혀를 찰 정도로 경비가 삼엄하다. 현재의 장비와 병력으로는 도저히 답이 안 나올 정도의 레벨이다. 물론 강행하면 어찌어찌 작전 목표를 달성하겠지만 이쪽의 피해도 무시하지 못할 것이다. 그렇다면 의미가 없다.

- 드디어 내려오는 모양인데.

마커스의 말과 시선을 따라가니 강하하는 아군 함대의 모습이 보인다. 주공인 뱅가드 연대다.

- 벌써?

어제 뱅가드 연대의 선발대는 위은쓸납학에 도착한 다음 일찌감치 궤도상의 적군들을 일소했다. 그리고 바로 지표에 강하하기로 했으나, 빈우의 팀이 보내준 정보 덕분에 의외로 저항이 거세다는 것을 알게 되어, 충분한 전력 확보를 위해 후속 부대를 기다리다가 지금에야 강하를 시작한 것이다. 그 모습을 보며 주변에서 한두 마디가 나온다.

- 어쩔 것 같냐?

- 글쎄, 일단 정석대로 가겠지? 함포와 폭격기로 위험목표를 제거하고 장갑보병들 강하시킬 거야.

- 그래도 대공포가 많을 텐데 장갑보병이 직접 강하는 안 할걸? 폭격기와 공격기로 병행 공격하며 그 사이에 셔틀로 투입할 거 같은데.

- 야, 닥치고 이거 한번 보지 그래?

팀원들이 뱅가드의 강하 방법에 대해 잡담을 나눌 때, 빈우가 망원을 줌당긴 화면 하나를 띄워주자 모두 경악하며 입을 다물었다. 그리고 다시 입을 열었다.

- 제길, 씨발.

- 저 미친…….

나오는 거라곤 얼이 빠진 욕뿐이다. 직접 보고 있는 빈우는 물론이고 같이 보는 팀원들 전원이 욕 외에는 할 말을 잃을 지경이다.

지금 저기 대기권 위에는 뱅가드 연대의 기함이자, 한 세대를 풍미했던 원더풀 급 전함의 1번 함인 원더풀과 전장의 변화에 밀려 해당 급의 마지막 함이 된 뷰티풀, 이 2척의 전함이 떠 있다. 그런데 그 2척의 전함이 위은쓸납학의 대기권으로 직접 강하하기 시작한 것이다.

- **뱅가드답다. 씨발, 전함을 직접 행성 중력권에 꼬라박네.**

- **저 2척은 이제 어쩌냐?**

팀원들의 걱정은 아랑곳하지 않고 전함 2척의 주포 일제사가 위은쓸납학의 대지에 꽂혀 착탄지역 주변을 싹쓸이한다. 그리고 거센 공격이 대지에 점점 가까워지면서 충돌 예상지점을 초토화하고 있었다. 지상에 빼곡히 위치한 위은쓸납학의 대공포들이 반격하지만 전함에 먹히기엔 어림도 없다. 두 전함은 관성 제어를 최대로 했는지, 무지막지한 역장의 발현에 주변의 형상이 일그러져 보일 정도다. 이 백 없는 전함들은 최대한 역추진을 하고 있는 것처럼 보였으나 얼마 지나지 않아 땅에 부딪힐 것은 자명해 보였다.

마침내 2척의 전함이 위은쓸납학의 대지에 충돌했다. 섬광이 일고 폭풍이 휘몰아친다. 충격파가 땅을 타고 다가오는 것을 보며 팀장이 소리쳤다.

- **숙여! 충격파가 온다!**

팀원들은 전부 바위 그늘로 숨어 저마다 장갑복 발바닥에 앵커를 박고 충격파에 대비했다. 이제껏 경험해보지 못한 엄청난 충격파가 휩쓸고 지나가자 팀장이 급히 인원 점검을 한다. 다행히도 실종이나 부상자는 없다. 다만 장갑복에 저마다 크고 작은 피해를 당한 것은 어쩔 수 없었다. 그때 의외의 사태에 잠시 숙고하던 팀장이 결심한 듯 일어나 명령을 내린다.

- **절호의 기회다. 지금 즉시 목표지점에 돌입한다.**

- **지금 말입니까?**

팀원 하나가 아연해서 물어본다. 전함 2척이 지표를 강타해 발생한 엄청난 충격파가 팀을 휩쓸고 지나간 상황에서 목표지점 공략 강행이라니, 저런 말이 나올 법도 하다.

- **지금이니까 하는 것이다. 이런 충격파가 쓸고 지나갔으니 목표지점에도 무**

시 못 할 피해가 있을 것이다.

그리고는 팀장은 조준경을 꺼내 팀원들의 목표지점을 살펴보았다.

- 역시.

팀장은 만족스러운 미소를 지으며 자신이 본 것을 팀원들에게 공유해주었다. 그것을 보고서야 빈우와 마커스도 고개를 끄덕이며 그의 말에 납득할수 있었다.

목표지점에 있는 지상 경비 병력은 방금의 충격파에 막대한 피해를 보았다. 시설물들도 여기저기 무너진 상황이라 지금이면 손쉽게 공략할 수 있을 것이다. 더구나 넓게 퍼진 충격파가 이 주변 전체를 휩쓴 지금 상황이라면, 빈우의 팀이 공격했을 때 근처의 기지에서 지원군들이 오기도 힘들 것이다. 따지고 보면 서로서로 이익이 된 셈이다. 빈우가 속한 팀이 보내준 정보 덕분에 뱅가드 연대는 나름대로 피해를 최소화해서 강하를 할 수 있었고, 뱅가드 연대의 공격으로 인해 빈우의 팀은 목표지점에 돌입할 수 있게 되었으니 말이다.

- 공격 개시.

나직한 팀장의 명령과 함께 8기의 어벤저가 은신처에서 뛰쳐나와 목표지점으로 돌입한다. 먼저 미사일과 로켓이 날아가 허둥대는 적군을 덮치고 레이저 캐논이 장갑차를 날려버린다. 처음 교전한 위은쏠납학 병사들은 제대로 된 저항조차 하지 못하고 경보조차 울리지 못한 채 전멸했다.

- 곧 있으면 2차 방어선이 나온다. 사주경계 철저히 해라.

팀장의 경고대로 방금의 1차 저지선은 손쉽게 돌파했지만 여기서부터는좀 더 위험해진다.

- 전차다!

동료의 외침과 함께 전차호에서 다리가 넷 달린 전차 하나가 달려 나온다. 기술력이 떨어지는 위은쏠납학의 전차지만 장갑보병에겐 조금 위험하다.

- 내가 선두!

454

앞에서 달려나간 마커스가 먼저 대전차 미사일을 발사하고 점프젯으로 날아오른다. 그 뒤에선 빈우가 미사일의 후폭풍을 그대로 받으며 연속으로 미사일을 발사했다. 두 발의 미사일이 전차를 강타했다. 이어 두 명의 장갑보병이 전차 위에 착지한다. 빈우와 마커스는 부서진 장갑 틈새로 코일건과 수류탄을 퍼넣고는 바로 빠졌다. 굉음과 함께 전차가 주저앉았다. 두 사람이 전차 하나를 날려버릴 동안 주위의 동료들은 나머지 위은쓸납학 병사들을 깡그리 쓸어버렸다.

이렇게 2차 저지선도 속절없이 뚫렸다. 여덟 명의 연방 장갑보병들은 위은쓸납학의 보육소로 침투했다.

051

· · · ✦ · · ·

- 깊군.

멈춘 엘리베이터를 부수고 내려가자 수직 통로는 말 그대로 밑도 끝도 없이 뚫린 상태였다.

- 우리하고 전쟁에서 밀리자 종족의 생존을 위해 만든 곳이니까. 이 정도는 파 야지 않겠어?

- 그러길래 왜 덤빈대, 또라이 새끼들.

자유낙하를 하던 팀원들은 적정한 깊이에서 감속해 벽에 붙어 정지했다가, 다시 낙하하기를 반복하며 두런두런 얘기를 나눴다. 이미 위쪽에서 공격해 온 것을 알기 때문에 아래에서 이따금 반격해왔지만, 코일건을 몇 번 갈겨주자 조용해졌다.

- 이쯤에서 후위를 두어야 하지 않을까요?

지원군이 올 때를 대비한 빈우의 의견에 팀장은 그럴 필요가 없다고 했다. 이상하긴 해도 팀장이 그렇다면 그런 것이다. 납득을 한 빈우는 다른 팀원들과 함께 다시 낙하를 시작했다. 얼마 지나지 않아 최하층에 도착한 여덟 명의 장갑보병들은 공격을 준비했다. 먼저 총방패를 떨어트렸다. 기다렸다는 듯 아래쪽 복도에서 거센 총격이 휘몰아쳤다. 아무리 기술력에서 한 수 처지는 위은쏼납학들의 공격이라지만 이 정도면 어벤저에게도 제법 위험한 정도다.

함정인 걸 안 적들이 잠시 멈췄다. 그때 코일건만 내밀어 사격한다. 악마의 똥구멍으로 본 위은쏠납학들은 초음속 니켈강 탄환의 폭풍에 갈기갈기 찢기고 터져나갔다. 적들의 대열이 무너지자 팀원들이 착지해서 복도 안으로 밀고 들어간다. 낙하 때의 피해가 심한 팀원들은 뒤에서 레이저 캐논으로 엄호사격을 하고 나머지는 코일건을 갈기며 앞서나갔다.

- 악착같이 엉겨 붙기는.

종족의 미래를 보관한 장소이기 때문인지 위은쏠납학들은 다진 고기 비슷하게 되어 바닥에 널브러졌어도 끈질기게 저항해왔다. 그러면 팀원들은 놈들을 완전하게 다져진 고기로 완성시켜줄 뿐이다. 어벤저로 무장한 팀원들은 전원 닉스 레벨 2의 전투 병기들이다. 기술력도, 전투 실력도 뒤처지는 위은쏠납학들에게 있어 믿을 거라곤 오직 숫자와 의지밖에 없었지만, 그것만으론 죽음의 파도에 맞설 수 없었다.

- 소이탄 깔까?

- 다 썼어, 그냥 파편 수류탄 던진다.

빈우가 모퉁이 너머로 수류탄을 까 넣었다. 폭파 후에 코일건으로 대충 갈겼다. 그다음 마커스가 빈우를 뛰어넘어 진동 나이프를 뽑아 들고 달려나갔다. 그 뒤를 따라 곧바로 빈우도 돌격한다. 둘은 채 가라앉지도 않은 폭연 속에서 주섬주섬 일어나는 위은쏠납학들에게 총알과 칼날을 골고루 쑤셔 박아준다. 그때 저쪽에서 다른 한 놈이 괴성을 지르며 달려들었다. 허리에 달린 칼날을 가위마냥 좍 벌려 마커스를 두 동강 내려 한다. 제대로 걸리면 어벤저도 잘려나가는 위력이지만 그런 공격에 걸려줄 바보는 여기엔 없다. 마커스는 제트팩을 써서 위로 점프해 놈의 목을 칼로 베어냈다. 목이 사라진 몸뚱이 뒤로 착지한 그는 발이 땅에 닿는 즉시 놈의 등짝에 코일건을 쏴재꼈다.

또 다른 놈이 덤벼들자 빈우도 양손에 나이프를 들고 마주 달려들었다. 그리고 놈이 채 칼날을 다물기 전에 회전하며 접근해 왼손의 나이프로 목을 베고, 다시 빙글 돌아 오른손의 나이프를 관자놀이에 찔러넣었다.

- 또 몰려온다.

빈우는 주저앉은 놈의 시체에 코일건을 올려놓고 몰려오는 적들에게 연사했다. 너덧은 되는 위은쏠납학들이 중장갑을 입고 쇄도하지만 빈우는 전혀 걱정하지 않았다. 오히려 여유롭게 농담을 지껄였다.

- 너희들은 언제 올 건데?

- 지금!

다른 복도로 우회한 팀원 두 명이 옆쪽 통로로 들이닥쳐 옆구리를 후벼 팠다. 교차 사격의 사선에 걸린 놈들은 저항 한 번 해보지 못하고 고기 파편이 되었다.

- 젠장, 두뇌 통신만 되면 이렇게 타이밍 번거롭게 맞출 필요도 없는데 말이야.

우회 조의 한 명이 툴툴거린다.

- 필요 이상으로 친해지지 말란 거겠지.

넉살 좋게 받은 빈우의 말에 녀석이 피식 웃는다. 사실 이번 작전의 팀원들은 서로를 모른다. 계급도, 이름도. 아는 것이라고는 작전 시에 필요한 콜사인뿐이지만 비밀작전이라서 그런가보다 할 뿐이다. 다시 모인 네 명의 조원들은 잡담을 하면서도 능숙하게 계속 시체를 만들었고 그것을 넘어 목표지점으로 향했다.

- 알파, 목표지점 도착.

- 베타도 곧 도착한다.

네 명씩 두 조로 나뉘어 돌입한 팀원들이 한 곳에서 만났다. 마침내 최종 목표지점에 도달한 것이다.

- 휘유.

- 계란은 한 바구니에 담는 게 아닌데.

- 이런 바구니 몇 개 더 있던데?

눈앞에 펼쳐진 장관에 팀원들이 감탄한다. 위은쏠납학의 알들이 빼곡히 늘어선 보관소다. 크기도 수량도 어마어마해서 도시 하나는 너끈히 채울 숫자다.

- 이 귀염둥이들이 크면 하마 새끼가 된단 말이지?

- 태어난 새끼들은 저쪽에 있더라.

베타 팀은 갓 태어난 새끼들이 있는 곳으로 진입했던 모양이다. 팀원 하나가 보관대로 다가가 알 하나를 집어 든다. 질기고 투명한 알은 장갑보병의 손으로도 겨우 들 수 있을 만큼 커다란 크기였다. 그 난막 너머로 보이는 것은 위은쏠납학 유생이다. 자고 있던 유생은 갑작스러운 움직임에 놀라 파닥거리며 움직였고 팀원은 키득거리며 알을 제자리에 올려놓았다.

- 전원 집중, 이제 작전의 마지막 단계다.

팀장의 말에 팀원 일곱 명의 시선이 집중된다. 이곳은 위은쏠납학들의 유생을 대피시킨 임시보육소다. 이곳에서 연방의 전투 병기들이 할 일이라곤 얼마 없기에 자신들의 미래를 예측한 팀원들의 가슴이 무거워진다.

- 폭파합니까? 아니면 납치?

- 아니, 주사다.

질문에 고개를 저은 팀장이 백 팩에서 권총형 주사기 하나를 꺼내어 들었다. 적어도 예방 접종은 절대 아니다.

- 이것은 '쉬바'다.

그 말에 섬찟한 것은 빈우와 마커스뿐이다. 다른 팀원들은 저게 뭔지 모를 것이다. 사실 그것이 당연하다.

- 처음 듣는 사람이 많을 것이다. 이것은 구 지구제국의 인종청소 병기 중 하나이다.

구 지구제국이란 단어에 나머지 팀원들도 긴장했다. 지구제국의 병기치고 흉악하지 않은 것은 없으니까.

- 쉬바는 자기복제형 나노 머신 병기로서 목표로 설정된 생명체를 잡아먹으며 스스로를 복제한다. 이 머신은 최초 목표를 해당 생명체의 유아나 유생체로 하는데, 그편이 성공률과 초기 확산율이 가장 높기 때문이다.

주사기 바늘 끝에서 진득한 갈색의 액체가 나오자 팀원들이 멈칫한다. 지구제국의 병기를 눈앞에 두고 마음 편할 사람은 없을 것이다.

　- 안심해라. 우리는 장갑복을 입고 있으며 이 쉬바는 위은쏠납학을 목표로 해서 만들었기 때문에 인간에겐 작동하지 않는다.

　그러면서 팀장은 알 하나를 들어 주사기 바늘을 찔러넣었다. 바늘은 유생의 몸을 뚫고 들어가 내용물을 집어넣었다. 주사를 끝낸 팀장은 알을 바닥에 내려놓았다. 반응은 순식간이었다. 쉬바는 유생을 파먹고 녹였다. 그렇게 흐드러진 유생은 즉시 다른 쉬바가 되어 붙어났다. 짙은 갈색의 나노 머신들은 난막을 찢어먹으며 나와 다른 재료를 찾았다. 자신을 복제할 재료들을. 그러나 무얼 해보기도 전에 팀장이 쏜 레이저에 타 녹아 들어갔다.

　- 자, 해볼 사람.

　팀장이 내민 주사기에 팀원들은 주춤했다. 방금 본 광경에 질려 뒤로 물러난 사람도 있을 정도다. 팀원들은 마음속으로 저 말이 명령이 아닌 권유라며 애써 거부하고 있었다.

　- 해볼 사람 없나? 주사는 어렵지 않아. 그냥 놓기만 하면 돼.

　재촉되는 권유에도 나서는 이는 아무도 없었다. 아니, 뒤늦게나마 한 명이 있었다.

　- 빈우야.

　마커스가 말릴 틈도 없이 빈우가 앞으로 나가 주사기를 받았다.

　- 좋아, 그냥 아무 데나 찌르고 주사하면 된다.

　팀장의 조언은 알을 집어 드는 빈우의 떨림을 진정시키는 데 아무런 도움이 되지 않았다. 잡아든 알 속의 유생이 파득거린다. 출렁이는 양수와 떨리는 난막이 빈우의 손안에 꺼림칙한 감각을 남겼다. 이제껏 수없이 죽였던 위은쏠납학이지만 그 유생에는 선뜻 손을 쓸 수가 없었다.

　그런 빈우를, 팀장도 동료도 재촉하지 않았다. 빈우는 숨을 가다듬고 주삿바늘을 찔러넣었다. 바늘이 알을 뚫고 들어오자 놀란 유생은 불투명한 눈꺼풀에 덮인 눈을 이리저리 굴리더니, 바늘을 피해 짧은 팔다리로 헤엄쳐 알 구석으로 도망친다. 그러나 그래봤자 알 안이다. 결국 구석에 몰린 유생은 짧은 팔다리를 내밀어 주삿바늘을 잡아 밀어내려 한다.

그러나 용케 붙잡은 바늘을 막을 힘이 없다. 빈우가 찔러넣은 바늘은 유생의 팔다리를 속절없이 미끄러져 들어가 배에 꽂혔다. 겪어보지 못한 격통에 유생이 발버둥친다. 바늘에 꽂힌 피부가 찢어지고 난액이 피로 물들어간다. 빈우는 방아쇠를 당겨 쉬바를 집어넣었다. 갈색의 액체가 유생의 몸속으로 파고들더니 안쪽부터 잡아먹으며 꾸역꾸역 세를 불려 나왔다. 빈우의 손에서 알이 터지고 난액이 흘러나오며 쉬바가 꾸물거린다. 먹이를, 자신의 세를 불릴 재료를 찾는 것이다.

빈우는 손을 털듯이 쉬바를 다른 알로 집어 던졌다. 먹이를 발견한 쉬바는 즉시 난막을 파고들며 유생을 덮쳤다. 알이 터지며 놀라서 할딱이는 유생은 곧바로 쉬바로 변했다. 그렇게 계속해서 몸을 불린 쉬바들은 잠시 꿈틀거리더니 형체가 흐트러졌다. 브브브— 즈즈즈— 하는 미세한 날갯짓 소리가 음향 센서에 잡힌다. 이놈들은 주변의 현재 상황을 파악해서 가장 최적의 이동 방법을 찾아낸 것이다. 날아오른 갈색의 구름이 넓게 퍼져 다른 알들로 번져 나가더니, 아래로 가라앉아 난막을 파고든다. 그리고 유생을 잡아먹고 자신들의 동료를 더욱 늘렸다.

조금 밀도가 짙어진 쉬바는 기체에서 다시금 액체의 형태가 되었다. 정확히는 반고체의 걸쭉한 슬라임 형태로 변했다. 구물구물 움직이던 쉬바들은 바닥을 기어 다니다가도 알을 보면 위로 솟구쳐 파고들었다. 하나가 둘이 되고, 둘이 넷이 되고, 쉬바는 급속도로 퍼졌다.

- 자, 목표 완료. 모두 철수한다.

그때 누군가가 레이저 캐논으로 쉬바들을 쏘았다.

- 그만! 그만해! 그만둬! 이건 잘못됐어!

생명체를 산 채로 잡아먹는 흉악한 나노 머신들이지만 고열의 레이저에는 별수 없이 타 녹을 뿐이다. 레이저 캐논을 쏜 팀원이 앞으로 나섰다. 동료들을 막으려는 듯 팔을 벌린 그는 울고 있었다.

- 이건 옳지 않아, 잘못된 거라고, 해선 안 되는 짓이야.

다른 팀원들은 아무런 말도 하지 않았다. 팀장도 가만히 보고만 있었다.

- 우린 군인이고, 연방을 지키기 위해 싸워. 그리고 지금까지 많은 외계인을 죽여왔지. 하지만 이건 아냐.

그렇게 말하며 가리킨 곳에는 갈색의 쉬바로 변해가는 위은쑬납학의 유생들이 있었다.

- 같은 군인끼리 싸우면 되잖아. 민간인을, 어린아이들까지 죽일 필요는 없다고! 그것도 이런 식으로!

울부짖는 그의 말은 팀원들의 심정을 대변하고 있었다. 다들 보육소를 폭파하거나 유생들을 죽이는 것까지는 각오했었어도, 이렇게 무기로 사용하는 것까지는 생각지도 못했을 것이다.

- 우리가 이럴 수 있는 것은, 그들이 가지 않은 길을 우리가 먼저 갔기 때문이야. 앞서 간 우리는 뒤따라오는 이들을 이끌어줘야 할 의무가 있다고. 우린 그렇게 배워왔잖아.

상식적이고 올바른 말에 아무런 대답이 없는 팀원들을 둘러보던 그는 결국 주저앉아 흐느끼기 시작했다. 그런 그에게 다가간 이는 빈우였다.

- 인간이, 인간 편에 서서, 인간을 위해 싸우는 게 잘못된 거냐?

차갑게 으르렁거리는 목소리에 팀원이 빈우를 올려다보며 쏘아붙인다.

- 싸우는 방법이 잘못되었어.

빈우가 씩씩대는 동료를 거세게 잡아 일으켰다.

- 그 전에 우리 존재가 잘못된 거다. 애초에 말과 논리가 통하지 않는 일을 총과 폭력으로 해결하는 게 바른 일이라고 생각하냐? 뒤따라오는 놈이 칼 들고 쫓아오는데 거기다 손을 내미는 게 바른 일이냐고.

그리고 빈우는 허공을 들어 가리켰다. 팀원들은 그가 가리키는 방향이 어딘지를 잘 안다.

- 이 주사 한 방에 저기서 피 터지게 싸우는 아군들을 몇 명 더 살릴 수 있을지는 생각도 안 해봤어? 이 새끼들이 우리랑 협정 맺은 것도 아닌데 뭘 그리 지키잔 거야? 세 번이나 밥상 뒤집은 새끼들한테 예의? 도리? X 까라 그래.

빈우가 몰아세우자 그 팀원도 거칠게 빈우를 밀어냈다.

- 그렇다 한들! 알에서 깨어나지도 못한 유생들에게 할 짓이 아니란 말이다. 이 아이들은 아직 아무런 죄가 없다고.

그 말에 빈우는 옆에서 아직 쉬바에 감염되지 않은 알을 집어 들었다. 난막 안에서 출렁이는 유생이 보인다.

- 봐라, 이 새끼의 옆구리에 난 돌기를. 크면 뭐가 될 거 같냐? 칼날 달고 전사 계급이 되어 우리한테 덤벼들겠지. 미래가 확정된 셈인데도, 원죄가 뻔한데도 그따위 소릴 하는 거냐?

그에 대한 대답은 뒤쪽에서 들려왔다.

- 모든 면에서 아군이 우세해. 항복을 권유하면 다들 살 수 있을 거라고. 이렇게까지 할 필요는 없어.

다른 팀원 한 명도 유생에게 쉬바를 사용하는 것이 꺼려지는 것 같았다. 거기에 빈우가 뭐라고 대답하려 할 때 다른 곳에서 빈우를 거드는 목소리가 들려왔다.

- 우리가 언제 항복 받은 적 있었냐? 일단 싸우면 다 죽였잖아?

마커스였다.

- 그리고 우리 팀이 제대로 된 팀이라고 보여? 팀원끼리 이름도 정체도 모르는 팀이? 그리고 애초에 우린 명령체계 자체가 틀려. 우리가 그때 보낸 정보는 뱅가드로 바로 가지 않았어. 사령부를 거쳐 뱅가드로 흘러 들어갔다. 저 위의 공격 함대들은 우리 정체도, 우리가 여기 있는 것도 몰라.

틀린 게 없는 마커스의 말에 좌중이 조용해졌다.

- 그 증거로 우리가 여기 있는 걸 알았다면 뱅가드 연대가 이쪽에 꼬라박지 않았겠지. 절대로. 다시 말해서 우린 있어선 안 될 곳에서 해선 안 될 짓을 하

기 위해 여기 온 거란 말이다. 그 정도는 짐작하고 온 거 아니었어? 이제 와
서 딴소리하기야?

마커스의 신랄한 비판에 누구도 대답하지 않았다. 심지어 팀장조차도. 이
건 조금 이상했다. 처음 동료들을 말렸던 팀원이 다시 입을 열었다.

- 그렇다고 한들, 자신의 양심에까지…….

그 말은 채 끝나지 못했다. 빈우가 거세게 밀어붙였기 때문이다.

- 양심하고 타협하지 마.

자칫 더 거칠어질 뻔한 둘의 대화는 팀장의 나직한 중재로 멈췄다. 사실
중재가 아닌 경고였다.

- 적이다.

팀장은 이 대화를 들으면서도 주위를 경계하고 있었다.

- 보행 전차 급, 셋이다. 주 복도로 들어온다.

위은쏠납학의 성체 중 대형으로 자란 놈들은 그 덩치가 말 그대로 전차 크
기에 버금간다. 이런 놈들이 중장갑을 걸치고 대형 방패를 앞세워 지금처럼
덤벼들면 진짜 골치 아프다.

- 거기서 양심이랑 같이 인간성이나 처빨면서 짜져 있어라, 병신새끼들아.

고함을 지른 빈우는 제트팩을 켜 혼자 수 복도 쪽으로 날아갔다. 그리고
근처의 알 보관대 옆으로 착지해 엄폐했다. 역시나 놈들은 알의 안전을 생각
해 사격하지 않았다. 근접전으로 들어가 알을 지키며 침입자들을 잘라버릴
속셈일 것이다.

- 인마! 빈우야!

뒤따라 나서려는 마커스를 팀장이 제지했다. 어벤저 하나가 위은쏠납학
보행 전차 셋에 덤비도록 내버려두는 셈이지만, 마커스는 팀장에게 무슨 생
각이 있겠거니 싶어 제자리에서 다음 명령을 기다렸다.

052

• • • ✦ • • •

빈우는 총방패를 내리고 안에 든 발포 장갑을 꺼낸 다음 주변에서 위은쓸
납학의 알들을 마구잡이로 집어 방패 프레임 안에 채워 넣었다. 즉석에서 만
든 고기 방패, 아니 알 방패다.

- **까꿍이다, 개새끼야!**

빈우가 알 방패를 들고 뛰쳐나와 코일건을 난사하자 위은쓸납학은 허둥
대며 아무것도 하지 못했다.

- **옛다 씨발, 내 양심의 선물이다!**

언제 만들었는지, 수류탄과 알들을 덕트테이프로 빙빙 감아놓은 특제 집
속 수류탄이 던져졌다. 전차 급 위은쓸납학은 알들을 받아내기 위해 방패를
버리고 두 손을 황급히 내밀었고 곧 이은 폭발에 내민 두 손을 잃었다.

- **그아아아아!**

빈우는 비명을 지르며 휘청이는 놈에게 달려들었다. 제트팩을 사용해 머
리까지 올라간 다음 투구의 눈구멍에 코일건을 밀어넣고 연사했다. 피 분수
가 솟구치며 장갑이 벌어지자 빈우는 수류탄을 하나 꺼내 그 안으로 집어넣
고 거리를 벌렸다. 폭발과 함께 놈이 허물어져내렸다.

내려선 빈우는 두 번째로 덤비는 놈을 향해 마지막 미사일을 발사했다. 발
사의 후폭풍으로 주변의 알들이 산산조각이 났지만, 빈우가 신경 쓸 일은 아
니었다. 미사일의 폭발에 방패가 부서지자 주춤하던 위은쓸납학은 이내 총

을 들어 빈우를 겨눴다. 그러나 차마 알 방패 뒤에 숨은 빈우를 쏠 수는 없었는지 머뭇거렸다. 발사하는 순간 알부터 박살 나리라는 걸 아는 것이다.

총을 내려놓은 놈이 울부짖으며 거대한 칼날을 앞세워 돌격해왔다. 빈우는 뒷걸음질쳐 알 보관대를 등지며 코일건을 연사했다. 코일건의 사격을 맞으며 다가온 위은쓸납학은 빈우의 앞에서 급히 멈췄고 흉흉한 칼날도 마음껏 휘두르지 못했다. 여기서 칼날을 자칫 잘못 휘둘렀다간 알들이 무더기로 터져나갈 게 뻔하기 때문이다.

- 워어어어!

분노에 그르렁대는 놈이 두 손으로 빈우를 잡으려 했지만 이미 장갑보병은 제트팩을 써서 머리 뒤로 넘어가고 있었다. 그리고 어깨에 매달려 진동 나이프를 찔러 넣고, 뛰어내리면서는 무릎 뒤쪽으로 코일건을 쏴 넣었다. 놈에게 마무리를 가하려는 찰나 마지막 놈이 튀어나와 칼등으로 빈우를 쳐 날렸다.

고통은 없다. 그 의미는 두뇌칩에서 일정 이상의 고통을 차단했다는 의미이고 동시에 심각한 부상을 입었다는 것을 뜻한다. 허리를 맞고 날아간 빈우는 알 보관대에 처박혔다. 장갑복에서 경보음이 들려 나오고 여기저기서 부상 경보가 뜬다. 그러나 악착같이 자세를 추스르고 방패를 내밀어 코일건으로 탄막을 뿌렸다. 조금이라도 시간을 벌어 반격의 기회를 잡으려는 것이나.

그러나 마지막 놈은 빈우의 방패에도 아랑곳하지 않고 마주 총을 쐈다. 정신적으로는 막대할지언정 물리적으로는 빈약한 방어력을 지닌 방패는 금방 박살 났고, 빈우도 뒤로 쓰러졌다. 그 여파로 주변의 알들도 터져나간다. 이놈은 일단 알의 안위보다는 빈우를 먼저 죽이려고 작정을 한 것이다.

"너 좀 한다, 씨발놈아?"

넘어진 채 이를 악무는 빈우의 어벤저 장갑복 각 부위에 위험 경고음이 뜬다. 동시에 고위험 공격이 날아오고 있다는 것 또한 경고한다. 제트팩을 써 내려치는 칼날을 뒤로 미끄러져 피한 빈우는 다시 일어서 진동 나이프를 꼬나들고 돌격했다. 한 합을 마주하고 뒤로 빠지는 빈우의 시선에는 엎친 데 덮친 격으로 방금의 주 복도에서 다수의 전차 급들이 추가로 밀고 들어오는 게 보였다. 빈우 혼자서는 절대 감당하지 못할 전력이다.

진동 나이프를 다시 쥐는 빈우의 시선에, 그리고 간신히 피한 위은쏼납학의 칼날 저 너머에, 마커스가 보인다. 녀석은 장갑복의 헬멧을 벗고 쉬바 더미 앞에 서 있었다. 갈색 군집을 이루어 마커스의 앞에 모인 쉬바에선 가느다란 촉수들이 뻗어나와 그의 민얼굴을 향하고 있었다. 마치 대상을 판별하려는 듯이.

그리고 마커스가 검지를 들자 촉수들도 그의 손가락을 마주 보았다. 손가락이 천천히 움직이는 방향을 따라 촉수들이 움직였다. 마침내 마커스가 손가락을 들어 이쪽을 가리키자 촉수들의 시선 또한 이쪽을 향했다. 놈들은 대형 위은쏼납학과 인간의 사투를 느꼈다.

쉬바 군체는 즉시 이쪽으로 날아와 덮쳤다. 미세한 나노 머신의 무리가 중장갑 사이를 파고든다. 그리고 안으로부터 갉아먹고 동료들을 복제한다. 위은쏼납학이 비명을 질렀다. 고통과 분노, 증오와 공포의 비명을 들으며 빈우는 우두커니 서 있었다. 주 복도로 증원 온 놈들도 동족의 살로 만든 갈색 폭풍우에 휩쓸려 몸부림치다 산 채로 녹아 죽어갔다. 그 처참한 광경 앞에 빈우는 그저 멍하니 있을 뿐이다.

- 히야아. 이거 놀랄 노자군.

아까 울면서 바닥에 주저앉아 애원하던 팀원의 목소리가 들려왔다. 빈우는 퍼뜩 정신을 차렸다. 빈우뿐만이 아니었다. 그의 말은 마커스에게도 들렸는지 녀석의 표정도 경직되어가는 게 보인다. 바닥에 주저앉아 통곡했던 게 언제냐는 듯 빈우 쪽으로 걸어오는 그의 목소리엔, 울음기가 싹 가셔 있다. 오히려 녀석은 실실 웃고 있기까지 했다.

- 김빈우 중위, 마커스 타이 중위. 아주 인상적이야.

이곳은 원래 친분이 있던 빈우와 마커스 외에는 서로 계급이나 이름도 몰라 콜사인만 부르던 비밀작전팀이다. 게다가 방금 통신은 두 사람에게만 연결된 회선이었다. 이럴 권한은 팀장이나 지휘관 급에게만 있다.

- 소개가 늦었군. 반갑네, 이노우에 고토 중령일세. 이 팀의 감사역이라고 할 까? 아무튼, 올해는 풍년이구먼.

흐뭇해하는 이노우에 고토의 그 말은 오늘 지금까지 봐왔던 어떤 광경보다 섬찟했다. 아까 보았던 진심 어린 호소와 눈물은 전부 연기였단 말인가? 대체 왜? 무엇 때문에? 비정상적인 살육의 현장에서 헬멧을 연 고토의 얼굴은 너무나 해맑게 웃고 있어서 현실감이 없다.

고토가 다가와 바닥에 쓰러진 빈우를 일으켜 세운다. 빈우는 자신을 감싸고 있는 장갑복의 감촉을 느낄 수 없다. 몸을 잡아당기는 중력이 역시 사라진 것처럼 몽롱했다. 마치 꿈처럼. 귀에 스펀지를 끼운 양, 갈색 나노 머신들이 보육소 안에서 태풍이 되어 몰아치는 소리가 먹먹하게 들려왔다. 정체를 알수 없는 그라인더 무리가 들이닥쳐 위은쏠납학들을 도살하는 광경도 마치 물속의 해초처럼 흐릿하게 일렁인다.

"다시 말하지만 정말 인상적이었어."

고토가 빈우를 일으켜서 다시 앉혀준 곳은 귀환하는 셔틀의 좌석이었다. 그제야 빈우는 조금 정신을 차릴 수 있었다. 지금 빈우와 마커스, 이노우에 고토 세 명은 팀원들과는 따로 떨어져 셔틀의 다른 칸에 타고 있었다. 지쳐서 축 처진 빈우와 마커스와는 달리 고토는 쌩쌩해 보였다. 사실 두 명도 육체적으로보다는 정신적으로 더 지쳐 있었다.

"자네들이라면 닉스 레벨 3을 노려볼 만하겠어."

이노우에 중령의 말에 눈매가 날카로워진 마커스가 퍼뜩 고개를 든다. 아까의 풍년이란 말과 방금 닉스 레벨 3이란 단어에 반응한 것이다.

"네? 이노우에 중령님, 그렇다면 이번 작전이 닉스 레벨의 시험이란 말입니까? 우리 팀이 한 게 시험이라고요?"

날 선 마커스의 말에 고토가 친절하게 설명한다.

"아니 아니, 모두 실제로 일어난 기밀 작전이야. 물론 커리큘럼에 포함된 거였긴 하지만. 일석이조인 셈이지. 참, 그리고 우리는 같은 작전을 하면서 한솥밥 먹은 전우 아닌가? 앞으론 친근하게 고토라고 불러주게나."

두 사람 모두 아무런 대답이 없자 고토는 어깨를 으쓱하며 말을 이었다.

"닉스 레벨 1과 2가 단순한 훈련으로 뽑는 것과는 달리 레벨 3은 실전에서의 성과를 보고 추려내는 걸세. 이번 작전은 그 시작점이기도 하지. 앞으로의 성과를 보고 후보가 된 자네들을 발탁해서 훈련시킬지 어떨지를 정할 거야. 그래, 후보자로서 닉스 레벨 3의 요원들에게 필요한 게 뭐라고 생각하나?"

빈우와 마커스는 그냥 멍하니 있었다. 타 종족의 유생을 생물병기로 써 만들어 학살하는 비밀작전을 한 다음 갑작스레 닉스 레벨 3의 이야기를 들으니 머릿속을 정리할 필요가 느껴진다. 아니 그것보다 고토의 앞에선 섣불리 대답하기가 꺼려졌다. 두 사람이 침묵하자 고토는 스스로 대답했다.

"레벨 3의 전략 병기들에게 있어서 지금 우리가 입고 있는 강화복이나 무기들은 단지 장신구에 불과해. 있으면 좋고 없으면 그만인 것들이지. 그들에게 진짜 필요한 것은 마음가짐이라네. 어떠한 역경 앞에서도 결코 포기하지 않는 인내와 적의 상처를 만들고 끝없이 후벼 파는 교활함. 케케묵은 정신론에 관한 게 아냐. 독트린에 관한 거지."

확실히 연방군은 다른 종족과의 전투에서 저 두 가지를 무기로 썼다. 아군이 열세인 경우면 당연하다는 듯이, 우월한 경우면 더더욱 적의 약점을 집요하게 노렸다. 없으면 어떻게든 만들어 줄기차게 쑤셔댔다. 끈질기고 잔인하게. 인류 역사에 이름을 남긴 전범들이 성인군자로 보일 지경으로.

그렇다면 아까 보육소에서 고토가 연기를 한 이유도 짐작이 갔다. 실력은 이미 다 봤으니 두각을 나타낼 이를 찾기 위해 판을 깐 것일 터다.

"김빈우 중위, 자네가 방금 보여준 무용은 정말 대단했어. 마치 뭐랄까, 연방의 영웅 조지 레드우드의 재림 같았네."

"흥, 침대에 누워 골골한 노친네 말요?"

"엥? 그 양반 아직 현역인데?"

고개를 갸웃하던 고토의 시선이 이번에는 마커스를 향했다. 빈우를 볼 때와는 온도가 다르다.

"에헴, 그리고 마커스 타이 중위. 자네는 조사를 참 잘했더구먼. 오히려 '우리 과' 같아 보인단 말이지. 허허허."

입은 웃지만, 눈은 결코 웃지 않는다. 쉬바에 관한 것은 일개 중위가 알 수 있는 것이 아니기 때문이다.

"그래, 쉬바에 대해선 대체 어떻게 알았나? 나도 그런 사용법은 모른단 말이지? 정말로 내가 더 놀랐다구."

"조사했습니다."

마커스는 간결하게 대답했다.

"왜?"

질문은 답이 끝나기 전에 이어졌다.

"살기 위해서."

"어떻게?"

서서히 다가앉는 고토를 아랑곳하지 않고 마커스는 시선을 허공에 고정한 채 정직하게 대답했다.

"열심히."

"응응."

만족한 듯 미소를 띠며 다시 의자에 기대 누워 고개를 주억이는 고토의 표정은 '역시 우리 과란 말이야'라고 말하는 듯했다.

"아무튼 작전이 잘 마무리되어서 다행일세. 사상자 하나 없이 작전이 마무리된 데다 후보자를 두 명이나 뽑다니 정말 행운이야."

발을 동동 구르며 손뼉 치는 모습이 이 상황을 꽤 즐기는 것처럼 보였다.

"참 자네들, 이번 작전은 어떻던가? 느낀 바 없나? 아니면 역시 좀 부담이 되었나?"

시시덕거리는 고토를 보다 못한 빈우가 쏘아붙이기 시작했다.

"어떻긴 제길. 개뿔도 모르고 똥오줌 못 가리는 애새끼들 모아다가 X 같은 곳에 박아넣고 X 같은 거 시키던데. 선별 같은 소리 하고 자빠졌네. 지구제국 병기 쓰는 작전 따위 세상에는 알려지면 안 되니까 전사한 팀원들은 훈련 중 사망으로 처리했겠죠?"

"그건 너무 비관적으로 보는 거 아닌가? 봤다시피 비밀리에 단검뿔 토끼가 따라붙지 않았던가."

"비밀리에 붙어서 뭐 하시게? 실패하면 이어받게? 아니면 수틀렸을 때 우리 입막음하려고?"

"자네들은 모두 닉스 레벨 2의 재원들이야. 만약의 사태를 대비해야지."

저 만약의 사태를 다른 뜻으로 해석한다면 빈우의 질문을 딱히 부정한 것은 아니게 된다.

"그리고 쉬바? 개 씨발이다. 다른 방법 내버려두고 그딴 걸 쓴 이유는 뻔하지. 애초에 저 하마 새끼들이랑 평화조약 맺을 생각이 없었지? 위은쏼납학이 항복하려는 낌새를 보이니까 악에 받쳐 결사 항전하도록 약을 푼 거잖아. 나중에 이렇게 말하겠지. 비홀더 전대의 예기치 못한 간섭으로 양 종족 간의 교섭이 불발되어 정말 유감이다. 앞으로의 전투는 어쩔 수 없다. 틀려?"

확실히 지구제국의 병기가 쓰였다면 사람들은 일차적으로 비홀더 전대를 의심할 것이다. 그리고 그들의 전과가 워낙에 화려한 탓에 순순히 납득하고 말리라. '아, 우리 연방은 평화를 원하지만, 주변이 도와주질 않는구나'라고.

"암암, 시작했으면 끝을 봐야지. 상대의 마음이 약해지면 우리가 도와주는 게 인지상정 아닌가?"

고토는 예상보다 예리한 빈우의 판단에 감탄하며 고개를 끄덕이고 있었다.

"싸움만 잘하는 줄 알았는데 머리도 제법이야. 진짜 풍년이군."

그렇게 웃는 고토의 얼굴에 침 뱉듯이 빈우가 으르렁댔다.

"풍년? 지랄이 풍년이다."

"빈우야, 중령한테 그런 말버릇은……."

격해지는 빈우의 옆에서 마커스가 말리지만 그 이유는 오직 친구를 위해서다.

"뭘, 이제까지 반말 잘했는데? 그리고 또 언제 볼 거라고."

퉁명스러운 빈우의 말에 고토는 곤란한 듯 미간을 찌푸리며 쓰게 웃었다.

"으응, 나는 자네들이랑 앞으로 좀 더 보고 싶은데 말이야."

"X 까 잡수셔."

그리고 빈우는 에너지바를 하나 까서 입에 물었다. 고단백 고칼로리의 초콜릿 바가 허공에서 덜덜 떨리느라 입안에 제대로 들어가지 않는다. 짜증이 난 빈우가 에너지바를 확 잘라 먹자 이번엔 손에 남은 에너지바가 부들부들 진동한다. 빈우의 손이 떨리고 있는 것이다.

"전투OS가 관리를 못 할 정도면 좀 심각한데 말이야."

이노우에 중령이 부드럽게 빈우의 손을 잡아주었다. 그리고 그의 차가운 눈은 관리를 못 하는 건 빈우의 육체가 아니라 정신이라고 말하고 있었다.

"내 용한 프로그램을 하나 알고 있네만. 구식이라 그렇지 효과는 확실하다네."

"피곤해서 그렇습니다."

빈우는 손을 빼내고 주먹을 꽉 쥐어 억지로 경련을 억눌렀다.

"으음? 강화군인의 육체에 근육통이 오던가?"

느물느물 웃는 고토의 얼굴은 이제껏 빈우가 겪어온 것과는 다른 공포를 선사하고 있었다. 의자에 기대 앉는 고토가 한마디 덧붙였다.

"저길 보게나. 햐, 장관이구먼."

셔틀의 창에서 보인 위은쏠납학의 지표는 아비규환, 지옥도 그 자체였다. 애초에 교리상 후퇴가 없는 뱅가드 연대의 선발대는 악착같이 시가지로 파고들어 개싸움을 벌였고, 방어를 위해 시가전을 한 위은쏠납학들은 오히려 자신들이 사지에 들어간 셈이 되었다.

그런데 어느 순간부터 후퇴를 거듭하던 위은쏠납학의 진영이 공세로 바꿰었다. 자신들의 안위를 도외시하고 뱅가드 쪽으로 돌격을 시작한 것이다. 빈우와 마커스는 그 이유가 짐작이 갔다. 놈들이 그 소식을 들은 것이다. 자신의 자손들이, 종족의 미래가 연방의 생물병기로 쓰이고 있다는 소식을.

위은쏼납학의 분노에 찬 반격이 시작되었지만, 불행히도 상대는 연방의 최정예이자 연방의 창끝인 뱅가드 연대다. 뱅가드 연대는 적의 반격에 마주 돌진하면서 진형을 뒤섞어 난전을 유도했다. 기세를 몰아 돌격해 들어왔던 위은쏼납학들은 고립되어 하나둘씩, 이어서 열씩 스물씩 죽어나갔다. 저게 백, 이백이 되는 것은 순식간일 것이다.

거기서 시선을 뗀 빈우는 자신의 손을 내려다보았다. 어느새 손안에선 허리에 돌기가 난 전사계급의 유생이 꼬물거리며 빈우를 올려다보고 있었다.

'날 보고 뭐랬어? 원죄? 미래가 정해져 있다고?'

유생의 중얼거림과 동시에 쉬바가 날아오르는 소리가 사방에서 들린다. 바닥이, 천장이, 의자가 전부 갈색의 나노 머신이 되어 흘러내린다. 손안의 유생이 점차 커져 전차 급의 성체가 되고, 빈우에게 칼날을 들이밀다가 갈색 살덩이가 되어 허물어져 죽어간다. 저게 놈에게 정해진 미래였다.

그렇다면 빈우 자신에게 정해진 미래는 무엇인가? 항복하러 온 외계종족 사절을 중간에서 암살해 전쟁을 부추기고, 매파의 외계종족 관료를 비둘기파의 소행으로 위장해 암살하고, 결국엔 개척 행성 마카로니에서 자국의 민간인을 학살할 것이다. 불타오르는 마카로니. 피보라가 번지는 주차장. 울면서 도움을 청하는 여자아이.

'멈춰! 우린 인간을 죽여선 안 돼! 저들은 인간이야!'

그러나 이번에도 빈우는 말하지 못했다.

"주인님?"

눈을 뜨자 아나스타샤가 걱정스레 내려다보고 있었다. 빈우는 자신의 침대에 누워 아나스타샤를 멍하니 올려다보았다.

053

• • • ✦ • • •

"어, 아샤. 무슨 일이야?"

빈우가 아무 일 없다는 듯이 천연덕스레 묻자, 아나스타샤는 손을 내밀어 빈우의 머리를 쓰다듬어주었다.

"악몽을 꾸시는 것 같았어요."

걱정하는 그녀의 손은 미세하게 떨리고 있었다.

"우리 아샤, 똑똑하기도 하지. 난 괜찮아."

빈우는 씨익 웃으며 베개에 다시 머리를 뉘었다. 발 가르단 하스까지 도착하려면 아직 꽤 많은 시간이 남아 있다. 방금까지 작전을 대비해 팀원들을 달달 볶아놨으니 강하 전까지는 휴식이 필요하다. 한숨 푹 자고 일어나도 시간은 충분히 여유롭다.

"요즘 안 좋은 꿈을 꾸시는 빈도가 늘어난 것 아닌가요?"

주인의 머리를 부드럽게 쓰다듬어주던 아나스타샤가 침대 위로 올라와 같이 누우려고 했다. 빈우도 옆으로 조금 비키며 베개를 반쯤 내어주었다.

"요즘 좀 피곤해서 그래. 알잖아?"

아나스타샤에게 이불을 덮어준 빈우는 걱정을 덜어주려고 씨익 웃어 보였다. 아나스타샤도 마주 웃어주고는 빈우의 옆에 눕더니, 자기 주인의 옆얼굴을 보면서 뭐라고 말하려는 듯 입술을 달싹거렸다.

"저기, 주인님."

"왜?"

아나스타샤가 우물쭈물하며 자신의 옷 앞 단추를 만지작거린다. 뭔가 하고 싶은 말이 있을 것이다. 아마 주인을 위한 말이겠지.

"괜찮아, 말해봐."

"가슴 만질래요?"

아나스타샤는 그 말을 하곤 잽싸게 이불로 얼굴을 가린 뒤 눈만 빼꼼 내밀었다. 그 모습을 빤히 보던 빈우는 이불에서 손을 쑥 꺼냈다. 그리고 그 손을 천천히 움직여 붉게 상기된 얼굴의 메이드에게 가져갔다. 이어서 갑자기 그녀의 얼굴을 턱 하고 덮더니 부비부비 문지르기 시작했다.

"얘가 자다가 봉창으로 오고무 치네. 갑자기 왜 이래."

얼굴을 잡혀 이리저리 뒤흔들리던 아나스타샤가 간신히 자기 주인의 손을 잡고 뗐다.

"어푸풉, 어릴 땐 무서운 꿈 꿨다고 가슴 만지게 해달랬잖아요."

"야이 씨. 그게 언젠데. 너 기억이나 하냐?"

"저 다 기록해놨거든요? 조회 다 되거든요? 눈물 콧물 흘리며 제품에 들어오더니 울음 그치고 나면 '아샤아. 가슴 만지게 해죠, 그럼 잘 수 있을 거 가테' 이랬잖아요. 울보 도련님아."

그러고는 혀를 날름 내밀고 '울보, 울보' 놀려대는 아나스타샤를 보고 있자니 빈우는 서서히 약이 올랐다.

"솔직히 말할게. 반은 그냥 너 가슴 만지고 싶어서 핑계 댄 거다."

"알거든요?"

문득 옛날 생각이 나서 빈우의 시선이 자신의 유모이기도 했던 메이드의 가슴으로 향했다. 아나스타샤의 얼굴이 대번에 빨개지더니 주인의 이마를 찰싹 때렸다.

"진짜아! 이제 안 나오거든요."

"누가 뭐래! 왜 때려."

"도련님 눈빛 보면 무슨 생각하는지 다 알아요."

투닥거리는 주인과 메이드의 다툼은 결국 빈우가 아나스타샤를 뒤에서 껴안는 것으로 끝났다. 서로 옆으로 누운 상태에서 빈우는 자신의 품에 안긴 아나스타샤의 뒷머리를 보았다. 틀어 올린 머리카락과 그 안에 보이는 접속 단자. 가끔 잊어먹거나, 아니면 잊어버리고 싶지만, 그녀는 안드로이드였다.

"저, 도련, 아니, 주인님?"

아나스타샤가 자신의 뒤에 있는 주인에게 말을 걸었다. 조금 전과는 달리 목소리가 조금 떨리고 있다.

"제가 할 수 있는 것은 많지 않아요. 하지만 제가 힘닿는 한은 주인님을 도와드릴게요. 반드시 주인님의 편에 서서 도와드릴 거에요. 그러니까…… 그러니까 도움이 필요하면 꼭 말씀해주셔야 해요. 그게 뭐든지요. 아셨죠?"

빈우의 메이드인 아나스타샤는 언제나 주인에게 헌신적이었다. 그녀는 유모이자 교육자, 그리고 누나이자 어머니로서 빈우를 키워왔다. 가족이나 다름없는 아나스타샤의 보살핌에 빈우는 언제나 고마웠지만, 그걸 보답하긴 힘들었다. 아니, 은혜를 갚기는커녕 그녀를 괴롭게 하기 일쑤였다. 지금처럼.

"……고마워."

조용히 감사를 표한 빈우는 가슴을 만지던 왼손으로 그녀의 머리를 쓰다듬었다. 북새통에 헝클어졌던 머리카락을 손가락으로 빗질해 가다듬는다. 아나스타샤는 잠시 주인의 손이 주는 시원한 감촉을 음미하더니 그걸 잡아 다시 자신의 가슴 쪽으로 가져갔다. 그리고는 조용히 키득댄다. 그런 아나스타샤의 장난기 어린 웃음소리를 들으며 빈우는 피식 웃고는 부드럽게 그녀를 껴안았다.

"……응."

갑자기 아나스타샤의 입에서 신음소리가 났다. 가슴을 쓰다듬던 빈우의 손바닥이 내번에 그녀의 뒤통수를 후려갈긴다.

"얀마! 너 지금 뭐 하는 거야!"

"아니 잠깐! 주인님 오른팔에 겨드랑이가 배겨서 아팠다구요! 오해하지 마세요."

휴식은 물 건너갔고 둘은 또 투닥거리기 시작했다.

*

빈우는 블랙 랜스의 격납고에 마련된 임시 회의실에서 커피를 마시고 있었다. 작전을 앞두고 최종 작전 회의를 하는 것이다.

"팀장님 좀 쉬셨습니까?"

부팀장 아룹이 피곤해 보이는 빈우를 걱정한다.

"나야 언제나 건강합니다만……."

커피 한 잔을 마저 들이켠 빈우는 작전지역 지도를 보며 한숨을 내쉬었다.

"저걸 보니 저절로 피곤해지네요."

"그렇지요?"

아룹도 쓴웃음을 지으며 동의했다.

태스크포스 373의 최초 작전 계획은 발 가르단 하스에 비밀리에 침투해서 추락한 리퍼 함선을 회수하는 것이었다. 리퍼 함선은 평상시에도 고가치 목표물인 데다, 현재로선 워프 비스트에 관한 단서를 얻을 수 있는 유일한 방법이기 때문에 반드시 회수해야 한다.

덧붙이자면 이 함선이 발 가르단 하스로 추락하게 된 원인이 연방군에 있었기에 증거 인멸의 목적도 겸사겸사 있었다. 당연히 작전은 비밀리에 진행되어야 했다. 여기서 비밀리라는 단어의 뜻은 연방 측은 물론이고 작전지역의 원주민에게도 들켜선 안 된다는 의미였다. 되도록, 이긴 했지만.

그러나 추락한 리퍼 함선이 폭주하여 주변 행성들을 마구잡이로 끌어당기는 사고가 나는 바람에, 항성계의 두 태양마저 끌려오는 미증유의 사태가 발생했다. 그 여파로 목표 행성인 발 가르단 하스는 시시각각 지옥 일번지로 달려가고 있다. 거기다 조금 있으면 형제 행성들과 직접 상봉하는 대참사가 벌어질 예정이다. 행성 파괴는 기본에 서비스로 원주민 멸종이 예견된 상황이 되어버렸으니. 보호 행성이나 비밀 엄수 같은 건 사치고 되는 대로 물건 챙겨서 튀는 게 답이었다.

그러기 위해선 먼저 지상팀이 목표 지점으로 강하하여 리퍼 함선에서 폭주하고 있는 점프 장치를 정지시키고, 행여 있을지도 모를 잔존 리퍼를 무력화시키는 게 우선이다. 그다음 행성 궤도에 대기하고 있던 블랙 랜스가 파괴된 리퍼 함선을 견인해 올린다. 만일 여의치 않으면 자료와 중요 자재만 회수 후 나머지 증거를 인멸한다.

"주인님, 여기 커피요."

"아, 고마워."

아나스타샤가 다시 따라준 커피를 마시며 빈우는 다시 작전지도를 살펴보았다. 현재 발 가르단 하스의 지표 온도는 섭씨 420도. 땅의 갈라진 틈새에서 산성 간헐천이 솟아오르면 초속 50m의 강풍이 휘몰아쳐 그것을 사방으로 날린다. 그리고 하늘에는 차츰 접근해오는 두 개의 태양에서 날아온 우주 방사선이 대기와 부딪쳐 오로라를 만들고 거기에 번개가 내리꽂힌다. 그래도 여기까진 예상범위다. 모니카가 준비해준 추가 장비들을 장갑복에 장착하면 어떻게든 작전행동이 가능할 수준이다.

다만 지금 빈우를 가장 피곤하게 만드는 것은, 지표 아래로 걸쳐 있던 리퍼 함선 주변에 원주민인 발 가르단 하스 인이 적지 않게 몰려 있다는 점이었다. 몇몇은 아예 함선 안으로 들락날락하고 있다.

"선객이 있었네요. 미지와의 조우에 탐사라도 하는 걸까?"

마카롱을 저글링하던 파트리샤가 심드렁하게 말한다. 그녀가 허공에 띄운 마카롱 하나를 중간에 잽싸게 낚아챈 위르겐이 질문을 이어받는다.

"살려고 도망쳐 들어간 걸 수도 있죠. 팀장님, 거주민들 퇴거는 어떻게 할까요?"

발 가르단 하스 인은 처음에는 손가락도 하나 까딱해선 안 될 보호 행성 원주민에서, 지금은 죽든 말든 상관없는 병풍으로 전락해버렸다. 물론 그렇다고 해서 — 작전에 걸리적거린다고 해서 — 선제공격으로 쓸어버리기엔 조금 꺼려지는 게 사실이다. 위르겐의 질문에 어깨를 으쓱한 빈우가 팀원들을 한번 둘러보더니 질문으로 대답했다.

"혹시나 해서 물어보는데 이런 거 평화적으로 해결해본 적 있는 사람?"

아쉽게도 세 명 다 고개를 절레절레 흔들었다. 빈우의 부하 팀원들은 각자 뱅가드 연대, 실리콘 나이트, 단검뿔 토끼에서 뽑아온 정예대원들이다. 얘네들이 끊어준 요단강 익스프레스 마일리지를 합치면 지옥에서 천국으로 업그레이드가 가능할 정도다. 실로 믿음직한, 전장에서 등을 맡길 수 있는 부하들이다. 그러나 '평화적'이라고 한다면 얘네들의 전문 영역 밖의 일이다.

"인물이 없네. 인물이 없어."

빈우의 한탄에 팀원들은 낄낄거릴 뿐이다.

"팀장님은 무슨 방법 없어요? 평화적으로다가."

파트리샤가 마카롱을 한입 베어 물며 질문했다. 빈우는 닉스 레벨 3의 재원. 어떠한 상황에서도 작전 성공과 승리를 갈취해내도록 만들어진 연방의 전략 병기다.

"뭐, 전혀 없지야 않지."

빈우의 말에 이채를 띤 팀원들의 시선이 모여든다.

"원래 보호 행성에는 출입이 금지되어 있고, 해당 행성의 원주민들과의 접촉 또한 엄금되어 있다. 그러나 우리는 작전을 위해 특례로 발 가르단 하스에 들어갈 수 있고, 원주민과의 접촉도 금지가 아니라 '될 수 있으면' 피하란 지시를 받았다."

그러면서 빈우는 현재 상황이 요약된 화면을 보여주었다.

"그러나 작금의 사태는 찬밥 더운밥 가릴 처지가 아니지. 최대한 빨리 목표물을 회수해서 이탈하는 것이 최선이야. 그러나 원주민들에게 필요 이상의 폭력을 행사하는 것 또한 꺼려지는 게 사실이다. 그렇다면 규칙을 이용해야지."

상큼한 미소와 함께 화면에 그림을 그리는 팀장을 본 팀원들은 매우 불안해졌다. 경험상 빈우가 저런 행동을 하면 꼭 무슨 꿍꿍이가 있는 경우였다.

"우선 지상팀이 강하서서 리퍼의 장치를 정지시킨 다음 블랙 랜스로 리퍼의 함선을 통째로 견인한다. 그 안에 있는 발 가르단 하스 인들과 함께. 그리고 대기권 밖? 중력권 밖? 아무튼 발 가르단 하스 인의 생활과 인식권 밖으로 가져온 다음 리퍼 함선 안으로 들어가 이렇게 말하는 거지. 어이쿠, 보호 구역 밖으로 나오면 안 되지. 돌아가세요들."

화면에는 대기권으로 낙하하는 발 가르단 하스 인들의 그림이 슉슉 그려진다. 그걸 멍하니 보던 파트리샤가 말했다.

"팀장님, 지금 우리가 팀장님을 어떤 시선으로 보는지 아세요?"

빈우는 자신을 보는 팀원들을 한번 휘 둘러보았다. 이제껏 많이 받아본 익숙한 온도의 시선이다.

"질투나 선망의 시선? 내가 지금까진 어디 가서 안 밀리는 또라인 줄 알았는데 위에는 위가 있구나, 뭐 이런 느낌?"

"……뭐, 얼추 맞네요."

팀장이 짓궂은 농담으로 좌중의 분위기를 풀고 있을 때 위르겐이 손을 들었다.

"팀장님, 질문해도 되겠습니까?"

"우리 팀에서 허락 같은 거 필요 없으니 그냥 물어."

"네, 어차피 발 가르단 하스는 곧 아작나지 않습니까?"

거기까지 말한 위르겐은 옆에 모니카가 있다는 것을 깨닫고 움찔하더니 그녀의 눈치를 살폈다. 그러나 모니카는 이제 이런 것에 익숙해졌는지 위르겐에게 미소를 지어 보였다.

"괜찮아. 계속해 위르겐."

그녀의 말에 안심한 위르겐은 다시 말했다.

"30시간이 지나면 형제 행성들과 충돌할 보호 행성에서 우리가 꼭 이렇게 규칙을 지키고 평화적인 방법을 고수할 필요가 있습니까? 아니, 제 말은 꼭 원주민을 쓸어버리자는 게 아니라 지금 상황에서 팀의 안위를 먼저 걱정하는 겁니다."

위르겐 말마따나 발 가르단 하스의 상황은 그다지 좋은 상황이 아니다. 맨몸으로 나간다면 우주 공간에서 단시간 활동이 가능한 강화군인이라 해도 생존이 위험할 정도고, 모니카가 보강해준 장비를 입은 장갑복들조차 장시간 활동은 힘들 정도다.

그 말에 빈우는 어깨를 으쓱하며 대답했다.

"명분이다, 명분."

그러면서 빈우는 임시 회의실의 중앙 화면에 하나의 조직 관계도를 띄웠다. 중앙에는 태스크포스 373이 있고 그 주변으로 다른 부서들과의 관계가 각각 우호, 적대로 표시되며 연결되어 있었다. 이는 빈우가 수집한 정보를 토대로 만든 도표인데 당연하게도 적대적인 부서가 압도적으로 많았다.

"자, 보다시피 지금 우리 팀, 태스크포스 373에는 적이 많아. 창설부터 훼방이 알게 모르게 있었고 오브리가도를 떠날 때는 한바탕 일을 치렀다. 기억 안 나냐?"

"아!"

그 말을 듣고 나서야 위르겐은 태스크포스 373이 오브리가도의 3번 항구에서 저질렀던 대형 사고가 기억났다. 이쪽 워털루 게이트 방면에 주둔했던 2선 함대, 24함대의 기함 오데이셔스에서 일어났던 과격한 테스트가.

054

· · · ✦ · · · ·

"물론 발 가르단 하스는 형제 행성들과 충돌해 막대한 피해를 볼 것이다. 발 가르단 하스 인들도 대부분 죽거나 최악의 경우엔 멸종하게 되겠지. 그러나 지금 내가 신경 쓰는 것은 나중에 우리가 꼬투리 잡힐 일을 예방하는 것이다. 태스크포스 373이 실수를 하거나 규정을 위반하면 그걸 빌미로 삼아 뒤통수를 치려고 두 눈 벌게진 놈들한테서 말이지."

실제로 죽어갈 생명은 안중에도 없고 팀의 정치 싸움, 파워 게임에서 이길 방법을 찾고 있자니 팀원들도 조금은 뒤숭숭해진다.

"하지만 위르겐 네 말이 맞다. 팀의 안전이 우선이지. 그리고 24함대에서 일어난 워프 비스트 사선을 본다면 지금으로선 리퍼 함선을 한시라도 바삐 확보하는 게 우선이다."

이어 표정을 굳힌 빈우가 정식으로 작전 지시를 내린다.

"이번 작전은 지상팀과 상공의 롱소드, 행성 궤도의 블랙 랜스로 나뉘어 진행한다. 먼저 지상팀은 나와 부팀장, 위르겐, 파트리샤, 거기에 모니카가 합류한다."

미리 언급해놓은 터라 모니카는 결연한 표정으로 다시금 마음을 다졌다. 그 모습을 본 빈우는 브리핑을 이어나갔다.

"지상팀은 셔틀로 강하해서 목표물 남동쪽 협곡에 착륙한 다음 그늘을 따라 도보로 이동한다. 도착한 다음에는 리퍼 함선 내부로 들어가 혹시 있을지 모르는 잔존 리퍼들을 제거하고, 원주민들을 퇴거시키며 샤다이 점프 장치를 정지시킨다. 이후 비컨을 설치해 중력 닻을 유도하고 블랙 랜스가 견인해 적함을 회수한다."

침투 경로와 적함의 위치를 설명하던 빈우가 오르를 돌아보며 질문한다.

"함장님, 블랙 랜스의 출력으로 리퍼 함선의 견인이 가능하겠습니까?"

"네, 가능합니다. 소요시간은 본 함의 동력과 적함의 중량, 그리고 발 가르단 하스의 상황을 고려할 때 세 시간 정도로 예상됩니다."

빈우는 강하해서 지상 임무를 수행하고 다시 견인하기에 걸리는 시간과 발 하스 1과 6이 발 가르단 하스에 충돌할 시간을 어림짐작해보았다. 빠듯하진 않지만 넉넉하지도 않다.

"함장님. 블랙 랜스가 적함을 견인한 다음, 다가온 두 항성과 행성의 영향으로부터 안전하게 탈출 가능합니까?"

"네, 문제없습니다. 리퍼 함선을 견인하고도 정상적인 항해속도를 낼 수 있습니다."

그 말에 위르겐이 휘파람을 불며 감탄했다. 샤다이 함선이 연방의 것에 비해 가볍다곤 해도 배 하나를 끌고 정상속도를 낼 수 있다니. 블랙 랜스와 롱 훅 프로젝트의 위력을 엿볼 수 있는 부분이었다.

"알겠습니다. 그리고 정상적인 작전 수행이 힘들 경우에는 주요 장비와 자료만 회수한 후 적함을 파괴한다. 모니카, 할 수 있겠나?"

"네, 할 수 있습니다."

장비 회수는 그렇다고 쳐도 샤다이의 기기에 접속해 자료를 빼내는 것은 전문가의 손길이 필요하다. 현재 연방에서 샤다이 기술연구에 있어 손꼽히는 전문가인 모니카가 기합이 들어간 목소리로 대답했다.

"좋아, 샤다이 기기의 조작은 너에게 맡긴다. 이후 지상팀은 다시 셔틀로 이동하여 귀환하거나, 상황에 따라 함선과 함께 블랙 랜스에 견인되기로 한다."

빈우가 그렸던 작전도는 대략적일 뿐 세부 사항이 없었다. 자세한 정찰이 힘든 상황이라 일단 부딪힌 다음 임기응변으로 해결한다는 식이었다. 다행히도 373의 지상팀원들은 이런 일들의 전문가였다.

"그리고 지상팀은 작전 도중 원주민과의 마찰은 가능한 한 최소화한다. 우선적으론 평화적인 방법으로 퇴거를 종용하되, 부득이한 경우엔 각자 개인의 판단하에 무력 사용을 허가한다. 마지막으로."

거기까지 말한 빈우는 팀원들을 한번 둘러보았다.

"필요하면 사살해도 좋다."

실제로 팀장에게서 허가가 떨어지자 팀원들의 마음속에서도 스위치가 들어갔다. '죽일 수도 있다'와 '죽여도 된다'는 엄연히 다르다.

이어서 빈우가 지상팀 대원들의 무장 설정을 지정해주었다. 당연히 대 샤다이 전투에 유효한 병기들로만 꽉꽉 채워졌다. 당연하게도 비살상, 진압용 장비들은 코빼기도 보이지 않는다.

"우지, 넌 롱소드로 셔틀과 지상팀의 호위를 맡는다. 그리고 지상팀이 작전 중에는 상공에서 대기하며 지상팀의 엄호와 지원을 한다."

"네, 알겠습니다."

우시 역시 빈우가 지정해준 부장을 보고 긴장했다. 그가 탈 롱소드는 할아버지와 주로 연습하던 우주전이 아니라 공대지용 폭탄을 장비한 대지 공격 사양이었다. 병기나 사물이 아닌 생명체에 직접 공격을 가할지도 모른다는 생각을 하자 절로 긴장되었다. 게다가 그 대상에는 샤다이뿐만이 아니라 죄 없는 발 가르단 하스 인이 들어갈지도 모른다.

"오르 함장님, 블랙 랜스는 궤도에서 견인 준비를 하면서도 적함을 조준하고 계십시오. 지상팀이 파괴하지 못할 경우 블랙 랜스가 손을 써야 할지도 모릅니다."

"알겠습니다."

지시를 마친 빈우는 팀원들을 한번 둘러보았다.

"작전 시작은 35분 뒤 연방 표준시 06시 정각이다. 질문?"

웃음기를 날려버리고 표정을 굳힌 팀원들에게서 질문은 없었다.

"해산."

작전 회의는 격납고에서 이뤄졌기에 다들 행동이 빨랐다. 오르 함장은 지금의 육체를 수납하고 전투 정보실로 이동했으며 우지는 추진기가 예열된 롱소드로 달려갔다. 지상팀은 장갑복을 착용하기 시작했다. 팀원들의 강화 육체 곳곳의 달린 접속 단자와 장갑복이 접촉한다. 인공 근육과 장갑판들이 착용자에게 들러붙자 인류 역사상 가장 효율적인 파괴 병기들이 탄생했다.

빈우는 자신의 장갑복을 입기 전에 모니카에게 갔다. 그녀도 이번 작전에 참여하기에 자신의 장갑복인 부머를 입고 있었는데, 뻣뻣한 모습에서 현재 모니카의 심정을 알 수 있었다.

"긴장되지?"

"네, 좀 떨립니다."

그녀의 굳은 목에서 떨리는 목소리가 나왔다. 빈우는 모니카의 어깨를 부드럽게 어루만져주었다.

"처음엔 다들 겪는 일이야. 나도, 부팀장도, 파트리샤와 위르겐도 처음엔 다들 모니카 너와 같았어."

따지고 보면 당연한 말이지만 모니카가 지금까지 깨닫지 못했던 사실이었다. 저 흉악한 전투 병기들도 날 때부터 군인은 아니었을 테니 처음은 다들 힘들었을 것이다. 지금의 자신처럼. 그렇게 팀원들과 모종의 동질감을 느낀 모니카는 조금이나마 긴장을 다스릴 수 있었다.

"그리고 너무 걱정하지 마. 네 팀원들은 우주 최강이다. 무슨 일이 일어나면 번개같이 달려올 테니 안심해."

"네, 알겠습니다. 팀장님."

부머의 장갑이 닫히는 것을 확인한 빈우가 돌아서서 자기 장갑복 쪽으로 걸어갈 때, 옆의 캐비닛 안에서 뭔가 소리가 들렸다. 들릴 듯 말 듯한 아주 작은 소리. 그리고 그 소리에 반응한 빈우는 빠르게 캐비닛을 열어젖혔다. 그냥 빠른 속도가 아니라 전투 반응 속도로.

"여기 너무 깜깜해…… 무서워…… 엄마아."

그러나 그 안에 울음을 참는 여자아이는 없었다.

"팀장님?"

의아해하는 모니카의 말에 빈우가 씨익 웃으며 돌아본다.

"봤지? 바로 이렇게."

"헤헤헤, 뭐에요 그게."

빈우의 능청스러운 익살 덕분에 모니카는 웃을 수 있었다. 이제 빈우도 자신의 장갑복으로 걸어갔다. 컨커러가 열려 주인을 기다리고 있다. 접속 단자를 연결하고 장갑복을 입자 온갖 경고창이 빈우를 어지럽게 한다.

> 착용자 김빈우 소령 인증.

> 동력계 요주의.

> 구동계 정상.

> 통신계 경고. 비인가 프로그램 사용 중.

> 화기 제어 시스템 오류. 재부팅. 정상.

> 전투OS 업데이트 점검.

> 인증되지 않은 장비입니다. 지정된 실험 지역에서만 사용해주십시오.

익숙한 붉은 메시지들이 빈우를 환영한다. 이제까지는 급박한 상황이나 훈련 중에만 봤었기에 그러려니 했었지만, 실전에 돌입하는 순간까지 이딴 걸 봐야 한다니. 한숨이 절로 나온다.

컨커러가 마지막으로 셔틀 안으로 들어가자 팀원들의 두뇌 통신이 연결된다.

> 태스크포스 373 두뇌 통신 회선 활성화.

> 접속자 목록 갱신.

> 팀원의 두뇌칩 동기화.

- 어, 저기 컨커러는 안정화되었어요. 경고창은 그냥 무시하세요.

두뇌 통신이 연결되자마자 빈우의 불편함을 눈치챈 모니카가 이번엔 자신이 빈우를 안심시키려고 한다.

- 아유 참, 모니카 이럴 땐 그게 아니지. 팀장님, 힘드시면 제 품에 안겨서 울어도 돼요. 이렇게.
- 누구 대가리 터트릴 일 있냐. 사양한다.

빈우가 파트리샤의 농담을 받아치자 이번엔 위르겐이 말을 걸어온다.

- 우린 뭐, 전투 구호 같은 거 없습니까?

그러고 보니 뱅가드 연대는 중대별로 전투 구호가 있어서 강하할 때 그걸 외친다고 했다. 하긴 불지옥에 탭댄스 추려고 들어가는 놈들이니 그 정도는 해줘야 싸울 맘이 되겠지. 그러나 373은 안 그렇다.

- 아가리하고 내려가서 보이는 거 전부 아가리시키고 올라오는 거다. 꼬라박을 때는 정숙히.
- 이옙.

드디어 지상팀 전원이 탑승한 강하 셔틀이 발 가르단 하스로 돌입하기 시작했다. 그 옆으로 롱소드 한 대가 따라붙었다.

*

후코는 열심히 달렸다. 한시라도 빨리 이 좋은 소식을 알려야 한다는 생각이 움직임을 재촉한다.

'소이치로가 얼마나 기뻐할까?'

후코가 가져가는 소식은 친구인 소이치로가 그토록 갈망하던 소식이었다. 더군다나 기다리다 지쳐 포기하려던 때 온 연락이니만큼 그가 얼마나 놀라고 또 얼마나 기뻐할지 궁금했다.

그런데 만나고자 한 사람이 먼저 마중을 나와 있었다. 안에 틀어박혀 있는 것보다는 나을지 몰라도 그 허약한 몸으로 여기까지 나와 있다니, 후코는 걱정부터 되었다.

- 소이치로, 여기까지 나오면 어떡해.

후코는 얼른 소이치로에게 달려갔다. 그런데 그의 반응이 이상하다. 평상시와는 다른 움직임이다.

- 소이치로?

후코의 부름에도 소이치로는 아무런 대답이 없었다. 가까이 다가간 후코가 다시 한 번 부르려는 그때 놀랍게도, 옆에서 한 명의 소이치로가 더 나타났다. 그제야 후코는 과거에 소이치로가 했던 말을 떠올릴 수 있었다.

'나와 똑같은 모습을 한 사람을 만나면 도망쳐.'

친구의 경고를 떠올린 후코는 재빨리 뒤돌아 달렸다. 복잡한 모퉁이와 구멍들로 연결된 미로를 지나 한참을 달린 뒤에야 후코는 뒤를 돌아보았다. 다행히도 따돌렸는지 아니면 처음부터 따라오지 않았는지 뒤에는 아무도 없었다. 안심한 후코였지만 그래도 행여 눈에 띌까 싶어 원래 가던 길을 조금 빙둘러서 목적지까지 갔다. 마침내 도착한 후코는 주변을 한번 둘러보고 아무도 없는 것을 확인한 다음 안에 있는 사람을 불렀다.

- 소이치로, 안에 있어?

- 후코구나, 들어와.

한 번, 두 번, 세 번. 세 개의 문이 각자 열리고 닫히며 방 안으로 들어간 후코는 소이치로를 빤히 보았다.

- 왜 그래, 후코?

그런 후코를 의아해하며 쳐다보는 소이치로의 말에 후코는 조금 안심이 되었다. 평상시의 소이치로다. 그러나 혹시나 하는 가정에 질문을 던졌다.

- 소이치로 맞지?

후코의 질문에 소이치로가 작은 머리를 갸웃한다.

- 그게 무슨 말이야?

- 웅, 나 여기 오다가 다른 소이치로들을 만났어.

후코의 말에 소이치로가 멈칫했다. 그리고 그의 그런 모습을 보고 따돌렸으니 안심하라고 말하려는 후코는 이상한 것을 느꼈다. 소이치로의 감지 초점이 자신이 아니라 좀 더 뒤에 있다는 것을 느낀 것이다.

뒤를 돌아본 후코는 문이 열리는 것을 보았다. 그리고 거기서 소이치로가 둘이나 나타나는 것을 보았다. 그 둘이 아마 아까 만났던 소이치로일 것이다.

- 후코, 이리 와!

소이치로가 재빨리 일어나서 후코를 잡아 자신의 뒤로 보냈다. 그리고 자신의 몸을 방패 삼아 친구를 지키려는 듯 앞으로 나섰다. 그 모습에서 후코는 알 수 있었다. 소이치로가 느낀 공포와 경악을.

*

- 팀장님, 즉시 여기로 오셔야겠습니다.

부팀장 아룹의 통신이 심상치 않았다. 단련된 베테랑에게서 동요란 감정이 두뇌 통신을 타고 올 정도면 여간 일이 아니다.

- 즉시 갑니다. 위르겐, 계속 가. 그리고 모니카 잘 지켜. 곧 돌아오마.

지상팀은 강하 후 정해진 루트로 이동하다가 팀을 다시 둘로 나누어, 함내로 들어가기로 했었다. 함선 외부 여기저기에 파괴된 곳이 많아 바깥에서부터 나뉘어 들어가는 게 오히려 빠른 것이다. 동력로 방향으로 가던 빈우는 지시를 내린 뒤 즉시 아룹이 있는 쪽으로 내달렸다. 원래 아룹과 파트리샤 조는 추진기 쪽으로 가기로 했었는데, 도중에 수상한 원주민을 만났다는 말과 함께 방향을 바꾸더니 갑자기 이런 통신을 보낸 것이다.

- 부팀장, 무슨 일입니까?

보통 두뇌 통신을 할 때 팀원이 본 것은 다른 팀원에게 그대로 공유가 된다. 그러나 아룹은 그러지 않고 있었다. 현장지휘관인 빈우에게조차도.

- 직접 보셔야겠습니다.

사태의 심각성을 짐작한 빈우는 서둘러 달렸다. 도착한 곳엔 놀랍게도 연방제 임시거주지가 있었다. 추락한 리퍼 함선으로부터 조금 떨어진 곳에 있는 동굴의 공동에서 인간의 구조물을 만나리라곤 팀원 누구도 생각지 못했을 것이다. 그나마 가능성이 큰 것은 연구 의욕이 넘치는 연구원이 사고를 친 것이겠지만, 아룹의 반응으로 볼 때 안에 있는 인물은 그런 정도가 아니었다.

문은 별다른 보안 장치가 없었고 간단한 조작으로 열렸다. 고위험환경용 거주지인지 문도 3중 에어록이었다. 안으로 들어가자 인간이 맨몸으로 살 수 있도록 환경이 조성된 방이 나왔다.

- **팀장님, 오셨습니까.**

그리고 빈우를 맞이하는 373 팀원들 앞쪽엔 한 명의 인간 남성이 발 가르단 하스 인 하나를 자신의 뒤로 감춘 채 이쪽을 보고 있었다. 그 모습은 마치 373 팀원으로부터 그것을 지키려는 것처럼 보였다.

문제는 그 남자의 정체였다. 그는 바로 연방의 상원의원이자 전 상원의장이었던 이케가미 소이치로인 것이다.

그제야 빈우는 아룹의 행동이 이해가 갔다. 하긴 보통 인간도 아니고 상원의원씩이나 되는 사람이 이곳 보호 행성에, 그것도 리퍼 함선이 추락한 곳 근처에 있다는 민감한 사실을 아무에게나 알릴 수는 없던 것이다. 때문에 아룹은 이것을 팀장인 빈우에게만 먼저 알린 것이리라.

잔뜩 겁먹은 상원의원 앞으로 걸어간 빈우는 잠시 뜸을 들이더니 헬멧을 벗었다. 그리고 자신의 얼굴을 알아본 이케가미 의원의 호흡이 잠시 멈추는 것을 느꼈다.

"기…… 김빈우 소령."

"오래간만입니다. 이케가미 의원님. 여기서 이렇게 뵐 줄은 누가 알았겠습니까."

무표정하게 내려다보는 빈우와 겁에 질려 올려다보는 이케가미 의원의 모습은 참으로 대조적이었다.

- 저기 저 사람, 누구예요?

둘 사이의 심상치 않은 기류를 감지한 파트리샤가 아룹에게 물었다. 보아하니 아룹도 저 이케가미 의원이란 사람을 알고 있는 듯했다.

- 기본 상식은 개인 칩 안에 넣어둬라. 이케가미 소이치로. 연방 상원의원이고 전 상원의장이시다.

- 으엑! 진짜로? 상원의장이라…… 저, 혹시 부팀장님이 모시던 분이셨어요?

- 그래.

상원의장 경호대는 단검뿔 토끼에서 인원을 차출해왔었다. 아룹 라마누잔 원사는 이케가미 소이치로가 상원의장일 때 그의 경호팀에 속했던 적이 있었기에 그를 잘 알고 있었다. 그러나 아룹이 보기엔 자신만이 아니라 팀장인 빈우도 이케가미 의원과 면식이 있어 보였다. 다만 좋은 관계는 아닌 듯했다. 그래도 언제나 당당하고 의연했던 정치계의 거물이 자신의 팀장에게 저렇게 나 꼼짝하지 못하는 것을 본 아룹은 좀 의아해했지만, 자신이 나설 자리가 아니라는 판단을 내렸다. 일단은 빈우에게 자리를 맡기고 가만히 상황을 지켜보는 게 좋을 듯싶었다.

"자리도 권하지 않으십니까?"

빈우는 마치 초대받은 양 손님의 곤란한 미소를 띠고 말했다.

"아…… 앉게."

"감사합니다. 그럼."

이케가미가 떨면서 가리킨 의자를 빈우가 잡고 앉으려고 하자 갑자기 삐걱거리는 소리가 난다.

"아, 죄송합니다. 장갑복을 입고 제가 실례를 할 뻔했군요."

빈우는 너스레를 떨더니 다시 일어나 방 안을 휘 둘러본다. 그는 이 방 안에 들어와 이케가미 의원을 본 다음부터 현재 상황을 이해하기 위해 노력하고 있었다.

055

· · · ◆ · · ·

만약 눈앞에 있는 사람이 일반인이었다면 빈우는 앞뒤 안 따지고 일단 체포해서 강제로 데려갔을 것이다. 그러나 지금은 그럴 수가 없는 게, 상대가 애매하고 상황이 모호하다.

"의원님, 이곳 발 가르단 하스는 보호 행성이라 함부로 들어와선 안 되는 곳입니다. 그건 잘 알고 계시지요?"

빈우의 말에 이케가미 상원의원이 말없이 고개만 끄덕거렸다. 상원의원은 연방의 시민이면 누구나 되는 하원의원과 다르다. 그들은 연방 직할 행성에서 기여도와 인구비례로 후보에 선출된 후 투표로 뽑히며 행성 주지사에 버금갈 정도의 고위직이다. 군 계급으로 따지자면 4성 장군, 대장급에 해당한다. 게다가 이케가미 소이치로가 맡았었던 상원의장은 무려 연방 의전서열 2위, 대통령 바로 다음 자리다. 감히 빈우 같은 일개 소령 나부랭이가 지금처럼 언감생심 잡수작을 걸 만한 지위가 아닌 것이다.

"저는 듣지 못했습니다만, 혹시 의원님께서 이곳에 달리 목적을 가지고 미리 허가를 받고 오신 겁니까?"

예상대로 겁먹은 상원의원이 조용히 고개를 저었다.

"그러십니까? 제가 이끄는 팀은 비밀작전을 위해 제한적인 허가를 받아 이곳에 왔습니다. 자세한 내용을 말씀드리지 못하는 점, 양해해주십시오. 뭐, 정 궁금하시다면야 나중에 정식으로 문의하시면 사령부에서 얼마든지 알려드리겠지요."

현재 상황에선 그 어떤 비밀작전팀이라 할지라도 즉시 이케가미 의원에게 양해를 구하고 정중히 모셔가는 게 상식적인 반응이겠지만, 빈우의 상식은 그러지 않았다. 눈앞의 상황이 수상하다고 경보를 울려대고 있었다. 그렇다면 조심히 파볼 수밖에.

"일단은 규정상 의원님을 모시도록 하겠습니다. 그런데 수행원이나 경호원은 없습니까?"

상원의원이 경호원도 없이 보호 행성에 홀로 있다는 건 좀 수상하지만 어떻게 납득할 수는 있다. 상원의원이라면 각 분야에서 두각을 나타내 연방에 공헌한 사람들이고 그중에는 기행을 벌이는 사람이 꽤 많이 있으니까. 그러나 전임 상원의장이라면 이야기가 다르다. 연방의 기밀과 중요 정책들을 다루었던 터라 직위에서 내려가도 최고 중요 인물이다. 그렇기에 연방 최고의 경호팀이 항시 밀착 경호한다. 그러나 이케가미 의원이나 이 거주지 주변에는 경호팀이나 호위의 흔적이라고는 찾아볼 수 없었다.

"나 혼자일세."

경계하듯 짧은 대답이 수상하다. 더욱이 정상적인 연방 시민이라면 연방 군인들을 이렇게 적대하고 겁먹을 리가 없다. 연방의 고위직인 이케가미 의원이기에 잘 알 것이다. 군인들이 연방의 시민에게 있어 얼마나 든든한 방패인지를, 또한 연방의 적에게 있어 얼마나 잔인한 창인지를. 이케가미 소이치로는 빈우를 자신의 적이라고 생각해서 무서워하는 것일까, 아니면 자신이 연방의 적이라고 생각해서 무서워하는 것일까.

"안심하십시오, 의원님. 저희가 안전하게 모시겠습니다. 그런데…… 등 뒤의 발 가르단 하스 인과는 어떤 관계입니까?"

"자네가 알 필요 없네!"

이케가미 의원이 보인 것은 궁지에 몰린 자가 보이는 성난 반응이었다. 과거의 그였다면 결코 보이지 않았을 반응이다. 눈앞의 이케가미 소이치로는 조금 이상했다. 과거 울토르 프로젝트를 지시했던 철인으로 보이지 않을 만큼. 과거 빈우의 희생과 노고를 치하하며 의욕에 차 프로젝트를 지휘했었던 그는 지금은 무언가 부서진 사람 같다. 빈우는 자신이 잠수하고 있었던 사이, 그에게 대체 무슨 일 일어난 것일까 궁금했다.

"알겠습니다. 이 이상 그에 대해선 물어보진 않겠습니다. 혹시나 해서 여쭤보는 건데 의장님, 아 실례했습니다. 의원님께선 언제부터 여기 계신 겁니까?"

그 질문에 이케가미 의원은 묵묵부답이었다. 그러나 이미 빈우는 이 거주지 컴퓨터에 몰래 접속하여 건축기록들을 대충 훑어본 상태다. 발 가르단 하스에 이 거주지가 최초로 지어진 것은 1년 전이고 도중 여기저기 옮겨졌던 기록이 있다. 그리고 이 동굴로 온 것은 열흘 전이다. 덧붙여 리퍼가 추락한 것은 4주 전이다.

전 상원의장인 상원의원이 수행원도 없이 보호 행성에 잠적해 있고, 우연히 거기로 리퍼 함선을 토끼몰이하고, 또 리퍼들이 타이밍 좋게 루비콘 라인을 지나던 비홀더 전대에 박살 나 행성으로 떨어지고. 이건 절대 우연이 아니다. 누가 철저히 짜놓은 계획이다. 그것이 빈우가 내린 결론이었다.

'그런데 왜? 전 상원의장을 암살하려면 다른 방법도 있을 텐데 이렇게까지 위장할 필요가 있나? 아니면 사고로 위장하려는 걸까? 그렇다면 태스크포스 373이 비밀리에 이곳에 올 이유가 없다. 아니, 애초에 대 리퍼 부대인 373이 창설 초기부터 방해를 받은 이유가 혹시 이것과 관련이 있는 걸까?'

여기엔 더 위험한 것이 있다고, 그것을 빨리 밝혀야 한다고 지식과 경험과 본능이 합창하기 시작했다. 빈우로서는 자신과 팀과 연방을 위해 눈앞의 사내에게서 좀 더 정보를 뽑아내야 했다. 그럴 기회는 지금뿐이었다.

"상황이 상황이니만큼 일단 안전한 곳으로 모시도록 하죠. 셔틀을 여기로 부르겠습니다. 그것을 타고 궤도 상에 있는 저희 배로 가셔서 기다려주십시오. 저희 팀은 작전을 마저 완료토록 하겠습니다."

대답이 없다. 말도 고갯짓도 없다. 이케가미 의원은 등 뒤의 발 가르단 하스 인을 지키며 이리저리 상황을 살피고 있을 뿐이다. 도망칠 궁리를 하고 있지만, 장갑보병 셋을 상대로는 여의치 않겠지.

- **오르 함장님, 비상상황입니다. 지상에서 이케가미 소이치로 상원의원을 발견했습니다. 조속한 회수를 부탁드립니다.**

- **……정말 비상상황이군요. 즉시 셔틀 하나를 내려보내겠습니다.**

블랙 랜스와의 통신을 끊은 빈우는 다시 이케가미 상원의원을 보았다. 상대가 저렇게 경계를 하는 상황이라 빈우는 가볍게 신변 이야기부터 시작해 대화의 물꼬를 트려고 했다. 그렇다면 어떻게든 정보가 될 만한 이야기를 캐낼 수 있을 것이다.

"셔틀이 올 동안은 아직 시간이 있으니 제가 말동무라도 해드릴까요?"

이번에도 아무런 대답이 없다. 그러건 말건 빈우는 자기 얘기를 시작했다.

"이건 벼군요. 의원님께서 예전에 벼농사를 지으셨다는 얘기는 들었습니다."

빈우는 책장으로 걸어가더니 빈 공간에 놓인 사진들 쪽으로 시선을 놓았다. 그가 가리킨 사진엔 끝없이 펼쳐진 논과 젊은 시절의 이케가미 소이치로가 찍혀 있었고, 그 옆으로도 몇 개의 사진들이 진열되어 있었다. 빈우는 그 위로 가볍게 손가락을 쓸고 지나가며 말했다.

"저희 집은 보리농사를 했습니다."

아직 이케가미 의원은 아무런 반응이 없었다. 다만 아룹 부팀장의 동요가 미약하게 전해진다. 아마도 과거 모셨던 전 상원의장이 빈우에게 치이고 있으니 심기가 조금은 불편할 것이다.

"전설의 보릿고개 아십니까? 가을에 수확했던 벼가 다 떨어지고, 아직 보리가 여물지 않은 봄의 춘궁기를."

장갑복의 손가락이 동료 의원들과 찍은 사진을 지날 때도 상대는 아무런 반응이 없었다. 그저 경계하는 눈빛으로 빈우를 볼 뿐이다.

"어릴 때 전 이해가 안 갔습니다. '사시사철 동서남북으로 보리가 나는데 왜 보리가 없을까, 벼란 작물이 그렇게 귀한 것인가' 하고 말입니다."

가볍게 웃는 빈우의 손가락이 여러 사진을 지나칠 때 소이치로의 눈에서 약간의 흔들림이 일었다. 정보요원의 광각시야는 그걸 놓치지 않았다. 그리고 그가 반응했던 시점의 사진으로 손가락을 되돌려 그것을 집어 들었다. 사진 속에는 볏단을 한가득 안고 빠진 앞니를 자랑하듯 함박웃음을 짓는 여자아이가 있었다. 아마도 가족사진이겠지.

"혹시 따님인가요?"

"딸은 관계없어!"

발작적으로 튀어나온 비명에 오히려 중무장한 팀원들이 압도될 지경이다.

"죄송합니다. 제가 모르는 사이 의원님의 심기를 불편하게 만든 모양입니다. 다시 한 번 사과드립니다."

빈우는 그를 안심시키려는 듯 사진 속 여자아이처럼 함박웃음을 지으며 왼손에 든 사진을 조심스레 내려놓았다. 동시에 눈에 안 띄게 오른손으로 허리춤에 달린 진동 나이프의 안전장치를 풀면서 이케가미 의원이 아까 권했던 의자에 털썩 주저앉았다. 빈우의 거친 몸동작과는 달리 의자에선 아무런 소리도, 흔들림도 나지 않았다. 숙련된 장갑보병이라면 누구나 다 할 수 있는 묘기다.

"의자가 튼튼하군요. 좋은 의자입니다."

그리고 쓰다듬던 의자를 약간 당겨 앉으며 허리를 숙였다.

"의원님. 무얼 그리 경계하시는 겁니까? 저희는 해적이나 외계인 같은 적이 아닙니다. 연방의 시민들을 지키는 군인들이죠."

그리고 빈우가 다시 허리를 일으킬 때 안전장치를 푼 진동 나이프가 땅바닥으로 떨어졌다. 빈우의 말과 이케가미 의원의 거친 숨소리만 들리는 조용한 장내에 강렬한 금속성 소음이 울려 퍼진다.

"아니, 이런 실수를. 죄송합니다."

빈우는 웃는 낯으로 천천히 나이프를 주워 올렸다. 그리고 웃음기 하나 없이 차가운 눈동자로 그들을 바라보았다. 그것들이 이케가미 의원을 향했는지 그 뒤의 발 가르단 하스 인을 향했는지는 알 수 없다. 아니면 둘 다일 수도 있고.

"그냥 칼입니다."

빈우는 자신의 실수를 감추려는 듯 어색한 미소를 지으며 설명했다.

"제가 예전에 한번 보여드리지 않았던가요?"

분명히 빈우는 진동 나이프 사용법을 시연한 적이 있다. 몇몇 의원들 앞에서 포로가 된 위은쓸납학을 도륙했고 그 모습을 본 이케가미 의장은 대단히 감탄해서 손뼉까지 쳤었다. 그러나 지금 눈앞의 이케가미 소이치로는 서서히 무너지고 있었다. 무엇이 인간을 저렇게까지 바꾸었을까? 나이프를 갈무리하는 빈우의 속마음이었다.

잠시 불편한 침묵이 흘렀다. 아룹은 비밀 팀이라는 이유로 자신의 정체를 드러내지 않은 걸 후회했다. 자신이 얼굴만 보였어도 전 상원의장이 저렇게까지 겁먹을 리는 없었을 것이다. 의장 임기 후반기에 교대로 경호팀으로 들어가 짧은 시간이지만 가까운 거리에서 지냈기에 아룹과 이케가미는 제법 각별한 사이다.

그러나 지금 아룹의 소속은 태스크포스 373이며 그의 직속 상관은 과거에 모셨던 경호대상을 서서히 죄어가고 있는 김빈우 소령이었다. 그의 말과 행동은 나름 정중했지만, 그 속에 숨은 의도는 명백히 협박이었다.

"아무튼, 4주 전의 대형사고로부터 무탈하셔서 다행입니다."

그때 이케가미 의원이 반응했다.

"그 폭발……."

빈우는 경청하겠다는 듯이 전 상원의장에게 집중했다.

"네, 말씀하실 것이라도……."

"그때의 폭발. 네놈들의 짓이었나?"

낮은 으르렁거림과 불꽃 튀는 눈빛. 전 상원의장은 오래간만에 자신의 박력을 드러내고 있었다. 과거 연방의 이인자로서 의회를 휘어잡았던 면모가 조금이나마 드러나자 세 명의 장갑보병들이, 또 주도권을 잡으려던 빈우가 잠시 위축된다. 그러나 거기까지 갈 것도 없다. 연방 민의의 대변자이자 의회의 일원인 상원의원이 강하게 나온다면 무력단체의 중간 계급에 불과한 빈우는 고개를 숙일 수밖에 없다. 오히려 지금 빈우처럼 배 째라 식으로 나대는 게 미친 짓이다.

그러나 빈우의 눈에는 그의 한계가 여실히 보였다. 과거의 이케가미 상원의장은 결코 자신의 권력을 내세워 상대를 압박하지 않았다. 적을 굴복시키려 하지 않았다. 이케가미 소이치로는 그저 제자리에 서서 자신의 의지를 관철해나갈 뿐이었다. 마치 태산같이 굳건한 그의 위용에, 적들은 부딪히다 스스로 무너지거나 자신의 한계를 깨닫고 물러났었다.

빈우도 그런 이케가미 의장에게 압도된 적이 한두 번이 아니었다. 과거 빈우는 반복되는 고된 작전과 면종복배하는 군사정보국의 풍조에 차츰 피폐해져만 갔다. 시간이 흐를수록 타고난 반골 기질이 점차 머리를 치켜들었고 윗사람들과 자주 치고받았었다. 그런 빈우였지만 단 한 사람, 이케가미 상원의장에게는 결코 이를 드러내지 않았었다. 이는 감화되거나 복종, 충성하는 것이 아니었다. 이길 수 없는 상대에게 덤비지 않은 것뿐이지.

'그랬던 걸물이 지금은 이렇게 영락해버려 내가 얼핏 보인 송곳니에 이토록 과민반응을 보이다니⋯⋯.'

그런 생각이 빈우의 대답을 약간 늦추었다.

"아닙니다. 4주 전의 사건은 저희 팀이 한 일이 아닙니다. 저와 제 팀은 당시의 사고를 뒷수습하기 위해 여기로 파견된 겁니다."

"그럼 누가 한 일인가?"

한숨 가다듬은 이케가미는 서서히 자신의 옛 모습을, 자신의 페이스를 찾아가려 하고 있었다.

"그건 말씀드릴 수 없습니다."

"상원의원인 내게도?"

"직급이 아니라 권한의 문제입니다. 아까 말씀드렸다시피 정식으로 신청하시면 얼마든지 정보 열람이 가능할 겁니다."

슬쩍 화살을 피한 빈우를 노려보던 이케가미 의원이 잠시 생각을 하다가 다시 질문한다.

"자네는 이 행성에서 대체 무슨 일이 일어났는지 알고 있나?"

질문의 페이스가 저쪽으로 넘어간 듯하다. 하지만 '나는 답을 원한다'가 아니라 '같이 답을 알아보자'는 뉘앙스다. 애초에 말 상대를 해주겠다고 한 것도 있고 펌프에서 물을 뽑아내려면 처음에는 물을 부어줘야 한다.

"알고 싶으십니까?"

"자네들 말버릇 중에 이런 게 있었지? 어차피 우리는 연방을 위해 일하지 않나?"

알다마다. 방금 그가 한 말은 정보사령본부 직원들의 상투적인 어투다. 다음에 이어질 말과 함께.

"우리들 사이에 비밀이 있을 순 없지 않은가?"

기브 앤드 테이크가 성립일지는 앞으로의 대화에 달렸다. 빈우가 조심스레 다음 대답의 첫 단어를 고르고 있을 때 동력로 조에서 통신이 들어왔다.

- 팀장님! 이것 좀 보십시오.

모니카의 다급함이 통신 너머로 느껴진다. 그러나 어지간한 일이 아니면 지금 빈우의 눈앞에 있는 일을 마무리짓는 게 우선이다.

- 모니카, 잠시만. 지금 중요한 일이 있어.

- 팀장님, 이쪽도 중요합니다.

그쪽도 꽤 급했는지 모니카는 빈우의 말을 끊고 통신을 하고 있었다.

- 이 리퍼 함선에 동력 반응이 없습니다.

모니카가 공유한 화면에는 리퍼 함선의 동력로가 있어야 할 자리에 아무것도 없었다. 함선 내부 구조물이 깨끗하게 사라진 흔적은 반물질 폭탄의 쌍소멸이 이곳에서 일어났음을 알려주고 있다. 확실히 당시의 기록을 보면 비홀더 전 대원 세 명은 반물질 폭탄을 가지고 각각 동력로, 추진기, 무기고로 갔었고 그다음 함선을 발 가르단 하스로 추락시키며 폭탄을 기폭시켰었다. 그 정도 반물질 폭탄이 내부에서 터졌다면 함선은 당연히 작동 불능의 껍데기만 남았을 것이다.

하지만 태스크포스 373은 발 가르단 하스 항성계에 일어난 이상 현상을 직접 확인했다. 그렇기에 추락한 리퍼 함선을 가장 가능성 큰 원인으로 보았었다. 그러나 직접 확인한 리퍼 함선에는 동력로가 없었다. 그렇다면 도대체 무슨 원리로 발 가르단 하스에 이런 현상이 일어난 것일까. 첩첩산중에 점입가경이다.

- 다른 동력로는 없나?

빈우는 서둘러 질문했다. 일이 이렇게 되면 원래의 계획을 대폭 수정해야
한다.

- **리퍼 함선도 기본 설계 사상은 다른 샤다이의 함선과 같아서 구조를 추측할
  수 있습니다.**

모니카가 함선의 내부 구조 추측도를 빈우에게 보내온다.

- **하지만 어느 곳에서도 동력 반응이 없습니다. 지금 이 함선은 완전히 죽은
  상태예요. 뽑아낼 자료나 장비들이야 있긴 하지만 배 자체는 완전히 파괴된
  껍데기란 말입니다.**

빈우가 직접 보지 않았지만, 모니카가 그런 것이라면 그런 것이다. 샤다이
에 대한 안목은 연방에서도 수위에 꼽힐 그녀다.

- **좋아. 일단 전투 정보실이나 자료실부터 훑어서 자료부터 회수한다. 장비나
  자재는 챙길 수 있는 데까지만. 비컨은 포기해. 견인은 나중에 상황이 안정
  되면 한다.**

팀장의 갑작스러운 계획 변경에 팀원들은 의아해했지만, 곧 이해할 수 있
었다. 빈우가 자신의 판단을 팀원 전원에게 공유한 것이다. 작금의 발 가르
단 하스 행성계에서 일어난 이상 현상을 실제로 실현할 수 있는 종족은 현재

로션 샤다이뿐이다. 그러나 그게 여기 있는 함선은 아니다. 그렇다면 답은 하나. 다른 샤다이가 이 근처에 있거나 최소한 발 가르단 하스 행성계에 있다는 뜻이다. 그리고 놈들에게 행성계 정도의 거리는 순식간에 이동할 수 있다.

- 혹시 매복일까요?

- 글쎄요, 그 어벙한 우주 엘프들이? 하지만 리퍼라면 가능성이 있겠습니다. 그놈들은 제법 싸울 줄 아니까. 하지만 이케가미 의원님이 여기서 1년 동안 살았다는 것을 보면 또 매복은 아닌 거 같고……. 흠, 확실치는 않네요.

부팀장의 의견은 일견 타당해 보이지만 빈우는 부정했다.

- 아, 확실한 건 하나 있습니다.

- 뭡니까?

- 빨리 일 끝내고 튑시다.

어찌 되었건 시간을 지체할 여유가 없다. 이제 빈우와 파트리샤는 모니카와 위르겐과 합류해서 회수작업을 마무리지어야 하고, 아룹은 이케가미 의원을 데리고 먼저 블랙 랜스로 올라간다.

"아룹 부팀장. 지금 즉시 이케가미 의원을 모시고 셔틀로 귀환하세요."

아룹은 빈우의 음성 명령을 듣고 자신의 헬멧을 열었다. 이름을 불렀다는 것은 이케가미 의원에게 성체를 드러내라는 의미다.

"넷, 팀장님."

그라인더의 헬멧이 열리고 오래간만에 보는 지인의 얼굴에 이케가미 의원의 눈이 동그래진다.

"아, 아룹 원사."

"오래간만입니다. 의원님. 이제 제가 모시겠으니 안심하십시오."

안심하라는 의미로 아룹의 정체를 밝혔건만, 이케가미 의원은 오히려 아룹마저 두려워하는 시선으로 보고 있었다. 과거 이케가미의 경호를 했던 아룹이었지만 그가 빈우의 부하라는 사실에 경계를 풀지 못하게 하는 것이다. 인필트레이터의 헬멧 너머로 '당신, 대체 무슨 짓을 한 거요'라는 시선이 빈우에게 날아왔지만 바쁜 팀장은 무시했다.

지금 빈우는 지상팀이 타고 왔던 셔틀에 명령을 내리고 있었다. 셔틀은 협곡의 그늘을 타고 저공비행을 하다가 능선 너머에서 대기하도록 했고, 화물칸에 실린 보행 전차 라이노 2기는 능선에 걸치게 착륙, 엄폐시킨 다음 언제든지 발포 가능하도록 준비했다. 다음은 궤도 상의 블랙 랜스와 연락을 했다.

- 오르 함장님, 주변과 지상의 경계를 강화해주십시오. 추락한 리퍼 함선 외에 샤다이가 있을 가능성이 큽니다.

- 알겠습니다. 하지만 너무 기대하지는 마십시오.

오르 함장의 말대로 샤다이가 모습을 감추고 있으면 현재의 연방 기술로는 감지가 불가능하다. 저출력의 공격을 광범위하게 퍼부어 형태를 드러내게 하는 것은 가능해도 궤도 상에서 그런 것을 하기란 불가능에 가깝다. 빈우는 마지막으로 상공의 롱소드를 호출했다.

- 우지. 주변에 수상한 점은 없나?

- 폭풍 때문에 레이더나 센서는 전부 먹통입니다.

숙련된 파일럿이라면 이런 악천후 속에서도 기류 변화를 읽어서 은신한 샤다이를 찾을 수 있지만, 아직 경험이 일천한 녀석에게는 무리다.

- 알았다. 우리 머리 위로 선회하다가 샤다이나 수상한 게 있으면 명령 없이 바로 쏴라.

- 어, 알겠습니다.

우지는 빈우가 '수상한 것'이라고 덧붙인 게 발 가르단 하스 인이 아니길 빌면서 지상에 신경을 집중했다.

- 팀장님. 전 어떻게 할까요?

자신에게는 아무런 지시가 없자 위르겐이 물어온다.

- 위르겐, 넌 모니카를 지켜라. 개 털 한 가닥 뽑힐 때마다 네놈 모가지가 한 번씩 뽑힐 거다.

- 네넵.

당황해서 버벅대는 위르겐의 대답 뒤로 바삐 서두르는 듯한 모니카의 말이 들려온다.

- 위르겐, 다음부터는 누나가 꼭 제모하고 올게.

샤다이가 언제 튀어나올지 모르는 상황 하에 단둘이서 자료를 회수하는 와중에도 모니카는 농담을 던진 것이다. 두뇌 통신으로 지상팀원들이 저마다 실소하는 게 느껴지는 것도 잠시, 그들은 곧 행동에 나섰다.

"일단 나가자."

동굴 안의 거주지에 있어봤자 막다른 골목에 짱박혀 샤다이를 기다리는 것 빼곤 할 게 없으니 밖으로 나가기로 했다.

"의원님, 서두르십시오."

아룹이 이케가미 의원을 모시려고 손을 내밀자 그는 움찔하면서 한 발 뒤로 물러섰다.

"안심하십시오. 제가 안전하게 모시겠습니다. 어서요."

아룹의 간절한 재촉에도 이케가미 의원은 선뜻 나서지 않았다. 그러다가 간신히 입을 열었다.

"나, 나는 가지 않겠네."

"의원님."

과거의 경호원이 애타게 말해도 상원의원은 고집을 굽히지 않았다.

"난 아직 여기서 해야 할 일이 있어. 그토록 고대해서 기다렸던 일이 드디어 결실을 보는 순간이 바로 지금이야. 여길 뜰 수는 없네."

떨리는 목소리지만 단호한 거절이다. 하지만 지금은 그런 것을 받아줄 여유가 없었다.

"부팀장, 모십시다."

"네!"

팀장의 명령에 아룹이 냉큼 다가가 이케가미 의원을 잡아 올렸다.

"의원님, 실례하겠습니다."

그러더니 의원의 우주복을 잠그고 헬멧을 씌운 다음 바로 등 뒤에 둘러맸다. 이어 떨어지지 않게 —풀지 못하게— 탄소섬유 로프로 단단히 묶는 것으로 마무리했다.

- 뇌! 뇌라! 무례하다.

통신이 연결되고 처음 들려온 것은 이케가미 의원의 노호였다.

- 네네, 무례하죠. 상황이 이러니 무례를 범하겠습니다. 너그러이 용서해주십시오.

빈우가 이케가미 의원을 마주 보며 그렇게 말할 때 구석에서 꿈틀거리던 발 가르단 하스 인이 움직였다. 그리고 동시에 빈우의 코일건이 그것을 겨눴다. 빈우는 결코 쏠 마음이 없었다. 단지 원주민의 움직임에 반사적으로 움직였을 뿐이고, 겨눈 다음에도 위협하려고만 했다. 그러나 후코는 빈우의 너무나 빠른 움직임을 눈치채지 못했고, 알아챈 다음에도 코일건의 정체를 알지 못했다.

'엄청난 전력이 모여 있네.'

후코는 코일건의 배터리에 —그 전력에— 구미가 당겼다. 그리고 그 회로를 따라 코일에 모인 자기장 또한 궁금했을 뿐이다. 그리고 코일건의 총신에 후코의 신경을 집중한 순간. 코일건이 발사되었다. 발 가르단 하스 인이 관통당한 구멍에서 가스를 뿜으며 주저앉았다.

- 후코? 후코오오!

이케가미 의원이 비명을 지르며 발버둥을 친다. 그리고 장갑보병 셋은 어안이 벙벙해져 있다.

- 이거, 팀장님이 쏜 거 아니잖아요?

두뇌 통신으로 연결된 팀원들은 안다. 빈우가 쏠 생각조차 하지 않았다는 것을. 그러나 코일건이 저절로 발사된 것이다.

- 이 살인마들! 그만해! 죽이지 마! 내려줘! 날 내려줘! 아직 살릴 수 있어!

- 팀장님?

아룹의 곤란한 시선에 빈우는 고개를 끄덕였다. 바닥으로 내려온 이케가미 의원은 즉시 발 가르단 하스 인에게로 달려갔다.

- 후코! 후코!

이케가미 의원은 공구를 꺼내더니 후코라 불린 발 가르단 하스 인을 고치기 시작했다. 능숙하진 않지만, 문외한의 솜씨도 아니다. 이케가미 소이치로는 그간 발 가르단 하스 인과 꽤나 교류를 쌓아온 모양이다.

- 아아, 다행이다. 부유낭만 상했어.

잠시 후 응급처치가 다 끝난 모양인지 이케가미 의원은 공구들을 내려놓고 빈우를 올려다보았다. 우주복의 너머로 확실히 느껴질 적의가 일렁거리고 있다.

- 자네들은 언제나 이런 식이지. 일단 총을 겨누고, 그리고 쏘고, 죽여. 가르단 도! 이제 발 가르단 하스는 끝이야. 네놈들 때문에.

- 의원님. 맹세컨대 저는 총을 쏘지 않았습니다.

빈우가 무미건조한 대답을 할 때, 그 대답을 거드는 이가 있었다.

- 맞아, 소이치로. 내가 실수한 거야.

- 후코, 정신이 들어?

이케가미 의원이 발 가르단 하스 인에게 시선이 쏠렸을 때, 장갑보병의 시선들도 서로에게 모였다.

- 아아, 마이크 테스트. 이거 기밀 통신 맞죠?

파트리샤의 음성 통신대로 373 팀원들은 두뇌 통신 외에도 음성이나 영상 통신을 쓴다. 당연히 보안은 확실하다. 그런데 방금 발 가르단 하스 인의 말이 373 팀원의 음성 회선 보안을 뚫고 들어와 울려 퍼진 것이다.

- 발 가르단 하스 인이 전자기장으로 사물을 감지한다고는 했는데…… 설마 방금 것도?

자신의 코일건을 내려다보는 빈우의 혼잣말은 방금의 의혹을 되새겨보는 것이다. 그리고 이번에도 후코라 불린 발 가르단 하스 인이 빈우의 의혹을 풀어주었다.

- 응. 내가 호기심에 회로도를 보다가 그렇게 된 거야. 미안해.

약하지만 또렷한 후코의 말에 이케가미 의원은 안정을 되찾았다.

- 그래, 그랬구나.

잠깐 후코의 상태를 보던 이케가미 의원이 일어서더니 빈우에게 고개를 숙였다.

- 미안하네, 김 소령. 내가 흥분해서 못 볼 꼴을 보였군.

- 아닙니다, 의원님. 먼저 총부터 겨눈 제게도 잘못이 있습니다.

기밀 회선에 멋대로 끼어드는 것도 모자라 손도 대지 않고 타인의 회로에 간섭할 수 있는 종족이라면 경우에 따라 굉장히 위험한 종족이 된다. 지구제국의 데이터베이스에 있을 만했다. 그러나 지금 중요한 것은 그런 게 아니다.

- 의원님. 이제 더는 지체할 시간이 없습니다. 가셔야 합니다.

빈우가 다시금 재촉하자 이케가미 의원은 어쩔 수 없이 일어섰다. 그러면서 바닥에 누운 발 가르단 하스 인에게 당부했다.

- 후코, 난 반드시 돌아올게. 그러니까 꼭 좀 전해줘.

- 응. 꼭 전할게. 그리고 답을 받아서 소이치로에게도 꼭 전할게.

후코는 아직 떠오르지는 못했지만 또렷한 전파로 자신의 의사를 전달했다. 일행이 발 가르단 하스 인을 거주지에 홀로 남기고 동굴 바깥으로 달려나가자 때마침 대기권을 돌입한 셔틀이 강풍을 가르며 착륙 지점으로 날아오고 있었다. 그때 몇 줄기의 플라스마가 날아와 셔틀을 덮친다. 고온의 플라스마에 얻어맞은 셔틀이 폭우 속의 솜사탕마냥 녹아 흩날린다.

- 샤다이다!

연방의 셔틀을 저렇게 엉망진창으로 날려버리는 플라스마가 샤다이 함선 근처에서 날아오는 상황이니, 적이라고 해봐야 샤다이밖에 더 있을까. 지상 팀원은 강풍 속에서 엄폐물을 찾아 숨으며 주변을 경계했다.

- 우지! 사격 궤도 역산해서 바로 때려!

- 죄송, 하고 있습니다.

샤다이를 놓친 실수를 만회하려는 듯 상공에서 롱소드가 거칠게 내려꽂히며 대지 공격무기들을 샤다이에게 신나게 쏟아부었다. 빗발친 공대지 폭탄과 레일건이 해당 지역을 문자 그대로 뒤집어 엎어버렸다. 발포 암석군이 폭발해 하늘로 솟구치고 땅에서 뿜어나오는 산성 구름이 다시 주변을 휩쓴다. 우지의 롱소드가 파악한 샤다이의 지상 병력은 스팸 45기 정도. 방금 롱소드가 퍼부은 공격이면 제법 만만치 않은 피해를 입혔을 것이다.

- 오르 함장님. 지원 포격 가능합니까?

- 안 됩니다, 팀장님. 너무 가깝습니다.

블랙 랜스도 스팸의 무리를 포착했지만, 지상팀으로부터의 거리가 너무 가까웠다. 포격의 위험 범위 안에 들어간 것이다.

- 괜찮습니다. 제가 필요하면 연락을 드리죠. 일단 블랙 랜스부터 지키십시오.

롱소드와 블랙 랜스에서 보내온 자료를 취합한 빈우는 그것을 다시 능선 너머에서 대기하고 있던 라이노 2기에 보냈다. 라이노의 대구경 코일건은 준비 만반의 태세였지만 표적 주변에 암석이 많아 사선에 집어넣지는 못했다. 다음으로 빈우는 리퍼 함선 내부 팀을 호출했다.

- 위르갠, 샤다이다. 넌 모니카를 지켜. 근처에 아무것도 얼씬 못하게 해. 모니카, 어떻게 되어가나?

- 일단 복사본을 만드는 중입니다.

빈우가 보고 있는 방향—방금 우지가 공격했던 방향—에서 조금 이상한 풍향이 감지되었다. 얼기설기 기대진 암석 기둥군 방향이다.

- 얼마나 걸려?

빈우는 코일건을 겨누며 두뇌 통신으로 그 사실을 주변 팀원들에게 알렸다.

- 45분, 아니 한 시간이면 됩니다.

너무 길다. 포기하고 빠져나가는 게 나을 수도 있다.

그때 암석 기둥 아래 곳곳에서 스팸들이 강풍을 헤치며 모습을 드러냈다. 아까 롱소드의 공격을 받고도 살아남은 샤다이들이 지상팀 쪽으로 다가오는 중이었다. 지상팀은 놈들을 포착했지만, 초속 50m를 넘는 강풍 탓에 저질량, 고속의 코일건으로는 유효타를 날릴 거리가 아니라 아직 사격을 개시하지 않았다. 대신 그 위로 우지의 롱소드가 텅스텐의 쑥과 우라늄의 대나무를 심으며 지나갔다. 동일한 숫자의 연방 장갑보병이면 대번에 스파게티 소스가 되었을 법한 폭력의 괭이질이다. 하지만 스팸들은 아직도 반수 이상이 살아남아 동굴 입구를 감싸오고 있었고, 롱소드를 향해 반격을 개시했다. 압도적인 기술력 차이다.

- 우지 잘했다. 이제 궤도 상으로 귀환해.

- 네? 안 됩니다. 적이 아직 너무 많습니다. 지상 지원을 계속하겠습니다.

상공에서 보면 지상의 상황이 확연하다. 그 많은 폭탄과 무기들을 쏟아부었건만 스팸들은 많이도 살아남아 아군에게로 쇄도하는 중이다. 우지는 남은 우주전 무장으로는 지상전에서의 효율이 떨어지는 것을 알지만, 지상팀의 지원을 계속할 생각이었다.

- 대지 무장은 떨어졌지만, 놈들을 곤란하게 만들 수는 있습니다.

- 아, 그래. 분명히 놈들이 곤란해하겠지. 낙동강 오리 알이 된 지상팀을 쪄 먹을지 구워 먹을지 고민하면서 꽤 곤란해할 거야.

빈우가 말한 농담의 의미를 파악한 우지는 즉시 기수를 하늘로 향했다. 지상에 샤다이가 나타난 이상 우주에도 샤다이가 나타난다. 그러니 롱소드는 모함인 블랙 랜스를 지켜야 하는 것이다.

- 팀장님. 건투를 빕니다!

- 건투는 씨발, 개싸움이지.

투덜대는 지상팀을 뒤로하고 대기권을 돌파하던 우지는 팀장의 선견지명을 저주하며 비명을 질렀다.

- 샤다이가 점프해 옵니다!

한숨을 쉰 빈우가 고개를 들자 궤도 상에 샤다이의 점프 반응이 보였다. 블랙 랜스에서도 오르가 통신을 보내온다. 포착한 정보도 같이. 샤다이 함선들이 블랙 랜스 주변으로 점프해 온 것이다.

- **전열함 7. 모니터함 3.**

- **제길⋯⋯.**

오르 함장의 보고에 빈우가 욕지거리를 했으나 누구도 그를 탓하지 않았다. 다행히 놈들이 점프해 온 방향이 중구난방이라 블랙 랜스를 포위하지는 못했다. 빈우는 서둘러 오르를 호출했다.

- **함장님. 대지 지원 포격, 언제까지 가능하겠습니까?**

- **요청이 빠르면 빠를수록 가능성이 크겠군요.**

샤다이 전열함 좌우의 수많은 포들은 연방 전함의 주포를 능가하고, 모니터함의 거대 주포는 일격에 연방 전함을 소멸시킨다. 그런 놈들이 합쳐서 10척. 제아무리 어리바리 우주 엘프를 상대로 하는 롱 훅 프로젝트의 블랙 랜스라지만 답이 없는 상황이다.

- **부유 포대 2기만 어떻게 안 되겠습니까?**

- **어떻게든 해보죠.**

마침내 발 가르단 하스의 땅과 하늘에서 전투가 시작되었다.

057

・・・✦・・・・

스팸들이 암석 기둥에서 나와 차츰 이쪽으로 접근해 왔다. 얼마 지나지 않아 마침내 반대쪽 능선 위에 대기하고 있는 라이노의 사선에 들어갔다. 그런데 그 각이 좀 애매하다. 라이노-스팸-지상팀. 이렇게 일직선이 돼버린 것이다. 평상시라면 몰라도 강풍이 심한 이곳에선 원형공산오차가 워낙에 커져, 이대로 쐈다간 아군 라이노의 포격에 지상팀이 맞을 수도 있다. 재수 없으면.

- 나 이렇게 제대로 못 박는 남자 별론데.

두뇌 통신으로 배치도를 본 파트리샤의 핀잔에 빈우도 투덜댄다.

- 우리 인생이 원래 이렇지. 이제 빼도 박도 못해.

아군의 화망 안에 들어가는 것은 언제나 기분이 더럽다. 라이노는 장갑보병 네 명이 들어가는 강하 포드에 2대가 들어가는 화력 지원용 4각 보행 전차다. 등 뒤에 달린 2연장 코일건에서 뿜어져 나오는 중거리 펀치력은 소총수 사양의 어벤저 4기보다 우세하다. 그러나 아까 반려되었던 구축함의 궤도 포격이 장갑보병 따원 보자마자 국립묘지까지 퀵 배송으로 보내준다면, 라이노의 2연장 코일건은 살기 위해 발버둥 치는 정도까지는 너그럽게 봐준다. 하지만 지금같이 샤다이가 포위망을 펼친 상태라면 찬밥 더운밥 없다.

라이노의 인공지능은 현재의 기상 상황과 피아간의 거리를 계산한 다음, 지상팀이 포격의 위험 범위 안에 들어간다고 경고했다. 그러나 빈우는 포격을 강행했다. 곧이어 강풍 속임을 감안한 중질량의 탄두가 날아와 스팸 무리

속으로 착탄한다. 폭발에 휘말려 날아가는 스팸들이 보이지만, 이 새끼들은 직격이 아닌 파편과 폭풍에는 그다지 피해를 입지 않는다. 그러나 방어막이 무너졌으면 그것으로 충분하다. 방어막의 푸른색 섬광이 있는 놈은 저격대 상에서 제외. 장갑에서 노랗고 붉은 스파크가 튀는 놈들이 대상이다.

- 사격 개시.

빈우가 설정해준 표적에 지상팀의 대전차 사격이 날아가 꽂힌다. 거의 동시에 세 명의 저격을 받은 스팸 하나가 산산조각이 나 강풍에 휩쓸려 사라졌다. 이어지는 라이노의 포격에 재수 없이 직격당한 놈은 푸른색 팝콘이 된다.

- 가만, 저들 혹시 샤다이가 아닌가?

음성 통신 회선으로 경악에 찬 이케가미 의원의 비명이 울려 퍼진다. 강화 시술을 받지 않은 일반인에다 전투 정보를 공유하지 않으니 알아채는 게 늦은 것이다.

- 안 돼! 지금은 샤다이와 싸울 때가 아니야. 멈추게.

연방의 상원의원 중엔 머릿속이 꽃밭인 사람들이 제법 있다는 소리를 심심치 않게 들을 수 있긴 했지만 이케가미 소이치로는 주전파의 선두였다. 더군다나 의장 시절엔 울토르 프로젝트의 시동을 건 장본인이기도 했다. 그랬던 _그_가 이렇게까지 달라진 태도를 보인다면 그간 대체 무슨 일이 있었는지 궁금하다. 아니 의문스럽다.

- 부팀장. 의원님이 언제부터 평화주의자가 되셨죠?

아룹은 이케가미 의원의 경호원을 했던 경력이 있는 만큼 그의 변화를 곁에서 봤을지도 모르기에 한 빈우의 질문이다. 그는 그러면서도 다시 일어나려는 스팸의 뒤통수에 코일건을 쏴 고꾸라뜨린다. 그리고 재수 없는 방어막의 반응을 보고 혀를 찬다.

- 씨발, X나 안 죽네.

- 그럼 제가 마무리를……. 저도 저런 모습은 지금 처음 봅니다.

빈우가 넘어뜨린 녀석의 마무리는 아룹이 했다. 넘어져 바둥대는 놈의 뒤통수에 또다시 명중탄을 날리다니 대단한 실력이다. 그러나 그런 아룹에게도 이케가미의 이런 모습은 금시초문인듯했다.

- 저, 혹시 말인데요.

파트리샤는 머뭇거리면서도 라이노의 포격이 비는 사이사이에 레일건으로 저격을 했다. 샤다이가 함부로 못 움직이게 발을 묶는 것이다. 그래도 쪽수가 워낙에 많아 슬슬 저쪽으로부터의 반격이 시작된다. 시즐러에서 뿜어진 고온의 플라스마가 이쪽의 지상팀과 저쪽의 능선으로 발사된다. 명중된 자리를 녹이고 증발시키기에 엄폐가 딱히 의미가 없지만, 그래도 지상팀은 살기 위해 아등바등 숨는다.

- 파트리샤, 뭐가?

- 아, 뭐랄까. 말해도 돼요?

그녀가 차마 말하지 못할 것이라면 꽤 민감한 얘기일 것이다. 빈우도 그게 뭔지 대강은 짐작이 갔다. 바로 샤다이의 정신공격. 이케가미 의원의 급작스러운 태세 전환이 혹시 샤다이에 의한 것이 아닐까 하는 것이다.

- 그거라고 보기엔 정신이 워낙 말짱하신데.

빈우는 자신에게 매달린 이케가미 의원을 흘깃 돌아보았다. 그는 빈우의 팔을 붙잡고 흔들며 흥분해서 소리친다.

- 멈춰! 어서 전투를 멈추라고.

헬멧 너머로 전투 중지를 호소하는 모습을 보니 정신공격에 당한 것 같지는 않아 보인다.

- 의원님. 지금 전투를 멈추려고 노력 중입니다.

다시 시선을 악마의 똥구멍으로 향한 빈우는 암석군을 넘어 돌격하던 스팸의 다리에 코일건을 쏴 넘어뜨렸다. 그 뒤로 기다렸다는 듯 라이노의 포격이 꽂힌다. 팝콘 하나 또 완성.

- 자, 전투 중지에 조금 더 가까워졌습니다.

말로는 농을 던지고 있으나 빈우는 각종 센서로부터 들어오는 정보로 현

상황을 면밀히 살피고 있었다. 라이노의 포격과 지상팀의 사격으로 발생한 진동으로 주변의 지반 상황을 파악하는 것이다. 발 가르단 하스는 고밀도의 중금속 구름 위에 발포 암석이 떠 있는 지형이다. 너무 사격전이 과열되면 자칫 지반이 붕괴할지도 모른다. 대강 주변의 상황을 파악한 빈우가 자기 팔에 매달린 이케가미 의원을 흘깃 보더니 말했다.

- **이케가미 상원의원님. 전투 중에는 제 지시를 따라주십시오. 부팀장!**

- **옙! 의원님, 제 뒤에 계십시오. 절대 앞으로 나오시면 안 됩니다.**

아룸 부팀장이 다가와 이케가미 의원을 비교적 안전한 곳으로 대피시켰지만 그게 무의미할 정도로 샤다이의 반격은 점차 과열되어갔다. 그쯤 해서 2기의 라이노는 능선 너머로 들락날락하며 얄밉게도 장거리 포격을 날렸다. 지상팀은 서서히 후퇴 준비를 했다. 궤도 상에서 벌어지고 있는 블랙 랜스와 샤다이와의 함대전은 승산이 없으니, 한시라도 빨리 이 발 가르단 하스에서 도망쳐야 한다. 빈우가 시선을 위로 향하자 화력과 숫자에서 압도적인 샤다이 함대를 상대로 악전고투를 벌이는 블랙 랜스가 들어온다.

'아나스타샤.'

가슴이 먹먹하다. 주인을 잘못 만난 그녀는 위험 속에서 무력하게 있을 것이고 겁에 질려 있을 것이다. 블랙 랜스가 격침되면 그녀도 우주 공간의 먼지가 되겠지. 그러나 우주 공간의 함대전에 아무런 힘도 되지 않는 빈우는 지금 눈앞의 일에 집중할 뿐이다.

- **일단 리퍼 함선으로 후퇴해서 위르겐 팀과 합류한다. 라이노의 동시 탄착 사격 이후 파트리샤가 선두, 부팀장이 의원님을 모시고 가운데. 후위는 내가 맡는다.**

이어서 두 대의 라이노가 능선 너머에서 뒷다리를 숙인 고각으로 2연사, 다음 고각으로 2연사, 마지막으로 일어나 직사로 2연사를 쐈다. 조금 있으면 12발의 포격이 스팸 무리 위를 동시에 덮칠 것이다.

- **저기서 못 나오게 해. 포격 범위 안으로 밀어넣어.**

지상팀이 두뇌 통신으로 작전 회의를 하면서 열심히 사격을 하고 있는 와중에 이케가미 의원이 갑자기 앞으로 달려나갔다.

- 멈춰! 멈춰어!

그는 두 팔을 휘두르며 앞으로 달려갔다.

"씨발, 의원님!"

빈우가 육성으로 외쳤으나 당연히 소용이 없었다. 라이노가 쏜 탄환이 강풍에 밀려 엉뚱하게 이쪽까지 날아와 제법 가까운 거리에서 착탄해 파편이 휘날린다. 장갑보병이라면 그냥저냥 한 수준. 그러나 이케가미 의원이 입은 것은 고레벨이긴 해도 일반인용 우주복이다. 이케가미의 허리 쪽에 파편이 날아와 박혔다. 그는 그 반동으로 다시 이쪽으로 튕겨왔다.

- 부팀장, 내가 갑니다.

빈우가 뛰쳐나가려는 아룹을 제지하고 달려가 그를 수습한다. 다행히 스팸들이 텅스텐 쑥밭에 파묻혀 혼비백산하는 중이라 어렵지 않게 이케가미 의원을 데려올 수 있었다.

- 의원님, 괜찮으십니까?

헬멧 속의 이케가미 의원은 대성통곡하고 있었다. 허리의 부상 때문은 아니다. 다 큰 어른이 이렇게 넋 놓고 우는 경우는 몇 가지 없다.

- 미안해요, 미안합니다.

그러나 그의 흐느낌은 지상팀원들에게 하는 사과 같아 보이진 않는다. 마치 자신의 과오를 세상에 알리고 사죄하려는 통곡 같다. 그런 사과를 해본 빈우는 알 수 있었다.

- 미안해, 엄마. 미안해, 엄마.

죽어가는 엄마를 보면서도 아무것도 못 한 빈우 자신의 얼굴이 헬멧의 음영에 겹쳐져 보인다. 그 너머로 살려달라는 엄마의 비명이 들려온다.

- 어이. 소이치로! 정신 차려, 얀마 소이치로. 안 일어나면 네 마누라 내 거다.

큰 바위 그늘 뒤로 이케가미 의원을 끌고 온 빈우는 응급처리를 한다. 허

리의 파편을 빼고 치료용 마이크로 머신을 주사하고 마무리로 외피복구용
젤을 떡칠하면 일단 안심이다. 그리고 의원의 뺨을 헬멧 위로 철썩철썩 때리
며 정신을 차리라 고함을 지른다.

- 그 정도로 정신을 잃은 것으로 보이진 않는데요.

- 그런가? 파트리샤, 너 이거 찍었지?

- 상원의원 귀싸대기 날리는 거요? 아뇨, 아무리 저라도 그렇게까진 막나가진
  않죠.

모진 놈 옆에 있다가 벼락 맞겠다는 듯이 파트리샤는 조준경에 얼굴을 박
고 모른 체하며 위협 사격에 정신을 집중했다.

- 그리고 의원님은 사별하셨습니다.

다가온 아룹이 응급처치를 마친 이케가미 의원을 아까처럼 등 뒤에 들쳐
멨다.

- 어이쿠야.

뜻하지 않은 실례에 탄성을 지른 빈우는 도주로를 팀원들에게 두뇌 통신
으로 알렸다. 방금의 포격 반향음으로 주변 지형과 동굴에 대한 데이터가 충
분히 모인 것이다. 적의 사격으로부터 비교적 안전한 루트를 확보한 지상팀
은 그 길을 따라 리퍼 함선 쪽으로 도망치기로 했다.

- 부팀장. 의원님 잘 챙기세요.

앞뒤로 동시에 강도 높은 포격을 받은 스팸들이 우왕좌왕할 때 빈우가 명
령을 내렸다.

- 리퍼 함선까지 달려!

아까 말한 대로 선두는 파트리샤, 후위는 빈우. 가운데에는 이케가미 의원
을 업은 아룹이다. 지상팀이 달리기 시작하고 얼마 안 있어 뒤에서 샤다이들
의 공격이 날아온다. 전차포에 비견될 위력의 플라스마 사격이라 현재 연방
의 기술로 만들어진 장갑복에는 한 방이라도 치명적이다.

- 저 끈질긴 새끼들이!

지금까지 샤다이의 스팸 부대는 라이노와 지상팀의 공격을 앞뒤로 받고 있었다. 그럼에도 불구하고 저쪽의 방어력은 이토록 압도적이다. 연방의 장갑보병이라면 이 정도의 공격을 얻어맞았으면 궤멸적인 피해를 보았을 텐데―물론 저놈들처럼 병신같이 대놓고 처맞지는 않지만―샤다이들은 별다른 대응도 없이, 우물쭈물 앞뒤로 두들겨 까이면서도 꾸역꾸역 버텼다.

- **모니카, 상황이 바뀌었다. 위르겐과 마중 나올 수 있냐?**

물론 모니카보고 전투에 나오라는 의미는 아니다. 위르겐이 와야 하니 세트로 움직이라는 뜻이다. 그러나 이 경우 자료 작업이 어찌 될까가 관건이다.

- **팀장님. 잠시만요.**

모니카의 급한 마음이 여기까지 전해진다.

- **무리하지 마. 할 수 있는 데까지만 한다.**

- **아뇨. 이제 제가 손을 떼도 복사 작업은 진행됩니다. 위르겐이랑 같이 마중 나가겠습니다.**

모니카의 그 말 뒤로 한껏 힘을 주는 위르겐의 기합이 느껴진다.

- **서두르진 마. 함선 내부에 샤다이가 은신했을지도 모른다.**

- **네. 군데군데 수류탄을 압력감지 식으로 깔아놨습니다. 샤다이가 얼씬거리면 알람이 울리겠죠.**

위르겐의 저 위험한 발언을 듣고 있는 빈우도 가타부타 말이 없다. 이미 지상팀의 안중엔 발 가르단 하스 인들은 없다.

- **먼저 가.**

빈우는 지금 실험형 플라스마 병기인 XPS와 코일건을 동시에 들고 나온 상태로, XPS를 방패 상태로 해서 후위를 맡고 있었다. 후위는 팀원들의 안전한 퇴각을 위해 버티는 자리. 빈우가 방패를 놓고 거치를 해서 사격을 퍼붓자 스팸들의 시선이 이쪽으로 쏠린다. 이어 플라스마가 날아온다. 적이 쏜 플라스마는 날아오다가 XPS의 방패가 형성한 자기장에 튕겨 주변을 마구 녹인다. 그리고 컨커러의 동력도 마구 잡아먹히고 있었다. 사격이 집중되는 만큼 소모량도 빠르게 올라간다. 헤비 급의 동력을 가진 컨커러가 아니었으면 애 저녁에 퍼졌을 거다.

- **팀장님, 엄호하겠습니다.**

먼저 달려가 도중에 자리를 잡은 아룹과 파트리샤가 엄호사격을 하자, 빈 우도 잽싸게 방패를 접고 도망친다. 실력은 이쪽이 확실히 우위지만, 화력과 방어력에서 압도적인 차이가 나니 이렇게 치고 빠지는 수밖에 없었다.

- **아오, 한주먹거리도 안 되는 잡것들이.**

저격을 받으면서도 밀고 들어오는 스팸들에 파트리샤가 진저리를 친다. 그녀의 말대로 원래 연방 장갑보병들의 대 샤다이 지상 전술은 사격으로 견 제하다가, 우회한 팀이 접근전을 벌여 머리는 머리대로, 다리는 다리대로 예 쁘게 모아주는 건데. 지금처럼 VIP를 모시고 있는 데다 수적으로 크게 불리 한 상황에서는 이렇게 불리한 사격전을 계속하는 수밖에 없다.

- **위르겐. 이쪽에 VIP 있다. 조심해.**

리퍼 함선으로 다가가던 빈우가 두뇌 통신으로 현재 추적하고 있는 리퍼 들의 위치를 위르겐에게 보냈다. 다만 이케가미 소이치로 상원의원의 정체 는 좀 민감해서 모니카 쪽에는 딱히 알리지 않았었다. 이제 곧 알게 되겠지.

- **VIP요? 발 가르단 하스 인이라도 잡았답니까?**

이어 리퍼 함선의 부서진 면에서 위르겐의 어벤저가 모습을 드러냈다. 평 상시와는 달리 육중한 모습이다. 바로 뱅가드 연대의 돌격포병 사양이다. 그 것도 발 가르단 하스의 상황에 맞춰 중질량 병기로 세팅된 무장이다. 지상팀 원들은 모두 다 연방에서 내로라하는 재원들이지만 그중에서도 위르겐은 중 거리 개싸움을 전문으로 하는 뱅가드 연대의 에이스다.

- **춤춰라! 춤춰! 이 새끼들아!**

그리고 오른쪽 어깨의 고출력 레일건이, 왼쪽 어깨에서 대 샤다이 미사일 이, 양 허리의 중구경 코일건이, 위르겐의 아가리에서 욕설이 불을 뿜는다. 선두의 재수 없는 스팸 하나가 레일건을 맞고 땅바닥에 구른다. 그리고 자비 없이 이어지는 사격에 핑글핑글 춤을 추며 사지가 분해된다. 저쪽 능선 위의 라이노, 앞쪽의 돌격포병 사양 어벤저가 쉴 새 없이 포격을 가하니 스팸들도 주춤한다. 그 틈을 타 지상팀원들이 리퍼 함선 안으로 달려들어갔다.

- **우리 들어간다.**

빈우는 리퍼 함선의 구멍 중 하나를 돌입구로 선택했고 미리 안에 있는 팀원들에게 알렸다. 피아 식별은 하고 있지만, 재수 없게 아군의 탄환에 맞는 것은 사양이다. 오늘 같은 날은 더더욱. 배 안으로 팀원이 전부 들어간 다음 빈우는 블랙 랜스에 통신을 넣었다. 지금 지상전은 애교로 보일 정도로 고전하는 게 보이니, 빈우의 요청이 제대로 받아들여질지는 모른다.

- **오르 함장님. 제가 지정한 좌표로 포격 가능하겠습니까?**

- **가능합니다.**

- **좌표 보냅니다.**

빈우가 지정한 좌표는 리퍼 함선 바로 바깥이다.

- **전원 안으로 들어가. 함포사격이다.**

빈우의 말에 팀원들은 부서진 외벽에서 물러나 내부로 들어가며 충격에 대비했다.

- **발사.**

오르의 사격명령과 함께 아까 남겨놓은 2문의 부유 포대에서 지상으로 포격이 발사되었다. 궤도에서 구축함의 포격이 쏟아졌다. 스팸들은 압도적인 에너지에 짓이겨져 소멸한다. 물론 착탄 당한 곳의 지반도 같이 쓸려나갔다. 문제는 그게 빈우의 예상보다 꽤 많이 쓸려나갔다는 점이다.

"어, 어어, 제길."

빈우는 이런 일이 일어나지 않도록 나름대로 열심히 계산했건만. 야속하게도 지상팀원들이 숨어들어간 리퍼 함선이 지표 아래로 서서히 미끄러졌다.

058

· · · ✦ · · ·

- **전열함 7, 모니터함 3.**

- **제길⋯⋯.**

함장인 오르의 보고에 팀장인 빈우는 한숨 어린 욕설로 대답한다. 그러나 현재 태스크포스 373이 처한 상황은 그게 납득이 될 만한 수준이다. 발 가르단 하스의 지상에선 빈우가 이끄는 지상팀이 다수의 스팸과 교전하고 있는 상황에다. 엎친 데 덮친 격으로 궤도 상에 있는 블랙 랜스 주변으로 샤다이 함대가 갑작스레 점프해 온 상황이다. 오히려 욕이 안 나오는 게 이상하다.

- **함장님. 대지 지원 포격, 언제까지 가능하겠습니까?**

샤다이들과 열심히 싸우고 있는 지상팀은 블랙 랜스의 지원이 절실한 판국이다. 그러나 도와줘야 할 블랙 랜스가 지금은 자기 자신부터 걱정해야 할 처지가 되어버렸다.

- **요청이 빠르면 빠를수록 가능성이 높겠군요.**

- **부유 포대 2기만 어떻게 안 되겠습니까?**

연방의 군함들은 함체에 고정된 포 외에도 외부로 사출해서 사용할 수 있는 포대들이 있는데 비록 고정포대에 비해선 손색이 있지만, 전방위에서 전투가 일어나는 우주전에서 사각을 없애주는 고마운 존재들이다.

- **어떻게든 해보죠.**

오르 함장은 부유 포대 2기를 사출하며 쓰레기와 잡다한 화물을 버려 위장한 다음 주변 상황을 분석했다. 이쪽은 최신예 개조 구축함 1척인 반면 적은 전열함 7척에 모니터함이 3척이었다. 압도적이다 못해 절망적인 전력 차이다. 다행히 이곳저곳 떨어져 점프해 온 놈들은 주변 상황을 파악하기 바빴고 그 덕에 포위망을 제대로 형성하지도 못했다.

"아나스타샤 양, 아를르캥 군. 본 함은 지금부터 샤다이와 전투에 들어갑니다. 즉시 안전한 곳으로 대피하세요."

연방은 샤다이와 우주전을 할 때 최소 3배 이상의 전력을 가지고 임한다. 그런데 지금은 오히려 역으로 10배에 달하는 적에 홀로 맞서 싸워야 하는 상황이다. 더구나 지상전과 달리 우주전은 란체스터의 법칙이 비교적 잘 적용되는 곳이기에 더더욱 암울하다. 또한 연방과 샤다이의 기술력 차이는 꽤 커서 그냥 갖다 박아도 명량해전이 재현될 격차가 있다. 다행히도 타고 있는 샤다이 놈들이 우주에서 내로라할 병신들인 덕분에 지금까지 연방이 아득바득 이기고 있었을 뿐이다. 만일 이놈들이 조금만 더 똑똑했더라면 연방은 예전에 와해되었을 것이다.

이렇듯 성능과 병력, 두 가지 열세에 처한 상황에서 우위를 점하려면 소수 정예의 병력으로 적의 핵심부를 타격하거나, 병기나 함선, 전술 등을 대 샤다이 사양으로 편성해야 한다. 애초에 블랙 랜스는 저 두 가지 요건을 다 충족한다. 롱 훅 프로젝트로 대대적인 개수를 거쳐 최신예 구축함을 능가하는 성능을 가지게 되었고, 함선 구성도 주로 대 샤다이 전술에 걸맞게 다시 태어났다. 그리고 이번 작전에 임하면서 무장도 대 샤다이용으로 맞춰놓은 상태다.

그러나 아무리 그렇다 한들 적이 너무 많다. 현재 블랙 랜스가 가지고 있는 모든 무장을 다 쏟아부어 전탄 명중시킨다 쳐도 적함의 3분의 1도 격침하지 못한다.

"어떻게든 이겨야죠."

오르가 나지막이 혼잣말했다. 그는 승리를 그렇게 멀리 보고 있지 않았다. 지금 태스크포스 373의 승리는 적의 전멸이 아니다. 적의 정보와 장비를 회수한 지상팀을 안전하게 구출하고, 발 가르단 하스에 있는 증거를 인멸한 다음 도주하는 게 작전 목표 달성이고 승리다. 그렇다면 블랙 랜스에겐 지상팀이 작전을 완료할 때까지 어떻게든 버텨내는 것이 당면과제다.

- **함장님, 합류하겠습니다.**

아래에서 우지의 롱소드가 애프터 버너를 켜 발 가르단 하스의 중력권을 뿌리치고 나오는 게 보인다. 오르의 생각으론 그가 지상팀의 지원을 하는 편이 낫겠다 싶었는데 팀장인 빈우의 생각은 또 다른 모양이다. 그도 블랙 랜스가 버티는 게 더 중요하다고 판단한 것 같다.

- **우지 일병. 롱소드의 상승 각도를 제가 보내주는 대로 맞추세요.**

날아오르는 롱소드를 보며 오르는 블랙 랜스를 대기권으로 돌입시켰다. 함선과 동기화된 감각이 그의 신경계를 자극한다. 발 가르단 하스로 다가가자 중력이 점차 그의 몸을 잡아당기는 게 느껴졌다. 벌린 팔의 손가락 사이로 세찬 바람이 스쳐 지나간다. 그리고 오르가 두 발을 힘차게 박차자 블랙 랜스의 추진기가 급가속했다. 거대한 구축함이 비스듬히 강하하다 행성 대기권에 물수제비처럼 튕겨 떠오르는 장면은 장관이다. 그리고 그 뒤로 롱소드가 따라붙는다.

- **우지 일병. 우주전 장비는 미리 준비해놨습니다.**

- **알겠습니다. 함장님.**

항모와는 달리 구축함은 함재기 운용능력이 없고 강하 포드나 셔틀을 탑재하는 게 고작이다. 반면 블랙 랜스는 한정적이나마 전투기의 운용이 가능하다. 1척의 구축함과 1기의 전투기가 등속도로 비행하며 대기권을 튕겨 나온다. 블랙 랜스의 관통형 격납고 후면으로 롱소드가 들어온다. 지금 우지가 조종하는 롱소드는 블랙 랜스의 관성 제어장치의 영향력 안에 들어오지도 않았다. 동조할 시간도 아깝다는 듯, 격납고 내부에서 수동으로 움직여 무장을 가져오는 로봇암에 롱소드를 가져다 댄다. 그러자 롱소드에서도 로봇암이 나와 사이클론 어뢰를 비롯한 대 샤다이 무장을 잡았다. 모든 장착이 완료되자 롱소드는 흔들리는 격납고의 전면구를 애프터 버너로 가속해 빠져나갔다.

"오오, 역시 영웅 시에 쉰의 손자군요."

아까 발 가르단 하스의 대지 폭격에서 시원찮은 성과를 보여줬던 것과는 영 딴판이다. 아무리 속도가 같다지만 대기권에서 튕겨오르는 구축함의 격납고 안으로 들어와 무장을 장착하고, 가속해 빠져나가는 이 일련의 과정이 착륙은커녕 관성 제어장치의 범위에 들어오지 않은 채 전부 수동으로 이뤄진 것이다. 어지간한 실력으로는 시도도 못 하는 일이다.

- 우지 일병. 목표 설정합니다. 좌우 협공입니다.

오르가 현재의 목표와 공격방법을 롱소드에 지시했다.

- 알겠습니다, 함장님.

블랙 랜스는 방금의 묘기, 대기 수제비 기동으로 샤다이 함선의 포위망을 빠져나가 바깥에 선 다음 급선회를 하며 함수를 적 쪽으로 향했다. 연방의 구축함들은 대부분 선체를 관통하는 초대형 함축 코일건을 가지고 있으며 그 위력은 전함의 주포 위력에 버금간다. 다만 연방 전함의 주포는 플라스마 병기라 샤다이에게 전혀 통하지 않아, 샤다이와의 전투 시엔 부포인 코일건들을 주로 쓴다. 이런 이유로 대 샤다이 전투의 중핵은 중력충각과 함축 코일건을 쓰는 구축함이 맡게 된다. 블랙 랜스의 함축 코일건은 기존의 것에 비해 위력은 떨어뜨렸으나, 발사 속도를 비약적으로 향상시켜 운용 능력이 훨씬 뛰어나다. 때문에 방어막이 재생하는 시간보다 빠른 속도로 연사할 수 있어 이론상으론 함축 코일건만으로도 샤다이의 방어막을 무효화할 수 있다.

어디까지나 이론상.

"실전 사용은 처음이군."

오르는 전신의 감각을 가다듬었다. 포대들의 목표 설정, 함축 코일건 충전, 어뢰 발사관과 미사일 발사대의 준비와 장전. 마지막으로 장갑 드론들을 살포했다. 미세한 금속 조각들이 함의 관성 필드 주변에 떠워졌다. 이건 장갑보병의 발포 장갑처럼 샤다이 플라스마 포격을 막아내는 새로운 방어 전술이다. 목표가 된 샤다이함은 홀로 무리에서 떨어진 전열함이었다. 블랙 랜스는 먹잇감을 노리며 거리를 미묘하게 조절했다. 가까우면 저 전열함에 블랙 랜스가 가려져 다른 샤다이 함들의 포격 각도가 나오지 않는 반면 자칫하다간 포위되기 쉽다. 반대로 멀리하면 포위는 막을 수 있지만, 지상팀을 지원할 수 없으며 일방적인 포격전으로 끌려가게 된다. 오르 함장은 노예검투사로 살았을 때의 전투 경험을 살려 적과의 거리를 적당히 조절했다. 블랙 랜스가 행성 발 가르단 하스의 대기와 중력의 영향을 충분히 받을 만큼 멀리.

"발사."

블랙 랜스는 마침내 공격을 시작했다. 먼저 4발의 사이클론 어뢰를 발사했고 이어 2파로 주포와 부포의 포격, 동시에 3파로 미사일들을 발사했다. 그 사이 2발의 사이클론 어뢰를 단 롱소드가 소행성대를 우회해서 반대쪽으로 날아간다. 명중탄은 주포들에서 먼저 나왔다. 고속으로 날아온 대형 텅스텐 탄자가 전열함의 방어막과 부딪혀 서로 소멸해간다. 이어서 미사일들이 요격을 당하면서도 끈질기게 날아와 마지막으로 방어막을 날려버린다. 3파는 가장 먼저 발사되었던 사이클론 어뢰다. 정신없이 얻어맞던 전열함이 이 대형 어뢰를 눈치채고 요격하려 하지만 어뢰 자체의 방어막과 요격 시스템이 끈질기게 방어한다. 마침내 어뢰가 샤다이 전열함에 명중했고 이 질량 가속 어뢰는 착탄 부위부터 시작해 함체를 마구 뒤흔들었다.

마지막 쐐기는 블랙 랜스의 함축 코일건이 박아넣었다. 물경 40톤에 달하는 초대형 텅스텐 탄자가 초속 60km로 날아가 명중하자, 제아무리 샤다이 전열함이라도 배길 도리가 없었다. 우현이 전부 박살 난 전열함이 반격하기 위해 함체를 반전시킨다. 멀쩡한 좌현이 이쪽으로 향하고 플라스마 포구가 밖으로 드러난다. 연방 전함의 주포에 맞먹는 위력의 포가 무려 36문이나 달려 있다.

물론 블랙 랜스도 쉬지 않고 공격을 계속하고 있었다. 샤다이에 비하면 잽에 불과하기는 하나 연달아 날아간 함축 코일건이 방어막을 날리고 장갑을 갉아먹는다. 이에 질세라 전열함에서도 반격의 플라스마가 날아오지만 제대로 된 유효타가 없다. 샤다이의 포격 실력이 개판인 것도 그 이유 중 하나지만 블랙 랜스가 발 가르단 하스의 중력과 대기권을 참호 삼아 숨은 영향이 크다.

지금 블랙 랜스가 절묘하게 걸친 자리는 제대로 된 사각 계산을 안 하면 맞추기 힘든 자리다. 방금 날아온 플라스마도 대기권에 마찰하다 아까의 물수제비 현상을 보이며 튕겨 나갔다. 포각을 위쪽으로 하면 블랙 랜스의 위로 스치고 지나가고, 밑으로 하면 발 가르단 하스의 중력권에 끌려 내려간다. 그러나 저렇게 많은 포가 달려 있으니 언젠가는 소발에 쥐잡기로 명중탄이 나올 것이다. 그 전에 저놈을 잡아야 했다.

그리고 마침내.

- 사선에 들어갑니다!

소행성대를 지나온 우지의 롱소드가 불쑥 튀어나와 이미 엉망이 된 전열함의 반대쪽, 엉망이 된 우현을 노린다. 롱소드는 자신의 추진기는 물론이고 양옆의 어뢰도 점화시켜 초고속으로 쏘아져오고 있었다. 이 때문에 블랙 랜스는 아까부터 함축 코일건 외에는 공격을 자제하고 있던 것이다.

전열함은 불시에 기습해 온 롱소드를 어떻게 요격을 해보려 했지만, 우지가 노리는 우현은 이미 파손이 심각한 상태라 제대로 된 대공방어가 불가능하다. 고속의 롱소드는 어찌어찌 날아간 대공포의 화망이 형성되기도 전에 빠져나간다. 운 좋게 닿은 눈먼 포탄은 롱소드와 사이클론 어뢰의 방어체계로 막는다.

우지는 찰나의 순간에 가장 취약한 목표 부위를 찾아 롱소드를 몰았고 종말 가속을 시작한 어뢰를 분리해, 전열함에 처박은 다음 아슬아슬하게 함 체를 스치며 빠져나왔다. 뒤이어 절묘한 타이밍으로 날아간 블랙 랜스의 함축 코일건이 더해지자 샤다이 전열함은 양옆이 관통된 다음 반으로 갈라졌다.

- 이이이얏호!

통신 회선으로 우지의 환호성이 들린다. 그러나 오르는 그 함성을 따라 외칠 수가 없었다. 반으로 쪼개져 박살 나는 전열함 너머로, 진용을 갖춘 샤다이 함대가 이쪽으로 쇄도하는 게 보인 것이다. 전함을 일격에 소멸시키는 모니터함의 포격이 날아온다. 대기권과 중력을 씹어버리며 날아오는 무지막지한 포격이다. 연방 전함을 일격에 소멸시키는 초거대 플라스마가 아슬아슬 빗나갔지만, 그 잔열만으로도 장갑 드론들이 증발한다. 이어 조밀한 전열함의 포격이 비처럼 쏟아진다. 모니터함의 포격에 비해 약하다 해도 한 발 한 발이 연방 전함의 주포 위력이다. 한 방이라도 맞는다면 구축함인 블랙 랜스는 치명적인 피해를 입을 것이다.

오르는 맹수와 싸울 때의 자세를 취했다. 창을 뒤로, 방패를 앞으로. 그가 머릿속으로 취한 자세에 블랙 랜스가 반응한다. 함선의 방어막들이 전면부로 집중되고 장갑 드론들이 오와 열을 맞춰 방어대형을 형성한다. 부유 포대는 요격태세를 갖추며 적들의 시선을 돌릴 어뢰와 미사일들을 준비한다. 그때 지상팀의 빈우로부터 통신이 들어왔다. 현재 지상팀은 파괴된 리퍼 함선 내부로 후퇴한 모양이다.

- 오르 함장님. 제가 지정한 좌표로 포격 가능하겠습니까?

아까 남겨둔 2기의 부유 포대는 적들의 눈에 띄지 않아 격추되지 않았다. 작동을 개시하면 얼마지 않아 격추될 테니 그전에 서둘러 쏴야 한다.

- 가능합니다.

샤다이 함대 진형 안에서 정지상태로 있던 부유 포대가 다시 작동을 시작하며 자세를 바로잡기 시작했다.

- 좌표 보냅니다.

빈우가 지정해준 좌표는 리퍼 함선 바로 바깥, 궤도포격의 직격 범위 안이다. 그러나 지상팀이 리퍼 함선 안으로 들어간 지금이라면 블랙 랜스의 궤도포격에도 무사할 것이다.

- 전원 안으로 들어가. 함포사격이다.

빈우의 말에 팀원들이 외벽에서 떨어져 안전한 장소로 대피하는 것이 전투 정보창에 보인다. 그리고 작동을 시작한 부유 포대를 눈치챈 샤다이의 대공포대가 경계하며 움직이는 것도 보인다.

- 발사.

오르의 사격 명령에 아까 남겨놓은 2문의 부유 포대가 지상으로의 포격을 시작했다. 마음 같아선 파괴되기 전에 몇 발 더 쏘고 싶었지만, 지상의 자세한 상황을 모르는 상태에서 팀장인 빈우의 명령 없이 그럴 수는 없는 노릇이다. 부유 포대가 포격을 시작하자 놀란 샤다이의 포격이 집중되었고 제 할 일을 다 한 포대는 곧 파괴되었다.

그러나 지금은 지상에만 신경을 쓸 수가 없다. 날아오는 플라스마 포격을 텅스텐 포탄으로 요격하고, 장갑 드론들을 이동시켜 방어막을 구축한다. 함수의 코일건은 이미 쏠 겨를이 없으니 대신 중력충각으로 명중탄을 휘어 튕겨낸다. 고열의 포격에 용암지대로 변한 소행성 군 한쪽에선 롱소드가 신들린 회피 기동을 하며 반격의 기회를 노린다. 공격하지 않고 전열함들의 시선을 끌어주며 전투기 일개 편대의 몫을 너끈히 해내고 있다. 블랙 랜스도 반격을 해 다수의 명중탄을 내지만 깎여나간 방어막이 재생하기 전에 포격을 이어넣을 수가 없었다. 날아오는 플라스마를 요격으로 쳐내는 것만 해도 벅찬 상황이다.

- 어, 어어, 제길.

빈우의 비명에 시선을 지상으로 돌리니 지상팀이 대피해 들어간 리퍼 함선이 궤도포격의 충격으로 갈라진 지표 아래로 서서히 미끄러져 들어가는 게 보인다.

059

. . . ✦ . . .

함체가 기울어지고 점차 아래로 가라앉는 게 느껴진다. 얼마 안 있으면 태스크포스 373의 지상팀원들은 배와 함께 저 밑의 산성 구름 속으로 **빠져들** 것이다.

- 밖으로 빠져나가!

빈우가 지정한 루트가 팀원 전원에게 공유된다. 태스크포스 373 팀원들이 달려나갈 때 함선 안에 대피해 있던 발 가르단 하스 인들도 위기를 느끼고 바깥으로 탈출하는 모습이 보인다. 그러나 공중에 부유해서 이동하는 이들이라 함선 밖으로 나가는 순간 초속 200m를 넘는 강풍에 휘말려 날아간다. 여린 촉수로 어디를 잡아보려 하지만 속수무책으로 날아가고 터진다.

- 김 소령, 저들을 구할 수는 없겠나?

이케가미 상원의원이 빈우에게 부탁을 하지만 빈우는 들은 척도 않는다. 아니 대답할 겨를조차 없는 게 맞을 것이다. 그런 그를 대신해 대답은 다른 곳에서 나왔다.

- 오우 씨발.

뒤늦게 이케가미 상원의원의 정보가 두뇌 통신으로 공유되자 위르겐이 뱉은 말이다. 옆의 모니카도 놀란 게 느껴진다.

- 세상에! 이케가미 전 상원의장이시잖아요. 이런 분이 어떻게 이런 곳 에⋯⋯.

무려 상원의장까지 해본 연방의 고위인사를 난리 난 보호 행성에서 만났
으니 그럴 법도 하다. 그들이 놀라건 말건 빈우는 계속해서 명령을 내린다.

- **전원 부머에 붙어서 탈출한다. 모니카, 네가 부머로 팀원을 전부 들어 올려라.**

빈우는 주변의 잡소리는 전부 무시하고 필요한 명령만 내렸다. 실험기인
부머는 샤다이의 중력 제어기술을 응용해서 비행하는 장갑복이다. 헤비 급
의 동체에 여러 신기술이 들어 있어 현재의 중력에서도 장갑복 예닐곱 기는
거뜬히 들어 올린다.

- **네? 알겠습니다.**

모니카는 즉시 정신을 차리고 대답했다. 그녀를 도우려고 바깥으로 먼저
나가본 위르겐이 혹시나 해서 발바닥의 스파이크를 꺼내보지만 역시나 리퍼
함선에는 이빨도 안 들어가 주욱 밀린다.

- **일단 모니카가 먼저 나가서 팀원들을 태울 준비를 해. 그리고 다른 팀원들이
부머에 올라탄다. 부팀장, 의원님을 잘 지키세요. 그리고 나머지 대원들은
십자 대형으로 모니카에게 붙은 다음 제트팩의 조종권은 나한테 넘겨라. 자
세제어는 내가 맡겠다.**

빈우의 명령에 팀원들의 제트팩 조종권이 빈우에게 넘어온다.

지금 배 바깥은 강풍이 몰아치고 있어 장갑복의 제트팩으론 제대로 날기
힘들다. 제아무리 부머라 할지라도 네 명의 지상팀에 한 명의 민간인을 달고
는 제대로 부상하기 어려울 터였다. 그래서 상승은 모니카가 조종하는 부머
의 출력에 맡기고 빈우가 팀원들의 제트팩을 써서 자세제어를 맡는 것이다.
함선 바깥으로 탈출한 팀원들이 차례로 모니카의 부머에게 모여들었고, 모
두 다 탑승하자 부머는 추락하는 함선을 밑으로 하고 날아올랐다. 사방에서
강풍이 몰아쳤지만 빈우의 조절대로 각 팀원들의 제트팩이 분사되어 자세는
크게 흐트러지지 않았다.

- **아아, 자료가 아직 남았는데…….**

모니카의 아쉬운 목소리가 들려온다. 부머 곳곳에 박박 긁어모은 리퍼의

장비와 부품들이 있는데도 아쉬운 모양이다. 무선으로 자료의 복사본이 부머의 데이터 칩으로 넘어오는 중이긴 하지만 이제는 그것도 끝이다.

- 일단은 생존이 먼저다. 지표에 도착한 다음에는…….

말을 흐린 빈우는 궤도 상을 올려다보았다. 어찌어찌 전열함 1척을 격침한 블랙 랜스가 9척의 샤다이 함선에게 뭇매를 맞는 게 보인다. 간간이 반격하고는 있지만, 화력으로나 수적으로나 압도적인 열세라 얼마나 더 버틸지는 모르겠다. 솔직히 개조한 구형 구축함을 가지고 이런 단시간에 전열함 1척을 날려버린 것만 해도 엄청난 성과다. 시선을 다시 주변으로 돌린 빈우는 현재의 상황과 수집한 정보를 토대로 명령을 마무리지었다.

- ……셔틀로 이동해서 탈출한다.

팀원 누구도 '어떻게'라고 묻지 않았다. 팀장이 '어떻게든'이라고 대답할 것을 알고 있기 때문이다. 지상팀이 타고 내려온 셔틀은 아직 능선 너머에 대기하고 있었다. 빈우는 거기에 라이노 2기를 회수한 다음 지상팀 쪽으로 오도록 명령했다. 일단 팀원들이 셔틀로 올라가 블랙 랜스에 타기만 한다면 어떻게든 도망은 칠 수 있을 것이니 작전 성공이라고 할 수 있다. 그러나 문제는 지금 셔틀을 타고 블랙 랜스로 가는 것이 사실상 불가능하다는 것이다.

- 함장님, 지금 지상팀이 셔틀을 타고 올라가면 회수 가능하겠습니까?

대답은 약간의 딜레이를 두고 돌아왔다.

- 그 방법은 추천 못 하겠군요. 본 함은 지금 호위할 여력이 없고 셔틀이 올라온다 해도 안전하게 회수할 방법이 없습니다.

샤다이 함선 9척의 집중포화를 신들린 조합과 방어 전술로 간신히 버티고 있는 블랙 랜스다. 그 가열한 포화 속으로 셔틀이 날아온다면 블랙 랜스로선 지킬 방법이 없다. 어떻게 할까 고민하는 빈우에게 다시 오르 함장의 말이 들려온다.

- 이런 상황에선 이쪽에서 내려가야죠. 셔틀이 일정 고도로 올라오면 롱소드로 셔틀을 밀어 올리면서 블랙 랜스가 대기권을 돌입하겠습니다. 그리고 지

상팀이 탄 셔틀을 도중에 랑데부해서 격납고로 집어넣은 다음, 후퇴하는 겁니다.

그렇게 말하는 오르 함장의 말투는 왠지 생사를 앞둔 결투를 하면서 웃는 듯했다. 실제로 그는 웃고 있었다. 대기권을 돌파해 올라가는 셔틀을 대기권으로 강하하는 구축함이 낚아챈다는 발상은 듣지도 보지도 못한 것이지만 어쨌든 오르 함장이 한다고 했으니 가능성은 있는 이야기다. 이어서 대략적인 이동궤도와 좌표가 지상팀원에게로 들어온다. 그런데 블랙 랜스의 진입 각도가 위험하다. 이 각도로 발 가르단 하스로 진입하다간 강하 속도와 대기의 저항, 각도의 3박자에 의해 블랙 랜스는 대기권에서 튕겨 나간다.

- 과연.

빈우는 오르 함장이 한 말의 의미를 깨달았다. 그리고 실현 가능성에 대해서 먼저 물어보았다.

- 가능하겠습니까?

- 종종 해봤고, 사실 아까도 한 번 해봤습니다.

아주 믿음직스럽다.

- 알겠습니다. 셔틀이 도착하는 즉시 지정된 궤도를 따라 탈출하겠습니다. 전원 이동.

땅 위로 도착한 팀원들은 강풍을 피해 갈라진 지표 틈으로 들어갔다. 곳곳에서 산성 구름이 솟구쳐올라서 비교적 안전한 곳을 찾는 데만 해도 꽤 애를 먹었다. 불렀던 셔틀은 얼마 안 있어 도착할 예정이다.

- 팀장님, 이상 전파가 갑자기 늘어났습니다. 샤다이가 전자전을 한단 얘기는 못 들어봤는데 말이죠.

주변을 경계하던 위르겐이 학을 뗀다. 굵은 자갈이 날리는 강풍에 산성 간헐천까지 겹쳐 경계하기에 좋은 환경이 아닌데 여기다 전파방해까지 들어오니, 눈과 귀가 다 가려진 셈이다.

- 발 가르단 하스 인들의 단말마일세.

이케가미 의원의 설명이다.

- 그들은 전파로 대화를 하지.

그러고 보니 발 가르단 하스 인은 전자파로 주변을 인식한다고 했다. 전자파로 의사소통을 한다 해도 이상할 것이 없다. 이케가미 상원의원은 여기저기 울려 퍼지는 전파들이 마치 실제 비명이라도 되는 양 헬멧 위로 귀를 막았다. 지상으로는 블랙 랜스가 쏜 포격의 여파로 죽어가는 발 가르단 하스 인들의 비명이, 지하로는 방금의 공격으로 뒤집힌 땅에 파묻혀 죽어가는 보호 종족들의 비명이 전자파가 되어 사방으로 울려 퍼졌다.

- 왜 이런 일이 벌어진 거지? 난 그저 옛날의 과오를 되돌리려 했을 뿐인데……. 왜 주변에서 날 놔주질 않는 거야.

그의 넋두리는 마치 막다른 길에 다다른 자의 울부짖음 같다. 사건의 당사자랄 수 있는 373의 팀원들은 그에게 해줄 말이 없고 줄 시선도 없다. 다만 예전에 경호를 섰던 아룹만이 이케가미 의원의 곁에서 그를 안쓰러운 눈빛으로 바라볼 뿐이다.

이케가미 의원의 수상한 언행에 빈우는 뭔가 캐묻고 싶었다. 주전파의 거두가 자신의 사상을 저렇게 바꾼 채, 홀로 보호 행성에 은거하고 있는 것부터가 굉장히 수상하다. 아까 이케가미 의원의 거주지에서는 자칫 그에게로 대화의 주도권이 넘어갈 뻔했지만, 지금은 어떨까. 빈우는 슬며시 운을 떼었다.

- 그러고 보니 후코라고 했던가요? 그 발 가르단 하스 인은 어떻게 되었을까요?

빈우의 질문에 이케가미 의원이 흠칫했다. 그러고는 자신의 팔뚝에 달린 데이터 패드를 만져 뭔가의 정보를 검색해보았다.

- 다행히도 거주지는 괜찮군. 후코도 무사하네.

그렇게 안도하는 이케가미 의원을 빈우도 거든다.

- 그거 다행입니다. 하마터면 제 명령으로 인해 의원님의 지인이 다칠까봐 걱정했습니다.

이는 포격의 여파가 거주지가 있는 동굴에는 가지 않은 것을 아는 빈우의 빈말이다. 블랙 랜스로 올라가고 상황이 안정되면 사자는 자신의 위치를 되찾을 것이다. 무리로 돌아간 사자는 건드릴 수 없다. 하이에나는 그전에 최대한 먹이를 빼앗기 위해 조심스레 송곳니를 놀렸다. 그렇게 할 참이었다.

- 상공에서 뭔가 강하합니다.

파트리샤가 자신이 탐지한 화상을 전 팀원에게 공유했다. 인간형으로 생긴 물체 3기가 하늘에서 떨어져 내리더니 지상팀원으로부터 제법 먼 거리의 고지대에 착지했다. 이럴 때는 십중팔구 그딴 거 없고 백 퍼센트 샤다이다.

- 팀장님, 보세요. 박으려면 저렇게 박아야 한다고요.

빈우는 파트리샤의 말에 아무런 대답도 하지 않았지만, 팀원들 전원은 두뇌 통신으로 진하게 풍겨오는 'X 같네, 씨발'이란 감정을 그대로 느낄 수 있었다. 그 정도쯤 되는 베테랑이 자신의 감정을 숨길 생각 않고 팍팍 드러낸다는 점에서, 빈우가 이 상황을 어떻게 받아들이는지 아주 잘 알 수 있었다. 그럴 법도 한 게 지금 지상으로 강하한 샤다이들은 셔틀의 이동궤도를 훤히 볼 수 있는 높은 곳에 자리 잡은 것이다. 이제 놈들은 언제든지 셔틀을 요격할 수 있다. 팀원들이 셔틀에 타려는 순간 어떤 꼴이 날지는 뻔했다.

- 이 새끼들, 도대체 몇이나 있는 거죠?

혀를 차는 위르겐의 말에 제대로 대답할 사람은 없다. 오히려 빈우가 팀원들에게 질문했다.

- 글쎄다. 중요한 건 숫자보다 저놈들이 왜 저기 내려왔을까. 우리 쪽이나 셔틀 쪽으로 직접 강하하지 않고 말이야. 우릴 못 봐서일까, 아니면 뭔가 다른 이유가 있을까?

착륙한 놈들에게서 이쪽을 눈치챈 듯한 기색은 느껴지지 않았다. 딱히 셔틀 쪽으로 공격하려고도 하지 않아 확신할 수 있었다. 모래와 파편이 가득한 강풍 속이라 적의 자세한 모습은 알 수 없지만, 인간형인 것 정도는 실루엣으로 알 수 있었다. 혹시 아군이 아닌가 싶지만 움직임이 영 아군 같지가 않다.

- 샤다이들은 근접전에 들어오면 불리하잖습니까. 그걸 알고 멀리 떨어진 거
  아닐까요?

위르겐의 말은 일리가 있지만 빈우는 동의하지 않았다.

- 스팸들이 그걸 따질 정도로 머리가 좋진 않았지. 그리고 셔틀은 왜 저리 내
  버려둘까? 지금 바로 쏘면 될 텐데 말이야.

빈우가 부른 셔틀은 저공으로 배를 깔듯이 비행하며 암석 사이로 엄폐를
하면서 오고는 있지만, 고지대에 자리 잡은 샤다이가 쏘려면 못할 것도 없다.
스팸들이라면 대번에 쏘고 난리가 났을 거다.

- 팀장님 생각은 어떻습니까?

아룹의 말투는 동의를 구하는 말투였다. 그는 샤다이들의 속내를 대강 짐
작한 듯싶었다. 빈우도 자신이 짐작한 바를 털어놓았다.

- 흐음, 아마 탈출하는 우릴 발견하지는 못한 것 같습니다. 그래서 우리가 탈
  셔틀을 원거리에서 추적하는 거 같네요. 탈 때를 노려서 싹 쓸어버리게. 근
  데 이 정도 머리 굴리는 놈들이면 꽤 골치 아픈데…….

지금 빈우가 걱정하는 것은 저놈들이 혹시나 리퍼가 아닐까 하는 생각이
다. 리퍼가 아니더라도 마구잡이로 덤벼드는 놈이 아니라 머리를 굴릴 줄 아
는 놈이라면 성가시다.

- 어쩔까요?

부팀장의 말에 빈우는 잠시 고민했다.

- 우리가 먼저 칩시다.

공격은 최선의 방어란 말이야말로 이럴 때 쓰는 것일 거다. 적들은 고지대
를 점하고 있으니 유리하고 이쪽은 빠듯한 시간에 탈출해야 하니 불리하다.
그렇다면 무슨 수를 써서라도 판을 흔들어야 했다.

막 등장한 샤다이들은 골에 엄폐한 지상팀의 12시 방향 고지대에 당당히
서서 셔틀을 주시하고 있었다. 표적이 된 셔틀은 10시 방향에서 9시 방향을
거쳐 이쪽으로 오는 중이었다. 빈우는 라이노 2기를 도중에 착지시켜 바위

틈새로 엄폐시킨 뒤, 셔틀의 AI에겐 속도보다는 엄폐를 위주로 이동하라고 명령했다.

- 부팀장은 여기서 위르겐, 모니카와 함께 의원님을 지키면서 놈들을 견제하세요. 나와 파트리샤는 3시 방향으로 우회해서 놈들을 공격하겠습니다. 하지만 부팀장, 전투보다 탈출이 우선입니다. 상황 봐가며 셔틀 쪽으로 가세요.

일단 팀을 둘로 나누면 각각 팀장, 부팀장 조로 나뉘고 이케가미 의원을 누군가 돌보며 지켜야 하므로 아룹은 후방이다. 또 위르겐은 지금 포격용 무장으로 나온 터라 원거리에서 포격을 하는 게 좋고 모니카는 비전투 인원이니 당연히 후방이다. 무엇보다 중력을 이용하는 부머의 방어능력은 플라스마 공격을 상대로 출중하기에 여차하면 위르겐을 지켜줄 수도 있다.

우회 조는 침투능력이 뛰어난 인필트레이터를 입은 파트리샤와 팀장인 빈우다. 인필트레이터는 팀원 중 기습과 위장능력이 가장 뛰어나니 우회 공격에는 안성맞춤이고, 이런 악천후 속에서도 도망치는 건 일도 아니다. 빈우는 실험기인 컨커러를 입고 왔지만 방금 XPS의 성능을 확인했으니 방어능력은 가장 좋은 편이다.

- 팀장님은 괜찮으시겠습니까?

빈우와 파트리샤 두 명이라면 스팸 셋은 순식간에 쓸어버리겠지만, 지금은 탈출이 급박한 상황이다. 자칫 일이 꼬이기라도 하면 우회 조 두 명은 진짜 낙동강 오리 알이 된다.

- 걱정 마세요. 이빨 안 들어간다 싶으면 입 싹 닫고 튈 테니.

우회 조는 골을 따라 샤다이의 시선을 피하며 돌아갔다. 고지대의 샤다이는 셔틀에서 라이노를 내리는 걸 보고 뭔가 반응은 했지만, 아직 이쪽의 움직임을 눈치채진 못한 것 같다.

- 가자, 파트리샤.

컨커러와 인필트레이터는 라이노의 맞은편 위치로 신중히 이동해갔다.

060

. . . ✦ . . .

- 파트리샤. 너 여기 들어갈 수 있냐?

빈우가 가리킨 곳은 갈라진 암벽 사이였다. 장갑복의 팔뚝이 겨우 들어갈 좁은 틈이다.

- 보시다시피.

파트리샤와 인필트레이터는 몸을 변형시켜 부드럽게 그 틈을 들어갔다.

- 좋아, 여기까지 갈 수 있겠어?

빈우가 돌풍 속에서 어떻게든 반향음을 수집해 목표지점을 잡아 파트리샤에게 보내주었다. 샤다이들이 있는 근처까지 나 있는 이 틈으로 인필트레이터가 침투한다면 이 악천후 속에선 완벽한 기습이 될 터였다.

- 갈 수는 있겠는데 무장은 못 들고 가요. 아무것도.

- 아무것도?

제트팩이나 레일건은 그렇다고 쳐도 근접병기 하나 못 가지고 간다면 숨어드는 의미가 없다.

- 그럼 다른 수를 써야지.

빈우와 파트리샤는 적의 눈에 띄지 않게 조심스레 이동하며 적당한 위치에 자리를 잡았다. 이제 고지대의 샤다이 3기를 중심으로 9시 방향의 라이노, 6시 방향의 아룹조, 3시 방향의 빈우조가 포위망을 형성했다. 현재 모함인 블랙 랜스가 벌이고 있는 사투 밑에선 샤다이 3기가 373 팀원들이 탈 귀환용 셔틀을 포착한 상황이다. 저 셔틀마저 파괴되면 지금으로선 블랙 랜스로 돌아갈 방법이 없으므로, 신속히 적을 처리하고 셔틀로 탈출해야 한다. 점차 다가가며 폭풍 속에서 목표를 확실히 포착한 빈우가 차갑게, 나직이 말했다.

- 리퍼다.

스팸 2기 옆에는 확연히 다른 모습을 한 샤다이 장갑복이 있었다. 곡선이 많은 은색 장갑의 형태로 같은 샤다이 계통이라는 걸 짐작할 수 있었으나, 보통의 샤다이 장갑복보다 훨씬 실전적인 형태였다.

- 아, 씨발.

통신상으로 위르겐이 나직이 욕을 한다. 오스카 스테이션에서 놈에게 된통 당했던 기억이 떠오른 것이다. 태스크포스 373은 이미 오스카 스테이션에서 리퍼와 전투한 경험이 있다. 그때 리퍼가 보통의 스팸을 월등히 뛰어넘는 성능을 가지고 있다는 걸 뼈저리게 느꼈었다. 다만 팀장인 빈우는 그 당시의 리퍼는 좀 어리바리했었다고 말했고, 실제 리퍼의 전투 영상을 보여주며 놈들의 위험성에 대해 누누이 경고했다. 진짜 리퍼는 우리와 대등하거나 그 이상의 실력을 갖추고 있다고. 하지만 상대가 리퍼라고 해도 모함이 오늘내일하는 지금으로선 작전을 변경할 여유가 없다.

- 내 신호에 따라 목표를 노려.

제일 먼저 공격을 시작한 건 9시 방향에 있는 라이노 2기였다. 2문의 코일건을 가진 라이노들이 사격을 퍼붓자 고지대 주변이 포화에 휩싸이며 샤다이들이 휘청한다.

- 위르겐.

이어 중포병 사양의 어벤저에서 포격이 날아간다. 강풍을 헤치고 날아간 레일건 탄두가 스팸 하나에 명중해 놈을 뒤로 날려 보낸다. 그리고 다음 탄을 넘어진 놈의 머리에 쏴 마무리지으려 했지만, 갑자기 리퍼가 앞으로 나오더니 자신의 손바닥으로 레일건 탄두를 막았다. 고온에 노출된 탄두는 녹기도 전에 기화해 라이덴프로스트 현상을 보이며 돌풍 속으로 날아갔다.

- 계속 쏴. 우리가 접근한다.

9시의 라이노와 6시의 아룹 조가 샤다이들을 교차 사격 범위에 넣고 좌우로 흔들고 있을 때 3시 방향의 빈우 조가 놈들의 뒤를 노리고 서서히 다가갔다. 대 샤다이 전투에서는 사격전보다는 근접전이 더욱 효과가 좋기에, 일단 사격으로 놈들의 정신을 빼놓은 다음 빈우와 파트리샤가 접근해서 마무리를 지으려는 계획이었다.

- 저 자식들, 안 움직이는데요?

포격을 쏟아붓는 위르겐의 말대로 놈들에게선 딱히 반격의 기미가 보이질 않았다. 스팸 둘이 시즐러로 몇 번 쏘기는 했지만, 곧바로 리퍼가 제지했고 샤다이 세 놈은 자기들끼리 방어해가며 373의 공격을 버티기만 할 뿐이다.

- 저거 방패 아닙니까?

아룹의 지적대로 스팸 둘은 처음 보는 방패를 들고 있었다. 놈들이 앞으로 내민 왼 팔뚝에는 뭔가 두툼한 장치가 있었다. 공격이 날아갈 때마다 거기서 꽤 큰 방어막 반응이 보인다. 이제까지 자신의 방어막과 장갑만을 믿던 놈들이 드디어 방패까지 들고나온 것이다. 골치 아프다. 더 골치 아픈 것은 놈들이 방패 뒤에 숨어서 경계의 눈빛을 늦추지 않고 있다는 점이다.

- 작정하고 셔틀을 노리는 건가.

아니면 매복해서 다가오는 아군을 경계하는 것일 수도 있다. 어느 쪽이든 시간이 촉박한 지금으로서는 골치 아픈 상황이다.

- 파트리샤.

스팸 한 놈이 라이노와 위르겐의 포격을 막다가 아룹의 집중사격에 방패가 한계에 달했는지 뒤로 물러나려 했다. 그 모습을 놓치지 않은 빈우가 사격 명령을 내렸고 곧이어 파트리샤의 저격이 날아갔다. 왼쪽 어깨에 공격을 맞은 놈이 바닥으로 넘어지자 리퍼가 달려가 녀석을 일으켰고 곧이어 빈우 쪽으로 시즐러를 들어 겨눴다.

- 피해!

연방의 전차포에 비견될 위력의 포격이 스치고 지나가자 엄폐물로 삼았던 암석이 터지고, 녹고, 달아오른다. 그래도 빈우가 솔리드 베타에서 당했던 리퍼의 공격에 비하면 약하다. 그 당시 놈들이 쐈던 플라스마는 이것보다 훨씬 더 강력했다. 그 공격에 빈우조가 약간 위축되었을 때 리퍼가 시즐러를 땅에 꽂으며 가슴을 쭉 폈다. 그리고 그 자세로 가만히 있었다.

- 저 새끼가 돌았나.

그 모습을 본 위르겐이 사격을 한 박자 쉰 다음 모든 무장으로 전탄 때려 갈길 준비를 할 때 빈우가 말렸다.

- 기다려. 통신이 잡힌다.

저 리퍼는 지금 여러 주파수로 음성통신을 송출하고 있었다. 빈우는 공격을 잠시 멈추게 한 다음 그것을 수신해 팀원들의 회선에 들려주었다.

- 아인 테스나 메이 고바넨 이케가미 소이치로!

샤다이어는 모르지만 하나는 알겠다. 이케가미 소이치로란 단어다. 팀원들의 궁금증이 자신에게 집중되자 빈우가 해석해주었다. 오직 373 팀원들만이 들을 수 있는 회선으로만.

- 이케가미 소이치로를 달라는데?

빈우의 번역에 팀원들의 대답은 콧방귀였다.

- 지랄. 와서 가져가보시지.

팀장의 제지만 아니었다면 위르겐은 방아쇠를 당겼을 것이다. 다른 팀원들도 마찬가지다. 여기 있는 모두 연방의 영토와 시민, 재산을 지키기 위해 군에 들어와 지옥 같은 훈련을 거쳐 실제 지옥을 살아가는 이들이다. 이 중에서 순순히 호위대상을 적에게 넘길 자는 아무도 없었다.

그러나 빈우는 팀원들에게 채 말하지 않은 몇 가지에 대해 곱씹고 있었다.

첫째, 저들은 이케가미 소이치로에 대해서 알고 있다. 나쁜 의미로든, 더더욱 나쁜 의미로든.

둘째, 방금 말의 진짜 뜻. 물론 빈우의 해석에 거짓은 없었다. 두뇌 통신을 하고 있는 마당에 거짓말하기는 힘들고, 팀원들에게 거짓말을 할 이유가 없다. 다만 자칫 오해를 살 수 있는 민감한 부분을 숨겼을 뿐이다. 방금 리퍼가 한 말의 뉘앙스는 '이케가미 소이치로를 내놓아라' 같은 협박이 아니라 모셔가겠다는 정중한 어투였다.

'저들은 이케가미 의원에 대해 알고 있어. 그런데 그가 그런 대접을 받을 만한 위치인가? 샤다이들에게서?'

최소한 이케가미 의원과 샤다이의 관계는 적대적이지 않을 가능성이 커 보였다. 그렇기에 빈우는 만약의 사태에 대비해 방금의 대화를 373 팀원들의 회선으로만 번역해준 것이다. 혹 이케가미 의원의 귀에 들어간다면 무슨 반응이 나올지 모른다. 빈우는 조심스레 자신의 생각을 정리하고 리퍼는 대답을 기다리는 이때, 잠시간의 소강 상태를 깬 것은 파트리샤였다.

- 저것들이 말을 건다면 우리도 할 수 있겠네. 팀장님, 뭐 좋은 수 없을까요?

여기서 파트리샤가 말한 좋은 수는 오스카 스테이션에서 보였던 빈우의 야바위를 뜻한다. 그때 빈우가 말발로 리퍼 하나를 구워삶아 생포하는 현장에 있었던 그녀는, 이번에도 팀장이 현란한 혀 놀림으로 현재 상황을 타개하길 바랐다. 빈우는 기꺼이 기대에 부응했다.

- 흐음, 요힌 음 에루님 스하나, 정도는 어떨까?

- 요힌 ― 음 ― 에루님 ― 스한 ― 그거 무슨 뜻이에요?

- 스하나, 니네 엄마 ㄱ ― 기 맛있더라.

- 니네 엄마 뭐?

샤다이어를 몇 번 중얼거리는 파트리샤에게 빈우는 어깨를 으쓱하며 알려주었다.

- 고기.

빈우의 말에 파트리샤가 깔깔대더니 아까의 주파수로 방금 들은 욕설을 크게 외쳤다.

- 요힌 음 에루님 스하나!

파트리샤가 그렇게 외치자 그 말을 들은 샤다이들이 잠시 멈칫하더니—곧이어 부들부들하더니—고지대에서 미친 듯이 달려 내려오기 시작했다. 장갑복 너머로도 알 수 있을 정도로 분기탱천한 기세가 흉흉하다.

- 어? 어라아?

기대 이상의 열렬한 호응에 말을 꺼낸 파트리샤가 되려 당황했다. 원래 놈들이 기어 나오라고 도발을 한 거긴 한데 이건 너무 과잉반응이다. 파트리샤는 앞으로 나서는 놈을 하나둘 저격하다가 날아오는 공격에 밀려 뒷걸음질 치더니 급기야는 뒤로 나동그라지며 비명을 질렀다.

- 내기해도 좋아. 그 단어 고기 아니에요! 절대 고기 아니라고!

- 아니, 그 왜 특수부위 있잖아. 너한테도 있는 거.

빈우가 급히 인필트레이터의 뒷덜미를 잡고 도망갔다. 파트리샤는 질질 끌려가면서도 소리를 질렀다.

- 특수부위 어디? 위에? 아래?

- ……아래.

한 타이밍 늦은 빈우의 대답에 파트리사가 길길이 날뛴다.

- 야 이 씨발! 왜 말을 못 해!

- 아니, 두뇌 통신에 모니카도 있는데 어떻게 그러냐.

- 어머, 이 씨발!

상황은 다시금 개판으로 흘러가기 시작했다. 샤다이들이 3시의 빈우 쪽으로 우르르 몰려 내려가자 9시에 있던 라이노들이 빈우의 명령대로 고지를 차지하기 위해 냅다 달렸다. 셔틀은 그새 6시의 아룹조에게 날아가 착륙했다.

- 의원님, 대위님, 어서 타십시오.

일단 이케가미 의원과 모니카부터 셔틀에 태운 다음 아룹은 잠시 고민했다. 여기서 엄호를 하며 기다릴 것인가, 아니면 달려가서 합류해 샤다이를 칠 것인가. 마음 같아선 모니카와 이케가미 의원을 셔틀에 두고 위르겐과 함께 지원하러 가고 싶지만, 비전투인원 두 명만 놔두고 가기엔 발 가르단 하스의 상황이 너무나도 개판이었다. 베테랑인 아룹 라마누잔이 보기에도 돌발상황의 연속인 것이다.

그리고 개판이 클라이맥스로 치닫는 저쪽에선 빗발치는 플라스마 포격과 흩날리는 용암의 비 아래 파트리샤가 바닥에 누운 채로 끌려가고 있었다. 그녀의 뒷덜미를 잡고 질질 끌려 가던 빈우는 그 와중에도 곳곳에 수류탄을 지뢰처럼 까놔 따라오는 샤다이들은 엿 먹일 궁리를 하고 있다.

- 저거 좀 보세요.

한풀 꺾인 파트리샤의 말에 빈우가 돌아봤다. 잔뜩 약 오른 스팸 하나가 시즐러를 꼬나들고 가파른 경사를 달려 내려오다 발이 꼬여 데굴데굴 구르는 모습이 보인다. 그리고 그걸 뛰어넘은 리퍼는 빈우조를 잡기 위해 예의 반중력 비행으로 붕 날아올랐다가 돌풍에 휩쓸려 저만치 날아간다.

- 저 새끼도 만만찮은데, 부팀장!

아차 하는 순간에 혼자 서게 된 스팸 하나에게 집중사격이 쏟아진다. 놈은 방패를 들고 어떻게든 버텨보려 했지만, 오른쪽 관자놀이에 꽂힌 아룹의 저격이 결정타였다. 반동으로 휘청하는 찰나에 마무리로 위르겐의 집중사격이 쏟아져 끝장을 냈다. 넘어지는 바람에 동료 하나를 순식간에 잃은 스팸이 허둥지둥 일어나 방패를 들고 방어 자세를 취했지만, 그사이 잽싸게 고지대를 차지한 라이노가 아래로 사격을 해 놈을 바닥에 자빠트렸다. 그 위로는 어느새 돌아온 리퍼가 도망치는 빈우조를 노리고 뛰어온다.

빈우는 넘어진 스팸을 마무리하는 대신에 XPS를 사격 모드로 해서 쐈다. XPS의 플라스마는 시즐러에 비견될 만큼 강력한 플라스마를 쏘는 무기이고 그런 만큼 샤다이에겐 전혀 안 먹히는 무기다. 그러나 빈우가 노렸던 곳은 리퍼의 착지 예정지점이었다. 거기에 플라스마의 포격이 명중하자, 폭발과 함께 제법 큰 구멍이 생기며 그 속으로 리퍼가 빠졌다.

- 다로! 헨칼라!

노기와 살기로 뒤죽박죽된 리퍼의 욕설이 통신으로 들려온다. 놈은 빈우와 파트리샤의 사격을 받으면서도 구멍 가장자리를 잡고 아득바득 기어올라 클레이모어를 꺼냈다. 그리고 검날을 수직으로 세워 파트리샤가 쏜 탄환들을 플라스마 칼날로 다 튕겨냈다.

- 내가 간다.

빈우는 자신이 접근전을 시도하니 사격을 멈추라고 하면서 리퍼 앞으로 나섰다. 잔뜩 성이 난 리퍼가 일도양단할 기세로 클레이모어를 들어 올릴 때 빈우는 왼손으로 허벅지에 있던 플라스마 도끼를 언더스로로 던졌다. 샤다이에겐 통하지 않을 빈약한 위력의 플라스마 무기이지만, 도끼의 날 부분이 리퍼의 클레이모어와 닿자 그 부분만 잠깐 플라스마가 사라진다. 그리고 빈우는 언더스로로 던졌던 왼손을 그대로 앞으로 내밀어 클레이모어의 날 부분을 잡았고, 리퍼를 잡아당겨 놈의 배에 코일건 한 사발을 퍼부어줬다. 마무리로 앞차기를 해 다시 구덩이 속으로 밀어 차넣었다.

- 이건 제가 마무리하겠습니다.

셔틀을 타고 날아오는 위르겐이 남은 스팸 하나에 마지막 남은 대 샤다이 미사일을 쏘았다. 한 뼘 크기의 초소형 무탄두 미사일이지만 오직 샤다이를 노리기 위해 만들어진 특제품이다. 발사된 7발 중 3발의 미사일이 강풍을 이기고 날아가 목표물의 방어막에 닿았고, 그 즉시 2차 추진기를 분사해 방어막을 비집고 들어갔다. 탄두 부분은 샤다이의 장갑과 부딪히자 마모되며 자기 첨예화 과정을 거쳐 계속 날카로워짐과 동시에 가장 저항이 적은 부분을 찾아 이리저리 맴돈다. 마침내 가슴에 맞았던 미사일들이 순식간에 스팸의 턱밑 쪽으로 미끄러져 돌진해 들어가 놈의 숨통을 끊었다.

- 어서 타십시오.

셔틀이 빈우와 파트리샤의 근처에 도착했고 아룸이 서두르라고 재촉한다. 셔틀에 탄 빈우는 상공을 올려다보았다.

거기에는 불길에 휩싸인 채 대기권을 강하하는 블랙 랜스가 보였다.

공격이 최선의 방어라지만 지금의 오르와 블랙 랜스에겐 통하지 않는 말이다. 반격을 해야 할 부포들은 적탄을 요격하는 데 급급하고, 탄환이 떨어진 부유 포대들을 사라진 장갑 드론 대신 방패 용도로 쓰고 있는 상황이다. 샤다이 전열함의 포는 연방 전함의 주포에 버금가거나 그를 능가한다. 그런 것이 놈에겐 72문이나 달려 있다. 반면 블랙 랜스의 함축 코일건은 전함의 주포에 약간 모자란다. 그런 것이 1문이 있다. 화력에서부터 압도적인 열세인 상황에 여기까지 버틴 것만으로도 블랙 랜스와 오르, 그리고 우지의 실력이 증명되었다.

만약 블랙 랜스가 좀 더 넓은 행동반경을 가질 수 있었다면 기동력을 살려 더 나은 결과가 나왔을지도 모른다. 그러나 그렇게 된다면 궤도 상의 엄호가 없어진 지상 병력은 적의 궤도포격에 아무런 저항도 못 하고 사라져버릴 게 분명했다. 개죽음당할 게 뻔한 지상팀을 내버려두고 작전구역을 벗어날 수는 없는 노릇이다. 그리고 그 대가는 결코 가볍지 않았다.

- 3번 부유 포대 손실.

경고 메시지와 함께 오르의 머릿속으로 불쾌한 감각이 다시금 생겨난다. 환지통과는 또 다른 느낌이다. 사자에게 물려 창을 든 오른손이 뜯겨 나갈 때는 격통이 전신을 내달렸다. 코뿔소에게 배가 꿰여 바닥을 나뒹굴 때는 죽음의 공포가 머릿속에 차올랐다. 그러나 부유 포대를 잃은 지금은 창을 든 손이 하나씩 사라져가는 것만 같다. 마치 자신의 손이 애초부터 없었던 것이라고 우기는 듯한 불쾌한 감각이다.

함선의 각 부위에선 맡은 자리를 담당한 인공지능들이 알맞은 대처를 하고는 있지만 이렇게 곳곳에서 동시다발적으로 사건이 발생하자, 오르 함장 혼자서 구축함을 전부 다루는 블랙 랜스의 단점이 드러났다. 손상 부위의 응급처치와 수리는 그렇다고 쳐도 롱소드에 작전 지시를 내릴 만한 겨를조차 없다. 무엇보다 가장 큰 문제는 함장인 오르가 샤다이와의 전투에 총력을 기울이자, 지상팀을 백업할 여력마저 사라졌단 것이다.

- 함장님. 이제 더는 버틸 수 없습니다.

우지에게서 다급한 목소리가 들려온다. 전투기 한 대만으로 적 함대의 화망을 분산시키고 날아오는 포격을 중간에 요격하는 등, 오늘 보여준 우지의 활약상은 그의 조부이자 전쟁영웅인 시에 쉰의 재림이라 불릴 만했다. 그러나 수적으로도, 질적으로도 열세인 상황에서는 역부족이었다.

- 아직은 안 됩니다. 지상팀이 안전한 회수를 할 때까지······.

오르는 말을 채 마치지 못했다. 전열함들의 화망이 블랙 랜스의 움직임을 몰아간다. 그 틈을 노려 모니터함의 거포가 작렬한다. 압도적인 화력 앞에 방어 기동이 제대로 이루어질 리 없다. 두 문의 부유 포대가 직격을 막고 사라지자 남은 플라스마들이 일렁이며 블랙 랜스 곁을 스친다. 그것만으로도 심각한 데미지를 블랙 랜스 함체에, 그리고 오르의 신경망에 주었다. 고통과는 다른 단절감이 지마 오르의 전신을 난도질한다. 그리고 그때, 특이한 전기신호가 오르의 머릿속에 들어왔다.

- 이케가미 소이치로?

지상에 있을 이케가미 소이치로 상원의원의 이름이 태스크포스 373의 기밀 회선을 통해 오르의 머릿속에 직접 들려온다.

- 너는 이케가미 소이치로인가?

- 팀장님? 이쪽은 한계입니다. 지상팀은 언제 탈출할 수 있습니까?

- ……이케가미 소이치로로…….

방금의 포격으로 전자 장비들이 입은 피해가 막심한 탓인지 아니면 지금
도 이어지는 포격 때문인지, 정확한 원인은 알 수 없으나 통신이 제대로 되질
않는다. 오르는 날아오는 포격을 최대한 덜 아프게 맞으면서 지상팀의 상황
을 곁눈질했다. 다행히 만만치 않아 보였던 지상팀의 전세도 어느 정도 해결
된 듯싶다. 그러니 방금처럼 통신을 넣었으리라. 이제는 탈출할 시간이다.

- 팀장님, 김빈우 팀장님.

그러나 블랙 랜스의 호출에도 지상팀의 답신은 없었다. 통신장비가 피해
를 입은 것도 있지만 블랙 랜스의 주변은 플라스마가 점차 과포화 상태로 치
닫는 중이다. 대기권 아래와 통신이 되는 편이 오히려 이상할 지경이다.

- 우지 일병. 이제 지상팀을 구출하러 갑시다.

통신이 제대로 닿았는지는 모르겠으나 블랙 랜스의 움직임을 본 롱소드
가 급히 따라붙었다. 이 전투기도 X자로 달린 4개의 추진기가 이제 2개밖에
남지 않은 상태라 제대로 된 작전 수행이 가능할지 의문이다. 만신창이가 된
구축함과 전투기가 지상의 아군을 구하기 위해 대기권에 돌입하기 시작했다.

*

- 아니, 왜 블랙 랜스가…….

위르겐의 이어질 말은 대충 '왜 아무런 말도 없이 대기권 진입을 시도했
냐'겠지만 이어지지 않았다. 그의 의문은 모함의 현 상황을 보는 것만으로도
해소되었기 때문이다. 이젠 저 상태로 샤다이의 추격을 뿌리치고 도망칠 수
있을지가 새로운 의문이 되었다.

- 간당간당한데…….

파트리샤가 중얼거렸다. 지상팀의 두뇌 통신 회선으로 막연한 불안감이
떠돈다. 지금 지상팀을 태운 셔틀이 최대 출력으로 상승하고 있지만, 과연 블

랙 랜스에 닿을 수 있을지 불안한 것이다.

- 우지! 우지야!

대기권을 강하해 이쪽으로 날아오는 롱소드가 보이자 모니카가 기쁜 소리를 내었지만, 곧 잦아들었다. 그럴 수밖에 없다.

- 세상에…….

2기밖에 남지 않은 추진기, 곳곳에 녹아 내부가 보이는 동체, 간신히 균형을 잡는 보조 추진기 등 언제 추락해도 이상하지 않을 기체의 상태에 걱정부터 든다.

- 우지, 괜찮나?

롱소드와 지상팀은 두뇌 통신이 연결되지 않아 일반 통신으로 빈우가 호출한다.

- 네! 어떻게든 안전하게 모시겠습니다.

대답은 잘한다. 그리고 셔틀의 밑으로 날아가던 롱소드의 남은 추진기 2개 중 하나가 폭발하며 떨어져 나가 기체가 빙글 돈다.

- 우지!

우지는 그 상황에서도 어떻게든 기체의 밸런스를 바로잡은 뒤 셔틀 밑으로 날아와 동체를 받쳤다. 그런 다음 마지막 남은 하나의 추진기를 최고출력으로 밀어붙였다.

- 꽉 잡으십쇼!

우지의 외침과 함께 셔틀이 급가속하며 떠오른다. 셔틀 좌우에 달린 2기의 추진기보다 월등한 롱소드의 추력에 지상팀원들이 안에서 요동쳤다.

- 된 건가요? 이제 우리 탈출할 수 있나요?

안도하는 모니카의 물음에 빈우는 제대로 된 대답을 해줄 수 없었다.

- 글쎄올시다.

블랙 랜스는 대기권에 돌입하다가 발 가르단 하스의 대기와의 마찰로 튕겨 나간단 계획을 세웠었다. 롱소드와 셔틀은 그 궤도를 따라 올라가 착함할 예정이었다. 그런데 지금 이 둘의 궤도가 맞물리지 않는다. 셔틀의 추력과 롱소드의 추력을 모조리 합해도 시간과 거리가 맞지 않는 것이다. 그렇다고 블랙 랜스의 속도를 늦출 수는 없는 노릇이다. 현재 자신의 추력이 아닌 행성 대기권의 반발력으로 튕겨 나가는 만큼 블랙 랜스는 이 속도를 조절하기 힘들었다. 또 지금과 같이 만신창이가 된 함의 상태로 억지로 속도를 조절하려 했다간 최악의 경우 행성 인력권에서 벗어나지 못하고 추락할지도 모른다.

- 저건!

그때 블랙 랜스에서 뭔가 가느다란 것이 내려오는 것을 볼 수 있었다.

- 계류 케이블!

오르 함장도 셔틀이 제시간에 궤도에 오르지 못할 것을 알고 함선끼리 혹은 항구와 연결할 때 쓰는 계류 케이블을 뽑아내린 것이다. 이제 저 케이블과 셔틀이 연결되기만 한다면 발 가르단 하스에서 탈출할 수 있다. 케이블 끝에는 연결부의 미세조정을 위한 추진기들이 있었고 이 녀석들은 정확한 도킹을 위해 열심히 분사하며 연결 각도를 잡고 있었다.

- 어어? 팀장님, 이거 주변 중력 수치가…….

부머를 타고 있는 모니카가 새된 비명을 질렀다.

- 점프 반응이에요!

이어진 비명과 함께 셔틀 저 위쪽으로 다수의 점프가 일어나며 스팸들이 나타났다. 그리고 놈들은 373의 머리 위로, 셔틀 쪽으로 강하해 내려온다.

- 이것들이 씨발! 위르겐!

빈우가 명령을 내리기도 전에 위르겐이 셔틀의 문을 열고 나갔고 빈우도 뒤따라 셔틀의 위로 올라갔다.

- 파트리샤와 부팀장은 안을 지켜요.

빈우와 위르겐은 셔틀의 위에서 내려오는 샤다이 보병들을 요격하기 시작했다. 격추시킬 필요는 없다. 단지 내려오는 궤도를 빗나갈 정도로만 쳐내면 된다. 반중력으로 날아오르는 리퍼라면 모를까, 비행능력이 없는 스팸들은 지금 자유 낙하로 내려오는 중이니 한발씩 쏴 쳐내기만 하면 셔틀에 접근할 능력이 없다.

한 발 한 발에 스팸들은 튕겨 나가 발 가르단 하스로 추락한다. 그러나 떨어지는 놈들이 발악하며 시즐러를 쏘는 게 성가시다. 예나 지금이나 형편없는 사격 실력이지만 그래도 명색이 플라스마 무기다. 저 눈먼 공격에 한 발이라도 맞는다면 이쪽은 결코 무시할 수 없는 피해를 입는다.

- 저 개새끼들이!

아니나 다를까, 터져나오는 위르겐의 욕설에 빈우가 돌아보자 거기엔 스팸의 사격에 스쳐 녹아내린 계류 케이블의 추진기가 보인다. 다행히 케이블과 연결구는 무사하지만, 자세 제어용 추진기가 저 상태면 제대로 방향을 잡을 수 없고 셔틀과 도킹할 수 없다. 실제로 계류 케이블은 세찬 바람에 미친 듯이 흔들리고 있었다.

- 우지! 방향 맞출 수 있겠냐?

빈우는 물어보고도 혀를 찼다. 지금 롱소드는 밑에서 셔틀을 떠받치고 있는 상황이라 추진기를 볼 수 없다. 만약 우지가 두뇌 통신에 들어와 있었다면 다른 팀원의 시야를 공유해 도킹할 수 있도록 방향을 바꾸겠지만, 지금은 그럴 시간이 없다. 빈우는 컨커러의 제트팩을 최대 출력으로 해서 셔틀을 박차고 날아올랐다. 그리고 추진기를 잡으려 했지만 휘청하고 흔들리더니 저 멀리 날아간다.

- 팀장님!

위르겐이 놀라서 비명을 질렀으나 빈우는 추진을 멈추지 않고 더 날아올라 한참 위쪽의 케이블을 잡아챘다. 그리고 그걸 타고 주욱 미끄러져 내려와 연결부를 잡고 매달려, 자신의 제트팩으로 자세 제어를 했다.

그때 셔틀의 연결부에 계류 케이블을 갖다 대려는 빈우의 곁눈질로 자신에게 레일건을 겨누는 위르겐의 어벤저가 보인다. 동시에 위르겐의 시선으로는 하나의 은빛 형상이 번뜩이는 게 잡힌다. 발사된 레일건의 탄환은 빈우

549

의 뒤로 날아갔지만, 목표에 닿지도 못하고 소멸되었다. 그리고 리퍼가 빈우를 지나쳐 셔틀의 위에 착지했다. 오스카 스테이션에서 봤던 움직임이 아니다. 방금 발 가르단 하스의 지상에서 봤던 움직임도 아니다. 저것은 예전에 포말하우트 게이트의 점프 공간 안에서 보았던 리퍼들의, 마치 잘 제련된 칼날과도 같은 움직임이었다.

- 셔틀 위에 리퍼!

위르겐이 경고와 함께 리퍼와 근접전을 벌인다. 그러나 빈우는 셔틀을 케이블에 연결하기 위해 사투를 벌이는 중이라 도와줄 형편이 안된다. 노련한 부팀장이 이 사실을 알아채고 서둘러 셔틀 위로 올라온다.

- 크으억!

리퍼의 손짓 한 번에 중포병 사양 어벤저의 대형 방패가 지워지고 위르겐의 신체 신호가 비상으로 치닫는다. 그때 빈우가 케이블의 연결구를 셔틀에 가져다 댔다. 두 개의 결합부가 마주 걸린다. 그러나 여전히 불안하다.

'왜 나를 노리지 않고 그냥 지나쳤지?'

아룹이 플라스마 도끼와 진동 나이프를 들고 덤비지만, 리퍼는 아랑곳하지 않고 무릎을 꿇고 앉아 손바닥을 셔틀 동체에 대었다. 그걸 보고 빈우는 깨달았다. 저게 바로 불안의 원인이었다.

- 부팀장! 셔틀 안으로 들어가요!

빈우가 연결을 마치고 셔틀 위로 뛰어올랐을 때 리퍼도 셔틀 천장을 녹이며 안으로 들어갔다. 모니카의 비명. 부머의 상태 신호가 적색으로 바뀐다. 파트리샤의 기합 소리. 인필트레이터의 상태도 순식간에 황색이 되더니 이어 양팔이 적색이 된다. 빈우가 셔틀 안으로 들어갈 때 본 것은 이케가미 소이치로를 옆구리에 끼고 밖으로 뛰쳐나가는 리퍼였다.

- 일단 블랙 랜스와 탈출해요! 제 회수는 매뉴얼대로.

빈우는 마지막 명령을 내리고 리퍼를 쫓아 셔틀 밖으로 뛰어나갔다. 그리고 발 가르단 하스로 떨어져가는 리퍼의 뒤를 거칠게 쏘아져 내려가 덮쳤다.

동시에 진동 나이프로 놈의 목을 노렸지만 오히려 나이프의 날만 상한다.

놈은 추격해 온 빈우를 힐긋 돌아보더니 손바닥을 슬며시 펴 이쪽으로 내밀었다. 무엇이든 녹이고 소멸시켜버리는— 적어도 연방의 재질이라면 막을 수 없는— 고열의 손바닥이다. 빈우는 진동 나이프로 놈의 손목을 쳐서 막은 다음 그 반동으로 이케가미 소이치로의 우주복을 베었다. 정확히는 허리다. 우주복 허리에 달린 장비 벨트가 잘려나가자 틈이 발생했다. 빈우는 그 사이를 파고들어 이케가미 의원을 리퍼의 품에서 빼냈다. 그리고 리퍼를 발로 차며 발 가르단 하스의 폭풍 속으로 날아 아래로 강하했다.

리퍼의 중력 제어 기술은 분명히 뛰어나다. 그러나 추력이 아닌 중력으로 떠오르는 만큼 외력의 간섭에는 약해서, 지금의 발 가르단 하스같이 폭풍이 몰아치는 곳에서는 제대로 된 비행을 할 수 없다. 둘 사이의 거리는 계속해서 멀어졌다. 모래와 자갈이 섞인 강풍 덕에 얼마 지나지 않아 빈우는 리퍼의 시야에서 사라질 수 있었다.

- 이케가미 의원님, 괜찮으십니까?

빈우의 부름에 이케가미 의원은 대답하지 않았다. 헬멧을 통해서 본 의원은 눈을 감고 기절해 있었다. 지금까지 겪었던 일을 보면 그럴 법도 하다. 또 우주복에 접속해 의원의 현재 상태를 보니 썩 좋지 않았다. 일단은 어딘가 안전한 곳에 착륙해서 그의 치료부터 다시 해야 할 성싶다.

착륙지점을 찾으며 내려가던 빈우는 태스크포스 373의 현재 상황을 점검해보았다. 블랙 랜스는 셔틀을 무사히 회수해 발 가르단 하스를 이탈했고 샤다이들의 추격을 뿌리치는 데도 성공했다. 빈우와 이케가미 의원은 발 가르단 하스에 있고 곧 있으면 지표면에 착지한다.

그리고 27시간 뒤 발 하스 1과 발 하스 6이 발 가르단 하스에 충돌한다.

빈우는 주변을 잠시 둘러본 다음 은신처로 돌아왔다. 은신처라 해봐야 착지한 다음 이리저리 헤매다 들어온 땅 밑의 공동일 뿐이다. 아군은 이제 이 행성에서 일시적으로 후퇴했고 주변에는 원주민과 샤다이들뿐이다. 이제 빈우와 이케가미 의원, 두 사람은 블랙 랜스가 다시 돌아올 때까지 이 적대적인 환경에서 어떻게든 버텨야 한다.

- 히토미…….

실신한 이케가미 의원은 지금 은신처 바닥에 누워 누군가를 찾으며 잠꼬대를 하고 있었다. 다친 곳의 상태가 그리 좋지 않다. 물론 부상 당시 즉시 파편을 빼내고 치료용 마이크로 머신을 주사하긴 했지만, 그건 군용 의료용품이라 군용 강화 육체가 아닌 민간인의 몸에는 제대로 작용하지 않는다. 민간인용 의료용품이 있었더라면 훨씬 도움이 되었겠으나, 빈우는 이번 작전에선 필요 없으리라 판단해 챙기지 않았다. 부상 당사자인 이케가미 의원이 입은 우주복엔 들어 있었지만 아까 리퍼에게서 도망칠 때 허리띠와 함께 버려졌다.

문득 강하하기 전 위르겐이 장비를 점검하던 모습이 떠올랐다. 녀석은 민간인용 물품까지 챙기고 있었는데, 그런 걸 뭣 때문에 챙기냐고 물어보니 '없으면 꼭 필요하더라'라는 대답이 돌아왔었다. 하긴 민간인들과 부대낄 일이 많은 뱅가드다운 대답이었다.

- 히토미. 응, 그래. 아빠다, 아빠야……

이케가미 의원은 누운 채로 팔을 휘젓다가 손에 잡힌 작은 바위를 하나 끌어오더니, 그것을 토닥토닥 두드리기 시작했다. 표정도 한결 나아진 것을 보니 아마도 잠에서 깬 딸을 다시 달래서 재우는 꿈을 꾸는 모양이다. 그 모습은 빈우의 기록 속에 있는 그의 과거와는 사뭇 달랐다. 기록 속의 이케가미 소이치로는 뜨겁게 도전해서 냉철하게 실행하는 사람이었지, 오늘 본 것처럼 우유부단하고 부드러운 사람이 결코 아니었다.

'이케가미 상원의원은 무슨 목적으로 1년 전 이곳 발 가르단 하스에 온 것일까. 또 어떤 이유로 샤다이들이 그에게 그런 반응을 보이는 것일까.'

셔틀에서의 리퍼는 분명히 이케가미 의원을 납치하려고 했었다. 그 샤다이가 인간을 죽이지 않은 것이다. 물론 이런 의문들은 시야를 달리해서 보면 그리 대수롭지 않은 것일 수도 있다. 먼저 이케가미 의원이 자신의 사상을 바꾸었다 한들 딱히 이상한 것은 아니다. 그도 연방의 정치가인 이상 연방의 이익을 위해서 개인의 주의와 사상은 얼마든지 바꿀 수 있다. 문제는 그 원인이 무엇이냐, 또 그 결과가 과연 연방에 이익이 되는 것이냐는 것이다.

마찬가지로 이케가미 의원이 적과 내통하였다 한들, 이 역시 딱히 이상한 것은 아니다. 아군의 정보를 적에게 제공하고 그 대가로 필요한 정보를 얻어 전략적 우위에 서는 것은, 그가 정치가인 이상 이미 예술의 영역까지 다다랐을 외교 기술 중 하나일 것이다. 발 가르단 하스에서 우연히 재회한 이케가미 의원은 처음에는 빈우에게 그다지 협조적이지 않았었다. 하지만 나중에는 군사정보국의 어구인 '어차피 우리들은 연방을 위해 일하지 않나, 우리들 사이에 비밀이 있을 순 없지 않은가'를 말했었다. 즉 정보 교환에 — 제공이 아니라 교환에 — 긍정적인 반응을 보인 것이다.

- 히토미? 히토미?

그때 이케가미 상원의원이 선잠에서 깨어났다. 그는 누군가의 이름을 부르며 일어나 주위를 두리번거렸다. 고통스러워하면서도 멍한 표정을 보아하니 아직 현재 상황을 제대로 파악하지 못한 듯싶었다.

- 일어나셨습니까? 아까 셔틀에서 추락할 때 제가 의원님을 구출해서 이곳까지 모셨습니다. 다른 팀원들은 모함을 타고 일시적으로 후퇴를 했지만 빠른 시간 내에 다시 구하러 올 것이니 안심하십시오.

- 그래…… 그런가. 알겠네. 잘 부탁하네.

빈우의 말을 들은 이케가미 의원은 대강 상황을 파악한 듯 고개를 끄덕였다. 빈우는 그런 그를 보며 어느 정도는 사실을 말해주어야겠다 싶었다.

- 미리 말씀드리자면 이 행성은 26시간 뒤면 끝납니다. 뭐, 그전에 탈출할 수 있다는 것은 제가 보장하지요.

- 끝난다고? 26시간 뒤에?

멍한 표정으로 질문하는 이케가미 소이치로에게 빈우는 현재의 행성 지도를 띄워 보였다.

- 네. 현재 발 하스 항성계는 이곳 발 가르단 하스를 중심으로 모든 행성들이 접근하는 이상 현상이 발생 중입니다. 항성인 발과 하스도 물론 끌려오고 있고요. 그래서 앞으로 약 26시간 후 발 하스 1과 발 하스 6이 우리가 있는 발 가르단 하스와 충돌할 예정입니다.

설명을 다 들은 이케가미 의원은 쿨럭거리며 웃었다.

- 아냐, 아냐. 결코 끝나지 않아. 결코.

기침이 가라앉자 그는 자세를 세우며 빈우를 매섭게 올려다보았다.

- 오히려 자네들이, 아니 우리가 끝낼 뻔했지.

그러면서 이번엔 이케가미 의원이 행성 지도를 조작해 확대했다.

- 어디서부터 말해야 하나……. 그래, 이 행성 가르단은 발과 하스 이 두 항성과 밀접한 연관이 있어.

- 가르단요? 발 가르단 하스가 아니라?

빈우가 묻거나 말거나 이케가미 의원은 자기 말을 계속했다.

- 이건 행성 가르단이 항성 발의 궤도를 공전할 때의 모습이라네. 발의 복사열

로 인해 지표 아래의 증기와 광물들이 녹아 끓어오르며 분출되는데, 이때 지표를 구성하는 암석층의 미세한 구멍들이 여과와 증류탑의 역할을 하지. 그래서 상대적으로 입자가 작고 비중이 낮은 혼합물들만이 지표까지 닿는다네. 그리고 발의 궤도를 벗어나면 이 금속층들은 식어 가르단의 지표에 얇은 금속 피막을 형성하게 되지.

화면상의 발 가르단 하스는 마치 열핵폭격을 당해 방사선 유리구슬이 된 행성마냥 반짝거린다. 어디선가 본 적이 있는 색이다.

- 다음, 이건 가르단이 항성 하스의 궤도를 지날 때의 모습이야. 하스에서 나온 강력한 전자파가 가르단을 자극하면, 지표 깊숙한 곳에 갇혀 있던 금속 증기들이 가열되고 팽창해서 금속 피막층을 향해 맹렬하게 솟구치게 되지.

화면에는 분출된 증기들에 의해 공중으로 날아오른 금속 피막들이 둥글게 닫히며 금속 풍선들이 되어가는 장면들이 나온다. 이제야 뭔지 알겠다. 저것들은 발 가르단 하스 인이다. 아직 촉수 같은 부속지라든가 여타 기관들이 없지만, 전체적인 모습은 바로 발 가르단 하스 인이었다. 이 발 가르단 하스는 항성 발과 하스를 순환하며 생명을 만드는 것이다.

- 어떻게 여기까진 말할 수 있군.

그러면서 이케가미 의원은 지치는지 자리에 앉았다. 그의 말대로라면 발 가르단 하스의 순환 생태계를 개박살낸 것은 바로 인류 연방과 구 지구제국, 즉 인간들이었다. 행성에 반물질 폭탄을 투하하고 대기층을 갈아버렸으니 발 가르단 하스의 정교한 혼합 물질계에 치명적인 피해를 주었을 것은 당연지사. 그리고 이어서 발생한 이상 현상에 발 가르단 하스가 두 항성 사이에 정지해버렸으니, 저 순환과정은 더 이상 일어날 수 없게 되었다. 그 의미는 새로운 발 가르단 하스 인은 태어날 수 없게 되었단 소리였다.

처음에 보였던 이케가미 소이치로의 분노가 이제는 이해가 간다. 연방은 단순히 발 가르단 하스 인의 생명을 빼앗은 것이 아니라 종으로서의 연속성에 종말을 고한 것이다.

- 그래서 그렇게나 노여워하셨던 겁니까.

그런데 아까 이케가미 의원은 분명히 말했다. 절대로 끝나지 않는다고. 나직하게 떠보는 빈우의 말에 자리에 앉은 이케가미 의원은 힘없는 목소리로 회답했다.

- 시장하군.

빈우도 딱히 대답을 바라고 한 질문은 아니었지만, 그의 말은 좀 생뚱맞긴 했다. 그러나 이케가미 의원이 정보를 풀기로 한 것 같으니 어느 정도 장단을 맞춰줄 필요가 있다.

- 지금은 군용 식량뿐입니다만…… 이것도 못 드시겠군요. 나중에 모함으로 올라가면 제대로 대접하지요. 뭐 특별히 드시고 싶으신 거라도 있으십니까?
- 갓 지은 따끈한 쌀밥으로 계란 밥을 만들어 먹고 싶구먼…….

빈우의 기록에 의하면 이케가미 의원은 벼농사를 지었던 탓인지 쌀밥을 꽤 특별히 취급했다. 밥그릇에 붙은 밥알 하나하나를 젓가락으로 떼어먹을 정도로.

- 다행이군요. 그 정도는 얼마든지 내드릴 수 있습니다.

살아 돌아가면 계란 밥이 대수랴, 먹고 싶은 것은 마음껏 만들어 먹어도 된다. 그런데 상원의원 나리의 입맛은 아니나 다를까 조금 까탈스러우시다.

- 생성기로 만든 것 말고, 진짜 계란으로 말일세.

그 말에 태스크포스 373 팀장의 고개가 갸우뚱한다. 순양함이라면 모를까 블랙 랜스는 구축함이다. 진짜 계란을 가지고 다닐 정도로 화물 적재량이 넉넉하진 않다.

- 흠, 아나스타샤에게 물어는 보겠습니다. 아마 액상 계란이나 분말 계란은 있을지도요. 액상으론 안 될까요?
- 허어, 뭐 되었네. 생성기 걸로 참아보지. 참, 계란 하니까 생각나네만, 아직도 아나스타샤 양이 자네 비서인가?

전 상원의장이 정보국 소령의 안드로이드 비서 이름까지 기억한다는 것은 조금 의외였다.

- 네, 그렇습니다만. 모함에 있습니다.

- 그래, 그녀가 그때 만들어줬던 카스텔라가 정말 맛있었는데 경황이 없어서 제대로 인사도 못 했었지. 올라가면 꼭 인사를 해야겠어.

그러고 보니 빈우의 기록에도 있다. 울토르 프로젝트에 대한 개요를 논하는 자리였는데 이야기가 길어지자 아나스타샤가 갓 만든 카스텔라를 내온 적이 있었다.

- 아나스타샤도 의원님께 칭찬받으면 꽤 기뻐할 겁니다.

약간 웃음기를 띤 빈우의 말을 듣고선 옛일을 추억하며, 고개를 주억거리던 이케가미 의원이 지나가는 어투로 폭탄을 하나 던졌다.

- 자네, 김빈우 소령이 맞나?

순간 빈우의 손가락이 펄떡 뛰었다. 사자가 일어서자 하이에나가 놀라서 뛴 것이다. 이 신경 신호를 쓸모없는 것으로 여긴 장갑복이 가만히 있어줘서 망정이지 하마터면 저 베테랑 정치인에게 빈우의 동요를 들킬 뻔했다.

- 새삼 무슨 말씀이십니까? 그렇게 여쭙고 싶은 건 오히려 접니다. 이케가미 의원님이야말로 정말 본인이 맞으신지요?

빈우도 반농담조로 대꾸하자 이케가미 의원이 고개를 으쓱한다.

- 예전과는 너무 달라서 말일세. 자네는 예전에 아나스타샤 양을 절대 그렇게 대하지 않았었지.

- 눈매가 꽤 매우시군요.

- 이 정도로? 자네야말로 눈매가 무뎌진 것 아닌가? 안드로이드가 싫다면 버리고 새로 사면 될 일. 하지만 당시의 자네는 안드로이드 비서인 아나스타샤 양을 철저히 무시했었지. 마치 사물이 아닌 인간을 무시하는 것처럼 말이야. 한때 특별한 감정 교류가 있었던 안드로이드가 아니고서야 주인이 그런 반응을 보이는 일은 없지 않나. 그런데 지금은 어떤가? 꽤 살가운 반응 아닌가? 왜 그렇게 바뀐 거지?

역시 무시하면 안 된다. 수많은 정계의 괴물들 사이에서 군림했던 상원의 장이다. 그것도 계파에서 밀어준 얼굴마담이 아니라 스스로 정적을 제거하고 밑바닥에서부터 올라간 입지전적인 인물이다. 그만큼 상대의 약점을 찾고 후벼 파는 데는 도가 텄다.

- 너무 그러지 말게나. 자네가 마치 나 같아서 하는 말이야. 주변에서 그러더군. 자네가 아나스타샤 양을 보는 눈빛이 마치 내가 딸아이를 보는 눈빛 같다고 말일세.

마치 장갑복 헬멧 너머로도 빈우의 표정이 보인다는 듯 이케가미 의원이 너스레를 떤다. 딸이라면 아까 잠꼬대를 하며 말했던 히토미란 아이일 가능성이 크다. 그리고 그의 말대로라면 이케가미 의원은 어릴 때는 그렇게 애지중지 다뤘던 딸을 나중에는 무시했다는 말이 된다.

- 어디 그뿐인가. 우리가 카스텔라를 먹으며 얘기를 나눌 때만 해도 자네는 마치 장전된 총과도 같은 사람이었네. 의심 없이, 후회 없이, 자비 없이 마치 당기면 바로 발사될 정예대원 말일세. 그런 사람이 이렇게까지 바뀌다니 나로서도 의심하는 게 당연하지 않겠나. 어느 쪽이 김빈우 소령인가?

삼도천으로 세례를 받으면 회광반조라 하던가. 다 죽어가던 사자가 일어나 어슬렁거리니 하이에나는 뒷걸음질 칠 뿐이다.

- ……원래 이런 성격이었습니다. 살다 보니 좀 팍팍하게 변했고 그때가 의장님을 뵐 때였죠. 요즘 다시 예전 모습을 찾는 중입니다. 그러고 보니 의원님은 왜 그렇게 바뀌셨습니까?

- 허어, 자네도 그랬나? 나도 그랬다네. 나도 처음에는 비둘기파였다네. 그때만 해도 외계종족과는 평화적으로 문제를 해결하려고 했었지. 바뀐 이유는…… 자네 혹시, 노라 맥켄지 사건 아는가?

알다마다. 그 사건의 여파로 빈우의 고향까지 위험해진 적이 있었고 커서는 사관학교에서도 단골로 다루던 문제였다.

- 목타하에 개미와 벌을 소개한 분이죠.

노라 멕켄지는 자치 행성 콘스탄틴의 총독이었다. 그녀는 인류 연방을 경계하고 적대하는 곤충 종족인 목타하에 대해 평화적인 접근법을 모색하려 했다. 자치 행성은 외교권이 없기에 외계종족인 목타하와는 연방을 거쳐 접촉해야 한다. 하지만 상황에 따라 선조치 후보고가 승인되는 전례가 있었던 만큼, 그 접근 자체는 큰 문제가 되지 않았다.

　문제는 그 내용이었다. 당시 목타하는 인류를 전쟁에 미쳐버린 호전적인 종족, 골격이 내부에 있는 부드러운 피부의 혐오스러운 종족으로 보고 굉장히 경계했다. 그 혐오감과 공포심이 전쟁을 부추기고 있다는 것은 누가 봐도 알 수 있었다. 때문에 콘스탄틴의 총독 노라 멕켄지는 인류만이 전쟁을 벌이는 생물이 아니다, 다른 생명체들도 전쟁을 벌인다, 인류를 우주 유일의 전쟁종족으로 보지 말아달라며 개미와 벌들의 전쟁을 담은 자연 다큐멘터리를 곤충 종족인 목타하에게 보여주었다.

　의도는 좋았다. 불쌍한 노라 멕켄지. 그녀는 큰 착각을 하고 있었다. 목타하의 입장에선 개미와 벌도 지구의 생명체였던 것이다. 얼핏 봐도 비슷한 종에 속한 생명체들이 상상도 못 할 레벨의 싸움, 아니 전쟁을 하는 것을 본 목타하의 반응은 그야말로 충격과 공포였다.

　"저쪽 동네는 대체 어떤 지옥도가 펼쳐진 것이냐."

　인간의 입장으로 바꿔보자면, 아주 호전적인 제국의 후예인 곤충 종족들이 '우리는 제국의 후예지만 그들만큼 호전적이진 않다, 그리고 자기만이 전쟁을 하는 것은 아니'라며 보여준 영상자료에 온갖 유인원들이 처절한 사투를 벌이고 있는 게 나오는 셈이다. 그러면 인류는 이렇게 생각할 것이다. 저쪽은 종속과목을 막론하고 죽도록 치고받는 놈들이로구나.

　그런 이유로 목타하는 살기 위해, 정당방위로, 인류 연방과 콘스탄틴에 선제공격을 가해왔다.

063

· · · ✦ · · ·

- 25년 전, 의회는 목타하의 침공에 대응하는 방법을 논하느라 바빴지. 당시 연방은 구 지구제국의 죄과에서 벗어나고자 하는 마음에 내가 속한 온건파가 우세했지만……. 그날 이후로 모든 게 바뀌어버렸어. 연방의 모든 게.

목타하가 벌인 콘스탄틴 침공은 연방의 대 외계인 정책에 꽤 큰 족적을 남겼다. 외계종족의 적대행위에 대한 삼진아웃제는 강경파와 온건파 간의 합의 결과다. 이전부터 있었지만, 두 세력이 극단적으로 치닫게 된 것은 목타하와의 전쟁부터였다.

- 목타하의 군세가 가까워지자 콘스탄틴에는 소개령이 떨어졌어. 비록 자치 행성이지만 위험을 피해 떠나겠다는 요청인 데다, 직할령의 하원에서도 콘스탄틴을 존중하자는 분위기였기에 연방 정부는 어쩔 수 없이 받아들였지.

외계종족의 침공에 연방이 후퇴하다니, 지금이라면 상상도 못 할 행동이었다.

- 모든 시민이 떠난 줄 알았던 콘스탄틴에 요제프 클림트라는 남자아이가 홀로 남겨졌다는 소식이 그날 늦게야 들어오더군. 우린 즉시 비상대책 회의를 열었다네. 할 수 있는 모든 외교채널을 통해 요제프 클림트 군을 돌려받을 수 있도록 방법을 강구하고…… 힘든 하루를 마쳤었지.

요제프 클림트. 연방 사관학교의 정문에 서 있는 아이의 동상이며 또한 군인들이 지켜야 할 연방의 시민이자 이상이라 믿는 우상이다.

- 눈코 뜰 새 없이 바쁜 하루를 마치고 집으로 돌아와보니 문득 생각나더군. 딸아이 히토미가 그 요제프 클림트란 아이 또래라는 게 말이야. 그래서 딸 방에 들어가봤더니……. 히토미가 혼자서 자고 있더구먼. 금방이라도 침대 위에서 굴러떨어질 것처럼 이불을 다 걷어 차낸 채로 말이야. 그래서 안아서 바로 눕히려고 했는데…….

안아주려는 시늉을 하다 휘청하는 이케가미 의원이 힘겹게 자신의 왼쪽 팔뚝으로 크기를 가늠해 보인다. 손목에서 팔꿈치까지의 길이다.

- 너무 컸어. 예전엔 요만 했거든. 자다가 칭얼거리면 한 손으로도 바로 뉘어 등을 긁어주면 잘 자던 아이가 이젠 두 손으로 안아야 했지. 그때까진 몰랐었어. 기저귀를 뗀 게 언제더라 싶은데 침대에 바로 누운 모습을 보니 새삼 많이 컸구나 싶더라고. 그러면서 생각했지. '애가 많이 컸구나, 그런데 일곱 살이던가, 여덟 살이던가.' 한심하지 않나? 아비란 작자가 딸아이의 나이도 모르니 말일세. 그런데 또 잠옷이 말이야.

그러면서 말을 잇는 이케가미 의원의 눈에는 그 당시를 회상하며 물기가 고이고 있었다.

- 세 살 때 입던 옷 그대로였어. 바짓단은 무릎 밑에까지 올라오고 위에 입는 수면 조끼는 짧아져서 배꼽이 보이더구먼. 그걸 보면서, 내가 참…….

허허롭게 웃는 이케가미 의원을 빈우가 위로한다.

- 애착 물건이겠죠. 아이들이 잘 때 끼고 자는 물건이 하나씩은 있지 않습니까. 저는 베개였다고 아나스타샤가 말해주더군요. 따님은 그게 잠옷이었을 겁니다.

- 그래, 그렇겠지. 그런데 그걸 보고 오만 가지 생각이 들더군. '열심히 다른 이를 위해 일해봐야 정작 내 딸아이가 이렇게 살지 않나', 이런 것부터 시작해서 '외계종족? 좋지. 하지만 동족인 인간들부터 먼저 챙기면 안 될까?'라는 별의별 생각이 다 들더란 말일세.

이케가미 소이치로의 얼굴은 회한으로 물들었다.

- 그리고 다음 날에 요제프 클림트 사건이 터졌다네.

요제프 클림트는 콘스탄틴에 있던 보육원의 원아로 당시 여덟 살이었다. 부모는 개척 작업 중 사고로 사망했었다. 어린 요제프는 무슨 이유에서인지 콘스탄틴에 있던 모든 자치 행성민들이 탈출할 때 고향에 홀로 남겨졌고, 목타하는 콘스탄틴을 점령한 이후 사로잡은 요제프를 공개 처형했다.

무혈입성에 신이 난 놈들은 요제프의 피부를 자신들의 단단한 갑각에 비교하며 차근차근 벗겼고, 마지막으론 몸 안에 있는 골격을 꺼내 들고선 역겨워했다. 이 모든 게 요제프 클림트가 살아 있는 동안에 일어난 일이다. 그리고 그 영상이 공개된 이후 연방의 여론은 들끓었고 세상은 급변했다. 강경파와 주전파가 득세하며 군대는 강화되었고 국방비는 급증했다.

일례로 당시 주력이었던 헬브링어를 대체할 차기 장갑복으로 개발된 스트라이커는 개발비용 삭감으로 수차례 다운그레이드를 거치고 있었지만, 이 사건으로 전폭적인 지원을 받게 됐다. 대대적인 강화를 받은 스트라이커는 어벤저란 이름으로 재탄생, 배치되어 오늘날까지도 수많은 외계종족의 피를 쥐어짜는 중이다.

- 우리가, 아니 내가 그 아이를 버린 거야. 알량한 정책과 다음 선거에서의 표를 위해 그 아이를 고통 속에 죽게 했어. 변경 함대 하나만 보냈어도 요제프는 살았을 것이고 목타하는 멸종당하지 않았을 거야.

고개 숙인 그의 헬멧 유리에 눈물과 침이 떨어진다.

- 내가…… 내가 그런 거야. 콘스탄틴에 소개령을 내리고, 군의 발목에 족쇄를 매고, 주전파를 매도했던 내가 그 아이를 고통 속에 죽게 했어.

다시 고개를 든 그의 얼굴은 눈물을 흘리며 웃고 있었다. 자신을 비웃고 있었다.

- 하지만 말일세. 우습지 않나? 그 전날만 해도 나에게 요제프 클림트 군은 생판 모르는 여덟 살 남자아이에 불과했어. 그런데 사람도 참 간사하기도 하지. 맞지 않는 잠옷을 입고 잠든 딸아이의 모습을 본 순간 감정이 앞서버린

거야. 다음 날부터 나는 파벌을 박차고 나와 주전파를 이끌었지. 아주 열성
적으로, 또 격정적으로.

- 결과적으로 많은 생명을 구한 셈이지 않습니까?

- 그래, 연방의 많은 생명을 구했겠지. 비할 수 없이 더 많은 외계종족들의 피
를 대가로 바쳐서 말이야. 그리고 그날 결정된 정책은 오늘날까지도 그 불길
한 그림자를 드리우고 있지 않은가. 롱훅 프로젝트나 우…… 우…… 프로젝
트처럼.

말을 더듬던 이케가미 의원이 고개를 휘휘 젓더니 화제를 바꾸어 다시 말
을 이었다.

- 나는 말이야. 벼농사를 아주 좋아했었어. 농사 그만둔 지가 언젠데 아직도
낱알 하나, 쌀알 한 톨도 허투루 보지 않는다네. 그래서 히토미가 밥을 남길
라치면 불호령을 내렸지.

무언가 이상하다. 이케가미 의원의 말이 징검다리마냥 경중경중 뛰고 있
었다.

- 그날 아침에는 오래간만에 둘이서 아침밥을 먹었는데 내가 입맛이 없어서
밥을 좀 남겼더니 이번엔 히토미가 나보고 방방 뛰더란 말이야. 허허, 자식
은 부모를 닮는다더니. 아무렴 닮고말고. 그러니 행동을 조심해야지. 지금
이야 추억이지만 그때는 굉장히 곤란했었다네.

명색이 상원의원이란 사람이 이렇게 두서없이 이야기할 리가 없다. 여기
엔 반드시 이유가 있다.

'처음에는 발 가르단 하스의 생태계 설명을 하다가 갑자기 계란 밥과 카스
텔라 얘기를 하더니 내 정체에 대해 물었다. 다음으로는 목타하와 콘스탄틴
얘기로 연방군에 관한 이야기를 끌어나가다가 롱훅 프로젝트와……'

이케가미 의원과의 대화에서 위화감을 느낀 빈우는 하나의 가설에 도달
했고 그것을 확인하기 위해 실험을 했다.

- 의원님, 아까 계란 밥을 드시고 싶다고 하시지 않으셨습니까?

이케가미 의원이 지친 눈으로 자신의 말허리를 끊은 빈우를 쳐다보았다. 그의 눈빛은 지금 해답을 기다리는 듯했다. 빈우는 말없이 허공에 있는 밥그릇을 쥐고, 역시 존재하지 않는 밥솥에서 밥을 퍼서 그릇에 담은 뒤 그것을 이케가미 의원에게 건네주었다. 그리고 따뜻한 쌀밥을 대접받은 이케가미 의원은 밥그릇을 물끄러미 내려다보더니 갑자기 그것을 뒤집어 밥상에 거꾸로 내려놓았다. 이어 떨리는 눈으로 빈우에게 호소한다.

예의를 아는 사람이라면 결코 하지 않을 행동. 더구나 벼농사를 해 쌀을 각별히 여겼던 이케가미 소이치로라면 절대 할 수 없는 행동이다. 빈우는 스스로 터부를 범한 남자의 얼굴을 마주 살펴보았다.

저 표정. 아는 표정이다. 숙제하기 싫어 떼쓰는 동생의 얼굴과도 비슷했다.

하고 싶은 걸 못하고, 싫은 것을 억지로 강요당할 때의 표정.

밖에 나가서 놀고 싶으나 언니에게 붙잡혀 공부할 때의 울상.

아니, 그보다 더 비슷한 표정을 빈우는 안다. 저것과 같은 얼굴을 아나스타샤가 한 적이 있다.

그날 빈우는 숙제를 챙겨서 공부방에 기다렸다. 그러면 엄마가 와줄 것만 같았다. 그러나 아무리 기다려도 엄마는 오지 않았고 대신 아나스타샤가 빈우의 공부를 봐주었다.

"아샤, 엄마는 어딨어?"

그때 아나스타샤가 지었던 표정을 빈우는 결코 잊을 수 없다.

한참 동안 조용히 있던 아나스타샤는 간신히 말문을 열었다.

"……도련님, 마님은 저쪽 산 너머에 누워 주무시고 계세요."

"……엄마 언제 와?"

울먹이는 빈우에게 아나스타샤 역시 울음을 참으며 대답했다.

"저는 모르겠어요. 하지만 도련님이 어른이 되시면 아실 거예요."

상대방과 같이 나눈 슬픔. 그리고 자신의 무능함에 대한 한탄과 분노.

아나스타샤는 거짓말을 하지 않았다. 그때 그녀 자신이 아는 사실을 자기가 할 수 있는 방법으로 말했을 뿐이다. 자신의 작은 주인인 빈우가 언젠가는 깨달을 수 있게.

이케가미 소이치로가 바로 그렇다. 자신의 의지가 무언가에 억눌리고 있다. 진실을 말하고 싶은 의지가. 그래서 그것을 어떻게든 돌려서 빈우에게 말하고 있는 것이다. 자신이 빈우에게 제대로 답할 수 없는 것을 깨달아달라고. 그제야 빈우는 자신의 가설이 맞았음을 알았다.

'바보 같은 놈, 왜 진작 눈치채지 못했나.'

빈우는 명색이 정보장교라는 자신을 속으로 질책했다. 왜 중간에 계속 말이 끊겼는지. 머릿속에 온갖 기밀을 가진 전 상원의장이 호위도 없이 혼자 행동하는 것이 어떻게 가능했는지. 이유는 하나뿐이다. 지금 눈앞의 이케가미 소이치로 상원의원은 머릿속의 두뇌칩에 어떠한 보안 프로그램이 깔렸을 것이 확실하다. 연방의 기밀을 말할 수 없는 보안 프로그램을. 사용자의 언행에 제약을 주는 프로그램을. 울토르 클론들에게 깔려 있고, 자신의 머릿속에도 깔려 있으며, 지금도 아나스타샤의 머릿속에 들어 있는 행동 제어 계열의 프로그램임이 분명하다.

이런 프로그램들은 정보의 속성이나 사람의 신분, 직업에 따라 여러 가지의 다양한 종류들이 있기에, 지금은 먼저 이케가미 의원에게 제약을 거는 것이 어떤 종류의 것인지를 파악하는 게 중요했다.

'이케가미 소이치로의 두뇌칩에 있는 보안 프로그램은 어떤 것일까? 정보접근 차단? 해당 단어와 관련된 언어중추 방해?'

그때 문득 떠오른 것이 있다. 발 가르단 하스에 대해 얘기할 때 이케가미 의원은 분명히 이렇게 말했었다.

'어떻게 여기까진 말할 수 있군.'

몸이 좋지 않아 말을 하기 힘들어 그런 소리를 한 줄 알았는데. 거기까지가 이케가미 의원이 말할 수 있는 한계였던 모양이다. 그 이상은 보안 프로그램에게 제약을 받은 것이다. 이를 보아 일단 이케가미 의원은 자신의 머릿속에 있는 정보를 인식하는 것은 가능한 것처럼 보인다. 그러나 그것을 말이나 행동으로는 표현하지는 못하고 있는 것이다. 때문에 이케가미 의원은 화제를 돌렸던 것으로 추측된다. 빈우가 알아채기를 바라면서. 계속 연관된 화제로 바꾸어 이어나가 단서를 흘리면서.

지금까지의 언행으로 보아 이케가미의 머릿속에 들어 있는 프로그램은 두뇌칩 속의 정보는 그대로 두되, 언어중추에 간섭해 그것을 외부로 발설하는 것을 금하도록 하는 종류의 것으로 보였다. 원래는 감히 상원의원의 두뇌칩에 넣을 종류의 것이 아니지만, 아마 이케가미 본인이 단독행동을 할 수 있는 권한과 맞바꾼 것이리라. 어떻게 보면 연방의 의제를 다뤄야 할 상원의원에게 어울리는 보안 프로그램이기는 했다.

물론 이런 종류의 프로그램들은 우회할 수 있다. 빈우는 울토르 클론으로 위장했던 시절 연방에 대한 의무감과 충성심을 방패로 프로그램의 간섭을 비껴갔고, 피에르 라캉에게 가족에 대한 정보를 알려줄 때는 어린 시절의 트라우마로 세웠던 정신 방벽을 정면으로 마주해서 뛰어넘었다. 하지만 훈련을 받지 않은 이케가미 소이치로가 과연 이런 행동을 할 수 있을지가 의문이다. 두뇌칩 속 강제 프로그램들을 우회하거나 무시하기 위해선 고도의 정신 집중과 고문과 비견될 훈련 경험이 필요하다. 그때 빈우의 머릿속에 단서가 또 하나 떠오른다.

'어차피 우리는 연방을 위해 일하지 않나? 우리 사이에 비밀이 있을 순 없지 않은가?'

이케가미 상원의원이 정보국의 어구를 말한 이유가 무엇일까? 김빈우란 인물이 기밀에 대해 같이 이야기할 수 있는 대상인 정보국 소속임을 스스로에게 인지시키고 암시하는 것일까? 만약 그 암시가 성공했다면 이케가미 의원은 기밀을 말할 수도 있을 터였다. 그러나 적의 습격 이후로 이어지지 않은 것을 보면 그 시도는 실패했거나 그런 종류의 프로그램이 아닐 수 있다. 또 아니면 자신의 머릿속에 있는 프로그램이 군사정보국의 것임을 암시하는 것일 가능성도 있다.

여러 가지 접근 방법이 떠오르지만, 함부로 실험할 수는 없다. 이런 우회 시도가 계속되면 이케가미 의원의 머릿속 보안용 AI가 눈치채고 작동해 아예 정보 접근을 막아버릴지도 모른다.

'가장 안전한 건 이케가미 소이치로의 페르소나를 모방한 허수아비를 만들고 거기에 실험하는 것인데⋯⋯.'

그러나 지금 여기 발 가르단 하스의 임시 은신처에는 그러기 위한 기재도 시간도 없다.

'그렇다면 안전빵으로 가야지.'

이케가미 소이치로가 스스로의 정보를 인식하지만, 그것을 말이나 글로 표현할 수 없다면 그 말과 글을 바꾸면 된다. 보안 프로그램은 판별할 수 없고 인간은 알 수 있는 중의적인 표현이나 비유법 등을 쓰는 것이다. 그렇다면 이제 빈우는 지금까지 이케가미가 말한 단서에서 키가 될 만한 단어들을 유추해 내야 한다. 그리고 그 단어가 의미하고 있는 다른 뜻을 찾아내야 한다.

'이케가미 의원이 뭘 언급했지?'

AI가 기밀과 관련이 없다고 생각하지만, 인간은 그 연관성의 암시를 눈치챌 수 있는 단어들. 계란 밥, 아나스타샤, 카스텔라, 벼농사, 쌀⋯⋯.'

먼저 계란 밥은 그와 가볍게 식사를 할 때였고 딱히 중요한 이야기를 한 적은 없다. 단지 의장 자신이 벼농사를 지었었다면서, 또 딸이 길러준 쌀이라면서 한 톨 한 톨 남기지 않고 중요하게 먹었었다.

그리고 카스텔라라면 울토르 프로젝트에 관해 얘기할 때였다.

마지막에 우—, 까지만 말했던 프로젝트. 빈우가 유전자를 제공하고 현장 지휘관이 되었던 프로젝트다.

- **의원님. 그날 카스텔라 말입니다만.**

빈우가 조심스레 운을 떼자 이케가미 의원이 힘겹게 고개를 든다.

- **다시 드시겠습니까?**

- 아니, 절대 먹지 않을 걸세.

대답은 즉시 나왔다.

- 그 카스테라는 결코 먹어선 안 되는 물건이었어. 절대로. 그건 인류의 것
  이…… 아니야.

즉, 울토르 프로젝트는 결코 해선 안 되는 일이었단 의미다. 빈우가 일생
일대의 결심을 하고 모든 것을 바쳤던 프로젝트가 그 입안자에 의해 부정되
었다. 현재 마주 보고 있는 울토르의 주요 관계자 두 명의 상황은 실로 얄궂
다. 한 사람은 아는 것을 말하고 싶으나 말할 수가 없고, 한 사람은 말하고 싶
으나 그에 대해 아는 것이 없다.

'일단 울토르에 대한 것은 다음에.'

이어서 다음 문제와 다음 답을 찾아야 한다. 그러나 마지막 대답을 하며
흥분했던 이케가미 의원의 몸이 앞으로 고꾸라진다.

- 의원님!

다친 몸으로 무리한 결과다. 빈우가 이케가미 소이치로를 안아 눕혔다. 우
주복의 헬멧에 김이 서린 것이 보인다. 결코 좋지 않은 현상이다. 이는 이케
가미 소이치로의 열이 심하다는 것도 있지만 우주복 내부의 순환기능이 제
대로 작동하지 않는다는 의미도 있다.

· · · ✦ · · ·

064

이케가미 의원이 입은 허리의 부상이 잘 낫지를 않는다. 그렇다고 더 이상 군용 마이크로 머신을 투입할 순 없다. 이놈들은 인체 내에서 자신들의 비중이 일정 이상이 되면, 사용자의 상태가 중상이라고 인식하고 비상 행동에 들어간다. 문제는 이 일련의 행동들이 사용자가 강화군인이라는 전제하에서 일어나는 일이라는 점이다. 놈들에게 있어서 비상 행동이라 함은 중요도가 낮은 장기들을 분해해 중요도가 높은 장기들을 복구하는 것이다.

즉, 지금 상황에서 이케가미 의원에게 마이크로 머신을 추가로 주사한다면 이놈들은 그의 골수와 대장들을 분해해, 사라진 심장 순환 펌프와 강화골격들을 복구하려 들 것이다. 원래부터 없는 것인데도. 물론 군인의 육체에서는 내부의 장기들을 파악할 수 있으므로 이런 일은 일어나지 않는다. 외부에서 마이크로 머신을 조율해줄 수 있다면 강화를 받지 않은 신체라 해도 해결될 문제이긴 하나, 지금은 그 장비가 없다. 또 부상을 당하며 입고 있는 우주복 허리 쪽의 주 순환선이 충격을 받은 탓에 간당간당하다.

지금 두 사람이 숨어 있는 은신처는 지옥으로 변하고 있는 바깥과는 달리, 발포 재질의 암석으로 만들어진 동굴 입구를 막아놓은 곳이라 단열도 잘 돼서 온도는 낮은 편이다. 그러나 이 우주복을 입고 섭씨 400도에 초속 50m의 폭풍이 몰아치는 바깥으로 나간다면 얼마 정도 버틸까.

- 탈출 타이밍을 잘 잡아야 하는데.

빈우는 아까 주변을 둘러보았을 때 모함인 블랙 랜스가 보낸 암호통신문을 수신했었다. 물론 서로의 위치를 추적당하지 않기 위해, 그리고 여의치 않은 상황 탓에 제대로 된 통신은 아니었다. 블랙 랜스는 탈출할 때 현재 상황과 앞으로의 계획을 담아놓은 비컨을 뿌려놓았고 약간의 시간이 지난 다음, 이 비컨이 전파를 은밀히 발신하자 빈우가 그것을 수신한 것이다.

　현재 블랙 랜스는 샤다이의 추적을 따돌리고 발 가르단 하스와 발 하스 1 사이에 있는 소행성 지대로 숨어든 상태다. 그리고 오르 함장은 발 하스 1에서 떨어져 나오는 소행성 군이 발 가르단 하스에 접근할 때와 블랙 랜스가 그나마 정상적인 항해가 가능할 때를 봐서 움직인다고 했다.

　아까의 블랙 랜스는 얼핏 봐도 침몰 직전까지 몰렸었다. 심한 곳은 외부 장갑이 녹아나 내부 블록들이 그대로 노출될 지경이었니 그런 피해를 입은 지 두 시간 만에 움직이는 건 척 봐도 무리였다. 지금은 조용히 기다리고 버텨야 한다. 눈이 벌게진 샤다이들 사이에서 온몸이 벌게진 이케가미 의원을 지켜가면서 말이다.

　그때 은신처 동굴의 입구 쪽에 설치해놨던 원격 센서에서 움직임이 감지되었다. 바람이나 바위의 흔들림은 아닌 무언가의 움직임이다. 빈우가 입구에 설치해둔 폭탄을 격발시킬 준비를 하며 센서와 장갑복을 연결하자 수상한 전자파가 감지된다.

　- 소이치로.

　여러 주파수로 이런 메시지가 날아와 잡힌다. 빈우는 폭탄을 터뜨릴까도 생각해보았지만, 일단은 기다렸다.

　- 소이치로, 여기에 있는 거야?

　신호는 점차 가까워지고 있다. 여러 갈림길이 있음에도 그 신호는 이곳 은신처로 곧바로 다가오고 있었다. 얼마 지나지 않아 은신처의 입구에서 발 가르단 하스 인이 둥실 떠서 들어왔다. 특징이라고 하면 몸통 가운데에 우주복 수리용 테이프가 붙어 있다는 점. 나타난 것은 이케가미 상원의원과 안면이 있는 원주민 후코였다.

- 소이치로, 괜찮아? 많이 다친 거야?

이 발 가르단 하스 인은 바닥에 누워 있는 이케가미 의원에게로 허둥지둥 날아왔다. 빈우는 그 앞을 막았다. 총을 겨누지 않은 것은 나름 예의였다.

- 어떻게 이곳을 찾았지?

경계하는 빈우의 질문에 발 가르단 하스 인이 촉수를 들어 흔들거린다.

- 어떻게라니? 이상한 '목소리'가 이쪽으로 흘러가길래 따라온 거야. 이런 목소리는 소이치로만 쓰는 것이거든.

목소리라……. 아무래도 전자파를 이용한 통신의 보안은 발 가르단 하스 인에게 그다지 쓸모 있는 것 같지 않았다.

- 용건은?

자리를 비키며 경계를 풀었지만 아주 푼 것은 아니다. 짧은 만남이었지만 발 가르단 하스 인은 연방의 전자장비를 떡 주무르듯이 만지는 종족이다.

- 약속을 지키려고 온 거야.

- 약속?

그러고 보니 이케가미 의원은 거주지를 떠나기 전 부상을 입은 후코를 향해 누군가에게 메시지를 전해달란 부탁을 했었고 후코도 그 답을 돌려주겠다고 했다.

- 응, 답을 전해주려고 했었어. 마침 소이치로가 돌아왔길래. 그런데…….

누워 있는 이케가미 의원에게 다가간 후코에게서 나오는 전파 출력이 약해진다.

- 소이치로. 다친 거야?

- 응. 좋지 않아.

잠시 뜸을 들인 다음 들어온 전파는 꽤나 슬피 들렸다.

- 그럼…… 소이치로는 돌아가는 거야?

분명히 다른 신체와 문화를 가진 외계종족이지만 그 '돌아간다'는 말의 의미를 파악하기에는 어렵지 않았다.

- 아니, 막아야지.

- 그럼 어서 해. 어서 소이치로를 고쳐줘.

그러다가 문득 빈우의 머릿속을 스치는 게 있었다. 이케가미 의원은 발 가르단 하스에 1년간 있었고 이 후코란 발 가르단 하스 인은 그동안 그와 알게 된 원주민인 듯했다. 게다가 아까 오발 사고 때의 반응을 보면 둘 사이의 교류는 꽤 각별한 게 확실하다. 그렇다면 후코는 이케가미 의원이 설치한 거주지나 다른 장비들에 대해 알고 있지 않을까? 의료 팩 하나만 있어도 그의 상태는 대단히 호전된다.

- 후코, 혹시 이케가미 의원이 썼던 장비라거나 아까 같은 거주지는 다른 곳에 더 없어? 그게 아니라도 달리 그를 도울 방법이 없을까?

- 도울 방법? 있어. 해도 돼?

기다렸다는 듯이 바로 나온 대답은 그야말로 사막의 오아시스였다.

- 응. 서둘러서 해줘.

빈우의 말을 들은 후코는 잠시 신호를 발산하기 시작했다. 이케가미 의원의 사물을 찾는 것이라면 연방의 주파수를 쓸 텐데, 그게 아닌 걸 보니 아마도 자신의 농족들에게 보내는 신호인 듯했다. 발신을 마치자 후코는 빈우에게 다시 신호를 보냈다.

- 됐어. 친구들이 와준대.

- 그래? 다행이군.

곧이어 은신처에 불쑥 나타난 후코의 친구를 보고 빈우는 껄껄 웃었다.

- 어머니! 왜 저를 낳았습니까, 차라리 달걀이나 낳아서 계란프라이나 해 드시지요.

그리고 코일건을 들어 이케가미 의원의 머리를 겨눴다. 연방의 전 상원의장이라면 연방의 기밀이란 기밀은 다 취급했던 사람이고, 머릿속에는 치명적인 자료들이 잔뜩 들어 있다. 연방에 주적인 샤다이에게 넘겨줄 순 없는 노롯이다. 점프로 은신처에 나타난 샤다이는—스팸 4기와 리퍼 2기는—그쪽 대로 빈우를 보고 굳어버렸다. 말 그대로 일촉즉발의 상황이다.

- 잠깐 기다려.

그때 후코가 두 진영 사이를 가로막았다.

- 싸우지 마. 그런 하찮은 일보다는 소이치로의 일이 먼저야.

조막만 한 동굴을 순식간에 쑥대밭으로 만들 수 있는 종자들 사이로 둥실 둥실 떠다니는 후코는 마치 사자 우리 속에 던져진 풍선 같았다. 그때 리퍼 하나가 앞으로 불쑥 나섰다. 방금 점프해 와서 빈우를 보자마자 부들대던 놈 이다. 몸 여기저기의 흔적을 보니 마지막 전투에서 발로 걷어차 구덩이로 밀 어넣은 놈 같다. 통신 연결이 이루어지지 않아 빈우의 눈에는 그놈이 삿대질 만 하는 모습만 보이는데, 주변의 샤다이들이 녀석을 말리고 있었다. 그러다 가 놈이 갑자기 클레이모어를 빼들었다. 대검의 날에 플라스마가 맺히자 몇 몇 녀석들이 나서서 앞을 가로막았고 빈우는 선제공격 타이밍을 재었다.

- 그만.

후코의 격렬한 신호와 함께 클레이모어가 꺼졌다. 정확히는 플라스마가 사라져버렸다.

- 나빠, 나쁜 사람이야. 내가 말했지. 소이치로의 일이 먼저라고. 한 번만 더 그러면 너희와의 계약을 끊어버리겠어. 별 심장의 불길을 다시는 못 빌리게 심장의 주인에게 이를 거야.

지금 후코는 드물게 화를 내고 있었다. 클레이모어를 빼 들었던 리퍼 놈은 척 봐도 알 정도로 쩔쩔매고 있었다. 손대지 않고서 샤다이의 무기를 껐다 켰 다 할 수 있는 존재라니 놈들이 저럴 법도 하다.

'그건 그렇고 무식하면 용감하다더니 연방군은 대체 뭘 믿고 토끼몰이 작 전 따위를 벌인 걸까? 알았으면 절대 안 했겠지?'

본의는 아니지만 어찌어찌하다가 자신의 총으로 후코의 몸에 바람구멍을 내버린 빈우는 마른 침을 삼켰다. 그리고 이제까지 373 팀원들이 고의로 원주민을 해친 적이 없어서 정말 다행이라고 생각했다. 아차 했으면 팀원들 모두가 전원 꺼진 장갑복을 관 삼아 줄초상 그랜드슬램을 치를 뻔한 것이다.

- 그리고 그거.

몸을 돌린 후코가 소이치로를 겨누고 있는 빈우의 코일건을 가리킨다.

- 왜 그러는 거야? 실수인 거야? 소이치로의 친구 아냐?

- 친구야. 하지만 소이치로가 저들에게 넘어가선 절대 안 돼.

- 걱정하지 마. 내가 막아줄게. 소이치로를 지켜줄게.

여기서 거절한들 코일건의 전원은 물론 지금 입고 있는 장갑복의 전원마저도 꺼질지 모르는 일이다. 빈우는 얌전히 코일건을 거두고 이곳의 주도권을 후코에게 넘기기로 했다.

- 여기 있는 소이치로가 다쳤어. 고쳐줘.

후코가 샤다이들에게 말하자 그중 하나가 대답을 하는 것처럼 보였다. 물론 빈우에게 들리지는 않았지만 후코가 전해주었다.

- 그건 무리래. 지금 소이치로를 고칠 수 없대.

하기야 종족이 다르니 바로 고치는 것은 무리겠지. 아무리 기술력이 뛰어난 샤다이라도 불가능은 있는 모양이다. 잠시 소강 상태로 있던 와중에 후코가 무슨 신호를 수신했는지 반색한다.

- 다행이야. 소이치로를 고칠 수 있는 사람들을 찾았어. 곧 여기로 온대.

빈우가 채 뭐라고 하기도 전에 다시금 동굴 안에 점프 반응이 일었고 리퍼 3기가 도착했다. 그런데 도착 후에 보인 모습, 주변 경계라든가 몸놀림으로 봐서 좌우의 두 놈은 보통 놈이 아닌 듯했다. 특히 왼쪽에 있던 놈의 어깨에는 특이한 문양이 있었는데, 블랙 랜스로 귀환할 때 셔틀로 강하해 온 놈에게도 있던 문양이었다. 아마도 같은 녀석이리라. 연방의 정예 특수부대원인 373 팀원들을 순식간에 무력화하고 이케가미 의원을 납치해 간 녀석이다.

그때 가운데에 있던 리퍼가 앞으로 걸어나왔다. 그리고 진짜 보통이 아닌 놈은 이 가운데의 리퍼였다. 먼저 도착해 있던 샤다이들이 공손하게 고개를 숙이는 것이, 그리고 좌우의 리퍼들이 대하는 태도가 이 녀석의 지위를 짐작하게 해주었다. 그 높은 지위의 리퍼는 후코에게 다가가 대화를 잠시 나누더니 빈우를 쳐다보고 말을 걸었다.

- 보았던 갑옷인데. 설마 본인인가?

컨커러의 통신기로 들어온 말은 기억에 있는 음성이다. 이어 녀석은 헬멧의 외피를 벗겨 자신의 얼굴을 드러내 보였다.

- 혹시 나를 알고 있나? 나다. 알탄훼아나. 아, 그리고 보니 그때 이름을 말하지 않았었지.

뜻밖의 장소에서 뜻밖의 재회를 한 빈우는 자기도 역시 장갑복 헬멧의 정면 가드를 열었다.

- 오래간만이군. 김빈우다. 그건 역시 네놈들 짓이었나.

빈우가 오스카 스테이션에서 사로잡아 특수전 사령부로 넘겼던 여성형 샤다이가 지금 그의 앞에 서 있었다.

- 짓? 누구의 무슨 짓? 아, 그래. 동포의 도움으로 나는 그곳에서 탈출했다. 그래서 나는 여기에 있다.

무슨 트로이의 목마도 아니고 연방 전력의 중핵 중 하나인 특수전 사령부를 홀랑 날려버린 원인이 돼버린 빈우는 이를 갈았다.

- 기다려. 지금은 더욱 중요한 일이 있다는 것을 알 텐데.

그러면서 알탄훼아나가 손으로 가리킨 곳엔 누워서 사경을 헤매는 이케가미 소이치로 상원의원이 있었다.

- 이케가미 소이치로. 발 가르단 하스와 대화를 약속한 자다. 구해야 한다.

그녀의 말이 끝나자 좌우에 있던 리퍼 둘이 이쪽으로 걸어왔다. 그리고 하나는—셔틀을 습격했던 놈은—빈우의 앞에 마주섰고 나머지 하나는 이케가미 의원 쪽으로 갔다. 그것을 본 빈우가 움직이려 하자 앞에 마주 섰던 녀석이 부드럽게 손등을 들어 올려 빈우의 앞길을 막았다. 마치 싸울 의사는 없다는 듯한 제스처였지만 빈우는 공격 일보 직전이었다.

- 소이치로를 구하는 거야. 믿어줘.

결정적으로 후코의 말이 빈우를 멈췄다. 자세를 바로 한 빈우가 이케가미 의원 쪽을 보자 앞을 가로막았던 리퍼가 한 발 뒤로 물러서서 그를 볼 수 있게 해주었다. 이케가미 의원 앞에 앉은 리퍼는 마치 물 같은 액체를 상처 부위에 붓고 있었다. 그리고 덩어리져 뭉쳐진 물덩이의 끝을 잡고 어떤 조작을 하자 상처 부위에 박혀 있던 파편들이 밖으로 빠져나왔고 물덩이가 우주복 안쪽으로 들어갔다.

- 흐으음.

편안한 이케가미 의원의 한숨이 빈우의 통신으로 들려왔다. 그의 신체 신호도 한층 호전된 게 보인다. 그걸 보며 빈우가 한숨 돌리자 알탄훼아나가 웃으며 말을 걸었다.

- 이제 조금만 있으면 완치될 테니 안심해.

그런데 미소를 짓던 그녀가 뭔가를 깜빡한 듯 고개를 절레절레 흔들었다. 저런 모습을 보면 샤다이와 인간은 닮은 구석이 많았다.

- 아니지. 안심하란 말은 너무 일렀나?

미소의 끝이 고소로 마무리되자 주변의 리퍼들의 기세도 확연히 변한다.

- 이케가미 소이치로는 대화가 약속된 자. 보내주어야겠지. 하지만 김빈우는 우리와 약속이 있지 않나?

- 그래, 선약이 있었지.

빈우가 이를 악물며 웃었다. 그가 상대해야 할 적은 샤다이 아홉 명. 그것도 리퍼 5기, 스팸 4기에다 그중에서도 리퍼 둘은 단신으로 373 팀원을 압도했던 놈이다. 과거 포말하우트 게이트에서 만났던 리퍼들처럼.

- 안 돼. 소이치로의 친구야. 해쳐선 안 돼. 더는 싸우지 마.

아이러니하게도 태스크포스 373팀장의 목숨을 구한 것은 넝마 풍선처럼 보이는 후코였다.

065

· · · ✦ · · ·

- 이케가미 소이치로만이 아닙니까? 저 침략자도?

알탄훼아나는 인간들의 말에 어느 정도 정통한지 지금 후코에게 능숙히
존칭을 쓰고 있었다.

- **아니, 약속은 하지 않았어. 하지만 소이치로의 친구야. 만약 기억을 되살릴
수 없게 돌아가면 소이치로가 슬퍼할 거야. 그럼 나도 슬플 거고. 그래서 안
좋은 일이 생기면 너희들도 기억을 살릴 수 없게 돌려보낼 거야.**

'대충 죽여버린단 의미 같은데······.'

전후 문맥으로 뜻을 유추해본 빈우는 샤다이들의 반응이 걱정스러웠다.
아닌 게 아니라 후코의 말에 요주의 리퍼 둘의 기세가 흉험해지며, 당장이라
도 공격을 가할 것처럼 자세가 서서히 가라앉았다. 그리고 놈들이 다시 치솟
아 올라오기 전에 알탄훼아나의 손이 불쑥 올라왔다.

- **이 땅에서 뉘라서 그대의 뜻을 거스를까요. 따르겠습니다.**

그녀의 말에 두 리퍼는 다시금 정중한 자세로 알탄훼아나의 옆으로 섰다.
샤다이의 치료가 효과가 있었는지 때마침 이케가미 의원도 눈을 떴다.

- **김! 김 소령!**

그는 정신을 차리자마자 빈우를 불렀다.

- **의원님, 괜찮으십니까?**

- **소이치로.**

이케가미 의원은 빈우와 후코의 부축을 받아 일어나 앉았다. 그리고 후코를 보더니 놀라며 자신이 고쳤던 상처 부위를 살펴본다.

- **후코! 어떻게 여길 온 거야? 상처는? 괜찮은 거야?**

- **응. 난 괜찮아. 답을 들려주러 왔어.**

인간과 발 가르단 하스 인 사이의 약속. 그 대답 앞에서 이케가미 소이치로는 일순 경직되었다. 그리고 정신을 다잡고 후코의 다음 전파를 기다렸다.

- **대화를 나누겠다고 했어.**

- **오오!**

후코의 그 말이 마치 생기를 불어넣은 듯 이케가미 의원은 비틀거리면서도 급히 일어나 섰다.

- **소이치로? 괜찮아? 정말 괜찮은 거야?**

휘청거리는 그의 모습에 후코가 걱정했지만 이케가미 의원은 자기 몸 따위 안중에도 없는 듯했다.

- **물론이지. 내 일생의 과업이야. 어서 만나러 가자.**

이케가미 의원은 의욕에 가득 차 서둘렀다.

- **하지만 소이치로에겐 너무 위험한 일이야. 소이치로의 몸으로는 크게 다칠지도 몰라. 우린 돌아가도 기억을 가지고 이곳으로 나올 수 있어. 그런데 소이치로 말했잖아. 돌아가면 다시는 이곳에 나오지 못한다고.**

후코의 전자신호는 불길함과 슬픔을 같이 담고 있었다.

- **그래도 해야 해. 반드시 해야만 하는 일이야.**

굳은 결심을 말한 이케가미 의원은 그제야 주변의 샤다이들이 눈에 들어왔는지 잠시 멈칫했다.

- **끈질기군.**

그의 탐탁지 않은 중얼거림을 알탄훼아나는 쾌활하게 받았다.

- **그대만 할까. 자, 이케가미 소이치로. 그대는 발 가르단 하스와 대화를 할 준비가 되었소?**

- 물론.

빈우가 알지 못하는 사이 이미 맺어진 밀약이 있는 듯 이케가미 의원과 알탄훼아나 둘 사이의 대화는 착착 진행되어간다.

- **이어서, 우리와의 약속 또한 지킬 준비가 되었는가?**

- **그것도 물론.**

이케가미 소이치로와 샤다이 간에 모종의 거래가 있었을 거란 증거는 지금까지 차고도 넘친다.

첫째, 373팀이 거주지에서 나와서 샤다이와 교전을 했을 때 이케가미 의원은 전투를 말렸었다. 둘째, 고지대를 점령한 샤다이들은 이케가미 의원을 '모셔가겠다'라고 정중히 말했다. 셋째, 탈출하는 셔틀을 기습한 리퍼는 이케가미 의원을 죽이지 않고 굳이 납치했다.

무엇보다 여기에서 이뤄진 대화로 미루어보면 이케가미 의원과 샤다이 간에 어떠한 협력관계가 있다는 것은 확실하다.

- **나 이케가미 소이치로의 이름을 걸고 약속을 지키지.**

- **아주 좋소. 그럼 가실까. 내 직접 모시지.**

아마도 알탄훼아나란 샤다이 여성은 빈우가 알지 못하는 목적지까지 이케가미 의원과 함께 동행하려는 것 같다.

- **아니, 이분은 내가 모신다.**

빈우가 나서며 걸어오는 샤다이를 가로막았다. 둘 사이의 거래 내용이 어떻든 간에 연방의 상원의원을 샤다이들의 손에 넘겨줄 순 없다.지금까지 밝혀진 것만 해도 중요하고 민감한 정보를 가진 요인을 순순히 놓아줄 순 없는 노릇이다. 게다가 울토르 프로젝트를 비롯한 빈우와 관련된 정보를 알고 있는 인물이니 빈우는 반드시 따라붙어야 했다.

- **아니, 김 팀장. 이젠 됐어요. 여기서부턴 내가 하겠소.**

이케가미 의원은 누그러진 자세로 빈우를 떼어내려 하지만 어림도 없다.

- **그 말씀, 하면서도 전혀 안 먹힐 거라는 거 알고 계시죠? 의원님같이 중요 기**

밀을 가지고 있는 요인을 샤다이에게 넘기라고요? 조금 전만 해도 댁 대가리를 날릴까 말까 고민하는 마당이었습니다. 거기다 저하고 일이 꽤나 엮인 것 같은데 댁 같으면 여기서 다 내려놓고 뛰겠소?

할 말을 잃은 이케가미 의원을 대신해 말문을 튼 것은 샤다이 무리의 리더로 추정되는 알탄훼아나였다.

- 흥. 우리의 동포를 엮어서 만든 그 옷으로 따라붙겠다? 이전의 3등급보다야 일신했다지만 그래봤자 고작 5등급 일상복. 주제를 파악하라.

그렇게 빈우와 컨커러를 잔뜩 비웃은 그녀는 자신을 사이에 둔 리퍼들을 자랑했다.

- 이것을 보시오. 이 늠름한 모습을. 적어도 15등급 전투복은 되어야 그대를 무탈하게 보필할 것이외다.

빈우는 갈망한다. 그러면 3등급 일상복을 입은 놈들한테 털리는 너희들은 뭔데, 라고 말하고 싶다. 격하게. 그러나 실제로 나온 말은 정중했다.

- 아가리 닥쳐, 씨발. 그건 네년이 아니라 이분이 결정할 일이지.

- 안 돼. 자네는 오면 안 되네. 절대.

협조성 없는―처음부터 그다지 협조적이지 않았던―이케가미 의원은 한사코 빈우를 떼어내고 이 상처 입은 발 가르단 하스 인 후코와 저 부들거리는 샤다이 여성 알탄훼아나와 동행할 생각인 것 같다.

- 의원님, 뭔가 사태 파악이 안 되시는 모양인데…….

- 위험해! 죽을 수도 있어.

빈우와 마주한 이케가미 의원의 눈에서는 경고와 각오가 서려 있다. 아마 죽을 수도 있다는 대상엔 그 자신도 포함되어 있으리라.

- 그럼 의원님도 그 위험한 곳으로 죽으러 가는 겁니까?

- 하나 물어봄세.

눈을 돌리지 않은 채 이케가미 의원은 질문에 질문으로 대답했다.

- 내가 아까 자네에게 김빈우 본인이 맞냐고 물어보았지?

보안 프로그램의 허점을 찾아 모든 수를 동원하던 이케가미 소이치로는 기절하기 전에 그런 질문을 던진 적이 있었다.

　　- 딸아이 얘기를 할 때 자네의 눈빛과 반응을 보았네. 그리고 거기서 나는 알 수 있었지. 냉혹한 연방의 군인 김빈우도 한켠에는 인간성을 계속 가지고 있다는 것을. 아니, 오늘 만난 자네는 과거 내가 알던 김빈우에 비하면 꽤 부드러운 사람이었어. 새로운 면이었지. 그리고 그걸 보고 나는 생각했다네. 과거 나와 함께 우…… 올…… 카스텔라를 먹었던 자네 또한 오늘 밝혀질 일에 대해 알 권리가 있지 않을까 하고.

　　그리고 한 박자 쉬고 이어진 이케가미 의원의 말은 빈우가 애써 피하려 했던 사실을 후벼 팠다.

　　- 그런데, 마지막에 카스텔라에 관해 얘기할 때 자네가 지었던 표정은 달랐어. 자네는 놀라지 않았지. 아니, 놀라긴 했지만…… 가볍게 놀랐을 뿐이야. 마치 미리 알고 있었다는 듯이, 아니면 어느 정도 각오했다는 듯이 말일세. 어떻게 그럴 수가 있지? 자신의 모든 것을 바치고 헌신했던 일의 결정체가 부정당하는 상황에서 어떻게 그 정도로 그칠 수가 있냔 말일세.

　　그건 빈우도 느끼고 있었다. 당시로선 크게 신경 쓰이지 않았지만 되돌아보면 찜찜하다. 울토르 프로젝트는 빈우 자신을 실험체로 삼아가며 시작했던 프로젝트이니만큼 문자 그대로 몸 바쳐 헌신했던 일이다. 그런데 그런 프로젝트를 입안자인 이케가미 소이치로 전 상원의장에게 부정당했을 때, 빈우는 그저 놀라기만 했을 뿐 그리 큰 충격은 받지 않았었다. 원래대로라면 경악이란 단어가 부족할 지경의 충격을 받을 일이다.

　　추측되는 원인으로는 빈우의 머릿속에 트리니티에 감춰진 정보, 혹은 정보국에서 잠가놓은 정보들이 용의선상에 오른다. 아마 빈우 본인은 울토르 프로젝트의 정체에 대해 알고 있지만 상기의 이유로 인해 그 기록들이 잠겨 있어 본인은 인식하지 못하고 있었을 것이다. 하지만 한 번 있었던 충격이—정보 접촉에 의한 신경 반응이—같은 이유로 반복되자 본인도 모르는 사이 그 반응의 정도가 경감되었을 수도 있다. 비슷한 예로 잠수 전후의 정보국 요원들이 충격적인 일에 대한 기시감을 가지는 것은 종종 보고되어왔다.

'울토르 프로젝트에 내가 모르는 진실이 있다. 그리고 나는 그것을 이미 알고 있다.'

그것이 빈우가 내린 결론이다.

- 자네는 카스텔라가 잘못된 거란 것을 이미 알고 있지 않나? 다른 누군가를 통해서? 말해주게. 난 자네를 믿어야 하나?

이케가미 소이치로가 호소한다. 전 상원의장씩이나 되는 인물이 머릿속에 보안 프로그램까지 깔고 혼자서 보호 행성까지 오게 만든 일이다. 그의 반응으로 짐작건대 이케가미 소이치로의 목적에는 적이 많을 것이고, 그가 숨기고 있는 비밀 또한 많을 것이다. 지금까지 밝혀진 사실로 추측할 수 있는 것들로는 첫째, 이케가미 상원의원이 발 가르단 하스에서 하고 있는 일은 울토르 프로젝트의 숨겨진 진실과 관련된 일일 것이다. 둘째, 이케가미 의원은 그 진실과 마주하면서 울토르 프로젝트를 부정당해 절망에 빠졌을 것이다.

'그것이 사람을 이렇게나 바꾸었단 말인가.'

빈우는 그럴 법하다고 생각했다. 그리고 그 해결을 위해 비밀리에 이곳 발 가르단 하스에 왔고 1년간 노력해서 그 결실이 맺어질 찰나, 과거 같은 프로젝트를 했던 빈우와 만나게 되었다. 거기다 빈우는 울토르 프로젝트의 진실에 대해 알고 있는 듯하다. 그럼에도 불구하고 빈우는 이케가미 자신의 편에 서질 않고 무언가를 숨기고 있다.

'뭐, 의심할 법도 하군.'

이케가미 의원이 앞으로 하려는 일, 발 가르단 하스와 대화는 그 계획의 최종 목적이니만큼 더더욱 수상한 빈우를 떼놓고 싶을 것이다.

- 의원님, 저 또한 의원님과 마찬가지입니다.

그러면서 빈우는 집게손가락을 들어 자신의 관자놀이를 가리켰다. 자신 또한 뇌에 조작을 당했다는 의미다.

- 의원님은 지금 그것에 대해 알고 있지만, 말씀하지 못하시죠. 그러나 저는 알지도 못합니다. 그래서 갈망하지요. 제 마지막 일이 부정당한 이유를.

빈우의 말을 들은 이케가미 의원은 잠시 생각하더니 포기하며 말했다.

- 여기서 자네를 떼어놓으려 했다간 내 목이 날아가겠군. 그게 누구의 의지든 간에.

- 순전히 제 의지입니다.

서로 눈을 노려보던 두 사람 중 먼저 눈을 돌린 사람은 한숨을 내쉰 이케가미 의원이었다.

- 따라오게. 이후의 일에 대해선 스스로 책임지게나.

- 그러지요.

두 사람이 합의를 보자 다른 하나가 반발했다.

- 이곳에 갖은 흉행을 한 자를 주인과 만나게 한단 말인가? 그게 너희들의 법도인가?

이케가미 의원은 격분하는 목소리를 의연하게 받았다.

- 그 또한 나의 업에 관련된 자이니 자격은 있다. 또 그가 한 죄과에 대해선 발 가르단 하스가 알아서 할 일, 우리가 나설 자리가 아니야. 아니면 혹시 새치기당해 질투하는 건가? 걱정 말게. 자네 자리는 있으니.

- 질투는 무슨.

알탄훼아나가 투덜거리며 납득하자 이케가미 의원이 후코에게 다가갔다.

- 후코, 이제 준비가 되었어. 나와 이 두 사람이 발 가르단 하스와 대화를 할 거야.

- 알겠어. 가자.

후코가 앞장섰다. 그 뒤를 이케가미 소이치로, 김빈우, 알탄훼아나 세 명이 따라갔다. 그리고 동굴을 따라 밑으로, 밑으로 내려갔다.

- 느리군. 제가 모셔도 되겠소?

둥둥 떠다니는 발 가르단 하스 인은 이동속도가 그리 빠른 편은 아니고 인간 둘도 도보로 이동하고 있자 알탄훼아나는 조바심이 나는 모양이다.

- 난 괜찮아. 소이치로는?

- 도와준다면야 고마운 일일세. 김 팀장은?

- 해보거라.

알탄훼아나는 이죽거리는 빈우를 한번 노려보더니, 일행을 자신의 중력장에 넣고 공중으로 띄운 다음 빠른 속도로 동굴 속을 날아갔다. 폭풍이 몰아치는 지표면과 달리 지하는 조용한 편이어서 중력장을 이용한 비행에 어려움은 없었다. 그리고 얼마 지나지 않아 일행은 제법 큰 공동에 도착했다.

- 오오.

공동 안에 펼쳐진 절경에 이케가미 의원이 감탄했고 빈우도 역시 감탄했다. 그들의 눈앞에는 일렁이는 고온의 플라스마가 자기장에 엮여 실타래마냥 꼬여 있었다. 그것은 길게 이어져 공동 곳곳에 난 동굴을 따라 여러 갈래로 나뉘어 뻗어나가고 있었다. 그리고 간혹 그 위를 발 가르단 하스 인이 기어 다니는 모습이 보인다.

- 보았나? 이 행성 가르단 밑에는 저런 플라스마 줄기가 끝도 없이 얽혀 있다네. 내가 아주 말초적인 부분만 수집했는데도 이 정도일 정도로 말일세.

이케가미 의원이 보여주는 화면에는 잔뿌리처럼 보이는 플라스마 줄기들이 행성 지표 밑에 빽빽하게 심겨 있는 게 보였다.

- 이건 마치…….

마치 미로처럼 얽히고설킨 플라스마 타래의 모습을 본 빈우는 한 단어를 떠올렸다.

- 마치 인간의 뉴런 같지 않나?

이케가미 의원의 말대로다. 행성 발 가르단 하스 아래에 끝도 없이 뻗어 있는 플라스마 연결도는 마치 인간 뇌 속의 뉴런을 연상케 했다.

- 의원님, 설마…….

- 그래, 이 행성 발 가르단 하스는 하나의 생명체일세.

행성 자체가 생명체란 말에 빈우는 이케가미 의원이 보여주는 수많은 플라스마 연결도를 다시 한 번 훑어보았다. 일부라 해도 상당한 집적도다. 발 가르단 하스의 지표에서 핵까지 이르는 나머지 부분이 모두 저 정도라면, 이 복잡한 신경망에서 지성이 탄생한다 해도 이상할 것은 없다.

- 말씀대로 인간의 뇌 신경계와 유사하군요.

- 그래, 정보 생명체지. 아까는 속여서 미안하네. 그때는 자네를 확실히 믿을
  수가 없었어.

아까 이케가미 소이치로는 발 가르단 하스의 생태계에 대해 '간략하게' 설명했었다. 두뇌칩에 박힌 보안 프로그램을 어떻게든 우회해서 진실을 전달하려고 했던 그때, 이케가미 의원은 행성 가르단이 항성 발과 하스를 공전하며 그 영향력으로 후코와 같은 발 가르단 하스 인을 만든다고 말했다. 그리고는 두뇌칩의 영향을 받아 더 이상 말을 하지 못하는 척 화제를 돌렸었다.

'어떻게 여기까진 말할 수 있군.'

전문적으로 훈련을 받지 않았지만 아귀도 같은 정치판을 살아온 그였기에 할 수 있는 기지였다. 물론 제아무리 정보국 요원인 빈우라 해도 거기까지만 듣고, 거짓말인지 아닌지는 알 수가 없었다. 이어서 이케가미 의원이 울토르 프로젝트에 대해서 말을 하려 할 때는 실제로 두뇌칩의 프로그램에 강제를 받아 말조차 제대로 하지 못했기에 더더욱 이상한 점을 느낄 수 없었다.

그러나 결국 빈우를 속인 셈이 되어 이케가미 의원은 이렇게 사과를 하고 있었다.

- **딱히 거짓말을 한 건 아니시지 않습니까? 단지 말씀 도중에 끊긴 거지요.**

이케가미 의원은 거짓말을 하지 않았다. 다만 모든 것을 다 말하지 않았을 뿐. 지금은 한배를 탔으니 알려주는 것이다.

- **그리 봐주니 고맙네.**

헛웃음을 지은 이케가미 의원이 말을 잇는다.

- **그러면 아까의 얘기를 계속하지. 초기의 가르단은 지하에 구멍이 숭숭 뚫리고 플라스마 폭풍이 들쑥날쑥하는 원시행성에 불과했다네. 분기점은 발과 하스 사이를 공전하면서 예의 사이클이 생기고 발 가르단 하스 인들이 생겨났을 때였지. 물론 초기의 이들은 그저 떠다니기만 하는 단순한 가스 풍선에 불과했다네.**

화면은 발 가르단 하스의 사이클이 반복되며 생기는 변화를 보여주고 있었다.

- **그러다가 어느 순간 행성 가르단에 원시 지성이 탄생하기 시작했어. 처음에는 아주 미약했을 거야. 하지만 주목할 만한 점은 행성의 전자 정보가 사이클이 거듭될수록 그 정보가 이 원시 풍선 생명체들에게 점차 전이되어갔단 점일세. 플라스마 회로의 정보들이 어떻게 가스 군집체로 복사되었는지는 아직 연구해야 할 과제이지만 그 증거가 바로 눈앞에 있지.**

이케가미 의원이 가리킨 것은 그의 발 가르단 하스 인 동료 후코였다. 그의 말대로라면 후코는 문자 그대로 이 행성에서 탄생한 생명체라 할 수 있다.

- **그리고 이 발 가르단 하스 인들은 제각각 물려받은 지능을 가지고 살아가다 생을 다했을 때 자신의 고향에 그간의 기억과 정보를 돌려주지. 그리고 이 전자 정보들은 행성 안으로 돌아가 거대한 플라스마 두뇌를 거치고 조합되어, 다시 풍선으로 복제되고 분리된다네.**

이케가미 의원이 보여주는 자료에는 발 가르단 하스의 플라스마 신경계가 분할되고 복제되어 작은 풍선으로 나뉘는 장면이 보였다. 그리고 각각의 풍선들이 독립된 경험을 쌓고 마지막으로 수명이 다한 뒤에는 다시 행성으로, 하나의 뇌로 돌아가는 사이클을 보여주고 있었다.

아까 후코가 발한 전자파가 기억이 난다. 자신들은 돌아가도 다시 이곳에 올 수 있다고 했었다. 죽어도 다시 그대로 태어날 수 있다는 의미였다.

- **당연한 수순으로 시간이 흐를수록 행성 발 가르단 하스는 새로운 지식과 지능을 갈망했겠지. 그리고 그 향상성은 발 가르단 하스 인들에게도 이어졌을 거고. 그때부터 발 가르단 하스 인들은 점차 변해갔어.**

화면 속의 발 가르단 하스 인들이 차츰 변해간다. 단순한 구조였던 가스 풍선에 차츰 전자 탐지기관이 생겨나고 이어서 자기장 조절기관을 가져나가는 게 보인다.

- **그 결과물이 눈앞에 보이는 발 가르단 하스 인 후코일세. 이들은 움직일 수 없는 모성을 대신해, 행성 내부에 있는 플라스마 신경계의 분화와 신경절의 관리 등을 돕지. 어떻게 보면 인간의 자연선택과는 또 다른 의미의 자연선택이랄 수 있다네.**

여기까지 들은 빈우는 현재 발 가르단 하스가 처한 심각한 상황을 알 수 있었다.

- **그러면 이 행성의 공전이 멈춘 것은 꽤 심각하군요. 이 별, 그러니까 가르단 이 발과 하스의 두 항성 사이에 끼어 움직이지 못하면, 새로운 발 가르단 하스 인이 태어나지 못할 것이고 그건 행성의 관리자 교체 사이클의 붕괴, 나아가 행성 정보 생명체의 위기가 아닙니까?**

- **응? 자네 지금 무슨 말을 하는 건가?**

이케가미 의원은 빈우의 말을 무슨 뜻인지 이해하지 못했다. 그 말에 담긴 의미를 알아챈 존재는 다른 존재였다. 빈우의 등 위에서 그자의 성난 목소리가 들려왔다.

- **발 가르단 하스를 이곳에 멈추고 모든 별을 이곳으로 모으는 것은 우리다.**

다친 이의 부탁을 받고 여기까지 와 치료를 하는 중인데 무슨 모함이냐!

빈우는 알탄췌아나의 노기 서린 항의를 무시하고 이케가미 의원에게 질문했다.

- 흐음, 의원님. 아까 하셨던 '우리가 이곳을 끝장낼 뻔했다'란 말씀은 무슨 의미입니까?
- 음, 4주 전 샤다이 시민군 함선 1척이 연방군과 교전하다 이곳 발 가르단 하스에 추락했고 당시 일어난 엄청난 폭발로 행성 외부 신경계가 제법 심한 손상을 입었었지.

거기서 무시당한 알탄췌아나가 다시 끼어들었다.

- 네놈들이 동포의 배를 쫓고 나포해 반물질 폭탄을 넣어 이 발 가르단 하스에 터트렸지 않느냐? 그로 인해 유구한 세월 동안 쌓고 길러왔던 플라스마 신경계들이 사라졌다. 수십억 년에 걸쳐 수많은 지성체들에게 향유되어왔던 정보들이 사라지고 행성 생명이 존망의 위기에 처했다. 그랬기에 발 가르단 하스가 우리에게 도움을 청했던 것이다. 이 유치한 잡종 놈아!
- 우리가 아니라고. 이 안테나 귀쟁이야.

달아오르는 분위기를 가라앉히려 둘 사이에 몸을 던진 것은 이케가미 의원이었다.

- 자자, 김 소령과 알탄췌아나 호민관. 다들 진정하시오. 서로 오해가 있는 것 같군. 일의 자초지종을 설명해줄 수 있겠나?

그러면서 이케가미 의원의 시선이 향한 곳은 아군이랄 수 있는 빈우 쪽이었다. 연방 내부의 일을 잘 아는 그였던 만큼 짐작 가는 게 있으리라.

- 음, 그러지요. 아군은 이전부터 추적하던 리퍼 함선을 토끼몰이 작전으로 밀어붙여 이곳 발 하스 항성계까지 몰아넣었습니다. 그러나 작전지역이 루비콘 라인과 겹치는 바람에 4주 전 순찰하던 비홀더 전대와 리퍼 함선이 조우. 쌍방 간에 전투 후 비홀더 전대는 리퍼 함선에 반물질 폭탄을 설치하고 이 발 가르단 하스로 추락시켰습니다.

빈우는 거기까지 말을 하고 알탄훼아나 쪽을 돌아다보았다. 이제 네 차례라는 뜻이다.

- 그때 공격을 받은 시민군의 함선은 정예 중의 정예였다. 그대들의 병기로는 해하는 것이 여의치 않을 것이기에 방심했건만, 그게 원인이었지. 설마 그 갈보의 추종자들이 덤벼올 줄이야. 아무튼 탑승원들은 전원 사망. 하지만 더 중요한 것은 당시 일어난 폭발로 발 가르단 하스에 심대한 피해가 왔다는 것이다. 폭발은 지표에서 일어났지만 하필이면 폭발물이 반물질이었기 때문에 상대적으로 밀도가 낮은 플라스마들이 대량으로 소실되었다. 피해를 입은 발 가르단 하스는 자체적으로 회복하기 무리라고 판단해 우리를 불렀지. 그런데…….

이번엔 알탄훼아나의 시선이 이케가미 의원 쪽으로 향했다.

- 어느새 선객이 와 있더군. 그것도 발 가르단 하스와 대화를 하려는 자가. 도착한 구조팀은 당연히 이케가미 소이치로를 적으로 오인하고 공격하려 했지만, 관리자에 의해 저지당했다.
- 관리자란 후코를 말하는 걸세. 그 아이는 다른 발 가르단 하스 인들에 비해 권한이 꽤 큰 편이지.

작은 목소리로 빈우에게 설명하는 이케가미 의원을 힐긋 본 알탄훼아나는 별로 신경도 쓰지 않는 듯 계속 말을 이었다.

- 이어 이케가미 소이치로는 거래를 제안하더군. 자신을 방해하지 않으면 발 가르단 하스와 대화할 기회를 주겠다고. 수십억 년을 살아온 대 현자와 대화할 수 있는 기회는 우리 샤다이에게도 흔치 않은 기회였으니 당연히 받아들일 수밖에.

그녀의 말로 미루어 보아 아무래도 발 가르단 하스의 치료를 돕는 것 정도로는 대화를 할 수 없는 것 같다. 좀 더 큰 대가가 필요하거나 다른 조건이 있을지도 모른다.

- 일단 관리자를 통해 답이 와야 했으나 당시 발 가르단 하스가 입은 상처가

꽤 컸기에 치료가 먼저였지. 그래서 우리는 탐사선 10척을 보내어 각각 발과 하스를 발 가르단 하스에 접근시킨 다음 나머지 행성들도 끌어왔다.

그녀의 말에 따르면 발 하스 항성계에 일어난 이상 현상은 추락한 샤다이 함선 1척에서 일어난 장치의 오작동이 아니라 샤다이 함선 10척이 의도적으로 일으킨 현상이라고 한다. 어차피 연방에게는 1척이나 10척이나 의미 없는 수치이기에 그게 신경 쓰이는 것은 아니다. 중요한 건 배 하나로 행성을 끌어오는 놈들에게 함부로 싸움을 걸어선 안 된다는 것이고, 안심되는 것은 지금은 발 가르단 하스와 형제 행성들이 충돌할 일이 없다는 것이다.

- 두 항성에서 나오는 에너지가 발 가르단 하스에 집중되고 형제 행성에게서 행성 구조체를 끌어와 소실된 부분을 채우는 데 쓴다. 그리고 나머지는 자연 치유에 맡기는 거지. 그런데!

알탄훼아나의 이글거리는 눈빛이 빈우를 향한다.

- 네놈들이 여기에 온 것이다! 그리고 또다시 발 가르단 하스에 공격을 가하다니! 후안무치한 놈들!

거기까지 들으니 그녀가 왜 저리도 분노하는지 알 것도 같다. 태스크포스 373은 나름 사건 뒤처리를 하려고 온 것인데 상처만 잔뜩 헤집어놓은 격이 된 것이다. 사고는 비홀더 전대가 쳤지만, 그들이 보기에 지구제국과 인류 연방은 그놈이 그놈일 것이다. 연방은 구 지구제국의 후신처럼 과오를 무작정 부정하는 것이 아니라 바로잡고 고치기 위해 노력하고 있으니, 영 틀린 말은 아니다.

- 좋아, 그러면 여기선 평화적으로 말로 해결을 보지. 이케가미 의원과 네가 발 가르단 하스와 대화를 하고 나면 우리는 바로 여기를 뜨겠다. 그러면 너희들은 아무런 방해도 없이 여기서 치료를 마저 도와줄 수 있는 거지. 어때? 서로 좋지 않나?

- 그런 짓을 하고도 몸 성히 보내줄 성싶으냐!

빈우의 말을 들은 알탄훼아나는 노성을 토했지만, 시선은 힐끔힐끔 후코를 보며 눈치를 보고 있었다.

- 으으음! 관리자의 비호 덕에 목숨을 부지한 줄 알라. 우리 눈앞의 놓인 막중한 임무만 아니었더라도!

어찌어찌 분을 삭이는 그녀의 모습을 보니 어떻게든 이야기를 잘만 진행하면 될 것 같다. 이제 태스크포스 373은 원래의 목적인 리퍼 함선의 정보와 자재, 그리고 이케가미 전 상원의장의 신변과 그가 발 가르단 하스로부터 얻은 정보를 가지고 돌아갈 수 있게 될 가능성이 커졌다. 더구나 이케가미 의원이 발 가르단 하스와 나눌 대화는 아마도 울토르 프로젝트와 관련되었을 가능성이 대단히 크다. 성공했으면 연방의 새로운 창이 되었을 중요한 프로젝트였지만, 지금은 그 창날이 연방을 찔러 프로젝트의 앞날이 어찌 될지 모르는 상황이다.

그리고 그 프로젝트에는 빈우 자신도 깊게 관련되어 있다.

- 그러면 이케가미 소이치로, 그대의 차례군.

알탄훼아나의 말대로 빈우와 그녀가 말했다면 이제는 이케가미 의원의 차례다. 두 사람의 대화가 과열되자 이케가미 의원이 중재하며 서로 이야기를 풀어보자고 했으니, 이제는 이케가미 의원이 자신의 목적과 이제까지의 과정을 설명할 차례다. 그때 빈우의 머릿속을 퍼뜩 스치는 것이 있었다. 이케가미 의원의 목적, 그리고 지금 여기서 그것을 들을 상대.

- 안 돼! 의원님! 아무것도 생각하지 마세요! 아무것도!

그러나 이미 늦었다.

- 큭, 커어어…….

이케가미 의원의 상태가 이상하다. 마치 등줄기에 얼음을 넣은 것처럼 어깨가 얼굴에 딱 붙는다. 눈은 질끈 감기고 찡그린 코에는 주름이 가득 생긴다. 그 아래 입은 쩍 벌어져 다물릴 줄 모르고 고개는 좌우로 핑핑 돌아간다.

- 허어억! 허허으!

목구멍에선 밭은 숨소리만 새고 팔다리는 발작을 일으켜 관절이 팍팍 꺾인다.

- **이런 제길!**

빈우가 땅바닥을 구르는 이케가미 의원의 상태를 살핀다. 이는 보안 프로그램의 강제진압 발동에 착용자가 격렬히 저항할 때 발생하는 전형적인 증상이다. 이케가미 의원의 두뇌칩 속에 있는 보안 프로그램은 그가 적성대상인 샤다이에게 중요한 정보를 말하려고 하자, 바로 착용자의 자유를 빼앗는 강제진압 상태로 들어갔고 이케가미 의원은 그것에 격렬하게 저항하며 이런 일이 일어난 것이다.

- **소이치로! 소이치로!**

갑작스러운 이케가미 의원의 발작에 후코가 걱정스레 다가왔다.

- **아니, 이케가미 소이치로. 괜찮은가? 설마? 네놈이?**

알탄훼아나도 그의 발작에 놀랐다가 문득 뭔가를 깨달은 듯 빈우를 경계했다. 아까 기밀 유지를 위해 이케가미 의원을 죽이려 했던 전적이 있는 빈우였으니 의심할 법만도 하다.

- **네놈들이 허방다리 짚는 것은 우주적으로 유명한데 넌 특히 더하군. 난 아냐.**

빈우는 투덜거리면서도 이케가미 의원의 두뇌칩에 접속해보려 했다. 그러나 철통같은 보안을 자랑하는 상원의원의 두뇌칩이다. 현재 빈우가 가진 자재와 실력으로는 씨알도 먹히지 않았다.

067

• • • ✦ • • •

일행이 우왕좌왕할 무렵, 잠시 후 이케가미 의원이 자신의 문제를 스스로
해결했다.

- **소이치로!**

후코의 놀란 전자파와 함께 이케가미 의원의 헬멧 창에 핏방울이 흩뿌려
진다. 혀를 깨문 것이다. 그리고 피가 흐르는 입에서 캡슐 하나가 떨어진다.

- **헉, 헉. 괜찮네. 이제 괜찮아.**

간신히 몸의 통제권을 되찾은 이케가미 의원이 어눌한 말투로 일행을 안
심시키려 했다. 그러나 빈우는 전혀 안심하지 못했다. 경험자인 그가 보기에
저 캡슐은 십중팔구 설하정맥에 삽입된 해킹 캡슐이다. 혀를 깨물면 혀 밑의
혈관에 든 캡슐이 깨져 그 안에 든 해킹용 나노 머신들이 뇌로 들어간다. 일
시적으로 보안 프로그램을 우회할 수 있겠지만 뇌와 칩에 영구적 손상이 오
는 극단적인 방법이다.

- **의원님, 가능하시겠습니까?**

빈우의 걱정은 여러 의미를 내포하고 있었다. '더 움직일 수 있습니까'부
터 '발 가르단 하스에게 그 주제로 대화를 할 수 있겠습니까'까지.

- **물론. 발 가르단 하스와는 대화할 수 있어.**

아무래도 그에겐 뭔가 믿는 구석이 있는 듯했다. 다리를 짚고 일어나 몸을
추스르는 이케가미를 본 후코가 알탄훼아나를 재촉했다.

- 서둘러줘. 소이치로의 상태가 안 좋아. 빨리 가야겠어.

- 아, 알겠소.

일행은 다시 샤다이의 중력장의 도움으로 빠른 속도로 목적지까지 날아 갔다.

- 저기야.

잠시 후, 또 다른 거대 공동의 입구에 도착한 일행들에게 후코가 가리킨 것은 거대한 플라스마 구체였다. 이 구체는 수많은 플라스마 줄기들이 복잡한 형태로 엮이고 꼬여 거대한 형태를 이루고 있었고 그 주위로 다수의 발 가르단 하스 인들이 떠다니고 있었다.

- **저게 지표에서 가장 가까운 보조 뇌야. 여기라면 발 가르단 하스와 제대로 대화할 수 있어.**

- 오오, 고마워 후코.

그토록 기다렸던 해답을 마침내 눈앞에 둔 이케가미 소이치로는 감격에 겨워하며 발걸음을 이끌었다.

- **잠깐, 가는 건 소이치로 혼자만이야.**

후코가 이케가미의 뒤를 따라가는 빈우와 알탄훼아나를 제지했다.

- **이곳은 보조라고 해도 뇌라서 아무나 함부로 들어갈 순 없어. 또 지금은 발 가르단 하스가 부상을 입은 상태라서 경계가 더 심해. 일단은 내가 접속해 허락을 맡아놓을 테니 소이치로가 먼저 가서 대화해.**

이어서 플라스마 구체에서 거대한 줄기 하나가 뻗어나왔고 이케가미 의원이 그쪽으로 비틀비틀 걸어갔다. 몸과 정신 둘 다 상태가 영 좋지 않아 보였지만, 빈우는 다른 이들과 함께 입구 쪽 통로에서 기다릴 수밖에 없었다. 마침내 플라스마 줄기와 대면해 발 가르단 하스와 대화할 기회를 얻은 이케가미 의원이 감격에 겨운 목소리로 말했다.

- **만나서 반갑소, 발 가르단 하스. 난 연방의 상원의원인 이케가미 소이치로라고 하오.**

그리고 정적이 찾아왔다. 아마도 둘 사이의 기밀 회선으로 대화하는 듯했다. 다시금 이케가미 의원의 외침이 들린다.

- **발 가르단 하스! 나는 이케가미 소이치로라고 하오. 그대에게 물을 것이 있어 찾아왔소.**

잠시 뒤, 이케가미 의원이 뒤를 돌아보았다.

- **후코, 발 가르단 하스에게서 대답이 없어.**

- **아니야, 소이치로. 먼저 소이치로가 발 가르단 하스에게 말을 걸어야지.**

- **응, 그런가? 주파수가 다른 건가?**

허둥대며 무선회선을 조절하던 이케가미 의원이 갑자기 움찔하고는 멈춰섰다. 그리고 무릎을 꿇고 주저앉더니 경련을 하기 시작했다.

- **의원님!**

다시금 발작이 일어난 것을 본 빈우는 뛰쳐나가려고 했지만 후코가 급하게 말렸다.

- **안 돼! 여기서 움직이면 저들이 반응할 거야!**

후코가 촉수로 가리킨 곳에서 보조 뇌를 관리하던 발 가르단 하스 인들이 빈우에게 감지범위를 좁히는 게 보였다.

- **저들의 최우선순위는 보조 뇌의 호위야. 내 부탁은 들어도 명령은 듣질 않아. 그러니 내가 갈게.**

- **걱정 말게, 김 소령. 안심해, 후코.**

그때 갑자기 쉬어버린 이케가미 의원의 목소리가 들려온다. 쉭쉭대는 그 소리가 불길하다.

- **이제 알았어…… 이제야 간신히 발 가르단 하스와 대화가 되었구먼…….**

부들대며 몸을 일으킨 그가 이쪽을 돌아본다. 목이 정상적이지 않은 각도로 돌아가 빈우와 눈이 마주친다. 허옇게 백태가 낀 눈, 일그러져 송곳니가 튀어나오고 있는 입. 빈우는 저런 것을 본 적이 있다. 오스카 스테이션에서. 오브리가도의 특수전 사령부에서. 바로 워프 비스트였다. 이케가미 의원마저 워프 비스트에 감염되고 만 것이다.

반사적으로 코일건을 잡으며 알탄훼아나를 돌아본 빈우는 그녀의 얼굴을 순식간에 읽어냈다. 샤다이와 인간이 느낄 수 있는 감정이 비슷하다면 알탄훼아나의 얼굴에 뜬 표정은 경악과 분노 그리고 슬픔과 후회였다.

그녀도 이 자리의 주연이 아닌 듯하니 일단 지금은 여기서 싸움을 벌일 때가 아니다. 머뭇거리며 허리의 클레이모어를 더듬는 알탄훼아나의 관자놀이에 코일건을 단발로 쏴 땅바닥에 고꾸라트린 다음, 케이블로 묶으려고 할 때 후코가 말렸다.

- 무슨 짓이야!

갑자기 컨커러의 동력에 이상이 생기며 구동계가 정지해 장갑복의 움직임이 멈춘다. 잠깐 정지했던 동력이 다시 살아나자 켜지는 통신 시스템으로 후코의 전자파가 들려온다.

- 지금 소이치로는 발 가르단 하스와 대화를 했어. 또 할 거고. 그러니 방해하지 마! 절대!

다시 눈을 들자 김빈우와 이케가미 소이치로의 눈이 마주친다. 그런데 워프 비스트의, 아니 이케가미 소이치로의 눈동자는 아직 살아 빛나고 있다.

저 눈은 의지를 뺏기거나 굴복한 자의 눈이 아니다. 길항을 이루던 승부에서 건곤일척의 수를 던져 승리를 따낸 자의 눈이다. 그리고 그 눈이 슬프게 웃었다.

- 딸에게, 히토미에게 전해주게. 아빠가 미안하다고.

그 말을 끝으로 이케가미 의원이 다가오는 플라스마 줄기로 몸을 던졌다. 그에 맞춰 자기장에 묶여 있던 플라스마들이 터져 밖으로 흘러나온다. 자기장에서 풀려난 플라스마들은 외부에 노출되자 급속도로 냉각되어 기체로 상전이한다. 다음으로 식어서 800도에 달하는 플루오린화수소가 폭발하듯 이케가미 소이치로를 덮쳤다.

- 의원님!

- 소이치로!

반응이 이상하다. 너무나 빠르다. 지금 이케가미 의원이 입고 있는 우주복은 비교적 레벨이 높은 적대적 환경용 우주복이라, 저 정도의 불산에는 거뜬히 견뎌낸다. 그럼에도 불구하고 지금 그가 입고 있는 우주복은 불산의 증기에 반응해 녹아내리고 있었다. 이어서 플루오린화수소가 더더욱 고온을 띠더니 플라스마화하기 시작했다. 덩달아 불산에 절여진 이케마미 의원도 달궈져 기화한다.

- 비켜!

더 이상 참지 못한 빈우가 후코를 뿌리치고 뛰쳐나갔지만 얼마 가지 못했다. 그가 달리던 통로가 좁혀져오기 시작한다. 관리자인 발 가르단 하스 인의 허락도 없이 보조 뇌 방으로 들어오는 빈우를 보고 막으려 한 것이다.

- 안 돼! 그는 소이치로의 친구야! 다음 대화자야!

후코의 만류에도 아랑곳없이 통로가 압박해 온다. 발포 암석이지만 주변의 지형 자체가 변해 사방에서 짓이겨오자 컨커러도 발이 묶여버렸다. 그런 와중에 빈우는 사지를 쭉 펴서 좁혀오는 통로를 간신히 막고 섰다. 어떻게든 컨커러의 출력으로 버텨볼 만한 압력이다.

자세가 안정되자 빈우는 장갑복의 움직임을 고정한 다음 뒤쪽을 열고 밖으로 나왔다. 치명적인 환경에 맨몸으로 마주하자 두뇌칩이 격렬한 경보를 울렸다. 빈우는 그것을 무시했다. 경보와 함께 돌아오라는 후코의 애타는 통신도 무시했다.

장갑복으로 통로를 확보한 빈우는 어떻게든 이케가미 의원을 살려볼 요량으로 앞으로 달렸다. 그리고 바닥에서 꿈틀대는 상원의원을 안아 올리자 강화된 맨몸의 육체에 고온의 플루오린화수소가 스멀스멀 올라와 감싼다. 피부 내 방탄 섬유 막이 부풀어오르고 체내의 비상용 마이크로 머신들에게 말 그대로 비상이 떨어진다. 두뇌칩은 이런 최악의 상황에 뇌 내 마약을 듬뿍 쏟아붓게 하고 격통을 달랜다.

이어서 빈우는 필사적으로 다리를 움직이며 입 밖으로 터져나오는 비명을 간신히 삼켰다. 빈우의 품에서 아직 살아 있는 이케가미 의원의 두뇌칩이 상원의원용으로 보강된 특제 보안 두개골 안에서 전파를 뿌려댄다.

- 히토미, 히토미, 미안하다, 히토미, 히토미…….

어느 누구도 아닌 딸아이에게로 향한 사과가 빈우에게 들려온다. 답을 들을 수 없는 사과가 답을 할 수 없는 자에게 쏟아진다. 간신히 컨커러에 도달한 빈우는 이케가미 의원의 남은 일부를 바닥에 내려놓고 장갑복 속으로 들어갔다. 산과 열에 피부는 물론이고 눈, 코, 귀, 입 등 모든 감각기관이 심각한 치명상을 입었다. 아무것도 보이지 않고 아무것도 들리지 않지만 장갑복의 센서가 보고 들은 정보가 빈우의 두뇌칩에 바로 전해진다.

- 소이치로는 어디 있지?

HUD 장갑복의 모든 정보가 경고를 울리고 있다. 두뇌 방의 온도가 급격하게 올라가고 플라스마 구체에서 플라스마 줄기들이 뻗어 나와 이쪽으로 향한다. 설상가상으로 뒤쪽의 통로가 아예 막혀버렸다. 이젠 돌아갈 수도 없다. 두뇌 방에 갇혀버린 것이다. 빈우는 컨커러를 움직여 이케가미 의원의 일부라도 구해내려 했다. 손으로 그를 안아 올리고 응급처치를 하려고 했다.

그러나 고온의 플라스마가 다시 퍼져 보조 뇌 방을 가득 채우자 컨커러의 방어 시스템이 자동으로 작동해버렸다. 이제 컨커러는 외부의 공격으로부터 안전해졌지만, 그 대가로 움직일 수 없게 되었다. 그렇게 빈우는 간신히 뻗어 내린 손안에서 이케가미 의원이 산 채로 불타고 녹으며 기화하는 것을 그대로 봐야만 했다.

- 꼴…… 좋구나…… 내…… 승리다…….

마지막 남은 두개골마저 달각거리며 땅으로 떨어진다. 이케가미 소이치로의 유언이 드문드문 끊기며 빈우의 두뇌칩에 전해진다.

- 히토미…… 넌…… 아빠…… 처럼…… 살지…… 말…….

유언은 채 끝맺지도 못하고 플라스마에 휩싸여 사라졌다. 빈우의 고함은 타버린 성대에서 나오지 못하고 쉭쉭대기만 한다. 이제 빈우와 컨커러는 숙인 채 방어막이 작동해버려 움직이지도 못하고 일렁이는 플라스마 속에 놓여 있었다. 컨커러의 장갑이 대단하다 해도 이런 고온의 플라스마를 상대로는 어떻게 해볼 여지가 없다. 방어막이 작동하고 있는 지금은 어떻게든 살아 있지만, 동력이 다해 꺼져버리면 빈우도 곧 이케가미 의원 꼴이 날 것이다. 차이는 마지막까지 걸리는 시간뿐이다.

장갑복의 전력이 급격히 감소한다. 경보음이 종류별로 울려댄다.

이윽고 컨커러의 모든 전력이 소진되어 방어막이 사라졌다.

곧이어 보조 뇌 방의 플라스마가 컨커러와 빈우마저도 덮쳤다.

*

"안녕?"

지금 빈우의 눈앞에는 빈우가 서 있었다. 정확히는 빈우의 모습을 한 무언가다. 빈우는 그것의 정체가 발 가르단 하스임을 직감적으로 느낄 수 있었다.

"넌 설마 발 가르단 하스인가?"

"알잖아? 아니, 그래도 대답할게. 맞아, 난 발 가르단 하스야. 그리고 여긴 네 머릿속이고…….""

빈우 머릿속의 발 가르단 하스는 빈우의 얼굴로 너스레를 떨고 있었다.

"역시 전자파 탐지기관 외의 감각기관을 가진 종족과는 대화하기가 힘들군. 왜 다른 외부 감각기관을 거쳐야만 대화가 가능한 거지? 이런 식이면 내 분신체와는 몰라도 나와는 대화하기 힘들어……."

자신의 형태를 흉내 낸 발 가르단 하스가 하는 말에서 몇 가지를 가정해낸 빈우가 질문했다.

"지금 내 두뇌칩에 직접 접속한 건가?"

"그래, 내 분신체나 샤다이는 신경계와 제법 거리가 있어도 직접 대화가 가능한데 너희 종족과는 그게 잘 안 되더군. 그래서 부득이하게 이 방법을 썼어. 너희들은 내 신경계를 이루는 별 심장의 불길과 극단적으로 접촉해야만 대화가 성립하는군…….”

그러면서 발 가르단 하스는 자신의 손안에 하나의 배 형상을 만들어 보였다. 블랙 랜스다. 아까 궤도에서 플라스마에 휩싸여 녹아가던 처참한 모습이었다.

“그래서 아까는 착각했어. 내 별 심장의 불길에 휩싸여서 애타게 대화를 시도하길래 이케가미 소이치로인 줄 알았는데 엉뚱한 사람이 받더란 말이야. 이자도 네 동료지?”

그의 말대로라면 궤도 상의 오르 함장도 발 가르단 하스의 메시지를 받은 것 같다.

“그래. 내 동료다. 단, 그가 너에게 했던 공격은 전부 내가 명령했던 일이야. 그에겐 죄가 없어.”

“그건 신경 쓰지 마. 표피만 상한 정도니까. 그리고 그때 너희 동료를 공격할 때 썼던 불길도 샤다이들이 빌려가긴 했지만 나와 내 형제의 거야. 피차 마찬가지지.”

다행히 발 가르단 하스는 태스크포스 373이 가한 공격에는 그다지 신경을 쓰지 않는 것처럼 보였다. 오히려 그의 눈빛은 빈우의 질문을 기다리고 있는 듯했다.

“이케가미 소이치로가 말하더군. 너도 나에게 질문할 것이 있다고.”

“이케가미 의원은 어떻게 되었지?”

빈우의 질문에 발 가르단 하스는 슬픈 표정으로 고개를 기울이며 대답했다.

“그는…… 마지막에 나와 대화를 나누었어. 그가 원했던 대로. 뭐, 그전엔 다른 놈의 눈과 귀를 빌려서 대화를 엿들었을 뿐이지만.”

“무슨 대화를 했는지 자세하게 알려줘.”

마치 두뇌칩으로 대화하는 것 같다. 명확하게 표현하지 않아도 발 가르단 하스는 의미를 정확히 파악했다.

"그 내용은 이케가미 소이치로의 것이야. 네 것이 아니지. 이케가미 소이치로의 질문과 김빈우의 질문이 겹치는 게 있다곤 해도 너의 질문이라면 네 스스로 질문을 해. 그리고 직접 대답을 들어."

"질문은 몇 개까지 할 수 있지? 시간제한은?"

일단 시작하기 전에 사전정보를 얻어놓는 게 중요하다.

"일단 너에겐 대화할 자격이 있으니 개수 제한은 없어. 그리고 시간제한? 나는 네 머릿속에서 정보를 보는 중이야. 그러니 시간의 의미는 크게 없지."

"흠, 내 머릿속의 정보를 마구 들여다본다고?"

"그건 어쩔 수 없어. 나의 분신체나 샤다이들은 멀리 떨어져서도 내 플라스마 신경계에 접속하는 게 가능해서 대화할 수 있지만 너는 그게 안 돼. 그래서 내가 직접 너의 신경계에 접속한 다음 네 머릿속의 정보 중에서 알맞은 정보를 뽑아내 너에게 보여주는 거야. 그래, 말하자면 네 도서관의 글자를 조합해 문장을 만든다고 봐야지. 네가 이해할 수 있는 단계의 언어와 개념으로."

그렇다면 기분이 더럽긴 하지만 어쩔 수 없다.

"바깥의 상황은 어떻지? 나는 죽은 건가?"

"아니, 아직은 접속 상태로 있어."

빈우의 앞에 그의 육체가 현재 처한 상황이 보여진다. 고온의 플라스마에 접촉해 녹고 타고 증발하는 육체가 거의 정지화면이라고 할 수 있는 정도로 느릿느릿하게 보인다. 거짓말은 하지 않았다. 아직은 접속 가능 상태다.

"개수 제한, 시간제한 없다는 거 개소리구만."

분명 생각이었을 뿐인데 그게 말로 나오자 빈우는 흠칫했다. 하긴 여기가 빈우의 머릿속이라고 하니 어쩌면 당연할 것이다.

"지금 고속사고 중이니까 바깥의 네가 죽을 때까지는 여기 체감시간으로 한두 시간 정도 걸릴걸? 내가 보아하니 그 전에 질문이랑 대화는 다 끝날 것

같은데? 그래서 긴장하거나 조바심내지 말고 여유를 가지라고 말한 것뿐이
야. 이런 기회는 나에게도 흔하지 않단 말이지. 대화가 끝나면 보내줄게. 아
물론 살려서. 또 최대한 치료는 해줄 테니 나머지는 동료들에게 맡겨."

"살려주신다니, 아이고 고마우셔라. 난 네가 주마등인 줄 알고 X 됐다 싶
었지."

싱겁게 농담하며 어깨를 으쓱한 빈우는 다음 질문을 던졌다. 갑자기 그의
목소리 온도가 낮아졌다.

"이케가미 의원님은? 왜 그를 죽인 거지?"

"그가 원했으니까."

궁금한 것부터 아무렇게나 물어보면 이렇게 단편적인 대답만 나올 뿐이
다. 질문에 대한 제한이 '비교적' 여유 있다면 순서대로 차근차근 물어보는
게 최고다.

"좋아. 그럼 먼저…… 넌 누구지?"

"이 구멍투성이 암석에 쌓인 가스 행성을 말하자면 가르단, 발과 하스의
에너지를 받아 폭발해 플라스마 신경계와 지성을 얻은 나를 발 가르단 하스,
다들 그렇게 부르지. 그 외 대략적인 설명은 이케가미 소이치로에게서 이미
들었군."

"내가 알던 것과 조금 다른데……."

구 지구제국에서부터 내려온, 그리고 보호 행성에 대한 정보로는 발 가르
단 하스가 정식명칭이었다.

"어차피 그건 제대로 된 정보가 아니었잖아?"

그의 말마따나 발 가르단 하스에 관한 자료는 삭제된 데이터베이스를 복
구하면서 얻은 것이다.

"그러면 너와 대화할 조건은 뭐지?"

이케가미 의원은 1년간이나 기다렸고 샤다이는 도와주러 와서도 대화할
기회를 얻지 못했다고 했다. 그렇다면 대화의 가치는 상당히 높을 것이고 그

조건은 상당히 어려울 것이다.

"그 자신이 가진 업이지. 카르마. 스스로 했던 말과 행동이 인과가 되어 결과로 이어지는 것. 그것이 사회 구성원들과 복잡하게 엮여 계산할 수 없는 답으로 연결되는 것. 동족 없이 혼자서 유구한 세월을 살아온 나에게 있어선 더할 나위 없는 진미이자 성장 동력원이야. 분신체들을 만들고 인격을 나누었다 한들 거기서 나오는 카르마는 한계가 있지. 알잖아, 생성기로 만든 집밥과 3성 레스토랑은 다르단 걸?"

빈우는 자신을 마주 보는 발 가르단 하스의 눈동자가 자신의 것과 확실히 다르단 것을 알았다. 그 눈 너머로는 빈우가 이제껏 했던 일들이 일렁이며 보인다. 하나하나가 치명적이고 위태위태하다. 정보국의 장교로서 했던 일이니만큼 그 영향력은 결코 작을 수 없을 것이고 그래서 발 가르단 하스의 입맛에 맞았을 것이다. 같은 이유로 이케가미 의원도 합격점이었겠지. 차고 넘칠 정도로. 다만 그 높은 기술력을 가지고 우주를 누비는 샤다이는 뭣 때문에 탈락인지 모르겠다.

"이케가미 의원은 왜 너와 대화를 하려고 했었지?"

"그야 난 오래 산 만큼 아는 것이 많거든. 그보다 더 중요한 것은 내게 정보를 제공함으로써 내 연산능력으로 알아낼 수 있는 것이 많으니까. 아까 내가 카르마를 좋아한다 했지? 수많은 인과에서 이어진 수많은 응보를 보게 되면 눈이 좀 트이게 돼. 내가 네 머릿속에 있는 정보들을 보고 주변 사람들에 대해 알게 된다면, 네가 앞으로의 할 일에 대해 좀 더 좋은 해결방법을 예측할 수 있지. 근데 이게 좀 잘 맞는지, 많은 종족들이 물어보러 오더라고. 그래, 너희들의 황제도 말했어. 자신의 예측과는 다른 예지의 영역이라고."

뜻밖의 단어에 빈우는 놀랐다.

"뭐? 황제? 설마 넌 지구제국의 황제와도 만난 적이 있나?"

"못해도 백억 년은 살았는데 100년 전에 살았던 너희 황제랑은 못 만났겠나?"

604

"잠깐, 그러면 비홀더 전대는 왜 너에 대해 몰랐지? 왜 너를 공격한 거야?"

빈우의 질문에 발 가르단 하스가 답이 궁한지 고개를 모로 꺾었다.

"네 머릿속에 자료가 너무 없어서 대답하기 곤란한데, 그래도 몇 가지 답을 보여주지. 첫째, 지구제국의 황제는 지극히 인류 중심적인 존재였어. 필요에 의해서 나를 찾아왔다가도 인류를 위해 나를 멸해야 한다면 망설임 없이 그럴 존재야. 또 비홀더 전대가 황제 직속의 무력집단이라곤 하지만 황제의 모든 것을 다 아는 것은 아니지. 애초에 황제는 비밀이 많았으니까. 그리고 하나 덧붙이자면⋯⋯."

발 가르단 하스가 빈우 앞에 영상을 보여준다. 오스카 스테이션에서 투덜거리는 레드우드 중장과 빈우 자신의 대화다.

"그쪽에서 잘도 보내줬네요."

"뭐, 달라니까 주기는 하던데 말이지. 개새끼들."

비홀더 전대가 보내준 영상을 보면서 나눈 두 사람의 대화다. 이어서 바뀐 영상에서 이 섬의 목소리가 들린다.

"걸리적거린다. 반물질 폭탄 넉넉히 채워서 저기에 떨어트리자."

영상을 거기서 정지시킨 뒤 명령을 내리는 이 섬을 보며 발 가르단 하스가 말했다.

"이 섬. 황제의 첫 번째 검이지. 내가 알기론 일을 이렇게 허투루 처리할 놈은 아닌데 말이야? 100년 전의 이놈 같았으면 그 자리에서 갈기갈기 회를 쳤으면 쳤지 다른 행성에 처박는 짓은 안 했을걸? 또 모르지. 그날은 또 심기가 불편해서 사고를 쳤을지도."

그러고 보니 비홀더 전대는 루비콘 라인에 있던 발 가르단 하스를 연방의 보호 행성이라고 여태껏 건드리지 않았다가, 갑자기 4주 전 샤다이와 전투 때에는 반물질 폭탄을 냅다 퍼부어버렸다.

"그렇다면 놈들이 일부러 이 장면을 연출하고 우리에게 보내준 거란 말이야?"

"말했잖아. 자료가 너무 없다고. 좀 더 자세히 알아보려면 토끼몰이 작전부터 훑어봐야 할 거야. 입안자가 누구인지. 숨겨진 목적이 무엇인지. 그렇다면 나에게 샤다이 함선이 떨어진 게 이 섬의 변덕에 의한 사고인지, 아니면 비홀더 전대의 손을 빌리려는 누군가의 음모인지 알 수 있겠지."

누군가의 음모라면 무엇이 목적일까. 발 가르단 하스에게 상처를 입히는 것? 아니면 이케가미 소이치로 전 상원의장을 암살하는 것? 발 가르단 하스의 말대로 정보가 너무나 적다. 빈우가 잠시 생각에 빠지자 발 가르단 하스가 주의를 환기시켰다.

"자자, 말이 조금 샜는데 이케가미 소이치로가 왜 나와 대화를 하려고 했는지 물었지? 그것부터 대답해줄게. 첫째, 그는 계단을 내려온 자들로부터 너희 종족을 지킬 방법을 원했어."

오브리가도의 감옥에서 알탄훼아나에게서 들었던 단어다. 그때 그녀는 워프 비스트를 계단을 내려온 자들 또는 너무 젖은 자들이라고 말했었다.

"잠깐 그 전에. 워프 비스트의 정체와 그 발생원인은 대체 뭐지? 그것부터 자세히 알려줘."

"흐흠. 이케가미 소이치로도 같은 질문을 했었고, 그에 만족할 만한 답을 들려줬지만……. 넌 안 되겠는데."

"왜지?"

이유는 모르겠지만 지금 발 가르단 하스의 눈동자는 굉장히 공허했다. 그 속을 읽을 수 없을 정도로.

"글쎄, 넌 이미 알고 있잖아. 워프 비스트의 정체를?"

"알고 있다고? 내가?"

반문하는 빈우에게 발 가르단 하스가 다가와 집게손가락으로 그의 머리를 꾹 눌렀다.

"그래. 너의 머릿속, 잠겨 있는 부분에 확실히 정보가 있어. 워프 비스트에 대한 정보가. 그런데 말이지, 이렇게 잠겨서야 나도 손을 못 써. 아까 말했지?

내가 너에게 주는 정보는 네 머릿속에서 뽑아낸 단어와 개념을 조합해 너에게 이해할 수 있는 단계로 번역해준다고. 근데 정보가 이렇게 잠겨 있으면 내가 너에게 설명할 길이 없어. 단어가 있는 책장이 아예 잠겨 있는 셈이거든. 외부에서 다른 방법으로 전해준다면 모를까 이렇게 머릿속에서라면 너에게 어떻게든 정보를 전해준다 해도 너 스스로 거부해버려.”

빈우의 머릿속에 잠겨 있는 정보라면, 트리니티로 잠겨 있는 포말하우트 점프 공간에서의 전투와 정보국에서 묶어놓은 울토르 프로젝트의 핵심 부분이다. 어쩌면 둘 다 관계가 있을지도 모르겠다. 아니, 지금까지의 상황으로 보면 이 두 가지가 서로 연관되어 있을 가능성이 대단히 크다.

“참고로 이케가미 소이치로의 정보는 잠겨 있지 않았어. 밖으로 표현하는 게 막힌 거지. 그래서 그와는 이런 주제로 대화를 하는 게 가능했지만 넌……지금 정보가 잠겨 있어. 인식이 안 돼.”

“그렇다면 내가 너와의 연결을 끊은 다음 너의 분신체인 후코를 통해 워프비스트에 대한 정보를 얻도록 해줘.”

직접적으로 안 된다면 간접적으로 하면 된다. 그러나 돌아온 대답은 영 아니었다.

“그건 안 돼. 난 분신체와는 그런 대화는 안 해.”

발 가르단 하스는 딱 잘라 거절했다.

“잠깐, 나는 너와 대화를 할 자격이 있다고 했잖아? 이케가미 의원은 샤다이에게 대화할 기회를 주겠다고 했는데 나는 타인에게 그런 기회를 줄 수 없나?”

“업이 달라, 업이. 이케가미 소이치로가 지금까지 쌓았던 업은 타인에게 나와 대화를 가능케 할 정도의 어마어마한 것이었어. 하지만…… 음, 아쉽지만 넌 그 정도가 안 돼. 그냥 여기서 대화하는 수밖에 없어.”

하긴 연방의 상원의장을 했던 거물과 정보국 영관급 장교와 비교하면 빈우는 몹시 초라해진다. 까다롭지만 주도권이 저쪽에 있으니 이쪽에서 우회할 수밖에 없다.

"그렇다면 무엇을 질문하지? 일단 인식 가능할 법한 주변 정보부터 알아보면 핵심 정보를 나 스스로 유추할 수 있을 거야."

"아니, 여기선 내 생각이 다 나온다니까."

어찌 되었든 생각을 정리한 빈우는 다음 질문을 잘 골라서 던졌다.

"내가 워프 비스트를 만난 것은 우연인가? 아니면 필연인가?"

"흠, 우연이냐고?"

뜻밖의 질문에 발 가르단 하스는 놀라면서 감탄했다.

빈우는 오스카 스테이션에서 레드우드 중장을 만나고, 피에르 라캉 중령을 만났으며, 스미스 일가를 만났다. 레드우드 중장은 태스크포스 373을 결성하려 팀원들을 모았으니, 그를 만나고 동시에 라캉 중령과 만나는 것은 당연하다. 그러나 그때 갑작스레 샤다이들이 습격했고 잠시 인연이 있었던 스미스 일가는 워프 비스트로 변했다.

다음 오브리가도의 특수전 사령부에서는 사령관인 캐서린 시슬 대장과 태스크포스 373 관계로 시비가 있었고 24함대와는 무력 마찰이 있었다. 둘 다 태스크포스 373을 고깝게 여기는 세력의 영향을 받아 벌인 일이니 그럴 수도 있다.

그런데 그 후 24 함대원들은 워프 비스트로 변했다. 그리고 마지막으로 방금 발 가르단 하스와 대화하려던 이케가미 의원이 빈우의 눈앞에서 워프 비스트로 변했고 발 가르단 하스의 플라스마에 죽었다.

연방에서 희귀하다는 워프 비스트를 빈우는 세 번이나 만났다. 이렇다면 사건의 배후에 뭔가가 있는 게 확실하다.

"글쎄, 일단 오스카 스테이션에 워프 비스트가 생긴 것. 24함대원들이 워프 비스트로 변한 것. 이 두 가지는 우연이야. 그냥 재수 없게 거기에 놈들이 내려온 거지."

저건 또 저것대로 골치 아프다. 워프 비스트의 발생이 우연이라면 연방의 누구나가 워프 비스트로 변할 수 있다는 얘기가 되는 것이다.

"다만."

"다만?"

"네가 그 자리에 있었던 것은 필연이지."

그리고 빈우의 모습을 한 발 가르단 하스가 일어서서 걷는다. 그 앞에는 아나스타샤가 걷고 있다. 그런데 아나스타샤의 옷이 해괴하다. 메이드 복이 맞긴 한데, 훤히 비치는 에이프런에 상체는 가슴이 푹 파였고 짧은 치마는 팬티를 간신히 가리는 정도다. 그 밑으로는 새카만 레이스 스타킹에 킬힐. 빈우가 싫어하는 프렌치 메이드 복이다. 또각거리며 걷던 아나스타샤가 앙칼지게 획 돌아본다.

"뭐예요, 왜 저를 졸졸 따라다니는 거예요?"

"따라다녀? 착각이 심하시네. 그냥 내 갈 길 가는 거요."

그리고 발 가르단 하스는 인상을 썩히며 획 앞질러간다. 그러면서 아나스타샤의 엉덩이를 철썩 후려갈긴 건 덤이다.

"뭐 이런 정도?"

"이런…… 씨발."

못 볼 꼴을 본 빈우도 역시 인상을 썩혔다.

"아나스타샤의 모습을 쓴 것에 무슨 의미라도 있나?"

"그만큼 너와 밀접한 관계가 있다는 거지."

머릿속에 워프 비스트에 관한 정보를 담고 있으니 당연히 밀접한 관계일 것이다.

"너의 카르마를 보고 네 앞날을 예상해본다면 김빈우, 너는 앞으로도 워프 비스트와 숱하게 마주칠 예정이었어. 그럴 운명이었지. 그런데 그 예정이 확 엎어졌어. 이케가미 소이치로 덕분에."

· · · ✦ · · ·

"내 운명이…… 워프 비스트와 마주치게 될 운명이 이케가미 의원 때문에 바뀌었다고? 그건 이미 첫 번째 질문과 관련된 것 아닌가? 그가 워프 비스트로부터 우리 인류를 구해달라고 했으니 네가 그걸 들어주면서 나도 놈들에게서 멀어진 것 아냐?"

"그래. 분명히 이케가미 소이치로는 계단을 내려온 자들로부터 너희 종족을 지킬 방법을 원했지. 그렇지만 아까의 예처럼 우연일 때의 경우라면 모를까 너처럼 계단을 내려온 자들과 밀접하게 관계된 놈들은 가만히 있어도 필연적으로 놈들에게로 찾아가게 돼 있어. 하지만 그는, 이케가미 소이치로는 단순한 해결책만이 아니라 반격의 기회마저 선택했지. 대가는 바로 그의 희생, 죽음으로."

이케가미 의원의 죽음이라면 워프 비스트로 변하다가 보조 뇌의 플라스마에 타 죽은 것이다. 발 가르단 하스는 그것을 대가이자 죽음이라고 말했다.

"……그것에 대해 좀 더 자세히 알려줘."

"네가 알아들을 수 있는 한도 내에서 최대한 자세히 해주지."

발 가르단 하스가 둘 사이에 띄운 영상은 보조 뇌가 있던 공동에서 발 가르단 하스와 대화를 갈망하던 이케가미 의원이었다.

- 만나서 반갑소, 발 가르단 하스. 난 연방의 상원의원인 이케가미 소이치로라고 하오.

"이케가미 소이치로가 나와 대화를 하려고 왔을 때 그는 영 방법을 모르더군. 대화할 능력이 있는 것도 아니었고. 하지만 그렇다고 해서 그 정도 카르마가 있는 사람을 눈앞에 두고 되돌려보낼 수는 없는 일이지 않겠어? 난 폐부상을 입었으니 기운을 회복해야 할 테고."

- 발 가르단 하스! 나는 이케가미 소이치로라고 하오. 그대에게 물을 것이 있어 찾아왔소.

이어서 빈우의 감각기관이 당시의 발 가르단 하스의 것과 약간 동기화되었다. 그 당시 보조 뇌가 감지하고 있던 것은 입구에 있던 빈우와 알탄훼아나, 후코 그리고 바로 앞에 있던 이케가미 의원이다. 이것들이 단순한 시각정보가 아니라 복잡한 스펙트럼으로 표시되고 있었다.

그런데 이케가미 의원의 스펙트럼이 조금 이상하다. 전체적으로 빈우의 것이지만 간혹 알탄훼아나와 비슷한 파장이 섞여나왔다.

"그래서 무슨 방법이 없을까 하고 잠시 살펴봤더니 웬걸, 그의 몸에 계단을 내려오는 자들이 내려올 준비가 되어 있더란 말이지. 그래서 그놈들이 집으로 다시 내려올 수 있도록 내가 손을 조금 썼지. 놈들은 나와 대화할 자격이 있거든. 그리고 다음엔……."

이케가미 의원의 스펙트럼이 급변한다. 그리고 그의 형상이 변해간다. 워프 비스트의 것으로.

"네가 이케가미 의원을 워프 비스트로 변신시킨 거였나?"

"그래, 내가 계단을 연결해서 그를 변신시켰다. 평상시의 너희 종족들이라면 이리 쉽게 변신시킬 수 없지만, 계단이 연결될 기미만 있으면 쉬운 일이지. 워워, 그렇게 생각하지 마. 결론을 말하자면 이케가미 소이치로는 대단히 만족했어. 왜냐면 나와 대화가 가능했으니까."

거기서 잠시 말을 멈춘 발 가르단 하스는 조금 전의 일을 회상하더니 감탄하듯 말을 내뱉었다.

"정말, 정말 대단한 업을 가진 존재였어. 얼마나 많은 생명이 그의 손에 살아났을까, 또 얼마나 많은 생명이 그의 결정에 죽어갔을까. 너희들의 황제 이후로 찾아온 자들 중에 이 정도의 업을 가진 이는 없었지. 없고말고, 비견될 이라면 너희 대통령 정도겠지. 하지만 더욱 놀라운 것은 말이야, 그 와중에도 그는 계단을 내려온 자들에게 정신을 빼앗기지 않고 오히려 나에게 부탁까지 했다는 거야. 뭐, 나와 대화를 할 사람이었으니 그 정도는 되어야 하지 않겠어?"

- 걱정 말게, 김 소령. 안심해, 후코.

- 이제 알았어. 이제…… 이제야 간신히 발 가르단 하스와 대화가 되었구먼.

이케가미 의원은 워프 비스트로 변해가는 순간, 이미 발 가르단 하스와 대화를 하고 있던 것이다.

"질문과 부탁은 모두 네 가지였어. 하나는 말했다시피 계단을 내려온 자들로부터 너희 종족을 지킬 방법. 두 번째는 놈들의 정체. 세 번째는 알탄훼아 나에게도 대화의 기회를 줄 것. 마지막은 중요하지 않으니 이야기가 좀 진행된 다음에 해줄게. 뭐, 그에겐 질문할 게 잔뜩 있었지만, 시간이 그만큼 없었던 게 아쉬웠어. 만들어진 계단으로 놈들이 미친 듯이 내려왔으니까 좀 있으면 몸을 빼앗길 상황이었지."

이케가미 의원의 목이 돌아가고 눈이 뒤집히고, 이와 손톱이 날카로워져 간다.

"해결책에 대한 여러 가지 답을 들은 이케가미 소이치로는 반격의 기회를 선택했어. 나를 이용하는 방법이었지. 난 보통 답만 가르쳐주고 직접 움직이지는 않지만 내가 자초한 일에다 직접 가르쳐준 방법이니 나 스스로가 마무리지어야겠지. 뭐 그래도 딱히 어려운 것은 아니었어. 그의 몸에 계단이 생겼고 그게 나와는 직접 연결이 되었으니까."

이케가미 의원의 몸속으로 발 가르단 하스의 플라스마 신경계가 들어간다. 그제야 빈우도 느낄 수 있었다. 그의 몸속에 생긴 계단으로 발 가르단 하스의 신경계가 휘감아 올라가는 것을. 그리고 신경계들이 계단을 부수고 불태우는 것을.

"이케가미 소이치로의 몸을 통해 계단에 접속해 손을 좀 썼지. 완전히 부수는 건 불가능해도 잠시 못 쓰게 만드는 건 가능해. 그래서 아까 말했던 것처럼 당분간 너희 종족들에게 새로운 워프 비스트의 발현은 없을 거야. 당분간은."

"설마…… 이케가미 의원이 자신의 죽음을 택했다는 거야?"

"내가 그 방법을 알려주니 망설임 없이 선택하더군. 물론 딸의 일로 잠시 후회하긴 했지만 말이야."

- 딸에게, 히토미에게 전해주게. 아빠가 미안하다고.

- 히토미, 히토미, 미안하다, 히토미, 히토미…….

"그는 자신의 업이 딸에게 이어질까 두려워했어. 자신의 죄가 너희 종족에게 넘어갈까 봐 노심초사했지."

이케가미 소이치로는 마지막 순간에 자신의 몸을 대가로 워프 비스트의 발현을 막고 그들에게 반격까지 한 것이다. 빈우는 문득 이케가미 의원이 보였던 미소가 떠올랐다. 워프 비스트에 몸이 잠식되면서도 한 방 먹였다며 지었던 미소가. 그리고 들린다. 자신의 손안에서 죽어가던 그의 마지막 말들이.

'꼴…… 좋구나…… 내…… 승리다…….'

'히토미…… 넌…… 아빠……처럼…… 살지…… 말…….'

"계단은 뭘 의미하지?"

빈우의 질문에 발 가르단 하스는 쓴웃음과 함께 어깨를 으쓱했다. 워프 비스트와 관련된 정보라 그런지 아예 묶여 있는 모양이다.

"좋아, 그렇다면 이케가미 의원은 왜 워프 비스트의 정체를 해결방법 뒤에 물었지? 보통은 문제나 대상의 정체를 파악하고 그 해결방법을 알아내는 게 순서 아닌가?"

"일단 계단을 내려온 자들의 정체에 대해서는 이케가미 소이치로도 짐작하고 있었더라고. 그도 울토르 프로젝트에 크게 관여했으니까. 자세한 정체를 나중에 물은 것은 자신 다음의 질문자가 알탄훼아나이기 때문이지. 계단을 내려온 자들에 대해 좀 더 확실하게 알고 난 다음에는 그 내용에 따라서 약속을 어겨서라도 질문 기회를 뺏을 속셈이었던 것 같기도 한데…… 뭐 뺏지는 않았어."

알탄훼아나. 샤다이의 호민관이라고 했다. 오스카 기지에서 라캉 중령을 죽이고 빈우에게 사로잡혔다가 오브리가도 궤도기지에서 워프 비스트를 부르고 탈출했다. 하지만 아까 이케가미 소이치로의 스펙트럼이 알탄훼아나의 것과 유사하게 변했다. 이는 워프 비스트가 샤다이의 것이란 증거일 수도 있지만 이케가미 의원이 워프 비스트로 변할 때 알탄훼아나가 보여준 표정에 따르면 또 다른 내막이 있을 수 있다.

"그렇다면 울토르 프로젝트와 워프 비스트, 샤다이는 어떠한 연관이 있다는 말인가? 지금까지 워프 비스트는 샤다이의 무기라고 생각했는데 그게 아닐 수도 있겠군."

"김빈우. 여긴 네 생각이 다 들리는데…… 아니지."

"왜?"

고개를 들자 빈우의 얼굴을 한 발 가르단 하스는 심각한 표정을 하고 있었다.

"지금 여기서 너의 잠겨 있는 기록에 필요 이상으로 접근하려 하지 마. 풀릴 기미가 보이니까. 바깥에서라면 몰라도 여기서 네 보안이 풀려버린다면 어떤 일이 벌어질지는 나도 짐작이 안 가. 확실한 건 너한테 대단히 안 좋은 영향이 미친다는 거지. 난 두 번씩이나 내 밥상을 뒤엎긴 싫어."

조금 전 빈우는 죽어가는 이케가미 의원을 구했었다. 의도치 않게 둘의 대화를 방해한 셈이다.

"혹시 내가 이케가미 의원을 구하면서 뭔가 잘못된 게 있나? 넌 아까 이렇게 말했잖아. 내 운명의 예정이 이케가미 의원 덕분에 바뀌었다고. 안전하다곤 하지 않았지."

614

"빨리도 묻는다. 그렇지만 늦은 만큼 날카롭군."

그때 빈우의 뒤로 팔이 불쑥 나타나 그의 목덜미를 감싼다. 그리고 촉촉한 입술이 빈우의 귀를 핥으며 속삭인다.

"어머나? 걸음도 빠르셔라."

돌아보지 않아도 뒤에 있는 것은 야시시한 메이드 복을 입은 아나스타샤임을―그 형태를 한 워프 비스트임을―알 수 있다.

"나, 못 움직이는데. 나, 업히고 싶은데에?"

뒤에서는 워프 비스트가 속삭이고 앞에서는 발 가르단 하스가 구시렁댄다.

"축하한다. 너는 계단을 내려오는 자들보다 앞질러가게 됐어. 뭐, 길 가다가 뒤돌아서면 높은 확률로 워프 비스트가 있을 거다. 더 이상의 발현을 막았지만 이미 내려온 놈들은 어떻게 못 해."

망사로 된 장갑이 빈우의 가슴을 쓰다듬고 혀가 목덜미를 핥는다. 아나스타샤의 혀가 자신의 피부에 닿을 때마다 떠오르는 과거의 기억 때문에 빈우는 움찔거린다.

"하지만 너와 그들은 한때 같은 길을 가고 있었다는 것을 명심해. 당분간 그들은 고향으로 내려오기 힘들겠지만, 자칫 잘못하면 넌 그들의 목적지로 먼저 가게 될 거야."

목적지, 울토르 프로젝트, 샤다이, 워프 비스트. 빈우의 생각이 많아지자 머릿속이, 아니 주변이 그의 기억과 기록으로 혼잡해진다.

"야, 인마. 밥상 뒤집지 말라니까."

짜증 내는 발 가르단 하스의 말에 간신히 정신을 다잡은 빈우가 다시 질문했다.

"이케가미 의원의 마지막 부탁은 뭐지?"

그 질문에 발 가르단 하스가 지은 표정은 빈우의 기억에 있는 자신의 표정이었다. 생일날 자신이 좋아하는 음식들로 가득 찬 식탁을 보며 지었던 미소다. 놈은 그 미소를 짓고 빈우를 보고 있었다.

"이케가미 소이치로의 마지막 부탁 말이지? 그건 김빈우, 네가 이케가미 소이치로가 과거에 알던 정보국 소령이고 울토르 프로젝트에 찬성하고 있다면 바로 죽여달라고 했어."

여기는 빈우의 머릿속이지만 바깥에 있는 빈우의 육체는 고온의 플라스마에 바비큐되고 있으며 시시각각 오버 쿡되는 상황이다. 발 가르단 하스가 시간만 끌어도 불쌍한 장갑보병은 겉과 속이 모두 바삭바삭해진다.

"X 됐네, 손도 발도 못 쓰고 여기서 죽겠구먼."

빈우는 열심히 자신의 모습을 한 발 가르단 하스를 쥐어 패봤지만 아무런 소용이 없었다.

"이 새끼 봐라. 아가리하고 손발이 따로 놀잖아? 말 좀 듣지? 죽일 거면 그냥 여기서 태워버리지. 왜 힘들게 너랑 말씨름해야 하냔 말이다."

틀린 말은 아니었기에 빈우는 잠자코 물러났다. 그 모습을 보며 발 가르단 하스는 한숨을 쉬더니 고개를 내저었다.

"그리고 내가 직접 살펴본 김빈우 넌…… 이케가미 소이치로에게서 봤던 김빈우와 확실히 달라. 인격도 그렇고 카르마의 방향성 자체가 틀려. 마치 젊은 날의 김빈우로 회춘한 것 같다고 할까?"

"인격이 변했다는 것은 알고 있었는데 역시 원인은 트리니티 때문일까, 아니면 정보국에서 잠가놓은 울토르 프로젝트 때문일까. 만약 트리니티가 풀린다면……."

"아니, 위험하니까 그런 생각 좀 그만하라고. 너 정도면 꽤 진미이긴 한데…… 앞날이 더 기대된다. 오늘 대화는 여기까지 하고 보내줄게. 네 동족들과 부대끼며 좀 더 많은 카르마를 쌓아줘."

"잠깐, 아직 내 질문은 끝나지 않았어."

그때 갑자기 다가온 발 가르단 하스의 집게손가락이 빈우의 이마 속을 쑥 파고들었다.

"말했지? 너 지금 간당간당해. 여기서 조금만 더 핵심 정보에 다가갔다간 머릿속의 정보가 풀려버린다? 실제 세계가 아닌 바로 여기서. 그러면 앞날이 창창한 진수성찬이 엎어진다고. 난 그 꼴은 못 보지. 가. 가서 죽이고 죽여. 네 카르마를 쌓고 또 쌓아 감당할 수 없게 되면 나에게로 다시 와. 내가 도와주지."

아까부터 느껴지던 거지만 발 가르단 하스는 상대와의 대화에 비교적 충실한 편이었으나 역시 가장 우선하는 건 자신의 식사다.

"안 온다면?"

"네가 오지 않아도 상관없지. 너 때문에 많은 이들이 나를 찾아올 테니까."

히죽 웃는 그의 말을 끝으로 빈우 주변의 풍경이 사라졌다. 발 가르단 하스에게서 쫓겨났다.

*

"주인님? 주인님!"

눈을 뜨자 아나스타샤가 보인다. 그녀의 눈물이 빈우의 얼굴에 떨어진다.

"아샤?"

빈우는 아나스타샤가 흘리는 눈물을 맞으며 두뇌칩으로 시간과 위치 정보를 조회해보았다. 시간은 발 가르단 하스의 플라스마 신경계에 휘감긴 때로부터 사흘째 되는 날이고 위치는 발 가르단 하스 궤도의 블랙 랜스 의무실이다.

빈우는 즉시 팀장의 권한으로 태스크포스 373의, 그리고 블랙 랜스의 현재 상황을 살펴보려 했다. 살펴볼 시점은 발 가르단 하스를 탈출하는 셔틀에 샤다이들이 점프로 습격해 와 리퍼가 이케가미 의원을 납치하고 빈우가 그들을 추적했을 때부터다. 그런데 현재의 빈우는 함내 네트워크에 접속할 권한이 없었다. 빈우는 몸을 일으키며 아나스타샤에게 이를 물어보았다.

"아나스타샤, 이게 어떻게 된 거지?"

"잠시만 기다리세요, 주인님. 함장님을 부르겠습니다."

"아, 아나스타샤 양. 그럴 필요 없습니다. 이미 왔으니."

아나스타샤의 도움으로 몸을 일으키는 빈우 앞에는 벌써 오르 함장이 와 있었다. 그는 빈우가 의식을 되찾았다는 함내 의료정보를 보자 바로 이곳 의무실에 몸을 생성시킨 것이다.

"정신이 드셔서 다행입니다, 팀장님. 현재 팀장님의 권한은 잠시 정지되었으며 아룹 원사가 직무를 대행하고 있습니다."

비밀임무를 수행하는 태스크포스 373의 특성상, 팀장인 빈우가 실종 중이라면 그 권한은 잠시 정지되며 지휘권은 아룹이 맡게 된다.

"함장님, 지금까지의 상황을 설명해주십시오."

"네, 알겠습니다. 먼저 권한부터 복구하지요."

그러면서 오르 함장은 지금까지 있었던 일을 영상과 말과 기타 기록으로 빈우에게 설명해주었다.

빈우가 이케가미 의원을 구출한 후 블랙 랜스는 발 가르단 하스를 탈출해 간신히 샤다이의 추적을 따돌렸다. 그리고 발 가르단 하스와 발 하스 1 사이에 있는 소행성 지대로 숨어 부서진 함의 수리와 수복에 전념했다. 당시의 블랙 랜스의 상태로는 발 가르단 하스로 돌아온다 해도 빈우를 구출해 탈출할 여력이 없었기 때문에, 최소한의 작전 수행능력을 갖춘 다음 움직이기로 한 것이다.

그러나 그 과정도 순탄하지 않았다. 발 하스 1에는 이미 샤다이 함선이 와 있던 것이다. 그것도 엄청난 역장으로 발 하스 1을 끌어오는 대형 함선이. 더군다나 그 외 나머지 발 하스의 행성들에도 각각 동급의 샤다이 함선들이 있어, 저마다 발 가르단 하스로 행성들을 견인해 오고 있었다.

이런 상황에서 함부로 움직였다간 항성계 안에 포진한 샤다이 함선들에게 포위당해 순식간에 격침당할 게 뻔했기 때문에 자연히 태스크포스 373의 움직임은 조심스러워질 수밖에 없었다. 다행히 연방에 비해 탐색이나 전자전 능력 등이 월등히 떨어지는 샤다이는 블랙 랜스를 발견하진 못했다. 그러나 함부로 움직였다간 발각당할 것이 뻔해 수리에 차질이 생긴 것은 어쩔 수 없는 일이었다.

간신히 수리를 마친 블랙 랜스는 사전에 암호통신으로 알린 대로, 충분한 규모의 암석군이 발 하스 1의 소행성 군에서 발 가르단 하스로 향할 때 그 속에 숨어들어 움직였다. 그러나 블랙 랜스가 발 가르단 하스로 도착해서 본 것은 지금까지 본 적도 없었고 앞으로도 다시 보기 힘들 장관이었다. 두 태양인 발과 하스에서 날아오는 코로나와 플레어, 그리고 형제 행성들에서 날아오는 무수한 암석군들이 모여 발 가르단 하스로 향하고 있었다. 그리고 그것들이 녹고 분해되고 재구성돼 발 가르단 하스를 되살리고 있었다. 항성계의 모든 별들이 발 가르단 하스를 위해 모인 것이다. 보면 알 수 있었다. 별들을 끌어온 것은 샤다이였지만 그다음 일어난 모든 일은 발 가르단 하스 스스로가 했다는 것을.

이런 상황이니 블랙 랜스는 섣불리 발 가르단 하스로 접근할 수 없었다. 자칫 잘못했다간 오늘내일하는 구축함이 저 사태에 휘말려들어가 저 별들처럼 뜯겨나갈 수도 있다고 판단했기 때문이다. 그렇게 주변 상황을 살피며 발 가르단 하스를 탐색하고 있을 때 갑자기 발 가르단 하스의 행성 궤도에서 빈우의 피아 식별 신호가 — 정말 갑자기 — 잡혔다. 신호가 잡힌 곳으로 롱소드를 조심스레 보내봤더니 그곳에는 의식 불명 상태의 빈우가 녹아 눌어붙은 컨커러를 입고 발 가르단 하스의 궤도 상을 떠돌고 있었다.

블랙 랜스는 일단 빈우를 발견하고 재빨리 회수했지만, 섣불리 그를 함내에 들일 수는 없었다. 팀의 안전을 위해서였다. 행여 샤다이들이 빈우에게 어떤 조작을 했을지도 모를뿐더러 만에 하나 그가 워프 비스트에 감염되었을 가능성도 염두에 두어야 했기 때문이다. 그래서 여러 가지 검사를 마친 후에야 빈우는 블랙 랜스 함내로 들어올 수 있었고 엉망진창이 된 몸은 장기간의 수술과 회복을 거쳐 지금에 와서 의식을 회복할 수 있었다.

"그리고 이게 현재 상황이군요."

"네, 팀장님."

오르 함장이 보여주고 있는 것은 정상화된 발 가르단 하스 항성계의 현재 모습이었다.

발 가르단 하스는 부서진 지표를 완전히 수복한 다음 다시 발과 하스의 공전궤도로 돌아가 두 태양 사이를 오가고 있었다. 이쪽으로 향해 모이던 형제 행성들도 역시 원래의 제자리로 되돌아갔다. 샤다이 함선들도 다 사라졌지만 아직은 확실한 정보가 없으므로 블랙 랜스는 일단 발 가르단 하스의 궤도에서 행성 재건에 쓰이고 남은 암석군에 몸을 숨기고 있는 중이었다.

"블랙 랜스의 현 상황은…… 음, 힘들군요."

"네, 일단은 조심해서 도망가는 게 최선입니다."

포대는 대부분 파괴, 보유한 미사일과 어뢰들은 한 번의 전투에도 모자랄

양만 남아 있다. 주 추진기도 2기 중 1기만 70%의 출력으로 가동 중이고 그 외 전자장비도 정상적인 작전은 힘들 정도다. 다행히 외부장갑은 어떻게든 복구해놓았지만, 그것도 어디까지나 임시 수리라 외장만 그럴 뿐이고 정상적인 장갑의 방어도에는 크게 못 미치는 수준이다.

"일단은⋯⋯."

"팀장님! 정신 드셨습니까?"

빈우의 말을 끊은 것은 의무실로 뛰어든 아룹 부팀장이었다. 그리고 그 뒤로 다른 팀원들도 다투듯 밀려들어왔다. 쟁쟁한 일행을 비집고 가장 먼저 침대 가까이 온 것은 다름 아닌 모니카였다.

"다행이에요, 팀장님. 그동안 의식을 회복하지 못해서 걱정했어요."

빈우는 의료기기의 정보를 살핀 다음 눈물을 글썽이는 모니카의 머리를 쓰다듬어주었다.

"이렇게 다시 정신 차렸잖아. 고맙다, 모니카."

그녀는 장갑복과 강화 신체의 전문가여서 빈우의 치료와 수리를 맡았었는데, 이유도 모른 채 빈우가 의식을 차리지 못하는 상황이라 마음깨나 졸였었다.

"이게 마지막이라니 아쉽네."

다음으론 파트리샤가 뜬금없는 소리를 하며 빈우의 볼에 가볍게 입을 맞추었다.

"마지막이라고?"

그녀는 황당해하는 팀장에게 혀를 날름하곤 뒤로 빠졌다. 도대체 파트리샤는 빈우가 정신을 잃었던 동안 뭘 한 걸까.

"죄송합니다. 그때 제가⋯⋯."

위르겐은 리퍼의 습격 당시 아무것도 못 하고 쓰러진 자신을 원망하고 있었다. 리퍼에게 한 번도 아니고 두 번씩이나 손도 못 쓰고 당했으니, 연방의 창끝이라 자부하는 뱅가드 대원인 위르겐으로선 그 자신의 추태를 참을 수 없었을 것이다.

"아니, 넌 최선을 다했어. 네 능력 밖의 일로 자책하지 마라."

빈우가 주먹을 들자 위르겐이 쓰게 웃으며 자신도 주먹을 들어 가볍게 마주쳤다.

"어, 저는……."

태스크포스 373의 팀원이지만 빈우의 직속은 아닌 우지는 버벅이고 있었다. 자신이 셔틀을 밀고 있는 사이 일어난 일이라 그때 아무것도 못 하고 떨어져가는 빈우를 보고만 있어야 했기에 우지도 꽤 충격을 받았었다.

"회수해줘서 고맙다, 우지."

"네, 네."

간신히 울음을 삼킨 우지 옆으로 모습을 드러낸 것은 아를르캥이었다.

"뭐 드시고 싶은 것 있으신가요? 현재 함내 상태가 여의치 않아 메뉴가 그리 다양하진 않습니다만 최선을 다해 솜씨를 뽐내보지요."

피에르 라캉의 얼굴이 해맑게 웃는 모습은 그리 익숙지 않지만 아를르캥의 마음 씀씀이는 고맙다.

"고마워. 나중에 주문할게."

그리고 마지막 아룹의 질문은 지금까지와는 달리 조금 무거웠다.

"팀장님…… 의원님은 어떻게 되셨습니까?"

"죄송합니다. 구하지 못했습니다."

답하는 빈우의 목소리도 나직하다.

"……그렇습니까."

물론 아룹도 짐작하고 있었다. 그 정도 사지에서 빈우가 생환한 것만 해도 대단한 일이다. 어차피 작전목적은 달성했고 이케가미 의원은 부차적인 구조목표였던 만큼 작전에 큰 차질은 없다. 그러나 이케가미 소이치로는 아룹이 한때나마 모셨던 인물이었기에 그가 침울해하는 것은 당연하다.

"팀장님, 그러면 자세한 이야기는 충분히 회복하신 다음에 하도록 하죠.

622

저흰 이만 물러가겠습니다."

이런저런 대화가 끝나고 팀원들이 나가자 의무실에는 빈우와 아나스타샤 둘만 남았다. 빈우가 누운 채 팔을 벌리자 아나스타샤가 와락 안겨왔다.

"주인님, 주인님, 주인님."

여태껏 기본 표정으로 감정을 숨기고 있던 아나스타샤가 폭발하듯이 울음을 터뜨렸다.

"죽은 줄로만 알았어요. 셔틀이 돌아왔는데, 왔는데, 주인님이 없어서. 흐어어."

"괜찮아. 봐, 살아 있잖아."

빈우는 자신의 목덜미에 매달려 울고 있는 아나스타샤의 뒷머리를 부드럽게 쓰다듬었다. 이번에도 아나스타샤는 얼마나 놀랐을까. 자신의 주인이 사선을 넘나들 때마다 그녀가 받는 충격도 보통이 아닐 것이다. 일반 안드로이드가 아니라 인간과 유사한 사고가 가능한 고급 인공지능인 그녀에게 있어서, 자신이 어릴 적부터 키워온 주인에게 가지는 감정은 가족과도 같다. 그런 빈우가 죽음과 마주하고 위협받는 현실은 아나스타샤에겐 고통이고 고문이나 다름없다.

"제발, 주인님. 제발, 다치지 마세요."

"그래, 그래. 여길 봐. 다 나았잖아. 나 이제 다 나았어."

빈우는 자신을 꼭 끌어안고 흐느끼는 아나스타샤를 달래보려 하지만 울음은 그칠 기미가 없다.

"다치지 마세요. 죽으시면 안 돼요. 부탁할게요. 제발요, 제발. 제발."

"약속할게. 안 죽어. 꼭 돌아올게. 꼭. 응?"

빈우는 오열하는 아나스타샤의 고개를 들어 이마에 가볍게 입을 맞추었다. 아나스타샤의 이마를 훑는 빈우의 입술에 희미한 흉터가 느껴진다. 예전에 주인의 고통을 보며 궁지에 몰렸던 아나스타샤가 괴로워하다 못해 스스로 낸 상처다. 그뿐만 아니다. 빈우의 품에 꼭 끌어안긴 그녀의 몸 여기저기에는 이런 흉터들이 몇 군데 더 있다. 그러나 아나스타샤의 머릿속에는 그딴 것들과 비교할 수 없는 큰 상처들이 있다. 이번 일로 그런 상처가 하나 더 늘어났을 것이다.

빈우는 자신의 고통이나 부상보다는 아나스타샤의 고통이 더 참기 힘들었다. 그러나 그녀를 지켜줄 수 없고, 또 구해줄 수 없다는 사실이 빈우를 더욱 힘들게 만들었다. 자신을 길러왔던 메이드의 말대로 모든 것을 그만두고 고향으로 돌아가고 싶다. 그리고 그곳에서 아나스타샤와 평온한 삶을 살고 싶다.

하지만 결코 그럴 수 없다는 것을 누구보다 빈우 자신이 더 잘 알고 있다. 모든 것을 끝내기 전에는 어떤 것도 할 수 없다는 것을.

"이제 그만 울어, 목이 다 쉬었네. 좀 누워 봐."

빈우는 자신의 옆에서 아나스타샤를 눕혀서 다독였다. 어릴 적에 그녀가 불러줬던 자장가를 불러주자 아나스타샤도 가까스레 웃는다. 이어 손가락으로 머리를 빗질하고 귓불을 주물러주니 울음이 차츰 잦아들었다. 주인이 눈가에 고인 눈물을 닦아주자 메이드가 스스로 얼굴을 훔친다.

"죄송해요, 주인님. 이제 안 울게요."

"이제까지 제대로 못 쉬지도 못했지? 좀 쉬어, 아샤."

"아니에요, 제가 주인님을 돌볼 거예요."

빈우는 몸을 일으키는 아나스타샤의 이마를 손가락으로 꾸욱 눌러 다시 눕혔다.

"먼저 자. 네 옆에서 잘게."

그리고 물기 어린 눈으로 올려다보는 아나스타샤의 이마에 한 번 더 입을 맞추었다. 주인의 차분한 몸짓에 안드로이드 메이드는 간신히 잠이 들었다. 그다음 오열의 여파로 할딱이는 그녀의 옆머리를 쓰다듬던 빈우는 손을 서서히 내렸다. 부드럽게 스치고 내려간 손이 아나스타샤의 치마를 잡는다. 그리고 서서히, 아주 천천히 치맛단을 올렸다. 종아리의 하얀 살결을 감싸고 있는 옅은 갈색의 스타킹이 보인다. 이어서 손이 무릎을 거쳐 허벅지를 타고 올라간다. 갈색 스타킹에 감싸져 있는 것은 흰색 팬티였다.

"후우……."

빈우의 한숨과 함께 올라갔던 손이 방금의 속도 그대로 천천히 내려와 치마를 다시 원래대로 덮어놓았다.

현재 빈우가 가지고 있는 단서 중 하나는 검은색 레이스 팬티다. 빈우가 울토르 중대에서 클론으로 위장하고 있을 때 그의 사물함에 들었던 검은색 팬티. 거기엔 빈우의 아이디로 '이거 믿지 마라'라고 적혀 있었다. 빈우에겐 그것을 적은 기억이 없으니 가능성은 두 가지다. 누군가가 빈우의 장갑복을 써서 그 메시지를 썼거나, 아니면 빈우 자신이 썼지만 기록이 트리니티에 의해 잠겨 있는 경우다. 울토르, 워프 비스트, 트리니티, 팬티. 널브러진 단서들을 어떻게 연결해야 할지 복잡하다. 하지만 지금 필요한 것은 무엇보다 휴식이다. 일단 한 가지 숙제를 마친 빈우에겐 정신과 육체 둘 다 휴식이 필요했다.

"잘 자, 아나스타샤."

빈우가 침대에 누웠다. 마주하는 아나스타샤의 느릿한 숨소리가 편안하다. 어린 시절 자는 척하다 눈을 뜨면 이미 눈치챈 아나스타샤가 짓궂게 웃으며 빈우의 코를 꼬집곤 했었다. 행복하고 평화로운 날이다. 빈우는 그런 날들을 위해 싸우기 시작했었지만 노력하면 할수록 불행히도 그런 날과는 멀어져만 갔다.

071

· · · ✦ · · ·

한숨 자고 일어난 빈우는 식탁 위의 음식을 물끄러미 내려다보고 있었다. 아나스타샤가 가져온 음식은 치킨 파이와 초코칩 쿠키들로 둘 다 빈우의 어릴 적 추억이 담긴 음식들이다. 개구쟁이인 빈우가 밥도 안 먹고 싸돌아다니면 아나스타샤는 늘 치킨 파이를 손에 들고 따라와 어떻게든 먹이려고 했었다. 그때의 악동은 파이보다는 그것을 먹었을 때의 아나스타샤가 지었던 표정을 좋아했고, 그보다 더 재밌어했던 건 한 입만 먹고 뒤돌아 도망칠 때 그녀가 보였던 애타는 반응이었다. 그래서 한 입 먹고 도망치고, 또 한 입 먹고 도망치고를 반복하다 종래엔 치킨 파이를 다 먹고 아나스타샤의 등에 업혀 돌아갈 때가 정말 행복했었다.

초코칩 쿠키는 엄마와의 추억이 담긴 음식이다. 뭐가 잘 안 되거나 혼나서 울고 있을 때면 엄마는 쿠키를 구워와 아들을 달래며 같이 먹었었다. 아무리 힘들고 또 아무리 슬퍼도 엄마와 같이 초코칩 쿠키를 먹으면 어린 빈우의 기분은 금방 나아졌다. 엄마는 커피와, 아들은 우유와, 가끔은 아나스타샤도 끼어서 같이 쿠키를 먹었던 그때가 정말 행복했었다.

"주인님?"

아나스타샤의 말에 빈우는 추억에서 깨어났다.

"응? 잘 먹을게."

파이를 우물우물 씹던 빈우는 문득 한 가지 음식이 생각났다.

"아샤, 혹시 계란 밥 내올 수 있어?"

"계란 밥이요?"

물질 생성기로 무슨 음식을 못 만들겠냐마는 지금 빈우가 원한 것은 그게 아님을 아나스타샤는 바로 깨달았다.

"죄송해요, 주인님. 지금은 신선한 재료가 없어서 만들 수 없어요."

"아, 괜찮아. 생성기 걸로도 좋아."

그러자 아나스타샤는 금세 생성기에서 비벼진 계란 밥을 뽑아와 빈우 앞에 놓았다. 치킨 파이와 초코칩 쿠키 사이에 덩그러니 놓인 계란 밥은 여기 없는 한 사람을 위해 주문한 것이다.

'갓 지은 따끈한 쌀밥으로…… 계란 밥을 만들어 먹고 싶구먼.'

이케가미 의원의 넋두리가 떠오른다. 그는 마지막에 스스로를 희생해 자신의 목적을 이루곤 빈우에게 터무니없는 유산을 남기고 떠났다. 인류 연방은 현재 위험에 처해 있으며 거기엔 울토르 프로젝트가 관련되어 있다는 것을 알려주었다. 한때나마 울토르 프로젝트를 같이 진행한 사이였던 만큼 이 일의 해결과 마무리는 빈우가 지어야 할 것이다. 또 그래야만 하고.

빈우는 치킨 파이와 초코칩 쿠키를 한입에 털어 넣은 다음 계란 밥을 들고 식당을 나섰다. 그리고 가장 가까운 에어록으로 가 안으로 들어갔다. 강화한 육체에 감압은 필요 없고 잠깐이라면 바로 우주 공간으로 나가도 괜찮기에, 빈우는 그대로 블랙 랜스 밖으로 나가 맨눈으로 발 가르단 하스를 보았다. 분명 처음 임무는 토끼몰이 작전의 여파로 추락한 리퍼 함선과 정보를 보호 행성에서 회수하는 것이었는데. 터무니없는 것을 회수하고 말았다.

'아쉽지만 이거로 참아주시구려.'

빈우는 발 가르단 하스를 향해 계란 밥을 던져 보냈다. 원래는 비밀임무를 하는 중이기에 이딴 식으로 흔적을 남겨선 안 되는 일지만, 이미 깽판이란 깽판은 다 쳐놓은 상황인지라 지금 이런 일을 한들 별 의미는 없었다. 멀어져가는 계란 밥을 바라보는 빈우의 머릿속은 복잡했다. 지금 빈우가 알고 있는 정보는 그 하나하나가 특급기밀에 속하고 민감한 정보다.

클론 병사를 만드는 울토르 프로젝트는 연방의 기밀이었지만, 마카로니에서 민간인 학살이란 초대형 사고를 치는 바람에 이를 수습하느라 관계부서는 피똥을 싸고 있고, 현장 지휘관이었던 빈우조차도 프로젝트에서 격리되었다. 자칫하면 기록 말살까지 갈지도 모를 일이다.

인간을 괴물로 변신시키는 워프 비스트는 아직 정확한 정보가 없지만 울토르 프로젝트와는 모종의 관계가 있을 것으로 추측된다. 다행히 이케가미 의원의 희생으로 그 발생을 막았지만 발 가르단 하스는 그것을 '당분간'이라고 표현했을 뿐 정확한 기간은 알려주지 않았다.

그러나 빈우는 이런 정보들을 누구와 함부로 공유할 수가 없었다. 발 가르단 하스가 줬던 정보 중에 몇 가지 신경 쓰이는 것이 있었기 때문이다. 우선 발 가르단 하스는 워프 비스트들을 계단을 내려온 자들이라고 칭했으며, 자신과 대화가 가능하다고 했다. 그렇다면 이들은 빈우가 알고 있던 단순한 괴물의 모습과는 달리 지성을 가지고 있을 가능성이 있거나 달리 그런 부류가 있을지도 모른다.

또 발 가르단 하스는 앞으로의 워프 비스트 발생을 막았지 이미 내려온 놈들은 어쩌지 못한다고 했다. 현재 연방이 발견한 워프 비스트는 아직 결과가 확실하지 않은 오브리가도의 특수전 사령부 건을 제외하면 모두 말살로 끝났다. 이미 없는 워프 비스트를 발 가르단 하스가 일부러 언급할 이유는 없다. 그렇다면 연방이 미처 파악하지 못한 워프 비스트들이 어딘가에 숨어 있을 가능성이 높다.

이런 정보들을 조합해본다면 지성을 가진 워프 비스트들이 이 우주 어딘가에 암약하고 있을지도 모른다. 최악의 경우, 태스크포스 373을 창설 이전부터 방해했던 세력의 뒤에 놈들이 있을지도 모르는 일이다.

이렇게 정보를 정리하고 있을 때 오르 함장의 통신이 들려온다.

- 팀장님, 이제 본 함은 발 가르단 하스 궤도를 벗어납니다. 함내로 들어와주

십시오.

- 알겠습니다, 함장님.

이제 블랙 랜스는 고속항행으로 발 가르단 하스를 떠나 포말하우트 게이트로 간 다음, 다시 워털루 게이트로 향할 예정이다. 그리고 워털루 게이트에서 태스크포스 373이 앞으로 갈 길을 정하게 된다. 원래의 예정대로 특수전 사령부로 가야 하는지 아니면 비상시 목적지인 통합사령부로 가야 하는지.

만약 특수전 사령부의 워프 비스트 발생 사건에 어떤 진행 상황이 있었다면 암호통신이나 연락정을 보내났을 것이기 때문에 그것이 있는지 없는지, 있다면 그 내용을 보고 차후의 항로를 정할 것이다.

*

다행히도 워털루 게이트로 가는 동안은 별다른 사건이 발생하지 않았다. 그래서 블랙 랜스의 수리에 로봇들은 물론이고 373 팀원들까지도 달라붙을 수 있었다. 팀원들만.

저번 전투로 작업용 로봇들을 상당수 잃어버렸기 때문에 모자라는 부분은 인력으로 때우는 것이다. 우지는 롱소드를 몰고 가까운 곳의 얼음이나 광물들을 모아오는 데 여념이 없었고, 팀원들은 무장 들고 훈련을 하는 시간보다는 공구를 들고 선외 작업을 하는 시간이 더 많아졌다. 대가리 두 명 빼고.

"음, 다행이군요."

전투 정보실에서 암호통신을 받은 오르가 희미한 미소를 띠었다.

"그러게 말입니다."

같이 통신을 보던 빈우도 가슴을 쓸어내렸다. 지금 두 사람이 보고 있는 암호통신은 오브리가도의 특수전 사령부에서 발사한 기밀 연락정이 발신한 것이다. 수신자는 물론 태스크포스 373이다.

- 빗자루를 내려놓아라.

현재 시각에 대응되는 암호로는 '적 격퇴'다. 오브리가도 특수전 사령부는 워프 비스트의 침공을 무사히 격퇴한 것이다. 하기 연방에서 내로라할 특수 부대원들이 모두 모인 곳이니 어지간한 병력으로는 턱도 없다.

"이제 예정대로 특수전 사령부로 귀환하면 되겠습니다."

빈우의 말에 오르가 고개를 끄덕인다. 특수전 사령부는 태스크포스 373의 본거지고 블랙 랜스는 현재 비밀작전을 수행하고 돌아가는 중이니, 아무래도 다른 곳보다는 본가로 가는 게 편한 법이다. 그리고 빈우로서도 그나마 비빌 언덕이 있는 특수전 사령부가 나았다. 특수전 사령부의 사령관인 캐서린 시슬 대장이나 태스크포스 373의 최고 지휘관인 조지 레드우드 중장은 둘 다 뼛속부터 군인이기 때문에, 빈우가 가져온 정보에 대해 그나마 순수하게 반응할 것이다. 그들은 자신들 앞에 그 어떠한 위협이 닥치더라도 어떻게든 연방의 위험을 막기 위해 움직일 것이다.

하지만 만약 빈우의 본가인 군사정보국에 이런 치명적인 고급 정보가 들어간다면? 물론 행동에 나서기야 나설 것이다. 최대한 자신의 세력에게 이득이 되게끔 하고, 최대한 반대 세력에 피해를 줄 수 있는 방향으로 정보를 가공한 다음에 말이다.

"그러면 워털루 게이트에서 오브리가도 게이트로 점프하도록 하겠습니다."

"알겠습니다, 함장님. 그럼 저는 팀원을 만나러 가겠습니다."

*

"흐앙, 퍽퍽해."

하루 일과를 마친 파트리샤는 전산실의 보안 터미널 앞에서 닭가슴살을 꾸역꾸역 씹으며 팀장인 김빈우에 대해서 조사하고 있었다. 일반적인 정보와 달리 기밀 정보들은 이런 특정 장소에서만 열람 가능하기 때문이다. 이전까진 블랙 랜스에 들어 있는 정보만 검색할 수 있었지만, 게이트 근처로 오면서 연방군 네트워크에 접속이 가능해져 빈우 같은 정보국 요원에 대한 정보도 어느 정도는 볼 수 있게 되었다. 물론 실리콘 나이트 대원이자 현재 태스크포스 373 소속인 파트리샤의 기밀 취급 등급이 높아서이기도 하다.

"뭐, 별거 없네."

파트리샤의 예상과 달리 이곳에서도 빈우에 대한 정보는 제대로 볼 수 없었다. 대략적인 신상정보나―빈우의 원소속을 감안하면 이것도 꽤 기밀이지만―활동 내역이 전부고 정작 알고 싶었던 핵심적인 것들은 열람 불가, 접근 불가다.

"너 뭐 하냐."

"엑, 부팀장님."

뒤에서 갑자기 들려온 아룹의 말에 파트리샤가 화들짝 놀란다.

"또, 또 못된 짓 한다. 궁금하면 앞에서 물어보면 될 텐데 왜 뒤에서 이러고 있나?"

핀잔을 주는 아룹도 파트리샤의 기분을 이해하고 있었다. 현재 빈우는 이케가미 의원을 쫓아간 이후의 일들을 일절 말하지 않고 있었다. 그저 '구하러 갔으나 구하지 못했다' 정도였고 자세한 내용에 대해 물어보면 때를 봐서 나중에 알려주겠다고 했다. 같은 임무를 짊어지고 같은 전장에서 굴렀던 팀원들에게조차 말이다.

오르 함장이나 아룹은 빈우의 그 말에 더는 묻지 않고 기다리기로 했다. 팀장인 그가 팀원들에게 말하지 않는다면 분명한 이유가 있는 것이기 때문에. 그러나 이 말괄량이는 제 성격 못 버리고 뒤에서 혼자서 헤집고 있었다. 이런 건 자칫 잘못하면 서로 오해를 살 수도 있는 일이다.

"그냥 좀, 궁금해서요. 에헤헤. 근데 피자 타이거에 스파게티 드래곤, 전부 식품 회사네요. 이거 정보국이나 보안국 유령회사죠?"

"그래, 너, 오브리가도에서 피자 타이거 유니폼 입었잖아."

아룹의 말대로 파트리샤는 오브리가도에서 24함대와의 테스트 건 때문에 피자 타이거 직원으로 위장한 적이 있었다. 그리고 그때 아룹은 우주 샤다이 대마왕이 되어 주변에 공포감을 확실하게 각인시켰다. 사령관인 캐서린 시슬의 손녀와 며느리에 총을 겨눴던 순간을 떠올리면 지금도 등골이 서늘해지는 아룹과 파트리샤였다.

"어라? 둠 치킨? 이건 군납 식품회사잖아요? 여기도 무슨 정보국 쪽 회사였나?"

"뭐? 무슨 치킨?"

한걸음 거리를 두고 얘기하던 아룹이 화면에 다가섰다. 그리고 표정이 묘하게 일그러진다.

"에, 부팀장님? 왜 그러세요?"

"흠, 파트리샤 넌 둠 치킨은 모르냐?"

그녀가 지금 씹고 있는 게 둠 치킨의 닭가슴살이니 모를 리는 없다. 아룹의 질문은 둠 치킨의 다른 정체를 물어보는 것이다.

"어, 어, 그냥 군납 가금류 회사잖아요?"

씹던 닭고기를 꿀꺽 삼킨 파트리샤가 대답했다. 정확히는 닭 맛이 나는 음식류 전반을—자연, 합성 포함해서—취급하는 회사다.

"연방 중앙정보국 계열의 회사다."

"호마나!"

파트리샤가 놀랄 만도 하다. 연방 중앙정보국이 왜 군납 회사를 소유하고 있단 말인가. 피자 타이거나 스파게티 드래곤은 각각 군사정보국과 보안국 소속이며, 연방군이 진출한 곳에는 어디든 따라가 활동하고 있었다. 그러나 군 소속 기관은 민간 쪽 행동을 제한받기 때문에 피자 타이거나 스파게티 드래곤 둘 다 군기지나 그 근처에서만 장사하지 민간 쪽으론 잘 진출하지 않았다. 반면 둠 치킨은 이전엔 민간에서 활동하던 회사였으나, 언제부터인가 군납에도 손을 대더니 지금은 군내 닭고기 유통에 꽤나 큰 비중을 차지하고 있었다. 근데 이게 다른 곳도 아닌 연방 중앙정보국 소속이라면 문제가 조금 애매해진다. 정부 쪽 기관이 군의 일에 관여하고 있다는 것은 그리 좋은 모양새가 아니다.

"뭐 또 무슨 못된 짓 하고 있는 거냐."

그때 문이 열리며 빈우가 들어왔다.

"에그머니, 깜짝야. 오셨어요."

말과는 달리 파트리샤는 방실방실 웃으며 손을 흔들었다. 그녀가 어떻게 둘러댈까 머리를 굴릴 때 대뜸 아룹이 질문했다.

"팀장님, 여쭤보고 싶은 게 있습니다만."

"뭡니까?"

아룹의 질문에 대수롭잖은 반응을 보이는 빈우와는 달리 파트리샤의 눈은 호기심으로 반짝거리기 시작했다. 드디어 부팀장인 아룹이 총대를 메고 궁금했던 사실을 물어볼 거라는 기대감도 포함해서.

"팀장님, 둠 치킨에서도 근무하셨더군요."

"아, 그거 말입니까?"

빈우의 표정은 '그러고 보니 그런 일도 있었지.'라는 표정인 반면 파트리샤의 얼굴에선 김이 빠지고 있었다.

"그러니까, 요는 군사정보국 소속인 내가 왜 연방 중앙정보국 쪽에 갔냐는 거죠?"

"네."

"그게 말입니다, 조금 거시기한데."

그러면서 빈우는 이쪽으로 걸어와 파트리샤 앞에 놓인 닭가슴살 하나를 들어 이리저리 살펴보았다. 생성기가 아닌 자연산 닭가슴살, 물론 소스는 군용 영양보충제며 둠 치킨의 인기상품 중 하나다.

"알다시피 피자 타이거와 스파게티 드래곤은 각각 정보사령본부 산하의 군사정보국과 보안국이 정보 수집 및 요원 파견 목적으로 굴리는 회사입니다. 처음엔 영내 식당으로 시작했죠. 군 시설이 가는 곳마다 가니까 활동하기 편하거든."

정보조직에 있어 합법적으로 행동할 수 있는 거점의 확대는 매우 귀중하다.

"그러다가 슬슬 덩치가 커지며 민간 영역으로 나서다 보니 회색지대가 생겼고 좀 문제가 생겼습니다. 사실 그럴 생각은 없었는데 얼굴마담으로 세운

바지사장들께서 너무 일을 잘해주셔서 말이죠."

엄밀히 말하면 군기지 주변은 민간구역이다. 군납회사가 활동하면 안 되는 곳이긴 하지만 피자 타이거와 스파게티 드래곤은 편법을 써서 군기지 외에서도 장사를 하고 있었고 인기도 꽤 있는 편이었다. 그렇다면 문제가 생길 법도 하다. 다른 정보 부서에서 직접 견제라든가 상부 기관에 감사를 요청하는 식으로 태클이 들어올 수도 있다. 아룹과 파트리샤는 빈우가 설명할 문제에 대해 궁금해졌다.

"장사가 너무 잘 돼."

빈우가 심각한 얼굴로 뚱딴지같은 말을 하자 집중했던 둘은 서로 마주 보았다.

"정확한 금액은 기밀이라 말은 못 하는데, 회사의 수익이 정보사령본부에서 할당되는 예산에 비교해서 무시 못 할 수준까지 올랐어요. 민간에서 신나게 팔아제끼다가."

그건 좀 문제가 있다. 위장용으로 내세운 부서가 너무 유명해지거나 규모가 커져 주목을 받으면 본래의 활동이 곤란해진다. 아룹과 파트리샤는 고개를 끄덕거렸다.

"그쯤 해서였죠. 둠 치킨이 치고 들어온 게. 얘들이 군납 업체로 입찰했을 때 사령본부가 발칵 뒤집혔습니다. 우리 쪽에선 이걸 선전포고라고 봤죠. 근데 까고 말해서 정보사령본부랑 중앙정보국이랑 체급 차이가 너무 심하거든요? 내가 할 말은 아니지만, 정보사령본부가 하위부서 닥닥 긁어 덤벼도 저쪽에선 중간급 두어 개 나오면 거기서 정리되는 수준이야."

당연한 얘기다. 군수회사와 일반 민간 기업을 비교하면 견적이 나온다. 시장의 차이가 체급의 차이를 결정짓는 것이다. 이쪽도 별반 다를 게 없다. 교전 관계에 있는 적성 외계인 세력에 대해서만 첩보 활동, 방첩 활동을 하는 연방군 산하 정보사령본부와 비교하면 연방 중앙정보국은 아예 독립적인 부서로 존재하고 활동 영역도 연방 외 모든 구역이다.

"당시 분위기 진짜 뭐 같았죠. 만나서 하는 얘기라곤 뭐 '중앙정보국이 미쳤냐? 아니 우리가 너무 해먹어서 빡쳤나?' 이런 거였으니. 그래서 일단 흔들어볼 셈으로 요원을 파견하는 시늉을 하기로 하고 제가 입사 지원했는데 붙었네?"

당시 정보국의 분위기는 심각했다. 당연히 떨어지리라 생각하고 일종의 경고성 메시지 정도로 빈우를 지원시켰던 건데 그게 철썩 붙었으니 말이다. 즉 정보사령본부에선 중앙정보국이 이쪽의 도전을 받아들인 셈이라고 파악한 것이다.

"아니, 솔직히 군사정보국 대위가 지원한다면 얘들도 눈치챌 건데 말입니다. 이게 붙다니. 그래서 대체 무슨 꿍꿍인가 싶어 보니까 이 새끼들이 나를 또 몰라?"

"어? 왜 몰랐대요?"

고개를 갸웃하며 이해를 못 하겠다는 파트리샤의 질문에 빈우는 한숨을 내쉬며 대답했다.

"나중에 알고 보니 인사과에서 나에 대한 정보가 의도적으로 누락됐다더라. 그래서 내가 누군지도 모르고 그냥 뽑은 거야."

"흠, 정보국에서 손을 쓴 겁니까? 아니면 보안국?"

아룹의 질문에 빈우는 계면쩍다는 듯이 옆머리를 벅벅 긁었다.

"아뇨, 중앙정보국 안에서 지네들 파벌끼리 치고받는 중이라 그 와중에 제 정보가 공중에 뜬 거였습니다. 그래서 뒤늦게야 제 정체를 알고선 이번엔 중앙정보국 안에서 한바탕 난리가 났지요. 이 새끼들이 우리랑 해보자 이거지? 이러면서."

연방의 내로라할 첩보부서들에서 이딴 슬랩스틱 코미디를 했단 이야기를 듣고 있던 아룹과 파트리샤는 몹시 우울해졌다. 바로 이 두 사람이 저 영구와 맹구들이 보내는 정보를 기반으로 작전을 나가는 당사자들이기 때문이다. 괜히 긁어 부스럼 낸 건가 싶은 아룹이었지만 말은 낸 김에 끝을 봐야 했다.

"그래서 결국 어떻게 된 거였습니까?"

"둠 치킨의 민간업자가 실적 올리려고 비밀리에 입찰을 넣었던 게 원인이었습니다. 이쪽이나 저쪽이나 서로 간에 연락을 안 하고 저 꼴리는 대로 꼬장 피우고 자존심 세우다가 일이 점점 커졌던 거죠. 먼저 연락했으면 좋게 끝났을 일이었을 텐데 말입니다. 결국 우리끼리 어버버하는 꼬락서니를 본 상원에서 감사 나와서 X 됐습니다."

"어이쿠."

"옴마야."

상원에서 감사가 나왔다는 얘기에 무서울 게 없는 아룹과 파트리샤도 어깨를 움츠렸다. 주로 음지에서 활동하는 특수전 사령부 소속인 만큼 보안국이나 기타 수사기관의 접근에도 눈 하나 깜짝 않는 이들이지만 상원에서 나오면 얘기가 다르다.

"그, 그래서 어떻게 됐습니까?"

드물게 아룹이 말을 더듬었다.

"지금 있는 대가리 위쪽으로 싹 물갈이했습니다. 군사정보국의 이노우에 고토 국장이나 보안국의 다샤 쿠사키나 국장이나 둘 다 준장인 거 보면 답 나오죠. 그리고 한 번만 더 이딴 짓거리 하면 세무조사 나올 거라며 으름장을 놓던데요. 뭐 우리야 세금이랑 크게 인연이 없다지만 중앙정보국은 아예 자지러지더군요."

부서 터트리는 데 제일가는 방법은 역시 금전 관계를 조지는 거다. 피자 타이거와 스파게티 드래곤은 비교적 규모가 영세한 편에 군납이라 면세다. 반면 둠 치킨은 자체적으로 항성 간 물류유통을 하는 큰 회사에다, 중앙정보국에서 활동자금을 세탁하는 곳이기도 해서 세무조사로 깃털 하나만 뽑아도 곡소리가 난다.

"그래서 대화가 중요해요. 서로 간에 궁금한 거나 켕기는 게 있으면 바로 물어보고 상담해서 트러블을 사전에 방지하는 게 중요합니다."

발 가르단 하스의 사건 직후, 지금 상황에선 꽤 의미심장하게 들리는 말이다. 빈우는 다시 닭가슴살 하나를 쏙 집어먹으며 파트리샤를 발로 툭툭 건드렸다.

"또 다른 질문? 여기서 쑥떡 찰떡 하지 말고 허심탄회하게 털어놔봐."

"발 가르단 하스에선 무슨 일이 있었습니까?"

질문은 빈우의 발에 채이던 파트리샤가 아니라 옆에 있던 아룹에게서 나왔다. 그것도 갑자기 본론으로.

아룹이 아까 둠 치킨에 대해 질문을 꺼낸 것은 떠보기 위함이었다. 빈우가 어느 정도의 기밀에 대해 얘기하면서도, 발 가르단 하스에서 일어났던 일에 관련된 대화를 피한다면 아룹은 더는 묻지 않을 생각이었다. 작전과 직접 관계된 일이 아닌 데다 정보국 소속의 빈우가 말하지 않는다면 그건 정말 물어선 안 되고 알아선 안 되는 내용이 분명하기 때문이다.

"이케가미 의원님과 제가 발 가르단 하스에서 겪었던 일 말이죠?"

"네."

그러나 빈우는 어깨를 한번 으쓱하더니 의외로 쉽게 말을 꺼냈다.

"안 그래도 그 얘기를 하려던 참이었습니다. 마침 두 사람이 전산실에 있길래 안성맞춤이다 싶어서 이리로 온 거죠."

전산실은 장소의 특성상 비밀임무를 띠는 블랙 랜스 안에서도 보안 레벨이 상당히 높다. 즉 블랙 랜스 자체가 태스크포스 373의 모함인데도 일부러 이런 곳을 골라서 하는 얘기라면, 그건 꽤 위험한 내용이란 뜻이다.

"일단 먼저 경고부터 하죠. 제가 지금부터 말하는 정보에 대해서는 반드시 두 사람만 알아두세요. 다른 팀원에게 발설해서 휘말리게 만들면 안 됩니다. 우선 위르겐은 복무기간 끝나면 대학에 복학할 거고 모니카는 이쪽과는 상관없는 연구직, 우지와 오르 함장님도 제가 알려줄 일과는 인연이 없을 테니 말입니다."

잠깐의 침묵 뒤 아룹과 파트리샤는 고개를 끄덕였다.

"좋아요. 발 가르단 하스는 단순한 보호 행성이 아니었습니다. 내부에 복잡한 플라스마 신경계를 갖춘 정보생명체였습니다. 추정 연령은 수십에서 백억 년 이상. 아마 지구제국의 황제와도 접점이 있는 것 같고 보호 행성으로 기록된 것은 의도적인 은폐로 보입니다."

갑작스러운 정보에 아룹과 파트리샤는 믿기 힘들었지만 지금 빈우가 헛소리나 거짓말을 할 리는 없다. 그래서 잠자코 듣기로 했다.

"오래 산 만큼 정보도 많고 머리도 좋은 모양이에요. 이케가미 의원은 워프 비스트의 해결법을 알기 위해 발 가르단 하스를 찾아갔습니다. 그런데 이미 의원 주변에 적이 많았던 터라 두뇌칩에 보안을 위한 행동 강제 프로그램을 넣고 나서야 혼자서 움직일 수 있었죠."

워프 비스트라면 태스크포스 373도 한번 교전한 적이 있다. 오브리가도의 특수전 사령부는 놈들에게 기습을 받기까지 했고. 이케가미 의원은 아직 정체를 알 수 없는 적에 대해서 이미 위험성을 인지하고 해결책을 찾으려 한 것이다.

직접 경호를 담당했던 아룹은 그 정도 되는 인물이 두뇌칩에 강제를 받아가며 홀로 움직였단 사실에, 주변에 믿을 만한 사람이 그렇게 없었을까 싶었다.

"이케가미 의원은 발 가르단 하스와 대화를 하기 위해 1년 정도 교섭을 하던 중이었습니다. 근데 4주 전 토끼몰이 작전의 여파로 발 가르단 하스에 문제가 생겼습니다. 비홀더 전대의 반물질 폭탄이 발 가르단 하스의 플라스마 신경계에 치명적인 피해를 준 거죠. 그래서 발 가르단 하스는 협력관계에 있던 샤다이들에게 도움을 청해 항성계 내부의 행성들을 끌어와 복구에 필요한 자재들을 섭취했습니다."

"그리고 우리가 온 거네요."

드물게 냉정해진 파트리샤의 말에 빈우는 고개를 끄덕였다.

"그래. 당시 이케가미 의원은 샤다이와도 모종의 거래를 한 것 같다. 발 가르단 하스와의 대화는 어떤 특별한 조건이 필요한 모양인데, 의원은 자신이 받은 대화 기회를 샤다이에게도 주기로 하고 안전을 보장받은 듯싶어."

그렇다면 샤다이와 이케가미 의원의 수상한 행동들이 이해가 간다.

"난 이케가미 의원과 지표로 추락한 뒤 샤다이들과 함께 발 가르단 하스를 만나러 갔습니다. 그런데 발 가르단 하스와의 대화는…… 우리에겐 쉽지 않더군요. 아마도 플라스마를 다루는 능력과 관계가 있는 듯한데……."

잠시 뜸을 들인 빈우는 다시 말을 이었다.

"이케가미 의원은 그런 이유로 처음엔 발 가르단 하스와 대화를 할 수 없었습니다. 때문에 발 가르단 하스가 대화를 하기 위해 이케가미 의원을 워프 비스트로 변형시켰습니다."

"뭐라고요!"

아룹이 놀라서 큰 소리를 냈지만 빈우는 상관치 않고 설명을 계속했다.

"워프 비스트는 발 가르단 하스와 대화할 능력이 있는 것 같았습니다. 그래서 발 가르단 하스가 이케가미 의원을 변신시켰던 거죠. 그에게서 얻은 정보에 따르면 워프 비스트는 아마 인간에게 일종의 게이트를 열고 거기서 오는 생명체로 보입니다. 이케가미 의원에겐 이미 게이트가 있었고 발 가르단 하스는 그 게이트를 열어서 변신시킨 거죠."

사망 소식은 이미 들어 알고 있었지만 잠시나마 모셨던 상원의장이 워프 비스트로 변했다는 말에 아룹은 꽤 충격을 받은 듯했다. 빈우는 그런 그에게 다가가 위로를 했다.

"미안합니다, 부팀장. 그때 저는 아무것도 할 수 없었습니다. 이케가미 의원이 워프 비스트로 변하는 것도, 죽는 것도."

"아닙니다. 팀장님이 못 하셨다면 누구도 못 했을 겁니다."

"고맙습니다, 부팀장."

빈우는 고개를 끄덕여 감사를 표한 다음 다시 말을 했다.

"이케가미 의원은 워프 비스트로 변하고서도 놈들에게 몸을 빼앗기지 않고 발 가르단 하스와 대화를 했습니다. 그리고 답을 얻었지요. 당시 의원의 질문과 부탁은 네 가지였습니다. 워프 비스트로부터 인류를 구할 방법, 워프 비스트의 정체, 샤다이에게도 대화의 기회를 줄 것, 마지막은 김빈우가 이케가미 소이치로가 예전에 알던 정보국 요원이라면 죽일 것."

뜬금없는 마지막 조항에 파트리샤가 놀라서 질문한다.

"어라아, 이케가미 의원이 왜 뜬금없이 팀장님을 죽이라고 한 거죠?"

"기다려, 순서대로 설명할게."

파트리샤를 진정시킨 빈우의 시선은 아룸에게로 향했다.

"이케가미 의원은 워프 비스트의 침공에 대해 그저 방어책을 구하기만 한 건 아니었습니다. 발 가르단 하스가 권해준 여러 방법 중에서 반격을 선택했죠. 그 방법은…… 자신의 몸에 열린 게이트에 발 가르단 하스의 플라스마 신경계를 집어넣어 워프 비스트의 근본 게이트들을 부수는 것이었습니다. 덕분에 인류는 워프 비스트의 침략에 유예기간은 벌었지만 정확한 기간은 모르는 상황입니다. 이걸 위해 이케가미 의원은 발 가르단 하스의 플라스마에 자신의 몸을 던졌고, 죽어가며, 결국엔 성공했습니다."

즉, 이케가미 의원은 워프 비스트에 몸을 빼앗기는 와중에도 발 가르단 하스와 대화해 방법을 알아낸 다음 그것을 실행했다는 말이다. 고온의 플라스마에 자신의 몸을 불태우는 방법을. 좌중은 그의 희생에 숙연해졌다.

"그리고 저는 그때 이케가미 의원을 구하러 달려나갔다가 발 가르단 하스의 플라스마에 직접 접촉하게 되었고, 그 덕에 그와 대화가 가능케 되었습니다. 대화라고 해봐야 전 아무런 사전지식이 없었기에 이케가미 의원과 나눴던 내용을 확인하는 게 고작이었습니다."

"그러면 워프 비스트의, 놈들의 정체는 대체 뭡니까?"

아룹의 곤란한 질문에 빈우는 입술을 일그러뜨렸다. 말하고 싶어도 핵심 정보를 모르니 설명할 수 없는 상황이다.

"그건 마지막 조건과도 연관이 있습니다."

"팀장님을 죽이라고 한 거 말입니까?"

"네, 세 번째인 샤다이에게 대화 기회를 주는 것에 대해선 일단 넘어가기로 하죠. 워프 비스트의 정체와 이케가미 의원이 왜 나를 죽이려고 했는지에 대해 설명하려면, 얘기를 좀 더 거슬러 올라가야 하는데 말입니다……."

거기까지 말한 빈우는 잠시 고심하는 듯했다. 그러나 파트리샤와 아룹은 그를 재촉하지 않았다. 뜸을 들인다는 건 그만큼 엄청난 내용일 게 분명하기 때문이다.

"과거 이케가미 의원이 상원의장이던 시절, 전 그가 지휘했던 울토르 프로젝트를 함께 진행했습니다. 그런데 이 프로젝트가 아마도 워프 비스트와 모종의 연관이 있는 모양입니다. 프로젝트를 진두지휘했던 이케가미 의원은 이 사실을 알게 된 후, 자신이 연방을 위험에 빠트렸다는 죄책감에 못 이겨 스스로를 몰아세운 듯 보이고요."

워프 비스트는 지금도 충분히 위협적이지만 상원의장이었던 인물이 이렇게까지 해서라도 해결하려 했던 사건이라면 더욱 위험한 구석이 있는 게 분명하다. 빈우의 말을 들은 아룹이 턱을 매만지며 기억을 곱씹었다.

"울토르 프로젝트라면 예전에 의장님께 들은 적이 있습니다. 약주를 하시면서 기분 좋게 말씀하시더군요. 울토르 프로젝트가 완성된다면 우리 같은 군인이 더는 희생될 필요가 없다고 말입니다."

"……그럴 법도 하군요. 울토르 프로젝트는 클론 병사 계획이었습니다. 유전자 제공자와 롤모델은 바로 나 김빈우이고 해당 클론 부대의 지휘관도 제가 맡았지요."

갑작스러운 폭탄 발언에 두 특수부대원의 눈이 동그래졌다.

"어, 자아를 가진 전신 클론? 그거 불법이잖아요? 가능해요, 그런 게?"

파트리샤가 놀랄 법도 하다. 결손난 신체나 장기를 보완하기 위한 인체의 부분 복제는 가능해도 스스로 인간처럼 행동하는 클론의 생성은 연방법상 엄중히 금지되어 있다.

"그래, 연방의 영토 내에서 연방 시민을 대상으로 하는 연방법상 금지되어 있지."

"어머나아, 그거 설마."

일그러지는 파트리샤의 얼굴를 본 빈우는 쓰게 웃으며 말을 이었다.

"그래, 정보사령본부의 주도로 각 부처에서 각자만의 편법을 들고 와 얼기설기 엮어 만들었다. 예를 들어 과학기술국은 연방법이 미치지 않는 동맹 종족의 영토에서 공장을 지어 만드는 식으로 말이지."

눈 가리고 아웅 식으로 편법을 썼다지만 걸리는 순간 해당 관계자에겐 폭탄이 터진다고 봐야 한다.

"혹시 솔리드 베타입니까?"

"아십니까?"

날카로운 아룹의 질문에 의외인 듯 빈우가 반문했다.

"귀동냥입니다. 페가수스 급 강습함에 어벤저를 태우고 다니는 비밀부대에 대해선 들은 적이 있죠."

아룹이 속한 단검뿔 토끼는 연방의 가장 어두운 그늘에서 암약하는 부대인 만큼 이것저것 들을 수 있는 게 많다.

"근데 클론 부대가 워프 비스트 사건과 무슨 관계가 있을까요?"

"그건 나도 잘 모르겠습니다. 일단 울토르 프로젝트는 닉스 레벨 2 정도 수준이 되는 병사들을 양산하고, 거기에 대규모 두뇌 통신이 가능한 정예 부대를 만드는 프로젝트였습니다. 목표 대상은 당연히 적성 외계종족이었고요. 만약 프로젝트가 계속 진행되었으면 아마 워프 비스트와도 싸웠을 겁니다."

거기서 파트리샤가 손을 들고 끼어든다.

"잠깐만, 계속이라뇨? 그럼 지금 울토르 프로젝트는 어떻게 되었는데요?"

"약 1년 반 전, 나는 울토르 중대의 지휘관으로 솔리드 베타를 이끌고 포말 하우트 게이트로 갔다. 그리고 게이트에서 리퍼에게 기습을 당했지."

"우리가 지나왔던 그 점프 공간 안에서 샤다이와 만났다고요? 그게 가능합니까?"

놀란 것은 파트리샤만이 아니다. 아룹도 대강 습격을 받았다고만 알고 있기에 점프 공간 안에서 다른 두 물체가 만났다는 사실에 놀란 듯 눈을 크게 떴다. 그리고 질문했다.

"설마 팀장님이 겪었다는 리퍼와의 전투가 그거였습니까?"

"네, 제가 직접 당했지요. 습격을 받은 울토르 중대는 거의 궤멸까지 갔었고 그 당시의 저는 지금의 제가 기억 못 하는 방법으로 클론으로 위장해서 살아남았습니다. 발 가르단 하스와의 대화에 의하면 저는 이미 그때, 리퍼의 기습 때 워프 비스트의 정체에 대해 알게 된 것 같아요. 하지만 당시 클론으로 위장하면서 스스로의 두뇌칩 정보와 기록을 조작했기에 지금으로선 워프 비스트에 대한 정보를 알 수도, 검색할 수도 없습니다. 이후 기억은 나지 않지만 울토르 중대는 점프 공간 밖으로 나와 구조되었지요."

"그래서 프로젝트가 중단되었던 거군요."

고개를 끄덕이며 납득하는 아룹에게 빈우는 폭탄 하나를 더 던졌다.

"아뇨. 제가 클론으로 위장하고 난 다음에도 프로젝트는 계속 진행되었습니다. 얼마 전까지, 1년 반 동안이나. 그리고 작년 12월 27일 있었던 마카로니의 진압 작전에도 울토르 중대와 함께 투입되었죠. 그때까지만 해도 저는 스스로를 클론으로 알고 있었습니다."

"참 힘들게 사셨네요."

한숨 섞인 위로는 파트리샤의 것이고.

"마카로니? 거긴 샤다이에게 공격받은 곳 아닙니까?"

질문은 아룹의 것이었다.

"외부엔 그렇게 알려져 있지만 진실은 그게 아닙니다. 당시 마카로니는 독립을 위해 분리파에 의한 무장 폭동이 일어났고, 투입된 클론 중대원들은 공격해오는 개척민들을 적으로 보고 모조리 학살했습니다. 심지어 투항하는 개척민들도 죽였지요."

이젠 놀랄 기력도 없다. 아룹과 파트리샤는 연방의 특수부대원으로서 못볼 꼴 못 할 짓 다 겪어봤다고 자부했지만 빈우에 비하면 새 발의 피였다.

"아니, 왜죠? 왜 클론들이 인간을 죽인 거예요?"

파트리샤가 바싹 다가앉으며 질문했다.

"물론 클론들은 인간을 해치지 못하게 프로그래밍되어 있어. 하지만 포말하우트에서 기습을 받은 다음 울토르 중대는 정보국 직속에서 빠져나와 각 부서의 요청에 불려나가는 소방대 역할을 했다. 그렇게 여기저기 떠돌아다니며 개조를 받다가, 프로그램에 뭔가의 충돌이 일어나 개척민들을 인간으로 인식하지 못하고 공격했다는 게 가장 가능성이 큰 가설이야."

"그러면…… 마카로니에 샤다이는 없었나요?"

그렇게 묻는 파트리샤의 질문은 조심스러웠다. 군의 민간인 학살은 엄청나게 심각한 문제다. 그리고 그 문제의 당사자가 바로 자신의 눈앞에 있는 것이다.

"있었지. 실제로 샤다이들은 있었어. 마카로니의 개척민들이 이쪽을 먼저 공격하기도 했고. 또 하나, 개척민들이 시슬러를 운용하는 것을 내가 직접 보았다."

"허허."

아룹이 헛웃음을 지었다. 이러면 학살이라고 하기엔 조금 모호하다. 개척민들이 선제공격을 한 데다가 샤다이와 내통하고 있다는 사실이 발각되면, 어느 부대가 갔더라도 무력으로 진압했을 것이다. 단지 그 주체가 클론이고 항복하는 자도 무차별적으로 죽였다는 것이 문제다.

"그래서 그다음 울토르 중대는 어떻게 되었습니까?"

이번엔 아룹이 다가서며 물었다.

"작전 직후 정보국의 주도로 사건의 은폐에 들어갔고 저는 두뇌칩에 정보 조작을 당한 다음 이렇게 방출되었습니다. 그 때문에 프로젝트의 핵심 인물이었던 저조차도 울토르 프로젝트의 대략적 모습만 알 뿐, 진면목은 모르고 있지요. 결론짓자면 울토르 프로젝트는 정보국에 의해 보안이 걸려 있고, 워프 비스트에 대해서는 제가 잠금을 걸어서 둘 다 자세한 것은 알 수 없습니다. 하지만 지금까지의 정보로 보건대 워프 비스트와 울토르 프로젝트는 관계가 있습니다. 이케가미 의원이 목숨을 걸 만큼. 또한 샤다이와도 연결 고리가 있을 것으로 추정됩니다."

"그렇다면 이케가미 의원께서 팀장님을 죽이려고 한 것은……."

채 말을 잇지 못하는 아룹의 말을 빈우가 마저 받아주었다.

"네, 이케가미 의원이 발 가르단 하스에게 내세운 조건은 제가 과거에 그가 알던 정보국 요원일 경우, 덧붙여 울토르 프로젝트에 찬성하고 있을 경우에는 바로 죽여달라는 것이었습니다. 당연한 일이죠. 그의 입장에서 눈앞의 김빈우가 과거 울토르 프로젝트의 본질을 알면서도 진행을 했던 인물이거나, 혹은 당시의 이케가미 의원에게 찬성하지 않을 인물이라면 반드시 제거해야 했을 겁니다."

"그런데 지금은 이렇게 살아 계시죠."

"아마도 기억과 기록을 조작하면서 성격이 바뀐 것도 있고 정보 조작을 당해 다른 반응이 나와서일지도 모릅니다. 중요한 것은 이케가미 의원은 자신이 시작했던 울토르 프로젝트를 대단히 부정적으로 보고 있었다는 겁니다."

민감한 진실의 폭탄이 융단폭격한 자리에는 공황에 빠진 피폭자들이 골머리를 싸매고 있었다. 먼저 구덩이에서 빠져나온 것은 파트리샤였다.

"울토르 프로젝트와 워프 비스트에 대해 어떻게 알아낼 방법은 없을까요? 팀장님 본가, 그러니 군사정보국에 물어볼 순 없습니까?"

"그쪽은 지금 고춧가루를 뒤집어쓰고 눈이 벌게진 마당이라 당장은 무리다. 내가 발 가르단 하스에서 가져간 정보를 제공하면 자기 입맛대로 가공하려 들겠지. 아를르캥을 보면 알 텐데? 보안국의 피에르 라캉 중령은 워프 비스트의 정보를 가지고 우리 태스크포스 373으로 도망치려던 참이었어."

"아!"

탄성을 지른 파트리샤는 정보부처의 구역질 나고 복잡한 역학관계에 입술을 깨물었다.

"덧붙이자면 발 가르단 하스와의 대화로 미뤄볼 때 워프 비스트 중에는 대화가 가능할 정도의 지능을 가진 부류가 있고, 또 이전부터 연방에 워프 비스트들이 숨어들었을 가능성 또한 무시할 수 없다. 즉, 최악의 경우를 가정한다면 놈들이 인간의 모습을 하고 우리 사회 속에 숨어들어와 있을 수 있어. 만약 그렇다면 이놈들이 피에르 라캉을 추적했고 태스크포스 373을 방해했을지도 모르지."

"그게 팀장님이 알아내신 것 전부입니까?"

질문하는 아룹의 시선은 자신이 모시는 팀장을 보고 있지만, 초점은 빈우의 뒤에 맺힌 듯하다.

"아뇨, 그중에서 믿을 만하고 나름 정리된 것만 골라서 말했습니다. 나머지는 차차 말씀드리죠."

"와아, 진짜 나중에 있다가 말해주세요. 지금은 그만, 머리가 터질 것 같아."

파트리샤는 머리를 벅벅 헝클어뜨리며 뒤로 쭈욱 드러누웠다. 그녀와 달리 아룹은 굳은 얼굴로 계속 질문했다.

"팀장님의 클론 부대원들은 어떻게 되었습니까?"

"모릅니다. 정보국에서 방출된 다음에는 아는 게 없습니다."

"마카로니 사건을 알릴 생각은 안 하셨습니까?"

클론이 했든 인간 군인이 했든 민간인 학살은 중죄다. 그러나 마카로니의 개척민들이 무장하고 있던 상태에다 선제공격을 했고, 샤다이의 출현과 개척민의 시즐러 사용 등을 보면 저쪽에서 빠져나갈 구멍이 많다.

"글쎄요. 투입된 병력이 클론이었던 점이 가장 큰 문제지 그것만 넘기면 딱히 책잡기 힘든 일이라서요. 저쪽에서 법적 제도를 손봐버리면 답 없습니다."

"그렇습니까……. 그러면 팀장님은 발 가르단 하스에서 얻은 정보를 어떻게 보고하실 겁니까?"

아룹이 '누구에게'라고 하지 않은 것은 약간 부드러운 표현이었다.

"당연히 제 직속 상관인 조지 레드우드 사령관님께 보고해야죠."

빈우는 자신의 직속 상관을 군사정보국의 이노우에 고토가 아닌 특수전 사령부의 조지 레드우드라고 했다. 어찌 보면 맞는 말이지만 아룹은 그 말에서 빈우가 무언가의 결심을 했다는 것을 눈치챌 수 있었다.

"알다시피 울토르 프로젝트로 시끄러운 저쪽에 워프 비스트에 관한 정보를 던져주는 건 너무 위험해요. 그렇지만 특수전 사령부라면, 그 두 노장이라면 믿을 만합니다."

그 말에 파트리샤와 아룹 두 사람 다 고개를 끄덕였다. 조지 레드우드와 캐서린 시슬은 모두 뼛속까지 순수 군인이며 연방의 안녕을 위해 몸 바친 자들이다. 아군의 등을 찌르는 더러운 암투나 보신을 위한 정치 싸움과는 거리가 먼 사람들인 것이다.

"더 궁금한 것 없습니까?"

빈우의 질문에 두 사람은 침묵으로 대답했다.

"그럼 한마디 덧붙이죠. 이케가미 의원은 전 상원의장이었음에도 불구하고 혼자서 행동했습니다. 한때 경호를 맡았던 부팀장에게도 연락하지 않고서요. 아니, 못했을 수도 있죠. 아무튼. 우리 태스크포스 373도 주변에 적이 많습니다. 발 가르단 하스에서 리퍼를 회수하는 중요한 임무를 띤 팀인데 말입니다. 그러니 믿을 만한 사람 아니면 정보 공유는 피하세요."

"그렇다면 왜 저희한테 이런 것을 알려주시는 겁니까?"

아룹의 질문대로 지금 빈우가 말해준 것은 너무 규모가 큰일이다. 일개 하급장교들이 가지고 있기엔 무거운 사건이다.

"레드우드 사령관이 보내준 서류 잘 봤습니다. 두 사람의 기록들."

그러면서 빈우는 싱긋 웃으며 두 사람을 둘러보았다.

"정말 믿을 만한 사람들을 추려 보내주셨더군요."

그러면서 빈우가 보여준 것은 아룹 라마누잔 원사와 파트리샤 피아프 중위가 이제까지 저지른 사고들이었다. 대부분 상관이나 상부의 부당한 명령을 거부한 것들이다. 물론 보통의 경우에는 떳떳하게 맞서거나 당당하게 거부하지, 자고 있는 상관의 머리에 기름을 붓고 불을 지르거나 항문에 수류탄을 쑤셔 박는 짓은 하지 않는다.

"영감쟁이가 꼭 저 닮은 X 같은 놈들로만 뽑아놨어요."

칭찬인지 험담인지 모를 빈우의 말에 아룹과 파트리샤의 얼굴 위로 작은 미소가 떴다. 하지만 그것도 다음 이어진 말에 싹 사라졌다.

"그래서 보험을 들어놓는 겁니다."

자신들의 팀장이 싱긋 웃으며 가볍게 하는 말에 감춰진 의미를 팀원 두 사람은 바로 깨달았다. 빈우도 자신의 죽음을 각오하고 있었다. 그리고 믿을 수 있는 사람에게 자신이 알고 있는 사실을 넘겨주고 있는 것이다.

074

· · · ✦ · · ·

집에 가까워질수록 리처드 허드슨의 걸음은 점차 빨라졌다. 허리춤에 들린 인형이 그 이유다. '평화를 지키는 마법 소녀 피스케이커'의 주인공인 피스메이커 인형이 예쁘게 포장되어 그의 옆구리에 들려 있는 것이다. 물질 생성기로 찍어내는 게 아니라 공장에서 직접 만들어지는 제품인데 깜빡 잊고 뒤늦게 주문하는 바람에 딸의 생일에 맞춰 제때 올 수 있을지 몰라 마음을 졸였건만, 오늘에야 간신히 회사로 도착한 것이다.

덕분에 시름이 깊던 출근과 달리 퇴근길의 걸음은 유난히 가벼웠다. 그리고 아까 메시지로는 집에 출장요리사가 도착해서 요리를 준비하고 있다고 했다. 리처드는 퇴원 후 방에서 나오려 하지 않는 딸 엘리자베스에게 오늘의 여섯 살 생일잔치로 기분전환을 시켜줄 생각이었다. 집에 도착해 문을 열고 들어가자 거실 너머로 보이는 부엌에선 요리사가 분주하게 일하고 있었다.

"제가 조금 늦었군요."

리처드가 코트를 벗고 식당으로 들어가자 칸막이 너머의 부엌에서 요리사가 인사를 한다.

"허드슨 씨, 오셨습니까. 잠시만 기다려주십시오."

요리사는 바쁜지 등을 보인 채 부엌의 일을 마무리하고 있었다. 그의 뒷모습을 본 리처드는 좀 의외라고 생각했다. 훤칠한 키에 옷 위로도 보이는 탄탄한 몸은 요리사보다는 마치……

"김빈우 소령."

돌아선 요리사의 얼굴을 본 리처드의 입에선 힘 빠진 경악성이 들려온다.

"네, 만나서 반갑습니다."

서서히 식당으로 걸어 들어오는 빈우의 모습에 리처드는 얼어붙었지만, 머리는 맹렬하게 돌아가기 시작했다.

'1년 반 전 포말하우트 게이트에서 실종되었던 그가 어째서 여기에? 어째서 나도 모르게 여기에?'

울토르 중대가 샤다이의 기습을 받고 프로젝트 자체가 공중에 떴을 때 리처드는 프로젝트에서 제외되었다. 소문에 의하면 프로젝트를 지시했던 이케가미 소이치로 의장조차 자신이 지휘했던 프로젝트를 부정적으로 보기 시작했다고 했으니, 리처드는 적당한 때에 빠졌다고 생각했다. 어쩌면 현장에서 너무 오래 떨어져 있던 것도 있고 울토르에 일부러 거리를 두기도 했으니 리처드가 그에 대한 소식을 받지 못한 것일 수도 있다.

"주, 죽은 줄로만 알았는데."

리처드가 말을 더듬는 것도 당연하다. 연락도 없이 출장요리사로 위장해 자신의 집에 불쑥 나타난 빈우는 의심스러울 수밖에 없다. 그리고 의심은 확신이 되었다. 리처드가 주변에 연락을 하거나 집 안의 보안 시설을 작동시키려는 시도는 모두 허사로 돌아갔다. 바로 눈앞의 남자가 집에 미리 손을 쓴 것이리라.

"메뉴를 보시죠."

빈우는 대답 없이 리처드의 앞에 메뉴판을 내밀었다. 고풍스럽게도 직접 종이로 만든 메뉴다. 선택권을 잃어버린 리처드가 떨리는 손으로 메뉴를 펼치자 섬유제 사진들이 몇 장 붙여져 있었다. 그의 눈에 가장 처음 들어온 것은 워프 비스트의 사진이었다. 울토르 중대가 기습을 받았을 때쯤 해서 나타나기 시작한 인간의 변이 현상. 높은 등급의 기밀이기도 하거니와 일에서 멀어진 리처드에겐 제대로 알려지지 않았지만, 넘겨들은 것만으로 파악해도 인류에게 중대한 위험임은 알 수 있었다.

"이런 실례, 빠진 것이 있군요."

그러면서 빈우는 사진 하나를 더 리처드의 앞에 내려놓았다. 처참하게 죽은 마리 라캉의 시체. 지금 리처드의 심정은 그의 손에 들린 메뉴판이 대변하고 있었다. 주체할 수 없이 떨리는 메뉴판을 요리사가 대신 접어 치웠다.

"이 여자는 누…… 누구……."

현장에서 오래 떨어진 탓도 있지만, 두뇌칩에 업무용 프로그램이 없는 탓인지 말조차 떨려 나온다. 벌벌 떨고 있는 리처드를 무심한 표정으로 물끄러미 내려다보던 빈우는 조용히 입을 열었다.

"배가 비면 말하기 힘들죠."

빈우는 자리에서 일어나 부엌의 냄비로 다가가 내용물을 그릇에 퍼 담기 시작했다. 리처드가 재빨리 가방에 손을 가져갔을 때—총을 꺼내려 했을 때—빈우는 그보다 더 빨리 식탁으로 돌아와 그의 손목을 잡고 있었다. 이 반응속도, 틀림없는 강화군인이다. 무지막지한 악력에 손목이 부러질 것만 같았다. 리처드의 입에서 비명이 터지기 전 빈우는 손을 놓고 식탁에 접시를 올려놓았다.

"드시죠."

리처드의 눈앞에 김이 모락모락 나는 스튜가 놓였다. 분위기에 짓눌려 차마 수저를 들지 못하는 리처드에게 요리사가 친절히 부연설명을 해준다.

"요리에 쓰인 고기는 아직 새끼를 낳지 않은 6세 암컷 앵글로색슨입니다."

이해하는 데 아주 잠깐의 시간이 걸렸다. 그리고 뒤늦게 찾아온 리처드의 격노에는 서글픈 대가가 치러졌다. 무엇인지 모를 폭력에 휩싸여 의식이 잠깐 날아간 리처드가 다시 정신을 차렸을 때, 그는 처참하게 바닥에 고꾸라져 고통에 몸부림치고 있었다. 비명도 오열도 짓밟힌 목에서 더는 올라오지 못한다.

"진정하고 이걸 보시죠."

652

빈우는 눈물로 일렁이는 리처드의 눈앞에 집 안의 보안 카메라 화면을 보여주었다. 빈 침실, 요리가 준비된 식당, 한참 준비 중인 부엌, 그리고 식당에 널브러진 리처드와 자기 방의 침대에 누워서 책을 읽고 있는 엘리자베스가 보였다.

"허억, 컥."

목을 짓밟힌 리처드는 필사적으로 화면 속의 엘리자베스에게 손을 뻗으며 버둥거리자 빈우가 발을 치워주었다.

"쿨럭, 컥, 컥. 제발, 제발 딸아이만은, 딸만은 건드리지 말아주게나. 제발 부탁일세."

바닥에 엎드려 애원하는 리처드에게 빈우는 차갑게 말한다.

"그건 당신이 노력하셔야죠."

그러면서 빈우는 리처드의 선물을 들어 포장을 뜯었다.

"따, 딸의 생일 선물이야. 아무것도 아니야."

빈우는 장난감 상자를 열어 안의 인형을 꺼냈다.

"모두의 희망을 모아 화성을 지키자."

당찬 기합 소리를 내는 피스메이커가 쟁반 위에 올라간다.

"따님껜 제가 직접 전해드리죠."

빈우의 말을 들은 리처드는 부르르 떨었다. 그리고 필사적으로 머리를 굴렸다.

'왜지? 김빈우는 왜 마리 라캉을 죽인 거지? 그녀는 이케가미 의장이 의원일 시절 비서를 했었고 보안국에 들어간 다음 그 인연으로 울토르 프로젝트에 참여했다. 그런데 김 소령이 왜? 그도 울토르 프로젝트의 관계자일 텐데?'

리처드의 생각은 빈우의 질문에 멈췄다.

"왜 그들을 부추겼소?"

알 수 없는 질문에 리처드는 반문했다.

"누, 누구를 말이오?"

빈우는 말없이 식칼을 들어 엄지손가락으로 칼날을 쓰다듬었다.

"왜 글림에서 마카로니로 스콜피온을 옮겼소?"

리처드의 회사는 정보분석국의 자회사로 물류유통회사다. 일반업무도 하지만 정보사령본부 쪽의 일도 맡는다.

"김 소령, 자네도 알잖아. 난 지금 현장에서 잠시 떨어졌어. 아는 게 그리 많지 않아. 게다가 머릿속엔 보안 프로그램이 있다고. 제대로 대답 못 해."

그러나 리처드도 창과 방패의 싸움에서 창이 이기는 방법을 알고 있다. 하나를 알면 열을 안다는 말이 있듯이 보안 프로그램이 10개의 정보를 통제한다면 질문자는 하나씩 모아서 답을 추리면 된다.

"대답은?"

지그시 내려오는 빈우의 시선을 간신히 맞받으며 리처드는 대답했다.

"그건 나도 몰라."

필사적으로 나온 리처드의 대답에 빈우는 쟁반 위의 인형 옆에 식칼을 내려놓았다. 엘리자베스에게 전해준다던 피스메이커 옆에 놓인 칼, 눈앞의 스튜. 그 불길한 의미를 알아챈 리처드는 허둥지둥 다시 대답했다.

"녹색 연맹의 요청이야."

쟁반에 놓였던 칼이 다시 빈우의 손으로 돌아가는 것을 본 리처드는 작게 안도의 한숨을 내쉬었다. 그러나 그것도 잠시, 칼을 만지작거리는 빈우의 질문이 다시 이어진다.

"그리고 또 누가 요청한 거죠? 피자 타이거, 스파게티 드래곤, 둠 치킨."

익숙한 코드 네임에 리처드는 눈을 꾹 감고 머릿속으로 자책한다.

'바보 같으니, 방금 질문은 김 소령이 알면서도 나를 떠보려는 것일 수도 있었다.'

그리고 재빨리 대답을 덧붙였다.

"둠 치킨."

만족스러운 대답이었는지 빈우는 고개를 끄덕이며 식칼을 식탁 저편에 내려놓았다.

"평화적으로 해결할 수 있어서 다행입니다."

그의 말에 리처드는 한 줄기 희망을 본 듯했다.

"왜 마카로니에 레일건을 팔았소?"

이어진 빈우의 질문에 리처드는 빠르고 적당히 성실하게 대답했다.

"단지 화물의 궤도 사출용이야. 사격 통제 프로그램은 없어서 무기는 안 돼."

"왜 마카로니에 뱅가드 연대가 아닌 울토르 중대가 가야 했죠?"

"그, 그걸 왜 나한테 묻는 거지?"

리처드는 혼란스러웠다.

'뭔가 잘못되었다. 왜 울토르 중대의 현장 지휘관인 빈우가 이런 질문을 하지? 그도 프로젝트에서 제외된 건가? 그렇다면 김빈우는 왜 내 앞에 모습을 드러낸 걸까? 혹시 보복? 아니면 김 소령이 자신의 신분을 세탁하고 보안을 위해 이전 참가자들을 제거하는 건가?'

일단 살기 위해 리처드는 아는 사실을 그대로 내뱉었다.

"김 소령, 그건 나도 몰라. 정말 몰라. 왜 외계인을 상대로 하는 울토르 중대가 개척 행성에 간 거야?"

리처드의 대답을 곱씹으며 빈우는 생각했다. 자신이 마카로니에서 마리 라캉을 만난 지 불과 이틀 뒤에 울토르 중대가 마카로니를 급습했다. 그들은 왜 온 것일까? 마리 라캉을 잡기 위해? 아니면 빈우 자신을 잡기 위해?

"왜 마리 라캉이 마카로니로 갔지요?"

다음 이어진 빈우의 질문에 리처드의 머릿속에서 정보의 고리가 연결된다. 메뉴판에 있던 워프 비스트의 그림, 죽은 마리 라캉, 과거 이케가미 의장의 비서, 현재 보안국 소속, 또한 피에르 라캉의 아내, 아들은 자크 라캉. 자크 라캉은 지금…….

리처드는 도달한 사실 중 하나에 발작적으로 반응했다. 빈우가 워프 비스트의 사진을 보여준 이유를 알 것도 같다.

"아냐! 아냐! 엘리자베스는 치료가 되었어. 자크도 치료가 될 거야. 정말이야. 치료될 수 있어."

대답 없이 내려다보는 빈우에게 리처드는 애걸복걸한다.

"마리는 치료를 못 믿고 도망갔지만 난 그러지 않았어. 난 충성하고 있어. 믿고 있단 말이야. 아무에게도 말하지 않았어."

그때 그 순간 머릿속에서 뭔가가 작동했다.

"흐브읍!"

리처드의 두뇌칩에서 보안 프로그램이 발동한 것이다. 빈우는 서두르지 않았다. 단지 리처드가 서둘렀을 뿐이다. 빈우는 리처드의 두뇌칩과 외부와의 연결은 미리 막아놓았지만, 내부에 접근 기록이 남는 건 막을 수 없었다. 그리고 그는 자신의 기록이 새로 생기는 것은 달갑지 않았다. 빠르고 정확한 진동 나이프의 움직임이 리처드의 발작을 멈춰주었다. 나이프를 다시 집어넣은 빈우는 쓸모없어진 고기들을 잘게 해체해 음식물 분쇄기에 넣었다. 잘 갈려진 동물의 사체는 정원의 거름이 될 것이다.

*

뒷정리를 하던 빈우는 오븐의 알람 소리를 듣고 부엌으로 돌아가 오븐 문을 열었다. 이번에는 가정용 도우미 로봇 대신 맛있게 구워진 초코칩 쿠키가 들어 있었다. 빈우는 쿠키를 그릇에 올린 다음 부엌과 식당을 마저 정리했다. 쿠키가 알맞게 식자 빈우는 그 위에 특제 토핑을 솔솔 뿌린 다음 2층으로 올라갔다. 올라간 2층 계단의 끝에는 한 남자가 서 있었다.

"대장님."

빈우와 똑같은 얼굴을 한 사내가 빈우를 막고 있었다. 그는 무표정하지만 애원하는 듯한 눈빛으로 빈우를 막고 있었다. 그러나 빈우는 그걸 일부러 무시했다.

"네가 처리하지 못했기 때문에 내가 온 거다. 비켜."

차갑지만 날카로운 말에 사내는 움찔하면서도 비키지 않았다.

"저, 저는 클론입니다. 인간을 해칠 수 없어요."

"비켜."

계단을 올라가는 빈우의 뒤로 빈우의 목소리가 들려온다.

"하지 마세요. 제발!"

목소리를 무시하고 2층으로 올라간 빈우는 엘리자베스의 방문 앞에 서서 노크를 했다.

"네."

"엘리자베스, 쿠키를 좀 구웠는데 먹어보겠니?"

"네, 좋아요. 들어오세요."

허락을 받은 빈우는 미소를 지으며 안으로 들어갔고 갓 구운 초코칩 쿠키를 본 엘리자베스 역시 미소를 지었다.

"와, 맛있겠다."

빈우가 침대 옆의 탁자에 쿠키를 내려놓자 엘리자베스는 얼른 들어 한입 베어 물더니, 조심스레 질문한다.

"아저씨, 아빠는요?"

"정원에 잠깐 나가셨어. 곧 만나게 될 거야."

엘리자베스는 작게 고개를 끄덕이더니 다시 쿠키를 먹기 시작했다.

"맛있니?"

"네!"

"곧 있으면 아빠와 저녁을 먹어야 하니 너무 먹지는 마."

"네에."

장난기 어린 대답을 하는 엘리자베스의 얼굴 한쪽은 뒤틀려 있다. 회색의 각질, 나오다 만 뿔. 워프 비스트의 흔적이다. 빈우의 시선을 눈치챈 엘리자베스가 황급히 손을 들어 얼굴 한편을 가린다.

"이상하죠?"

"아니, 아저씨는 그런 걸 치료하러 다니는 사람이란다."

"진짜요? 그럼 저도 치료해줄 수 있어요? 아빠랑 치료를 받았는데 다 낫지 않았어요."

바짝 다가앉는 엘리자베스를 멍하니 보던 빈우가 떠듬떠듬 대답한다.

"그래, 그래…… 치료해주마."

"약속이에요."

"어, 약속."

둘의 새끼손가락 걸기가 끝났다. 달콤한 쿠키는 어린 엘리자베스의 식욕 앞에 순식간에 사라졌다.

"너무…… 졸려요."

쿠키를 다 먹은 엘리자베스는 졸린지 눈을 비비기 시작했다.

"배가 불러서 그런 거야. 좀 자는 게 좋겠네."

"안 되는데. 나중에 아빠랑 생일파티 해야 하는데."

하품을 하며 졸려서 휘청거리는 엘리자베스를 빈우가 조심스레 침대에 뉘어주었다.

"걱정 마. 자고 일어나면 아빠가 와 계실 거야."

많이 졸렸는지 베개에 머리를 파묻은 엘리자베스는 금세 잠이 들었다. 수면제가 듣기 시작한 것이다. 그리고 빈우는 침대 옆에 서서 특제 토핑의 다음 효과를 기다렸다. 엘리자베스의 호흡이 서서히 작고 약해져간다. 그리고 그 간격이 점차 길어지고 가늘어지더니 마침내 조용히 멈췄다. 소녀의 목을 만져서 맥을 확인한 빈우는 자리에서 일어났다. 치료는 끝났다.

죽은 워프 비스트를 뒤로하고 문을 닫을 때만 해도 조용했다. 그러나 계단을 내려가는 빈우의 발걸음은 조금씩 거칠어져갔다. 거실에 서서 주변을 돌아보자 저쪽 식탁에 오븐에서 꺼낸 초코칩 쿠키가 남아 있는 게 보인다. 빈우는 발작적으로 덤벼들어 초코칩 쿠키를 한 움큼 집더니 입안으로 마구 쑤셔 넣었다. 적은 열량, 적은 영양. 무효한 수면제. 두뇌칩에 뜬 정보는 그게 고작이다. 맛도 느낄 수 없고 추억을 되새길 수도 없다.

입안의 초코칩 쿠키를 억지로 목구멍으로 삼킨 빈우는 잠시 멍하니 서 있었다. 그러다 문득 정신을 차린 빈우는 허드슨 가의 집에 강도가 든 것으로 위장한 다음 조용히 혼자서 집을 나섰다. 그리고 빈우는 정처 없이 떠돌았다. 주거지역을 한 블럭 건너자 노점상이 드문드문 늘어서 있다.

"맛있다!"

들려오는 환성에 고개를 돌리자 빈우의 시선에 콘도그를 먹으며 미소 짓는 아이가 보인다. 쿠키를 먹던 엘리자베스도 저런 미소를 띄웠었더랬지.

"꼬마야, 그거 맛있니?"

빈우는 정말 궁금해서 물었다.

"네."

대답하는 꼬마의 얼굴은 정말 행복해 보였다. 다시 콘도그를 한입 베어 물며 신나서 달려가는 꼬마의 뒷모습을 본 빈우는 자기도 그 노점상으로 가 콘도그를 하나 사서 입에 넣었다.

- 낮은 영양, 낮은 열량, 무의미한 식사.

예상했던 결과다. 아까의 개구쟁이는 정말 해맑게 웃으며 진짜 행복한 표정으로 콘도그를 먹고 있었다.

'어떻게 저런 표정을 지을 수 있지? 나는 어떻게 해야 저런 표정을 지을 수 있을까.'

포기한 빈우는 휘청이며 다음 목적지로 걸음을 재촉했다.

075

· · · ✦ · · · ·

블랙 랜스는 게이트를 통해 점프한 다음 원래 귀환지인 오브리가도의 특수전 사령부로 조심스레 이동했다. 배의 상태가 정상이 아닌데도 지원이나 호위를 요청하지 않았고, 기본적인 정기연락 외에는 어떠한 통신도 하지 않았다. 애초에 비밀부대이기도 하거니와 지금 가지고 있는 정보가 정보이니만큼 조심해서 나쁠 것은 없었다. 그래도 특수전 사령부에 가까워지면서 몇 가지 새로운 소식을 접할 수 있었는데, 그중 하나가 조지 레드우드 중장의 특수전 사령부 사령관 취임이었다.

"이거 무슨 바람이 분 걸까요?"

고개를 갸우뚱하는 아룹의 질문에 빈우도 딱히 뭐라 확실히 대답할 수가 없었다. 아는 게 없으니까.

"글쎄요. 캐서린 시슬 사령관께 무슨 변고가 생긴 게 아닐까요?"

조심스러운 빈우의 추측에 부팀장 아룹도 눈을 가늘게 뜨며 생각에 잠겼다. 애초에 조지 레드우드는 자신이 가진 역량의 한계를 파악하고 후배인 캐서린 시슬에게 사령관의 자리를 양보했었다. 그랬던 그가 사령관의 자리에 올랐다면 자의든 타의든 시슬 대장이 물러났다는 얘기다. 만약 그녀가 워프 비스트에 당했다면 미리 알려주었겠지. 태스크포스 373으로서는 자신들의 직속 상관이었던 조지 레드우드가 승진한 것이라 얼핏 좋아 보이지만, 그 전에 워프 비스트의 사건도 엮여 있어 이게 정확히 좋은 소식인지 나쁜 소식인지는 특수전 사령부에 도착해야 알 수 있을 것이다.

또 하나, 레드우드 중장은 태스크포스 373의 귀환을 되도록 자신의 취임식에 맞춰 오라고 넌지시 일렀었다. 아무래도 자기 직속팀을 어수선한 분위기에 숨겨 귀환시키려는 속셈인 듯했다.

"영감답지 않게 무슨 일이래."

소식을 전해들은 파트리샤가 콧방귀를 뀌며 뒤로 기대어 눕자 위르겐도 조용히 고개를 끄덕였다. 있어선 안 될 곳에서 해서는 안 될 짓을 하는 특수부대에서 잔뼈가 굵어온 조지 레드우드인지라 평소 행실도 딱 그대로였다. 해서는 안 될 짓을 자주 한다. 아군한테.

뒤로는 외계종족의 모가지를 썰었다면 앞으로는 통합작전사령부의 별들과 박치기 — 문자 그대로의 박치기 — 를 하는 조지 레드우드였다. 그랬던 그가 기가 죽어 자신의 직속부대를 숨기려 하다니. 성격이 거칠기론 자신들의 상관과 오십 보 백 보 하는 대원들로선 영 탐착지 않은 것이다.

*

그렇게 조용하면서도 불편한 시간이 흘렀다. 마침내 블랙 랜스와 태스크포스 373이 오브리가도의 궤도기지에 입항했을 무렵, 때맞춰 조지 레드우드 중장의 사령관 취임식이 시작되었다. 그리고 나름 심기가 불편했던 태스크포스 373의 팀원들은 신임사령관의 취임 연설을 보고선 자신들의 지금까지 해왔던 예상이 완전히 틀렸음을 바로 알게 되었다.

취임식 같은 지루한 행사 따윈 대충 치르고 지나가는 특수전 사령부답지 않게, 이번에는 좀 크게 벌이는지 지상이나 궤도 상에 거대한 홀로그램들이 떠 있었다. 그 면면을 살펴보니 한쪽은 연방의 직할령과 자치령, 그리고 동맹종족들을 포함한 아군의 세력들이고 반대쪽은 연방의 주적인 샤다이와 그에 동조하는 세력들, 또는 주제넘게 연방에 시비 거는 기타 약소 종족들이 자리

잡고 있었다. 그 영상들을 배경으로 하며 조지 레드우드 중장의 대형 홀로그램이 연설을 시작한다.

"보라. 우리의 세계와 마주 보는 또 다른 세계를."

하늘 높이 치켜든 레드우드의 두 손이 ― 그의 홀로그램이 ― 인류 연방과 외계 세력을 감싸안아 아우른다.

"우리는 그동안 얼마나 무의미한 시간을 보냈던가! 또 얼마나 쓸모없는 싸움을 해왔던가!"

시작부터 뭔가 수상한 낌새가 보이는 내용이다. 좋게 말해서 수상한 낌새고 솔직히 말하면 노망난 것 같다.

"여기서 선언한다. 나는 지금까지의 낡은 굴레를 끊고 새로 태어나 두 세계를 잇는 다리가 되고 싶다."

그 말을 들은 빈우는 저 양반이 왜 저러나 싶어 눈을 동그랗게 떴다. 사령관이 되더니 뭔가 바뀌었나 싶은 것이다. 주변 팀원들의 생각도 별반 다를 게 없는지 다들 황당한 표정이다.

"결코 무너지지 않는 튼튼한 다리가 되어 저들의 세계로 쉴 새 없이 장갑보병 군단을 보내리라, 이제는 시간 낭비 없이 알차게 싸울 것을 다짐한다!"

아유, 우리 영감님이 그럼 그렇지. 태스크포스 373의 팀원들은 물론이고 연설을 듣는 특수부대원들도 이심전심으로 고개를 끄덕인다.

"디안머들의 집 앞에 교각 전차가 되어 질주하는 전차의 파도로 해수욕을 시켜주고 싶다. 북망산의 구름다리가 되어 연중무휴로 샤다이 손님을 받고 싶다. 편도행 요단강 크루즈 함대를 연결하는 주교가 되어 우주 곳곳의 종족들을 태우고 싶은 것이다!"

파트리샤는 신이 나서 휘파람을 불고 위르겐은 숫제 환호성을 지르며 발을 구르기 시작했다. 부팀장인 아룹도 별반 다르진 않아서 흐뭇하게 웃으며 팔짱을 끼고 있다. 다만 우지와 모니카 정도가 도발적인 연설에 어안이 벙벙해하고 있는 중이다. 그리고 팀장인 빈우는 이어지는 레드우드 중장의 연설을 들으며 열심히 그 의미를 파악하고 있었다. 저 연설 내용이 단순히 적성 외계종족만을 향한 것이 아닌 것을 알아챈 것이다.

'요약하면 깝치면 뒤진다, 이건데 문제는 대상이 누구냐 거지.'

저 연설 내용이 의미심장한 이유는 특수전 사령부는 정규전이나 대외적으로 드러나는 작전은 잘 하지 않는다는 점에 있다. 그리고 움직일 땐 아무도 모르게 움직이지 저렇게 대놓고 하는 선전질은 절대 하지 않는다.

지금까지의 전례를 보면 뻔하다. '위은쏼납학? 아직 안 칩니다, 안 쳐요'랬다가 뱅가드 연대가 자기들 기함을 모성에 바로 갖다 박았었고, '목타하요? 진정하시고, 그건 정규부대가 맡을 겁니다. 우리 차례는 없을 듯?' 이런 소리 씨부릴 때 이미 단검뿔 토끼가 목타하 모성에서 귀족원들을 학살하고 있었다. 즉 특수전 사령부는 말보다는 손이 빠른 족속들이다.

그런데 영상 속의 신임사령관 조지 레드우드 중장은 혀를 놀려 샤다이를 회 치고 디안머를 족치는 걸로도 모자라, 집적거리는 나머지 종족들을 도매로 둘둘 말아 착즙기로 갈고 있었다. 보통의 사령관이 저런다면 립 서비스니 입만 살았니 하겠지만 조지 레드우드는 협박은 잘 하지 않는 성격이고—그 시간에 팬다—일단 입 밖으로 꺼낸 말은 무슨 수를 써서라도 지킨다. 특히나 이런 선전포고 같은 건 더더욱.

"비단 그들뿐만이 아니다. 나는 우리를 적대하는 모든 세력들에게 절대 무너지지 않는 다리가 되어줄 것이다."

방금 레드우드는 아군도, 연방도 아닌 우리란 단어를 썼다. 즉, 오늘의 연설 내용은 외계종족에게 보내는 선전포고처럼 들리지만 뒤에서 호시탐탐 수작질 부리려는 아군 반대세력을 향한 경고 메시지도 되는 것이다. 지금 조지 레드우드 사령관은 자신의 직속팀인 태스크포스 373뿐만이 아니라 전임 사령관 캐서린 시슬에게도 이런저런 뒷공작을 벌였던 놈들에게 '걸리면 진짜 죽는다'라고 외치고 있는 것이다. 대놓고 싸움을 부추기는 사령관의 주변을 보니 연설을 듣는 대원들의 반응은 열렬했다. 윗물이 맑아야 아랫물이 맑다.

또는 근묵자흑 근주자적. 혹은 청출어람. 이 상황에서 어울리는 고사성어나 속담이야 많겠지만 가장 어울리는 말은 역시나 개판 오 분 전이리라.

"씨발! 믿고 있었다고 이 영감탱이!"

"깝죽거린 새끼들, 다 뒤졌어!"

"가는 거야? 이제 우리 보내주는 거야? 가서 다 죽이면 되는 거지?"

연방 최고의 실력을 갖춘 대원들은 자부심 또한 쩔어준다. 그 말인즉슨 해야 할 땐 확실히 해내지만, 반대급부로 평상시엔 군기가 개판이란 소리다. 레드우드 사령관의 취임식에 심심해서라든가, 할 일이 없어서라는 이유로 참여했던 대원들은 연설의 서막 때엔 부루퉁했었다. 그런데 사령관이 고삐 풀고 불을 피워재끼니 이 미친 망아지들은 숫제 장작을 지고 광란의 도가니 속으로 뛰어들기 시작했다.

자기들 안마당에 워프 비스트가 침공했었으니 오죽 심기가 불편했을까. 그렇게 호시탐탐 한 놈만 걸리란 심보로 잔뜩 별러왔을 텐데 그게 지금 여기서 폭발한 것이다. 달아오르는 아비규환을 지켜보던 빈우는 사태가 진정되면 배 바깥으로 나가기로 마음먹었다.

"와 씨. 근데 이거 영감님 제대로 혜까닥했는데? 도대체 무슨 일이 있었던 거지?"

파트리샤의 말대로다. 흥분해서 핏대를 세우는 레드우드의 모습에선 마음속 깊은 곳에서 올라오는 분노를 느낄 수 있었다. 중장이란 자가 자신의 첫발을 내딛는 취임사에 저런 과격한 언사를 할 정도면, 태스크포스 373이 없는 사이 어떤 대사건이 터졌는지 궁금하다.

과거엔 캐서린 시슬 사령관이 누름돌이 되어 이 망나니들을 찍어누르고 있었는데 현 사령관인 조지 레드우드에겐 그럴 생각이 전혀 없어 보였다. 아니면 계획적으로 이럴 수도 있다.

'X 됐네, 요새 통합작전사령부 파벌이 어떻게 되더라.'

이건 비단 빈우뿐만이 아니라 레드우드의 연설을 듣고 있는 특수전 사령부 장교들 머릿속에도 떠오르는 생각이다. 특수전 사령부를 필두로 정보사령본부와 각종 방면군 함대 사령부들은 통합작전사령부에 속해 있고 서로가 전투부대의 정점인 만큼 자주 부대낀다. 오늘의 연설을 듣고 그쪽에서 어떤 반응을 보일지가 참으로 기대된다.

하지만 지금 빈우가 가장 걱정해야 하는 건 잠시 후 자신이 저기 연단 위에서 길길이 날뛰고 있는 전쟁영웅을 마주해야 한다는 거다. 이럴 땐 병풍 한 둘쯤 데리고 가서 바람막이로 쓰는 게 제일인데 그것도 여의치가 않았다.

"팀장님. 보고할 때 우린 필요 없겠지요?"

부팀장인 아룹이 눈치채고 먼저 저런 말 할 정도니 얘기는 끝났다. 파트리샤도 슬금슬금 일어나서 빠지고 있다.

"네에, 저 혼자 가도록 하죠."

사선을 같이 넘나든 전우라 해도 안 되는 건 안 되는 거다. 빈우는 한숨을 쉬며 아나스타샤가 채워주는 커피를 한 번에 들이켰다.

*

"사령관 취임, 축하드립니다."

"고맙다."

예상외로 신임사령관과의 독대는 담백하게 이뤄졌다. 하긴 자기 직속 팀원들에게 분풀이를 할 이유는 없겠지.

"우리 팀이 출항한 뒤로 워프 비스트가 터졌다면서요?"

이 질문에 떠올리기 싫은 사건이 생각난 레드우드가 미간을 찡그렸다.

"그래, 너희들이 가고 얼마 있지 않아 24함대원들이 갑자기 워프 비스트로 변했다. 3번 항구는 난리도 아니었지. 정말 제대로 한 방 먹은 기습이었어. 그래도 상대를 봐가면서 덤벼야지. 불쌍한 24함대원들을 제외하곤 우리 쪽 피해는 전혀 없었다. 다만 그 와중에 감금하고 있던 샤다이 포로가 탈주했지만 말이다. 아마 처음부터 그년이 목적이었지 싶은데 그 샤다이년이 뛰면서 캐서린을 정신 공격하는 바람에 사건이 커졌다."

레드우드 사령관의 말에 따르면 당시 24함대를 쳐내는 테스트를 하고 사령관 집무실에서 시슬 대장과 얘기를 하고 있을 때 갑자기 샤다이의 정신공격이 시작되었다고 했다.

"시슬 대장님께? 그랬습니까. 저는 떠나기 직전에 포로와 대화를 했습니다만."

"그랬지, 타이밍이 좋았다고 해야 하나, 나빴다고 해야 하나. 내가 그때 샤다이 포로년의 사살 명령을 내렸었는데 그쪽으로 샤다이들이 점프해 와서 포로를 데리고 튀었었다."

자칫 시간이 꼬였으면 빈우도 당시의 전투에 휘말렸을 수도 있는 일이었다. 이어서 24함대의 벤자민 소여 소장이 소란스러운 집무실로 막무가내로 들어왔다가 워프 비스트로 변하고, 동시에 궤도기지의 3번 항구에서도 24함대원들이 워프 비스트로 변해 기지로 공격해 왔다고 한다.

"일단 시에라 줄루 델타를 발동하고 워프 비스트를 모조리 쓸어버리긴 했지만 그다음이 문제였다. 2함대가 정보사령본부의 특수부대를 대동하고 달려왔거든."

2함대면 연방군 최정예 함대다. 1함대도 규모와 장비 면에서 최고 수준이지만 실제론 화성과 태양계를 방어하고 있느라 움직일 수 없으니, 사실상 가용할 수 있는 함대 중에선 2함대가 최강의 전력이다. 그만큼 특수전 사령부에서 일어났던 워프 비스트 사건이 심각했던 것이다.

"그리고 작정하고 샅샅이 조사하더라. 기지 구석구석, 사람 머리털 한올한올까지."

인간을 괴물로 변신시키는 정체불명의 현상이 발생했으니 당연한 순서다. 만약 특수전 사령부에 있던 다른 병력들도 감염이 되었다면 사태는 걷잡을 수 없을 정도로 커졌을 테니까.

666

"순순히 따르셨습니까?"

"그럼 어쩌겠냐. 그 상황에선 시키는 대로 해야지."

사령관이 정신공격을 당하고 아군이 워프 비스트란 괴물로 변하는 상황이었다. 치료방법은커녕 감염경로조차 아는 것이 없기에 휘하 부대원들이 어찌 될지도 모른다. 레드우드로선 그 '권유'를 받아들이는 것이 최선이었을 것이다.

"감염이나 여타 증상은 아직 나타나진 않아서 코드는 해제했지만 제대로 밝혀진 것도 없다더라. 그리고 사건이 진정되고 캐시는 정상적으로 돌아오긴 했는데, 자기 스스로 물러났다. 아마 자신이 앞으로 어찌 될지 모르기 때문에 스스로 내린 결정일 게야."

24함대의 워프 비스트 변이, 캐서린 시슬 사령관에 대한 정신공격, 외부 함대의 침입과 조사, 그리고 사령관의 퇴임. 특수전 사령부의 자존심에 상처가 나도 단단히 난 일이다. 그러니 레드우드 사령관이 취임 연설 때부터 길길이 날뛴 것은 자신이 분했던 것도 있지만 부하 대원들을 보듬고 달래려는 의도도 있었을 것이다.

"참, 그래. 그쪽 24함대 본부에선 별일 없었고? 우리 쪽에서 미리 연락을 했기에 꽤 경계태세였을 텐데 말이다. 다른 함대들이 가서 강도 높은 조사를 한단 얘기는 들었다만."

"흐음, 24함대 본부하곤 아예 눈도 안 마주치고 진행했습니다. 그런데 사령부에서 도망친 샤다이 말입니다. 발 가르단 하스에서 만났습니다."

"뭐라?"

놀랐던 레드우드 사령관의 얼굴은 이어지는 빈우의 보고를 들으며 복잡하게 썩어들어갔다. 그만큼 발 가르단 하스에서 일어났던 일들은 연방의 어둡고 예민한 부분과 밀접한 연관이 있었다.

"본래의 작전 목적은 아주 만족스럽게 수행했군."

빈우의 보고를 끝까지 들은 레드우드 사령관은 손가락으로 책상을 톡톡 두들기며 보고 내용을 되새기고 있었다. 태스크포스 373은 원래 목적인 리퍼 함선의 장비 회수와 데이터 수집을 아주 훌륭히 해냈다. 문제는 그다음부터 덤으로 따라붙은 일이었다.

"이케가미 소이치로 전 상원의장의 발견과 사망. 그리고⋯⋯ 골치 아픈 일들이 줄줄이 엮였군."

전 상원의장을 만나면서부터 일이 복잡하게 틀어졌다. 울토르 프로젝트와 워프 비스트는 현재 연방의 뜨거운 감자인데, 그걸 양손에 쥔 양반이 이야기를 다 풀지도 못하고 사망한 것이다. 게다가 샤다이와의 연결점도 있다. 이러니까 레드우드 사령관 말대로 골치가 아픈 일이 될 수밖에. 울토르 프로젝트에 관여된 빈우가 그 두 가지에 대한 정보를 가지고 돌아왔다면 여러 파벌이 개싸움을 하는 정보사령본부에선 좋게 나올 리가 없다. 정면의 적과 등 뒤의 아군 사이에 끼어 동시에 싸우는 셈이다.

"일단 그 건에 대해선 너희 본가에는 누가 알릴까? 네가 직접 할래, 아니면 내가 할까?"

민감한 안건이니만큼 물어보는 레드우드의 말투는 나름 조심스러웠다.

"죄송합니다만 사령관님께서 수고 좀 해주십시오."

"역시 그렇겠지?"

지금 빈우가 말한 보고 내용은 보호 행성이었던 발 가르단 하스가 사실은 거대한 정보생명체란 것부터 시작해서, 이케가미 의원의 희생으로 잠시 유예를 둔 워프 비스트의 침공, 연방의 기밀인 울토르 프로젝트와 워프 비스트 간의 관계 등 섣불리 믿기 힘든 사실들로 점철되어 있다.

이번처럼 여러 파벌의 이해관계가 얽혀 있는 정보를 알리는 경우엔 일개 소령인 빈우보다는 특수전 사령부 사령관인 레드우드가 알리는 쪽이 나을 수도 있다. 상대가 정보를 받아들이는 자세부터 다르거니와 정보를 가진 이쪽도 휘둘릴 염려가 없다. 특히나 군사정보국에서 색안경을 끼고 빈우를 보고 있는 현시점에서는 더더욱 레드우드를 통한 편이 낫다. 저쪽이 무슨 조작이나 가공을 하기도 전에 정보를 알릴 수 있는 것이다.

단, 이 방법의 문제는 빈우의 소속이 자칫 특수전 사령부 쪽으로 돌아선 것으로 보일 수 있다는 점이다. 지금 빈우는 엄연히 군사정보국 소속이며 파견 요원의 신분으로 특수전 사령부에 와 있다. 더구나 일반적인 기밀이라면 모를까 정보사령본부가 연관된 중요 정보라면 비밀리에 자신의 상부로 어떻게든 보고를 해야 한다. 그런데 이것이 특수전 사령관인 레드우드를 통해서 전해지게 된다면, 안 그래도 연방 내부에 수상한 분위기가 스멀스멀 올라오는 작금의 상황에 대놓고 부채질을 하는 셈이 된다.

"그런데 말이다. 넌 괜찮겠냐?"

이 말은 자신의 원래 소속과 척을 지게 될 빈우를 걱정하는 것이다.

"여차하면 이쪽으로 와라. 너 하나쯤이야 받아줄 수 있다."

특수전 사령부에선 이전부터 닉스 레벨 3의 요원인 빈우를 눈독 들여왔으니 크게 이상한 말은 아니었다. 그러나 빈우는 정중히 사양했다.

"아뇨. 저는 군사정보국에 있는 게 더 좋습니다."

지금 빈우의 머릿속에 트리니티 패턴으로 잠긴 정보는 울토르 프로젝트, 그리고 워프 비스트와 깊은 연관이 있는 게 분명하다. 그런 빈우를 군사정보국이 놓아줄 리 없다. 물론 레드우드 쪽이 합당한 대가를 치른다면야 가능하겠지만 빈우는 그렇게까지 폐를 끼치고 싶진 않았다.

"허 참, 녀석. 고집하고는."

레드우드는 툴툴대긴 했지만 더 권하진 않았다. 다만 변화구를 던졌다.

"그렇다면 내 팀을 계속 맡아줄 수는 있고?"

"그야 당연한 것 아니겠습니까."

어차피 빈우는 트리니티 패턴이 풀릴 때까지 파견 요원으로 바깥을 돌아야 할 몸이다. 거절할 이유가 없다.

*

"그래서 이러고 있는 겁니까?"

부팀장인 아룹이 황당해서 물어본다. 그 황당함의 3분의 1은 빈우에게, 3분의 1은 레드우드 사령관에게, 나머지 3분의 1은 자신 앞에 놓인 기밀서류에 향하고 있다.

"이러고 있는 거지요."

빈우도 전산실 안에서 기밀서류들을 훑어보며 대답했다. 지금 빈우와 아룹 두 사람은 특수전 사령부 안의 전산실에서 워프 비스트에 대한 자료들을 살펴보는 중이다. 조지 레드우드 사령관이 태스크포스 373의 다음 임무로 워프 비스트의 색출과 포획을 명령한 것이다.

"중요한 일이란 건 알지만 그래도 현장팀인 우리가 하기엔……."

아룹이 쓴웃음을 지으며 두 사람 앞에 놓인 자료들을 보았다. 원래 이런 건 후방지원팀이 해야 하겠지만, 태스크포스 373은 후방팀으로 내정된 라캉 중령이 사망하고 각처에서 방해가 들어오는 바람에 현장팀만으로 작전에 임했다. 그리고 후방지원팀은 여태까지 보충될 기미가 보이지 않는다.

"보통은 후방 팀에서 조사해서 목표 지정하면 우리가 나가서 대가리를 깨는 게 맞는데, 상황이 상황인지라 이해해주세요."

이렇게 부팀장과 서류 작업이 끝나면 빈우의 다음 일과는 전투 훈련이다.

*

"모, 못 하, 겠, 습…… 우웩."

동력을 켜지 않은 어벤저를 입고 엉금엉금 움직이던 우지가 바닥에 널브러져 헥헥댄다. 그러면 빈우는 그걸 또 걷어찬다.

"입 놀릴 힘이 있으면 일어나 발을 놀려라."

"저, 저는 파일, 케헥, 럿입니다."

"그래, 넌 비싸고 귀한 전투기 조종사 아니시냐. 그러니까 스스로를 잘 지켜야지. 안 그래?"

물론 전투기 조종사들도 반사신경 강화와 급가속도에 견디기 위한 육체 강화 정도는 하고 기본적인 전투 훈련 또한 받는다. 다만 빈우가 정한 기본의 기준은 이쪽 동네, 그러니까 특수전 사령부에 맞추고 있었다는 게 문제다. 그러니 이제까지 살아오면서 몸을 쓰는 전투기술과는 인연이 없었던 우지는 연일 곡소리를 낼 수밖에 없는 것이다.

우지만 구르는 건 아니었다. 시선을 아래에서 오른쪽으로 돌린 빈우의 입에서 고함이 터져나온다.

"위르겐, 야, 이 등신아! 밀리면 뒤진다!"

뒤에서 들려오는 팀장의 고함에 위르겐은 안간힘을 내보려 하지만 이미 어벤저는 낼 수 있는 출력의 한도에 다다른 상태였다. 그런데도 위르겐은 맨몸의 아룹에게 밀리고 있었다.

"홉!"

짧은 기합 소리와 함께 단검뿔 토끼의 베테랑은 어벤저를 입은 뱅가드 대원의 뒤를 잡아 백드롭으로 넘겨버렸다. 금속성 굉음이 훈련실 바닥에서 울려 퍼졌다. 위르겐은 충격에 잠시 일어나지 못했다. 물론 장갑복에는 대수롭지 않은 충격이었지만 위르겐이 입은 정신적인 충격이 대단했던 것이다.

단검뿔 토끼는 연방 최강의 특수부대이고 아룹은 그중에서도 특출난 인재다. 게다가 육체개조도 거의 사이보그 레벨이었다. 그러나 위르겐은 내심 어벤저를 입은 자신과 맨몸의 그와 육박전을 한다면 고전은 해도 밀리진 않으리라 생각했다. 하지만 예상은 빗나갔고 그는 일방적으로 당하고 있었다.

"정신 차려, 위르겐. 다음은 나랑 붙는다."

빈우가 웃통을 벗고 걸어오자 위르겐은 급히 장갑복의 동력을 끄고 벗으려고 했다. 그러면서 팀장과의 맨몸 육탄전에 대비했다. 아니, 하려고 마음만 먹었다.

"아악! 팀장님!"

빈우는 잽싸게 달려가 어벤저 위로 올라탔다. 그리고 쓰러진 채 동력을 끄고 장갑복을 벗느라, 헬멧부터 벗겨진 위르겐의 뻥 뚫린 얼굴로 신나게 주먹을 쑤셔박았다. 그래서 저런 비명이 터져나온 것이다. 팀장은 자신을 부르는 비명은 무시하고 손은 손대로, 입은 입대로 놀렸다.

"장갑복의 움직임은 신체의 움직임과 다르단 걸 잘 아는 놈이 왜 이래. 관절의 기동한계도 모른 채 무작정 싸우니 이 꼴이 나지. 그리고 상황은 언제나 자신에게 유리하게 만들어라. 내가 장갑복 벗으라고 한 적이 있냐? 붙자고 했으면 고맙습니다, 하고 입은 채로 덤볐어야지."

빈우는 피가 되고 살이 되는 조언을 하며 위르겐의 피와 살을 허공에 흩뿌렸다.

이들뿐만 아니라 비전투 인원인 모니카도 옆에서 훈련을 받는 중이다.

"기초 훈련은 받지 않았니?"

파트리샤 중위는 곤란하게 웃으며 풀이 죽은 모니카 대위를 추슬렀다.

"받긴 받았는데 그게, 좀."

모니카는 난처한 표정으로 자신의 앞에 놓인 코일건을 보고 있었다. 정확히는 코일건이었던 부품이다. 파트리샤는 혹시나 해서 모니카에게 총기의 분해와 조립을 시켜봤는데 아니나 다를까 이걸 제대로 하지 못하고 있었다. 물론 모니카의 머릿속 두뇌칩에는 이에 대한 지식이 들어는 있지만, 지식이 있는 것과 실제로 몸을 통해 쓰는 것은 다르다.

"괜찮아, 괜찮아. 그러니까 훈련을 하는 거지. 자, 언니가 알려줄게."

파트리샤는 잔뜩 기가 죽은 모니카를 달래기 위해 부드러운 미소를 지었지만, 그 미소는 오래가지 못했다.

"파트리샤, 다음은 네 차례다."

팀장이 그녀를 부른 것이다. 그리고 실리콘 나이트의 사고뭉치는 얼굴을 굳혔다.

"죄송합니다, 팀장님. 저는 지금 모니카 대위님께 총기 손질을 가르쳐드리고 있습니다."

파트리샤가 이렇게 또렷하고 군기가 바짝 든 목소리로 대답하는 경우는 드물다. 지금 끌려가면 저 무지막지한 아룹 라마누잔 원사와 육박전을 벌여야 한다. 그래서 파트리샤는 코일건 부품을 들어 보이며 빠지려고 했지만 어림도 없었다.

"들었지, 위르겐? 어서 모니카한테 가라."

빈우의 말에 열린 장갑복에서 피투성이가 된 위르겐이 흐느적거리며 일어나더니 휘청휘청 모니카 쪽으로 걸어온다.

"옴마야."

그 모습에 식겁한 파트리샤는 빈우 쪽으로 달려갔고 모니카는 기겁하며 위르겐을 맞이했다.

"위, 위르겐. 괜찮니? 의무실 안 가봐도 돼?"

"걱정하지 마십시오. 이런 건 금방 낫습니다."

강화군인의 근력이 뛰어나다 해도 맨손으론 같은 강화군인의 골격이나 장기를 파괴하는 건 힘들다. 즉, 지금 위르겐이 입은 부상은 피부 정도만 상한 것에 불과한 것이다. 물론 모니카도 그것을 알고는 있지만, 지식으로 알고 있는 것과 실제로 얼굴에 피 칠갑을 한 위르겐을 마주하고 있는 것은 느낌이 다르다.

"대위님, 제가 하는 것을 잘 보십시오."

위르겐은 상처 여기저기 거품이 일며 재생이 되는 와중에도 모니카를 열심히 가르쳐주었다. 그리고 저쪽에선 아룹과 빈우, 파트리샤와 우지가 서로 돌아가며 2대 2의 집단격투를 하기 시작했다.

"팀원의 동작을 읽어라. 전투 중엔 당연히 두뇌 통신으로 연결되어 있겠지만 통신하기 전, 팀원의 움직임을 보고도 연계가 되어야 한다."

아룹과 파트리샤에게 필요 없는 빈우의 조언은 모조리 우지의 몫이었다. 그리고 이 조언에는 말뿐만이 아니라 육체적인 것도 포함되어 있었다.

"어? 어어!"

분명 2대2로 시작되었지만, 어느새 3대 1이 되어버린 격투 훈련에서 우지가 뭇매를 맞으며 비명을 질렀다.

"살려주세요!"

"아유, 우지야. 널 살려주기 위해서 우리가 이렇게 힘쓰고 있잖니."

상냥한 파트리샤의 목소리, 구슬픈 우지의 비명. 그리고 그 너머로 누군가 소곤거리는 목소리가 들린다.

"이제 대위님께서 직접 해보십시오."

"응, 해볼게. 먼저 여기를……."

위르겐과 모니카의 목소리다. 그리고 모니카의 말이 채 끝나기도 전에 굉음과 함께 코일건이 발사되어 훈련실 천장을 박살 냈다. 잦아드는 코일건의 굉음은 모니카의 비명으로 이어졌고 그걸 들으며 빈우도 마음속으로 비명을 질렀다.

*

한 시간이 멀다 하고 소란스러운 나날을 보내던 빈우는 하루는 시간을 내어 행성 오브리가도의 민간 구역으로 갔다. 목적지는 바로 피자 타이거. 점심 시간이 막 지나 조금 한산해지기 시작한 가게 안으로 빈우가 들어갔다.

"어서 오세요. 호랑이 힘은 솟지 않는 피자 타이거입니다."

여자 점원의 발랄한 인사를 받으며 빈우는 가게 안쪽을 훑어보았다. 그런데 원래 이 지점의 점장이자 정보국 요원이던 덱스터 커리가 없다.

"점장님은 안 계신가요?"

"아, 점장님은 저번에 일어난 게이트 봉쇄 문제 때문에 보고하러 본사에 잠시 가셨어요."

점원이 곤란한 미소를 지으며 대답을 하자 빈우는 생각에 잠겼다. 피자 타이거 오브리가도 지점은 특수전 사령부에 위치한 정보국 지점이기에, 어지 간해선 덱스터가 자리를 비울 일이 없다. 그가 자리를 비웠다면 워프 비스트 사건을 눈치채고 직접 보고를 하러 갔거나, 아니면 특수전 사령부의 험악한 분위기를 피해 잠시 도망을 간 거다.

"응, 김 팀장 아냐?"

빈우는 자신을 부르는 소리에 돌아보자 거기엔 사복을 입은 시슬 대장과 손녀인 나디아가 있었다.

"각하, 여긴 어쩐 일이십니까?"

"손녀가 이곳 피자가 먹고 싶다기에 말이야. 나디아, 할머니 부하야. 인사 해야지."

저번에 24함대 테스트 건으로 자기도 모르는 사이 빈우의 인질이 되었던 나디아가 할머니 뒤에 숨어서 인사한다.

"안녕하세요."

나디아는 그 나이 또래처럼 낯선 사람에게 부끄러움이 많은지 목소리가

675

작았다. 빈우는 무릎을 약간 굽혀 눈높이를 맞추며 말을 걸었다.

"안녕 나디아. 아저씨는 김빈우라고 해. 너 여기 피자 좋아하니?"

"네. 근데 샤다이 대마왕 스티커가 안 나와요."

자신이 좋아하는 얘기가 나오자 나디아의 음성이 조금 높아졌다. 아룹이 분장했던 우주 샤다이 대마왕이 꽤 마음에 들었던 모양이다.

"아저씨한테 그 스티커 하나 있는데, 줄까?"

"진짜요?"

눈이 동그래지며 목소리가 더 높아졌다. 빈우가 스티커를 하나 꺼내 쥐여주자 나디아는 신나서 폴짝폴짝 뛰었다.

"와, 감사합니다."

"우리 나디아, 잘됐네. 자, 가서 자리에 앉아라. 할머니는 아저씨랑 얘기 좀 하다 갈게."

"네 할머니."

뛰어가는 나디아의 뒷모습을 웃으며 바라보는 캐서린의 모습은 영락없는 손녀 앞의 할머니였다. 여태껏 부하들 앞에선 항상 철혈의 노장이었던 그녀였건만, 이번엔 빈우에게도 그 드문 미소를 약간 비춰주었다.

"고마워."

"별말씀을요. 그런데 물러나셨다고 들었습니다."

"그래. 샤다이의 정신공격을 받았으니 찜찜한 것도 있고, 이전부터 합동참모본부에서 오라고 손짓하기에 그리로 가볼까 생각하는 중이다."

합동참모본부는 군에 직접 지휘나 명령을 내리진 않고 대통령이나 의회에 의견을 내거나 자문을 하는 곳이다. 다만 연방군의 장기적 전략과 신병기 개발, 예산안 편성 등에 깊게 관여하기 때문에 통합작전사령부와는 또 다른 중요성을 지닌 곳이다.

"김 소령."

다시금 딱딱해진 캐서린 시슬의 말투에 빈우도 절로 긴장되었다.

"네, 각하."

"난 조지 선배, 아니지. 레드우드 사령관을 편들기로 했어."

얼마 전 캐서린 시슬이 사령관이었을 때, 그녀는 외부 세력의 요청으로 태스크포스 373을 방해했던 적이 있었다. 빈우가 레드우드에게 듣기론 그 당시 시슬에게 다가온 자들은 당근과 재갈을 들고 왔다고 했다. 특수전사령관에게 당근을 줄 수 있는 사람은 많아도 재갈을 물릴 수 있는 사람은 얼마 없다. 그게 가능한 것은 대통령과 의회, 그리고 간접적으로 가능한 것이 국방부와 합동참모본부 정도다.

물론 시슬은 명분과 실리 사이에서 저울질하며 자신의 전우이자 선배였던 조지 레드우드의 편을 들어주려고 노력은 했었다. 그런데 지금은 자신의 입으로 아예 레드우드 사령관의 편에 서겠다고 했으니 합동참모본부로 가는 것은 어찌 보면 그 일환으로 볼 수도 있다. 외부에서 도와주는 사람이 있으면 레드우드와 태스크포스 373의 활동에 보다 도움이 될 것이다.

"사령관께는 이미 말씀을 드렸지만, 자네에게도 말해줘야겠지. 그때 나에게 제안이 온 것은 합동참모본부에서였다."

문제는 가겠다는 곳이 숫제 호랑이 굴이란 점이다. 행여 포섭된 건가 의심도 들지만, 캐서린 시슬이란 군인의 특성상 그럴 가능성은 적었다.

"그렇다면 호랑이를 잡으러 호랑이 굴에 뛰어드시는 겁니까?"

빈우의 말에 시슬이 빙긋 웃었는데 아까 손녀한테 웃을 때와는 달리 서슬이 퍼렇다. 군복이 아닌 사복을 입은 그녀였지만 몸에서 배어나오는 분위기는 어쩔 수 없다.

"호랑이라…… 호랑이라면 칼로 잡을 수 있지. 근데 이제부턴 펜을 들고 잡아야 해."

캐서린 시슬 같은 강화군인이라면 진짜 호랑이 정도는 맨손으로 찢어 죽일 수 있다. 굳이 칼을 쓸 필요는 없다. 펜은 더더욱.

"김 팀장, 왜 펜이 칼보다 강하다고 생각하나?"

뜬금없는 질문이지만 시슬 대장이 앞으로 행할 행보를 생각하면 의미심장한 질문이다. 칼은 무력이자 폭력이며 여기서는 군대를 의미한다. 펜은 언론일 수도, 정부일 수도 있다. 그러나 무엇이 되었건 군대는 아니다.

"우리는 칼을 쥐기 위해 펜을 놓았기 때문입니다."

빈우의 대답은 중간과정을 한 단계 건너뛴 대답이었다.

"음? 하하, 그런 해석도 가능하군."

고개를 갸웃하던 시슬은 이내 웃으며 고개를 끄덕였다.

연방은 엄연히 문민 통제다. 아무리 군의 무력이 강하다 한들 그에 대한 명령권은 대통령과 의회에 있으며 이들은 시민들의 투표에 의해 선출된다. 그러나 빈우의 말대로 연방의 시민들은 군인이 되면서 하원의원 자격이 정지된다. 그러면 의정활동을 할 수 없고 잠을 자면서 포톤 웹을 통한 의회 정보 갱신도 할 수 없다. 군인이 되면서 정치에 참여할 권리를 일시적으로 정지하는 게 되기에, 단순히 말하자면 '군 〉 정부 〉 시민'의 관계가 역전된다고 보면 된다.

"합동참모본부도 이곳과는 달리 펜을 들고 싸우는 부서였죠."

"그러게 말이야. 앞으로 힘든 싸움이 되겠어."

평생 총과 칼로 싸웠던 이가 펜과 종이로 쌓은 마굴로 들어간다고 하니 거기서 기어나온 빈우는 그녀가 조금 안쓰러워졌다.

"할머니이 —."

그때 기다리던 나디아가 재촉하자 시슬은 금세 표정을 바꾸고 웃으며 대답했다.

"아유, 할머니가 너무 늦었지? 금방 갈게. 그럼 김 팀장, 이만 가보지."

고개 각도가 좌우로 조금 달랐을 뿐인데 표정이 저리도 바뀌는 것을 보면 거기 가서도 잘 버틸 듯싶기도 하다.

*

빈우는 화기애애한 가족들의 테이블을 뒤로하고 가게를 나와 공원을 향해 걸었다. 조금 걷자 예전에 시슬 대장의 며느리와 손녀를 목표로 했던 곳이 나왔다. 그때 여기서 캐서린 시슬의 며느리와 손녀가, 엄마와 딸이 정말 재미있게 놀았었다.

빈우는 신발을 벗고 잔디밭으로 들어가 산책했다. 공원 저 멀리까지 깔린 푸른 잔디를 보고 있으니 고향의 보리싹이 생각난다. 그리고 아직은 무뚝뚝했던 아나스타샤의 모습도 떠오른다.

'그러고 보니 아샤가 다 때려치우고 고향에서 보리농사나 하자고 했었지.'

강화된 육체를 가지고 민간사회로 돌아가기는 번거롭다. 이것저것 시험도 봐야 하고 육체사용에 대한 인허가도 필요하다. 그러나 무엇보다 정기적인 관리와 점검이 가장 번거롭다. 아직 신체 강화의 비중이 많은 병사라면 모를까, 군데군데 군용부품을 삽입해놓은 경우라면 주기적인 교체와 점검을 해줘야 한다. 그게 싫다면 원래의 육체로 복원하면 된다.

그러나 그런 것을 다 떠나서 가장 걸림돌이 되는 것은 군용화된 정신을 가진 채 민간사회로 돌아가는 것이 힘들다는 점이다. 비록 사용자의 두뇌칩에서 군용 프로그램들과 전투용 OS들이 지워졌다 해도 거기에 익숙해진 정신과 반응으론 일상생활이 힘들다. 특히나 전장에서 적대적이 외계종족과 직접 전투를 했던 장갑보병의 경우 같은 인류종족 외에는 일단 색안경을 끼고 보게 된다. 심지어 연방과 교류를 하는 동맹종족이라 할지라도.

예를 들어 빈우의 부하인 위르겐 도른베르거 상사의 경우 다시 대학으로 복학하게 되면 유학 온 타 종족들과 마주치게 될 텐데 마주치는 순간마다 깜짝깜짝 놀랄 것이다. 익숙해지기 전까진 군대물 쫙 빼고 다시 사회물 먹이느라 고생 좀 해야 할 것이다. 그러나 복무기간이 길어질수록, 계급이 올라갈수록 사회로 돌아가긴 더욱 힘들어진다. 조지 레드우드나 캐서린 시슬은 연방군의 창설 원년 멤버라 할 수 있고 평생을 군에 바쳤다. 또 이미 군이 자신들의 인생이 되어버렸기에 나갈 생각 자체가 없다.

그러나 빈우 같은 경우는 다르다. 이들 같은 정보사령본부 소속 요원들은 머릿속에 감춰진 위험한 정보 때문에라도 제대가 거의 불가능하다. 그나마 군사정보국은 기억을 못 하고 기록만 가능하기에 두뇌칩의 기록만 제거하면 된다지만 말이 그럴 뿐, 실제로는 요원으로서의 가치를 잃고 세탁당하는 경우에나 가능할 정도다.

같은 정보사령본부의 모니카 보르자 대위도 아직은 방위산업체나 군과 연결된 연구소 쪽으로 빠져나갈 수 있다지만, 소령 정도 되고 나면 그 스스로가 군의 전략자산이 되기 때문에 민간사회로 나가기 힘들다.

"에라, 쌍."

쓸데없이 떠오른 생각 때문에 기분을 잡친 빈우가 투덜대며 잔디밭에 누워 하늘을 올려다본다. 강화된 안구에 아직 궤도에 남아 있는 3함대의 모습이 보인다. 특수전 사령부에 대한 차단과 조사는 끝났다지만 아직 감시 여력은 둔다는 의미일지도 모르겠다. 저 우주 함선들의 웅장한 모습을 보노라면 지상의 자신은 아무것도 아닌 것 같다.

전함 1척이면 행성 하나를 쑥대밭으로 만드는 것은 일도 아니다. 구축함만 해도 지역만 좁히면 행성의 지도를 갈아엎을 수 있다. 그러나 저런 화력으로도 해결할 수 없는 문제들이 이 우주에, 연방의 앞에 무수히 많다. 그리고 그런 문제에 대한 해결책 중 하나가 바로 이곳 특수전 사령부다. 단순히 적에게 비밀로 하는 작전에서부터, 밝은 곳으로 결코 드러나선 안 되는 어두운 작전들까지 도맡아서 하는 부대들의 본거지다. 쓰이기에 따라선 전함, 혹은 함대에 버금가는 전략적 가치를 지닌다.

이런 곳이 워프 비스트의 기습을 받았으니 일단은 쉬쉬하고는 있지만, 안으로는 군이 발칵 뒤집혔으리라. 덧붙이자면 그런 문제를 은밀히 해결하기 위한 곳이 바로 빈우가 속했던 정보사령본부나 연방 중앙정보부 같은 정보 부서다. 몇 단어도 안 되는 짧은 내용의 정보를 위해 얼마나 많은 예산이 쓰였고 또 얼마나 많은 요원들이 죽어갔던가.

그리고 태스크포스 373이 하는 일은 그 양쪽에 발을 걸친 민감한 작전들이다. 더구나 팀의 뒤로는 정체와 의중을 알 수 없는 세력들이 호시탐탐 기회를 노리고 있다. 마커스와 연락이 된다면 시야의 폭이 확연히 넓어질 텐데 빈우의 사관학교 동기는 아직 연락 두절 상태였다.

- 김 팀장.

빈우의 생각을 끊고 레드우드 사령관의 호출이 들려온다. 나직하지만 사납고 차가운 음성. 싸움을 목전에 둔 목소리다.

- 예, 사령관 각하.

빈우는 즉시 자리에서 일어나며 대답했다. 나른했던 몸과 마음이 바로 전투 태세를 갖춘다.

- 당장 내 방으로 와.

왜, 무엇 때문인지 설명도 없이 부른다. 그렇다면 꽤 급하고 중요한 일임이 분명하다.

- 지금 곧 가겠습니다.

태스크포스 373의 팀장은 질문 없이 서둘러 이동해 궤도 엘리베이터를 탔고 잠시 후 기지에 도착하자마자 사령관 집무실로 갔다. 인사도 없이 급히 안으로 들어간 빈우가 마주한 것은 한 손으로 턱을 괸 채 다른 손으로 책상을 톡톡 두들기는 레드우드 사령관의 모습이었다.

"무슨 일로 부르셨습니까."

"태스크포스 373에 상원 감사가 나온단다."

갑자기 폭탄 발언이다.

"에이, 씨발!"

빈우가 머리를 감싸 쥐고 절규했다. 대장의 면전에서 소령이 터트린 욕설이지만 레드우드 사령관은 그냥 그러려니 할 뿐이다. 돌려 말하자면 그 정도로 사태가 심각한 것이다.

하원에서 시험을 쳐 자격을 얻고 선거를 통해 선출된 상원의원은 연방 민의의 정점이고 권력의 결정체라 볼 수 있다. 그리고 의회에서 필요에 따라 비정기적으로 구성하는 감사는 연방 그 어디에도 갈 수 있으며 그 어떠한 비밀도 들출 수 있다. 게다가 일단 심의를 거쳐 통과된 안건이라면 이들 상원 감사원들이 자신이 맡은 목표물에 대해 건드리지 못하는 것은 없다.

보안국 조사조차도 나왔다 하면 염병하는 마당에 상원 감사라면 말할 것도 없다. 부서가 휘청휘청한다. 그런데 워프 비스트의 기습을 받은 지 얼마 지나지 않은 특수전 사령부에 굳이 상원에서 나오고 거기다 일개 특수팀에 불과한 태스크포스 373을 수사한다? 뭔가 굉장히 부자연스럽다. 아마 이 사단이 지금, 이 타이밍에 발생했다는 것은 이제껏 레드우드의 딴죽을 걸었던 세력이 본격적으로 숨통을 죄러 행동을 시작했다는 의미일 것이다.

"제길, X 같네……."

빈우가 연이어 욕지거리 섞인 한숨을 푸욱 쉬며 자리에 앉자 레드우드 사령관이 자료를 넘긴다. 이번 감사로 오게 될 상원의원에 대한 기본정보다.

"이번에 감사역으로 오는 오다 히토미 상원의원이다."

화면에 뜬 여성은 20대 후반에서 30대 초반으로 보이며 일견 부드러운 인상을 하고 있었다. 물론 객관적으로 그렇다는 거고 저 상원의원께서 이곳 특수전 사령부를 들쑤시기 시작하면 어딜 봐도 이가 갈릴 인상이 될 것이다. 그런데 보내준 자료가 굉장히 부실하다. 인원은 상원의원 한 명에 정보도 기본 신상정보뿐이다.

"설마 혼자 오는 건 아니겠지요?"

"사전 조사로 한 명만 먼저 온다는데, 아마 우리 간을 보거나 흔드는 거겠지."

보통 상원에서 감사가 나오면 예닐곱 명의 상원의원—의전서열이 대장급인 거물들—이 수행원과 조사관들을 데리고 들이닥친다. 그리고 실무를 담당할 조사관들은 목표로 잡은 조직에 대한 전문가들로 구성되기 때문에 약점을 속속들이 꿰고 있다.

"오다 의원에 대한 다른 정보는요?"

"지금 준 거 빼곤 없어. 안 줘."

"야, 이거 한번 해보자 이거네."

빈우가 고개를 절레절레 흔들며 툴툴댄다.

일단 상원의원에 대한 기본적인 신상이나 활동에 대해선 연방 시민 누구나 신청해서 열람이 가능하지만 군은 예외다. 게다가 조사 대상인 레드우드와 태스크포스 373에게는 더더욱 알려주지 않을 것이다. 물론 정식 열람 신청을 하거나 다른 방법으로 정보 수집을 할 수는 있겠지만, 안 그래도 조사를 받는 마당에 그런 짓거리를 했다간 후환이 두렵다.

"우리 쪽에 워프 비스트가 생긴 것에 대해선 다 조사하고 갔다고 하셨죠?"

다시 한 번 자료를 읽으며 빈우가 질문했다.

"그래. 너 없을 때 정보국과 과학기술국에서 샅샅이 훑고 갔다."

레드우드의 말대로 워프 비스트가 발생한 장소가 장소니만치 조사팀이 특수전 사령부의 곳곳을 탈탈 털어 조사했었다.

"그런데, 지금 이때 태스크포스 373에 상원 감사가 온단 말씀이죠?"

"내 말이."

레드우드의 그 말을 끝으로 두 사람 사이에 잠시 침묵이 흐른다.

"왜죠? 왜 팀에 감사가 들어오는 겁니까? 혹시 뭐 켕기는 거 있으십니까? 팀 만들 때라던가."

빈우가 걱정하는 것은 태스크포스 373의 인원을 징발할 때 레드우드가 좀 과하게 설치지 않았나 하는 점이다. 실제로 모니카는 거의 납치하다시피 끌고 왔고 컨커러나 XPS는 시제품이다. 그러고 보니 모니카를 데려다준 셔틀이 블랙 랜스를 조사하려 했다고 오르 함장이 말했었다. 같은 과학기술국 소속인데도 말이다.

"켕기는 거? 그게 한둘이냐? 그래도 감사가 나올 정도까진 아니라고 생각하는데…… 아니, 그렇다 한들 여태까지 가만히 있다가 갑자기 지금 왜? 그리고 더 심했던 다른 팀들 건은?"

'그거야 지금까지 불쌍한 전임자가 막아줬겠죠'라는 말이 빈우의 목에서 나오다가 간신히 멈췄다.

"으음, 그건 뜯어먹힌 상대가 어떻게 생각하냐에 따라 다르긴 합니다만."

확실한 건 일단 상원에서 움직이기 시작하면 그 목표물은 묵사발 난다는 거다. 피할 수 없는 기정사실이다. 할 수 있는 건 피해를 최소한으로 줄이는 게 고작이다.

빈우는 팀장으로서 어떻게든 덜 박살 날 방법을 찾아 머리를 굴렸다.

"이번 건, 말이다."

생각하느라 좀 길었던 빈우의 침묵을 레드우드가 끊었다. 그런데 묘하게 뜸 들이면서 말을 꺼내는 모습이 뭔가 그답지 않은 행동이다.

"어떻게…… 네 특기로 잘 처리할 수 없을까?"

"네?"

무슨 뜻인지 몰라 반문하는 빈우에게 레드우드는 차마 눈을 마주치지 못하고 손을 꼼지락거린다.

"그게 말이야, 그 왜 있잖아? 정보국 요원들이 목표에 슬쩍 접근해서 쓱싹해버리는 거 말이다."

조금 충격적인 말에 빈우는 가만히 조지 레드우드 중장을 마주 보았다. 그의 의중을 파악하기 위해서다. 아니나 다를까 레드우드는 빈우와 차마 눈을 마주치지 못하고 시선을 피하고 있다. 군에 평생을 바친 맹장이 저렇게 꺼리는 내용이 달리 뭐가 있을까. 빈우도 대강 눈치를 챘으나 입맛이 썼다. 결국, 이런 방법 — 구린 방법 — 을 써야 하는 지경까지 온 것이다.

"그거 말입니까……."

말꼬리를 낮게 흐린 빈우의 대답 뒤로 불편한 침묵이 흘렀다. 그리고 그 침묵 속에서 빈우는 열심히 생각했다.

'이미 레드우드 사령관은 결심했다. 시슬 대장이 합동참모본부로 떠난 마당이니 그가 특수전 사령부의 머리이자 방패막이가 되어야 하니까. 만약 다른 경우라면 설령 명령이라 해도 딱 잘라 거절하겠지만, 내가 팀장으로 있는 팀의 일로 부탁을 하면 들어줄 수밖에 없지. 그런데 태스크포스 373에 과연 그만한 가치가 있나? 역시 상대는 울토르 프로젝트와 워프 비스트에 관련된 정보를 노리는 건가? 아니면 이번 감사가 우리 팀을 방해하는 세력의 공격이라면, 레드우드 사령관은 그에 대한 반격으로 이런 강경책을 쓰는 건가?'

장고 끝에 마침내 빈우는 어렵게 입을 열었다.

"할 수 있지요."

"오, 정말이냐."

빈우는 반색하는 레드우드 사령관 앞으로 다가앉으며 조용히, 필요한 질문을 시작했다.

"그쪽에서 오는 스케줄은 어떻게 됩니까?"

"특별편을 타고 내일 14시에 우리 특수전 사령부에 도착 예정이다."

"20시간 정도 남았군요."

내일 바로 온다니, 이쪽이 대응하지 못하게 아예 작정하고 오는 셈이다. 시간이 얼마 없다.

"항로는?"

"여기."

빈우는 오다 상원의원을 태운 여객선이 오는 항로와 시간을 자세히 살펴봤다. 그리고 가장 최적의 방법을 계산해냈다.

"알겠습니다. 게이트를 타고 이쪽으로 넘어오기 전에 끝을 보죠. 제가 셔틀을 타고 나가서 중간에서 만나겠습니다."

그러면서 빈우는 항로지도에 콘솔 조작이 아닌 손으로 직접 위치를 표시했다. 이런 일에는 되도록 증거를 남기지 않는 편이 좋다.

"음? 네가 먼저 나가는 거냐?"

"네, 오브리가도와 점프 게이트 간의 거리는 가깝습니다. 작업할 만한 시간이나 장소가 없지요."

"흐흠, 작업이라."

수많은 비밀작전을 해왔던 레드우드 사령관조차 작업이란 단어에 긴장된 표정으로 고개를 끄덕인다. 아무리 그라 해도 익숙지 않은 이런 일이나 은어에 대해선 역시나 거부감이 드는 듯하다.

"네, 하지만 저쪽에선 게이트까지 오려면 통상항해로 제법 와야 하죠. 그때 제가 여기서 장갑복을 입고 잠복하고 있다가⋯⋯."

빈우가 가리킨 곳은 소행성 지대다. 몸을 숨기기엔 안성맞춤인 곳이다. 물론 경비 위성 등이 있지만 어차피 아군의 위성, 밖에서 들어오는 열 명의 도둑은 막아도 안에서 나가는 한 명의 도둑은 막기 힘든 법이다. 그리고 그 도둑이 될 빈우의 손가락이 상원의원이 타고 오는 여객선을 푹 찔렀다.

"여기서 제가 침투해서 바로 작업하겠습니다."

작업. 상대가 상대이니만큼 에둘러 표현한 것이다. 실제 군사정보국에서 암살이나 기타 음지의 일들을 한데 뭉뚱그려 쓰는 단어이기도 하다.

"어엇! 중간에서? 와아! 대단한데."

평생을 특수부대에서 살아온 레드우드 이 양반이 갑자기 호들갑을 떤다. 그럴 법도 한 게 특수전 사령부에선 비밀작전을 한다 해도 이런 더러운 일은 주로 군사정보국 쪽에서 도맡아 한다. 그래서 자기에게 꺼림칙한 일이라 그런지, 아니면 구린 일을 시키는 빈우에게 미안해서인지 평소엔 않던 행동들이다. 빈우는 레드우드의 어색한 미소를 보며 어깨를 으쓱한다.

"네. 이런 건 보는 눈이 적을 때 빨리 해버리는 게 좋지 않겠습니까?"

"그건 그렇지. 와, 이 새끼 보면 볼수록 대단한 놈인데?"

감탄사를 터트리며 낄낄거리는 레드우드의 모습은 숫제 이 상황을 즐기는 것 같다. 뭔가 이상했지만 빈우는 설명을 계속했다.

"그리고 워프 비스트의 사체를 몇 개 구할 수 있을까요?"

"그야 어렵지 않지만 그건 왜?"

"이것도 한 방법인데, 현장에서 워프 비스트가 나타나 사고가 발생한 것으로 조작할 수 있습니다. 그러면 일행들도 함께 처리할 수 있죠. 하지만 다른 변수가 있을 수도 있으니 어디까지나 예비 계획 중 하나로 잡아두겠습니다."

여기서 지금까지 빈우의 설명을 잘 듣던 레드우드 사령관의 고개가 모로 돌아간다. 그리고 표정도 뭔가 이상하게 변한다. 그걸 본 빈우 역시 뭔가 잘못되었다는 것을 알 수 있었다.

"엉? 잠깐. 이 새꺄, 잠깐만 기다려봐. 뭐가 좀 이상하다? 너 내 말 제대로 알아들은 거 맞냐?"

확실히 이쯤 되면 뭔가 수상하다. 유사 이래 상관에게서 듣고 싶지 않은 말 중 베스트 10 안에 들어가는 말이 나온 것이다.

"아마 알아들었지 싶습니다만. 사령관 각하께서 생각하신 바를 다시 한 번 정확하고 자세히 설명해주시겠습니까?"

빤히 보는 빈우의 시선에 레드우드는 민망한지 괜한 헛기침을 한다.

"아니, 그 왜, 어흠, 너희들이 쓰는 미인계 있잖아. 나이대가 비슷한 남녀 간에 만나서 살살 꼬셔서 전향시키거나 정보를 캐내는 거 말이야. 너도 얼굴이 좀 반반하고 하니 이 오다 상원의원한테 작업 들어가서 사태를 조금 원만하게 할 수 없냐는 거지."

그 말을 들은 빈우는 고민했다. 여기서 쓰레기는 미인계를 떠올린 조지 레드우드일까, 암살을 떠올린 김빈우인가. 확실히 빈우는 좀 얼굴이 돼서 정보 부서에는 안 맞는다는 말을 종종 듣긴 했었다. 그래서 피자 타이거에서 모델을 하기도 했었고. 그랬던 빈우의 잘생긴 얼굴이 차츰 일그러졌다.

"너희들은 그런 거 안 해?"

조심스레 물어보는 레드우드의 질문에 빈우는 짜증 내며 대답했다.

"영감님. 영화를 너무 많이 보신 듯합니다. 요즘 세상이 어떤, 하아……. 아니 근데 이 영감탱이가 처돌았나. 부하를 팔아먹네? 그리고 그게 그리 쉽게 될 거라 생각해요? 포섭 작업하려면 사전 조사에다 주변에 밑밥 깔고 얼추 반년은 걸립니다."

"새끼, 말본새 봐라. 인마 그러니까 내가 조심조심 물어본 거잖아."

간신히 진정한 빈우는 조곤조곤 설명을 해주었다.

"그리고 그런 건 한다 해도 연방 중앙정보국에서나 하겠죠. 애초에 외계인들 뒤통수에 칼 꽂는 우리가 그런 걸 왜 한답니까? 아, 보안국에서 그런 거에 대해 대응훈련을 한다고는 들었습니다만."

688

레드우드는 부하의 설명을 듣고는 고개를 끄덕거리다가 갑자기 무언가 깨달은 듯 정신을 차렸다.

"아니, 잠깐만. 그럼 넌 뭐 하려고 그랬어? 중간에서 뭐 어쩌려고 한 거야? 작업이란 게 무슨 작업인데?"

이번엔 빈우가 대답이 궁해졌다. 그래서 말 대신 자신의 손날을 세워서 목에 대고 슥 그었다가 삭 당겼다. 그 제스처를 본 레드우드의 반응은 좀 늦게 터졌다. 하도 황당해서.

"씨발, 이 미친놈아. 상원의원을 왜 죽여. 이 새끼가 돌았나! 반란이냐? 어?"

"아니, 몰래 슬쩍, 쓱싹하라면서요."

"젊은 남녀 둘이 만나서 좀 잘해보라는 소리를 어떻게 암살로 알아들어, 이 또라이 새꺄."

이래서 의사소통이 중요하다. 차츰 의사소통의 열기가 과해져 손짓, 발짓이 나오기 시작했다. 그 손짓과 발짓이 상대방의 얼굴까지 가기 직전에 두 사람은 간신히 진정했다.

"그만하자. 우리끼리 이게 무슨 바보짓이냐."

레드우드는 자리에 앉으며 한숨을 내쉬었다. 여러모로 다행이라고 한숨 돌린 빈우도 자리에 앉았다. 근데 빈우는 아까부터 걸리는 게 하나 있었다.

"근데 히토미라면 좀 걸리는 게 있습니다."

빈우가 운을 떼자 레드우드가 솔깃한다.

"응? 혹시 아는 사람이냐?"

"아뇨. 죽은 이케가미 소이치로 상원의원의 딸 이름도 히토미였습니다."

그 말을 들은 레드우드 사령관의 눈빛이 묘해진다.

"그래? 동명이인이 아닐까? 히토미란 이름이 드문 건 아니잖아? 또 성도 다르고."

"결혼해서 성이 바뀌었을 수도 있죠. 혹시 모르니 일단 부팀장을 불러보겠습니다."

원래대로라면 간단한 신상 조사로 나올 정보지만 지금 태스크포스 373의 상황으론 껄끄러운 일인지라 우회로를 써야 했다.

"부팀장. 지금 즉시 사령관실로 오세요."

빈우의 호출에 아룹의 대답은 약간 시차를 두고 나왔다.

- 이번엔 또 누가 돈가스 먹을 차렙니까?

생각도 못한 부팀장의 질문에 빈우는 잠시 자신을 돌아보았다. 도대체 주변 사람들에게 자신은 어떻게 비치고 있는 걸까 하고.

"그건 아니고, 그냥 몇 가지 물어볼 게 있습니다."

- 알겠습니다. 곧 가겠습니다.

아룹의 통신이 끊기기 전에 들린 비명은 아무래도 우지와 위르겐의 것인 듯싶다.

잠시 후, 사령관실에 도착한 아룹에게 빈우가 자초지종을 설명했다. 그러자 과거 이케가미 의원이 상원의장일 시절 그의 경호를 맡았던 아룹 라마누잔 원사가 골똘히 기억을 더듬었다.

"그 당시 의원님께선 사모님과 사별한 뒤로 홀로 살고 계셨고 따님이 있단 것은 발 가르단 하스에서 사진을 보고 알았습니다."

"엇, 그래요?"

실은 빈우도 상원의장이었던 이케가미 소이치로와 면식이 있었지만, 어디까지나 울토르 프로젝트에 관련되어 만났기 때문에 가족사에 대해선 알 길이 없었다.

"오다 히토미 의원의 개인 정보는 가족관계까지 막아놨군요. 우리가 조사 대상이니 그렇다 쳐도 한 다리 건너 물어보면 되지 않을까요?"

감사가 떴다는 얘기에 아룹도 조금 긴장한 표정으로 말하고 있었다.

"글쎄요, 자칫 들켰다간 미운털 오지게 박힐 텐데 말입니다."

빈우가 앓는 소리를 내자 레드우드가 퉁명스레 끼어들었다.

"이미 미운털이 박혔는데 한두 개 더 박힌들 무슨 상관이냐."

"아니 이미 처맞을 게 확정된 상황이니까 어떻게든 덜 아프게 맞으려고 이 고생을 하는 거 아닙니까."

빈우의 반론에 레드우드 사령관이 끙 하고 팔짱을 끼더니 자신도 열심히 머리를 굴렸다.

"역시 미남계는 안 되겠지?"

"아, 이 영감님 끈질기네. 그런 거 요즘은 외주 준다니까요."

레드우드와 빈우 두 사람이 투덕거렸다. 점차 얘기가 길어질 분위기로 흘러가자 아룹이 한 가지 제안을 했다.

"저녁 시간이고 하니 팀원들 모아 밥 먹으면서 머리를 맞대보는 건 어떨까요?"

그의 말에 사령관과 팀장의 시선이 모였다.

"김 팀장, 팀원들에게 알려도 되겠어?"

"소규모 팀이니 아는 게 좋겠지요."

"그래. 우리 식구들끼리 어떻게 방법을 모색해보자."

그렇게 해서 태스크포스 373은 사령관을 대동한 불편한 저녁 식사 시간을 가지게 되었다.

079

• • • ✦ • • •

보통 사령관 정도 되면 고급 간부들과 따로 식사를 하거나 가끔 장교 식당에 가지만, 전임 사령관이던 시슬 대장이나 현 사령관인 레드우드 중장은 주로 일반 식당에 가는 편이었다. 그러나 지금은 태스크포스 373 팀원들을 대동하고 간부 식당에서 작전 회의 겸 식사를 하고 있었다.

"그러니까 사령관님은 미인계를, 팀장님은 아예 암살하려 했다고요?"

빈우의 설명을 들은 파트리샤가 기가 막혀서 코웃음을 쳤다.

"뭐, 첩보 영화 찍습니까? 달리 부드러운 방법은 없었습니까?"

옆에서 거드는 위르겐도 고개를 절레절레 흔들고 있었다. 적의 머리 위로 바로 떨어지는 뱅가드의 입에서 '부드럽게'라는 말이 나온 걸 보면 어지간히도 독했다 싶다.

"그러니까 너희들을 부른 거 아니냐."

민망해진 빈우가 접시의 스테이크를 난폭하게 썰며 말했다. 팀의 운명이 오락가락하는 중차대한 안건을 앞에 두고 식사를 하다니 배짱도 좋다. 실제로 장갑보병이 아닌 우지와 모니카는 졸아서 제대로 밥도 못 먹고 있었다. 그때 식사를 깨작거리던 우지가 손을 든다.

"감사라면 먼저 장부부터 정리해야 하지 않을까요?"

의외의 질문이지만, 질문자인 시에 우지가 얼마 전까지만 해도 자치정부민이었다는 사실을 알고 있는 빈우가 친절하게 설명해준다.

"일단 회계 같은 것은 전부 AI에 의해 전산으로 처리되기 때문에 건드릴 거 없다. 구린 돈 같은 건 우리 사령관님 스타일이 아니라 패스. 무엇보다 이미 그런 건 저쪽에서 다 수집했을걸. 아마도 이번 감사는 우리 팀을 이전부터 방해하던 세력의 공격 같아. 그러니 어떻게든 시비를 걸어올 거다."

털어서 먼지 안 나는 데가 어디 있겠느냐만, 저쪽이 작정하고 먼지로 만들어주겠다고 나서면 이쪽이라고 얌전히 당해줄 수는 없는 노릇이다.

"음, 근데 이런 건 저희 같은 비전문가보다는 이런 일에 대해 잘 아시는 다른 분들께 여쭤보는 게 나을 텐데요?"

이번엔 안절부절못하며 포크를 만지작거리던 모니카가 조심스럽게 의견을 말한다. 정론이긴 한데 지금 상황에선 그다지 좋진 않다.

"전문성도 중요하지만, 지금은 다양성과 의외성이 필요한 때다. 가끔 비전문가들에게서 허를 찌르는 아이디어가 나오거든. 그리고 전문가들이랄 수 있는 참모진들이 말이지."

거기까지 말한 빈우가 다음 대답은 사령관인 레드우드에게 넘겼다. 그러자 나이프로 삿대질당한 레드우드가 대답을 이어간다.

"아직 참모진을 완전히 내 편이라 믿을 수 없다는 게 가장 큰 문제다."

물론 특수전 사령부의 간부진들은 레드우드가 부사령관일 때부터 같이 일해왔고 한솥밥 먹어온 사이라, 전투에서 등 뒤를 맡길 수 있는 전우임에는 틀림이 없다. 하지만 그래도 이런 정치적 관계가 엮인 민감한 사안에 대해선 어쩔 수 없이 한 수 무르게 되는 것이다.

"뭐, 취임한 지 얼마 안 됐지 않습니까. 자기 사람들로 채우려면 시간이 걸리죠."

레드우드는 끙 하고 팔짱을 낀다. 그는 파벌보다는 실력 위주로 사람을 썼기 때문에 자기와 안 맞는 사람이나 반대 파벌이라 해도 우수하다고 판단되면 중용했다. 그러다 보니 이런 정치싸움에서 밀리게 된 것이다.

"시슬 대장께서 합동참모본부로 가신다고 들었습니다. 그분을 통해 상원과의 파이프라인을 만드는 것은 어떻겠습니까?"

오르 함장의 질문도 일리가 있다. 합동참모본부는 군에 직접 명령을 내린 다기보다는 대통령과 의회, 그리고 국방부 장관들에게 조언을 하고 의견을 내는 부서다. 그래서 그쪽과의 라인이 상당히 돈독하다.

"아직 의자도 없는 양반한테는 조금 힘들 것 같습니다. 게다가 오다 의원은 내일 옵니다."

빈우의 말에 뭔가 깨달은 듯 파트리샤가 손을 번쩍 들었다.

"저기요. 오다 히토미 의원이라고 했죠?"

"그래."

"혹시 이케가미 소이치로 상원의원과 무슨 관계가 있지는 않나요?"

파트리샤도 들었던 풍월이 있는 터라 그 점에 대해서 질문했다. 태스크포스 373은 이케가미 소이치로 전 상원의장의 사망과 관련이 있기에 그의 딸 이름이 히토미라는 것을 알고 있었다. 그러니 오다 히토미 의원과 이름이 같다는 것에 자연스레 초점이 맞춰졌다.

"나도 그 점이 신경 쓰였지만 지금으로선 아직 확실히 밝혀진 것이 없다."

빈우의 말대로 현재 오다 히토미 의원에 대한 정보는 간단한 신상 정보와 약력뿐, 가족관계에 대해선 전혀 공개되어 있지 않았다. 또 이케가미 소이치로 상원의원도 사별한 아내에 대해서만 알려져 있을 뿐 자녀 관계에 대해선 별다른 정보가 없었다.

"행여 숨겨놓은 딸이라거나……."

조심스러운 우지의 말은 빈우가 부정했다.

"그랬다면 반대 세력에게 예전에 물어뜯겼겠지. 그 양반 초임 의원 때엔 적이 꽤 많았거든. 그때만 해도 딸과는 같이 살았던 모양이다. 하지만 부팀장의 말에 의하면 상원의장 시절에는 홀로 살았다더군."

그 말에 아룹이 작게 고개를 끄덕여 동의를 표한다.

"네. 당시 상원의장 경호팀에 속했던 저는 상원의장님께 다른 가족이 없다고 들었습니다."

"혹시 결혼해서 분가했거나 아니면 의절했을 수도 있지."

레드우드 사령관의 말대로 정치가의 자식들이 견해차나 집안 사정으로 인해 의절하는 경우는 그다지 드문 일이 아니다.

"그렇다면 오다란 성은 남편의 성일까요? 아니면 어머니의 성?"

모니카의 질문에 빈우는 간단한 자료를 식탁 위에 띄워 보인다.

"오다 의원의 남편에 대해선 알려진 바가 없어. 이케가미 의원의 아내는 보다시피 고 잉그리드 베리만 여사다. 그녀는 예전부터 두뇌칩 사용에 부작용이 있었고 그걸 치료하기 위해 나노 머신 시술을 받았다고 되어 있군."

다음 화면은 몇 가지 의료관계 자료였다. 식사시간에 볼 만한 것은 아니었다. 적나라한 이미지에 우지와 모니카는 비위가 상했지만 다른 팀원들은 아랑곳하지 않고 식사를 했다.

"그런데 몇 차례 치료를 받던 중 투입된 나노 머신들이 갑작스레 작동 정지를 했고 그것들이 그대로 뇌혈관을 막아 사망했다. 그리고 이케가미 의원은 의정활동에 바빠 아내의 장례식에 오질 못했지."

여러 각도에서 보이는 뇌스캔 영상과 사망한 잉그리드 베리만 여사의 모습에 모니카는 식사에서 아예 손을 떼버렸다. 그건 옆에 앉아 있던 우지도 마찬가지였다.

"만약 오다 의원이 이케가미 의원의 딸이라면 그것 때문에 의절했을 수도 있겠군요."

파트리샤는 그걸 보고도 고기를 크게 잘라 입에 넣고 우걱우걱 씹었다. 하긴 이 정도 신경줄이 아니고선 특수전 부대에 남아 있질 못한다. 빈우도 고개를 끄덕이며 화면을 닫았다.

"그래. 하지만 어디까지나 만일이지. 우리의 염려와는 달리 오다 히토미 의원은 이케가미 소이치로 전 상원의장과 아무런 관계가 없을지도 모른다."

평상시였다면 약간의 수고를 들여 간단히 알 수 있는 정보지만, 지금의 태스크포스 373은 오다 히토미 의원을 위시한 상원의 조사를 받는 중이다. 그래서 함부로 정보를 열람할 수 없기에 벌어진 촌극이다.

"그래서? 어떻게 하면 좋을까?"

특수전 사령부의 사령관이자 팀의 직속 상관인 조지 레드우드 중장의 질문에 팀원들은 딱히 이거다 싶은 대답을 찾지 못했다. 다들 이런 일과는 별 관련이 없던 사람들인지라 뾰족한 수가 없는 것이다. 그래서인지 사람들의 시선이 점차 팀장인 빈우에게로 모여갔다.

"응? 왜?"

수상한 분위기를 느낀 시선의 주인공이 밥을 먹다 말고 주위를 둘러본다.

군사정보국과 보안국에서 다양한 경험을 쌓은 김빈우 소령.

예전 오스카 스테이션에서 과거에 숨겨둔 명령서를 써서 보안국을 물먹이고 피에르 라캉 중령의 허수아비인 아를르캉을 뺏어온 전적이 있다. 그리고 얼마 전 이곳 특수전 사령부에선 피자 타이거 오브리가도 지점—군사정보국의 지점—과 연계해 당시 사령관이던 캐서린 시슬 대장과도 한판 떴었다. 게다가 닉스 레벨 3이라면 어떠한 상황에서도 해결책을 만들어내는 특수요원이니 팀원들이 기대할 수밖에 없다.

"아, 걱정하지 마. 일단은 방법이 있으니까."

팀원들의 시선에서 무언의 기대감을 느낀 빈우가 씨익 웃으며 장담했다. 그러나 팀원들은 팀장의 그런 말에 근거 있는 불안감을 느끼고 있다. 물론 빈우는 성과를 낸다. 다만 그 성과를 내는 과정이 대단히 위험하다는 게 문제다. 오스카 스테이션에선 깜빡이도 없이 다샤 쿠사키나 보안국장에게 치고들어갔고 그 결과 보안국장이 정보국장의 멱살을 잡는 사태까지 갔다. 당했던 정보국장은 기뻐했다지만. 이어서 오브리가도 궤도기지에선 브레이크 없이 24함대와 캐서린 시슬 사령관을 들이받았다. 24함대 장갑보병들은 전원 의무실 신세를 졌고 시슬 사령관에겐 며느리와 손녀의 머리에는 총을 겨누고 협박했다.

이렇듯 아차 했다간 주변의 동료들도 단두대 매치에 도매금으로 끌려나가는 위험한 짓거리를 아무렇지도 않게 질러버리니, 보는 사람들로선 심장이 대단히 쫄깃해지는 것이다.

"좀 평화적이고 상식적인 방법을 고르면 좋겠구나."

천하의 레드우드의 입에서 '평화적, 상식적'이란 단어까지 나오자 듣는 팀원들이 뒤집혔다.

"그러니까, 아이디어 좀 내보라고들."

남은 고기를 꿀떡 삼킨 빈우가 그렇게 말해본들 아이디어가 나올 리가 있나. 애초에 이쪽에서 잘못한 일에 대해 감사가 나오는 것이 아니고 저쪽에서 견제 목적으로 감사가 나오는 것이다. 그러고 보면 오다 의원이 홀로 사전 조사를 오는 것도 상원에서 제대로 감사를 하려는 것이 아니라, 등 떠밀려서 어쩔 수 없이 형식상 하는 것일 수도 있다.

"후식을 준비할까요?"

정적을 깨트린 것은 아나스타샤였다.

"음, 그럴까? 좋아, 다들 차를 마시며 차분히 얘기해보지. 후식은 뭔가?"

레드우드의 질문에 아를르캥이 수레를 밀고 들어왔다. 수레 위에는 전열기가 올려져 있고 그 위로 두꺼운 봉 하나가 수평으로 끼워져 있었다.

"바비큐?"

고개를 갸웃하는 레드우드의 질문에 아를르캥이 웃으며 대답한다.

"아니요. 바움쿠헨입니다."

그러고는 식탁 옆에 수레를 놓고 돌아가는 봉에 반죽을 붓기 시작했다. 그러자 반죽이 봉에 얇게 발라져 구워진다. 그 위로 반죽을 덧칠하자 케이크가 점점 두꺼워져 간다.

"오호, 원래 이렇게 만드는 거였구나. 재밌네."

파트리샤가 나무의 나이테마냥 커지는 케이크를 신기한 듯 쳐다봤다. 군용 영양제나 생성기로 만든 음식이 일상인 팀원들에겐 직접 만드는 음식은 입만이 아니라 눈요기도 된다.

"후후, 운치 있군. 보아하니 시간이 제법 걸릴 것 같은데. 일부러 이렇게 한 건가?"

레드우드도 고소한 냄새에 희미하게 웃으며 커피를 들었다.

"네. 얘기가 길어질 것 같아서 이렇게 준비를 해보았습니다."

대답하는 아를르캉 옆으로 아나스타샤가 미리 구워진 바움쿠헨을 팀원들 앞에 나눠주고 있었다.

"아를르캉."

케이크를 앞에 두고 분위기가 화기애애해진 식탁 위로 빈우의 목소리가 가로지른다.

"네, 팀장님."

"오늘의 메뉴와 레시피는 전부 라캉 중령의 것이지?"

그러고 보니 보안국의 라캉 중령도 워프 비스트에 대한 정보를 가지고 있었고 오스카 스테이션에서 죽기 전에 어딘가에 숨겼었다. 그리고 그것을 찾는 열쇠를 자신의 허수아비인 아를르캉에 넣고 태스크포스 373에 보냈다. 빈우는 아를르캉이 생활하면서 보인 행동 중에 열쇠가 될 단서가 있을 것이라고 추측했다. 그중 가능성이 가장 큰 것은 아마도 요리 레시피일 것이라고 했었다. 그래서 라캉 중령의 허수아비인 아를르캉은 생전의 주인에게 배웠던 요리를 가끔 선보이고 있었다.

"맞습니다."

아를르캉의 대답 뒤로 레드우드 사령관과 아룹 부팀장의 곁눈질이 다가온다. 행여 빈우가 뭔가 발견하지 않았나를 기대하며. 그러나 팀장인 빈우는 별다른 반응 없이 자신의 메이드인 아나스타샤를 부를 뿐이다.

"아샤."

"네, 주인님."

"나 포크 바꿔줘."

아나스타샤가 후식용 포크들을 들고 와 사람들이 썼던 식사용 포크와 바꿔주었다. 그리고 빈우는 그녀가 자기 앞으로 왔을 때 식사용 포크를 그녀에게 건네주었다. 빈우는 접시 위에 놓인 바움쿠헨을 새 포크로 베어 입에 가져갔고 그걸 본 파트리샤가 놀려댄다.

"어머? 팀장님은 그것도 포크로 먹어요?"

그러는 파트리샤는 바움쿠헨을 손으로 들고 먹고 있었고 그건 옆의 위르겐도 마찬가지다.

"아이고, 뭐 장교라고 티 내시나."

"야 이놈들아, 테이블 매너."

빈우는 팀원들의 야유에도 아랑곳하지 않고 나직한 목소리로 충고를 할 뿐이다. 그런데 갑자기 옆에서 무슨 소리가 들린다. 뭔가 싶어서 그쪽을 보니 바움쿠헨을 손으로 들고 먹던 모니카가 어찌할 바를 모르고 우왕좌왕하고 있었다.

"우리 언제 이러고 놀지 않았었냐."

발 가르단 하스로 갈 때 농어 파이를 먹으며 비슷한 일을 겪었던 빈우는 한숨을 내쉬며 커피잔을 들고 단숨에 비웠다.

"아샤, 나 커피."

그런데 아나스타샤가 식당에 없었다. 아마 주방에 볼일이 있어 간 모양이다. 아나스타샤는 빈우에게 받은 포크를 앞치마의 주머니에 감추고 주방으로 가고 있었다. 주방에 도착한 그녀는 재활용장치 앞에 서서 포크를 꺼냈다. 빈우의 악력에 일그러지고 구겨진 포크. 그걸 잠시 내려다보던 아나스타샤는 입술을 꽉 깨물고는 재활용장치 안으로 포크를 던져 넣었다.

'어째서.'

아나스타샤가 어린 주인의 비명을 듣고 달려왔을 때는 이미 늦었었다. 샤프트에 끼어 돌아가신 마님. 그걸 보고 절규하는 도련님. 그녀는 거기서 할 수 있는 것이 없었다. 그저 기계를 끄고 도련님을 끌어안고 달래는 것이 고작이었다. 엄마의 시체에서 날린 피와 자신의 눈물, 오줌에 범벅이 되어 울부짖었던 꼬마는 그날 이후 고기를 먹지 못했다. 입안에서 약간의 고기 냄새가 나도 토했다. 그리고 기계 소리와 진동을 무서워했다. 비슷한 소리만 들려도 겁에 질려 땀을 흘리고 벌벌 떨었다.

몇 년에 걸쳐 아나스타샤는 빈우를 도왔다. 자신의 주인이 그날의 상처를 딛고 일어날 수 있도록. 빈우 역시 그녀의 도움에 호응해 자기 마음속의 고통을 이겨내려 노력했다. 그리고 이겨냈었다. 이겨냈을 터였다. 이제 빈우는 고기를 잘 먹는다. 기계의 소리나 진동도 더는 무서워하지 않는다.

'샤프트에 말려 돌아가신 마님과 바움쿠헨은 달라. 같지 않아. 닮은 게 없어!'

"그런데 어째서."

아나스타샤 자신도 모르게 입에서 말이 나왔다. 무서웠으니까. 그리고 주인이 예전으로 되돌아갈 것 같단 불안감에 마치 인간처럼 몸을 떨었다.

'예전……'

문득 든 옛날 생각에 안드로이드 메이드는 입을 악물었다. 주인님이 자신을 무시해도 좋았다. 매몰차게 대하고 멀리해도 좋았다. 다만 그날처럼 빈우가 고통 속에서 슬퍼하지 않기를 바랄 뿐이다.

080

· · · ✦ · · ·

아스탄은 함교에 서서 어두운 우주 공간의 저 너머를 바라보고 있다. 저 칠흑의 공간 속에서 작게 반짝이는 하얀 점 중에 고향인 지구가 있을 것이다.

"선장님, 무얼 그리 뚫어지게 보십니까?"

옆에서 사탈로사 해병대장이 다가와 웃으며 말을 건다.

"지구를 보고 있었다네. 우리가 떠나온 고향을."

"선조들이 떠나온 고향이겠죠."

해병대장의 정정에 선장이 피식 웃었다. 그의 말대로 이 배, 세대 우주선인 새벽 파도에 탄 사람들은 모두 항해 중에 태어난 사람들이다. 과거 선조들은 다른 별로 이주를 하기 위해 둥근 땅, 지구라 불린 고향 행성에서 출발해 머나먼 우주여행을 떠났다. 그러나 이주가 가능한 별은 너무나도 멀리 있었고 조상들의 이동속도는 터무니없이 느렸다.

그래서 구해낸 답이 바로 세대 우주선이었다. 작은 도시만 한 크기의 거대한 우주선에 많은 사람을 태운다. 그리고 기나긴 우주 항해 동안 세대를 거치며 대대로 이주의 사명과 생명을 이어나가는 것이다. 따라서 현재 새벽 파도의 승무원 중에선 직접 지구의 땅을 밟거나 물, 공기를 마신 사람은 없다. 세대 우주선에서 태어나 그 안에서만 자랐기 때문에 고향에 대한 지식은 모두 배의 도서관이나 자료실에서 얻었다.

그럼에도 불구하고 이들에게 고향에 대한 막연한 향수가 생기는 것은 어쩔 수 없는 일이었다. 부모들로부터, 조부모들로부터, 그리고 그 위의 조상들로부터 전해져 내려온 고향의 풍경과 모습 속에 언젠가는 돌아갈 수 있을 것이라는 막연한 기대감도 같이 섞여 이어져 내려온 것이다.

"그렇게 따지면 고향이라고 부를 수 있는 자격이 있는 건 이 배뿐인가? 어언 300여 년 만에 고향으로 돌아가는군."

감회가 새롭다는 듯이 조종간을 어루만지는 아스탄 선장에게 사탈로사 해병대장이 또 변죽을 놓는다.

"너무 서두르시는 것 아닙니까? 이제 막 태양계에 들어갔을 뿐입니다. 지구까지는 한참 남았지 않습니까."

"하하, 이 사람아. 자네는 기대가 되지 않나?"

"기대보다는 불안합니다."

이 세대 우주선인 새벽 파도의 선장들은 언제나 진취적이고 모험심이 강한 생도 중에서 뽑혔다. 반면 해병대장은 언제나 회의적이고 신중한 생도 중에서 뽑혔다. 선장의 임무는 무엇일까. 배를 지키고 승무원을 지켜야 한다. 그러나 이 새벽 파도의 선장은 무엇보다도 목적지에 도착해야 한단 사명이 있었다. 그 어떤 고난과 역경을 헤치고서라도 동료들을 이끌고 신천지까지 가야 한다.

해병대가 싸워야 할 적은 누구일까. 있을지 모르는 외계종족? 아니, 그보다는 장시간에 걸친 항해에 불만을 품고 반란을 일으킬지도 모를 동포들이다. 이들은 믿고 의지해야 할 동료들마저 잠재적인 반란세력으로 보고 있으니, 다른 일들에 대해선 더할 것이다. 그래서 새벽 파도의 역대 선장과 해병대장들은 항상 상반된 성격을 가져왔다. 하지만 각자의 단점으로 상대의 장점을 받아들이는 그 시너지에 의해 지금까지 험난하고 긴 항해를 이겨낼 수 있었다.

"사람이 바뀌고 배가 바뀌었습니다. 고향이라고 바뀌지 않았을까요?"

"모든 것은 바뀌지."

해병대장의 말에도 선장 아스탄은 아랑곳하지 않고 명령을 내렸다.

"이제 태양계로 돌아왔으니 지구와 교신을 재개한다."

그의 명령에 통신담당 선원이 감개가 무량한 표정으로 지구로 미리 저장해놨던 연락문을 보냈다. 새벽 파도 시민들의 의견을 수렴해 만든 귀환선언문이다. 과거 새벽 파도는 태양계를 떠날 때 고향인 지구와 일체의 통신을 끊었었다. 더는 뒤를 보지 않고 앞을 향해 나아가기 위해서 선택한 길이다.

그리고 300년이 지난 오늘, 새벽 파도는 다시 고향 항성계로 돌아와 여행을 떠난 고향 지구에 귀향을 알리는 연락을 보내는 것이다. 비록 아스탄 본인을 포함한 모든 승무원들은 새벽 파도의 귀향길에 태어난 사람이라, 고향으로 돌아온다는 선택지를 골랐던 당사자들은 아니다. 그러나 조상의 염원을 물려받은 이들이니 드디어 목적지에 돌아왔다는 사실에 충족감을 느끼고 열광하는 것은 어쩔 수 없었다.

"답신이 올 때까지는 한참 걸리겠지."

여기서 지구까지는 광속으로도 제법 먼 거리다. 연락이 닿고 다시 회신이 오기까지엔 꽤 오랜 시간이 걸린다. 그리고 새벽 파도가 가려면 더욱더 긴 세월이 걸릴 것이다.

"시민들이 환호하고 있군요."

사탈로사의 말대로 귀환선언문이 발신된 다음 새벽 파도의 모든 이들은 기쁨에 겨워 환호하고 있었다. 해병대장의 앞에는 새벽 파도 곳곳을 비추는 화면들이 떠올라 있다. 거기엔 흥분해서 환호하는 시민들의 모습이 보인다.

"그럼 본격적으로 축제를 시작해볼까."

아스탄이 선내방송을 하기 위해 옷매무새를 바로잡았다.

기나긴 귀향길 도중 마침내 태양계에 들어섰다는 것은 하나의 분기점이다. 승무원과 시민들의 사기 진작을 위해서, 그리고 기념을 위해서 배의 사람들은 축제를 준비했었다. 그리고 선장이 방송을 시작하려던 찰나, 강렬한 충격이 아스탄과 사탈로사를 휩쓸었다. 아니. 두 사람만이 아니다. 함교 내의 모든 인원은 물론이고 거대한 세대 우주선 새벽 파도 전체에 이제까지 없었던 충격이 휘몰아치고 있었다.

"무슨 일인가, 상황을 보고하라."

선장의 명령에 승무원들이 허둥대며 사태를 파악하기 위해 노력하고 있었다.

"보나마나 운석이겠지. 해병대 출동합니다."

사탈로사 해병대장은 대답을 기다리지 않고 함교를 나갔다. 그의 말대로 이 정도 충격이면 꽤 큰 암석군과 충돌했을 것이다. 그렇다면 이런 위험한 선내외 수리작업에는 해병대원이 필요하다.

"대피경보 발령! 축제는 취소. 배의 수리가 먼저다."

아스탄도 명령을 내리며 새벽 파도의 상황을 점검했다.

'바보 같으니! 축제를 앞두고 해이해졌던 탓인가. 암석군이 배에 다가올 때까지 몰랐다니.'

아스탄은 허리의 칼날을 부여잡으며 분을 삭였다. 지금은 화를 낼 때가 아니라 냉정하게 지휘를 해야 할 때다.

"선장님! 정체불명의 함선입니다."

경악의 함성과 동시에 함교의 주 화면에는 이상하게 생긴 함선이 나타났다. 얼핏 겉모습만 봐도 설계 사상이 인류의 것은 아닌 듯했고, 크기는 새벽 파도와는 비교조차 할 수 없을 정도로 작았다. 하지만 저 정도 크기의 배가 이렇게까지 가까이 왔는데도 탐지를 못 했다면 그것은 실수가 아니다. 저쪽이 의도적으로 모습을 감추고 접근했을 가능성이 크다. 따라서 저 배가 새벽 파도에 일어난 충격의 원인일 가능성 또한 대단히 높아 보였다.

"뭐지? 어느 소속의 배지?"

"설마 지구에서 온 배인가? 우리를 쫓아내려고?"

정체불명 함의 갑작스러운 등장에 함교 안이 소란스러워졌다.

"전원 진정해라. 파손 부위의 응급 수리를 서두르고 부상자를 치료해라."

그다음이 문제다. 선장인 아스탄은 저 배와 어찌 통신해야 할지를 결정해야 한다.

'우선 상대의 정체와 목적을 파악하는 것이 우선이다. 그런 다음에……'

아스탄이 생각을 가다듬고 재차 명령을 내리려 할 때 정체불명의 함선이 공격을 시작했다. 아니, 재개했다. 공격의 개수는 얼마 안 되어 보이지만 그 위력만큼은 일방적이고 압도적이다. 정체불명 함의 공격에 새벽 파도는 저항도 못 하고 유린당한다. 300여 년간 우주를 항해하고 임무를 수행한 배가 고향 항성계에 들어오자마자 외계인의 기습에 파괴되어간다.

"반격하라. 모든 함포 발사! 미사일 발사!"

아스탄의 명령에 암석을 요격하기 위한 함포들이 적함을 조준했다. 언제 날아들지 모르는 암석 대비용 무장이었기에 대부분의 함포는 금방 사용이 가능했다. 그러나 자기 가속 탄, 집속 광선, 탄두 미사일 등의 무장이 적함을 향해 날아갔지만 적은 전혀 피해가 없었다. 오히려 적당하게 조절된 적의 공격에 새벽 파도의 무장들이 하나둘씩 파괴되어간다. 이어서 적함에서 나온 소형정 몇 기가 빠른 속도로 날아와 무력화된 새벽 파도 여기저기에 달라붙었다. 그리고 그 소형정에서 외계인들이 나와 배 안으로 침투해 들어오기 시작했다.

- 선장! 외계인이오! 외계인들이 새벽 파도를 공격하고 있소.

다급한 사탈로사의 목소리가 통신기를 울린다. 새벽 파도의 부서진 곳을 통해 침입한 외계인과 수리를 위해 출동한 해병대가 충돌한 것이다.

"해병대장, 현재 상황은 어떠한가?"

그러나 대답이 없다. 설마 그 짧은 순간에 무슨 일이 생겼나 싶어 다시 부른다.

"해병대장! 사탈로사 해병대장!"

통신기의 음량을 올리자 그 너머로 희미하게 들리는 것은 굉음과 비명이다. 동포의 단말마다. 아스탄은 통신을 끊고 급히 새 명령을 내렸다.

"즉시 지구와 모든 이주 행성에 대한 항법 정보를 지워라. 선장 명령이다."

압도적인 과학력을 지닌 적대적 외계인이 인류의 이주 함선을 나포했을 때 무슨 일이 일어날까. 최악의 경우 놈들이 항로 데이터를 추출해 고향과 이주 행성에 대한 정보를 가져간다면?

"삭제를 기다리지 마. 아예 부숴버려라."

아스탄이 직접 항법장치를 부수려 칼날을 뽑아 세웠을 때, 함교의 문이 부서지고 외계인들이 들이닥쳤다. 그리고 아스탄은 정신을 잃었다.

*

새벽 파도의 선장인 아스탄이 정신을 차린 곳은 어두컴컴한 방이었다. 주위를 살펴보자 방 안에는 별다른 가구는 없었고 몸에 난 가벼운 상처들은 치료가 되어 있었다. 아스탄이 일어나 방을 이곳저곳 살피고 있자, 문이 열리며 외계인 하나가 방 안으로 들어왔다. 인간과 비교해 허리까지 오는 작은 체구에다가 다리는 둘뿐이다. 그리고 허리에 칼날은 없으니 군인 같아 보이진 않았다.

'그러고 보니 외계인인데 허리의 칼날 유무로 계급을 분간할까?'

- 아스탄 선장님이라고 부르면 됩니까?

말없이 가만히 생각하던 아스탄에게 외계인이 다시 말을 건다. 능숙한 언어 사용에 놀란 아스탄이 뚫어지게 쳐다보자 그 외계인은 친절한 어투로 자신을 소개했다.

- 이렇게 만나게 되어 유감이군요. 저는 인류 연방 소속의 김빈우 소령이라고 합니다.

제법 정중한 어투다. 실제로 말은 그 외계인의 가슴에 달린 작은 기계에서 났지만, 그것보다 더 놀라운 것은 그들이 인류란 단어를 썼다는 것이다. 의외의 상황에 아스탄이 움찔하자 김빈우란 이름의 외계인이 정정한다.

- 실례. 대부분의 종족들이 자신들을 인간이라고, 또 고향 행성을 지구라고 부르지요. 통역기의 오류는 너그러이 봐주시길. 흠, 저희 종족과 국가 연합체는 당신들 종족에겐 으음, 유에네스라고 불립니다. 참고로 당신들 종족은 저희에겐 위-은쏠-납-학이라고 불립니다.

위은쏠납학, 초원 동맹 연합이란 뜻이다. 그런데 왜 저 외계인들은 우리 인간을 초원 동맹 연합이라 부르는 것일까. 한 가지 의문이 아스탄의 머리를 스친다.

- 이야기를 시작하기 전에 우선 차부터 한잔하시죠.

그러면서 김빈우는 다기와 딸기를 꺼냈다. 인간들의 다기라 그런지 유에네스족인 그에겐 꽤 컸다. 그래도 그는 솜씨 있게 딸기를 짓이겨 찻잔 바닥에 빈틈없이 바른 다음, 말린 딸기 뿌리를 잘 그을려 찻잔 바닥에 켜켜이 쌓았다. 마지막으로 찻잔에 물을 붓고 불 위에 올린 다음 한숨 달여서 아스탄 앞에 내었다.

- 부끄러운 솜씨입니다만, 어떻습니까?

잠시 뜸을 들이던 아스탄은 찻잔을 들어 맛을 음미했다. 김빈우란 유에네스의 딸기 차 달이는 솜씨는 일품이었다. 재료와 다기는 분명 새벽 파도에서 가져온 것이겠지만 이렇게 다도에 조예가 깊은 것을 보면 김빈우는 인간의 문화에 꽤 조예가 깊은 듯했다.

- 먼저 사과부터 해야겠습니다.

아스탄이 차를 다 마시고 나자 김빈우는 깊이 고개를 숙이며 사과를 했다. 익숙지 않은 행동이지만 그것이 유에네스들에게 있어 사과의 의미란 것은 아스탄에게도 대충 전해졌다.

- 실은 저희 유에네스와 당신들 초원 동맹 연합은 얼마 전까지 전쟁을 했었습니다.

충격적인 발언에 아스탄의 허리에 달린 칼날이 움찔한다. 인류와 전쟁을 하고 있다는 외계종족 유에네스. 그들은 지금 태양계에 와 있으며 방금 인류의 세대 우주선인 새벽 파도를 공격했다.

백 분의 일도 안 되는 작은 크기의 유에네스 군함은 새벽 파도를 일방적으로 밀어붙였다. 그들의 공격은 하나하나가 치명적이었고 이쪽의 공격은 아예 통하지 않았다. 그런 유에네스와 전쟁을 했다는 지구와 고향의 인류는 지금 어떻게 되었을까. 아스탄은 생각하는 게 두려워졌다.

- **진정하십시오. 전쟁은 끝났습니다. 이미 전쟁은 끝났습니다.**

김빈우가 부랴부랴 해명한다. 아스탄이 진정하기 위해 차를 한 모금 마시자 그것을 기다린 김빈우는 다시 말을 했다.

- **전쟁은 우리 유에네스의 승리로 끝났습니다. 그리고 당신들 인류는, 위-은쑬-납-학은 항복선언을 했지요.**

이어지는 충격적인 소식에 아스탄이 멍하니 있자 김빈우가 둘 사이에 입체영상을 띄운다.

- **믿지 못하실까봐 부득이하게 이런 영상으로 설명해드립니다. 이해해주십시오.**

영상은 충격적이었다. 다리가 둘 달린 작은 외계인 ─ 유에네스 ─ 들이 갑옷을 입고 도시로 쏟아진다. 그리고 새벽 파도에 실린 기록보다 훨씬 진보된 무기와 장비를 갖춘 인류의 전사들이 허리의 칼날을 세우고 맞서 싸우러 나간다.

"아아."

인류의 전사들이 일방적으로 죽어나가는 모습에 아스탄은 한숨과 비명을 내쉬었다. 한눈에 봐도 유에네스의 과학력은 인류의 것보다 뛰어났다. 그러나 그보다 더 차이가 나는 것은 전투 실력이었다. 인류는 압도적인 전투 실력을 지닌 유에네스의 상대가 되질 못했다. 척 봐도 정예병으로 보이는 전사들마저 사방에서 쏟아지는 협공에 지리멸렬하게 흩어져 죽어간다.

• • • ◆ • • •

081

- 물러서지 마라, 여기가 무너지면 바로 부화장이다. 절대 물러서지 마라.

필사적으로 부대를 독려하던 장교의 머리가 날아간다. 이어서 사람 절반만 한 크기의 유에네스 병사들이 달려들자 인류의 부대는 삽시간에 무너져 내린다.

잠시 지상의 전투 장면이 이어진 다음 화면은 행성궤도로 바뀌었다.

"지구다."

아스탄의 입에서 저절로 탄성이 나왔다. 아니, 나지막한 비명이다. 영상기록물에서만 보던 지구의 모습이 곳곳에서 불타고 파괴되고 있었다. 외계인의 군함들은 지구의 행성궤도에서 포격을 퍼부었고 지상의 인간들은 아무런 저항도 못 한 채 유린당하고 있었다. 아름다운 산맥들이 무너지고 깎여나갔으며 고요히 물결치던 바다는 검게 물들어 타오른다.

- 여기까지 하죠.

김빈우는 영상을 끈 다음 쇼크를 받고 굳어버린 아스탄의 앞에 앉았다.

- 이후 당신들 초원 동맹 연합은 우리 유에네스에게 항복했습니다. 그리고 우리는 그 항복을 받아들였고요. 지금 당신들 고향 행성은 평화로우니 안심하십시오.

이어서 나타나는 영상은 다시 지구의 모습이었다. 전쟁이 끝나고 시일이 흘렀는지 평화롭게 살아가는 인류의 삶이 아스탄의 앞에 펼쳐지고 있었다.

아스탄과 새벽 파도의 승무원들이 알고 있는 것보다 훨씬 발전된 삶이다. 당연하다. 좁은 세대 우주선 안에서 과학기술이 발달해봐야 본성을 따라잡을 수는 없을 테니까.

- 그리고 오늘. 본 함은 이곳 항로를 순찰 도중 정체불명 함, 그러니까 당신들의 세대 우주선을 발견하고 절차에 따라 공격을 했습니다.

그 말에 아스탄은 다급히 질문했다.

"우리 배는, 새벽 파도는 어찌 되었소. 승무원들은?"

- 자자, 진정하십시오.

서두르는 아스탄에게 김빈우는 차근차근 설명한다.

- 너무 오래전의 배라 알아보지 못한 게 저희의 실수입니다. 따라서 일단 절차에 따랐다고 하나 본 함의 공격으로 일어난 피해에 대해서는 사과를 드립니다. 또 부상자들은 저희가 치료하고 있으니 안심하십시오. 물론 선체의 수리와 보상도 확실히 하겠습니다.

다음 화면에는 병실에서 치료를 받는 승무원들과 해병대원, 그리고 사탈로사 해병대장이 보인다. 그제야 안심하는 아스탄 선장에게 빈우가 다시 말을 걸었다.

- 하지만 문제가 있습니다.

문제란 말에 아스탄은 다시 긴장했다.

- 부끄럽지만 우리 유에네스는 파벌이 여러 가지로 나뉘어 있습니다. 단도직입적으로 말해 휴전을 받아들이지 않는 분파도 있지요. 이들은 휴전협정의 효력이 이 항성계에 제한된다는 점을 악용해서, 항성계 바깥으로 나간 이민 선단을 공격하고 개척민들을 학살하는 쓰레기들입니다. 이는 비록 협정 위반은 아닐지언정 엄연히 중죄입니다.

이어지는 엄청난 정보들의 홍수에 아스탄은 익사 직전이다. 고향 태양계에 돌아오자마자 유에네스란 외계종족의 공격을 받았고 그들과 고향의 인류는 전쟁을 벌였다고 한다. 그리고 그 결과는 지구와 인류의 패배. 어느 것을 믿고 어느 것을 의심해야 할지 모를 지경이다.

그러나 김빈우의 말은 계속된다.

- 실례지만 항법 데이터를 조금 살펴보았습니다. 일부 남겨진 자료에 이주를
했던 행성들이 있더군요. 현재로선 당신들이 과거에 이주했던 행성들조차
지금 당장 위험해질지도 모릅니다. 호전적인 우리 군벌로부터 그들을 지켜
야 합니다. 부디 그들을 지킬 수 있도록 이주 행성의 위치를 알려주십시오.
알려만 주신다면 즉시 구조대를 보내 보호하겠습니다.

아스탄은 대답하지 않았다. 그는 마음속으로 저 말을 믿어야 할까 고민하
고 있었다. 아까 지워버린 이주 행성의 위치는 최고 기밀이다. 특히 외계종족
과 인류가 전쟁을 하고 패배한 현시점에선 그들이야말로 인류의 마지막 보
루일지도 모른다. 그러나 김빈우의 말에 의하면 인류의 개척 행성을 찾아 공
격하는 분파들도 있다고 한다. 그리고 저 유에네스는 이주민들을 지킬 수 있
도록 그곳의 위치를 알려달라고 한다.

아스탄이 대답 없이 한참을 고민하자 김빈우는 자리에서 일어나서 손을
자신의 입안으로 가져갔다. 그리고 자신의 어금니를 뽑아내어 아스탄의 앞
에 내려다놓았다. 특이하게 붉은색의 피에 하얀색의 이다.

- 가장 안쪽의 이, 당신들의 말로 '진실'이란 뜻도 있지요.

지금은 바랬지만 예전부터 이어져 내려온 인류의 약속 표시다. 결코 거짓
말을 하지 않겠다는 뜻이다. 이를 뽑은 자리에서 계속 흘러내리는 피가 김빈
우의 입을 넘쳐흐르지만, 그는 말을 멈추지 않았다.

- 제가 왜 당신에게 거짓말을 해야 합니까. 이미 전쟁은 끝났습니다. 당신들과
우리 종족은 평화를 이루고 있고 점차 가까워져가고 있습니다. 부디 당신들
의 동포를 구하도록 도와주십시오. 지금 이 순간에도 그들은 위험에 처해 있
습니다. 우리 종족의 손에. 제발! 우리가 더 죄를 짓지 않도록 도와주십시오.

아스탄은 애원하는 김빈우를 조용히 내려다보았다.

'압도적인 전투력을 가진 저들 종족이, 인간들의 문화에 해박한 김빈우가

이렇게까지 애원한다. 어디서부터 어디까지 믿어야 할까.'

다시 한참을 고민하던 아스탄은 마침내 결단을 내렸다.

"좋소. 다만 조건이 있소."

- 무엇입니까. 제가 들어드릴 수 있는 것이라면 최대한 들어드리겠습니다.

바싹 다가앉는 유에네스의 표정은 잘 알 수 없었지만, 기계에서 나오는 음성은 기쁨에 찬 목소리였다.

"구조대에 우리 인간들도 포함해주시오."

- 당연한 말씀을. 갑작스레 외계종족과 마주치면 이주민 분들이 놀라지 않겠습니까. 그리고 새로운 고향에서 떠나란 말을 들으실 리도 없겠지요. 애초에 구조대에는 본성의 초원 동맹 연합분들도 포함될 예정이었습니다.

그 말에 조금 안심한 아스탄 신장은 새벽 파도에 의해 이주했던 세 곳의 개척 행성 위치를 김빈우에게 알려주었다.

- 감사합니다! 정말 감사합니다. 지금 즉시 구조대를 편성하고 파견해 이주민들을 보호하도록 하겠습니다.

"하나 더 질문해도 되겠소?"

- 네. 얼마든지 하십시오.

"당신들 기술력으로 개척 행성까지 가려면 얼마 정도 걸리오?"

- 글쎄요. 저는 항해 쪽은 전문이 아니라 정확히 모르지만, 사나흘이면 족할 겁니다.

"사나흘!"

놀란 아스탄이 탄성을 터트렸다.

"사나흘……."

다시 나온 말은 같은 단어였지만 내포된 의미는 한탄이었다. 100여 년이 넘는 항해가 단 3일에 이루어진다고 했다. 그러면 그동안 새벽 파도가 했던 여정들은 무엇이란 말인가. 기나긴 항해 동안 불의의 사고로 칠흑의 바다에 삼켜져갔던 동포들의 희생에는 도대체 무슨 의미가 있단 말인가.

더구나 새벽 파도와 선조들이 새로운 행성을 찾아 우주를 헤매는 동안, 고향은 엄청난 발전을 했고 전쟁을 치렀으며 결국엔 항복했다. 그리고 그 머나먼 길을 지금은 단 3일이면 갈 수 있다고 한다. 세대 우주선에서 평생을 살다 간 선조들의 삶에는 과연 어떤 가치가 있었을까.

- 그 마음, 충분히 짐작합니다. 세대 우주선의 딜레마는 어느 종족마다 있지요.

아스탄이 멍하니 빈 찻잔을 보며 실의에 빠져 있자 김빈우가 위로한다. 머릿속이 혼란한 와중에도 김빈우의 말에서 질문할 거리를 찾은 것은 아스탄의 본성 덕분일 것이다.

"어느 종족이라…… 이 우주에 또 다른 종족들이 있습니까?"

- 물론입니다. 얼추 스무 종족은 되지요.

이젠 더 놀랄 힘도 없다. 새벽 파도는 우주에서 300년을 헤맬 동안 단 하나의 외계종족도 만나지 못했는데 지금은 20여 종족이 있다고 한다. 과거 선조들이 모험을 떠났던 시간의 가치가 점차 빛이 바래가고 있었다.

"……차 한잔 더 부탁하오."

힘겹게 내민 아스탄의 찻잔을 받은 김빈우가 다시 차를 달여준다.

- 혼란스러우실 테니 잠시 마음을 가다듬고 계십시오. 일단 이주하신 분들의 안전을 확보하도록 조치를 한 후 다시 오겠습니다.

김빈우 소령은 연신 감사를 표하며 새벽 파도와 이주 행성에 있는 사람들의 안전을 반드시 보장해주겠다고 약속을 한 다음 방을 나섰다.

아스탄을 남겨두고 문밖으로 나온 이노우에 고토 국장은 혀로 어금니 자리를 핥아보았다. 낫겠다고 생각을 한 순간 이미 출혈은 멎었고 상처는 아물고 있다. 간질간질한 재생의 감각을 느끼는 것은 실로 오랜만이었다.

"굳이 직접 심문을 하셔야 했습니까?"

입을 우물우물하는 고토의 뒤로 마커스 타이 소령이 걸어왔다.

"어흠. 타이 차장, 윗사람이 모범을 보여야 하지 않나."

이노우에 고토 정보국 국장은 짐짓 거드름을 피우며 돌아보았다. 이렇게라도 현장의 분위기를 느끼지 않으면 책상에서 녹슨다는 게 고토의 지론이었다.

"그래. 국장님께서 이를 뽑아가며 모범을 보이셨는데, 그렇게 얻은 정보가 가짜면 어쩌시렵니까?"

"에잉, 거짓말인지 아닌지 구별하는 건 하책일세. 애초에 상대가 거짓말을 못 하게 만든 다음 질문을 하는 게 상책이지. 타이 차장, 위은쓸납학의 이주 행성에 대한 정보를 즉시 통합전투사령부에 보내도록. 그리고 나머지는 지금 처리하게."

이노우에 고토 국장의 말이 끝나자마자 마커스의 뒤에 섰던 장갑보병들이 안으로 들어가 차를 마시던 위은쓸납학 선장을, 아스탄 선장을 사살했다. 그리고 이들이 탄 배 솔리드 감마에서 포격이 쏟아져 나가 세대 우주선인 새벽 파도를 강타한다. 새벽 파도는 도시 크기의 거대한 우주선이지만 위은쓸납학의 300년 전 기술력으로 만들어진 구형함이다. 중요한 곳마다 핵미사일이 꽂히자 금방 선체가 붕괴하고 시민들이 죽어간다.

"그런데 얻은 정보를 검증도 안 하고 보내도 됩니까?"

마커스는 침몰하는 세대 우주선을 무표정하게 바라보며 질문했다. 보통 정보를 얻었다면 그 진위를 판단하고 나서야 보고를 한다.

"위은쓸납학의 이주 행성에 대한 정보가 무슨 가치가 있다고 그런 수고를 하나. 그래도 말일세, 이렇게나마 재수 좋게 핑곗거리를 구해서 얼마나 다행인가. 나와 솔리드 감마가 여기까지 온 것에 대한 구실로는 차고도 남아."

처음부터 본래의 목적은 따로 있었으니 연막을 위한 위은쓸납학의 이주 행성 정보는 맞으면 좋고 틀리면 그만이라는 식이다.

"가명으로는 왜 빈우의 이름을 쓰신 겁니까?"

마커스는 휘하 부대원들에게 세대 우주선의 잔해에 강하해 생존자를 말살하도록 명령을 내린 다음 자신의 상관에게 질문했다. 그리고 그 질문에 이노우에 국장이 히죽이 웃는다.

"우리가 왜 여기까지 왔는지 벌써 잊었는가? 메소드 연기일세, 메소드. 그게 이번 작전에 꼭 필요하단 말일세. 목표의 심리를 파악하고 모방하면 그 행동도 예측할 수 있거든."

그 말에 마커스는 어깨를 으쓱하며 앞서 걸어가는 고토 국장을 따라간다.

"솔리드 베타가 공격받은 포말하우트 게이트는 사건 당시 근처 행성까지 싹싹 훑지 않았습니까? 근데 굳이 지금 여기 위은쏠납학 항성계까지 올 필요가 있습니까?"

마커스의 의문은 당연하다. 위은쏠납학은 연방과의 전쟁 후 문명으로서는 완전히 멸망했다. 고작해야 해적 규모의 잔당이 간신히 명줄만 잇고 있을 뿐, 모성과 식민행성은 완전히 파괴되어 암석지대가 되었고, 그동안 쌓아왔던 기술과 문화는 모조리 사라졌다. 그리고 방금 알게 된 세 곳의 식민행성들도 곧 그리될 것이다.

부하의 질문에 고토 국장은 발걸음을 멈추더니 만면에 미소를 머금고 뒤로 돌아보았다.

"아무렴 있고말고. 그날 포말하우트 점프 게이트 안에서 울토르 중대가 기습을 받았을 때 우리는 제대로 된 조사를 못 했지 않나? 보안국과 과학기술국의 눈치를 보느라 형식적인 것만 했었지. 그다음부터는 자의 반 타의 반으로 신경을 쓰지 못하기도 했었고. 하지만 말일세, 1년 반이란 시간이 흘러도 증거는 거짓말을 하지 않지."

호들갑을 떠는 고토 국장을 보던 마커스는 어깨를 한번 으쓱한 다음 물러났다.

"알겠습니다. 그럼 전 마무리 작업을 지휘하러 가보겠습니다."

"음, 잘 부탁함세."

마커스가 돌아가자 이노우에 고토는 홀로 남은 복도를 천천히 걸었다. 그리고 기대에 찬 목소리로 혼잣말을 했다.

"김 소령, 김빈우 소령. 우린 위은쏠납학에서 처음 만났었지? 그날 자네가 보여준 행동은 정말 놀라웠다네. 무엇이 자네를 그리도 몰아세웠던가? 그리고 공격받던 솔리드 베타에서 자네가 감춰둔 것은 더더욱 놀라웠다네. 왜 자네는 그런 행동을 했어야만 했나?"

2216년 6월 8일 울토르 중대와 솔리드 베타는 포말하우트 점프 게이트에서 점프를 하다 샤다이의 공격에 심각한 피해를 입었었다. 그리고 그날 빈우는 자신의 머릿속에 트리니티 패턴으로 모종의 정보를 숨기고 자신은 클론으로 위장해서 숨어들었다.

왜 그렇게 했을까. 이노우에 고토는 이것이 궁금했다.

어차피 트리니티 패턴으로 숨긴 정보는 시간이 지나면 드러날 것이기에 이를 배려해서 빈우를 외부 파견 요원으로 보냈다. 그러나 명색이 군사정보국인데 멍하니 손 놓고 구경할 수는 없는 노릇이라, 정보국장인 이노우에 고토가 직접 나서서 당시 있었던 일의 자료와 증거를 다시 수집하는 중이었다.

그리고 사소한 자료가 모여 블록이 맞춰질수록 고토 국장은 기대감에 몸을 떨었다.

082

· · · ✦ · · ·

빈우는 혼자 점심을 먹고 침대에서 빈둥거리고 있었다. 전날 저녁은 팀원들과 회의를 겸한 식사를 하며 감사에 대한 대략적인 대처방법에 관해 얘기를 나눴고, 오늘 아침엔 사령관인 레드우드와 밥을 먹으며 세부적인 조율을 했다. 그리고 지금은 자기 방에서 간단하게 전투식량으로 끼니를 때운 다음 침대에 누워서 생각을 고르고 있었다. 조금 있으면 상원 감사의 선발대인 오다 히토미 의원이 궤도기지에 도착하는 데도 말이다.

"주인님, 뭔가 생각해놓은 것 있으세요?"

아나스타샤가 걱정한다. 어제 저녁부터 오늘 아침까지 태스크포스 373 팀원들과 사령관을 만나서 회의를 했지만, 딱히 이거라고 결정된 게 없었던 것이다. 그도 그럴 게 상대방이 막지도 말고 피하지도 말란 정식명령을 가지고 오니 이쪽이 딱히 쓸 수 있는 카드가 없는 상황이다.

"응? 방법이야 많잖아? 오히려 뭘 해야 할지 고민이야. 아이, 힘들어……."

빈우는 침대에 누운 채 기지개를 쭈욱 펴며 대답했다. 이어서 하품까지 하는 게 가만 놔두면 낮잠 한방 주무실 기세다. 실은 지금까지 두 차례의 회의에서 빈우는 개인적으로 몇 가지 쓸 만하다 싶은 대처법을 고안해냈다. 문제는 빈우 기준으로 쓸 만한 방법이란 거지 다른 팀원들이 봤을 땐 절대 써서는 안 될 수준이라는 점에 있었다.

가상 적군으로 대상부대 방어태세 점검을 나갔을 때, 기지 사령관의 먹살을 잡고 머리를 변기에 쑤셔박았던 전적이 있는 아룹 라마누잔 원사조차 어제저녁 빈우의 계획 중 하나를 듣고선, "그건 좀 아니잖습니까⋯⋯"라며 점잖게 사양을 했었다. 또한 시찰 나왔던 국방부 차관을 장비 없이 대기권으로 강하시켰던 파트리샤 피아프 중위는 두 번째 계획을 중간쯤 듣더니, "저녁 잘 먹었습니다. 먼저 일어날게요⋯⋯"라고 하며 도망치려다가 잡혔다.

그리고 오늘 아침 오만가지 돌출 행동으로 국방부나 의회에 요주의 인물로 점 찍힌 조지 레드우드 중장의 첫 마디는 이렇게 시작되었다.

"제발⋯⋯."

그럴 때마다 빈우는 '모가지에 칼 들어온다는데 배가 불렀네'라면서 툴툴댔고 옆에서 보고 있던 아나스타샤의 속도 타들어갔다.

"등 따습고, 배부르고. 아이 바빠⋯⋯."

빈우는 팔베개를 하고 배를 떵떵 두들기며 침대에서 뒤척이고 있었다. 그 모습을 본 아나스타샤는 약이 올라 머리맡의 의자에 앉아 신발을 벗고 다리를 쭈욱 뻗는다. 그리곤 누워 있는 빈우의 옆머리를 발끝으로 꾹꾹 눌렀다.

"뭐 한다고 바쁘신데요오⋯⋯."

빈우는 머리가 이리저리 흔들리지만, 아나스타샤가 자신의 머리를 차든 말든 신경도 안 쓰고 있었다. 오히려 눈을 감고 콧노래를 부르고 있었다.

"응, 관자놀이에 느껴지는 스타킹의 재봉선을 느끼고 있어⋯⋯."

식겁한 아나스타샤가 황급히 발을 걷었다. 재빨리 발을 털고 뾰로통해서 노려보아도 빈우는 눈을 감은 채 장난기 어린 웃음만 짓고 있을 뿐이다. 잠시 그 모습을 보던 아나스타샤가 다시 말을 걸었다. 둘만 있는 시간이라서 할 수 있는 질문이었다.

"근데, 주인님. 괜찮으세요?"

무엇이 괜찮은지는 물어보지 않았지만 둘 다 그 내용에 대해 잘 알고 있다. 어제 바움쿠헨 때문에 벌어졌던 일에 관한 질문이다.

"응. 조금 피곤해서 그래."

대수롭지 않다는 듯한 빈우의 목소리에 아나스타샤도 더는 묻지 않았다. 그리고 잠시 둘 사이에 침묵이 흘렀다. 아나스타샤가 뭔가 다시 말을 꺼내려 할 때 빈우의 메신저에 알람이 뜬다.

"호랑이 힘은 솟지 않습……."

특유의 메시지 음을 들은 빈우가 침대에서 벌떡 일어나 전자우편함을 연다. 거기엔 피자 타이거로부터 선물 메시지가 와있었다. 군사정보국에서 쓰는 연락 방법 중 하나다.

"마커스 타이 회원님께서 김빈우 회원님께 생일 선물로 얄개 스페셜 피자를 보내셨어요. 가까운 매장으로 가시면 바로 만들어드립니다……."

선물은 개인 레시피로 만든 생일 축하 피자다. 토핑과 도우의 상태로 메시지를 전하는 방법이다. 선물로 온 피자 쿠폰은 가까운 매장에 가면 만들어주니 피자 타이거 오브리가도 지점으로 가면 될 것이다.

"빠듯한데……."

빈우가 시계를 보면서 혀를 찼다. 오다 상원의원이 오기까지는 아직 한 시간가량 여유가 있지만, 지상까지 내려갔다 볼일 보고 다시 궤도기지로 올라오려면 꽤 촉박하다. 그래도 마커스가 비밀리에 보내준 정보인지라 한시라도 빨리 확인해야 한다. 빈우는 급히 일어나 나갈 준비를 했다.

"아샤, 나 잠시 나갔다 올게."

"어머, 시간이 괜찮으시겠어요?"

한 시간 뒤면 태스크포스 373을 날려버릴 상원의원이 도착하는 데 팀장이 자리를 비우는 것이다.

"어떻게든 시간을 맞춰봐야지. 시간 좀 벌어줘."

그렇게 말한 빈우는 급히 서둘러 지상으로 내려갔다. 그동안 연락이 되지 않았던 마커스가 보내준 정보다. 그것도 정규라인이 아닌 첩보라인으로. 그만큼 기밀등급이 높은 비공식적인 정보일 것이다.

피자 타이거에 도착해서 안으로 들어간 빈우는 즉시 쿠폰을 입력하고 주문을 했다. 잠시 후 선물 쿠폰의 레시피대로 조리된 피자가 식탁 위에 놓였다. 빈우는 토핑과 도우 등을 살피며 피자 안에 담긴 암호를 해독했다.

- 임무 중. 이상 사항 없음.

현재 자신은 비밀임무를 맡고 있으며 특별한 변동사항은 없다는 의미다. 암호의 뜻을 보건대 마커스가 보낸 메시지는 빈우가 지금까지 몇 차례 연락한 것에 대한 답인 듯했다. 그런데 그런 내용을 굳이 이런 방식으로 보낼 필요는 없다. 빈우는 피자를 뜯어 접시에 올리며 다시 한 번 찬찬히 살펴보았다. 아니나 다를까 소스와 토핑으로도 암호가 그려져 있었다. 그것은 빈우와 마커스가 사관학교 시절 만들었던 암호로 되어 있었다. 어딘가 누설된 게 아닌 이상 그들만이 알아볼 수 있으리라.

- 하마, 고향, 대가리, 동행, 조사 중, 네 꼬리.

그 의미를 곱씹어보던 빈우는 의아했다. 현재 마커스는 위은쏼납학의 행성계에서 고토 국장과 함께 빈우의 흔적을 조사하고 있다고 한다.

'도대체 왜?'

이해할 수 없는 일이다. 위은쏼납학은 이미 문명으로서 멸망했다. 빈우가 그들과 엮인 것은 중위 시절 비밀리에 쉬바를 가지고 놈들의 보육소를 공격했을 때다. 그 작전에는 마커스와 다른 후보생들도 참가했었고, 닉스 레벨 3의 후보생을 고르기 위해 잠입했던 이노우에 고토 중령도 그때 처음 만났다.

'정보국장이란 사람이 직접 거기에 가서 뭘 찾는다는 거지? 거기에 내 흔적이 있어봐야 보육소 습격작전 때의 전투 흔적뿐일 텐데.'

'네 꼬리'라는 암호를 곱씹어보던 빈우는 무슨 일로 이노우에 고토가 직접 나섰는지 직감적으로 알아차릴 수 있었다. 현재 빈우의 꼬리라면 울토르 프로젝트와 트리니티 패턴이다. 본인도 알지 못하는 본인의 흔적을 자신의 상관이 찾고 있다고 하니 기분이 묘해진다. 자신과 그리 좋은 관계의 상관이 아니라 더더욱.

'언제쯤 풀릴까.'

빈우는 자신의 머릿속에 있는 트리니티 패턴이 머지않아 풀릴 거라고 짐작하고 있었다. 그 증거로 잦아진 악몽이나 과거의 트라우마들이 재발하는 것 등등 이미 전조 증상들이 나타나고 있었다. 이 트리니티 패턴은 대상자의 두뇌, 두뇌칩, 그리고 대상자의 생활이란 세 가지 조건이 맞아떨어져야 풀리는 보안 프로그램이다. 이 조건 중 가장 번거롭고 의미심장한 건 바로 대상자의 생활이라는 부분이다.

이 조건은 몇 가지 의미를 포함하고 있는데, 그 중 첫 번째는 대상자가 트리니티 패턴을 걸 때 미래의 자신이 처한 상황에 따라 풀릴지 말지를 정한다는 것이다. 예를 들어 아군이 승리하고 있을 때 유익한 정보라면 패배하고 있을 때는 불리할 정보가 될 가능성이 크다. 그렇다면 패배할 상황에서는 암호는 결코 풀리지 않는다.

두 번째는 대상자의 생활이란 조건이 대상자 스스로가 본인임을 증명하는 조건 또한 된다는 것이다. 두뇌와 두뇌칩 외에도 대상자가 본인임을 증명하는 것은 무엇일까. 바로 그의 사회적 생활이다. 자신이 처한 상황을 어떻게 받아들이고, 자신이 만난 사람들에게 어떻게 대하는지의 반응들이 바로 본인의 정체성을 나타낸다는 의미다.

만약 빈우가 강화 육체에 전투 프로그램을 두뇌칩에 넣고 연방군 소령으로 살아간다고 한들 그것이 과연 빈우 본인일까? 어린 시절 죽어가는 어머니를 구하지 못해 구석에서 울고 있는 꼬마가 김빈우일까, 정보국의 훈련을 거쳐 탄생한 냉혈한이 김빈우일까? 점프 공간 안에서 빈우가 감췄던 정보는 과연 누구를 위한 정보였을까?

- 김 팀장!

레드우드 사령관의 다급한 통신 덕에 상념에서 깨어난 빈우는 급히 가게

721

밖으로 달려나갔다.

"지금 갑니다."

지금 최고속도로 간다면 오다 의원이 항구에 도착할 시각에 빠듯하게나마 맞출 수 있을 듯싶었다.

*

"늦었어요. 주인님, 서두르세요."

빈우는 아나스타샤가 준비해놓은 정복을 갖춰 입으며 달렸다. 상대방이 어떤 속내를 가지고 올지 모르기 때문에, 일단 공손하게 기선제압을 하는 방향으로 가닥을 잡았으므로 굳이 정복을 입는 것이다.

상원의원을 태운 특별기는 막 항구에 도착했다. 사령관인 조지 레드우드 중장과 부팀장인 아룹 라마누잔 원사가 마중을 나간 상황이다.

빈우가 항구에 도착해 빠른 걸음으로 걸어가자 저 위쪽 크레인 위에 파트리샤가 앉아 있었다. 전투복을 입고 있는 그녀는 항구의 구조물 사이를 왔다 갔다 하며 눈에 띄지 않게 주변을 경계하는 중이었다. 빈우가 항구에 들어온 것을 안 파트리샤는 장난기 가득한 웃음을 지으며 빈우를 쳐다보았다. 그리고는 자신의 가슴을 한번 꽉 움켜잡더니 다음은 두 손으로 머리를 콱 잡았다.

'재는 또 뭐래냐.'

빈우는 부하의 실없는 장난에 한 번 픽 웃고는 오다 히토미 의원을 마중하러 갔다. 상원의원은 막 특별기에서 내려 사령관인 레드우드 중장 일행과 인사를 나누고 있었다.

"늦어서 죄송합니다."

빈우는 좀 더 걸어가 사령관의 몸에 가려진 오다 히토미를 본 순간 방금 파트리샤가 친 장난의 의미를 바로 알 수 있었다. 가슴을 쥐고, 머리를 쥐고. 파트리샤는 가슴과 머리의 크기 비교를 한 것이었다. 마치 용호상박, 혹은 지옥의 마견 케르베로스와 비견될 만하다.

"만나서 반갑습니다. 오다 히토미 의원님. 태스크포스 373의 팀장인 김빈우 소령입니다."

굳은 표정에 절도 있는 경례를 하는 빈우. 그것을 오다 의원은 부드럽게 받아주었다.

"반갑습니다. 김빈우 소령님. 오다 히토미라고 합니다. 감사에 앞서 사전 조사차 방문하게 되었습니다. 모쪼록 협력 부탁드립니다."

일단 사진도 그렇고 첫 만남에서도 그렇고 오다 히토미의 외모와 얼굴에서 이케가미 소이치로의 흔적은 찾아볼 수 없었다. 오다 의원이 이케가미 소이치로 전 상원의장과 혈연관계냐 아니냐에 따라 태스크포스 373의 대응방법은 꽤 달라진다. 그래서 빈우와 팀원들이 그녀의 정보를 조금이나마 캐보려 했던 것이나 딱히 소득은 없었다.

'의외로 본인이 직접 밝힐지도 모르지.'

머릿속으로 몇 가지 꿍꿍이를 꾸미며 빈우는 상원의원을 안내했다.

"자리를 마련해놨습니다. 이리로 오시죠."

오다 의원이 조사하는 것은 특수전 사령부가 아니라 태스크포스 373이다. 그래서 빈우가 그녀를 모셔가는 곳은 태스크포스 373의 기지다.

"그런데 수행원이나 경호원들은 없습니까?"

그러고 보니 오다 의원은 상원의원임에도 불구하고 이곳 특수전 사령부에 혼자 왔다. 아무리 사전 조사차 온다 해도 비서 정도는 있을 텐데 말이다. 지금 빈우조차도 자신의 비서 안드로이드인 아나스타샤를 뒤에 달고 왔다.

"이곳 특수전 사령부야말로 연방에서 가장 안전한 곳 아닌가요? 경호원은 필요 없지요."

냅다 초장부터 먹이나 싶은 대답이 날아오자 빈우도 뜨끔했다. 그러나 아쉽게도 그 화살의 목표인 김빈우는 이곳의 객식구라 아쉽게도 빗맞았다. 피폭당한 건 뒤에서 따라오던 레드우드 중장이었다. 한껏 미간을 일그러트린 레드우드는 분노를 터트리는 대신 묵묵히 걸음을 옮길 뿐이었다.

이곳 특수전 사령부는 얼마 전에 워프 비스트의 습격을 받았다. 그리고 아직도 그 여파가 기지 곳곳에 남아 있는 상황이다. 이런 뭐 같은 상황에서 저런 심기를 뒤트는 말이 나왔으니 열혈 사령관인 조지 레드우드께서 폭발할 법도 한데, 아직 그녀의 대가리가 깨지지 않은 것을 보면 과연 상원의원은 상원의원이다 싶다.

사실은 빈우도 그렇고 저 뒤의 아룹도 그렇고 두 사람 다 여차하면 뛰어나가서 레드우드 사령관을 바닥에 자빠뜨릴 생각으로 움찔움찔하고 있었다.

"저, 무슨……."

오다 의원은 주변의 건장한 남자 세 명이 자신을 힐끔힐끔 쳐다보자 의아해서 눈치를 살폈다. 그러더니 갑작스레 얼굴이 빨갛게 달아올랐다.

"시! 실례했습니다. 그런 의미가 아니었습니다. 언짢으셨다면 사과드리겠습니다."

자신의 말실수를 깨달은 오다 의원은 빈우에게 연신 허리를 굽히며 사과를 했다.

"의, 의원님. 진정하시고, 저야 괜찮습니다만 레드우드 사령관께서 몹시 노여워하고 계십니다."

빈우가 호들갑을 떨며 맞장구쳤다. 두 번째로 날아온 화살에 맞은 레드우드의 눈에서 쌍심지가 켜진다. 독순술을 익히지 않은 자라 해도 사령관의 반쯤 열리다 만 입술에서 '야 이 새끼야 내가 언제'란 말을 손쉽게 읽을 수 있을 정도다.

"각하, 고정하십시오."

쑥떡 하면 찰떡이라고, 이제 부팀장인 아룹도 빈우의 장단에 맞춰 레드우드의 팔짱을 잡으며 만류를 한다. 레드우드의 얼굴은 숫제 브루투스에게 칼 맞은 시저의 표정이 된다. 그리고 오다 의원은 상기된 얼굴로 레드우드의 앞에 서더니 서서히, 그리고 정중하게 고개를 숙였다.

"조지 레드우드 사령관님. 본의 아니게 실례를 범해 심기를 불편하게 해드렸습니다. 정말 죄송합니다."

"아니, 난. 그것이, 음. 아닙니다. 의원님. 이제 본 사령부는 의원님의 말씀대로 연방에서 가장 안전한 장소가 되었다고 자부하는 바입니다. 그러니 너무 괘념치 마십시오."

나름대로 열심히 노력해서 대답하는 레드우드지만 불끈불끈하는 표정을 감추려면 더 노력해야 할 것 같다. 다만 저 분노의 대부분은 빈우와 아룹을 향한 것일 테지만 오다 의원은 알 도리가 없다.

"너그러운 배려에 감사드립니다."

그제야 오다 의원도 고개를 들었다. 나름 이쪽 바닥에서 잔뼈가 굵은 빈우에게도 방금 오다 의원이 보였던 일련의 언행들은 뭔가 속내를 감추고 한 것들이 아니라 실제 실수와 진짜 사과처럼 보였다. 만약 그것이 연기였다면 그녀는 정말 대단한 인물일 것이다.

"자, 의원님. 이리로."

오다 의원을 에스코트하는 빈우가 힐긋 쳐다보자 씩씩거리는 레드우드가 보였다. 이쪽 바닥에서 잔뼈가 굵지 않아도 속내를 대번에 알 수 있을 정도로 그의 표정은 노골적이었다.

'개새끼.'

빈우는 그의 진심을 무시하고 발걸음을 빨리했다.

083

• • • ✦ • • •

"어, 여기가 태스크포스 373의⋯⋯."

"기지입니다."

빈우는 말을 마무리짓지 못하는 오다 의원을 도와주었다. 지금 일행은 블랙 랜스 앞에 와 있었다.

"군함인데요?"

"네. 태스크포스 373의 기지입니다."

빈우의 처음 계획은 특수전 사령부 궤도기지 안으로 오다 의원을 모셔가다과나 하면서 탐색전을 하려는 것이었다. 그러나 그녀는 먼저 태스크포스 373의 기지부터 가자고 했다. 그래서 373의 팀장은 상원의원을 이리로 이끌게 된 것이다.

"실은 여기엔 사연이 있습니다."

원래 태스크포스를 구성하게 되면 각 팀은 사령부 안에 자신들만의 독자적인 거점을 부여받는다. 태스크포스는 해당 임무를 위해 각 부대에서 적절한 인물들을 뽑아 구성한 팀이기에, 자기들만의 독립된 명령체계가 있다. 뿐만 아니라 무엇보다 기밀 유지를 위해서다.

그런데 373은 이런저런 트러블이 얽혀 후방팀이나 거점 등이 채 정해지기도 전에 도망치듯 뛰쳐나갔어야 했다. 나가 있는 동안에는 특수전 사령부에 워프 비스트가 침공하는 바람에 지원팀을 꾸리고 할 겨를이 없었다.

그리고 돌아와서도 별로 나아진 것이 없었다. 직속 상관이던 레드우드가 부사령관에서 사령관이 되어버려 더는 태스크포스 373에만 집중을 하기 힘들어졌고, 사령부 외부에서도 조금씩 수상한 낌새가 느껴지기 시작한 것이다. 그래서 빈우는 팀의 거점을 아예 블랙 랜스로 잡아버렸다. 이렇게 하면 보안상 이점도 얻을 수 있고 소규모 팀인 만큼 신속성도 얻을 수 있다.

다만 호박에 줄 긋는다고 수박이 되는 것은 아닌 법. 블랙 랜스는 어디까지나 구축함이라 내부 시설이 상대적으로 빈약하다. 롱 혹 프로젝트를 거쳐 전면개수를 받았다고 하나 그것은 전투력 부분이지 함내 복지시설 부분은 생색만 낸 수준이다.

"아, 그랬군요."

빈우의 이런저런 설명에 납득한 오다 의원이 고개를 끄덕거린다.

"그러면 제 숙소는 어디인가요?"

이어진 오다 의원의 질문에 빈우는 잠시 할 말을 잃었다. 그것은 다른 팀원들도 마찬가지다. 연방 상원의원이라면 의전서열로 따져서 4성 장군이다. 이런 구형 구축함의 너저분한 선실에 처박힐 분이 아니신 것이다.

- 함장님, 혹시 블랙 랜스에 상원의원을 모실 만한 방이 있을까요?

빈우가 급하게 통신을 날렸건만 답이 좀 늦다.

- 그것이…… 일단 본 함은 전투력 부분만 강화하면서 불필요한 부대시설은 전부 빼버린 터라, 마땅한 곳을 찾기가 힘들군요.

배와 뇌를 연결해 함선 곳곳을 자신의 몸처럼 파악하는 오르 함장이 힘들다고 말한 것은 '없다'의 완곡한 표현이다. 현재 블랙 랜스에는 함장인 오르 소령조차 함장실이 없는 상황이다. 이것은 오르 함장의 신체 특성상 반영된 면도 있지만, 롱훅 프로젝트의 프로토타입이던 블랙 랜스가 진짜 싸움만 할 수 있는 수준이 되자마자 레드우드 사령관이 보쌈해 온 영향도 크다.

"어흠. 의원님, 숙소는 저희가 이미 준비해놓았습니다. 굳이 이런 험한 곳에서 묵으실 필요는 없습니다."

빈우가 급하게 해결방안을 찾을 동안 레드우드 사령관이 나서서 어떻게 만류를 해본다.

"배려 감사합니다만 저는 태스크포스 373의 조사를 위해 왔습니다. 팀원 분들과 가까운 곳에 있고 싶은 제 입장도 헤아려주시면 고맙겠습니다."

오다 의원의 말에 레드우드가 다시 뭐라고 설득을 하려 할 때 얘기가 끝난 빈우가 잽싸게 끼어들었다.

"실례지만 의원님, 사령관님께서 이 배 안을 험한 곳이라고 말씀하신 것은 부드러운 표현입니다. 보통 군함은 군인들을 태우기 위한 것이라 군용강화를 하지 않은 일반인들은 타기 힘듭니다. 함내 대기 순환 시스템이나 중력 가속도 등이 전부 강화 신체에나 쾌적한 생활을 제공하는 수준이지요. 물론 민간인들을 위한 구역도 있습니다만, 현재 블랙 랜스는 미완성인 상태라 의원님을 모실 만한 여건이 안 됩니다. 그러니……."

"그건 염려하지 마세요. 이곳에 오기 전에 간이 군용 시술을 받았습니다."

뜬금없는 고백에 빈우와 팀원의 눈이 동그래진다. 원래 군인이 되면 하원 의원은 물론이고 일체의 의정활동을 할 수 없다. 그런데 상원의원이 군용 시술을 받았다고 하니 놀랄 수밖에.

"군용 시술을 받으셨다고요?"

빈우가 확인차 다시 물었다.

"네. 군사시설에서 생활할 정도로 받았습니다."

"실례지만 그 강화가 어느 정도인지 보여주실 수 있으십니까?"

"네."

오다 히토미 의원이 공개한 신체 강화 정보는 주로 생존에 관련된 정도이며 전투 강화는 일절 없다. 이 정도의 강화는 험한 곳에서 작업하는 엔지니어들이 받는 정도다. 다만 체내의 응급의료용 장기나 기타 외부 연결기 등이 군용장비와 호환되는 사양이다. 결론부터 말하자면 이 상원의원께선 아예 작정하고 왔다는 얘기다.

"대단히 죄송합니다만, 이 신체를 사용하기 위한 프로그램들의 목록들도 볼 수 있을까요?"

신체 강화는 그냥 시술만 했다고 다 되는 것이 아니다. 두뇌칩에 해당하는 프로그램들이 깔려 있어야 제대로 된 성능을 발휘한다. 빈우의 요구에 오다 의원은 흔쾌히 목록을 제공했다.

"흐음."

역시나 전투용 프로그램은 없고 체내 호르몬이나 강화 장기들의 관리를 위한 프로그램들뿐이다.

"좋습니다. 이 정도면 군함에서 생활하는 데 아무런 무리가 없겠군요. 일단 함장님께 허락을 받겠습니다."

감사의 조사차 나온 상원의원이 가겠다는데 어디든 못 갈까. 형식적인 절차나마 허락이 떨어지자 오다 히토미 상원의원이 블랙 랜스를 향해 한 걸음 내디뎠다. 그런 그녀 앞을 빈우가 부드럽게 가로막았다.

"그런데 의원님, 강화받은 그 육체를 실제로 써보신 적은 있습니까?"

"네? 아뇨. 시술받은 다음 이상이 없다고 했었고 아직 사용해보지는 않았습니다."

빈우가 살펴본 바로는 오다 의원이 받은 시술들은 해당 상황에 처하지 않으면 작동하지 않는 부류다. 그리고 프로그램의 기록에도 최종점검까지만 있지 실사용 기록들이 없다.

"흠, 그럼 시험 삼아 이걸 한번 드셔보시겠습니까?"

그러면서 빈우는 자신의 호주머니에서 뭔가를 꺼냈다. 여러 가지 색상의 마카롱들이다.

"아나스타샤."

"네, 주인님."

빈우의 부름에 자신의 할 일을 알아챈 아나스타샤가 하얀 손수건을 꺼내 자신의 두 손 위에 받치고 다가온다. 그리고 빈우가 그 손수건 위에 마카롱

몇 개를 올려놓자 아나스타샤가 그것을 공손하게 오다 의원의 앞에 내었다.

"의원님, 드셔보시겠습니까?"

집주인이 자기 집을 방문한 손님에게 음료나 음식들을 대접해 우호를 다지는 예절은 인류에게 오랜 기간 내려오는 풍습이다. 그리고 오늘날 이는 일종의 의식처럼 행해진다.

예를 들어 먼 곳에서 외계종족의 사절단이 오거나 자치정부의 손님이 방문할 경우 공항이나 항구에서 연방은 음식을 갖춰 손님을 대접한다. 이것은 연방이 집주인의 자격으로 상대를 손님으로서 받아들인다는 의미이며, 서로의 관계를 주인과 손님으로 정의하는 것이다. 그리고 블랙 랜스가 태스크포스 373의 본거지라고 이미 밝혀놨으니 빈우가 지금 오다 의원에게 마카롱을 내는 행동은 꽤 의미심장하다.

'손님으로 오시면 우리도 예의를 다해 대접해드리겠소.'

받아들이기에 따라 선전포고일 수도 있고 휴전 제의일 수도 있다. 그 속내를 읽은 레드우드의 눈빛이 일순 날카로워졌다. 과연 오다 히토미 상원의원이 이 대접을 어떻게 받아들일까.

"어머나, 감사합니다."

그러나 오다 의원은 아무런 생각 없이 뜻밖의 과자에 기뻐할 뿐이다. 속내를 일부러 드러내는 건지 아니면 아예 드러내지 않은 건지, 그것도 아니면 생각이 없는지 모르겠지만 레드우드 사령관은 부하의 수완에 작게 감탄했다.

- 너, 준비성 좋군. 그런 건 언제 준비했냐.

레드우드가 빈우에게 통신을 날릴 때 상원의원은 미소를 지으며 마카롱쪽에 손을 내밀고 있었다. 그리고 그녀가 마카롱을 집어 올리는 순간 예상외의 사고를 치는 부하로부터 답신이 왔다.

- 네? 이런 건 다들 가지고 있지 않나요?

빈우가 한 말의 의미를 조금 늦게 파악한 레드우드 사령관과 아룹은 설마했다. 그러나 두 손에 마카롱을 들고 있는 아나스타샤의 얼굴이 썩 좋은 상태는 아닌 것에 그 설마가 사실로 일어났음을 깨닫고 자신들의 체온이 급강하하는 것을 느꼈다.

- 아룹! 저 미친놈 잡아라!

레드우드가 급히 명령을 내린다. 그러나 부팀장이 채 무슨 조처를 하기도 전에 이미 사건은 일어나버렸다.

"와! 이거 정말 맛있는데요!"

오다 의원은 마카롱을 정말 맛있게 먹고 있었다. 그리고 싱글벙글 웃으며 손수건 위로 손을 뻗어 마카롱 하나를 더 집었다. 그걸 보는 아나스타샤의 얼굴에는 측은함이, 빈우를 보는 아룹과 레드우드의 얼굴에는 혐오감이 떠올랐다.

"음, 맛있어. 빈말이 아닙니다. 연방군 장병 여러분에 대한 복지가 정말 훌륭하군요. 이렇게 맛있는 마카롱은 저도 처음입니다."

의외면 의외고, 예상이면 예상대로인 반응에 빈우는 정말 눈물을 닦고 싶어졌다. 자신의 죄를 참회하는 속죄의 눈물이다.

"의원님."

"네 팀장님."

"먼저 이런 음식을 낸 제 무례를 사과드리겠습니다. 그리고 의원님께서 군사시설에서 생활하기 위해 여러 시술을 받았다는 점에 대해 정말 깊이 감동했습니다. 마지막으로 솔직히 말씀드리자면, 그 마카롱의 맛은 마카롱 자체에서 나오는 것이 아닙니다."

"네?"

오다 의원의 이번 대답은 씹고 있던 두 번째 마카롱을 마저 삼킨 다음에 나온 것이다. 더더욱 미안해진 빈우는 설명을 조금 서둘렀다.

"군용 식품, 특히 그런 마카롱 같은 비상식량은 먹었을 때 혀에서 맛을 느끼기 전, 해당 식품에 대한 정보를 인식한 두뇌칩에서 뇌에 저장된 미각 신호를 재생시킵니다."

빙 둘러 말했지만 오다 의원은 기차게 알아들었다.

"그렇다면 그 말씀은 이 마카롱은 원래 이 맛이 아니란 뜻인가요? 두뇌칩에서 출력하는 맛이란 말씀이지요?"

"애석하게도."

빈우의 대답을 들은 오다 의원이 잠시 가만히 있었다. 이 침묵에 레드우드와 아룹은 기겁했다. 상원의원이 자신에게 군용 비상식을 먹인 군인에게 어떤 반응을 보일 것인가, 하면서. 그러나 이 불길한 침묵이 무엇을 의미하는지 정말로 알게 된 빈우는 다급히 그녀를 말렸다.

"어억, 의원님! 잠깐만요! 끄지 마세요! 끄지 마!"

빈우가 뭘 해보기도 전에 오다 히토미 의원은 두뇌칩에서 군용 식품의 미각을 재생하는 해당 옵션을 꺼비렸다. 그리고 입안에 남아 있는 마카롱을 가장한 군용 연료의 맛을 실제로, 있는 그대로, 날 것으로 느껴버렸다.

"우웁."

순식간에 그녀의 눈은 동그래지고 볼은 부풀어올랐으며 발은 동동거렸고 손은 파닥거린다. 왜 군용 식품에 저딴 옵션이 붙느냐면 맨입으론 절대 못 먹을 맛이기 때문이다.

"의원님!"

아나스타샤가 서둘러 냅킨을 들고 달려가 그녀의 입가를 가렸다. 그러자 참았던 오다 의원이 안심하고 폭발했다.

- 우웨에에엑.

상원의원의 입에서 군 강화 신체용 고형 영양제가 질퍽하게 쏟아져 나왔다. 입안에 있던 것뿐만이 아니라 위 안에 있던 것까지,

"다시 켜시면 될 텐데. 아니, 아닙니다."

그렇게 버벅대는 빈우에게 레드우드가 통신을 하나 보냈다. 그로서는 정말로 보기 힘든 겁에 질린 말투다.

- 무서운 놈. 이것도 네놈 계획 중 하나냐.

- 아닙니다, 아녜요. 오해입니다.

필사적으로 반론하던 빈우는 자신의 메이드인 아나스타샤가 오다 의원의 등을 두들겨주는 모습을 보다가 문득 통신으로 중얼거렸다.

- 어찌 보면 선빵으로 기선 제압한 게 아닐까요?

- 야, 이 미친놈아.

일행은 간신히 진정한 오다 의원을 데리고 블랙 랜스 안으로 들어갔다. 그리곤 부랴부랴 마련한 숙소에 아나스타샤와 오다 히토미 의원을 같이 집어넣었다. 그리고 길길이 날뛰는 레드우드 사령관도 마찬가지로 진정시킨 다음 — 이때 쌍방 간에 좀 험한 보디랭귀지가 오갔다 — 돌려보냈다. 나머지 팀원 전원은 잽싸게 작당 모의를 하기 위해 회의실로 모이기로 했다.

"팀장님, 그걸 왜 먹여요! 기선제압 같은 거 하지 말자고 했잖습니까."

373 팀원들이 모인 회의실에서 위르겐이 소리 높여 질타한다. 겁에 질린 목소리다.

"아니라니까! 오다 의원의 신체 강화 정도를 살펴보기 위해서였어. 상대 방이 어떤 육체에 어떤 프로그램이 깔렸는지는 알아야 이쪽에서 제대로 대 응하지. 또 저쪽에선 저쪽대로 제대로 된 정보도 안 주잖아."

빈우는 필사적으로 설명하지만 다른 팀원들에겐 그다지 설득력이 없어 보였다. 워낙에 전과가 많다 보니 다들 의심부터 하고 보는 것이다.

"근데 그거 맛있지 않아? 난 괜찮던데."

착 가라앉은 분위기를 이리저리 둘러보며 모니카가 말했다. 그녀도 군인 이고 군용 강화를 받았기 때문에 군용음식을 먹을 수 있다. 그리고 오늘 문제 가 된 마카롱도 제법 먹어본 적이 있다.

"먹을 때는 괜찮은데 나중에 입안에서 남은 맛이 느껴지면 좀 그래요."

그나마 좀 먹어본 우지가 설명한다. 파일럿 특성상 장거리 비행을 나가면 마카롱으로 끼니를 때워야 하기에 팀원 중에선 가장 많이 먹어본 사람이다.

"그럼 그 기름 냄새랑 화학 약품 냄새가 마카롱 거였어?"

과학기술국 시절, 모니카는 시간에 쫓길 때 가끔 군용 마카롱으로 끼니를 때웠었다. 하나만 먹어도 든든해지고 기운이 넘쳐흘렀으니 꽤 괜찮았던 것이다. 이상하게도 다른 선배들은 질겁을 했지만. 그리고 먹고 나서 시간이 조금 지나면 입과 위에서 괴상한 냄새가 올라오긴 했어도 그녀는 그게 작업실에서 나는 냄새로만 알고 있던 것이다.

"그나마 토해서 다행입니다. 두 개면 2만 칼로리니까……."

빈우는 나머지 말을 마치지 못했다. 상원의원의 소화기관은 강화가 안 되어서 자칫하면 소화기관에 무리가 왔을 거라고 말하고 싶었지만, 자신을 향해 쏟아지는 혐오스러운 시선의 교차 사격에 입을 다물 수밖에 없었다.

"그러고 보니 아나스타샤도 차암 착하지. 시킨다고 그걸 들고 있어요. 나 같으면 그거 팀장님 얼굴에 던져버렸을걸요."

파트리샤도 고개를 절레절레 흔들고 있다. 누굴 놀릴 때마다 사악한 미소를 짓는 그녀였지만 상원의원에게 군용 비상식량을 먹이고 토하게 만든다는 생각은 상상조차 해본 적이 없었다.

"그런데 아나스타샤로부터 별다른 연락은 없군요. 무소식이 희소식이랄까요."

부팀장 아룹이 화제를 다른 곳으로 돌리며 팀원들을 진정시키려 했다.

"아샤에겐 간호하면서 정보 수집하라고 일러뒀으니까 좀 있으면 올 거랍니다."

그러나 빈우가 촐싹대며 나불대자 팀원들이 다시금 폭발했다.

"아나스타샤한테 그런 거 시키지 말라고요!"

막내인 위르겐이 자신의 목숨까지 도매금으로 내놓는 빈우의 행태에 식겁을 하며 다시 비명을 지른다. 안 그래도 감사의 사전 조사로 나온 인물인데 여기서 뭘 더한단 말인가. 토하게 한 것도 모자라 비서용 안드로이드를 붙여서 조사를 한단다.

"네? 제가 뭘요?"

막 방 안으로 들어온 아나스타샤가 길길이 날뛰는 위르겐의 모습을 보고 놀란다. 그녀는 팀원들의 심상치 않은 분위기에 잠시 어리둥절해 있었다. 그녀가 방 안을 찬찬히 둘러보자 흥분했던 팀원들이 서서히 진정했다. 제각각 연방에서 한가락 한다는 특수부대의 파괴 병기들이지만, 언제나 화사하게 웃으며 친절하게 다가오는 아나스타샤를 보면 마음의 위안이 되는 것이다.

"그래, 아샤. 어땠어?"

빈우의 말은 오다 히토미 의원에 대해 보고를 하란 뜻이다.

"네, 의원님께서 더러워진 옷을 갈아입으실 수 있게 도와드린 뒤 간단한 검사를 했습니다. 그리고 지금은 방에서 잠시 쉬고 계십니다."

"갈아입힐 때 도와줬다고? 그럼 그때 확인해봤어?"

"물론입니다. 유방 말이죠?"

"그래, 유방."

아나스타샤의 말에 팀원들은 짧은 시간 동안 도대체 커브를 몇 번이나 트는지 모르겠다며 포기해버렸다.

그리고 그러거나 말거나 주인과 메이드의 심도 깊은 대화가 시작되었다.

"연한 분홍색입니다."

"튼 살은?"

"어깨에서 가슴 쪽으로 약간. 옆과 아래에는 없습니다."

태스크포스 373의 팀원들은 팀장과 그 비서의 대화에 못 따라가고 있었다. 지금 빈우와 아나스타샤는 진지한 얼굴로 오다 히토미 상원의원의 가슴에 대해 토론을 하는 중이었다.

"배에 임신 선은?"

"없습니다. 옆구리에 튼 살도 없었고요."

"미용으로 제거했을 가능성은 없나?"

"옷을 입혀드리면서 촉진해보았는데 그런 적은 없는 것 같습니다."

점점 듣는 이들의 낯이 붉어지는 대화가 오고 갔다. 듣다 못한 모니카가 나섰다.

"저, 저기요오."

모니카가 간신히 손을 들고 나서자 빈우가 화색을 하며 반긴다.

"오, 그래. 모니카. 네 생각은 어때? 말해봐."

저지를 위해 나섰다가 졸지에 참여하게 된 모니카가 간신히 자신의 의견을 말한다.

"지금 두 사람이 무슨 말을 하는지 모르겠어요."

모니카의 말을 듣고 빈우는 오히려 이해할 수 없다는 듯이 되물었다.

"몰라? 왜? 너 과학기술국이잖아? 정보사령본부 사람인데 몰라?"

당연히 알아야 할 것을 왜 모르냐는 투의 반문에 모니카는 앉은키가 한층 더 작아졌다. 그리고 빈우의 질문은 다른 이들을 향했다.

"파트리샤?"

"에헤헤, 저도 한 가슴 한다고 자부합니다만, 감히 상원의원님께 비빌 레벨은 아닙니다."

"뭐래, 미친년이. 부팀장?"

"으음……. 오다 의원님의 신체 정보에 관한 얘기란 것까진 알겠지만, 솔직히 말해 부인과 쪽 화제라 따라가기 힘듭니다."

지금 빈우는 믿는 도끼에 발등 찍힌 표정을 하고 있었다. 그리고 자신도 모르게 도끼질을 해버린 두 사람은 팀장의 표정에 계면쩍어할 따름이다.

"이건 좀 심각한데……."

새삼 진지하게 고뇌하는 빈우의 독백에 팀원들 역시 서서히 심각하단 걸 느낄 수 있었다. 여전히 핀트는 맞지 않았지만. 잠깐 고민하던 빈우는 고개를 들어 찬찬히 설명을 시작했다.

"좋아. 잘 들어. 일단 신장, 머리카락 색, 체격 등의 신체 정보는 대상 판별을 위한 좋은 자료다. 직접 두뇌칩을 조회하지 않아도, 혹은 원거리에서도 낮은 해상도로 보아도 이것들을 조합해 상대방의 신원을 알아내거나 유추할 수 있다. 특히나 이렇게 큰 가슴의 경우는 찾아보기 드무니 표본이 상당히 줄어들지."

그리고 빈우가 띄운 영상은 오다 히토미 상원의원의 것이다.

"이렇게 가슴이 큰 이유 몇 가지를 설명하마. 첫 번째는 유전이다. 유방의 경우는 모계 쪽 유전을 따라가기 때문에 가족력을 추정할 수 있다. 두 번째는 환경. 성장기를 저중력에서 보낼 시 신장이 커지고, 골밀도가 낮아지며 여성의 경우에는 유방이 커지는 경우도 있다. 그러나 어깨 쪽에 무게로 인한 튼살이 있다고 하니 이는 제외. 일반적인 중력하에서 성장한 것으로 보인다."

이렇게 설명을 해주니 왠지 첩보물의 한 장면 같다. 빈우와 아나스타샤가 왜 그렇게 여자 가슴에 관한 이야기를 진지하게 나눴는지 알 것도 같다.

"다음은 임신했을 때도 유방이 커진다. 그러나 유두의 형태나 색, 배의 임신 선이나 튼살이 없는 것으로 보아 임신이나 출산의 경험은 없어 보인다. 자녀는 없는 것으로 추정. 입양 가능성은 알 수 없음."

여기까지 설명한 빈우는 팀원들을 한번 돌아보았다. 혹시 이번에도 못 알아들었나 싶어서다. 다행히도 집중하는 팀원들을 보니 이번에는 잘 알아듣는 것 같아 다행이다.

"이렇게 조각 정보를 모아가면 핵심에 다다를 수 있지. 참, 그리고 세 번째는 수술이나 약물에 의한 것인데……."

그러면서 빈우가 아나스타샤를 돌아보자 안드로이드 메이드는 고개를 젓는다.

"더러워진 옷을 갈아입혀드리며 촉진해보았습니다. 일반적인 수술의 흔적은 없습니다."

아나스타샤는 '일반적인'이란 말을 덧붙였다.

"작정하고 숨긴 수술이라면 아샤, 너는 탐지가 힘들겠지?"

"네. 지금의 제 감지능력으론 거기까지 탐지하기 힘듭니다."

아나스타샤의 대답에 빈우는 고개를 끄덕인다.

"오다 히토미 의원의 정체를 알지 못해도 기본적인 주변 정보를 얻었다는 것은 제법 큰 성과다. 이를 바탕으로 해서 앞으로의 대화에서 좀 더 유효한 선택지를 고를 수 있지. 그리고 그 범위를 좁혀나감에 따라 상대의 정체를 파악하기도 쉬워진다."

애초에 열람 신청만 하면 바로 볼 수 있는 것이 상원의원에 대한 정보다. 그러나 군인인 데다 조사받는 입장이 된 태스크포스 373으로서는 이렇게 돌아갈 수밖에 없는 것이다. 지금 이쪽에서 공개된 것 이상의 정보를 열람하거나 조사하려 시도한다면 이를 빌미로 저쪽에서 세게 나올 수 있다.

"다시 한 번 말하지만 오다 히토미 의원에게서 가장 큰 신체적 특징이라고 한다면 역시 가슴이다. 이 정도 크기의 가슴은 꽤 드물지. 이것이 수술이나 미용에 의해 커진 것이라면 이를 시술한 곳에서 해당 내역을 조회해서 그녀의 개인 정보를 알 수 있다."

"그거 불법 아니에요?"

모니카가 걱정스러운 표정으로 질문한다. 이런 식의 뒷조사는 당연히 불법이기 때문에 걸렸다가는 제대로 박살 난다. 그러나 빈우는 아주 태연하게 대답했다.

"물론 이런 정보들을 직접 수집하는 것은 불법이지. 그러므로 합법적으로 공개된 정보만을 취합해 답을 추리해내는 게 중요하다."

대강의 설명을 끝낸 빈우가 팀원들을 한 번 휙 둘러보았다. 그리고 각자의 적성에 맞춰 적절한 임무를 맡길 생각이었다. 그러나 좀처럼 입이 열리질 않는다.

빈우의 날카로운 시선이 부팀장인 아룹 라마누잔 원사를 시작으로 파트리샤 피아프 중위, 위르겐 도른베르거 상사를 훑어본다. 전투기 파일럿인 시에 우지 일병은 선택지에 없다는 듯 바로 지나간다. 마지막으로 빈우는 모니카 보르자 대위를 찬찬히 쳐다보더니 한숨을 내쉬었다.

"나냐?"

밑도 끝도 없이 나온 빈우의 한탄에 팀원들은 어리둥절했다.

"내가 해야 하는 거냐?"

그리고 이어진 팀장의 한탄에 담긴 의미를 깨닫고는 골머리를 싸쥐는 빈우에게 애도를 표했다.

현재 태스크포스 373에는 빈우가 설명한 정보작업을 할 만한 인원이 없다. 원래 이런 임무는 후방지원팀이 맡아서 하게 되는데 지금의 태스크포스 373은 후방팀이 없으며 앞으로도 생길 기미가 아예 안 보인다. 그렇다면 있는 인원만으로 어떻게든 해나가야 하는데, 문제는 팀원 중에서 이런 일을 맡길 사람이 없다는 것이다. 그나마 군사정보국 소속이었던 빈우가 이런 일에 조금 경험이 있을 뿐이다.

사실 군사정보국은 이름에 정보란 단어가 들어가긴 하나 작전대상은 적대적인 외계종족에게 한정된다. 방첩이나 보안 쪽 임무는 보안국의 전문분야라 빈우도 그쪽으로 파견 임무를 나가면서 어깨너머로 배운 가락뿐이다.

"팀장님, 힘내세요."

파트리샤로서는 드물게 진심이 담긴 위로였다.

"오냐, 힘내야지. 부팀장."

"말씀하십쇼."

"고 잉그리드 베리만 여사에 대해 좀 더 자세한 정보는 없습니까?"

잉그리드 베리만은 이케가미 소이치로 전 상원의장의 아내다. 그리고 아룹은 이케가미 상원의장의 경호원을 했던 경력이 있기에 물어보는 것이다.

"의원님께선 사모님의 얘기는 그리 많이 하지 않으셔서 딱히 정보랄 게 없습니다. 사진만 몇 번 본 정도입니다."

"가슴 크기는 어떻던가요?"

빈우의 질문에 아룹이 멈칫한다. 만약 오다 히토미가 잉그리드 베리만의 딸이라면 어머니인 잉그리드 여사의 가슴도 클 가능성이 상당히 높다.

"얼굴 사진만 봤던 터라 거기까진 모르겠습니다."

"그래요. 제가 뒤져본 과거 영상에서도 전신사진은 없었습니다."

성과가 없자 빈우는 입술을 일그러트리며 턱을 쓰다듬었다.

"근데 오다 의원이 이케가미 상원의원의 딸이면 뭔가 달라지는 게 있나요?"

우지가 조심스레 물었다. 빈우가 이전부터 이케가미 소이치로와 오다 히토미 간에 부녀관계가 있는지 살펴보는 데 필요 이상으로 머리를 굴리는 것처럼 보여서 하는 질문이다.

"만약 두 사람이 부녀관계면 대응할 방법이 상당히 달라지지. 골치 아파."

그러면서 빈우는 자신이 수집했던 자료를 띄웠다. 짧은 시간치곤 꽤 많은 자료들이다. 그러나 빈우가 그것을 설명할 시간은 없었다.

- **팀장님? 지금 시간 괜찮으신가요?**

때마침 오다 의원으로부터 빈우에게 연락이 들어왔기 때문이다.

"아, 의원님. 아까는 제가 무례를 저질렀습니다. 부디 너그러운 마음으로 용서해주시길 바랍니다."

빈우는 자신에게 들어온 영상을 팀원들에게도 공개했다. 개인 회선이 아니라 함내 통신 터미널을 사용한 것이라 별 무리는 없을 듯싶다. 그러면서 팀원들을 대할 때와는 달리 금세 표정을 바꾸어 진정성이 담긴 듯한 얼굴로 꾸미곤 사과를 했다.

- 아닙니다. 팀장님께서 만류하셨는데도 제가 굳이 미각 쪽 프로그램을 끄는 바람에 그런 모습을 보였습니다.

첫 만남에서도 그렇고 방금의 대화에서 보자면 오다 히토미 의원은 꽤 유한 성격을 가진 것처럼 보였다. 보통 감사나 조사로 오게 되는 인원은 딱딱한 성격이거나 그러지 않더라도 일부러 고압적으로 행동하는 경우가 많다. 오다 의원의 이런 언행들이 연기일 수도 있지만 빈우는 그럴 가능성은 적다고 보았다.

- 지금 잠시 얘기를 할 수 있을까요?

"물론입니다. 제가 그리로 가겠습니다."

- 어머, 아니에요. 지금 막 짐을 푸는 중이라 제가 가겠습니다. 장소를 정해주세요.

그러면서 허둥지둥 주변을 치우는 오다 의원의 얼굴 아래로 거대한 가슴이 출렁인다. 편한 옷을 입어서 그런지 아까의 정장과는 또 다른 느낌이다.

"알겠습니다. 그럼 제 2식당에서 뵙도록 하죠. 안내할 인원을 보내겠습니다."

통신을 끈 빈우는 팀원들을 돌아보며 주의를 주었다.

"난 의원님과 얘기하러 가볼 테니 각자 사고 치지 말고 조용히 있도록. 제발."

지금껏 사고란 사고는 자기가 쳤으면서 저런 말을 하니 팀원들은 기가 찬다.

"아 참. 특히 파트리샤."

"예이."

신나서 생글거리는 파트리샤에게 빈우는 차갑게 쏘아붙였다.

"따라오지 마."

"쳇."

빈우는 볼을 부풀리는 파트리샤를 무시하고 아나스타샤에게도 명령을 내렸다.

"그리고 아나스타샤. 나중에 내가 메뉴를 보내면 의원님과의 식사를 준비해줘."

"네, 주인님."

빈우가 나가자 파트리샤는 뾰로통한 표정으로 의자 뒤로 기대어 누웠다. 그러다가 문득 뭐가 떠올랐다는 듯 짓궂은 미소를 띠며 아나스타샤를 쳐다보았다.

"아나스타샤~ 네 주인님 위험하지 않을까앙?"

"네? 위험요?"

영문을 몰라서 화들짝 놀라 반문하는 아나스타샤에게 파트리샤가 서서히 일어나 다가갔다.

"그래. 저 정도 박력 있는 가슴이면 어지간한 남자는 해롱해롱이란 말이지. 근데 단둘이서만 있을 식당에서 우리 팀장님이 어떤 변을 당할지 걱정 안 돼?"

파트리샤가 자기 가슴을 장난스레 주무르며 키득거렸다. 그녀가 무슨 말을 하는지 알아챈 아나스타샤는 안심해서 미소를 지었다.

"아, 그런 말씀이셨군요. 푸훗. 어머, 실례. 물론 오다 의원님의 가슴이 제법 크다고는 하지만 그래봤자 인간. 전성기의 저에게는 상대가 안 되죠. 뭐 지금은 필요가 없어서 가슴을 줄이고 있지만 필요하면 언제든지 다시 키울 수 있답니다."

그리고 보니 아나스타샤는 빈우의 유모 역할도 했었다고 했다. 빈우를 이렇게 키운 게 아나스타샤일까, 아나스타샤를 이렇게 키운 게 빈우일까. 자랑스럽게 가슴을 들쳐 올리는 아나스타샤를 보며 파트리샤는 우물 안의 개구리가 되어 시무룩하게 앉았다.

*

빈우는 제2식당에 도착해 오다 의원을 맞을 준비를 했다. 준비라고 해봐야 도청장치 설치 같은 것은 아니고 간단한 청소와 식기들을 준비하는 것이다. 블랙 랜스에서 이곳 2식당은 비품창고 비슷한 용도로 쓰이고 있었기에 미리 정리해둘 필요가 있었다. 어느 정도 준비가 끝나자 아르를캥이 오다 히토미 의원을 안내해서 식당 안으로 들어왔다. 빈우는 자리에서 일어나 그녀를 맞이했다.

"어서 오십시오. 의원님."

"이렇게 안내를 안 보내주셔도 되는데. 감사합니다, 김 팀장님. 그리고 고마워, 아르를캥."

오다 의원의 감사 인사에 아르를캥은 미소와 함께 고개를 숙인 다음 식당 밖으로 나갔다.

"응? 안드로이드는 내보내나요?"

"네. 듣는 귀는 적을수록 좋죠. 그전에 먼저 제가 차를 한잔 대접하겠습니다."

빈우의 말에 오다 의원은 식탁 위에 놓인 다기들을 보더니 의외다 싶은 시선으로 요리조리 살펴보았다.

"입가심이라고 하기엔 좀 그럴까요?"

빈우의 농담에 오다 의원의 얼굴이 조금 붉어졌다.

"하하, 실례했습니다. 말차를 준비했는데 괜찮겠습니까?"

"네. 감사합니다."

빈우는 찻숟가락으로 차 가루를 덜어 미리 데워놓은 다완에 넣은 뒤 뜨거운 물을 부었다. 그다음 다선으로 격불해서 거품을 내었다. 사각사각하는 소리가 귀를 자극하자 오다 의원의 눈에는 약간의 놀라움과 기대가 함께 떠올랐다. 비록 약식이긴 하지만 빈우의 다도 실력은 정식으로 배운 자의 솜씨인 것이다.

이윽고 빈우가 적당히 유화를 낸 차를 오다 의원 앞에 천천히 내어놓자 그녀도 공손히 다완을 받은 다음 한 모금 마셨다. 이어서 두 모금. 마지막 세 모금으로 차를 다 마신 그녀는 다완을 내려놓은 다음 갑자기 웃었다.

"후훗! 실례. 큭."

차도 좋고 낸 사람의 솜씨도 훌륭하다. 그런데 정작 다완이 엉망이었다.

"어흠, 시간이 없어서 부득이하게 이리되었습니다."

빈우는 멋쩍은 듯이 입맛을 다셨다. 쑥스럽게 머리를 긁적이는 그의 맞은편에 앉은 오다 의원의 손에는 물질 생성기로 급히 만든 다완이 들려 있었다. 그녀의 웃음에 따라 흔들리는 이 검은색 다완은 누가 보면 폭발한 로켓에서 날아온 노즐 파편으로 볼 지경이다. 빈우가 나름 멋진 모습으로 디자인을 했건만 부랴부랴 만든 탓인지 영 맛이 살질 않는 것이다.

"아니에요. 아닙니다. 이것도 꽤 풍류가 있군요."

간신히 웃음을 참는 그녀의 앞에 빈우가 다과가 담긴 그릇을 내밀었다. 켜켜이 쌓인 층에 꿀이 가득 든 모양과다.

"어머, 이건?"

그녀는 윤기가 가득한 작은 갈색의 과자를 살펴본다. 그리고 그 색과 모양을 눈으로 음미했다.

"마카롱은 아니니 안심하시길."

"풉!"

빈우의 엄숙한 설명에 오다 의원은 다시 웃음을 터트렸다. 그렇게 차를 마시고 간단한 이야기가 오간 뒤 본론이 시작되었다. 오다 의원은 아까와는 다른 차분하고 조용한 태도로 말문을 열었다.

"아시다시피 상원에서는 특수전 사령부 소속의 작전팀인 태스크포스 373에 대해 감사를 할 예정입니다. 저는 그것의 사전 조사차 왔고요."

"왜 저희 팀에 감사가 오는지 그 이유를 알 수 있겠습니까?"

"꽤 불쾌한 요청이 있었기 때문입니다."

탐사차 던진 질문에 갑자기 직구가 날아왔다. 태스크포스 373에 문제가 있어서가 아니라 대놓고 요청이 있었다고 밝혔다. 오다 의원은 부드러운 인상과는 달리 할 일은 하는 성격인 모양이었다.

"그런 요청은 어디에서 온 겁니까."

빈우의 질문에 오다 의원이 잠시 귀밑머리를 만지작거렸다. 마치 다음 할 말을 꺼내기 전에 생각을 정리하는 것처럼 보여 긴장된다.

"현재 의회에는 여러 군소정당이 있지만, 이번 감사 요청은 특정 당이 낸 것이 아닙니다. 어떤 '무리'가 낸 것이죠."

"무리라고요?"

빈우는 의회에서 무리라는 단어가 나오는 게 조금 생소하게 느껴졌다.

"비밀결사라고 해도 좋습니다. 이들은 정치이념이나 소속과는 관계없이 자기들끼리 모여서 의견을 내왔습니다. 평상시에는 눈치채기 힘들었지만 근래에 들어 알아볼 계기가 있었습니다. 바로 태스크포스 373이죠. 조지 레드우드 중장께서 태스크포스 373을 만들기 위해 움직일 때부터 이들의 움직임도 본격적으로 가시화되었습니다. 어느 때는 A그룹이, 어느 때는 B그룹이 나서서 레드우드 중장의 계획에 직간접적으로 변죽을 놓았습니다. 전혀 교집합이 없어 보이는 자들이 필요할 때마다 모여서 한목소리를 내니 이상하게 보일 수밖에요. 또 이들은 의회 내부에만 있는 것이 아닙니다. 합동참모본부에서 오는 의견들을 보면 그쪽에도 해당 파벌이 있는 것으로 추정됩니다."

본래 의원이란 정치적 이익과 민의의 대변을 위해 이합집산하는 데에 거리낌이 없다. 그런 세상에서 이상하다는 말이 나올 정도면 이는 정말 이상한 것이다. 그리고 오다 의원이 말한 대로라면 그동안 레드우드가 곤욕을 치른 게 이해가 간다. 이렇게 움직이는 놈들이었기에, 레드우드는 자신의 프로젝트를 방해하는 상대를 특정하지 못하고 있던 것이다. 그의 눈에는 훼방을 놓으려 여기저기서 깔짝깔짝 튀어나오는 놈들이 어딘가의 끄나풀로 보였을 테고 그 뒤는 보이지 않았으니까. 또 얼마 전 캐서린 대장은 합동참모본부로부터 373을 방해하란 제안을 받았다고 밝혔다.

문득 여기서 빈우는 하나의 연결점을 찾았다. 워프 비스트.

단순히 인간이 변한 괴물인 줄로만 생각했으나, 행성 생명체인 발 가르단하스의 말론 자신과 대화가 가능할 정도로 지능을 가진 부류도 있다고 했다. 그렇다면 인간 형태를 유지할 가능성도 있을 것이며, 최악의 경우 놈들이 이전부터 연방에 숨어 있었을 가능성이 생긴다는 말이었다. 그리고 지금 빈우의 머릿속에 맴도는 가설은 저 비밀결사란 것이 워프 비스트와는 어떠한 관계가 있느냐는 것이다.

"이를 수상하게 생긴 의원들이 모여서 그들에게 빙 둘러 질문을 해봤지만, 딱히 만족할 만한 대답은 안 나왔습니다. 그들은 저마다 단순한 우연이라고 변명했었죠. 그런데 이번에는 아니었습니다. 지금까지는 이들이 의제를 낼 때마다 그때그때 타당한 이유가 있었기에 받아들였으나 이번 감사 건은 꽤 수상한 점이 많았습니다. 그래서 우리 측에서도 나름 대응을 하기로 했습니다. 애초에 상원에서 일개 특수작전팀에 감사를 나간다는 게 말이 안 되지 않습니까?"

빈우는 졸지에 일개 특수작전팀의 팀장이 되어버렸지만, 그녀의 말을 당연스레 받아들였다. 상원 감사가 나서면 부서 하나 날아가는 건 일도 아니다. 그런 그들에게 일개 소령이 이끄는 작전팀은 표적에 들지도 않는다. 그게 아무리 특수전 사령관 직속팀이라고 해도. 애초에 노린다면 특수전 사령부를 노리고 왔을 거다.

"그래서 그 의견을 받아들이는 척하면서 상대를 파악하기 위해 오다 의원님께서 사전 조사차 오신 겁니까?"

빈우의 질문에 오다 의원도 시선을 마주 보며 고개를 끄덕인다.

"맞습니다. 우리 쪽에서 먼저 문제가 되는 태스크포스 373에 접촉하여 진상을 파악하려는 거죠. 이 팀의 목적과 정체를 파악하면 그 무리의 목적과 정체도 어느 정도 윤곽이 드러날 거라는 생각에서였습니다."

오다 의원의 말은 얼추 일리가 있어 보인다. 사냥감을 보면 사냥꾼의 정체를 짐작할 수 있다. 그래도 여전히 의문이 남는다.

"그런데 연방 내의 비밀 단체에 대한 중요하고도 민감한 이야기를 다른 곳도 아닌, 초면에 만나는 조사 대상에게 이렇게 막 풀어놓으셔도 됩니까?"

"아직 정확한 것은 없으니까 뭘 밝힐 단계도 아닙니다. 가설 수준이죠. 그리고 여러분이 어쩌겠습니까. 칼자루는 우리가 쥐고 있는데요."

빈우의 질문에 오다 의원은 의연하게 대답했다. 저것도 맞는 말이다. 어차피 지금 태스크포스 373으로선 조사차 나온 오다 의원에게 협력하는 수밖에 없다.

"그리고 그 단체의 정체를 파악한다는 목적을 이루신다면 그다음엔 우리 팀을 어쩌실 겁니까?"

"걸리는 부분이 있으면 당연히 걸고넘어져야겠지요. 하지만 이번 경우는 조금 특별합니다. 설령 그런 사항이 있더라도 저의 조사에 충분히 협조를 해주신다면 그걸 감안해서 결정을 내리도록 하겠습니다."

적의 적은 아군이라더니. 의회 내부에 암약하는 비밀결사에 대항하기 위해서 그들의 적인 태스크포스 373과 손을 잡는단 얘기다. 까놓고 말해 무릎 꿇고 빌면 살려는 주겠다는 소리였다.

"그러면 제가 뭘 하면 됩니까?"

일부러 빈우는 저자세로 나갔다. 상대의 기세가 우위일 때 굳이 맞대응하는 것은 그리 좋은 방법이 아니다. 그리고 유인과 매복은 실전에서나 설전에서나, 둘 다 유용하게 쓰이는 방법 중 하나다.

"너무 긴장하실 필요 없어요. 제가 묻는 것에만 대답해주시면 됩니다."

그렇게 오다 히토미 상원의원의 질문은 시작되었다. 그리고 빈우는 팀의 목적, 구성원, 작전 내역 등등의 여러 질문에 대해 할 수 있는 최대한 성의껏 대답했다. 그러면서도 이케가미 의원과 빈우가 발 가르단 하스에서 겪었던 일에 대해선 적절히 가공해서 대답했다. 정식 보고서에 쓰인 대로만.

"의원님, 한 가지 여쭤봐도 되겠습니까?"

막간에 빈우가 다시 차를 한잔 타주며 질문했다.

"네. 말씀하세요."

빈우의 성실한 협조와 오다 의원의 그리 모나지 않은 성격이 만나자, 조사는 꽤 원만한 분위기에서 진행되었다.

"저번 작전에서 돌아가신 이케가미 소이치로 전 상원의장에 대해서 좀 알고 계시는 것 있습니까? 아무래도 같은 상원의원이시다 보니 다른 정보도 있지 않을까 해서 여쭤보는 겁니다."

빈우의 시선은 지금 다완에 가 있었다. 질문 역시 거품을 내면서 흘리듯이 했다.

"외계종족에 대해 강경일변도로 대하는 분이셨죠. 아마 살아 계셨다면 김 팀장님과 태스크포스 373에 전폭적인 지원을 하셨을 겁니다."

양갱을 집어 들며 여상스럽게 대답하는 오다 의원의 대답과 표정에서 수상한 점은 없었다. 그런 그녀에게 빈우는 다완을 건넨 다음 골똘히 생각했다, 아니 골똘히 생각하는 시늉을 했다. 그리고 타이밍을 쟀다.

"실은 사적인 얘기라 보고서에 적진 않았습니다만 당시 이케가미 의원님께선 자신의 과거 행적에 대해 대단히 후회하고 계셔서 말입니다. 혹시 달리 아시는 사실이 있나 싶어서 여쭤본 겁니다."

방금 빈우의 질문은 오다 의원이 두 모금째 차를 마실 때 나왔다. 높이 들린 고개와 다완에 가려진 얼굴은 중요하지 않다. 빈우는 그 밑으로 보이는 목의 움직임을 살폈다.

'한 박자 늦다.'

이야기를 들어서 늦은 반응이 아니다. 빈우의 질문에 마음속 무언가 걸리는 게 있어서 나오는 반응이다. 무엇이 그녀에게 걸렸을까. 아마도 후회란 단어일 것이다.

"그런 일이 있었나요?"

다완을 내린 오다 의원의 얼굴은 그런 말은 처음 듣는다는 태평한 표정이었다. 하지만 방금 목이 보인 반응과 조금 엇나가는 표정이다.

"네. 당시 부상이 꽤 심각하셔서 말씀 하나하나 유언인 셈 치고 새겨들었
습니다. 혹시 궁금하시다면…….."

"아뇨. 그에 관한 건 보고서로도 충분합니다."

조사를 나온 사람치고는 이상한 반응이다. 빈우를 조사할 때 하나의 사실
에 대해 여러 각도로 관점을 바꾸어가며 꼼꼼하게 질문했던 그녀답지 않다.
그러나 이것으로 이케가미 소이치로와 오다 히토미와의 관계에 관해 판단을
내리기엔 아직 근거가 모자라다.

빈우는 이어지는 조사에서도 이케가미 의원과 관계된 화제를 꺼내며 오
다 의원의 반응을 살폈다. 그때마다 그녀는 대수롭지 않은 듯 대답했다. 하지
만 빈우는 오다 의원이 보이는 반응이 무엇을 뜻하는지 알 수 있었다.

'이케가미 의원과의 관계를 의도적으로 부정하고 있다. 반대파벌이라서
그럴 수도 있다손 쳐도 상원의원치고는 좀 이상한 반응인데.'

슬슬 대화에 전환점을 찍기 위해 빈우는 두뇌칩으로 시간을 봤다. 딱 적당
한 시각이었다.

"의원님. 시장하지 않으십니까?"

"네? 어머, 그러고 보니."

조사에 집중하다보니 벌써 식사시간이 되었다. 시간을 확인한 오다 히토
미 의원이 화들짝 놀란다.

"죄송해요. 제가 너무 시간을 끌었네요."

"아닙니다. 이건 저희 팀을 위한 일이기도 하니 이런 일로 염려하지 마십시오. 다만 저의 배에 모시고도 대접이 소홀해 죄송할 따름입니다."

평상시대로라면 아나스타샤나 다른 알람이 알렸어야 했지만 빈우가 일부러 막아놨었다.

"우선 식사를 하시고 그다음 계속하는 게 어떻겠습니까?"

"아닙니다. 오늘은 여기까지 하지요. 식당으로 안내해주시겠어요?"

오다 의원은 지금까지 진행했던 자료를 정리해 자리에서 일어서려 했다.

"그렇습니까. 그럼 식사를 이리로 준비시키겠습니다."

"응? 여기서요?"

"네. 원래 이곳은 식당이기도 하니까요."

빈우는 통신 회선으로 아나스타샤에게 저녁 식사를 주문했다. 두 사람이 이야기를 나누는 사이, 아나스타샤가 식사가 담긴 카트를 밀고 들어왔다.

"어머나아."

오다 의원은 아나스타샤가 차려주는 저녁상에 놀란 미소를 지으며 감탄했다. 김이 모락모락 나는 냄비에선 지글자글 맛있는 소리가 난다. 접시 위에는 생선구이와 야채 튀김, 계란찜과 채소 절임들이 저마다의 색과 향을 뿜내며 정갈히 담겨 있다.

"음."

결정적으로 밥그릇에서 김이 모락모락 나는 하얀 쌀밥이 모습을 드러내자 오다 의원의 얼굴에 웃음이 가득 찬다.

"나름 신경 썼습니다만 입에 맞으실는지 모르겠습니다."

"무슨 말씀을. 이런 대접을 받는 건 정말 오래간만이에요."

빈우가 준비한 일본식 가정식이 마음에 들었는지 식사는 부드러운 분위기에서 진행되었다. 군함내에서 생성기가 아닌 직접 요리한 음식을 먹게 되어 놀란 오다 의원은 그 음식 솜씨에 다시 한 번 놀라고 있었다.

"아나스타샤라고 했지? 아까도 그렇고 정말 고마워."

"감사합니다. 의원님."

빈우가 보기에 오다 히토미는 일본식 식사방식에 꽤 익숙했다. 그것도 두뇌칩으로 입력된 것이 아니라 어릴 적부터 이런 문화권에서 살아서 자연스레 체득된 것처럼 보였다.

"세상에나. 정말로 밥을 잘 지었네."

오다 의원은 젓가락에 들린 하얀 쌀밥의 윤기에 감탄했다. 그리고 입에 넣고 잘 씹어 맛을 음미한 다음 삼켰다.

"의외군요. 군인 여러분들은 일반식사는 잘 하질 않는다고 들었는데."

"맞습니다. 열량이나 영양에 비해 부피가 크지요. 저희에게 이런 식사는 일종의 취미나 기호품 정도입니다."

그러면서도 빈우는 단정한 손놀림으로 생선 가시를 바르고 있었다.

'젓가락 잘 쓰네.'

오다 히토미는 빈우가 보여주는 모습에 작게, 그리고 여러 번 놀라고 있었다. 아까의 다도도 그렇고 이번 저녁 식사에서 보여주는 식탁예절로 미루어 볼 때 김빈우 소령의 교양 수준은 꽤 높은 듯했다.

'군인이라면 모두 살상 병기로 알고 있었는데 꼭 그런 건 아니구나.'

빈우가 보여주는 의외의 모습들에 히토미가 놀라고 있을 때 그녀 앞의 살상 병기는 젓가락을 내려놓고 메이드를 불렀다.

"깜빡했네. 아나스타샤. 나 밥 한 그릇 더 줘."

"네 주인님."

아직 빈우는 밥을 다 먹지 않았다. 그런데 밥을 더 달라고 한다. 그래도 히토미에겐 크게 이상하게 느껴지진 않았다. 그저 역시 군인이라 밥을 많이 먹는구나, 아니면 끊기는 게 싫은 모양이다 정도로 생각할 뿐이었다.

이윽고 김이 모락모락 나는 새 밥이 놓였다. 빈우는 심각한 표정으로 주머니에서 뭔가를 꺼내고 있었다.

'음?'

의외의 물건에 히토미는 잠시 당황했다. 빈우가 꺼낸 것은 바로 담배였다.

'식사 중에 담배를 꺼내던가?'

조사차 오기 전 동료 의원이나 정보를 통해 군인들의 행동 양식에 대해서 몇 가지 알게 된 것이 있었다. 그중 하나가 담배에 관한 것인데 구세대 군인들은 자기 함선의 공기정화 실력을 자랑하기 위해 담배를 종종 피운다고 했었다. '보십시오. 우리 배는 안전합니다'란 의미로. 그런데 빈우는 조사 중에도 담배를 피우지 않았고, 식사를 끝나고 피우는 것도 아니었다. 밥을 먹던 도중에 담배를 꺼낸 것이다. 그녀가 머릿속으로 무슨 생각을 하든지 빈우는 담배를 입에 물고 라이터를 꺼내 불을 붙이려고 했다.

그러다가 그녀와 눈이 마주친 빈우는 잠시 담배를 입에서 뗐다.

"왜 그러십니까? 식사에 뭔가 마음에 안 드시는 점이라도?"

"아아…… 아니에요. 담배를 보는 것은 오래간만이라."

"그렇습니까."

담배를 꺼낸 그 행동에 무슨 의미가 있는지를 완곡하게 돌려 물은 히토미의 질문에 빈우는 그저 손에 들린 담배를 물끄러미 쳐다볼 뿐이었다.

"피워도…… 되겠지요?"

"아, 네. 그럼요."

얼떨결에 떨어진 히토미의 대답에 빈우는 싱긋이 웃으며 담배에 불을 붙였다. 그 자연스러운 모습에선 상원의원의 앞에서 실례를 저지른다는 기색은 전혀 없었다.

'내가 모르는 뭔가가 있는 걸까.'

지금까지 히토미가 보기에 빈우는 꽤 친절했으며 예의도 알고 교양도 높았다. 그런 사람이 식사 도중에 담배를 피운다니. 그것도 상원의원 앞에서. 더군다나 아주 당연하다는 듯이 굴고 있으니 히토미는 오히려 자기가 이쪽의 예절에 대해 뭔가 모르는 게 있는가 생각하게 되었다. 매캐한 담배 냄새가 났지만, 히토미는 내색하지 않고 식사를 계속했다. 그리고 한두 모금 빨았을까. 갑자기 빈우는 피우던 담배를 밥 위에 꽂아 껐다.

"흡."

그 모습에 히토미는 저도 모르게 숨을 들이켰다.

"음?"

빈우는 놀란 히토미를 보고는 어리둥절한 표정을 짓고 있었다. 상황을 보면 자연스럽게 행동한 빈우에게 히토미가 호들갑을 떠는 것처럼 보인다.

"이런 실례. 놀라셨군요. 이건 먼저 떠난 전우의 넋을 기리는 겁니다. 뭐라고 해야 하나. 그래요. 향을 올리는 거죠. 전투식량도 아니고 이런 고급스러운 일반식은 저희도 드문 터라."

빈우는 어색하게 웃으며 자신의 행동에 대해 설명했다. 마치 당연한 사실을 모르는 사람에게 친절히 가르쳐주는 말투 같다.

"아! 아아, 네, 그렇군요. 그래요. 식견이 짧아 몰라봤습니다."

히토미는 허둥지둥 납득을 하며 다시 시선을 자신의 밥그릇으로 돌렸다. 하지만 빈우는 담배가 밥에 닿는 순간에 오다 히토미의 눈동자에 비친 그녀 마음속의 색깔이 보였다. 그것은 사람의 안에서 터부시되는 무언가가 건드려졌을 때 나오는 색깔이었다.

다시 식사를 시작한 빈우의 머릿속은 분주하게 돌아가고 있었다. 발 가르단 하스의 이케가미 의원의 거주지에 있던 사진이 떠오른다. 그 사진 안에는 볏단을 한가득 안고 빠진 앞니를 자랑하듯 함박웃음을 짓는 여자아이가 있었다. 이케가미 의원은 딸의 사진이라고 했다. 그리고 그는 딸의 이름을 히토미라고 했었다.

과거 이케가미 소이치로는 벼농사를 했었고 쌀을 좋아한다고 했었다. 그리고 그것을 딸인 히토미도 배워서 쌀을 소중히 여긴다고 했다. 밥을 조금 남기면 딸의 불호령이 떨어진다고 했던가. 그리고 지금 빈우의 눈앞에 있는 상원의원 이름은 오다 히토미다. 그제야 볏단을 가득 끌어안고 함박웃음을 짓는 꼬마 소녀 히토미의 얼굴이 지금 오다 의원의 얼굴과 겹쳐져 보인다.

이케가미 의원이 연루된 발 가르단 하스 사건.

태스크포스 373을 조사하기 위해 온 오다 히토미 의원.

단지 히토미란 이름이 걸려 떡밥을 던졌을 뿐인데 뭔가가 걸려든 것 같다.

'여기서 바로 밝혀야 할까?'

만약 그녀, 오다 히토미가 정말로 이케가미 소이치로의 딸이라면 그의 마지막에 대해 알 권리가 있다. 그러나 빈우는 조금 더 뜸을 들이기로 했다.

약간의 해프닝은 있었으나 식사는 순조롭게 끝났다.

"잘 먹었습니다."

"입에 맞으셨다니 다행입니다. 별다른 일정이 없으시면 이제 숙소로 안내해드리지요."

그러나 오다 의원은 부드럽게 거절했다.

"감사합니다만 길은 알고 있습니다. 저 혼자 갈 수 있습니다."

오다 히토미는 나름 몇 번 오가며 자신감이 붙은 모양인데 아쉽게도 블랙 랜스는 그리 호락호락한 배가 아니다.

"실례합니다만 의원님. 본 함은 군함입니다. 의원님께서 아무리 강화를 받으셨다지만, 혼자서 움직이시기엔 조금 위험합니다."

그러면서 빈우는 자연스레 오다 의원을 따라붙으며 설명했다.

"블랙 랜스는 롱 훅 프로젝트로 구형함인 탄호이저 급을 전면 개수한 함선입니다. 그러나 프로젝트 진행 도중 급히 차출되었기에 함선 내 몇 곳이 마무리가 덜 된 상황입니다. 전투력 면에서는 아쉬운 면이 없고 일상생활에 차질이 없기는 해도 군함에서 생활해본 적이 없거나 본 함에 대해 잘 알고 계시지 못한, 그러니까 의원님 같은 분께는 조금 위험할 수도 있습니다."

"위험하다고요?"

오다 의원으로서는 첫 대면에서 군용 마카롱을 먹고 거하게 토했다가 허겁지겁 배 안으로 모셔진 다음, 안드로이드인 아를르캥이 여기까지 안내해왔으니 제대로 주의사항을 들을 틈이 없었다.

"네. 가면서 말씀드리지요."

빈우는 조금 겁먹은 오다 의원을 앞장서서 안내했다. 그녀의 눈엔 왔던 복도를 돌아가는 중이라 딱히 위험해 보이는 것은 없어 보이지만 팀장이 그렇다고 하니 그리 믿을 뿐이다.

"그런데 의원님. 숙소에 불편한 점은 없으십니까?"

"네. 아주 멋진 방이었습니다."

아까 오다 의원이 씻고 옷을 갈아입었던 숙소는 373 팀원들과 오르 함장이 급히 꾸민 곳이었다. 다행히 달리 불편한 곳은 없는 모양이었다.

"그러면 다행입니다만 정말 이 블랙 랜스에 계속 묵으실 예정입니까?"

"네, 말씀드렸다시피 제가 조사할 373팀과 되도록 가까이 있고 싶습니다."

몸을 강화하고 군함에서 묵을 생각이라니 보통 각오가 아니다. 그것이 태스크포스 373을 조사할 각오인지, 아니면 연방 내에 있을지도 모르는 비밀결사를 조사할 각오인지는 두고 봐야 알겠지만.

"그렇다면 몇 가지 주의사항을 알려드리겠습니다."

그러면서 빈우는 엘리베이터에 타서 층수가 적힌 버튼들을 가리켰다.

"본 함의 선수 부분 짝수 층은 방어력 향상을 위해 신형 헬레나 겔로 충전되어 있습니다. 때문에 선수 부분의 엘리베이터는 홀수 층만 운행하지만, 알 수 없는 오류로 인해 짝수 층에 멈추게 되면 다시 문이 닫힐 때까지 절대 문밖으로 나오지 마십시오. 그리고 엘리베이터의 비상 통신기로 즉시 가까운 팀원이나 경비 로봇을 호출하십시오."

헬레나 겔은 전기신호에 반응하는 유동체로 인공 근육이나 장갑 등에 쓰이는 물질이다. 평상시에는 말랑말랑한 젤리의 강도지만 적절한 조치와 전력이 들어가면 강화하지 않은 인간의 육체를 으깨는 건 우습다.

"그렇다면 그 층들을 왜 막아놓지는 않습니까?"

"유사시 우리가 그리로 들어갈 일이 있어서 그렇습니다. 다만 맨몸의 의원님께는 조금 위험하기에 드리는 말씀입니다. 그리고 헬레나 겔 이야기가 나와서 말인데, 오르 함장님은 만나보셨습니까?"

태스크포스 373에 오기 전 오다 의원은 팀원들에 대한 대부분의 정보를 보았다. 그중에서 함장인 지마 오르 소령은 전신 사이보그라 하여 꽤 인상이 깊었었다. 그 오르 함장도 전신이 헬레나 겔이라고 했다.

"아뇨. 아까 방에서 통신으로 인사만 드렸지 직접 뵙지는 못했습니다."

엘리베이터가 멈추고 문이 열리자 오다 의원이 약간 겁먹은 듯한 눈으로 복도를 쳐다본다. 이곳은 분명 홀수 층이고 선수 부분은 아니며 저쪽 모퉁이만 돌면 아까 나왔던 히토미 자신의 방이지만 그래도 조금은 무서웠다.

"으음…… 의원님께서 괜찮으시다면 잠시 인사차 들르는 게 어떨까요?"

"아 참, 그게 예의에 맞겠지요."

"이해해주셔서 감사합니다."

다시 빈우는 문을 닫고 엘리베이터를 다른 층으로 몰았다.

"또 하나. 블랙 랜스는 기밀 작전함이기에 일반적인 외부와의 통신은 두절됩니다. 저나 함장님의 허락하의 통신은 가능하지만, 수면 시 이루어지는 의정활동은 아마 힘드실 겁니다."

"어? 그게 사실입니까?"

연방의 시민들은 대부분 하원의원이기에 자신의 일상생활 중에서 시간을 쪼개어 의정활동에 참여한다. 그리고 자는 동안에는 연방 전 영토에서 이뤄진 의회 내 정보 흐름을 정리해 두뇌칩에 입력하고 정렬한다. 이러한 이유로 수면 중 두뇌칩의 의정 정보 정렬은 꽤 중요하다.

"그렇다면…… 어쩔 수 없지요. 당연히 감수하겠습니다."

힘들어하는 오다 의원의 목소리에 빈우가 곁눈질로 흘긋 보니 그녀의 얼굴은 꽤 굳어 있었다. 딱히 겁준 것도 아니고 있는 사실을 그냥 알려만 준 것인데 오다 히토미 혼자 비장한 각오를 다지고 있으니 조금 민망하다.

"함장실이 아니라 전투지휘실로 갑니까?"

빈우가 오다 의원을 안내한 곳은 블랙 랜스의 전투지휘실이었다.

"네, 오르 함장님께선 여러 가지 이유로 함장실이 아닌 이곳 전투지휘실에서 지내십니다."

전신이 헬레나 겔로 된 사이보그에다 뇌가 배에 이식된 지마 오르 함장에겐 딱히 함장실이 필요 없다. 빈우와 오다 의원이 전투지휘실로 들어가자 혼자 있던 오르 함장이 반갑게 맞이해주었다.

"어서 오십시오. 오다 히토미 의원님. 블랙 랜스에 오신 것을 다시 한 번 환영합니다."

"인사가 늦었습니다. 함장님."

오다 의원은 전신이 녹색 금속으로 이뤄진 오르 함장을 신기하다는 듯이 쳐다보았다. 아까 방에서 통신화면으로 봤으니 알고 있던 사실이었으나 직접 만나보니 놀라움을 감출 수 없다. 사이보그를 꽤 많이 만나본 그녀도 이렇게 금속 재질 티가 그대로 나는 경우는 처음이었다.

"나중에 제가 찾아뵈려 했습니다만 마침 오셨으니 지금 의원님을 탑승자로 등록하도록 하겠습니다. 두뇌칩의 접속을 허가해주시겠습니까?"

"네, 부탁드리겠습니다."

그리고 보니 오다 의원은 방에서 씻고 옷을 갈아입은 다음 오르 함장과 간단한 인사만 나눴을 뿐이었다. 이후 이런저런 일이 겹쳐 제대로 된 승함 수속이 이뤄지지 않은 것이다. 그래서 뒤늦게나마 그녀의 등록을 마친 오르 함장이 곤혹스러운 표정으로 고개를 갸웃했다.

"일단 두뇌칩의 등록을 해서 함내 설비 사용이 가능합니다만…… 민간 두뇌칩이군요."

"무슨 문제라도 있습니까? 내구도 문제입니까?"

빈우의 질문에 오르 함장이 화면을 띄웠다. 오다 히토미 상원의원의 두뇌칩이다. 생체 재질의 바이오칩에다 빈우나 동료들의 칩에 비하면 크기도 작다.

"아뇨. 보안규격 때문에 그렇습니다."

태스크포스 373 팀원들은 전부 군용 두뇌칩을 넣고 있다. 이것들은 군용 프로그램의 사용을 전제로 만들어졌으며 내구도 또한 우수하다. 반면 오다 의원의 두뇌칩은 일반적인 두뇌칩이다. 내구도는 둘째 치고 블랙 랜스 같은 군 기밀시설에서 쓰는 보안 프로그램들과 호환할 수 없다는 문제가 있다. 진지한 표정을 지은 오르 함장이 오다 의원에게 설명과 경고를 시작했다.

"의원님, 본 함은 허가된 인원 외에는 두뇌칩을 이용한 무선 통신이 금지되어 있습니다. 송구스럽지만 의원님도 여기에 포함됩니다."

이어서 화면 위로 군용 프로그램들이 나열됐다.

"일반인이라면 모를까, 현재 상원의원이시고 감사의 자격을 지닌 분이시라 의원님께는 군용 프로그램들이 깔리지 않습니다. 유사시 사용자의 사고와 육체를 제한하는 부분 때문에 아마 거부당하는 것 같습니다."

실제 군용 OS들은 사용자에게 간섭을 꽤 많이 한다. 전투나 부상 시에 원활한 문제해결을 하기 위함이다. 익숙해지면 자신의 의지를 우선시할 수 있지만, 아무래도 제약이 있다는 항목에서 상원의원의 두뇌칩에 깔린 보안 프로그램이 거부하는 것 같다. 굳이 깔고자 한다면 이케가미 상원의원처럼 전용 시설에서 적법한 절차를 거치면 된다. 그러나 조사 대상이 된 태스크포스 373에선 불가능한 일이다.

"역시나 저희 쪽 군용 보안 프로그램이 의원님 것과 충돌하는군요. 불편하시더라도 연락이 필요할 경우엔 함내 통신 터미널을 사용하시기 바랍니다."

"그래서 아까 팀장님을 부를 때 연결이 안 됐던 거군요."

문득 히토미는 아까 방에서 빈우를 불렀던 기억을 떠올렸다. 이상하게 회선이 연결되지 않아 방 안에 있던 통신 터미널로 빈우와 통신을 했었다.

"실은 그때 근처의 경비 로봇이 미등록 회선을 감지하고 경계태세에 들어갔습니다. 물론 저는 의원님의 탑승 사실을 알고 있었기에 경계를 즉시 해제했지요. 따라서 앞으로는 통신 터미널이나 지급된 통신기를 사용해주시길 거듭 부탁드립니다."

그러면서 오르 함장은 작은 통신기를 하나 건네주었다. 보안 칩이 필요한 외부 통신기로, 예전에 모니카가 보여주었던 것과 같은 모델이다.

"고풍스럽구나."

옛일이 생각난 빈우의 작은 속삭임에 오르 함장이 작게 웃었다. 영문을 모르는 오다 의원만이 어리둥절할 뿐이었다.

"이거 실례했습니다. 그리고 함내 통신 터미널의 위치를 알려드릴 테니 반드시 숙지하고 계십시오. 또한 블랙 랜스에서 외부와 통신을 하시려면 반드시 저와 팀장님의 허락을 맡으셔야 합니다. 그러니 앞으로 본 함에서 생활하신다면 수면 시 이루어지는 의정활동 갱신은 포기하셔야 할 겁니다."

"함장님, 그건 제가 이미 말씀드렸습니다."

"감사합니다, 팀장님. 그 외에도 의원님께서 알고 계셔야 할 것이 몇 가지 있습니다만……."

"그렇죠. 아셔야 할 것이 좀 있지요."

그 말 다음으로 빈우와 함장 두 명은 골똘히 생각했다. 일반적인 군함이라면 민간인이 탑승했을 때의 매뉴얼이 있어서 그걸 주면 된다. 하지만 블랙 랜스는 미완성의 프로토타입인 데다 기밀작전 중이라 일반적인 경우와는 궤를 달리한다. 더군다나 상대방이 조사차 나온 상원의원이니, 마구잡이로 비밀이나 접근 금지 딱지를 붙일 수도 없는 노릇이다.

"일단은 수행원이 없는 VIP가 기밀 임무를 띤 군함에서 생활할 때의 주의점에 대해 알려드리겠습니다."

어떻게 비슷한 전례를 찾은 오르 함장이 설명을 시작했다. 그다지 자세한 설명은 아니었다. 중요하다 싶은 사항들은 직접 말했지만, 나머지는 자료를 넘겨주어 참고만 하란 식이었다. 그리고 여기서부터가 진짜 본론이었다.

"이 외에도 몇 가지 주의사항을 알려드리겠습니다. 보시다시피 저의 신체는 녹색입니다."

자신의 가슴을 가리킨 오르 함장의 몸은 녹색 헬레나 겔이다.

"그러나 만약 녹색을 띠고 있지 않은 저를 만나면 그것의 행동에 그 어떠한 반응도 보이지 마십시오. 그것은 의원님께서 아시는 제가 아닙니다."

"네? 녹색 말고요?"

이해하지 못한 오다 의원이 질문하려고 하자 옆에서 빈우가 끼어들었다.

"함장님, 선수 부분 짝수 층 말씀하시는 겁니까? 그 층에 대한 주의는 오면서 말씀드렸습니다."

"그렇다면 따로 말씀드릴 필요가 없군요. 요즘 그것들의 활동 범위가 넓어져서 골칩니다."

"어이쿠, 저런."

분명 오다 의원의 기억에 빈우가 말하기를 선수 부분 짝수 층은 엘리베이터가 가지 않는다고 했다. 혹시라도 서게 되면 절대 밖으로 나오지 말라 신신당부하기도 했고. 근데 지금 두 사람이 하는 말을 들어보면 그게 녹색이 아닌 오르 함장과 관련이 있는 것 같다. 히토미는 그에 관해 물어보고 싶었지만, 왠지 무서워서 물어보기 싫기도 한 양가감정에 휩싸였다.

"함장님, 또 뭔가 없을까요?"

"어디 한번 떠올려보죠. 중대한 사항이니."

히토미는 좀 더 자세한 설명을 기다렸지만, 군인 두 명은 그녀가 그러거나 말거나 자기들끼리 다음 화제로 넘어갔다.

그럴 수밖에 없는 게 블랙 랜스는 군인들이 살기에 쾌적하진 못해도 딱히 불편하진 않은 곳이다. 그러니 민간인의 관점을 잘 알지 못할 수밖에 없다. 물론 잘 알지 못한다고 해서 오다 히토미의 생존과 관련된 문제를 마냥 좌시할 수는 없다. 그렇기에 빈우와 오르는 머리를 굴리며 행여 문제가 될 만한 사항들을 열심히 찾았다.

"팀장님, 의무실 얘기는 하셨습니까?"

오르 함장의 지적에 빈우가 화들짝 놀라 오다 의원에게 진지한 표정으로 설명을 한다.

"아, 맞다. 의원님 의무실은 방음 처리가 잘 되어 있어 바깥으로 소음이 나지 않습니다. 만약 의무실을 지나시다가 비명이나 그와 비슷한 소리를 들었을 땐, 최대한 빨리 그곳에서 멀리 벗어나십시오. 그리고 통신기를 쓰지 마시고 근처의 통신 터미널로 가서 가까운 팀원이나 경비 로봇을 호출하십시오."

뜻 모를 팀장의 충고에 오다 의원이 침을 꿀꺽 삼켰다. 그리고 자세한 설명을 기다렸으나 이번엔 오르 함장의 설명이 끼어든다.

"또한 함내의 경비 로봇은 반드시 홀수로 움직입니다. 한 대, 세 대, 다섯대 이런 식으로 말입니다. 그 외에는 경비 로봇이 아니니 유념하십시오."

설명하는 사람들은 태연하지만, 설명을 듣는 사람은 점차 불안감이 커져만 간다. 좀 더 자세하게 말해주면 좋으련만 이 군인 놈들은 핵심적인 내용만 대충 말하고 넘어가고 있다. 그렇다고 물어보자니 다음 내용이 더 무서울 것 같아 뭘 물어보지도 못하겠다.

"의원님? 무슨 문제라도 있습니까?"

빈우의 말에 설명을 곱씹던 오다 의원이 흠칫 놀란다. 방금까지 듣고 있던 거주 구역 이동 시의 주의사항도 미심쩍은 구석이 한두 개가 아니었다.

"저기, 근데 왜 제 방만 다른 분들하고 떨어진 거죠?"

드디어 오다 의원이 질문했다. 그녀의 목소리는 왠지 떨리고 있었다. 작다곤 해도 구축함이다. 거주 구역도 꽤 여유가 있는데 팀원들은 뿔뿔이 떨어져 있고 그중에서도 오다 의원의 방은 외따로이 있다.

"그야…… 살 사람은 살아야죠."

빈우는 차마 '그런 미친놈들 무리 속으로 의원님을 던져놓을 순 없잖습니까'라고 말하지 못했다. 그리고 살 사람은 살아야 한다는 말이 영 틀린 말은 아니었다. 각종 시설이 오밀조밀 모인 블랙 랜스의 특성상, 적의 공격 한 방에 팀원들이 깡그리 전멸할 수도 있었다. 이러한 사태를 막기 위해 조금씩 거리를 둔 것이기도 하니 딱히 거짓말은 아니다.

또 일부 팀원은 다른 이유로 멀리 떨어져 있다. 일단 우지는 전투기 파일럿이지만 대기조도 아닌데 격납고 근처에서 숙식한다. 아예 기술실 근처에 자리를 잡은 모니카는 거기서 연구에 여념이 없다.

여기까지는 괜찮다. 문제는 이들을 제외한 화력 조원들이다. 이들은 전원 거주 구역의 사관용 개인실에서 생활한다. 다만 만약의 사태에 대비해 조금씩 떨어진 편이다. 일단 인공지능이랑 로봇 오타쿠인 위르겐은 방에 있는 개인 사물 중에 들키면 조사에 악영향을 미칠 것 같은 물품이 꽤 있어서 아웃. 파트리샤는 움직이는 사고 덩어리니까 바로 아웃이다. 그년을 오다 의원과 가까이 뒀다간 무슨 일이 날지 모른다. 부팀장인 아룹은 성격이 좋은 편이고 나름 정상적인 사람이지만, 전신 사이보그에다가 거친 놈들하고 생활하던 게 몸에 익어서, 일상생활의 행동 한계가 강화군인들에게 맞춰져 있다. 즉 연약한 오다 의원이 그와 어깨라도 잘못 스쳤다간 바사삭 하는 것이다. 얼마 전만 해도 부팀장이 밥을 깨작거리는 모니카에게 '대위님, 이거 드셔보시겠습니까' 하면서 어깨를 툭 쳤다가 그게 제삿밥이 될 뻔했었다.

이런저런 이유로 오다 의원의 숙소는 다른 이들에게서 좀 떨어진 곳이었다. 이유는 알 수 없으나 그녀는 이 사실이 마음에 들지 않는 듯 보였다. 차라리 뭐가 문제인지 속 시원히 말해주면 좋겠는데, 오다 의원은 무슨 꿍꿍인지 말을 굉장히 아끼고 있었다.

이래저래 설명을 마친 빈우는 이유는 모르겠지만 겁에 질린 오다 의원을 방에 데려다주고 자신의 방으로 돌아왔다. 그리고 아까 있었던 조사에 대해 레드우드 사령관에게 보고하려고 할 때 마침 그에게서 먼저 연락이 왔다.

- **야 이 새꺄. 너 또 무슨 짓을 한 거야.**

화면에는 레드우드 사령관이 낮게 으르렁대고 있었다.

"뭐가요? 제가 뭘요?"

세상 억울하다는 듯이 반문하는 빈우에게 레드우드의 고함이 내려꽂힌다.

- **방금 오다 의원님이랑 통화했다. 기가 확 죽어 있던데? 사실대로 말해라. 도 대체 무슨 짓을 한 거냐.**

"무슨 짓이라뇨. 블랙 랜스에서 지내신다기에 주의사항 몇 가지를 알려드 린 것뿐입니다."

자신의 무고를 부르짖는 빈우를 화면 너머로 보던 레드우드 중장이 의자 에 기대며 짧게 말했다.

- **불어.**

앞뒤 다 자른 레드우드의 저 말은 빈우에게 앞뒤 하나도 빼먹지 말고 모조 리 이실직고하란 의미다. 그래서 빈우는 차근차근 다시 설명했다.

"일단 선수 부분 짝수 층에 가지 말란 것부터 알려드렸습니다."

- **헬레나 겔로 채워놓은 데 말이냐? 의원님이 강화해도 내구도는 별 차이 없 잖아. 그 몸으로 들어갔다간 터질 텐데. 또 오르 함장 예비 신체 있는 곳이잖 아. 못 가시게 해라.**

"예에, 그러니까요. 그리고 녹색 아닌 함장님 의체는 본인이 아니라는 것."

"그래그래. 다른 색은 예비용이잖아. 흠, 또?"

두 사람이 쑥떡 찰떡 얘기할 때 아나스타샤가 걱정스러운 표정으로 다가 와 커피를 따라준다.

"의무실에서 이상한 소리가 들리면, 도망친 다음에 경비 부르라는 것도 말 했습니다."

- 소리? 무슨 소리?

"그거 뭐냐, 함축 코일건 축전기가 근처에 있어서 소음 난다고 보고서 썼잖습니까."

- **아, 그거냐? 아이구야. 빨리 손봐야겠네. 미안하다. 내가 요즘 바빠서 거기까진 신경 못 쓰겠다. 그래도 큼직한 건 다 말했네. 그거 말고 다른 건?**

레드우드는 빈우의 설명을 들으면서 미간을 점점 찌푸렸다. 빈우로서는 나름 위험한 곳에 관해 설명한 건데 그게 오다 상원의원에겐 고깝게 들린 것 같다. 감히 소령 나부랭이 따위가 이래라 저래라 하니 심기가 불편하셨겠지.

"으음, 마지막으로 거주 구역 내에서 이동할 때의 주의점에 대해 말씀드렸는데 이게 조금 심기를 건드린 것 같습니다. 복도에서 계단하고 손잡이 나오는 거 얘기할 때 분위기가 좀 이상해지던데요?"

"뭐라고 얘기했길래?"

"벽에서 이상한 소리가 들리면 재빨리 구석으로 가서 얼굴 가리고 있으랬습니다."

설명이 끝나자 레드우드가 팔짱을 끼고 한숨을 내쉬었다. 민간인이 군함에서 당하는 사고 중 제법 높은 비율을 차지하는 게 함내 중력 전환 시 벽에서 나오는 손잡이에 얼굴을 얻어맞는 사고다.

- **휴, 군함이 원래 그런데 귀하게 자란 분이라 언짢으셨나? 분명히 불편하고 위험하다고 경고했는데, 막무가내로 밀고 들어오니 결국 이런 일이 벌어지는구나. 어쩔까? 지금이라도 끌어내려?**

"너무 염려하실 필요 없습니다. 제가 조금 있다가 찾아뵈서 다시 한 번 차근차근 설명하겠 ― 응어?"

자못 진지한 표정을 한 빈우의 뒤통수로 짝 하는 소리와 가벼운 충격이 느껴졌다.

"아오, 이 화상아! 진짜 못 데리고 살겠네."

· · · ✦ · · · ·

088

빈우가 돌아보니 거기엔 아나스타샤가 드물게 진심으로 짜증을 내며 씩 씩거리고 있었다. 보아하니 아파서 획획 터는 저 오른손바닥으로 빈우를 후 려갈긴 듯싶다.

"왜, 뭐가?"

영문을 몰라 더듬거리는 빈우의 어깨를 아나스타샤의 왼손이 잡아당긴다. 그리고 오른손이 다시 올라가 빈우를 내려친다. 그런 그녀의 눈썹은 짜증으 로, 입술은 분노로 일그러져있다.

"마님, 죄송해요. 제가 도련님을 잘 키우겠다고 했는데. 그랬는데. 이렇게 돼버려서. 민간인 여성하고 대화하는 게 대체 얼마 만인데 그걸 또 이렇게 말 아드시나요."

아나스타샤가 돌아가신 마님에게 용서를 빌며 연신 빈우의 등을 때린다. 빈우는 눈을 질끈 감고 얻어맞고 있을 뿐이다. 그리고 레드우드는 화면 너머 로 자신의 부하가 메이드 안드로이드에게 처맞는 것을 그저 멍하니 보고만 있었다. 그럴 수밖에 없다. 애초에 인공지능은 다른 사람이 있는 자리에서 저 런 무례를 저지르지 않는다. 어지간해서는. 또 인공지능은 주인에게 대들지 않는다. 절대로.

그런 인공지능이 저렇게까지 주인에게 손찌검한다는 것은 지금 뭔가 잘 못돼도 한참 잘못되었단 뜻이다. 그리고 이 모습은 레드우드에게 어떤 데자뷔를 떠올리게 했다. 전우인 캐서린 시슬의 이야기다.

언젠가 일이 바빠 손녀 나디아의 학예회에 가지 못한 캐서린의 정강이를 나디아가 걷어찬 적이 있었다. 강화된 육체에 기별도 안 갈 충격이었지만, 캐서린은 꽤나 아파했었다. 그걸 본 레드우드가 뭐가 그리 아프냐고 핀잔하듯 묻자 그녀는 마음이 아프다고 했었다. 그때는 그게 무슨 말인지 잘 이해가 가지 않았는데, 지금 어깨를 움츠린 채 자신의 메이드에게 등을 두들겨 맞고 있는 빈우의 얼굴을 보자니 이해가 간다. 녀석도 마음이 꽤 아픈 모양이다.

"꼴봐라."

그리고 레드우드는 자신에게 불똥이 튀기 전에 잽싸게 통신을 끊었다.

*

훈련실에서 빈우는 기지개를 켜면서 등을 쭉 폈다. 아까의 감촉이 남은 것 같다. 아나스타샤에게 등을 그렇게 세게 두들겨 맞는 것은 진짜 오랜만이었다. 마지막이 사관학교에 들어가기 전이었으니까 벌써 10년도 넘은 일이다.

"자기가 알아서 한다고 했으니……."

그렇게 중얼거리며 빈우는 아까 일을 떠올렸다. 레드우드 사령관과 오다 의원에 관해 이야기하고 있을 때, 아나스타샤가 갑자기 자신의 뒤통수를 후려갈기더니 이어서 신나게 등을 난타한 것을. 어지간한 잘못이 아니고선 안드로이드 메이드인 그녀가 주인에게 손찌검할 리가 없으니, 얻어맞는 빈우로선 '내가 또 뭘 사고 쳤구나'하고 넘어갈 뿐이다. 몇 번 때리다가 손바닥이 아파서 콩콩 뛰던 아나스타샤는 당장 오다 의원님께 가겠다고 했다. 빈우가 같이 가려 하자 그녀는 쌀쌀맞은 표정으로 자기가 알아서 할 테니 따라오지 말라고 했었다.

"……잘 알아서 하겠지."

빈우는 시무룩한 얼굴로 장갑복의 척추 부분을 살폈다. 발 가르단 하스에서 컨커러를 홀라당 해먹은 뒤 이곳 특수전 사령부에 도착해서 받은 어벤저다. 물론 컨커러는 굉장한 성능을 가진 장갑복이다. 현재 연방에는 샤다이의 플라스마 공격을 막아낼 수 있는 개인 장비는 없다. 그뿐인가. 장갑복의 출력 또한 출중하다. 그러나 빈우는 한 번 발동하면 전신이 굳어버리는 인간 형태의 관짝을 두 번 다시 입고 싶지 않았다.

무장으로 받았던 XPS는 저 옆에 그대로 있지만, 이것도 써야 할지 말아야 할지 고민이다. 총과 방패를 오가는 가변형 무기. 이것도 플라스마를 쏘고 플라스마를 막을 수 있으니 매우 매력적이다. 그러나 총을 쏠 때는 방패를 못 쓰고 방패를 쓸 때는 총을 못 쓰니 가변의 의미가 없다. 이럴 바엔 차라리 따로따로 쓰고 말지.

"진짜 컨커러 안 입으실 거예요?"

모니카가 실망한 목소리로 말하며 어벤저 뒤편에서 얼굴을 빼꼼 내민다.

"입고 싶어도 없잖아."

모니카는 태스크포스 373으로 올 때 컨커러를 몇 기 더 들고 왔다. 그러나 발 가르단 하스의 격전에서 모두 소실되었다.

"아! 그거 신청하면 바로 올 거예요. 컨커러는 아직 3기 정도 더 있어요. 그리고 사용 데이터를 넘겼더니 과장님께서 바로 개량하신다고 하셨거든요. 그러니까 아마도 다음에 오는 건 단점이 고쳐져 있을 거예요."

말할 건수를 잡자 모니카가 대번에 튀어나와 신나게 말했지만 빈우에겐 그다지 믿음이 가질 않았다.

"너 왜 고쳤다가 아니라 고쳤을 거라고 말하는 거냐."

삿대질 한 번에 풀이 죽은 모니카 옆으로 파트리샤가 폴짝 튀어나온다.

"근데 어벤저로 괜찮으시겠어요? 그라인더는 어때요?"

어벤저는 현재 연방의 주력 장갑복이긴 하다. 하지만 파트리샤의 말대로 그보다 뛰어난 성능을 가진 장갑복이 몇 가지 더 있다. 지금 태스크포스 373에도 있는데 실리콘 나이트가 쓰는 인필트레이터와 단검뿔 토끼의 그라인더가 바로 그것이다. 그러나 인필트레이터는 사용자의 육체에 장갑복을 맞추는 게 아니라, 사용자를 장갑복에 맞춰서 집어넣는다는 말이 나올 정도로 전용 육체 강화를 해야 한다. 다음 후보인 그라인더는 모든 면에서 어벤저를 뛰어넘는 고성능의 장갑복이다. 그런데 이것도 쓰기가 조금 껄끄럽다.

"흐흠. 그라인더도 좋긴 한데. 부팀장."

"네, 팀장님."

자기 장비를 점검하던 아룹이 대답한다.

"지금 단검뿔 토끼가 쓰는 게 D형이죠?"

"네. 근데 팀장님이 그라인더를 입으시려면 강화단계를 좀 높이셔야 할 겁니다."

그라인더 정도 되는 고성능 장갑복의 속도와 출력, 내구도를 제대로 살리려면 착용자 역시 그에 맞춘 강화를 해야 한다. 문제는 병과가 장갑보병이라면 모를까 빈우는 정보사령본부 소속이기 때문에 이런 고단계의 신체 강화는 좀 꺼려진다.

"D형이 아니면 그라인더를 입었을 때 딱히 큰 메리트도 없고 말이지."

"그렇죠. 제가 뵈도 팀장님께선 어벤저를 쓰시는 게 좋을 듯합니다만."

지금 빈우 앞에 있는 어벤저는 뱅가드 연대에서 쓰는 F형이다. 뱅가드의 어벤저는 전부 장교용이고 수많은 실전을 거쳐 개수된 버전이라, 다른 부대에서 쓰는 초기형과는 하늘과 땅 차이다.

"주인님, 오다 의원님께서 오셨습니다."

빈우와 팀원들이 한창 장비 문제로 고민하면서 어벤저를 세팅하고 있을 때 아나스타샤가 오다 의원을 데리고 훈련실로 들어왔다.

"어이쿠, 의원님. 아까는 실례했습니다."

빈우는 자리에서 일어서며 정중히 사과했다. 뭘 잘못했는지는 모르겠지만 일단 잘못한 것 같으니 ― 아나스타샤의 반응을 보면 백 퍼센트 사고 친 게 확실해 보이니 ― 하는 사과였다. 옆에 있던 팀원들도 주섬주섬 일어났지만,

그 관심은 상원의원이 아닌 사과하는 팀장에게 쏠려 있었다. 그리고 눈빛으로 질문하고 있었다. '팀장님, 그 사이 또 무슨 사고를 치신 겁니까'라고.

"어머, 아니에요. 함내 주의사항에 대해 제가 더 자세히 물어봤으면 되는 일이었던 걸요. 오는 길에 아나스타샤가 다 설명해주었어요."

그제야 빈우도 납득할 수 있었다. 위험한 걸 알려준다 떠들어댔지만, 전후 사정이 싹둑 잘려 있었으니 이해하기가 좀 힘들었구나 하고. 실제 들었던 오다 히토미에겐 이해할 수 없는 공포 괴담이었으나 이 군인이 그걸 알 턱이 있을 리 없다.

군용 육체와 프로그램을 깐 군인들에게 블랙 랜스는 딱히 위험한 곳이 아니다. 다만 강화하지 않은 민간인이라면 좀 다르다. 재수 없으면 관성 제어장치 범위 바깥에서 순식간에 토마토소스가 되는 게 또 이 동네이기도 했다.

"여기는…… 위험한 게 없나요?"

아나스타샤를 조심스레 따라오며 여기저기 둘러보는 오다 의원의 손에는 작은 가방이 들려 있었다.

"많습니다."

딱 부러지는 빈우의 말에 오다 의원이 움찔한다.

"이곳은 훈련실입니다. 때문에 장갑복이라든가 무기 등이 있지요. 이런 것들은 정말로 위험합니다. 하지만 안심하십시오. 정해진 매뉴얼을 따르기만 한다면 안전하니까요. 그리고 여기 있는 제 부하들이 의원님의 안전을 책임질 것입니다."

그러면서 빈우는 팀원들을 오다 의원에게 소개해주었다. 그러나 상대가 자신의 팀을 조사하러 온 사람이니만큼 팀원들의 정중한 인사는 살갑다기보다 어느 정도 거리를 둔다는 분위기였다. 오히려 싹싹하게 인사를 하는 파트리샤가 빈우로서는 더 불안했다.

"아, 맞다, 총."

오다 의원은 허겁지겁 손에 든 가방을 열고 총기 비슷한 것을 하나 꺼냈다.

"실은 제 사물 중에 이런 총이 있었는데 등록을 해야 하나 싶어서 가져왔어요. 미리 말씀드려야 했는데 죄송합니다."

"총이라고요?"

블랙 랜스에 들어오는 물건들은 전부 검사한다. 물론 상원의원의 사물은 건드리지 않는 게 관례지만 빈우는 쌩까고 전부 검사하도록 했다. 그런데 그때의 검사에선 딱히 위험하거나 수상한 물건은 없다고 했었다.

"잠시 살펴봐도 되겠습니까?"

"네, 여기요."

오다 의원으로부터 받은 총을 살펴보던 빈우는 이게 왜 검사에 걸리지 않았는지를 알 수 있었다.

"화약식 총기입니까."

"네. 조금 골동품이죠?"

그녀가 총이라고 말한 것은 회전식 탄창에 화약 격발식 탄환을 끼워 쓰는 리볼버 권총이다. 만일 총신에 각인된 1873이란 숫자가 모델의 제조연도를 나타내는 숫자라면 조금이 아니라 근 350년 정도 전의 물건이다. 이런 건 제아무리 군인인 빈우라 할지라도 다룰 줄 모른다. 그냥 상식과 역사 시간에 배운 지식에 근거해서 만질 뿐이다.

"응?"

총을 살펴보던 중 빈우는 이상한 점을 눈치챘다.

"놀랍죠? 이런 오래된 골동품, 진품 화약식 총기를 보시는 건 소령님도 처음이지 않나요? 선물로 받은 건데……."

신나서 설명하는 오다 의원에게 미안하지만 빈우는 할 말은 해야겠다 싶었다.

"의원님, 말씀 도중에 죄송합니다만."

오다 의원은 어렵사리 말을 꺼내는 빈우에게 호기심 반 기대감 반 어린 시선을 보냈다.

"이거. 짝퉁입니다."

대답은 한 템포 늦었다.

"예. 그렇습, 예? 예에에? 왜요?"

빈우도 궁금했다. 도대체 어떤 놈이 연방 상원의원에게 이런 가짜를 선물로 줄까 하고.

"그럴 리 없어요, 이건 로즈필드 의원께서 선물로 주신 거예요. 총의 이름처럼 평화를 만들라고."

갑작스러운 통보에 오다 의원은 당황했다. 그 모습을 보니 이 총은 그녀에게 나름대로 의미 있는 선물이었던 것 같다. 그런데 총이 평화를 만든다니. 그건 평화를 반대하는 놈들을 조용히 시키는 방법뿐이다.

아무튼 그건 둘째 치고 상원의원이 같은 상원의원에게 짝퉁을 선물한다? 어지간해선 있을 수 없는 일이다. 행여 있다면 작정하고 오다 의원에게 모욕을 주려는 제스처다. 혹시 그럴 수도 있겠다 싶어 빈우는 다시금 찬찬히 총을 살펴보았다.

"얼레?"

가방 안에서 뜻밖의 물건을 발견한 빈우는 자신의 발언을 정정했다.

"어흠. 죄송합니다. 제가 실수했군요. 의원님, 이건 진품이 맞습니다."

오락가락하는 빈우의 발언에 오다 의원의 시선에는 의심의 농도가 짙어졌다. 팀원들의 눈초리엔 기대와 경계가 반씩 섞여 있었다.

"잠깐만, 잠깐만! 이거 오해다. 이걸 보라고."

불편한 시선들이 빈우를 향해 집중포화됐다. 황급히 빈우는 백기를 들듯 사건의 원흉을 들어 보였다. 오른손에는 19세기에나 쓰였을 법한 리볼버 권총이, 왼손에 들린 섬유재질의 서류엔 정품증명서라고 쓰여 있었다.

"키야, 이건 부팀장님보다 오래 묵었는데."

파트리샤가 휘파람을 불며 다가온다. 그러다가 아까의 빈우처럼 눈빛이 알쏭달쏭하게 변해간다.

"에엥? 이게 진품이라고요?"

평화를 만드는 자란 별명을 가진 권총을 요모조모 살펴보던 파트리샤가 손잡이를 날름 핥아보았다.

"생성기 맛이 나는데? 진품 맞아요?"

"오냐, 옛다, 증명서."

그녀의 질문에 빈우는 진품 증명서를 내밀었다.

"오마나, 이거 문서대로라면 진품이 맞는데, 설마 문서까지 위조한 건 아니겠죠? 응? 진짜 정품 맞나?"

그제야 눈치를 보던 373 팀원들이 총과 파트리샤 옆으로 모여들었다. 두런두런 나누는 얘기의 주제는 당연히 오다 의원의 권총이다. 350년 전의 골동품이라는 것도 흥미로운데 이게 진짜냐 가짜냐 라는 얘기가 나오니 화젯거리가 될 수밖에 없는 것이다.

"왜 그 당시 기술이나 재료를 써서 복원하지 않았을까요? 보통 골동품은 그런 게 중요하지 않나요?"

안경 형태의 시각 강화 고글을 낀 모니카가 총의 성분을 분석하며 물었다.

"냄새 맡아보니까 일마 선까지도 썼네. 실사용을 목적으로 해서 그런 게 아닐까? 총기법상 요즘에 쓰면 안 되는 재료라도 있었겠지."

파트리샤는 총구를 훅 분다, 냄새를 맡는다 하면서 이리저리 장난을 쳤다. 그때 옆에서 아룹이 튀어나와 파트리샤의 머리를 쥐어박고는 총을 뺏었다.

"일단 만든 회사의 정품인증서가 있으니 법적으론 정품입니다. 그러나 교체된 부품의 재질이나 그걸 만들 때 쓰였던 기술로 볼 때 어흠, 선물받으신 상원의원님께는 실례가 되겠지만 수집가들한테는 외면받는 물건이군요."

눈을 빛내며 총과 서류를 꼼꼼히 훑어보던 아룹은 이내 흥미를 잃어버린 듯 한발 물러서며 설명했다. 아마도 그 자신이 수집가에 들어가는 모양이다.

089

···◆···

"의원님, 이게 진품이든 모조품이든, 선물의 의미는 퇴색되지 않습니다. 아마 선물하신 분께서도 이런 마니악한 면까지는 모르셨을 테니 너무 마음에 두지 마십시오."

빈우는 오다 의원에게 총을 돌려주며 이 해프닝을 마무리지으려고 했다. 그런데 오다 히토미는 총을 받아 들고는 잠시 뭔가를 생각하기 시작했다. 그러더니 고개를 들어 질문했다.

"저어, 근데 이 총에서 부품의 어디까지 바뀌면 원래의 총이 바뀐다고 할 수 있을까요?"

갑자기 튀어나온 오다 의원의 질문에 팀원들의 시선이 그쪽으로 쏠린다.

"어어, 아니에요. 조금 헷갈려서 그러는데 이 총, 19세기의 총이잖아요. 그렇담 부품이 낡으면 새것으로 교체했을 거 아니에요. 그럼 언제부터 이게 진짜가 아니게 되는 걸까요?"

그녀에겐 조금 헷갈리는 문제였겠지만 군인들에겐 매우 간단한 문제였다.

"총몸이겠죠."

빈우의 대답에 군인들이 고개를 끄덕끄덕한다.

"그치? 다른 부품 잃어버리면 보급계한테 쪼이고 말지만, 총몸 잃어버리면 바로 헌병대 출동 아니냐."

빈우가 팀원들을 돌아보며 묻자 역시나 그럼그럼 하면서 납득한다. 다들 해먹은 가락이 있기 때문에 어디를 어떻게 해먹었을 때 상대방에서 무슨 반응이 나오는지 잘 알고 있다. 그런 팀원들 중에서 위르겐이 불쑥 나섰다.

"그런데 그렇게 따지면 총몸도 꽤 나뉘지 않습니까? 그건 또 어떻게 보죠? 설마 총번이 새겨진 껍데기가 본체라고 하기엔 총 안에 핵심부품이 너무 많잖습니까."

위르겐이 말한 총이라면 당연히 코일건을 말하는 것일 테다. 그의 말마따나 코일건 안에는 복잡한 부품들이 꽤 들어 있다.

"그리고…… 어라? 잠깐 이거 테세우스의 배 이야긴데?"

부품들의 중요도와 우선순위에 대해 생각해보던 위르겐이 뭔가 하나 깨달은 듯 말했다.

테세우스의 배. 신화시대, 미노타우로스란 괴물을 무찌른 영웅 테세우스가 탄 배가 돌아온다. 그리고 항구에 전시된 다음 시간이 흐름에 따라 낡은 부품을 교체한다. 그렇게 하나둘씩 부품이 바뀌어가다가 결국 배에서 원래의 부품이 전부 사라지고, 모두 새로운 부품으로 바뀌었을 때 그것을 과연 테세우스의 배라 부를 수 있는가라는 역설이다. 그리고 이 철학적 물음에 파트리샤는 또 뭔가 건수를 잡은 듯 신이 났다.

"테세우스의 배? 배라고? 그러면 함장님이 오셔야죠. 함장님. 지금 훈련실로 오실 수 있으세요?"

파트리샤가 통신을 날리자, 훈련실 바닥에서 녹색 헬레나 겔이 불쑥 솟아오르더니 꾸물꾸물 모여 순식간에 오르 함장의 형태가 되었다.

"응아아앗!!"

그 모습에 오다 의원이 놀라서 뒤로 나동그라지는 것을 아나스타샤가 간신히 받쳐주었다.

"녹색! 녹색이죠! 저거 녹색 맞죠!"

허둥대는 오다 의원 옆으로 다가간 위르겐이 진정시키며 설명해주었다.

"진정하십시오, 의원님. 녹색 맞습니다. 뭐 방금 전까지 붉은……."

거기까지 말이 나왔을 때 빈우의 시선에 허둥대는 아나스타샤의 얼굴이 들어왔다. 그녀는 애타는 표정으로 빈우에게 뭔가를 간절히 부탁하고 있었다. 그 모습을 본 빈우는 이유는 모르지만 잽싸게 아룹에게 수신호를 보냈다.

'제거해.'

실전이었다면 뒤에서 기습해 죽이라는 신호였겠지만 여기선 아룹이 위르겐의 뒤로 빠르게 다가가 불쌍한 녀석의 목을 조르며 잡아챘다. 갑작스러운 기습에 위르겐은 반사적으로 반격하려 했지만, 그때 마주친 빈우의 눈이 '너 제거'란 눈빛을 띠고 있자 포기하고 순순히 끌려갔다.

"오호! 테세우스의 배니까? 흥미롭군요."

불려온 오르 함장은 설명을 듣고선 흥미롭다는 듯 반짝이는 녹색의 미소를 지었다. 어차피 보는 관점에 따라 여러 가지 해석이 나오는 역설이라 정답은 없지만, 지금은 서로의 주장을 설명하며 토론하는 게 목적이다.

"마침 배를 모는 입장인 저에겐 안성맞춤인 질문입니다. 그러나 일단은 먼저 여러분들의 고견부터 듣고 싶습니다만."

오르 함장이 기대하는 눈빛으로 좌중을 둘러봤다. 이 역설의 요지는 배의 부품 교환을 허용하느냐 허용하지 않느냐, 또 허용한다면 그 정도는 과연 어느 정도까지로 하느냐에 따라 다양한 문제가 나온다. 그러나 먼저 나선 모니카는 조금 다른 관점에서 이 문제를 바라보기로 했다.

"에헴, 일단 여기선 변화를 인정하느냐 거부하느냐는 점이 첫 번째 문제이고, 두 번째론 변화를 인정했을 경우 그 정도를 어디까지 두냐는 게 주요 문제점이죠. 하지만 말입니다."

모니카는 고글을 벗으며 목소리를 한 번 가다듬었다.

"이번에는 좀 더 다른 관점으로 비틀어볼까요. 애초에 테세우스의 배라면 그 소유자가 테세우스였다는 겁니다. 만약 실소유자인 테세우스가 살아 있었다면 변화는 문제가 되지 않아요. 항해 도중에 수리를 하면서 배의 구성품이 바뀌었다고 해도 그건 테세우스의 배죠. 그러나 문제는 테세우스의 사후 그 배를 정의할 사람이 없어졌기에 발생한다는 겁니다. 반면 지금 이 총의 소유자인 오다 히토미 의원께선 살아 계십니다. 그러니까 지금 소유자인 의원님께서 그 총이 자신의 것이라고 그냥 인정하면 되지 않을까요?"

모니카 보르자 대위는 연방에서도 내로라하는 석학이다. 그렇기에 팀원들은 그녀에게서 뭔가 거창한 이론이 나올 거라 기대했건만, 정작 나온 것이라곤 단순 쌈박하면서도 상당히 군인다운 해답이라 흥이 식어버렸다. 하지만 우지는 모니카의 의견이 마음에 드는지 고개를 끄덕이며 동의했다.

"하긴 제일 문제는 정의를 내려줄 권한을 가진 사람. 즉, 주인이 없다는 게 문제군요. 배 주인이 '내 거다'라고 해버리면 누가 뭐라고 하겠습니까."

그때 갑자기 아룹이 나섰다.

"어허, 대위님. 지금 문제는 이 총이 오다 의원님의 것이냐 아니냐가 아닙니다. 오다 의원님께서는 이 신식기술로 점철된 총이 과연 1873년도의 물건이냐는 게 궁금하신 거죠."

그때 위르겐이 옆에서 끼어든다.

"부팀장님도 참, 그렇게 따지자면 한도 끝도 없죠. 의원님께선 복구된 부품 때문에 그러시는 것 같은데, 이 총은 실제 그 당시에 쓰이면서 수리를 했을 게 분명합니다. 그러면서 부품도 교체했었을 거고요. 그런 변화는 또 어떻게 봅니까."

"그러니까 그 당시의 기술과 재료로 최대한 원본에 가깝게 복원하는 게 중요하지. 이걸 한번 볼까?"

그러면서 아룹은 총알 하나를 집어 들어 탄자를 분리하고 안의 화약을 꺼내 보인다.

"코닝된 흑색 화약. FFF그레인이다. 19세기 기술력으로 재현한 탄환 발사용 추진제지. 그러나 그럼에도 불구하고 탄피는 생성기로 만든 구리 탄피야. 이건 꽤 감점 요소란 말씀."

척 봐도 아룹은 나름 확고한 관점을 가진 구식총기 마니아인 듯했다. 그때 녹색의 몸체가 앞으로 한 걸음 걸어나왔다.

"이에 대해선 저도 모니카 대위의 의견에 찬성합니다만 개인적인 의견은 또 다릅니다."

내내 뒤로 빠져 있던 오르 함장이 드디어 토론에 참여했다. 팀원들은 배를 모는 함장이란 입장에서 이 테세우스의 배 역설에 대해 과연 어떤 의견이 나올까 궁금해하며 시선을 집중했다.

"모니카 대위는 '테세우스의 배'에서 테세우스의 소유물이란 측면을 보았죠. 그러나 전 '배'란 측면을 보고 싶습니다. 테세우스의 사후 전시된 배가 과연 배라고 부를 수 있을까요? 대양을 항해해야 할 배가 박물관에 전시만 된다면 그것은 이미 배가 아니라 배란 이름의 유물입니다."

"오호, 함장님은 또 그런 관점에서 보십니까."

빈우의 추임새에 오르 함장은 화답하듯 고개를 한번 끄덕인 뒤 또 자신의 주장을 피력했다.

"그리고 이 총을 유물이라고 한다면 저는 아룹 부팀장의 손 또한 들어주고 싶습니다. 복원을 한다 하더라도 최대한 그 시절의 재료와 기술을 사용해야겠죠. 그래야만 후대의 사람들이 테세우스의 배를 보면서 왜 이런 자재를 썼는가, 왜 이런 식으로 노를 배치했는가를 생각하면서 당시의 선박건조기술, 항해기술에 대해 배우고 논할 수 있을 것입니다."

팀원들끼리 하나의 역설을 놓고 얘기는 하는데 꼬리를 물때마다 주제가 엇나간다. 그렇게 신나게 놀고 있을 때 문득 빈우에게 하나의 시선이 느껴졌다. 아나스타샤의 걱정스러운 시선이다. 그녀의 시선을 따라 빈우도 눈길을 옮기니 그 끝에는 오다 의원이 있었다. 그런데 그녀의 상태가 조금 이상했다. 오다 히토미 상원의원은 굉장히 심각한 표정으로 지마 오르 함장을 보고 있었다.

'또 뭐가 심기를 건드린 거지?'

빈우가 머릿속으로 가능성들을 점쳐보니 아마도 제멋대로 튕겨 나가는 팀원들의 토론 방향이 마음에 들지 않는 듯하다. 하기야 선물받은 자기 총이 과연 진품인가 아닌가에 관해 물어보았을 뿐인데, 373 팀원들이 영 엄한 방향으로 이야기를 진행시키고 있으니 그럴 법도 하다.

"뭐, 나도 모니카의 의견에 찬성. 가장 확실한 건 본인의 인정 아닌가? 테세우스가 타고 있으면 그게 테세우스의 배인 것처럼 이 총도 자기 총이라고 하면 장땡이지. 거기다가 여기에 만든 회사의 보증서가 있으면 어쩔 거야? 제작자가 원본이라는데."

"파트리샤. 잠깐만."

빈우는 파트리샤의 말을 끊으며 오다 의원에게 다가갔다.

"의원님, 죄송합니다. 제 팀원들은 그저 의원님께 도움이 되고 싶어 의욕이 넘쳤던 것뿐입니다. 방향이 조금 달랐다고 해도 너무 노여워 마십시오. 부하들을 관리하지 못한 제 탓입니다."

하지만 말을 마친 빈우는 이번에도 자신이 헛다리를 짚었다는 것을 깨달았다. 오다 의원은 어리둥절한 표정을 하고 있었고 뒤에 있던 아나스타샤는 작게 한숨을 내쉬고 있었다. 오다 의원은 마른 침을 한 번 꿀꺽 삼키고 대답했다.

"저, 아니에요. 저는 태스크포스 373의 팀원분들께 절대 기분이 상하지 않았습니다. 다만 제가 꺼낸 화제가 저기 계신 오르 함장님께 실례가 되지 않을까 해서 걱정하고 있었던 것뿐입니다."

이번에는 빈우와 팀원들이 이해를 못 하고 있었다.

"네에? 오르 함장님께 실례를, 말씀입니까?"

빈우는 그렇게 물으며 오르 함장을 돌아보았다. 그리고 눈빛으로 말없이 질문했다.

'뭔가 기분 나쁜 것 있었습니까?'

'전혀요.'

녹색 헬레나 겔로 이뤄진 오르 함정의 얼굴엔 눈은 없었지만 그래도 눈빛으로 대답은 잘하고 있다. 빈우가 원인을 몰라서 잠시 갈팡질팡 고민하고 있을 때, 해답은 뜻밖의 곳에서 나왔다.

"에효, 평상시엔 날카롭다 못해 살벌하신 분이 이런 상황에선 왜 이리도 무딜까요."

아나스타샤가 오다 의원의 뒤에서 한숨을 쉬더니 설명을 시작했다.

"지금 오다 의원님께서 걱정하시는 건 아까 물어보셨던 총의 진품 여부에 관한 얘기가 혹시 오르 함장님께 실례가 되지 않았을까 하는 점입니다. 부품이 바뀌어도 그것이 과연 진짜 총이냐는 그 질문 말이요. 그런데 눈앞에 오르 함장님께서 계시니 말실수했다고 느끼신 거죠. 전신이 헬레나 겔로 교체된 사이보그 함장님께선 과연 자신의 방금 질문을 어떻게 받아들이실까 하고 걱정하시는 거. 맞나요?"

오다 의원은 자신을 이해해주는 아군을 얻은 것처럼 기뻐했다.

"응, 그래. 맞아. 설명해줘서 고마워. 아나스타샤."

즉 오다 의원은 총의 부품을 교체하면 그것이 진짜냐, 가짜냐 하는 질문이 원래의 육체를 버리고 사이보그 육체로 바꾼 오르 함장에게도 진위 여부를 묻는 실례가 될까 싶어 걱정했다는 것이다. 상냥한 걱정이긴 하나 당장 여기 있는 군인들에겐 그리 와 닿지 않는 이야기였다.

"푸푸풉!"

뭔가 건수를 잡은 듯한 파트리샤가 필사적으로 웃음을 참았으나 소리가 새는 것은 막지 못했다. 그러나 빈우는 그다지 그녀를 나무라고 싶지 않았다. 위르겐과 아룹도, 또 그 옆의 모니카와 우지도, 심지어 당사자인 오르 함장조차 어떻게든 표정을 관리하려고 애를 쓰는 마당이니 딱히 뭐랄 마음이 들지 않는 것이다. 빈우는 이 일을 어떻게 설명해야 하나 고민하면서, 최대한 민간인인 오다 의원을 배려하며 말을 시작했다.

"의원님. 염려해주셔서 감사합니다만 저희는 딱히 그런 일로 괴로워하거나 혼란스러워하지 않습니다. 인간에게 변화는 익숙하지 않습니까? 인간은 성장하지요. 성장하면서 세포들이 자라고 몸이 커지는 변화를 겪어도 자신이 바뀌나요? 아닙니다. 다 성장한 다음에도 몸속에선 오래된 세포들은 죽고 새로운 세포들이 태어나 교체가 이뤄지지요. 그런다고 사람이 바뀝니까?"

빈우로선 딱히 대답을 바란 질문은 아니었다. 오다 의원 또한 계속 듣고만 있었다.

"물론 엄밀히 따지면 바뀌지요. 어린아이에서 어른으로. 어제의 나에서 오늘의 나로. 하지만 본질적인 나라는 것에는 변함이 없지 않습니까?"

빈우는 자신의 말에 집중하는 모니카의 손에서 고글을 받아 자신이 썼다.

"보십시오. 안경을 쓰고, 옷을 입고, 두뇌칩을 심고. 이 모든 것이 저 김빈우의 업그레이드입니다. 빈우 1.0에서 1.1 다시 2.0 이런 식으로요. 물론 이러한 육체의 변화가 정신적인 면에도 영향을 끼쳐 변화를 주는 것은 확실합니다. 하지만 이런 변화들이 과연 '나'라는 본질에 영향을 줄는지…… 음, 개인마다 다르겠습니다만 일단 저는 아닙니다."

빈우의 설명 다음으로 아룹이 나섰다.

"거기다 육체 변화의 측면을 보자면 저희가 오르 함장님보다 더 심할 겁니다. 함장님의 경우는 몸은 헬레나 겔로 바꾸셨지만, 뇌는 거의 생으로 이 블랙 랜스에 옮겨놓으셨죠. 하지만 저희의 뇌는 일반인들과는 좀 많이 다릅니다. 내구도 향상을 위해 폴리머 수지를 넣어 굳힌 곳도 있고 신경 반응 향상을 위해 신경계도 좀 손을 봤습니다. 이런 면에선 사고하는 뇌에다 강화와 개조를 한 저희가 더 심하죠."

이어지는 아룹의 설명을 듣는 오다 의원의 심장은 안심과 불안, 침착과 놀람 사이를 널뛰기하고 있었다. 그녀가 걱정했던 오르 함장은 정작 자신의 정체성에 별 의문을 가지지 않고 있었으며, 오히려 겉보기엔 일반인 같았던 군인들이 뇌까지 개조한 상태였다니. 그녀의 상식으론 놀랄 법도 하다.

그때 모니카가 나섰다.

"의원님, 제가 말해도 될까요?"

"네. 물론이죠."

오다 의원은 개중에 군인이 아닌 것 같은 — 실제로는 군인이긴 하지만 — 모니카가 나서자 반색을 했다.

"몸이 바뀌는 것에 대해 너무 심각하게 생각하지 마세요. 예를 들어 의원님이 계신 상원 의회의 경우는 어떨까요? 투표에 의해 의원들이 바뀌고, 의장이 바뀌고, 그 결과 의회의 방향성이 바뀐다고 해도 연방 의회는 연방 의회지 않습니까?"

"의회라……. 역사상 의회 같지 않은 의회, 꽤 많았던 거 알지요?"

어느새 일어난 위르겐이 능글거리며 끼어들자 녀석의 머리로 모니카의 고릴라 스패너가 날아간다. 오다 의원은 사람의 머리로 공구가 날아가는 모습에 놀라서 눈을 크게 떴지만, 다음의 소리에 귀가 더 놀랐다. 깡하고 금속끼리 부딪치는 소리. 그리고 날아오는 공구에 머리를 맞은 군인이 낄낄거리며 웃는 소리. 이곳은 마치 그녀의 상식이 부서지는 곳 같다.

"괜찮으십니까?"

빈우가 오다 의원에게 다가와 말을 걸었다. 티격태격하는 팀원들을 보고 넋이 나간 그녀는 화들짝 놀랐다.

"네, 팀원분들이, 아주, 아주, 몸과 마음 다 건강하시군요."

"감사합니다."

어쨌든 오다 의원은 373 팀원들의 이런저런 설명을 듣고 나서야, 자신의 발언이 팀원들의 마음을 상하게 하지 않았음을 알고 겨우 안심할 수 있었다.

090

· · · ✦ · · ·

자기 방으로 돌아와 의자에 앉은 빈우는 방금 있었던 일을 되새겨봤다.

훈련실에서의 해프닝은 오다 히토미 의원과 태스크포스 373간의 첫인사로 하기엔 충분했다. 그리고 지금까지의 반응으로 미루어보아 오다 의원은 373팀에 적의는 없는 듯했다. 적어도 개인적인 적의는.

"상원의원이라……."

빈우는 손가락으로 책상을 톡톡 두들기며 오다 히토미 의원에 대해 곱씹었다. 칼자루를 쥔 곳은 저쪽이긴 한데 그 손 뒤쪽으로는 보이지가 않으니 문제다.

"어렵던가요?"

아나스타샤가 걱정 반, 장난 반으로 물어온다.

"그럼, 상원의원에다 조사역이잖아. 게다가 그쪽에서 초반부터 카드를 깠다곤 하지만 이게 진심인지 떠보는 건지도 모르겠고. 그래서 이쪽에서 이케가미 의원과의 관계를 가지고 먼저 찔러볼까도 생각도 해봤는데 아직은 때가 아닌 것 같아."

"제 말은 그게 아니에요."

조용히 다가온 아나스타샤의 손길이 빈우의 옆머리를 쓰다듬는다.

"오다 의원님과 대화하는 게 어렵지 않던가요?"

빈우는 걱정하는 아나스타샤의 손가락에 귀를 기울이며 대답했다.

"조금 대화의 핀트가 엇나가긴 했지?"

빈우가 군함에서의 생활에 대한 주의점을 오다 의원에게 설명했을 때 그녀는 겁에 질렸었다. 빈우는 그게 앞으로의 생활이 불편해질 것 같아 언짢아 하는 정도로만 짐작했었고 주변의 군인들도 같은 생각이었다. 다만 아나스타샤는 뭐가 문제인지 바로 눈치챘었고, 즉시 오다 의원에게 달려가 해명하고 오해를 풀었었다.

"프로토콜 얘기…… 기억하세요?"

아나스타샤가 빈우의 옆으로 바싹 당겨 앉으며 주인의 어깨에 머리를 기댔다. 그녀가 말한 프로토콜 이야기라면 아마 발 가르단 하스로 갈 때, 아를르캥과 모니카에게 했던 이야기일 것이다.

"그래. 모니카에게 했었잖아."

"네, 그때 주인님은 같은 일을 마주하더라도 각자 살아온 방식이 다르다면, 그걸 받아들이는 방법 또한 다르다고 하셨지요."

당시의 모니카는 군인임에도 불구하고 외계종족을 대하는 태도가 마치 민간인 같았다. 그 때문에 다른 팀원들을 대하는 걸 어려워했었다. 하긴 모니카는 대위 계급을 가지고 있었지만, 연구원의 신분이었기에 제대로 된 정신 교육을 받지 않았었다. 때문에 외계종족들에 대해 여타 민간인들처럼 비교적 온건한 태도를 지니고 있었다.

문제는 모니카 주변의 친절한 동료들이 외계종족이라면 일단 의심의 시선과 죽음의 손길을 뻗치는 군인들이라서 그녀가 마음고생을 좀 했었다. 물론 지금의 모니카는 수틀리면 동료 머리에 스패너를 집어 던지는 참군인이 되었지만.

"그래. 내 생각이 짧았지. 오다 의원에겐 이 배가 위험한 곳으로 보였을 거야."

군이 변명하자면 이런 비밀작전을 하는 군함에 상원의원 같은 VIP가 오는 경우가 드물었기에 빈우나 오르나 제대로 된 대응 방법을 알지 못했다. 거기다 오다 의원 스스로가 군함에서 생활할 수 있도록 신체 강화를 했다기에, 사전지식 또한 갖추고 왔을 것이라 지레짐작한 것도 문제였다. 이건 비단 빈우만의 문제는 아니었다. 오르 함장과 레드우드 사령관도 같은 생각을 하고 있었으니까. 오죽했으면 겁먹은 오다 의원의 태도를 보고, 빈우가 협박을 했을 것이라 넘겨짚은 레드우드가 이어진 빈우의 해명에 순순히 납득을 했을 정도다.

"네에, 그분께는 이 세계가 위험한 곳처럼 보였을 거예요. 더구나 주인님처럼 설명을 대강 불친절하게 하신다면 더더욱이요."

삘쭘해하는 주인의 귓불을 킥킥대며 조물거리던 아나스타샤는 문득 뭔가를 떠올렸는지 차츰 얼굴이 어두워지기 시작했다.

"아샤, 왜 그래? 내가 뭘 잘못한 게 있어?"

"으응, 주인님 예전 말씀이 생각나서 그래요."

귀에서 떨어진 손이 이젠 볼을 쓰다듬는다. 오랜 시간 같이 살아온 사이라 빈우는 손의 움직임 너머로 아나스타샤의 걱정을 느낄 수 있었다.

"한 번 그러신 적이 있었어요. 주인님이 그쪽 세계가 무섭다고."

그쪽 세계라면 민간 사회일 것이다.

아나스타샤의 푸념에 빈우는 과거의 일을 떠올렸다. 정확히 하자면 방금 아나스타샤가 했던 말은 빈우 자신이 했던 게 아니라, 빈우의 사관학교 동기가 했었던 말이다. 당시 꽤 인상이 깊어서 아나스타샤에게 얘기한 적이 있었다. 그 말을 했던 녀석은 중위 시절, 도저히 군대 생활을 견디지 못해서 제대를 했었다. 빈우도 꽤 힘든 시기였기에 그냥 그러려니 하고 넘겼었다. 약간의 시간이 흐른 후 빈우가 동기를 찾아갔었을 때는 퀭한 눈을 한 동기가 빈우를 맞이했다. 그런 녀석이 말했었다.

"빈우야, 난 여기가 무섭다. 여기서 살기가 너무 힘들어."

사관학교는 연방의 엘리트들이 모이는 곳이다. 그곳에서 탈락하지 않고 졸업한 것만 해도 우수한 재원으로 평가받는다. 그런 그가 대체 무엇을 힘들

어하는 것일까. 죽음과 떨어진 평화로운 세상에서 살아가는 것을 왜 무서워
할까.

"난 살아남는 법은 배웠지만, 살아가는 법을 잊어버렸어."

마치 벼랑 끝에 내몰린듯한 넋두리였다. 연방을 위해 한 몸 바쳐 희생하겠
다던 전도양양한 생도가 피폐해져 군을 도망치듯 떠나고, 결국엔 이렇게까
지 망가진 것은 빈우에게도 꽤 충격이었다.

그 당시의 빈우로선 이해할 수 없었다. 그저 배부른 자의 투정으로 치부했
었다. 그러나 그 말을 깨닫기까진 그리 오랜 시간이 필요치 않았다. 살아남
기 위해 사선을 넘나들고, 정의를 지키기 위해 도덕을 짓밟았다. 적과 친해지
기 위해 친구를 배신했고 악을 무찌르기 위해 더 큰 악이 되어야 했다. 그렇
게 지금까지 자신을 지탱해온 가치관이 서서히 무너짐에 따라 빈우는 새로
운 자신을 내세웠다. 그 모습으로 뒤를 돌아보면 자기가 떠나온 길이 마치 여
리디여린 살얼음판 같았다. 거친 군홧발로 내디디면 바로 산산이 조각날 살
얼음판.

그때 빈우는 팔에 부드러운 감촉이 느껴져 그쪽을 돌아보았다. 거기엔 앞
섶을 풀어헤친 아나스타샤가 주인의 오른팔에 가슴을 꼭 맞대고 있었다.

"뭐 하니."

"에헤헤, 주인님 표정 풀렸다."

아나스타샤의 실없는 장난에 빈우는 픽 웃으며 그녀의 콧등을 꽉 쥐었다.

"아얏!"

아나스타샤는 아픈 코를 문지르다가 다시 질문했다.

"아 참, 근데 오다 의원님 가슴은 어땠어요?"

뜬금없는 질문에 빈우는 어리둥절했다.

"가스음? 가슴이 왜?"

그러고 보니 파트리샤도 오다 의원의 가슴을 강조했었다. 하긴 머리와 막
상막하의 크기를 가진 가슴은 제법 드문 편이다.

"흐음. 크기야 꽤 크던데."

"으음, 그런 것치곤 눈길도 제대로 안 주시길래 조금 걱정했어요."

"어? 그랬어?"

아나스타샤 같은 가정용 안드로이드는 주인의 일거수일투족에 민감하게 반응한다. 특히나 어려서부터 주인의 유모였고, 소년기까지 교육을 맡았으며, 군인이 된 후에는 비서가 된 그녀라면 더더욱. 괜히 빈우가 마카로니에서 비정상적인 부상을 했을 때, 정보국에서 그의 본인 여부를 살피기 위해 아나스타샤를 데려와 주인과 대면시킨 게 아니다.

"근데 내가 상원의원 가슴 좀 안 봤다고, 뭐 문제 있냐?"

빈우가 아나스타샤의 가슴에 흘깃 시선을 뒀다. 그녀는 짓궂게 혀를 날름하고는 옷매무새를 바로 하기 시작했다.

"그을쎄요. 예전엔 힘들 때마다 제 가슴 보고 마음의 안정을 찾으셨고, 엉덩이나 다리보단 가슴파셨던 주인님께서 그런 멋진 가슴을 피한 적이 없었거든요. 그러다가 점차, 차츰 제…… 가슴에도 시선을 안 주기 시작하시는…… 데……."

그렇게 말하는 아나스타샤의 얼굴은 여전히 장난스레 웃고 있지만 손이 떨리고 있다. 목덜미의 단추를 끼우려고 하지만 단추가 구멍에 제대로 들어가지 못한다.

"응? 어라아? 왜 이러지?"

"괜찮아, 아샤. 이리로 와. 내가 해줄게."

빈우가 아나스타샤의 앞섶을 여미기 위해 손을 내밀자 그녀가 손사래를 친다.

"아니에요, 아니에요. 할 수 있어요. 저 혼자 할 수 있어요."

그러나 말과는 달리 손의 움직임이 점차 더뎌지고 있다. 빈우의 성격이 변한 시기를 우연히, 에둘러 표현했음에도 불구하고 정보국에서 심어놓은 보안 프로그램이 발동한 것이다. 마치 발 가르단 하스에서의 이케가미 소이치로 의원의 보안 프로그램 같아 보이지만, 그녀의 머릿속에 입력된 프로그램이 더욱 지독하다. 아나스타샤가 아무리 인간 같다 한들 결국엔 AI에 의해 움직이는 안드로이드인 것이다.

"자자, 내가 여며줄게. 그때 일은 생각하지 마. 안 해도 돼."

빈우가 아나스타샤를 앉혀서 달래준다. 그리고 차근차근 목까지 단추를 채웠다. 그 단추 위의 얼굴엔 혼란과 울음이 가득하다. 빈우는 내색하지 않고 웃으며 아나스타샤를 꼭 안아주었다.

"죄송해요, 주인님."

"아냐. 신경 쓰지 마."

빈우가 성격이 변하게 된 시기와 이유를 알게 되면, 그 당시 정보국이 진행했던 작전에 대해서도 추리할 수 있게 된다. 그래서 정보국은 외부 파견 요원이 된 빈우의 사무 보조용 안드로이드인 아나스타샤에게조차 이런 보안 프로그램을 깔아놓았다. 이걸 아예 삭제하지 않고 막아놓았단 것은 빈우의 복귀 가능성이 있단 얘기가 된다.

그러나 이것이 불행인지 다행인지는 두 사람 다 알 수 없었다.

*

다음 날 오후. 블랙 랜스의 훈련실.

"와아아."

오다 의원은 순수하게 감탄하고 있었다.

"움직임이…… 보이지 않아요."

지금 그녀는 아룹과 위르겐의 근접전 훈련을 견학하고 있었다. 얼마 전까지만 해도 아룹에게 일방적으로 당했던 위르겐이었지만, 지금은 실력이 꽤나 늘어 어느 정도 싸움이 되고 있었다. 그래도 맨몸의 아룹에게 위르겐은 장갑복을 입고 덤벼야만 한다는 사실은 아직 변하지 않았다.

"강화를 받은 군인들의 속도는 대략 이 정도입니다. 일반인들은 반응하기 힘들죠."

빈우의 설명에 오다 의원은 귀를 기울였지만, 눈은 채 보이지 않는 두 사람의 격투에 넋이 빠져 있다.

"네, 말은 들었지만 실제로 보긴 처음이에요."

불꽃 튀기는 격투 — 실제로 스파크가 튀기는 격투 — 를 보던 오다 의원은 이 살벌한 광경 속에서 문득 로즈필드 의원이 했던 말을 떠올렸다.

'군인들은 연방의 수호자이다. 다만 그 방법은 연방의 적을 파괴하는 것뿐이다.'

당시 오다 의원은 당 대표였던 로즈필드의 말을 당연하다고 생각했다. 그리고 지금 눈앞의 격투전을 보자 왜 그때의 그가 '파괴'란 단어에 악센트를 강하게 줬는지 비로소 이해할 수 있었다.

'인간의 몸을 어떻게 개조를 해야 저런 파괴 병기가 될까.'

감탄하고 있던 오다 의원의 생각을 끊은 것은 빈우의 호령이었다.

"두 사람, 그만. 아나스타샤, 저쪽 정리 좀 해."

"네, 주인님."

빈우의 명령에 대련하던 아룹과 위르겐은 서로 뒤로 물러섰다. 그 뒤로 아나스타샤가 달려가 바닥의 잔해들을 열심히 치운다.

"위르겐, 다음은 나하고 싸운다."

"으랏차!"

팀장의 지명에 위르겐이 씨익 웃더니 장갑복을 입은 채로 앞으로 나섰다.

"벗어, 씨발놈아. 맨몸 격투."

그 말에 위르겐은 대놓고 아쉬운 티를 내며 장갑복을 벗었다. 물론 그러는 외중에도 경계의 눈빛과 툴툴대는 불평은 쉬지 않았다.

이윽고 둘은 대치하며 거리를 재었다. 빈우가 서서히 오른쪽으로 걷자 위르겐은 같은 속도로 반대로 돈다. 두 사람은 반시계방향으로 움직이며 서로를 견제했다.

"어멋!"

그러다가 바닥을 정리하던 아나스타샤가 위르겐의 발에 차여 작은 비명을 질렀다.

"앗, 아나스타샤. 미안—."

아나스타샤의 비명에 놀란 위르겐이 사과를 하려다가 바닥에 넘어진 그녀의 표정을 보고 잠시 멈칫했다. 밀려 넘어진 메이드가 오히려 미안한 표정을 하고 있다.

"에이 씨—!"

위르겐은 자신의 실수를 깨닫고 황급히 시선을 정면으로 돌렸지만 이미 빈우는 그의 허리에 태클을 욱여넣고 있었다. 막기엔 너무 늦었다. 위르겐은 그 자리에 욕지거리를 남기며 바닥으로 처박힐 수밖에 없었다.

"아오! 진짜, 뭡니까 이거!"

"매복."

씩씩대며 항의하는 위르겐에게 빈우는 당연하다는 듯이 웃으며 대답을 한 다음 주먹을 내려쳤다.

"넌 아직 뱅가드 시절의 버릇이 남아 있어. 정면에서 정직하게 때려부수는 거 말야."

위르겐은 위에서 내려치는 빈우의 주먹을 이마로 받으며 그 팔을 잡아챘다. 그러자 빈우는 끌려 내려가다가 반대쪽 팔의 팔꿈치로 위르겐의 광대뼈를 후려갈긴다. 턱이 휙 돌아간 위르겐은 얼굴을 바로 돌리는 기세 그대로 빈우의 얼굴에 박치기를 쑤셔박았다.

"하지만 우리 팀의 전술은! 적이 잘 때, 묶어놓고 다구리 깐다."

박치기를 맞은 빈우는 히죽 웃은 다음 말은 말대로, 손은 손대로 열심히 움직였다. 오다 의원은 처음엔 둘의 격투를 제대로 보았다. 비록 굳은 얼굴을 하고 있었지만. 그러나 아래에 깔린 위르겐의 얼굴에 점차 핏빛이 완연해지자 그녀의 얼굴에선 핏기가 사라져갔다.

"의원님. 보기 불편하시다면 안 보셔도 됩니다."

보다 못한 아나스타샤가 다가와 부드럽게 휴식을 권했지만 이게 오히려 오다 의원을 부채질한 셈이 되었다.

"아니. 난 이걸 봐야 할 의무가 있어."

'연방을 지키기 위해 고군분투하는 장병들이 이토록 열심히 훈련하고 있는데, 조사를 나온 상원의원인 내가 이 무슨 추태인가.'

굳은 결심과 함께 다시금 두 눈을 부릅떴건만, 하필 그때 오다 의원이 보게 된 것은 위르겐의 얼굴이 숫제 토마토소스로 변한 광경이었다.

"읍."

그리고 상원의원의 입에선 크림소스가 쏟아졌다. 다행히도 가까이 있던 아나스타샤가 부랴부랴 수습했고 파트리샤도 잽싸게 달려가 수건으로 그녀를 가려주었다.

"빨리 모셔."

그제야 빈우는 주먹질을 멈추고 일어섰다. 탈탈 터는 주먹엔 부하의 피와 살점이 흡수되고 있었고, 바닥에 누운 위르겐은 빼앗긴 만큼의 고기를 팀장의 손에서 물어뜯어와 질겅질겅 씹고 있었다.

"위르겐, 너 실력이 제법 늘었구나."

물어뜯겨 너덜너덜해진 손이 아물어가는 것을 보며 빈우는 감탄했다. 팀원들의 전투력이 나날이 증가하고 있으니 팀장으론선 기쁜 일이다. 그런데 아래에서 올려다보는 위르겐의 눈빛이 조금 이상했다.

"뭐, 왜 인마. 뭐 이런 거로 꽁해 있냐?"

그러자 위르겐이 입에 씹던 걸 꿀꺽 삼키며 대답했다.

"의원님 저러는 거, 팀장님이 계획한 거죠?"

"이 새끼가 뭐라는 거야?"

빈우로선 어제에 이어 오늘도 상원의원이 구토를 해서 싱숭생숭한데 부하는 또 영문 모를 말을 한다. 황당해하는 빈우의 뒤에서 모니카의 목소리가 들려온다.

"저기요, 팀장님. 의원님 기죽이는 게, 으음…… 너무 심하지 않나요?"

나름 373에서 부대낀 티가 나는지 목소리가 좀 커졌다.

"아니, 잠깐만. 내가 뭘 했다고 이러는 거야? 내가 의원님을 토하게 했다고? 내가 왜? 부팀장, 부팀장도 그렇게 생각해요?"

빈우가 애타게 부른 부팀장은 그저 어깨를 으쓱할 뿐이다.

"으음. 어제는 마카롱을 드시고 토했고, 오늘은……."

"아 나 진짜. 다들 날 뭐로 보는 거야."

팀원들의 오해가 억울한 팀장이 방방 뛴다.

빈우가 그렇게 팀원들과 티격태격하고 있을 때 레드우드 사령관의 통신이 들어왔다.

- **김 팀장!**

- **예에 죄송합니다. 이건 사곱니다. 진짜로요.**

- **뭔 개소리야. 잘 들어. 라출노그와 샤다이가 접촉했다.**

레드우드의 말에 빈우의 피가 차갑게 식는다.

라출노그는 현재 연방의 동맹인 어류형 종족이다. 과거 연방과 전쟁을 했을 때는 한 수 처지는 과학력을 가졌음에도 불구하고, 마치 어류의 집단행동을 연상케 하는 탁월한 함대 운용 능력으로 우주전에서만큼은 연방과 대등하게 싸웠었다. 당시 연방은 제우권을 빼앗지 못한 상황이었으나, 악착같이 라출노그 본성에 장갑보병을 강하시켜 해양 행성의 밑바닥을 싹싹 긁는 트롤짓으로 힘겹게 승리했다.

이제는 연방의 동맹이 된 라출노그는 현재로선 최강의 함대를 가지고 있는 종족이다. 다만 인간에게 여러 인종이 있듯이 라출노그에도 여러 종족이 있다. 하지만 인간의 인종 분류가 같은 종족 내에서의 사소한 차이라면, 이들은 아예 다른 종족들이 라출노그란 이름 하에 느슨하게 묶인 집합체라 내부에 연방과 반대되는 세력들이 꽤 있다.

만약 그런 반 연방파에 샤다이가 접근한다면? 그리고 최악의 경우, 샤다이의 과학기술로 만들어진 함대가 우주 최고의 조함술을 가진 종족들에게 주어진다면?

연방의 비상상황이다.

- 네. 즉시 가겠습니다.

빈우는 서둘러 사령관실로 내달렸다. 태스크포스 373의 팀장은 대강 이번 작전의 윤곽을 짐작할 수 있었다. 애초에 태스크포스 373은 발 가르단 하스에 추락한 리퍼 함선을 회수하기 위한 특수팀이었다. 또한 팀이 상대할 적도 기존의 전술이나 장비로는 대적하기 힘든 리퍼를 목표로 했기에 각종 최신 기술이 들어간 함선과 장비로 무장했다. 사령관인 레드우드는 발 가르단 하스의 작전이 끝나고도 태스크포스 373을 존속시키려 했으니, 아마 373팀이 앞으로 맡게 될 작전의 성격도 비슷할 것이다.

＊

잠시 후, 빈우는 요 근래 걸어들어간 것보다 달려들어간 게 더 많은 것 같은 사령관실로 다시금 뛰어들었다.

"늦었습니다."

"앉아."

레드우드는 가타부타 말없이 자료화면부터 틀었다.

"중앙정보국에서 보내온 자료다."

연방 중앙정보국은 자타공인 연방 최고의 정보기관이다. 빈우의 본가인 군사정보국이 전쟁 중인 외계종족만을 작전 대상으로 하는 것과 달리, 이들 중앙정보국은 외계종족 모두를 대상으로 한다.

"2척입니까? 위치는요?"

화면에는 1척의 전열함과 1척의 모니터함이 찍혀 있었다.

"17시간 전, 라출노그 제7행성의 소행성대에서 발견되었다."

현재 라출노그는 연방과 군사 동맹을 맺고 있으므로 연방과 전쟁 중인 세력에 대해서는 공동전선을 펴거나 협조를 한다. 그러나 연방의 주적인 샤다이에 대해서는 조금 애매하다. 샤다이는 인류 외의 종족에 대해서는 거의 적대적인 행동을 하지 않으며, 설령 선제공격을 받았다 하더라도 무시하며 피하기 때문이다.

과거 연방과 라출노그의 연합함대가 샤다이와 전투를 벌인 적이 있었다.

그때도 놈들은 연방만 집요하게 공격했을 뿐, 라출노그는 거의 무시했었다. 또 연방에 비해 한 세대 처지는 라출노그의 무장으론 샤다이에 유효한 피해를 주는 게 거의 불가능했다. 결국 당시 라출노그는 전장에서 없는 셈 취급되었고, 연방과 샤다이만 죽자고 싸웠었다.

그래도 라출노그는 동맹으로서의 의무는 나름 충실히 이행해왔다. 샤다이가 자신들의 탐지범위 안에 출현하면 그 즉시 연방에 알려왔으며, 공격받지 않는다는 점을 이용해 정찰부대의 선두에도 곧잘 섰었다.

"라출노그의 본성은 4행성이고, 7행성은 데넥샬의 개척 행성이 있는 곳 아닙니까?"

자신들의 영역에 샤다이가 나타났음에도 연방에 연락하지 않았다는 것은 조금 수상하다. 그러나 7행성은 말이 개척 행성이지 추방지에 가깝다. 데넥샬 분파는 과거 라출노그의 주류 종족으로 연방에게 선전포고를 했던 주전파였다. 이후 본성이 함락된 뒤에도 결사 항전을 주장했지만 완벽한 패전 후엔 다른 분파들의 반발과 책임추궁에 본성에서 추방되어 당시 막 개척을 시작한 7행성으로 쫓겨났었다. 그 뒤 본성을 차지한 것은 연방과 싸울 의사가 없음을 피력하고 오히려 협조를 해왔던 반전파, 슈홀루 분파였다. 이들은 그때부터 라출노그의 주류 종족으로 떠오르게 되었다. 7행성으로 추방된 이후로 데넥샬 분파는 연방과 라출노그 본성에 대해 겉으로만 협조했을 뿐, 속으론 복수의 칼을 갈고 있었다는 것은 주지의 사실이다.

이 때문에 놈들은 현재 연방 중앙정보국의 집중감시 대상이다.

"그래. 과연 샤다이의 출현을 데넥샬이 모를까?"

레드우드의 질문에 빈우는 고개를 저었다. 7행성의 소행성지대는 개척지의 모자란 물을 보충할 얼음들이 있는 곳이다. 개척민들은, 더구나 우주를 헤엄치는 라출노그들이라면, 자신들의 앞마당인 소행성지대를 낱낱이 파악하고 있음이 분명하다.

"글쎄요, 샤다이가 스텔스로 숨지도 않았는데 제아무리 라출노그의 기술력이라 해도 이 정도 거리라면 발견하고도 남았을 겁니다."

즉 샤다이들이 이 소행성지대에 와 있는 것은 라출노그의 허가 혹은 묵인 하에 이뤄진 일임에 틀림이 없다. 그것도 데넥샬 분파의 일방적인.

"설마 이놈들, 본성에 안 알린 겁니까?"

연방과 라출노그의 협정 중엔 교전 중인 적에 공동 대응한다는 조항이 있 다. 특히 샤다이에 대해서는 교전은 무리라 해도 반드시 알려주기로는 되어 있다. 만약 라출노그들이 소행성대의 샤다이에 대해 알았다면 연방에 연락 을 했을 것이다.

"본성 쪽은 이제껏 성실히 경고해왔으니 아마 개척지 놈들의 독단일 게다."

레드우드는 빈우의 말에 고개를 끄덕이며 다음 자료화면들을 보여주었다.

"그리고 다음 장면을 봐. 이 샤다이의 배들, 아마도 무인으로 추정된다."

다음 화면에는 정지한 전열함에서 샤다이들이 나와 옆의 모니터함으로 이동하는 것이 보였다. 그리고 놈들 특유의 점프로 사라졌다.

이제 남은 것은 전열함 1척이다.

"또 이것은 당시 라출노그들의 통신을 감청한 것이다."

이어서 초음파로 된 라출노그어와 번역된 문자들이 출력된다. 그중 눈에 띄는 문장들이 있었다.

- 해류를 이끄는 자들이 왔다.

- 슈홀루에게 응징을! 물 위를 걷는 자들에게 복수를!

- 해류를 이끄는 자들의 선물을 받아라.

'해류를 이끄는 자'란 단어에서 확신을 얻은 빈우가 짧게 한숨을 내쉰다.

"물 위를 걷는 자란 수상생활을 하는 종족들을 일컫는 라출노그식 표현이 죠. 여기선 아마 우리를 말하는 것일 테고, 해류를 이끄는 자는 샤다이를 말 할 때 쓰는 표현 중 하나. 설마하니 샤다이 놈이 라출노그 데넥샬 분파에게 자신들의 배를 넘긴 겁니까?"

"아마도. 그게 아니라 해도 방금 자료에 의하면 저 전열함은 텅 비어 있을 가능성이 높다는 게 중요하지."

화면에서 시간이 빠르게 지나고 있음을 보여주지만, 소행성대에 정지한 샤다이의 전열함은 그저 관성에 따라 흘러갈 뿐이다.

"정보국에서 한 건 했군요. 근데 샤다이 놈들은 왜 바로 넘기지 않고 저 소행성대에 숨겨놨을까요?"

"아마 데넥샬에 주둔한 우리 쪽의 눈을 의식해서 최대한 서로 간의 연결점을 없애려는 것 아니겠냐. 아마 우연을 가장해 발견한 다음 날름 삼키거나 극비리에 숨길 예정이겠지."

"얼음 캐러 갔더니 샤다이의 전열함이 공짜로, 뭐 이런 시나리오입니까?"

"아무튼 이 정보를 입수하자마자, 그날 출발하던 중앙정보국의 위장 무역선이 기관 불량을 가장해 해당 소행성대 근처에서 표류하고 있다. 당장은 데넥샬 놈들이 움직이진 못할 거다."

데넥샬과 거래를 하는 연방 중앙정보국의 위장 우주선과 무역사무소는 대외적으론 민간소속으로 되어 있다. 그리고 등록을 할 때도 탐사 거리가 짧다고 허위로 신고해놔, 지금은 전열함을 발견하고도 못 본 척하며 시간을 끄는 중이었다. 데넥샬과 중앙정보국 둘 다 서로 눈 가리고 아웅하는 셈이다.

"그리고 김 팀장, 공짜란 게 놈들에게만 해당되는 게 아니지?"

레드우드 사령관의 의미심장한 시선을 느낀 빈우는 그가 무슨 생각을 하고 있는지 알아챘다.

"지금 우리 팀에게 여기 있는 샤다이 함대들을 날름 삼키란 겁니까?"

"손상이 없는 샤다이 함선. 군침 돌지 않나?"

군침이야 돌지만 리스크가 크다.

"안전하게 대사관을 통해 정식항의를 하는 것은 어떻겠습니까?"

"그러면 우리가 감시하고 있다는 게 들키는 거고, 손쉽게 샤다이 함선을 훔칠 기회 또한 놓치는 거지."

연방보다 월등히 앞서는 기술력을 가진 샤다이의 함선의 가치는 이루 말할 수 없다.

"그렇다면 왜 중앙정보국이 안 움직이죠? 그쪽에도 특수작전 부대가 있잖습니까."

빈우의 말대로 연방 중앙정보국도 기밀작전을 위한 특수부대를 보유하고 있다. 이 팀은 군에서 인력을 파견, 차출하고 자체적으로도 육성하기도 한다. 여기서 훈련받은 특수부대원들은 상당히 높은 수준의 실력을 갖추고 있다.

"우리 373이 저번에 이뤘던 전과가 너무 커서 말이지. 보고서를 보더니 안전하게 우리 팀에게 맡기기로 결정 내린 모양이다."

하긴 태스크포스 373은 샤다이와 전투를 하며 그 장비를 회수하기 위해 창설된 팀인 만큼 이런 일엔 적격이다.

"흐음, 간다면 외곽 게이트를 쓰는 겁니까? 중앙정보국 쪽에서 쓰게 해주겠대요?"

"말을 꺼낸 게 그쪽이니 당연한 얘기 아니냐."

라출노그 항성계도 점프 게이트가 하나 있었지만 지금은 연방이 소유한 상황이다. 그 하나뿐인 점프 게이트는 본성인 라출노그 4에만 있어서, 개척지의 데넥샬 측은 통상항해로 이동해야 했다. 다만 좀 더 외곽 쪽으로 가면 연방이 비밀리에 발견한 점프 게이트가 있는데 오직 중앙정보국만이 쓸 수 있었다. 라출노그 쪽에 들키지 않고 이동이 가능하다는 매력에 다른 팀들이 사용허가를 바랐건만, 이런저런 이유를 대며 거절했던 비싼 게이트다.

빈우가 뭐라 말하려 할 때 사령관실의 벨이 울렸다.

"아이구야. 오다 의원이시군."

화면을 본 레드우드가 혀를 찼다. 어떻게 알고 왔는지 오다 의원이 지금 사령관실에 와서 면담을 요청하고 있었다.

"어쩌실 겁니까? 회의 중이라고 돌려보내실 겁니까?"

지금은 작전 회의 중이라 외부인은 돌려보내겠지만, 지금 오다 의원은 태스크포스 373을 조사하러 왔기에 무작정 돌려보내기 껄끄러운 면이 있다.

"어차피 알게 될 일이다."

레드우드는 화면을 닫지도 않은 채 바로 문을 열었다.

"약속도 없이 불쑥 찾아와 죄송합니다. 레드우드 사령관님."

안으로 들어온 오다 의원은 옷만 갈아입은 것이 아니라 아예 씻고 온 것처럼 보였다. 빈우가 있는 것을 보고도 별다른 반응을 하지 않은 것을 보면, 레드우드를 만나러 온 것이 아니라 빈우를 찾아 여기까지 온 것 같다.

"별말씀을. 우리 특수전 사령부는 의원님께 숨기는 것 하나 없이 언제나 열려 있습니다."

그러면서 레드우드는 작전 화면을 오다 의원에게 보여주었다.

"마침 태스크포스 373이 앞으로 맡게 될 작전에 대해 회의를 하는 중이었습니다. 보시겠습니까?"

"감사합니다. 실은 김 소령님께서 사령관님과 회의를 하고 있다기에 궁금해서 온 참이었습니다."

오다 히토미가 태스크포스 373을 조사하러 온 목적은 겉으로는 감사 이전의 조사고, 실제로는 연방 내에 암약하는 세력의 정체를 파악하기 위해서다. 그 세력이 태스크포스 373을 적대하고 있는 이상, 지금은 그녀에게 협조하는 편이 373 쪽에겐 이득이다.

자리에 앉은 오다 의원은 빈우의 설명을 듣다가 점차 표정을 굳혔다.

"이번 작전은 동맹종족의 영토에 군병력을 파견하는 겁니다. 대통령께 허가는 받으셨습니까? 또 외교부를 통해 라출노그 측과는 얘기가 되었나요?"

오다 의원의 의문은 당연한 것이지만 태스크포스 373에겐 해당되지 않는 내용들이다.

"애초에 태스크포스 373은 샤다이의 이상행동에 선조치 후보고 형식으로 신속 대응하기 위해 만들어진 팀입니다. 그러니 지금 같은 상황이면 출동 이유로 충분하지 않습니까?"

레드우드의 대답에 이어 빈우도 설명을 거든다.

"게다가 구축함 1척에 화력 팀 하나. 이 정도면 상부의 승인을 받지 않고도 특수전 사령부 재량으로 움직일 수 있죠. 더구나 이 내용이 17시간 전의 것인 이상, 작전지역이 동맹국의 영토 내라 해도 작전 승인을 기다릴 시간적 여유가 없습니다."

라출노그의 적대적 분파에 샤다이 함선이 넘어가는 위급한 상황이다. 현재 연방이 유지하고 있는 파워 밸런스가 무너지는 꼴을 보느니, 차라리 차후에 벌어질 외교적 문제를 감내하고서라도 선제 행동에 나서는 게 백배 낫다.

오다 의원은 설명을 들은 다음 잠자코 생각을 정리하려는 듯 화면을 뚫어지게 쳐다보고 있었다. 그때 레드우드 사령관이 빈우에게 슬쩍 눈치를 주었다. 그게 무슨 의미인지 알아챈 빈우는 오다 의원에게 슬그머니 말을 걸었다.

"이런 상황입니다, 의원님. 저희 태스크포스 373은 라출노그 7로 다가가고 있는 샤다이 함선이 데넥살에게 넘어가기 전 중간에서 가로채거나, 이미 넘어갔다면 다소의 무력행동을 사용해서라도 나포할 계획입니다. 그동안 의원님께서 이곳 특수전 사령부에 머물러주시길 바랍니다. 물론 작전 당시의 모든 내용은 의원님께 공개할 겁니다."

실전은 당연히 위험하지만 태스크포스 373 같은 특수부대가 작전에 들어간다면 위험을 떠나서 예측불허의 상황이 연속된다. 당연히 상원의원 같은 VIP를 실험 함선에 태우고 갈 수는 없는 노릇이다. 빈우와 레드우드 두 사람은 이렇게 말하면 오다 의원이 당연히 배에서 내린다고 할 거라 생각했다.

"아뇨. 저도 이번 작전에 따라가겠습니다."

그러나 오다 의원의 대답은 둘의 예상을 뛰어넘는 것이었다.

"네에?"

놀라서 되묻는 빈우에게 오다 히토미는 확실히 쐐기를 박았다.

"태스크포스 373이 라출노그로 가는 이번 작전에 저도 따라가겠습니다."

092

· · · ✦ · · ·

그녀의 충격적인 발언에 레드우드 사령관은 미간을 부여잡았다. 그리고 한숨을 푸욱 내쉬며 상원의원을 설득하기 시작했다.

"의원님. 물론 의원님께선 특별감사의 자격으로 오신 만큼 태스크포스 373의 모든 행동을 조사하실 권한이 있습니다. 그러나 실전에 따라가신다는 것은 대단히 위험합니다. 의원님께서 생각하시는 것보다 훨씬 더요. 일반적인 작전이라면 비교적 후방에서 안전하게 보실 수 있으시겠지만 아시다시피 373은 구축함 1척에 화력 팀 하나, 전투기들로 이뤄진 소규모 팀입니다. 의원님께서 계신 곳이 바로 최전선이 된단 말입니다."

"네. 각오하고 있습니다."

레드우드 사령관이 그답지 않게 최대한 온화하게 만류해보았건만 오다 의원은 요지부동이었다. 그때 빈우가 불쑥 끼어들었다.

"의원님. 각오란 말을 함부로 하지 마십시오."

약간 날 선 듯한 빈우의 목소리에 오다 의원이 움찔한다.

"저희는 언제나 각오를 하고 있습니다. 하지만 마음가짐으로 할 수 없는 일이…… 너무나 많습니다. 최고의 훈련을 받고 최고의 장비를 갖춘 특수부대원조차 눈 깜짝할 사이에 흔적도 사라지는 곳이 전장입니다. 그들에게 각오가 부족했을까요? 자다가 침대에서 굴러떨어진 장병이 놀라서 자기 팔다리가 제대로 붙어 있는지 더듬는 걸 보신 적 있으십니까? 그들에게 정말 각

오가 부족했을까요?"

딱히 적의가 느껴지는 말투는 아니었다. 자신이 알고 있는 사실을 담담하고 건조하게 오다 의원에게 설명했을 뿐. 다만 그 사실들이 그녀에게 적의를 가지고 있었다. 오다 히토미는 그 사실들이 마치 자신의 숨통을 조이는 듯한 느낌을 받았다.

"의원님, 연방의 상원의원들은 연방 시민들 민의의 집합입니다. 많은 지식을 섭렵하고 시험을 통과하여 자격을 얻은 다음, 각 행성에서 하원 의원들의 선거를 통해 선출되신 분들입니다. 당연히 신변의 안전에 신경을 써야 할 귀한 몸이란 말입니다. 그런데 제 팀이 하는 작전은 극히 위험합니다. 팀원 어느 누구의 안전을 보장할 수 없습니다. 비전투원인 의원님은 말할 것도 없고요."

거기서 잠시 쉰 빈우는 오다 의원을 똑바로 쳐다보며 다시 말을 이었다.

"실제로 저번 작전에서 저는 상원의원이신 이케가미 소이치로 의원님을 지키지 못했습니다. 제 눈앞에서 돌아가시는 걸 보고만 있어야 했죠."

그리고 빈우는 공개하지 않았던 비밀자료를 하나 공개했다. 이케가미 의원의 최후가 담긴 영상이다.

"정말 각오가 되셨다면, 이케가미 상원의원의 마지막을 보실 수 있겠습니까?"

그 말에 레드우드 사령관은 눈살을 찌푸렸을 뿐, 딱히 만류하진 않았다. 그러나 오다 히토미 상원의원의 얼굴은 눈에 띄게 굳었다. 그리고 어렵사리 말문을 열었다.

"지금 저를 협박하시는 건가요?"

"통보입니다. 물론 통보만으로 협박이 될 수 있죠."

오다 의원은 잠시 입술을 깨물더니 조용하게 말했다.

"보여주세요."

빈우는 기다렸다는 듯이 즉시 당시의 영상을 재생했다. 전부 빈우의 시각과 청각으로 구성된, 발 가르단 하스에서의 기록이다.

- 이제 알았어. 이제…… 이제야 간신히 발 가르단 하스와 대화가 되었구먼.

마침 영상의 시작은 이케가미 의원이 워프 비스트로 변하고 있는 장면부터였다. 신체의 각 관절이 꼬이고 송곳니와 손톱이 비정상적으로 성장한다. 그 순간 영상의 주체인 빈우의 시선이 옆으로 돌아가 코일건으로 샤다이를 겨눈다. 대상은 당시 임시 협력자였던 샤다이, 알탄훼아나였다. 영상 속의 그녀는 마치 인간 같은 표정을 짓고 있었다. 경악, 분노, 슬픔, 후회.

- 무슨 짓이야!

빈우의 조준을 느낀 후코의 전자파 외침과 함께 빈우의 장갑복이 작동 정지한다. 잠깐의 정지 후 빈우가 다시 이케가미 의원을 보았을 때, 그는 웃고 있었다. 워프 비스트로 변해가는 얼굴이었지만 정말 상쾌한 눈빛이었다. 치열한 접전을 치르다 마지막 순간에 역전해 승리를 거머쥔 자의 눈빛이었다.

- 딸에게, 히토미에게 전해주게. 아빠가 미안하다고.

눈빛과는 달리 목소리는 슬프고 공허했다. 그 모습을 본 오다 의원은 숨을 멈추었다. 영상 속의 이케가미 의원이 플라스마 줄기로 몸을 내던졌을 때 그녀는 소리 없는 비명을 질렀다. 그리고 영상 속의 빈우도 소리쳤다.

- 의원님!

빈우의 화면이 급작스럽게 변한다. 이케가미 의원을 구하기 위해 달려가는 중이다. 그러나 사방에서 통로가 좁혀오자 암석 사이에 짓이겨져 꼼짝달싹도 못 하게 되어버렸다.

다음 순간, 빈우는 장갑복을 벗고 밖으로 나왔다. 동시에 적대적 환경을 감지한 각종 경보들이 격렬하게 울린다. 고온의 불산 가스 속을 컥컥대며 필사적으로 달린 빈우는 녹아내리는 이케가미 의원의 몸을 간신히 구해냈다. 그리고 빈우가 그를 안아 든 순간 그의 마지막 말이 전파를 통해 빈우에게도 전해져왔다.

- 히토미, 히토미, 미안하다, 히토미, 히토미…….

이미 화면 속의 영상은 알아볼 수 없을 정도가 되었다. 당시의 빈우가 시각 쪽에 치명적인 부상을 입었다는 얘기다. 그리고 그 부상은 시각에만 국한된 것은 아닌 것은 자명하다.

빈우는 만신창이가 된 몸을 이끌고 간신히 장갑복에 도착한 다음 이케가미 의원의 신체를 바닥에 내려놓고 장갑복을 다시 입었다. 두뇌칩으로 장갑복의 시각정보가 들어오자 그제야 주변의 상황을 제대로 파악할 수 있었다.

처음으로 보인 것은 두뇌 망의 플라스마 줄기가 뻗어나와 빈우를 감싸고 있는 모습이다. 플라스마에 휩싸이자 고온을 감지한 컨커러의 방어막이 작동했다. 그 여파로 움직이지 못하게 된 장갑복의 손안에서 이케가미 의원이 타 녹아 사라진다.

- 꼴…… 좋구나…… 내…… 승리다…….

아무것도 할 수 없는 빈우의 눈앞에서 이케가미 소이치로의 육체가 사라지는 것에 따라 말도 띄엄띄엄 끊긴다. 마지막으로 두개골이 땅에 떨어지며 그의 마지막 유언이 빈우에게 전해진다.

- 히토미…….

이케가미 의원이 플라스마에 휩싸여 사라져가며 한 마지막 말. 그것은 채 끝맺어지지 못했다.

영상을 틀고 있던 빈우가 여기서 영상을 껐기 때문이다. 그리고 그는 덜덜 떨고 있는 오다 히토미 상원의원을 돌아보았다. 그녀의 얼굴을 본 빈우는 데 자뷔를 느꼈다. 지금 오다 히토미는 마치 방금 영상 속의 샤다이, 알탄훼아나와 같은 표정을 짓고 있었다. 그 감정은 바로 경악, 분노, 슬픔, 후회였다.

"죄송합니다. 조금 충격이 심하셨던 모양이군요."

빈우의 그 말에 오다 의원은 흠칫하며 정신을 차렸다. 그리고 떨리는 목소리로 질문한다.

"이, 이런 건 보고서에 없었지 않나요?"

"그다지 중요한 내용이 아니라 이 부분은 문서로만 이뤄졌을 겁니다."

덤덤한 빈우의 대답과 달리 오다 의원은 초조해 보였다.

"이케가미 의원님께서, 달리 하신 말씀은 없었습니까?"

오다 의원은 평정을 가장해 질문을 했지만 그 속에 감춰진 것은 절박함이었다.

"몇 가지 있긴 합니다만 보고서에 적힌 것 외엔 대부분 자신의 딸에게 보내는 내용이었습니다. 개인적인 일이라 밝히지 못하는 점 양해 바랍니다."

"그런가요."

눈앞의 히토미는 더 이상 질문을 하지 않고 치마를 꼭 쥐기만 했다. 잠시의 정적을 깬 것은 레드우드 사령관이었다.

"의원님. 방금 보신 영상으로 인해 불편하셨다면 제가 다시 사과드리겠습니다."

"아닙니다. 오히려 현장에서 일어나는 일에 대해 보다 자세히 알 수 있었습니다."

다행히 오다 의원은 빠르게 평정을 되찾았다. 그런 그녀에게 레드우드 사령관은 다시 설득을 시도했다.

"그렇습니까. 그러면 어쩌시겠습니까? 다음 작전에도 태스크포스 373을 따라가시겠습니까? 아니면 이곳 오브리가도에서 기다리시겠습니까?"

"태스크포스 373을 따라가겠습니다."

곧바로 나온 대답에 빈우와 레드우드는 잠시 서로를 마주 보았다. 그리고 다음은 누가 설득할 것인가에 대해 무언의 회의를 하려 할 때, 오다 의원이 다시 말했다.

"각오라고 말씀하셨지요?"

빈우를 바라보는 오다 의원의 눈에는 분명한 각오가 서려 있었다.

"방금 돌아가신 이케가미 소이치로 상원의원, 그래요. 전 상원의원장이시기도 하죠. 그런 분이 두뇌칩에 보안 프로그램을 삽입당하고 아무런 동료도 없이 보호 행성으로 가야 했습니다. 그리고 홀로 1년간을 버티다 결국 돌아가셨죠. 왜일까요?"

나직한 음성이 사정없이 떨리고 있다. 무언가 격한 감정이 오다 의원의 안을 뒤흔들고 있다. 그녀가 어떻게든 억누르려고 하지만 미처 다스리지 못한 감정들이 밖으로 새어나온다. 중요한 것은 그 감정이 무엇이냐가 아니라, 왜 그러한 감정이 생겼냐는 것이다.

"주변에 믿을 만한 사람이 없고, 도와줄 사람이 없으며, 전부 적이었기 때문이죠."

빈우 역시 오다 의원을 똑바로 마주 보며 대답했다.

"맞습니다. 이케가미 소이치로 전 상원의장은 온건파였다가 주전파로 돌아선 다음 외계종족의 말살을 위해 딸까지 버려가며, 아, 실례했습니다."

흥분했던 오다 의원은 잠시 말을 멈추더니 마음을 가다듬은 다음 다시 말을 이었다.

"지금까지 외계종족과 공존에 비중을 두던 연방은 그가 상원의장이 되면서부터 많은 것이 바뀌었습니다. 신설되거나 변경된 각종 법안들은 모두 외계종족들을 향한 화살이 되었고, 공격을 위한 빌미가 되었죠. 물론 이케가미 상원의장이 선출되던 당시 연방의 분위기가 주전론으로 흘러간 것도 있지만, 시간이 흘러 하원의 흥분이 사그라진 때조차 그는 다시금 의장으로 재선출되어 여전히 주전파의 선두에 섰습니다. 그런데 그랬던 사람이 어느 날 갑자기 다시 반전파로 되돌아서고, 천애 고독의 처지가 되어 보호 행성에서 죽었습니다. 이상하지 않나요?"

물론 빈우도 그에 대해 의문을 품고 몇 가지 이유를 추측하고 있었다.

"오다 의원님께서 말씀하신 연방 내의 비밀결사 때문이겠죠."

오다 히토미는 굳은 표정으로 고개를 끄덕였다.

"맞습니다. 말씀드렸다시피 지금 연방 내부에는 실체를 파악할 수 없는 비밀스러운 세력이 암약하고 있습니다. 이케가미 의원의 죽음, 태스크포스 373에 대한 방해. 그리고 이건 추측이지만 반전파의 무명의원이었던 이케가미 의원이 주전파로 돌아서자, 급격히 부상한 것에도 이들이 관련되어 있으리라 생각합니다. 그리고 저는 이들의 정체를 파헤치기 위해 지금 그들이 노리고 있는 태스크포스 373에 온 것입니다. 지금 저에게 제 임무를 위한 각오가 되어 있다고 물으셨나요? 예! 되어 있습니다."

결연한 표정으로 말을 맺은 오다 의원을 보던 빈우는 팔짱을 끼고 턱을 만지작거렸다. 그녀의 말대로 이케가미 상원의원의 뒷배에 모종의 세력이 있었다면, 이들이 울토르 프로젝트에도 손을 뻗어놨을 가능성 또한 대단히 높다. 그렇다면 지금 이전 울토르 중대장이었던 빈우의 머릿속에 트리니티 패턴으로 잠긴 자료는, 놈들에게 매우 군침이 도는 자료일 것이다. 또한 빈우는 그녀가 말한 비밀세력과 워프 비스트는 관계가 있을 가능성이 높다고 추측했다. 사람이 변해서 탄생한 워프 비스트가 말이다.

만약 오다 의원이 정말로 비밀세력의 정체를 파헤치려 한다면 그녀는 태스크포스 373과 빈우의 든든한 아군이 될 수도 있다. 그러나 그녀가 한 말이 진실이란 보증은, 그녀가 비밀결사가 아니란 보증은 어디에도 없다. 내민 손을 무턱대고 잡는 섣부른 짓을 할 순 없다.

"알겠습니다. 의원님. 의원님의 결의는 잘 알겠습니다. 그렇다면 의원님께서 소임을 다하실 수 있도록 저도 있는 힘껏 돕겠습니다."

정중히 고개를 숙인 빈우는 이번엔 레드우드 사령관에게 말했다.

"사령관님, 이쯤 되면 어쩔 수 없지 않습니까? 블랙 랜스에 오다 의원님을 모시고 작전에 임해야겠습니다."

레드우드는 사연이 있다고 해도 어떠한 검증도 없이 무턱대고 오다 의원을 동행시키자는 빈우의 의견에 눈썹을 찌푸렸다. 동시에 그는 빈우가 앞에선 이렇게 말하고 있지만, 뒤로는 뭔가 꿍꿍이가 있다는 것 또한 쉽게 알 수 있었다. 그게 정확히 어떤 것이고 앞으로 어떻게 진행될지는 모르지만 레드우드는 자신이 뽑은 부하를 믿었다.

"어차피 팀장은 너다."

대답은 그것으로 족했다. 빈우는 즉시 일어섰다.

"알겠습니다. 의원님, 가시죠. 블랙 랜스까지 모시겠습니다. 사령관 각하, 태스크포스 373은 라줄노그 7행성의 샤다이 함선을 확보하기 위해 출동하겠습니다."

"음, 부탁한다."

시간이 촉박한 상황이다. 자세한 것은 가면서 조율해도 된다. 빈우는 오다 의원을 모시고 밖으로 나와 블랙 랜스로 향했다.

그렇게 두 사람이 이동하던 중에 오다 의원이 빈우의 눈치를 잠시 보더니 조심스레 말을 꺼냈다.

"저, 팀장님?"

"네. 말씀하십시오."

"이케가미 의원께서 말씀하셨던 나머지 말, 그러니까 딸에게 했던 말들을…… 나머지 내용들을 들을 수 있을까요?"

빈우는 잠시 고민했다. 그냥 고인의 유언이라면서 가족 외의 사람에게 전하는 것은 예의가 아니라고 발뺌할 수도 있다. 그러나 그러기엔 그녀와 이케가미 의원 간의 연결점을 나타내는 증거들이 너무 많았다. 정작 당사자는 부정하고 있었지만. 나에게 상대가 원하는 것이 있다. 그렇다면 그것을 스스로 가져가게 놔둘까, 아니면 주면서 선심을 쓸까.

마침내 결심한 빈우는 말을 꺼냈다.

"선친의 마지막이 궁금하십니까?"

갑작스러운 말에 오다 의원이 놀라서 멈춰 섰다. 그것도 뜬금없는 헛소리를 들은 게 아니라 숨겼던 사실이 들켰을 때 나오는 경악이었다.

빈우는 태연스레 돌아보며 말을 이어나갔다.

"실례, 너무 티를 내시더군요. 그러나 달리 말씀을 하지 않으시기에 이쪽도 예의상 모른 척하고 있었을 뿐입니다."

머뭇거리던 오다 의원이 어렵사리 말문을 열었다.

"네. 제…… 결혼 전의, 제 성은 이케가미였습니다."

드디어 나온 고백에 빈우는 짧게 흠, 하더니 오다 의원을 빤히 쳐다보았다. 그 시선에 오다 히토미는 우물쭈물하며 변명했다.

"압니다. 예전에 팀장님께서 물어보셨을 때 저는 모른 척했지요. 하지만……."

거기서 빈우는 오다 의원의 말을 끊었다.

"아뇨. 더 이상 말씀하지 않으셔도 됩니다. 가족 간의 일이지 않습니까."

"이해해주셔서 감사합니다, 팀장님."

"다만."

덧붙인 빈우의 말에 오다 의원이 움찔한다.

"의원님의 가족관계를 증명할 수 있는 자료를 볼 수 있을까요? 아무래도 짐작과 확신은 다르지요. 저희는 조사받는 입장이라 의원님의 개인 자료에 접근할 수 없어서 말입니다."

상대가 원하는 것을 무턱대고 줄 순 없다. 간절히 원할 때 줘야 이쪽도 언는 게 있다.

"아, 네. 물론이죠. 이거면 되겠습니까?"

오다 히토미가 띄운 자료는 이케가미 소이치로와 이케가미 히토미의 부녀관계를 증명하는 가족서류, 그리고 결혼하면서 성이 바뀌었다는 혼인 증명서, 마지막으로 이혼 증명서였다.

이혼하고도 본래의 성씨가 아닌 남편의 성을 쓰고 있다는 것은 여러 가지 의미가 있을 것이다. 어쨌든 이 정도 정보라면 차고도 넘친다.

"충분합니다, 의원님. 그러면 이케가미 의원님의 마지막에 대해 좀 더 자세히 알려드리지요. 그러나 당시의 자료는 전부 기밀이라 복사에는 절차가 필요합니다. 작전 후에 복사본을 드리겠습니다."

"그러면 지금 제 방에서 보여주세요."

뜻밖의 제안에 빈우가 고개를 갸웃한다.

"의원님의 방에서요?"

"……안 될까요?"

그렇게 질문하는 오다 의원은 아버지의 유언을 듣고자 조급해하는 딸의 모습을 띠고 있었다.

"아닙니다. 가시죠."

잠시 후 오다 의원의 방으로 초대받은 빈우는 발 가르단 하스에서 이케가미 의원과 나누었던 대화와 영상들을 모두 보여주었다.

- 혹시 따님인가요?

- 딸은 관계없어!

영상 속 빈우의 의뭉스러운 질문과 날 선 이케가미 의원의 고함. 오다 의원은 여기까진 평정심을 유지하고 있었다.

- 히토미, 응, 그래. 아빠다, 아빠야…….

그러나 부상당한 몸으로 잠꼬대를 하는 이케가미 의원의 모습을 보면서부터 그녀의 눈시울이 서서히 붉어지기 시작했다.

- 세 살 때 입던 옷 그대로였어. 바짓단은 무릎 밑에까지 올라오고 위에 입는 수면 조끼는 짧아져서 배꼽이 보이더구먼. 그걸 보면서, 내가 참······.

아버지의 웃음을 보던 딸은 웃으면서 마침내 눈물을 흘렸다.

- 그날 아침에는 오래간만에 둘이서 아침 식사를 같이했는데, 내가 입맛이 없어서 밥을 좀 남겼기로서니 이번엔 히토미가 나보고 방방 뛰더란 말이야. 허허. 자식은 부모를 닮는다더니. 아무렴 닮고말고. 그러니 행동을 조심해야지. 지금이야 추억이지만 그때는 굉장히 곤란했었다네.

같은 추억을 공유하고 있던 딸은 그때의 기억을 떠올리며 웃었다. 손은 들어 눈물을 닦고 입술은 울음에 비틀린 미소를 짓고 있다. 그리고 이케가미 소이치로의 마지막이 다가오자 점차 오다 히토미의 감정이 북받쳐 온다.

- 히토미······ 넌······ 아빠처럼······ 살지······ 말······.

시신도 남기지 못한 아버지의 마지막 유언. 거기서 오다 히토미는, 이케가미 히토미는, 딸은 무너졌다.

"아빠······ 아빠아······."

나직한 흐느낌이 점차 커진다. 어깨가 들썩이다 얼굴을 감싸고 오열한다. 이내 히토미는 책상에 엎드려 통곡하기 시작했다.

"미안해요, 미안해요 아빠. 내가 잘못했어요. 내가 잘못했어요."

아버지의 죽음을 그저 보기만 했던 빈우는 딸의 울음만큼은 다독이며 달래줄 수 있었다.

"죄송합니다. 제가 부끄러운 모습을 보였네요."

빈우가 준 손수건으로 얼굴을 닦은 오다 의원이 심호흡을 했다.

"아닙니다. 저도 어릴 적 어머니가 돌아가셔서 그 심정, 이해합니다."

"어머, 그러셨군요."

아버지의 죽음을 마주한 오다 의원은 마음의 짐을 하나 덜어낸 듯 홀가분한 얼굴을 하고 있었다.

"이제 저도 마음의 준비가 되었습니다. 언제든지 라출노그로 따라갈 각오가 되어 있습니다."

그녀의 기운찬 목소리를 들은 빈우는 잠시 이상한 표정으로 고민했다. 그리고 빈우의 얼굴을 본 오다 의원은 더럭 겁을 먹었다.

솔직히 오다 히토미는 김빈우 소령이 무서웠다. 첫 만남부터 마카롱을 먹여 토하게 하질 않나, 배 안에서의 주의사항에 대해 알려준다 해놓고선 띄엄띄엄 알려줘 공포감을 한껏 조성했다. 게다가 방금은 자신이 보는 앞에서 부하의 얼굴로 김치를 담갔으며, 어떻게든 숨기려 했던 가족관계도 대번에 알아본 사람이 아닌가.

"음. 저어, 팀장님? 뭔가 잘못된 거라도 있습니까?"

오다 의원의 조심스러운 재촉에 빈우도 역시 조심스레 대답했다.

"의원님. 이미 저희는 출항해서 작전지역으로 이동 중입니다만?"

나긋나긋한 빈우의 목소리완 달리 오다 의원의 반응은 격렬했다.

"네에엣!"

경악한 오다 히토미가 허둥댄다.

"아아아, 언제 출발할 건지, 아무런 말씀도 안 하셨잖아요오."

"거 무슨 말씀을. 아까 사령관님 앞에서 동행한다고 하셨고, 또 제가 모신다고 하지 않았습니까?"

"어어어, 아니, 하지만 아무런 명령도 안 하셨는데에."

"그야 의원께서 영상을 보시는 중이라 기밀통신으로 명령했습니다."

아무리 오다 히토미가 각오를 했다 해도 이건 너무했다. 오다 의원이 아버지의 죽음을 보며 울고 있는 순간, 빈우는 뒤에서 슬쩍 출항 명령을 내린 것이다.

"아무튼 지금은 작전 중이니 배 안을 함부로 돌아다니지 마십시오. 아까 아나스타샤가 주의사항을 다시 말씀드렸을 테니 꼭 따르시고요. 그럼 편히 쉬십시오."

"악! 잠깐만요! 가지 마세요."

오다 의원은 밖으로 나가려는 빈우를 황급히 붙잡았다. 적지로 향하는 군함 안에서 홀로 있어야 한다는 사실이 그녀를 겁에 질리게 한 것이다.

"의원님? 저는 작전 지시를 하러 가야 합니다. 이러시면 곤란합니다."

"절 두고 혼자 가지 마세요. 아니, 같이 가요."

빈우는 오다 의원이 벌벌 떨며 자신에게 달라붙는 모습을 보며 어깨를 으쓱했다.

"뭐어. 이미 동행을 하기로 했으니 딱히 문제는 없습니다만, 이제부터 제가 의원님을 완벽하게 책임질 수 없다는 것은 미리 알고 계시기 바랍니다."

그래도 오다 의원은 울며 겨자 먹기로 빈우를 따라갈 수밖에 없었다.

*

작전 회의는 격납고에서 하기로 했다. 팀원들은 이미 모여서 기다리고 있었고 약간의 트러블이 있었던 빈우는 조금 늦게 도착했다. 그리고 빈우가 오다 의원을 데리고 격납고로 들어오자 팀원들의 눈이 동그래진다. 상원의원이 비밀작전을 나가는 군함에 동행하고 있으니 그럴 수밖에. 저기서 파트리샤가 뭐라고 입을 뻥긋뻥긋한다. 굳이 통신을 쓰지 않고 왜 입을 쓰니 싶어 입술을 읽어보니 내용이 가관이다.

'납치? 납치?'

빈우는 아랫입술을 꽉 깨물며 천천히 고개를 저었다. 그러면서 슬쩍 뒤를 돌아보다 오다 의원의 얼굴을 본다. 그녀의 표정을 본 빈우는 파트리샤가 오해할 만했다고 납득했다. 불쌍한 상원의원께선 겁에 꽉 질려 계셨으니까. 하지만 빈우는 아랑곳하지 않고 작전 회의를 시작했다.

"오다 히토미 상원의원께서 이번 작전에 동행하기로 하셨다. 의원님의 안전은 중요사항이지만 작전 목표에 우선진지 않는다. 명심하도록."

빈우는 뒤에서 들리는 밭은 숨소리를 애써 무시했다. 앞에서 쏟아지는 시선들도 마찬가지로 씹었다.

"17시간 전, 라출노그 7행성의 소행성 지대에서 샤다이 함선이 발견되었다."

빈우가 아까 보았던 자료를 팀원들에게 보여주었다. 영상을 다 보고 난 팀원들은 금세 냉정해졌다.

"샤다이와 데넥샬이 손을 잡은 겁니까?"

아룹은 영상을 본 것만으로 이미 상황을 추측해내고 있었다.

"그에 대해 확실한 답은 없습니다. 다른 확실한 세 가지는 첫째, 샤다이들이 저기에 자신의 배를 두고 갔고, 둘째, 라출노그들은 그것을 모를 리 없으며, 셋째, 아직 우리에게 통보하지 않았다는 겁니다."

"전열함 1척에 너무 서두르는 것 아닙니까? 굳이 우리가 갈 필요가 있을까요?"

이제 샤다이라면 이를 가는 위르겐이지만 질문은 냉정하다.

"배보다는 기술이다. 라출노그가 샤다이의 기술을 역설계할 수 있을지는 의문이지만, 배를 넘겨주는 마당에 기술까지 안 넘어간다는 보장은 없다. 만약 라출노그가 샤다이 급의 기술력을 가진 군함을 보유하게 된다면 현 연방의 파워 밸런스는 대번에 무너진다."

한 세대 처지는 기술력을 조합 실력으로 메워 연방과 대등하게 싸웠던 라출노그다. 반면 샤다이는 기술력은 뛰어나지만, 전쟁기술이 맹탕이라 연방과 드잡이질을 하는 중이다. 그런데 아직도 앙금이 남아 있는 라출노그의 데넥샬 분파에 초월적 기술력을 가진 샤다이 함선이 주어진다면? 연방은 일방적으로 무너질 것이다.

"현재 샤다이와 라출노그 간의 통신은 잡히지 않았다. 아마도 우리나 슈홀루 쪽의 시선을 염두에 둔 듯하다. 그러나 라출노그들의 통신을 보면 샤다이와의 접촉을 암시하는 부분들이 있다. 아직까진 주변에 있는 우리 무역선들 때문에 라출노그들이 행동하지 않고 있으니 지금이 기회다. 우리 팀은 최대한 빨리 라출노그 7의 소행성대로 가서 거기 있는 샤다이 전열함을 나포한다."

지금까지 연방이 파손 없이 온전히 샤다이 함선을 나포한 적은 없다. 함대전을 하든 장갑보병을 투입하든 격렬한 전투 끝에 만신창이가 된 고철 더미를 끌고 가는 게 고작이었다. 자신들이 뺏어야 할 보물의 가치에 태스크포스 373의 팀원들은 군침을 꿀꺽 삼켰다.

그때 파트리샤가 손을 들고 질문했다.

"저기, 근데 라출노그 7은 데넥샬의 앞마당이지만 엄연히 동맹의 영토잖습니까. 우리 뭐 허락이나 맡고 작전하는 거예요?"

그러면서 파트리샤는 슬쩍 오다 의원의 눈치를 보았다. 상원의원이 뭔가 알고 있지 않느냐는 듯. 그러나 아쉽게도 오다 의원은 아무것도 모르고 있었다.

"아니. 데넥샬의 손에 들어가기 전에 뺏거나 박살 내고 튄다. 뒤처리는 외교부에서 할 거다. 그리고 우리가 가는 이유는 알겠지? 방해자와 목격자는 완전히 제거한다. 저 전열함은 저기에 간 적도 없이 바로 우리 손에 들어와야 하는 것이다."

예상했던 답변이 나오자 팀원들이 한숨을 푸욱 쉰다. 아무리 전쟁을 했다고 해도, 그리고 지금 적대적인 감정을 가지고 있다 해도 데넥샬은 라출노그의 분파고 라출노그는 연방의 군사동맹이다. 일반적인 경우라면 말도 안 되는 일이지만 샤다이의 기술이 데넥샬에게 넘어갔다간 결코 좋게 끝나지 않기에 이러는 것이다. 만약 데넥샬이 샤다이 함선을 생산하는 순간 연방은 삼진아웃이고 나발이고, 동맹 끊고 함대를 출동시켜 라출노그 7에 전함으로 마세를 찍을 것이다. 최악의 경우엔 본성까지도 도매금으로 와장창이다.

"목표는 소행성대에 은닉되어 있으며 해당 주역 근처에 연방 중앙정보국의 위장무역선이 추진기 고장이란 명목으로 표류해 시간을 끌고 있다. 하지만 그것도 한계가 있지. 최대한 방해를 한다 쳐도, 중앙정보국 쪽 예싱으론, 어디 보자. 데넥샬 놈들이 샤다이 전열함 도달 예상시간이 8시간 정도 걸린다고 한다. 우리가 라츌노그 항성계 외각의 기밀 게이트를 통해 간 다음 최고 속도로 항해한다 해도 6시간은 걸린다. 애매하군."

남는 시간은 고작 2시간. 그 안에 태스크포스 373은 샤다이 전열함에 들어가 내부를 수색하고 함선을 들고 튀어야 한다.

"저어, 먼저 슈홀루 쪽에 알리면 안 됩니까? 그러면 라츌노그 쪽에서 알아서 처리할 것 같은데요."

이번엔 우지가 상식적인 방법을 꺼낸다. 사실 동맹의 영토에서 일어난 일이니, 연방은 해당 사실을 알려주고 동맹 스스로 해결케 하는 게 옳다. 그리고 그쪽에서 요청이 올 경우에나 정식적인 절차를 걸쳐 파병하는 게 상식이다.

"라츌노그 4에서 7까진 게이트가 없으니 그들의 기술력으론 1,000시간 이상이 걸린다. 전열함이 데넥샬의 손에 들어간 다음엔 이미 늦다. 우린 라츌노그 항성계 외곽 게이트로 점프한 다음 최고속도로 라츌노그 7로 간다."

여기까지 말한 빈우는 작전도를 띄웠다.

"라츌노그 7은 과거엔 녹지 행성이지만 라츌노그 인들이 살기엔 부적합했기에 그들은 개척사업을 했다. 지금은 상당수가 습지로 바뀐 상태지. 그리고 거기에 필요한 물은 바로 이곳 소행성대에서 채취한다."

빈우가 가리킨 곳은 라츌노그 7의 소행성대와 그 안에 있는 전열함의 위치였다.

"라츌노그의 탐지기술로는 본 함 블랙 랜스를 탐지할 수 없다. 함장님, 블랙 랜스로 전열함을 견인하는 데에 무리는 없겠죠?"

발 가르단 하스에선 리퍼 함선도 견인한 적이 있는 블랙 랜스다. 그러나 지금 블랙 랜스는 그때 입었던 손상을 아직 완벽하게 수리하지 못한 상태로 부랴부랴 출격한 상황이다. 출항전 오르 함장으로부터 작전에 지장이 없단 말을 들었지만 한 번 더 확인하고 싶었다.

"물론입니다. 행성 중력에서 끌어올릴 필요 없으니 손쉬운 일입니다."

오르 함장의 확답을 받은 빈우는 이번엔 화력 팀을 돌아보았다.

"이번엔 부팀장이 화력 팀을 지휘하세요. 부팀장, 파트리샤, 위르겐, 모니카 네 명이 전열함 안으로 들어가 혹시 남아 있을지 모를 샤다이를 수색하고 제거합니다. 저는 우지와 함께 롱소드로 주변 경계를 하겠습니다."

"어, 팀장님. 제 롱소드에 팀장님이 타실 자리는 없습니다."

뜬금없는 빈우의 말에 우지가 긴장했다. 복좌식이나 병력수송을 위한 화물칸이 달린 롱소드가 있긴 하지만, 우지의 기체는 단좌식에 완전 전투용이라 해당 사항이 없기 때문이다.

"뭔 소리냐. 나는 내 걸 타고 나가야지."

이어지는 팀장의 핀잔에 팀원들은 그가 닉스 레벨 3의 전투원인 것을 다시 한 번 깨달았다. 정예 중 최정예라 불리는 닉스 레벨 3의 대원들이 다루지 못하는 연방의 병기는 없고, 습득하지 못한 전투기술 또한 없다. 또한 그들은 군사 부문 외에서도 다종다양한 지식을 쌓아올린다. 문자 그대로 어떠한 상황에서도 작전 수행을 위한 최선의 방법을 찾아내는 전략 병기인 것이다.

"그런데 팀장님, 작전 중에 오다 의원님의 경호는 누가 맡습니까?"

모니카가 걱정스러운 시선으로 긴장한 오다 의원을 보며 질문했다. 위르겐에 모니카까지 다 나가면 블랙 랜스에는 오르 함장과 오다 의원만 남게 된다. 그 외에는 아를르캉과 아나스타샤 같은 안드로이드와 기타 작업용, 경비용 로봇뿐이다. 상원의원이면 연방의 VIP이니만큼 그녀의 안전에는 정말로 만전을 기해야 하는데, 어째 남는 인원들이 영 어설펐다.

"작전에 집중해. 의원님의 경호는 함내 경비 로봇에게 맡긴다."

예상대로 기대를 저버리지 않는 팀장의 대답에 팀원들이 고개를 절레절레 흔들었다. 하지만 그래봤자 그들의 걱정은 정작 당사자인 오다 의원의 불안감에는 비교할 게 못 된다.

"의원님, 너무 걱정하지 마세요. 제가 곁에 있을게요."

빈우의 쌀쌀맞은 말에 바짝 얼어붙은 오다 의원의 옆으로 아나스타샤가 다가가 말을 걸자 그녀의 표정이 조금 풀어졌다.

"정말? 그래줄 거야? 고마워."

한 시간이 채 되기도 전에 히토미는 사령관실에서 각오를 했다고 말했다. 하지만 무서운 건 무서운 거였다. 출항하자 겁에 질린 자기 자신의 모습이 한심하게 느껴졌지만 별 도리가 없었다. 그나마 아나스타샤가 있어 다행이었다. 그녀가 블랙 랜스에 처음 와서 해괴한 안전수칙을 듣고 겁에 질렸을 때, 직접 찾아와 오해를 풀어주고 안심시켜준 안드로이드 메이드가 이번에도 옆에 있겠다 하자 히토미는 죽다 살아난 기분이었다.

"좋아. 아나스타샤, 의원님을 방에서 잘 모시고 있어. 작전 중 의원님의 신변을 지키고 불편함이 없도록 최선을 다해 모셔라."

"예, 주인님."

공손하게 고개를 숙이는 아나스타샤의 머리 위로 주인의 차가운 명령이 다시 따라붙었다.

"단, 최악의 경우를 대비해 '청소'할 준비도 잊지 마라."

"……예, 주인님."

아나스타샤가 메이드인 이상 청소는 당연한 일이었다. 그러나 방금 주인의 명령을 들은 안드로이드는 표정을 지우고 정말 기계적으로 대답했다. 또한 아룹 부팀장의 얼굴도 미미하게 굳었고 다른 팀원들의 표정도 썩 좋아 보이진 않았다. 마치 청소라는 단어 뒤로 무언가가 더 있는 것처럼.

이런 모습들을 본 오다 의원은 왠지 '청소'란 단어의 어감이 이상하게 느껴졌다. 지금까지 이상하거나 궁금한 게 생겼을 때 질문하지 않아 곤욕을 치렀던 오다 의원은, 지금이야말로 질문할 때라 생각해서 나섰다.

"팀장님, 제가 질문해도 될까요?"

"네. 작전에 관계가 없는 것이라면 얼마든지 하십시오."

오다 의원은 긴장한 팔을 주무르며 힘을 북돋고 나서야, 묻고 싶었던 것을 간신히 입 밖으로 꺼낼 수 있었다.

"방금 말씀하신 청소가 정확히 무슨 뜻입니까?"

질문을 받은 사람은 태연한데 정작 표정이 굳는 건 주변 팀원들이었다. 이를 본 오다 의원은 뭔가 자신이 실수를 했나 싶었다.

"당신은 연방의 상원의원이십니다. 뇌와 두뇌칩 속엔 연방의 기밀들로 가득 차 있지요. 최악의 경우 의원님께서 적대적 종족의 손에 넘어가면 연방에 치명적인 피해가 옵니다. 그래서 그런 일을 미연에 방지하기 위해, 중요 정보나 VIP가 적의 손에 넘어갈 상황이 되면 청소, 뭐 알기 쉽게 말씀드리자면 소각과 제거를 합니다."

상원의원은 정말로 후회를 했다. 차라리 묻지 말 걸.

"아, 아나스타샤는 아, 아, 안드로이드인데, 스슷, 살인이 가능한가요?"

오다 히토미는 애써 평정을 가장하려 했지만 그건 얼굴뿐이었다. 그녀의 몸과 목소리는 사정없이 떨리고 있었다. 이 망할 군함 안에는 믿을 사람 하나 없다는 걸 깨달은 것이다.

"아나스타샤는 제 개인 비서입니다. 명령에 따라 군용 OS로 움직이죠. 그리고 살인이 아닙니다. 해당 블록을 자폭시키는 겁니다. 안심하십시오. 고통은 없을 겁니다."

전혀 안심이 안 되는 소리를 나불대는 군인을 보고 있자니, 겁에 질린 상원의원은 부아가 솟구쳐올랐다. 자신이 이 팀을 조사하러 온 입장이긴 해도, 서로 협조를 하기로 하고 아버지의 마지막 순간까지 보여줘 나름 좋은 관계를 만들었다 생각했는데 이렇게 뒤통수를 치니 분이 차오르는 것이다.

'겁 먹지 마. 여기서 화를 내야 해. 꾸짖어야 해. 팀장 앞에서 강한 모습으로……'

아쉽게도 그건 오다 의원의 희망 사항일 뿐, 하고 싶었던 말은 마음속에서만 맴돌았다.

"의원님?"

"왓!"

누가 옆에서 팔을 잡아당기자 잔뜩 긴장했던 오다 의원이 소스라치게 놀랐다. 누군가 싶었더니 아나스타샤였다.

"제 주인님 말씀에 너무 겁먹지 마세요. 만약 제가 '청소'를 하게 된다면 그땐 정말 최악의 상황이기 때문입니다. 우리가 탄 블랙 랜스는 격침 직전이거나 적들이 침입한 상태이고, 또 여기 계신 팀원분들도 전부 전사하셨을 겁니다. 그래야만 제가 '청소'를 할 수 있거든요."

즉, 그때 오다 히토미의 앞에 남은 미래라곤 죽음, 혹은 더 나쁜 게 있을 뿐이란 말이다. 무서운 내용이었지만 말투가 부드럽고 상냥한 덕인지 오다 의원은 조금 진정할 수 있었다.

"단지 거기서 더 최악의 상황이 오는 것을 막기 위해 최후의, 극단적인 방법을 쓰는 겁니다. 의원님께서 적의 손에 넘어가는 것을 막기 위해서요. 그리고 거기 주인님아, 라출노그의 고문 방법을 굳이 재생하실 필요는 없어요. 의원님, 저런 거 보지 마시고 저를 보세요."

"어, 응."

화를 삭이는 게 선명히 느껴지는 아나스타샤의 나직한 꾸짖음에 빈우가 허둥지둥 영상을 껐다. 그리고 헛기침을 하며 설명을 보충했다.

"어흠, 제 설명이 부족했군요. 죄송합니다. 물론 저와 제 팀원들은 의원님의 안전을 위해 최선을 다할 것입니다. 다만 연방의 안전을 위해서도 같은 노력을 한다는 점 역시 헤아려주십시오. 때문에 방금 말했던 것과 같이 의원님

821

께서 보시기에 다소 불편한 방법을 준비는 하겠습니다만, 그게 실제로 쓰일 일은 거의 없을 겁니다. 그냥 규정상 인공지능에게 위기상황에서의 대처 방법을 미리 명령한 것뿐이니 안심하십시오. 아나스타샤의 말대로 그때는 명령내릴 사람이 아마 없을 겁니다."

그제야 오다 의원은 눈앞에 있는 사람들의 정체를 다시금 깨달았다. 저들은 군인이었다. 연방과 시민들을 지키기 위해 적대적 외계인들과 싸우는 자들. 목숨을 빼앗는 자로서 기능하는 그들은 자신의 목숨이 다하는 순간 역시 각오하고 있을 것이다.

'아까 사령관실에선 연방 내의 비밀결사의 정체를 밝히기 위해 군함에 탄다는 각오를 했다고 큰소릴 쳐놓고선 이게 무슨 꼴이람.'

공포와 부끄러움, 그 외에 여러 가지 감정을 다스린 오다 의원은 자세를 바로 했다.

"아뇨. 저야말로 여러분들의 임무에 방해가 되지 않도록, 그리고 도움이 될 수 있도록 최대한 협조하고 노력하겠습니다."

언제 말을 더듬었냐는 듯 바로 의연해지는 모습에 팀원들은 가슴을 쓸어내렸다. 울고불고하는 VIP를 달고 작전에 나가는 건 누구라도 사양이다.

"야, 모니카. 너 생각나는데?"

파트리샤가 모니카를 툭툭 건드리며 놀린다. 저번 작전 때 모니카가 오다 의원과 비슷한 해프닝을 겪었던 걸 말하는 것이다. 그래도 모니카는 변명할 거리가 있었다. 장비만 운반하는 줄 알고 왔다가 그 자리에서 납치당하다시피 끌려왔고, 전투 훈련이라곤 해본 적이 없는 전문 기술 사관의 신분으로 특수부대의 비밀작전에 끌려갔으니 징징거릴 만도 했다. 부끄러운 기억을 들추자 약이 오른 모니카가 뭐라고 반격하려 했지만, 작전 회의가 재개되었다.

"주목. 이제 세부사항을 설명하겠다."

빈우가 팀원들의 앞에 띄워진 작전지도에 표시를 한다.

"블랙 랜스는 후방에서 드론을 살포하여 광대역 전파 방해를 한다. 그리고 나와 우지의 롱소드는 작전지역 외곽을 순찰하며 접근하는 모든 목표를 배제한다."

아까 빈우는 이번 작전에 방해자와 목격자는 제거한다고 했다. 그러나 아무리 그래도 동맹종족의 민간인이라면 손을 대기가 꺼려진다.

"만약 라출노그의 자원 채취선 같은 민간 선박이라면, 전파 방해나 운석 충돌을 가장한 사고로 작동 불능상태로 만든다. 다만 항로가 수상한 군용기라면 즉시 격추하고 생존자는 모두 제거한다."

그나마 민간인을 살해하는 상황은 피했지만, 이번 작전에 관계된 라출노그 군인들은 얄짤 없이 죽인단다. 지금 빈우는 데넉샬을 아예 샤다이와 내통하는 적군으로 보고 있었다.

"이번에 화력 팀은 12기의 무인 어벤저를 이끌고 그라디우스에 탑승해 적함에 침투한다."

그라디우스는 장갑보병을 적함으로 쏴서넣기 위한 장갑 돌격정이다. 우주전 전용으로 만들어진 기체라 행성 진입, 이탈 능력은 없으나 장갑도 튼튼하고 자체 무장도 꽤 우수해서 제한적인 우주 전투가 가능하다. 인공지능으로 움직이는 무인 어벤저는 전열함 내부를 수색하기 위한 용도다. 아무래도 쪽수가 많으면 수색이 빨라지니까. 저번 리퍼 함선과 달리 이번 전열함은 정상적인 상태라 혹시 내부에 적이 있을지도 모르고 수색할 곳도 많다.

"화력 팀은 전열함에 들어간 다음 아군 외 모든 생명체는 제거한다. 현장에서의 자세한 사항은 부팀장에게 맡기겠습니다."

"알겠습니다."

그럴 리는 없겠지만, 태스크포스 373이 도착하기 전 애먼 라출노그 민간인들이 샤다이 전열함을 발견하고 그 안으로 들어갔을 수도 있다. 그들의 생사가 부팀장인 아룹에게 달리게 된 것이다.

"이후 전열함을 블랙 랜스로 견인, 즉시 이곳을 이탈한다."

빈우는 그 외에도 각종 돌발 사태에 대한 대처 방법이나 이탈, 도주 경로에 대해 상당히 자세하게 설명했다. 아무래도 동맹종족의 영역에서 허가 없이 치르는 비밀작전인 만큼 들키지 않게 하기 위해선 철저히 대비해야 한다. 만약 들켰다간 꽤 큰 외교 문제로 번질 수 있는 사안이다. 물론 라출노그와의 동맹은 연방이 확실히 우위에 서 있기에 억지로 누를 수는 있다. 원인이 라출노그 쪽에 있기도 하고.

하지만 엄연히 타국의 주역에 허가받지 않은 군사작전을 행했다는 사실이 다른 동맹 종족들에게 알려지게 된다면, 그 여파가 걷잡을 수 없을 정도로 커질 것임은 명약관화하다. 그러나 그런 위험을 감수하고서라도 이번 작전을 강행한다는 면에서 작전의 중요도와 위험성을 알 수 있다.

"다른 질문?"

빈우가 조용한 팀원들을 돌아보았다. 태스크포스 373의 작전은 이번이 두 번째다. 첫 번째 작전은 24함대의 방해를 받으며 팀이 제대로 갖춰지지도 못한 채 출동했고, 이번 작전도 촌각을 다투는 사태라 블랙 랜스가 완벽하게 수리되기도 전에 튀어나가야 했다. 그럼에도 불구하고 각 부대에서 뽑힌 정예대원들은 갖은 고난을 뚫고 작전을 성공시켰다. 당연히 이번에도 그럴 것이다.

"좋아, 해산. 각자 위치에서 대기한다."

그 말을 뒤로하고 각 팀원들은 움직였다. 오르 함장은 이곳의 육체를 수납하고 전투지휘실의 육체를 활성화시켰으며, 아룸 이하 화력 팀은 격납고의 그라디우스로 가 장비들을 점검하고 장착했다. 그리고 빈우는 우지와 함께 롱소드 쪽으로 향했다. 그때 그를 부르는 목소리가 들렸다.

"저, 팀장님."

오다 의원이 자기 방으로 가기 전 빈우를 부른 것이다.

"건투를, 빕니다."

힘을 내봤지만 긴장한 목소리다. 빈우는 그저 웃으며 대답할 뿐이다.

"감사합니다."

그녀를 돌려보내고 빈우가 간 곳은 현재 이번 작전에서 자신이 타게 될 연방의 주력전투기, 롱소드 앞이다. 수많은 개량을 거친 눈앞의 G형은 샤다이를 제외한 대다수 종족의 우주 전투기에 비해 확연한 성능적 우세를 보이는 걸작품이다.

문제는 저 대다수 그룹에 이번 작전 지역의 라출노그는 들어가지 않는다는 점이다. 물론 기체의 스펙만 따지면 라출노그의 전투기들은 롱소드에 비교 대상이 못 된다. 그러나 이 해양종족의 전투기와 전투함들은 철저하게 상호보완적인 관계로 움직인다. 그 탓에 과거 라출노그와의 전투에서 당시 최신예 전투기였던 롱소드 E, F형은 기껏해야 $1:35$라는, 그러니까 고작 35대를 격추하고 자기가 격추되는 굴욕적인 교환비를 기록했었다.

그리고 절치부심해서 나온 것이 이 G형이었다. 차세대 전투기인 엑스칼리버가 양산에 들어갈 때까지는 연방의 우주를 지킬 놈이다.

"이거 바닐라네."

눈앞의 순정 롱소드를 보며 빈우는 아쉽단 듯이 입맛을 다셨다. 그도 그럴 것이 태스크포스 373에서 전투기를 몰 팀원은 우지뿐이라, 지금 이 기체는 예비용인 것이다.

"그렇다면 가야지! 리미트 해제!"

조종석에 올라탄 빈우는 콧노래를 흥얼거리며 정면 패널의 왼쪽 가장자리를 세 번, 오른쪽 가장자리를 세 번, 마지막으로 위쪽으로 주욱 그었다. 그러자 디버그 모드로 들어간다. 그리곤 소프트웨어적으로 제한하는 동력로의 한계를 풀었다.

"다음은, 물리적으로 리미트 해제."

빈우는 숫제 콧노래를 부르며 진동 나이프를 뽑아 스로틀 레버의 구간에 집어넣은 다음 더 위로 그어 홈을 갈랐다. 레버의 영역이 억지로 넓혀졌다. 더 위로 미는 게 가능해진 것이다. 덕분에 이 롱소드는 기존의 것에 비해 출력이 150%나 상승했다. 물론 그 대가로 엔진의 수명을 후루룩 말아먹게 되는 것은 당연지사. 게다가 이렇게 한계 이상의 출력을 내는 건 안전에도 문제가 있어서, 3분 이상 연속사용은 권장되지 않았다.

- 와앗! 팀장님, 뭐 하시는 거예요. 우지도 그러던데, 팀장님까지.

아니나 다를까. 팀원들의 장비 전체를 책임지는 모니카 보르자 대위의 비명이 통신 회선에 울린다.

"뭘, 어차피 우리 장비는 작전 한번 나갔다 오면 싹 바꾸지 않냐."

- 에, 아니, 그건 그렇지만요.

일반적인 부대와 달리 특수전 사령부 소속의 작전팀이나 전단들은 장비의 보급과 수리에서 엄청난 특혜를 받는다. 한번 임무에 투입된 장갑복의 인공 근육이나 기체의 동력로, 엔진 같은 중요 부품들은 무조건 전면 교체에 들어간다. 최고들에겐 최고의 대우를 해주는 것이다.

"그런데 모니카. 의외네? 막 이런저런 개조를 좋아할 줄 알았는데 순정 바닐라 취향이라니. 독특해."

- 에잇! 그건 과학기술국에 대한 편견이에요. 우린 실험이라면 모를까, 실사용에서는 매뉴얼대로 진행한단 말입니다. 이상한 개조는 되도록 피한다고요.

투덜대는 모니카의 목소리에선 저번 작전에서 보였던 긴장감이 많이 사라졌단 걸 느낄 수 있었다. 아까 봤을 땐 심박수가 조금 오른 상태이긴 했지만, 이렇게 말싸움을 할 정도면 나쁘진 않다. 모니카의 심박수는 다른 이유로 오르고 있었다.

"보르자 대위의 고견은 이렇다신다. 그럼 경험자들의 의견 받겠습니다. 우선 나부터. 방어막 작동하면 굳어버리는 장갑복은 뭐 하자는 심보냐?"

- 아니, 그건 우리가 안 준다는 걸 레드우드 사령관님께서 가져가신 거잖아요.

허둥지둥 대답하는 모니카의 말꼬리에 다른 팀원들이 장난스레 들러붙는다. 먼저 첫 개시는 아니나 다를까 파트리샤.

- 어, 이거 우리 윗기수 얘긴데, 인필트레이터 프로토타입 때는 착용자가 줄줄 녹아나는 사고가 났다더라?

- 언니, 그거 프로토타입이잖아요. 프로토타입은 원래 그런 걸 알아보기 위해 만드는 거고요. 또 다들 원상 복귀되었어요.

다음으론 언제나 친하게 따르던 위르겐이 모니카의 등 뒤에 칼을 꽂는다.

- 위은쏠납학에 처박았던 우리 뱅가드의 기함, 원더풀하고 뷰티풀을 과학기술국에서 수리하겠다고 가져가더니 짠 하고 쌍동선으로 붙여서 원더풀뷰티풀 만들었잖습니까. 어쨌나 X 같던지. 내 것도 그렇게 해주세요.

- 야아아! 위르겐. 그거 너희 쪽에서 부탁한 거거든? 그리고 네 것도 그렇게 만들어달라고? 반으로 갈라주랴?

씩씩대던 모니카는 다음으로 경험 많은 아룹이 뭔가 무시무시한 거 하나 날릴 줄 알고 잔뜩 긴장했다. 그런데 다음 타자는 의외로 우지였다.

- 제 경험담은 아니고 할아버지가 말씀하셨는데, 과학기술국 쪽 테스트 파일럿은 절대 하지 말라고 하셨어요. 왜냐하면……

- 아, 됐어. 싫어, 당신들 정말 싫어!

바짝 약이 올라 울먹이는 모니카를 보며 팀원들이 낄낄댄다.

그렇게 농담 따먹기를 하는 사이 팀원들을 태운 블랙 랜스는 어느새 디안머 2 게이트로 이동했다. 이제 여기서 점프하면 라출노그 항성계의 비밀 게이트로 나오게 된다.

- 함장님. 롱소드들은 먼저 나가 있겠습니다.

- 지금요?

게이트를 통해 점프하려면 점프 엔진이 필요하고 그것은 지금 블랙 랜스에만 있다. 롱소드들이 블랙 랜스 바깥으로 출격한들 게이트를 통해 점프하지 못한다.

- 견인해서 관성 제어장치 범위에 넣어주십시오.

- 알겠습니다.

비록 외부에 있는 기체라 해도, 이렇게 견인빔으로 서로를 연결한 다음 관성 제어장치를 통해 같은 관성계에 들어가면 모함과 함께 점프가 가능하다. 주로 게이트를 나오자마자 우주전을 벌여야 하는 경우 자주 쓰는 방식이었다. 이런 방법으로 함재기를 출격시킨 후 모함과 점프하는 것이다.

오르 함장은 빈우가 라출노그 항성계에 도착한 후 긴급 상황에 대비하기 위해 미리 출격하는 것으로 짐작하고 선선히 승낙했다. 그러나 빈우에겐 그것 말고도 또 다른 생각이 있었다. 바로 점프 공간 안에서 샤다이와 조우할 것 같다는 강렬한 예감이 들었던 것이다. 점프 공간 안에서 다른 존재와 마주칠 수 없다는 것은 상식이다. 하지만 실제 빈우는 포말하우트 게이트의 점프 공간 안에서 리퍼와 마주쳤었다. 그때 자신이 이끌었던 울토르 중대는 궤멸적인 피해를 입었다.

'아무래도 이번 샤다이와 라출노그 간의 접촉은 수상한 점이 있어.'

빈우는 가볍게 미간을 찡그렸다. 연방의 여러 정보부서들이 아무런 전조도 파악하지 못했는데 이런 대형 접촉이 이뤄지고 있었다니. 의구심이 들 수밖에 없는 상황이었다. 그래서 그는 혹시나 이것이 태스크포스 373을 꾀어내기 위한 함정은 아닐까 하는 가정을 해본 것이다. 어디까지나 가정이고 가능성도 적어 팀원들에겐 딱히 알려진 않았지만.

'조심해서 나쁠 건 없지.'

출격한 빈우와 우지의 롱소드는 모함 블랙 랜스의 곁으로 나가와 거리를 적당히 둔 다음, 서로 견인빔으로 연결해 블랙 랜스의 관성계 안으로 들어갔다. 얼마 안 있어 디안머 2 게이트와 그것을 관리하는 점프 포인트가 육안으로도 보이기 시작했다. 통상공간에서 점프 공간을 통해 다시 통상공간으로 나오는 점프 항법은 게이트끼리만 연결되어 있다면 거리에 상관없이 순식간에 이동할 수 있다. 다만 그러기 위해선 함선에 점프 엔진이 달려 있어야 했고, 출발지와 도착지의 게이트 양쪽에 점프 엔진을 가진 위성인 점프 포인트가 필요했다.

- 블랙 랜스, 점프합니다.

오르 함장의 통신과 함께 태스크포스 373은 디안머 2 게이트를 통해 들어갔다. 잠시 후 점프 공간을 스친 블랙 랜스는 라출노그 항성계에 도착했다.

'괜한 걱정이었나.'

싱겁게 통상공간으로 바로 나오자 지레 긴장했던 빈우는 저도 모르게 작은 헛웃음을 터트렸다. 그러나 견인빔을 풀고 날아가려던 빈우를 부르는 목소리가 있었다.

- 팀장님. 상황이 조금 이상합니다.

게이트를 나온 다음 주변을 정찰한 오르 함장은 이상징후를 발견하자 즉시 빈우에게 보고를 했다. 자료를 본 빈우는 무엇이 문제인지 곧장 깨달았다.

"조난 신호가 없군요. 구출 완료 신호도 없고."

- 네. 이건 조금 의심스럽습니다.

보고받기론 샤다이 전열함이 감춰져 있는 소행성대 근처에서 연방 중앙정보국의 위장 함선이 조난을 가장해 표류하며 라출노그의 접근을 저지하고 있다고 했다. 그렇다면 조난 신호를 보내는 것이 마땅했다. 연방과 라출노그는 동맹 관계라 이런 위급신호는 공용으로 쓰고 있었고, 해당 신호를 수신했을 경우엔 최우선적으로 구조하기로 협약되어 있다. 그리고 구조를 완료하면 대략적인 내용을 담은 통신을 발신하거나 해당 내용이 담긴 신호기를 놓아 주변에 송출한다. 구조신호를 수신한 구조자가 헛걸음하지 않도록.

그런데 지금은 두 신호 모두 잡히지 않고 있다. 상황이 상황이니만큼 빈우는 최악의 경우부터 떠올렸다.

"데넥샬들이 선수를 쳤을 가능성이 커 보입니다."

- 골치 아프군요.

오르도 빈우의 말이 무엇을 의미하는지 바로 알아챘다.

현재 빈우가 예상한 가장 그럴듯한 시나리오는, 애가 탔거나 위장을 눈치 챈 데넥샬이 표류하고 있는 연방의 배를 격침하고 샤다이 전열함의 회수작업을 시작했다는 것이다. 동맹의 함선을 공격하는 것은 중대한 범죄이니 비밀리에 처리하려 했을 수도 있고 — 당장 태스크포스 373처럼 — 아니면 그것을 각오하고서라도 이번 일을 강행하려는 것일 수도 있다.

"함장님. 작전을 변경해야겠습니다. 저는 먼저 샤다이 함이 있는 소행성대로 향한 뒤 정찰을 하겠습니다. 그리고 우지는 정보국 위장선이 있던 최종 위치로 가서 상세한 정보를 수집한 후 내 쪽으로 합류한다. 블랙 랜스는 최대한 거리를 유지하며 따라오십시오."

전열함이 있는 목표지점은 소행성대라 외부에선 레이더나 여타 센서로 자세한 탐지가 힘들다. 그래서 빈우는 롱소드로 먼저 소행성대 내부로 들어가 자세한 상황을 파악하려는 것이다. 그리고 현장의 상황을 자세히 알 필요가 있기에 원래 표류지점으로 우지를 보냈다.

빈우는 이번 작전에서 롱소드들의 설정을 전투보다는 스텔스와 탐색, 전자전 위주로 해놓았다. 비록 제대로 된 전자 전기나 정찰기만큼은 아니지만 상대가 라출노그라면 들키지 않고 임무를 수행할 정도는 충분하다. 2기의 롱소드와 블랙 랜스는 최대한 정체를 감춘 채 각자의 목적지로 향했다. 먼저 소행성대로 들어간 건 빈우였다. 이곳은 라출노그의 자원채취구역이라 곳곳에 소행성들의 움직임과 정보를 수집하는 인공위성들이 있었지만, 한 세대 떨어지는 그들의 기술로는 롱소드를 발견하지 못했다.

위성의 감시와 주변 운석들을 피해가며 빈우는 조심스레 나아갔다. 라출노그의 주된 원거리 감지방법은 전자파를 이용한 레이더다. 하지만 지금 롱소드들의 장갑은 대 광학 병기용 장갑으로 라출노그들이 주로 사용하는 전자파에 대응하도록 설정해놓았다. 아무리 전자파가 날아온들 이 장갑에 난반사되어 돌아가지 못한다. 롱소드의 센서들은 주변을 탐지하여 암석군들의 위험도를 즉각적으로 파악해 분류한 다음 조종에 피드백했다.

마침내 빈우의 롱소드가 목표물을 포착했다. 그러나 그 결과는 썩 좋지 못했다.

"이거 이거, 불안한데."

투덜거림이 묻어나오는 음성이었다. 센서에 잡힌 것은 모습을 숨기지 않은 샤다이의 전열함처럼 보였다. 하지만 크기가 훨씬 컸다. 아니, 정확히 말하자면 센서는 마치 옆에 배 1척이 더 있는 듯이 반응했다. 빈우는 자신의 불안감이 차츰 맞아들어간다는 것을 느꼈다.

상대가 눈치채지 못하게 조심해서 더 접근하자 롱소드의 망원 센서에 샤다이의 전열함과 거기에 도킹해 있는 라출노그의 신형 군함이 들어왔다. 그 배는 얼핏 보기에 아귀 급 포격함 같아 보였다. 아귀 급은 데넥샬의 주력 전투함으로 추진기 대신 다수의 소형정들을 도킹해서 쓴다. 그러다가 전투가 벌어지면 이 소형정들을 분리해서 앞세우고, 자신은 뒤에서 포격으로 엄호하는 전술을 쓴다. 그 아귀 급과 비슷하지만 좀 더 강화된 모습을 한 전함이 샤다이의 전열함에 먼저 와 있었다. 선수를 빼앗긴 것이다.

"전투 개시. 목표물에 라출노그가 먼저 접촉했다. 함장님, 전파 방해 최대로 하고 원거리 엄호 부탁합니다. 우지, 이쪽으로 오면서 방해전파 발신기 있는 거 다 뿌려라. 부팀장, 그라디우스로 출격하세요. 목표는 라출노그의 신형 아귀 급."

빈우는 통신을 날린 다음 자신의 롱소드를 몰아 신형 아귀 급으로 돌진했다. 아무리 롱소드라 해도 데넥샬의 아귀 급을 상대로 이길 수는 없다. 그러나 어떻게든 라출노그의 전열함 나포를 막아야 하니 나설 수밖에 없었다.

096

· · · ✦ · · ·

아앤아는 지금 기로에 서 있다. 평화냐, 전쟁이냐. 선택의 순간이 왔다.

그는 연방이 아귀 급이라 명명한 포격함의 개량형, 게르샨의 부장이었다. 동시에 현재 그는 물길을 이끄는 자들이 ― 연방이 샤다이라 명명한 종족이 ― 선물한 전함에 타고 있었다.

- 부장님. 일단 속임수나 함정은 아닌 것 같습니다.

둔중한 육상복을 입은 상륙부대장으로부터 통신이 들어왔다. 샤다이는 물길을 이끄는 자라고 불리긴 하지만 실제로는 물 밖에서 생활하는 종족이다. 때문에 이들의 배에는 물이 없어서 육상복을 입고 들어가야 한다. 어차피 진공의 우주에선 육상복을 입어야 하지만.

- 그런가. 작전은 예정대로 진행하라.

- 예!

지금 부장 아앤아는 현장에서 전열함의 접수 작업을 지휘하고 있었다. 연방보다 월등히 뛰어난 샤다이의 기술로 만들어진 전함이다. 다만 사용자들인 샤다이는 자신들의 무기를 제대로 사용하지 못해, 기술력이 몇 단계나 떨어지는 연방과의 싸움에서 연신 패배를 겪었다.

하지만 만약 이 전함이 자신들 라줄노그에게 들어온다면? 우주전에 한해선 연방과 그나마 대등하게 싸웠던 자신들이 다룬다면, 놈들에게 복수하는 게 꿈만은 아닐 터였다.

거기까지 생각이 닿자 아앤아는 다시금 불안해졌다.

'우리가 이 배를 가진다 한들. 유에네스, 스스로 인류 연방이라 칭하는 자들과 싸워 이길 수 있을까?'

과거 그는 형제자매들처럼 선조들이 심해에 심어놓은 물풀을 핥은 적이 있다. 선조들이 자신들의 뇌에서 만든 효모를 먹여 키운 심해의 물풀들. 거기서 맴도는 포자를 들이키면 데넥샬들은 뇌 신경을 자극받아 과거 선조들이 물풀에 각인시켰던 기억을 그대로 느낄 수 있다. 그것은 느낄 때마다 지느러미가 오그라들 정도로 처참하고 참혹한 기억이었다. 유생체였던 아앤아는 선조들이 연방과 벌였던 전쟁의 기억이 머릿속에서 재생될 때마다 분에 겨워 아가미를 떨었다. 형제자매와 삼촌들은 말했다. 슈홀루의 배신이 아니었다면 질 전쟁이 아니었다고. 몸과 마음 둘 다 어렸던 아앤아도 당연히 그럴 거라 믿었다. 그러한 경험을 선조로부터 물려받고 맹신에 가까운 이야기를 들으며 자란 아앤아가 연방의 사관학교로 유학을 간 것은 어찌 보면 당연한 수순이었다.

'산채로 물 위로 쫓겨나는 기분이었지.'

유학 당시를 떠올리던 아앤아는 어항 안으로 우울한 초음파를 쏘았다. 라출노그와 연방의 전쟁이 끝난 다음, 연방은 새로운 동맹이자 어제의 적이었던 그들에게 문호를 개방했다. 거기엔 민간뿐만이 아니라 작게나마 군사적인 교류도 있었다. 그래서 아앤아는 적의 전략과 전술, 기술들을 배워 종족의 부흥에 이바지하기 위해 연방의 사관학교로 유학을 갔었다. 그리고 자신이 믿어오던 세계가 부서지는 충격을 받았다.

'질 수밖에 없는 싸움이었다.'

과거에도 지금도 인류 연방은 라출노그를 딱히 위험한 적으로 보고 있지 않았다. 연방은 라출노그와 벌였던 전쟁을 변방의 시답잖은 소요 정도로 치부하고 있었다. 그들에게 진정한 적은 바로 샤다이, 물길을 이끄는 자들이었다. 라출노그는 연방과 싸우던 당시 총력전을 펼쳤다. 부화장은 끊임없이 돌아갔고 예전이었다면 솎아냈을 쭉정이 알들마저 기를 쓰고 키워 군인계급으로 만들었다.

수면에서 태양광으로 벼린 합금들은 심해의 주조소로 내려가 수압으로 단련된다. 그다음 다시 올라와 전함의 부품으로 쓰였다. 해면에서 발효한 해조류들은 해열증류기를 거쳐 다양한 자원으로 만들어졌다. 이렇게 공장들이 맹렬히 돌아갔지만, 물자를 대기에는 역부족이었다. 당연히 민간으로 돌아갈 자원 따윈 찾아볼 수 없었다. 전쟁이 치열해지며 본성에서 사료로 썼었던 플랑크톤 팩이 식량으로 배급될 정도였다.

반면 연방은 해당 방면군의 변경 함대와 지원 온 중앙 함대의 극히 일부만으로 라출노그를 상대했었다. 그것도 적극적이 아닌 지연전으로. 그럼에도 불구하고 라출노그는 한 세대 처지는 과학력과 압도적으로 뒤처지는 전략 전술 때문에 대패를 거듭했다. 분명 그들은 죽을 힘을 다하고 있었으나 계속해서 궁지로만 몰려갔다. 전투에서 엇비슷하게 싸워본들 전선은 끝없이 밀렸다. 고향 항성계의 제우권은 단 한 번도 빼앗긴 적이 없지만, 허를 찌르고 들어온 장갑보병들의 기습에 본성은 결국 함락되었다.

전쟁 중에도 반전파였던 슈홀루들은 필사적으로 중재와 교섭에 나섰었다. 끝이 보이지 않던 전쟁이 종식된 후—비록 삼진아웃을 지나긴 했지만—이 점이 유리하게 작용해 연방은 라출노그를 특례로 대했다. 그 덕분에 라출노그는 연방과 전쟁을 하고도 살아남은 종족들 중 하나가 될 수 있었다.

'슈홀루 때문에 진 전쟁이 아니라, 그들 덕분에 종족이 살아남을 수 있었던 거야.'

아앤아가 연방의 사관학교에서 눈으로 보았던 자료들은 그렇게 말하고 있었다. 그가 직접 느낀 연방의 병기와 전술들 또한 이구동성으로 말하고 있었다. 네놈들은 슈홀루가 자비를 구걸한 덕분에 목숨을 부지했다고. 진실을 깨닫고 고향으로 돌아온 아앤아는 연방과의 진정한 공조를 조심스레 주장했지만, 해저화산의 분화와도 같은 주변의 격노에 숙일 수밖에 없었다. 그리고 뜻을 펼칠 날까지 자신의 속내를 감추고 살아온 결과가 바로 이것이었다.

반 연방 급진세력의 간부이자 신형함의 부장 자리.

- 부장, 진행에 문제는 없나?

생각에 빠진 아앤아에게 함장의 통신이 걱정스레 물어온다. 실력과 실적이 아니라 가문의 뒷배와 연공서열로 저 자리에 오른 늙다리다.

- 아무런 문제 없습니다.

- 그래, 그렇겠지. 그래야지.

겁에 질려 아가미를 벌렁대는 꼴을 보니 아까 연방의 민간선박을 공격하란 명령은 어찌 내린 건가 싶다. 아니, 오히려 그런 함장이었기에 상부의 압박에 못 이겨 사고를 저질렀겠지.

이번 사건의 발단은 며칠 전 갑작스레 이뤄진 샤다이와의 교섭이었다. 교섭이라기보단 우리 배를 줄 테니 받을 건가 말 건가 하는 식의 일방적인 통보였다. 조직의 상부는 반신반의했지만 실제로 샤다이의 전열함이 소행성대에 오자 눈이 뒤집혔다. 아마도 그 배를 손에 넣으면 연방과 슈홀루를 무찌를 수 있으리란 자신감에 부레가 폭발할 지경이었으리라.

그러나 하필이면 연방의 민간무역선이 소행성대로 가는 길목에 표류하고 있어, 섣불리 움직이지 못하고 애만 태울 뿐이었다. 위에선 기다리다 못해 몰래 그 배를 처리하고 빨리 샤다이의 배를 가져오라고 명령을 내리기까지 했다. 하지만 아앤아가 보기에 그것은 십중팔구 연방의 정보조직 쪽 배였다. 비단 정보조직의 배가 아니라 해도 문제였다. 현재 연방과 라출노그는 동맹이다. 동맹의 민간선박을 공격하는 행위가 만에 하나 알려지기라도 한다면 그 후폭풍은 걷잡을 수 없다. 그런데도 조직의 상부는 강경하게 밀어붙이라고 했고, 저 무능한 함장은 동맹의 배를 격침시키고야 말았다.

- 부장님. 조금 문제가 생겼습니다.

상륙 대장의 말에 아앤아의 아가미가 꿈틀한다.

- 뭔가.

- 기술 사관들이 배를 도저히 못 움직이겠답니다.

통신을 이어받은 기술 사관의 말은 간단했다. 샤다이의 기술력은 도저히 분석 불가에 이해 불가다. 게다가 일체의 설명이나 매뉴얼도 없이 배만 덩그러니 놓아두고 간 상황이라, 당장은 항행이 불가능하단 것이다.

- 끌고 가면 되지 않나.

시답잖은 변명에 아앤아가 쏘아붙였다. 동맹의 배를 격침시키고 온 상황이다. 한시라도 빨리 샤다이의 배를 가지고 이 자리를 떠야 하고, 방금의 사건을 우연한 사고로 위장시켜야 한다. 여기서 어정거릴 시간이 없는 것이다. 그러나 성질을 낸다고 상황이 변하는 것은 아니었다. 탐탁지 않은 마음을 숨기고 아앤아는 보고를 올렸다. 함장의 반응은 예상대로였다.

"함장님, 지금 이 배를 몰고 가는 것은 무리입니다. 게르샨으로 견인해야겠습니다."

- 아니, 그게 무슨 소린가. 부장 자네는 그 정도밖에 안 되나? 놓고 간 배 1척 제대로 못 움직인단 말인커어ㅡ.

역정을 내던 함장이 갑자기 비명을 지르며 자지러진다.

"함장님 무슨 일입니까!"

아앤아의 부름에도 함장은 겁에 질려 덜덜 떨 뿐이다. 아앤아는 부장의 권한을 사용해 게르샨의 현재 상황을 열어보곤 아가미를 여물었다. 게르샨이 공격받은 것이다.

- 상황보고!

아앤아는 이를 갈며 함교 요원들에게 보고를 재촉했다.

- 정체불명 기가 공격하고 있습니다.

보내온 자료에는 우주 전투기 1기가 게르샨을 공격하고 있었다. 익숙한 외형. 과거 무수한 라출노그 병사들의 피를 빨아먹은 기종이다.

'저건 롱소드, 동체 형태로 보아 G형. 전자전 장비인가!'

아앤아가 알기로 롱소드는 연방의 주력전투기다. 게다가 G형은 라출노그와의 우주전에서 얻은 경험을 적용해 만든 최강의 롱소드이며 1선 급 부대에 배치된다. 즉 저 롱소드는 타 종족이나 해적의 것이 아니라 지구 연방군 중앙 함대의 기체일 가능성이 크다.

'저게 왜 여기 있는 거지?'

찰나의 순간 아앤아는 머릿속을 맹렬히 회전시켰다. 연방이 민간 우주선의 격침 사실을 알고 반응했다고 보기엔 시간이 맞지 않는다. 놈들이 이 사실을 알았다 해도, 라줄노그 본성으로 점프해 여기까지 오자면 제법 시간이 걸린다. 아니면 미리 여기서 기다리던 놈들일까도 생각해봤지만 그럴 가능성은 없다. 어찌 되었건 간에 생각은 나중이고 지금은 명령을 내려야 할 때다. 부장 아앤아는 겁에 질린 함장을 대신해 명령을 내렸다.

"대공사격 개시! 각 기총들은 맡은 방향으로 사격, 곧이어 다른 적기들이 몰려들 것이다. 그다음은 대함전이다. 주포 준비, 그리고 사령부로 연락을 해라. 연방군이 나타났다고."

- 통신이, 통신이 안 됩니다.

"알았다. 전 대원 귀함. 게르샨으로 돌아가자."

통신 요원의 답신에 아앤아는 게르샨으로 돌아가기 위해 지느러미를 바삐 움직였다. 이건 절대 우연이 아니다. 공격형이 아닌 전자전 기체, 그리고 이쪽 주파수에 맞춘 통신 방해까지. 어제의 동맹이었던 오늘의 적은 단단히 준비를 하고 온 놈들임이 분명하다. 놈들은 이 소행성대에서 게르샨을 격침시키고 샤다이 전함을 가로챌 속셈이리라.

- 전 호위정 발진! 적을 격추시켜라!

난데없이 튀어나온 함장의 명령에 놀란 아앤아의 지느러미가 멈췄다.

"함장님, 무슨 말씀입니까. 지금은 호위정이 나설 때가 아닙니다. 본 함을, 게르샨을 움직여야 합니다."

얼마 안 있어 공격형으로 세팅된 롱소드와 놈들의 모함이 달려올 것이다. 그전에 게르샨은 이 불리한 자리에서 피해야 한다. 저런 전자전기의 공격은 함에 유효한 피해를 줄 수 없으니 무시하면 된다.

- 닥쳐! 어린놈이 뭘 안다고! 샤다이의 보물을 놓고 가란 말이냐!

함장의 객기 어린 일갈에 아앤아는 답답해서 부레가 쪼그라들 지경이다. 라출노그 포격함의 전술은 주 추진기 역할을 하는 호위정들을 발진시켜, 적과 근접전을 벌인 후 모함은 후방에서 포격으로 적을 유린하는 것이다. 그러나 이런 소행성대에선 호위정들이 제대로 된 진형을 갖추기 힘들뿐더러, 호위정들이 나가버리면 주 추진기만 남은 포격함은 기동성이 저하된다.

- 적 롱소드 1기 더 출현.

다급한 통신 요원의 보고에 아앤아는 놈이 날아온 궤적을 살펴봤다. 이번 롱소드는 아까 연방 무역선이 있던 방향에서 왔다. 마찬가지로 전자전 세팅. 십중팔구 격침된 연방의 배를 찍었을 것이다. 놈이 어디까지 찍었든 간에 그 자료가 연방으로 넘어가면 라출노그에게, 그리고 데넥샬에겐 치명적인 타격이 된다. 지금 연방의 함대가 쳐들어오면 데넥샬은 멸종이다.

그러니 한시라도 빨리 적들과 제대로 싸워야 할 판국인데 함장은 어깃장만 열심히 놓고 있다. 여기선 롱소드 따위를 잡겠다고 시간을 낭비할 게 아니라 서둘러 전파 방해 범위에서 벗어나야 한다. 그리고 사령부에 연락을 넣어 함대를 출격시켜 연방군의 침투부대를 전멸시켜야 한다. 빠짐없이.

- 부장님! 적입니다! 적이 이 샤다이 함선에 침입했습니다! 연방군입니다!

이번에는 상륙부대장의 비명이다. 아앤아가 급히 회선을 그쪽으로 돌리자 거기엔 잘 아는, 그리고 결코 여기서 만나고 싶지 않은 존재들이 보였다. 길고 굵은 두 갈래의 꼬리지느러미로 바닥을 디디고 다른 두 개의 가슴지느러미는 무기를 든다. 마지막으로 배 쪽으로 굽은 놈들의 머리. 유에네스다. 그것도 장갑보병들이 지금 샤다이 함선으로 쳐들어온 것이다. 이에 맞서 상륙부대원들이 응전하나, 물 밖에서 상륙복을 입고 하는 싸움이라 상대가 되질 않는다. 그런데 뭔가 기묘했다.

'이상하군.'

아앤아가 기억하기로 저 장갑보병들은 어벤저, 복수자란 기종이다. 놈들이 쏘는 것은 자기 가속 총으로 탄환은 작고 가벼운 텅스텐 합금이다. 상륙부대의 상륙복은 바깥은 장갑, 안쪽은 그냥 물과 착용자다. 연방의 자기 가속총이 쏘는 탄환은 상륙복의 외부장갑을 뚫을 수 있겠지만, 매질이 다른 물과 닿으면 파괴력이 감소한다. 한두 발 맞는다고 부대원들이 죽을 리 없었다.

분명 그럴 터인데 상륙부대원들은 몇 발 맞지도 않고 바닥에 쓰러져 부들거리고 있었다. 쓰러진 상륙부대원들의 머리 쪽 투명한 관측창을 보니 거기엔 물이 없었다. 상륙복은 장갑이 뚫려도 즉시 구멍을 메운다. 혹시나 해서 주변을 봤으나 물이 샌 흔적은 보이지 않았다. 그런데 지금 상륙부대원들은 마치 물 밖으로 나온 것처럼 숨도 쉬지 못하고 퍼덕이고 있었다.

"이건?"

물이 없어 숨을 못 쉬는 부대원의 상륙복 안에 뭔가가 보인다. 질척질척한 겔이다. 그것의 정체를 알아챈 아앤아의 비늘이 곤두섰다.

"흡습겔!"

연방의 장갑보병들은 수분을 빨아들이는 흡습겔을 탄환 안에 넣어 쏘고 있었다. 놈들은 철저하게 준비를 했다. 함선 내부에 불필요한 피해를 줄이는 동시에 수생종족을 잡기 위한 장비를 갖추고 온 것이다.

"상륙부대장, 조금만 더 버텨라."

서두른 아앤아는 마침내 게르샨과 연결된 통로에 도착했다. 이제 게르샨으로 돌아가면 저 무능한 함장을 쫓아버리고 이 사태를 수습해야 한다. 어떻게 해야 함장을 빨리 몰아낼 수 있을까 고심하는 아앤아의 앞에 폭발이 일어났다. 통로가 부서지고 장갑보병이 들어왔다. 불행한 부장은 기억하고 있다. 저 장갑복이 무엇인지를. 바로 연방 최고의 장갑복, 그라인더다. 사관학교 시절 연방 최고의 부대들이 저 그라인더를 입는다고 들었다. 승산이 없음을 감지한 아앤아는 선조들처럼 자비를 구걸할 수밖에 없었다.

・・・✦・・・・

097

신형 아귀 급을 목표로 잡은 빈우는 그쪽을 향해 롱소드를 몰아갔다. 아직은 적이 이쪽을 발견 못 한 터라 기습하기에 절호의 상황이다. 조준을 마친 빈우는 동축 레이저 건을 발사했다. 민감한 전자장비들을 다수 장착하느라 주포는 자기장과 반동이 심한 코일건 대신 레이저 건으로 교체된 상태였다. 광속으로 날아간 공격은 적함에 착탄, 고열로 장갑을 녹인 다음 내부에서 폭발을 일으킨다.

그리고 멍하니 있는 포격함에 연달아 공격을 가한 빈우는 뒤늦게 날아오는 대공포화를 피해 암석군 뒤로 숨었다. 롱소드가 제아무리 현존하는 최강의 우주 전투기라 해도 일개 전투기에 불과하다. 저런 대형함을 잡으려면 다수의 공격기로 어뢰를 퍼부어야 한다. 그럼에도 불구하고 빈우가 지금 무리해서 혼자 공격을 가한 것은 놈들의 발을 묶고 블랙 랜스가 오기까지 시간을 벌기 위한 것이다.

"저것들 왜 저래? 일이 잘 풀리네."

주변의 운석 사이사이로 숨으며 치고 빠지던 빈우의 눈에 라출노그의 포격함에서 호위정들이 분리되는 게 보였다. 라출노그의 함선 운용 기본 교리는 대형함 1척에 다수의 소형함이 붙어 하나의 그룹을 이루는 것이다. 평상시에 소형함들은 대형함으로부터 연료를 공급받으며 추진기 역할을 한다. 그러다가 전투가 벌어지면 떨어져 나와 대형을 이뤄 근접전을 시도한다. 그리고 대형함은 각자의 특색에 따라 후방에서 포격을 하거나 보급을 한다.

물론 이때 대형함의 기동성이 떨어지는 건 당연하다. 이쪽은 샤다이 전열함의 나포와 놈들의 도주를 막으려고 찔러본 것인데, 저쪽에서 작정하고 제대로 싸우려고 드니 오히려 고마울 따름이다. 운석군 사이로 대형을 짜 포위해오는 적 호위정들은 전혀 고맙지 않았지만.

"대형을 짜는 폼이 나름 잘 훈련받은 듯하다만⋯⋯."

라출노그 호위정은 롱소드보다 크다. 주 추진기는 상대적으로 빈약하지만, 대신 지느러미를 연상케 하는 보조추진기들이 동체 곳곳에 달려 있어 이를 사용해 훨씬 기민한 움직임을 보여준다.

또한 놈들은 통신 없이 서로의 움직임을 보는 것만으로 각자의 생각을 파악하고 전할 수 있다. 미묘한 보조추진기의 움직임이나 동체의 회전만으로도 함대의 대형이나 기동에 대한 의견을 즉각 교환해 일사불란하게 움직이는 라출노그의 함대 기동은 마치 어류들의 무리 움직임을 연상케 한다.

이런 집단 기동은 비단 소형정에만 국한된 것이 아니었다. 대형함들도 이렇게 움직이기 때문에 연방은 라출노그와의 전쟁에서 함대전만큼은 딱히 우위를 점하지 못했었다. 아귀 급에서 떨어져 나온 호위정들은 마치 프랙탈 도형을 연상케 하는 편대 움직임을 하며 빈우의 롱소드를 죄어오려 했다. 그러나 주변에 방해물이 많은 소행성대라 놈들은 생각만큼 움직일 수 없어 보였다. 능숙한 수병들이라면 장소에 영향받지 않고 대형을 짰겠지만, 저놈들에겐 뭔가가 부족해 보였다.

"⋯⋯실전경험이 부족한가."

빈우는 라출노그 호위정들의 포위망이 채 완성되기도 전에 빈틈을 뚫고 빠져나갔다. 다만 그 방법은 과격하기 그지없었다. 롱소드의 자동회피를 끈 빈우는 암석군으로 돌진하며 레이저로 커다란 암석 하나를 쏜 다음, 열 폭발하는 파편을 동체로 뚫고 지나갔다. 목표를 놓친 호위정의 무리가 다시 대형을 짜 빈우의 롱소드 뒤로 따라붙을 때, 때맞춰 우지의 롱소드가 참전했다.

녀석은 빈우의 맞은편에서 날아오면서 레이저 건을 발사했다.

"나이스 타이밍."

빈우는 우지의 사선을 파악했던 터라 슬쩍 방향을 틀었다. 뒤로 날아간 고출력 레이저에 쫓아오던 두어 척의 호위정이 폭발했다. 그리고 놈들이 허둥댈 틈을 타 빈우와 우지는 다시 라츨노그의 모함 쪽으로 기수를 돌렸다. 다행히 샤다이 전열함은 움직이지 않았다. 아직 라츨노그들이 제대로 조종하지 못하는 모양이다. 대신 연결된 라츨노그 포격함에서 대공포화가 올라왔다.

"어차피 샤다이에겐 공격해봐야 소용없다. 포격함을 노려."

아귀 급 포격함은 반격했지만 2기의 롱소드는 번갈아 주포를 쏘며 착실히 피해를 누적시켰고, 한쪽이 포격함을 공격할 때 다른 쪽은 호위정들의 시선을 끌었다. 이런 혼란을 틈타 4기의 그라디우스들이 접근해 들어간다. 거기에 나눠 탄 장갑보병들은 373의 화력 팀 세 명과 무인 어벤저 12기다.

아룹이 보낸 통신에 따르면 먼저 무인 어벤저들을 샤다이 전열함으로 돌입시키고, 화력 팀은 신형 아귀 급과 전열함 사이의 연결통로를 노린다고 했다. 지금 샤다이 전열함은 곳곳의 입구를 모두 열어놓은 상황이니 무인기들을 집어넣기 수월하고, 연결통로는 라츨노그들의 병력 이동을 막는 동시에 양쪽으로 쳐들어갈 수 있는 곳이기도 하다. 라츨노그의 포격함은 여차하면 격침시켜야 하니 굳이 병력을 투입할 필요가 없다.

- 화력 팀이 돌입합니다.

우지가 그라디우스로 접근하는 호위정을 격침시키며 말했다. 먼저 무인 어벤저들을 태운 그라디우스가 샤다이 전열함의 옆구리를 들이받았다. 그라디우스의 기수 부분에는 적함의 장갑을 뚫고 강제로 진입구를 만들 수 있는 굴착 기능이 있지만, 지금은 쓸모가 없었다. 이미 입구가 열려 있었으니까.

만약 배 안으로 들어가서 라츨노그들과 수중전이 벌어졌다면 아군도 고전했을 터였다. 물이 없는 배에서 상륙복을 입은 놈들과의 전투라면 이길 방법이 무궁무진하다. 그리고 적의 정신이 무인기 쪽으로 팔린 사이, 373 팀원들을 태운 그라디우스가 샤다이 쪽의 연결통로에 들이받았다. 머리 부분의 굴착기로 통로에 구멍을 뚫자 안으로 화력 팀들이 돌입한다. 그리고 아룹의 통신이 들려온다.

- **팀장님. 전원 돌입했습니다.**

"알겠습니다, 우린 호위정들을 정리하지요. 함장님?"

- **지금은 포격할 수 없습니다. 좀 더 접근하겠습니다.**

운석이 흐르는 소행성대에 적과 아군이 섞여 난전을 하고, 적함 안으론 아군 장갑보병들이 돌입한 상태다. 블랙 랜스로선 함부로 포격을 할 수가 없었다. 빈우는 레이저로 포격함의 대공포를 긁으며 화망을 피해 빠져나갔다. 그런 롱소드의 뒤로 호위정들이 집요하게 따라붙었고 그것은 우지 쪽도 마찬가지였다.

- **팀장님, 뒤에 줄줄 달고 어딜 가십니까.**

"새끼, 남말하네."

빈우와 우지를 뒤쫓는 호위정들이 레이저로 공격을 퍼부었지만, 현재 태스크포스 373의 롱소드들은 대 광학병기용 장갑을 해놓은 터라 한 세대 떨어지는 놈들의 화력으론 단시간에 심각한 피해를 주기 힘들었다. 게다가 둘 다 리미터를 해제해놔서 호위정들은 쫓아가기도 빠듯해 포위는 꿈도 못 꾸고 있다.

- **제가 먼저 떼어내드릴까요?**

우지의 롱소드가 엄호를 위해 뒤로 빠지려 할 때 빈우는 궤적 바깥으로 크게 돌았다.

"시간 끌지 말고 타치 위브로 가자. 너 먼저."

타치 위브란 2기의 전투기가 뒤에 붙은 적을 떨칠 때 쓰는 고전적인 전투기의 방어 기동이다. 빈우의 롱소드가 빠져나가는 것을 본 우지도 거리를 두며 가속을 시작했다.

- **시간 문제라면 차라리 우리 할아버지 방법은 어떻습니까?**

호위정들의 레이저 공격이 거세짐에 따라 장갑의 피해 경고음도 점차 심하게 울린다. 빈우는 우지의 말을 들으며 씨익 웃었다. 이런 집단대형에 쫓길 때 놈의 할아버지인 시에 쉰이 쓰는 방법이라면 하나뿐이다.

"너랑 나하고 합 한 번 안 맞춰봤는데 되겠냐?"

물론 빈우도 '그걸' 할 수는 있다. 다만 두 사람의 호흡이 맞아야 하는 고난도의 기동이라 물어보는 것이다. 그러자 우지도 히죽 웃으며 맞받는다.

- 제가 맞춰드릴 테니까 걱정 마십쇼.

그 말에 빈우는 쓴웃음을 지으며 롱소드의 방향을 저쪽의 우지 쪽으로 틀었다. 우지는 발바닥이 땅에 붙어 있을 때는 소심한 놈이지만 우주를 고속으로 날아가는 관 속에 들어가면 세상 무서울 게 없는 놈이 된다. 거기다 실력은 연방에서도 손꼽을 정도의 탑 엘리트다. 빈우와 우지의 롱소드는 각자 뒤에 호위정 무리를 달아놓은 채 회피 기동을 했다. 그러면서도 같은 방향을 보며 거리를 두고 평행으로 날아갔다. 그때 빈우가 신호를 줬다.

- 들어간다.

그러면서 빈우의 롱소드가 우지와의 거리를 한 번 벌린 다음 다시 빠르게 접근했다. 신호를 받은 우지도 마찬가지로 거리를 벌린 후 가속해 빈우 쪽으로 날아갔다. 2기의 롱소드가 서로 마주 본 채 완만한 곡선을 그리며 거리를 좁혔다. 그리고 적당한 거리가 되자 각자 후방으로 기뢰를 뿌린 다음 가속해서 스치고 지나갔다.

찰나의 순간, 빈우와 우지는 서로가 떨어트린 기뢰를 뒤로 보내며 각자의 기뢰를 폭발시켰다. 빈우의 기뢰는 우지의 뒤에서, 우지의 기뢰는 빈우의 뒤에서. 폭발의 진동이 기체를 흔들 때, 파일럿들은 출력 레버를 한계 너머로 밀었다. 롱소드들은 관성 제어장치를 비롯한 각종 방어책을 미리 후방으로 돌려놔 큰 피해는 없었다. 덕분에 기뢰의 폭발과 동시에 그 반동으로 급가속하여 상대방을 쫓던 호위정 대형을 뚫고 순식간에 뒤를 잡았다.

라출노그 호위정들은 당황했다. 자신들이 쫓던 롱소드들이 서로 모이는가

844

싶더니 폭발과 함께 엄청난 속도로 포위를 벗어난 데다, 또 자기들끼리의 거리가 너무 가까워져버린 탓이었다. 잠시 우왕좌왕하던 그들은 이내 다시 대형을 재정비하려고 했다. 하지만 연방의 우주 전투기들은 이 순간을 놓치지 않았다.

빈우는 급가속으로 호위정 대형을 벗어난 다음 기체를 반전시켰다. 기체의 관성 제어장치와 파일럿 슈트의 한계를 벗어나는 부하가 몸에 걸린다. 파일럿용 강화를 한 우지라면 모를까 빈우에게는 버거울 정도다. 그래도 어떻게든 기수를 적 호위정 무리로 향하게 한 그는 기체의 모든 동력을 동축 레이저 건과 양 현의 입자가속포로 전부 밀어넣었다.

곧이어 2기의 롱소드가 만들어낸 죽음의 사선이 호위정 대형 사이로 그어진다. 라출노그들은 갑자기 눈앞에서 적들이 사라지고 뒤에서 공격이 빗발치자, 제대로 대응도 못 한 채 줄줄이 격침되어간다.

물론 이런 유리한 상황을 만들었다 해도 단 2기의 롱소드만으론 모든 호위정들을 상대하기엔 무리다. 하지만 라출노그들이 다시금 대형을 짜려 할 때 어느새 가까이 온 블랙 랜스가 공격을 퍼부었다. 아까완 달리 빈우와 우지가 호위정들을 유인해 모아놓고 자신들은 바깥으로 빠진 상황이라 오르 함장은 포격과 미사일을 마음껏 쏟아부을 수 있었다.

연방은 구축함의 함축 코일건을 전함의 주포에 맞먹도록 만든다. 그런 위력의 포격이 연사로 쏟아지자 연약한 호위정들은 순식간에 허물어졌다. 포격의 다음 목표는 라출노그 포격함이었다. 호위정을 전부 잃은 아귀 급이 블랙 랜스에게 반격을 해보지만 장갑도, 화력도 압도적인 차이라 전투는 일방적이었다.

빈우는 그걸 보면서 호위정들의 잔해 쪽으로 날아갔다.

"우지. 뒷정리하러 가자."

- 네? 어, 전부 격추한 것 같습니다만.

바로 이해하지 못한 우지를 위해 빈우는 몸소 시범을 보였다. 그의 롱소드가 호위정들의 잔해 속을 탐색하더니 살아남은 라출노그의 탈출 포드를 찾았다. 그리고 쏴 터트렸다.

- 엇!

"말했지? 이번 작전에서 적의 생존자가 하나도 있으면 안 돼."

우지의 짧은 비명을 빈우가 짓눌렀다. 정규군이라면 결코 하지 않을 일이지만 태스크포스 373은 원래 이런 팀이다. 있어선 안 될 곳에서 해선 안 될 짓을 하는 팀.

"서둘러. 이쪽을 빨리 마무리짓고 포격함 쪽으로 간다."

- 네, 넷.

빈우는 머뭇거리는 우지에게 딱히 별말을 하지 않았다. 분명히 전투에서 적을 죽이는 것과 전투가 끝난 다음 무저항의 적을 죽이는 것은 다르다. 하지만 무슨 일이든 처음이 힘든 법이다. 격려나 질책은 나중에 녀석이 힘들어할 때나 해주면 된다.

- 생각보다 쉽게 마무리되었군요.

오르 함장의 통신에 빈우는 고개를 끄덕였다. 이제 아귀 급은 몇 번만 더 공격하면 격침된다. 이쪽이 입은 피해라곤 롱소드의 장갑 정도. 일이 이렇게 손쉽게 풀린 것은 태스크포스 373의 실력이 뛰어난 것도 있지만 저 포격함의 함장이 뼈저린 실책을 저지른 탓이 컸다. 그 바보는 롱소드를 격추시키기 위해 호위정들을 출격시킨다는 최악의 수를 둔 것이다. 만약 저 아귀 급 포격함이 샤다이 전열함을 이끌고 도망을 치려 했다면 태스크포스 373은 고생을 좀 해야 했을 거다.

"부팀장 상황은 어떻습니까?"

- 전열함 내부는 장악했습니다만, 아무래도 팀장님께서 직접 오셔야겠습니다.

부팀장의 통신에 빈우는 고개를 갸웃했다. 아룹 정도의 실력과 경험이라면 태스크포스 373의 팀장으로 있기에 손색이 없다. 다만 계급에 따른 시야의 한계 때문에 현장의 민감한 문제에 있어서 현재 연방의 독트린을 반영하는 데는 무리가 있다. 그래서 레드우드 사령관은 굳이 군사대학을 나온 영관급 장교를 팀장으로 원했던 것이다.

- 포로가 있습니다.

'이거, 꽤 민감한 사안이겠군.'

분명 작전 투입 전에 생존자는 없다고 했는데 현장 지휘를 맡은 아룸이 굳이 살려냈다는 것은 그 라출노그 인의 중요도가 상당히 높다는 것을 뜻한다.

"알겠습니다. 지금 가지요. 함장님, 일단 공격을 중지하십시오. 생존자가 필요할지도 모르겠습니다."

행여 생존자가 더 필요할까 싶어 빈우는 일단 공격을 중지시켰다. 불필요하면 그때 가서 죽이면 된다. 빈우는 롱소드를 샤다이 전열함으로 꺾었다.

098

· · · ✦ · · ·

샤다이 전열함 안으로 들어간 빈우는 포로로 잡은 라출노그 인을 만났다.
마치 다리 달린 어항의 모습을 한 라출노그 상륙복 안에는 그가 잘 아는 인
물이 있었다.

'아앤아!'

그 라출노그 인은 빈우의 사관학교 동기랄 수 있는 아앤아였다. 정확히는
유학생이지만. 아앤아를 훑어보는 빈우에게 아룹의 통신이 들려온다.

- **이 라출노그 인은 우리가 돌입했을 때 바로 투항했습니다. 그것도 아군의 피**
  아 식별 신호를 쓰면서요. 혹시나 아군 정보국의 요원인가 싶어서 생포했습
  니다만, 아니더군요.

- **잘했습니다 부팀장. 이자는 저와 조금 면식이 있습니다. 사관학교 시절 유학**
  생으로 왔었지요. 잘하면 데벡샬 쪽의 사정을 알아낼 수 있겠습니다.

아앤아는 헬멧의 바이저를 내린 빈우를 알아보지 못했지만 주변의 반응
으로 그가 지휘관, 혹은 꽤 높은 지위에 있다는 것을 알 수 있었다. 라출노그
인이 말하려고 상륙복 안에서 조금 움직이자 주변에 선 팀원들의 총구가 즉
시 짓눌러왔다. 빈우가 조용히 손을 들어 제지하자 허락을 받은 아앤아는 서
서히 말문을 열었다.

- **나는 라출노그 7 개척지 방위 사령본부의 4함대 소속 아앤아 준장이다. 나는**
  연방과 적대할 의사가 없다. 오히려 이 샤다이 함선을 본성이나 연방에 넘길

생각을 하고 있었다. 덧붙이자면 그대들의 무역선을 공격한 것은 함장의 독단이었다.

공용회선으로 다급한 그의 목소리가 들려온다. 단순히 살기 위한 변명은 아닐 것이다. 빈우가 아는 사관학교 시절의 아앤아는 친 연방파였으니까.

물론 처음 만났을 때의 아앤아는 인류 연방에 한 방 먹이겠다는 복수심으로 가득 찬, 자주 볼 수 있는 젊은 데넥샬이었다. 그러나 시간이 지나고 연방 사관학교의 교육을 받으며 젊은 라출노그 인은 절망했다. 현실이란 거대한 벽을 물었던 그의 이빨은 부러졌다.

그것을 잘 알고 있는 빈우는 변조된 목소리로 아앤아에게 통신을 넣었다.

- **왜 반란을 일으키려 했지? 샤다이 함선은 너희들에게 엄청난 전략자원이 될 텐데? 또 데넥샬은 연방을 그다지 좋아하지 않잖아.**

그 말에 아앤아는 아가미를 한 번 고르고 설명을 시작했다.

- **난 과거, 연방에 유학을 간 적이 있어. 그때 거기서 알았지. 우리는 결코 연방을 이길 수 없다는 것을.**

거짓말은 아니다. 그 과정을 빈우가 옆에서 직접 보았으니.

- **현실을 깨닫고 고향으로 돌아온 나는 얼마 있지 않아 엘리트 취급을 받고 요직으로 올라갔다. 그리고 속내를 숨기고 뜻을 같이하는 유학파들과 모여 조직을 만들었지.**

이것도 사실. 당시 데넥샬은 열린 교류의 장을 악용해 연방의 기술을 훔치려는 시도를 했었다. 하지만 같은 세대의 기술력이라면 모를까, 연방과 라출노그에는 어마어마한 사회적 인프라 차이가 있어 기술을 훔친다 해도 그것을 자기 것으로 소화할 수가 없었다. 오히려 현실에 눈을 뜬 소장파 라출노그들—아앤아 같은 자들—이 되려 변절하는 등 데넥샬의 시도는 모두 무위로 돌아갔다.

그래도 고급교육을 받았던 이들 중 계속 충성하던 자들은 라출노그 사회에서 제법 중요한 자리까지 갔다. 당장 눈앞의 아앤아만 봐도 젊은 나이에 장성급이다. 개중에 몇몇 유학파들은 자신의 정체를 숨기고 연방과 연결하는 파이프 라인이 되어주었다. 나아가 연방 정보조직에 포섭된 경우도 있지만 라출노그와 인류 연방이 동맹 관계가 되면서 군사정보국의 관할 밖이 되는 바람에 빈우와는 인연이 없었다.

- 라출노그, 그중에서도 우리 데벡샬 분파가 당신들 인류 연방을 암암리에 적대하고 있다는 것은 잘 알고 있을 터. 하지만 우리 소장파는 연방과 진정한 동맹이 되어야 한다는 것을 알고 있다. 그래서 본성과 연방 정보부에게 비밀리에 협조해왔지.

이것도 빈우가 귀동냥으로 들어왔던 사실. 자신이 정보국 소속이 되며 그와의 연락이 끊겼다는 게 지금의 빈우로선 몹시 아쉬웠다.

- 이번 샤다이 함선은 정말, 예상치 못했던 큰 사고다. 이전부터 샤다이와 간간이 연락은 했었지만 이렇게 갑작스레 일이 진행될 줄은 몰랐다. 본성이나 연방 쪽에 알릴 시간도 없었어. 알자마자 바로 출항해야 했으니.

그거야 이쪽도 마찬가지다. 어느 정도냐면 모함이 완전한 수리가 되기도 전에 부랴부랴 뛰어나온 판이다.

- 아직 꿈에 젖어 사는 늙은이들은 샤다이의 배만 들어오면 과거의 설욕을 할 수 있으리라 착각하지만. 나는, 우리 동지들은 달라. 데벡샬이 복수를 위해 일어선다 한들 치열한 전쟁 끝에 다시 패배할 거다. 그리고 라출노그란 이름 하에 있던 모든 민족들은 연방의 손에 모조리 멸종당하겠지. 데벡샬, 슈홀루 할 것 없이.

아앤아는 연방 사관학교에서 유학을 했던 만큼 연방의 기이한 행보를 잘 파악하고 있었다. 세 번의 양보. 그 끝은 공생과 번영 아니면 학살과 멸종뿐이다.

연방은 아무리 만류해도 세 번까지는 무의미한 교섭을 멈추지 않았다.

연방은 아무리 만류해도 적으로 삼은 종족의 멸종을 멈추지 않았다.

그걸 아는 아앤아로선 동포의 만용을 결코 두고 볼 수 없었다.

850

- 그래서 종족의 생존을 위해 난 이 배를 뺏으려 했다. 아니, 뺏지 못한다 해도 본성에는 알리려고 했다. 하지만 그대들이 너무 빨리 쳐들어오는 바람에 아무것도 하지 못했지. 믿어다오. 우린 연방과 두 번 다시 전쟁하고 싶진 않아.

아앤아의 말을 들은 빈우는 질문을 던졌다.

- 배에 너와 동조하는 자들이 또 있나?
- 같은 조직의 동지는 많지 않다. 하지만 민심은 우리 쪽에 있었고 배의 승무원들은 무능한 함장보다는 나를 더 따랐으니, 계획을 성공시킬 가능성은 높았다. 아니, 높았었지.

과거형으로 말을 맺는 라출노그 인의 지느러미는 힘이 없었다. 태스크포스 373에게 궤멸적인 피해를 입은 지금으로선 의미가 없기 때문이다. 그것은 이쪽도 마찬가지였기 때문에 빈우는 질문의 흐름을 바꿨다.

- 샤다이 전열함을 회수하기 위해 온 것은 이 아귀 급 포격함 하나인가? 다른 배들은 없나?
- 기밀을 위해서 우리 배 1척만 왔다. 원래는 직접 샤다이의 배를 조종해서 돌아갈 계획이었고, 그렇게 하지 못한다 해도 호위정으로 샤다이 배를 감싸면 충분히 움직일 수 있으니.
- 본부와의 통신은?
- 연방의 눈을 속이고 비밀리에 와야 했으니 통신은 하지 않는다. 다만, 그대들의 공격에 본부에 연락을 하려 했으나 통신 연결이 안 되더군. 그대들의 방해겠지?

빈우는 대답 대신 주변의 부서진 상륙복 안에서 장교용 콘솔을 꺼내 들었다. 이것으로 아귀 급 포격함의 서버에 접속하면 아앤아가 한 말의 진위 여부와 또 다른 정보들을 얻을 수 있다. 그러나 콘솔은 잠겨 있었고 빈우는 아앤아에게 그것을 내밀었다.

- 승인.

짧은 말 하나에 아앤아는 잠시 머뭇거리더니 부장의 권한으로 콘솔에 접속시켜주었다. 수중 생명체인 라출노그 인용 인터페이스지만 빈우는 능숙하게 조작해 자료와 항해기록 등을 검색했다. 샤다이의 연락, 그것에 호응한 데넥샬의 출격, 이어지는 허술한 계획 등 아앤아는 거짓말을 하지 않았다.

충분히 자료를 복사한 빈우는 마지막 단계, 청소를 위해 아앤아를 돌아보았다.

- 생존자들을 투항시켜 모아줄 수 있나? 더 이상 전투는 불필요하다. 어쩔 수 없이 싸우게 되었지만 동맹 아닌가. 투항하면 신변은 보장해주겠다.

그러나 대답 대신 엉뚱한 말이 들려왔다.

- 빈우냐? 혹시 김빈우?

아앤아의 통신에선 처음에는 의혹이, 마지막에는 확신이 담겨 있었다. 그리고 다시 조준되는 팀원들의 코일건. 빈우는 혀를 찼다. 인간이 상대의 얼굴과 표정, 목소리로 상대를 파악한다면 라출노그는 지느러미의 형태와 움직임으로 대상을 구분한다. 그래서 아앤아는 빈우의 걸음걸이, 그리고 콘솔을 조작하는 팔과 손의 움직임에서 과거 사관학교 시절의 동기를 알아본 것이다. 빈우는 굳이 감출 필요가 없기에 헬멧의 바이저를 열고 아앤아를 마주 보았다.

- 오래간만입니다. 아앤아 준장. 아니, 부장이라고 불러야 하나요? 이렇게 재회하게 되어 정말 유감입니다.

- 어디서부터지? 대체 언제, 어디서부터였지?

그가 힘없이 묻는 것은 아마도 이번 사태의 발단일 것이다.

- 우리도 얼마 전에 알았습니다. 그래서 서둘렀죠. 알다시피 우리 연방은 샤다이라고 하면 경기를 일으키니까요. 거기다 우주 함대전으로 이름난 라출노그의 데넥샬 분파에 샤다이 함선이 간다고 하니……. 뭐, 이렇게 내가 오게 되었습니다.

마치 오늘 아침 국이 좀 짜더라, 하는 것 같은 성의 없고 수수한 설명이다. 그러나 아앤아는 그것만으로도 빈우가 이끄는 팀이 어떤 종류의 팀인지, 그리고 그들이 띄는 작전의 색깔이 어떤 것인지를 알 수 있었다. 라출노그 부장은 급하게 빈우에게 부탁했다.

- 공격을 중지해줘. 우리 병사들을 살려다오. 저들은 자신의 의무에 충실했을 뿐이다. 연방과 싸울 생각은 없어.

- 이미 중지했습니다.

빈우는 대답했지만 아앤아는 또다른 답을 원했다. 두 번째 부탁에 대한 대답을.

- 우리 병사들을 살려다오. 내가 협조하지 않았나. 제발.

상륙복 속의 라출노그 인은 지느러미를 늘어뜨리며 애원했다. 자신들이 공격하려던 자에게 반격을 받고 거기다 목숨을 구걸하는 치욕이다. 하지만 아앤아는 어떤 모욕도 무릅쓸 수 있었다. 자신의 부하들의 생명을 이런 더럽고 어처구니없는 일에서 버리긴 싫었다.

그러나 빈우는 좀 다른 시각을 가지고 있었다. 분명 저 침몰 직전의 포격함 내부에는 연방과 우호적인 라출노그 인이 있을지도 모르고, 아앤아와 같은 조직에 있는 라출노그 인도 있을지 모른다. 그러나 이번 작전은 알려져서는 안 되는 작전이다. 아는 사람은 적을수록 좋다.

빈우는 아앤아의 각오를 보며 정중하게 대답했다.

- 미안합니다만. 이번 작전에 생존자는 없을 겁니다. 준장님은 우리와 같이 가시죠.

그 말에 울분에 차 일어서려는 아앤아를 아룹이 걷어차 날려버린다. 이어서 벽에 부딪혀 허둥대는 상륙복을 위르겐이 달려가 구속했다.

- 조심. 소중한 정보원이다. 정중하게 모시도록.

빈우의 차분한 말에 위르겐은 작게 고개를 끄덕였고, 아앤아는 지느러미를 떨었다. 그리고 저항할 의사를 잃은 라출노그 인을 무인기들이 연행해갈 때 빈우는 블랙 랜스를 호출했다.

- 함장님, 아귀 급 포격함을 청소합시다. 우지, 너도 생존자를 샅샅이 찾아서

제거해라.

그리고 대답을 기다리지 않고 다른 팀원들을 호출했다.

- 모니카, 어때.

지금 모니카는 샤다이 전열함의 지휘실에 파트리샤와 함께 있었다. 그녀는 흥분에 떨리는 목소리로 대답했다.

- 놀라워요. 이렇게 손상 없는 샤다이 함선을 가지고 간다면 위에선 뒤집어지겠습니다.

'다른 의미로도 뒤집어지겠지.'

태스크포스 373은 동맹국의 영토에 무단으로 들어가 동맹국 군인들을 학살했다. 전투뿐만이 아니라 저항할 수 없는 포로들조차도. 아마 이 일의 뒤처리로 군 상층부와 외교부는 피를 토할 것이다. 하지만 그것을 감수할 만한 가치가 이번 작전엔 차고 넘치도록 있었다. 먼저 샤다이 배를 중간에 가로채어 데넥샬의 저항 의지와 수단을 꺾음으로써 라출노그와 연방의 관계는 보다 더 돈독해질 것이고, 온전한 샤다이 함선을 손에 넣은 덕분에 연방의 기술력은 한층 진일보하게 될 것이다.

- 그리고 하드웨어뿐만이 아니에요. 배에 있던 소프트웨어들도 온전히 접수했습니다. 하지만 여러모로 리퍼의 것보다는 한 수 처집니다. 아, 기술력이 아니라 전투에 대한 효율성에 관한 건데…….

모니카는 신이 나서 보고하고 있었지만 지금은 서둘러야 할 때다.

- 좋아, 움직일 수 있겠나?

빈우가 중간에 말을 끊자 모니카는 시무룩하게 대답한다.

- 아직은 무리입니다. 좀 더 분석이 필요해요.

- 그럼 청소가 끝나는 대로 끌고 이탈한다.

이제 샤다이 전열함은 여기 온 적이 없게 될 것이다. 태스크포스 373 역시 마찬가지다. 아귀 급 포격함은 알 수 없는 이유로 격침되었고, 그것은 연방의 무역선도 마찬가지다.

알 수 없는 이유. 이것은 차후 조사차 온 연방과 라출노그 본성, 슈홀루들에 의해 다음과 같이 밝혀지게 될 것이다.

'샤다이의 소행이다. 샤다이가 라출노그 쪽에 침략의 발판을 만들었다.'

그리고 이것을 빌미로 연방이 라출노그 7에, 데넥샬의 본거지에 함대를 주둔시킬 것은 명약관화하다. 당연히 데넥샬은 반발하겠지. 하지만 그들로선 거부할 수 없고 진실을 밝힐 수도 없다. 연방과 본성 몰래 샤다이와 접촉한 것, 동맹의 민간선박을 공격한 것들을 연방이 파헤치려 들면 곤란해지는 것은 데넥샬이다. 또 지금 태스크포스 373이 증거를 인멸해버리면 저쪽엔 심증만 남으니 시비 걸 수도 없는 노릇이다.

이제 데넥샬은 숙여야 한다. 그리고 숙이면 숙일수록 연방은 더더욱 짓누를 것이다. 반발할수록 더더욱 찍어내릴 것이다.

099

· · · ✦ · · ·

태스크포스 373의 이번 작전은 전파 방해에 스텔스 상태로 들어와 비밀리에 진행되었다. 보호행성에서 일어난 저번 발 가르단 하스의 작전과는 달리 이번 라출노그 항성계의 작전은 타국, 그것도 동맹국 내에서 무단으로 일어난 일이다. 들키면 외교적 파장이 어마어마하다.

그렇기 때문에 생존자는 없어야 하고, 증거 또한 없어야 한다. 남겨지는 증거는 샤다이의 것으로 보이도록 조작한 것들뿐이다. 이제 우지는 아까 뿌려두었던 전파 방해 위성들을 회수하러 갈 참이었다.

- 저, 무역선의 잔해와 시체는 어떻게 할까요?

우지가 머뭇머뭇 질문했다.

라출노그 7과 소행성대 사이에서 엔진 고장으로 위장해 표류하는 척하다가 포격함에 격추당한 중앙정보국 소속의 위장 무역선을 지칭하는 것일 터였다. 자신의 임무를 다하다 죽은 아군이다.

"당연히 두고 와야지. 우리가 여기 왔었다는 흔적을 남기면 안 돼."

- ……알겠습니다.

빈우의 말에 우지의 대답은 한 박자 늦었다. 아군의 시신을 남겨두고 떠나자니 그게 마음에 못내 걸린 것이다.

'죄송합니다.'

우지는 저 멀리 보이는 무역선의 파편과 잔해를 보며 마음속으로 사과를 했다. 그리고 자기가 뿌렸던 소형 위성들을 하나씩 수거했다.

그때, 우지의 센서 화면에 무언가가 잡혔다.

"응?"

지금은 비밀작전 중이라 능동센서를 쓰지 못해 감지범위와 정밀도는 그다지 높지 않다. 그러나 우지가 발견한 것은 분명히 라출노그의 배였다. 롱소드의 컴퓨터는 수집한 정보를 바탕으로 이 배가 라출노그의 얼음 채취선이라는 것과 예상 항로가 이쪽이라는 사실을 알려주었다.

"팀장님, 라출노그 얼음 채취선입니다. 이쪽으로 오고 있습니다."

우지는 자신이 수집한 정보를 팀장에게 넘겨주고 명령을 기다렸다. 분명 작전 회의 때 라출노그 민간선박이 나타나면 전파 방해나 사고를 가장해서 못 움직이게 만들라고 했다. 하지만 태스크포스 373의 롱소드 파일럿인 시에 우지는 우주전에서는 비길 자 없는 에이스지만 그 외의 부분에선 평균에서 조금 모자란다. 즉, 전자전이나 사고로 위장하는 것에는 영 젬병이었다. 아니, 하는 방법은 알지만 이런 비밀작전에서 섬세하게 할 자신이 없었다. 그리고 이런 일을 할 만한 빈우는 반대 방향에서 블랙 랜스 주변을 경계하고 있으니 지금 당장 할 사람이라곤 우지뿐이다.

우지가 팀장의 명령을 어떻게 수행할까 고민하던 차에 빈우의 목소리가 들려왔다.

- 격추시켜.

"……네?"

예상과 다른 충격적인 명령에 우지의 대답은 이번에도 한 박자 느렸다. 하지만 반문은 빨랐다.

"팀장님, 이건 민간선박입니다. 굳이 격추시키지 않아도 되지……."

- 내가 본 자료의 항행 스케줄에는 없는 배다. 해적선이거나 라출노그 정보부 소속일 가능성을 무시 못 해. 굳이 위험을 무릅쓸 필요가 없지. 격추시켜. 내 가 롱소드의 무장을 레이저로 바꾼 건 이럴 때를 대비한 것도 있다. 나중에

샤다이의 소행으로 조작하기 편하니까 걱정하지 말고 쏴.

빈우의 명령은 달리 강압적이지도 않다. 냉혹하지도 않다. 그저 해야 할 일을 담담히 설명하는 것에 불과하다.

우지는 아랫배에서 올라오는 긴장감을 짓누르려 침을 꿀꺽 삼켰다. 귀로는 명령을 들으며 눈으로는 라출노그 선박의 움직임을 좇았다. 이 배는 우지의 마음도 모르고 자신의 운명이 어찌 될지도 모른 채 이리로 오고 있었다. 라출노그의 기술력으론 아직 롱소드를 발견하지 못할 것이고, 소행성대의 일을 알 수도 없을 것이다. 아마도.

하지만 이번 작전에선 아주 작은 변수도 놓칠 수 없다. 만에 하나라도 있어선 안 된다는 것을 우지는 잘 알고 있다. 얼음 채취선의 뒤를 잡은 우지는 목표를 조준한 다음 조종간의 방아쇠에 손가락을 올렸다. 수없이 당겼던 방아쇠다. 그러나 이번에는 손가락이 움직이지 않았다. 목표에서 발신되는 전파, 에너지양, 롱소드의 센서가 탐지한 선박의 구조. 모든 것이 목표가 단순한 민간선박에 불과하다는 것을 알려주고 있다. 우지는 그들의 통신을 방수해보았다. 라출노그 어들이 번역되어 그의 귀로 들어온다.

- 아직 통신이 안 되는데.

- 통신기 이상은 없어, 태양풍 영향인가?

방해 위성은 치웠지만 전자전기로 설정된 롱소드에 의해 통신 방해는 계속되고 있다. 저 배는 대답 없는 통신을 계속 시도하고 있다.

- 여긴 수집선 가을 무리, 누구 들리는 사람 없나?

'저들은 군인이 아닙니다. 민간인이에요.'

입 밖으로 꺼내지 못한 말들이 우지의 목 안에서 맴돈다.

라출노그 군인은 공격할 수 있었다. 얼마든지 싸울 수 있었다. 놈들은 연빙을 적대했고, 아군의 선박을 공격했으며, 교전을 했으니까. 하지만 저들은 민간인이다. 그것도 동맹국의. 그리고 희박한 확률로 아군에게 위험요소다. 게다가 저 배가 향하는 곳은 아까 태스크포스 373과 아귀 급 포격함이 전투를 치른 주역 부근이다.

- 우지.

"네넷! 팀장님."

- 위성의 회수가 끝났으면 돌아와라. 내가 가겠다.

이미 빈우의 롱소드가 고속으로 날아오고 있었다. 우지는 마치 팀장이 자신이 하지 못한 일의 뒤처리를 하는 것 같아 긴장한 속이 더욱 타오른다. 어찌할 바를 모르고 그대로 목표의 뒤를 쫓고 있자 빈우의 롱소드가 우지의 목표를 조준하고 있다는 것이 알려진다.

곧바로 얼음 채취선에 고온의 레이저가 명중한다. 급격한 온도에 의한 열 파괴로 장갑이 터진다. 이어 달아오른 장갑이 녹으며 기화한다. 마침내 우지의 롱소드 화면에서 노란색 목표물이 사라졌다. 격추되었다는 뜻이다. 우지는 자기가 쏜 것임이 아님에도 방아쇠에 걸린 손가락이 떨리는 것을 느꼈다. 그때 문득 할아버지의 당부가 떠올랐다.

'너를 죽이지 않은 것은 너를 살리는 데 도움이 될 것이다.'

그러나 빈우의 롱소드는 멈추지 않고 다가와 출력을 낮춘 레이저로 잔해 주변을 샅샅이 훑었다. 선박의 블랙박스나 생존자를 제거하는 것이겠지.

- 우지, 돌아간다.

별다른 질책도 없다. 짜증이나 분노도 없다. 우지는 오히려 그것이 더 불안했다. 그러나 아무 말도 꺼내지 못한 채 빈우를 따라 자신이 있어야 할 위치로 돌아갔다.

*

블랙 랜스 주변의 영역에서 롱소드로 경계를 서고 있던 빈우는 현재 상황을 점검했다.

주 목표인 샤다이 전열함은 현재 블랙 랜스가 견인해서 이동 중이다. 그리고 방해물들은 철저히 제거했고 증거는 인멸했으며, 나머지는 전부 조작해 두었다. 이 정도면 이후에 올 라출노그와 연방의 조사팀은, 정확히는 슈홀루와 군사정보국의 조사팀은 오늘 있었던 사건을 샤다이의 소행으로 볼 것이다. 아니, 그들은 그렇게 보려 할 것이다.

다음은 포로로 잡은 아앤아 준장. 생존자를 남기지 않기로 한 작전이지만 친 연방파인 데다가 데넥샬 내부의 사정에 정통하고 이번 사건의 이면을 알고 있는 자이니 특별히 살려서 데려가는 것이다. 물론 그는 빈우의 손에 의해 부하와 동료, 그리고 조직의 동지들을 잃었으니 예전만큼 친 연방 행보를 보일지는 의문이다. 그러나 그가 연방의 편에 선 것은 연방이 좋아서가 아니라 종족의 생존을 위해서이기 때문에 좋든 싫든 협조는 할 것이다. 본심이 어떨지는 모르지만 말이다. 앞으로 아앤아의 처우는 그 자신의 행보에 달렸다.

그때 오르 함장으로부터 통신이 들어왔다.

- **팀장님, 10분 뒤면 점프 포인트에 도착합니다. 착함하시겠습니까?**

"아니오. 이번에도 외부에서 연결해서 점프하겠습니다."

올 때는 아무 일이 없어서 그냥 설레발인가 싶었지만 갈 때는 또 모를 일이다. 조심해서 나쁠 일은 없다.

빈우는 아릅을 호출했다.

"부팀장, 포로의 상태는 어떻습니까?"

- **얌전히 따라주시더군요. 대우는 어떻게 할까요?**

이런저런 일이 있긴 했어도 아앤아는 동맹국의 장성급 인사다. 그렇다면 그에 걸맞은 대우를 해줘야 한다.

"협조자이니 사관용 숙소를 라출노그용으로 설정해서 모십시다. 다만 위르겐을 무장시켜서 무인기와 함께 감시하도록 하세요."

- **네.**

이어서 모니카로부터 기술적인 부분에 대한 짤막한 보고를 들었다. 그녀가 보기에 이 샤다이 함선은 함정이나 유인책으로 보이진 않았고 정말로 라출노그 측, 그것도 데넥살에게 선물로 주어지는 것 같다고 했다. 자세한 건 블랙 랜스에 가서 듣기로 했다.

마지막으론 작전과는 관련 없지만 VIP에 관한 일이다.

"아나스타샤, 오다 의원님은 어떠셔?"

－ **아무 일 없이 잘 계세요.**

상원의원인 그녀는 직책도 직책이지만 현재 태스크포스 373에 오기로 된 특별감사의 선행조사원이다. 팀의 존망에 대한 위험도를 따지자면 뜨거운 감자 정도가 아니라 숫제 핀 뽑힌 수류탄 되시겠다. 만류에도 불구하고 이번 작전까지 끝끝내 따라온 그녀에게 행여 무슨 일이라도 생기면, 팀장인 빈우와 사령관인 레드우드는 줄초상을 치르게 되리라.

＊

얼마 안 있어 태스크포스 373은 라출노그 항성계의 비밀 점프 포인트에 도착하게 되었다. 연방 중앙정보부에서 비밀리에 만든 곳인 만큼 주변의 통행은 전무하다. 특수전 사령부의 작전팀인 태스크포스 373조차 이번에는 특례로 사용한 것이다.

－ **함장님, 게이트 너머는 어떻습니까?**

이곳에서 통하는 게이트는 여러 가지 있지만 지금 태스크포스 373이 갈 곳은 디안머 게이트다. 그쪽도 군용 항로긴 하나 보안 레벨이 그리 높은 곳은 아니라 다른 부대와 마주칠 수도 있다.

－ **현재 디안머 게이트 쪽에 대기하는 함선은 없습니다. 뭔가 걸리시는 것이라도 있습니까?**

보통 조함과 항해에 관한 일은 함장인 오르의 관할이다. 그런데 라출노그로 오기 전에 롱소드를 출격시켜 외부에서 점프하고, 돌아가는 길에는 굳이 게이트 너머의 상황을 물어보니 오르도 뭔가 이상하단 것을 눈치챈 것이다.

"정확한 것은 아닙니다만, 낌새가 조금 수상해서 말이지요."

- 낌새가 수상하단 말씀입니까…….

누군가 아무런 근거도 없이 막연히 자신의 감이 별로라고 한다면 오르는 그저 귓등으로 흘려들었을 것이다. 그러나 말하는 사람이 정보국의 소령이고 닉스 레벨 3의 요원이라면 허투루 들을 수 없다. 닉스 레벨 3의 요원들은 고도의 훈련을 받고 극한의 전투경험을 겪은 자들이다. 이들이 낌새가 수상하다고 하면 현재의 상황이 진짜로 X 될 확률이 매우 높다는 뜻이다.

- 점프를 보류할까요?

"아뇨, 예정대로 이동합시다. 샤다이 전열함을 끌고 점프 가능하겠지요?"

- **물론입니다. 샤다이 함선과 롱소드 2기 모두 견인 완료, 같은 관성계 안으로 들어갔습니다. 이제 점프하겠습니다.**

이윽고 태스크포스 373은 라출노그 항성계에서 점프해 디안머 항성계로 이동했다.

그리고 그들이 통상공간에 도착하자마자 본 것은 연방의 함선들이었다. 분명히 오르 함장의 말로는 대기하고 있는 배가 없다고 했건만 페가수스 급 강습함 3척이 기다리고 있었다. 점프 항해의 출발점과 도착점을 설정하는 위성인 점프 포인트는 점프 시의 사고를 방지하기 위해 점프 공간으로 들어가고 나오는 함선은 물론이거니와, 근처에 있는 함선의 정보도 수집해 목적지로 전송한다. 그러나 그게 등록되지 않았다는 것은 저쪽이 꽤나 비밀리에 움직이는 집단임을 알려주고 있었다. 게다가 이 페가수스 급들은 무장이 보강되어 있으며 일반적인 함선 명도 없다. 단지 피아 식별 신호만이 인류 연방의 전투함이란 것을 말하고 있을 뿐이다.

"솔리드 시리즈."

몰아봤던 경험이 있는 빈우는 단번에 알아보았다. 저 배들은 페가수스 급에 전투 기능과 순항능력을 보강한 솔리드 시리즈다. 오직 정보사령본부에서만 쓰이는 함선이고 그중 솔리드 베타는 울토르 프로젝트에 사용되었다.

862

- **팀장님, 혹시 이걸 말씀하셨던 겁니까?**

"글쎄, 비슷합니다. 저쪽이 꽤 서둘렀군요."

현재 솔리드 시리즈를 움직이는 조직은 보안국과 군사정보국이다. 둘 다 현재의 빈우와 복잡한 관계로 얽혀 있는 곳이다.

- **아군입니까?**

"그렇게 보이진 않죠?"

- **이거 곤란하군요.**

빈우는 오르 함장이 말은 그렇게 하지만 '몸'은 임전 태세로 들어가고 있음을 알 수 있었다. 분명히 아군함선이고 피아 식별 신호에도 아군이라고 보이지만 저쪽은 이미 블랙 랜스를 조준하고 있었다. 물론 그것은 이쪽도 마찬가지다.

- **일단은 대화를 시작해볼까요?**

그러면서 빈우가 상대방과 통신을 하려 할 때 저쪽에서 먼저 통신이 들어왔다.

- **나는 보안국의 다샤 쿠사키나 국장이다.**

난데없이 등장한 최종 보스에 빈우는 한숨을 푹 내쉬었다.

- **태스크포스 373의 팀장인 김빈우 소령을 긴급 체포한다.**

흥적 ——————————————————————

게임 회사 개발자로 일하다가 우여곡절 끝에 창작의 길로 들어섰다. 첫 작품 『피자 타이거 스파게티 드래곤』으로 웹소설 등단을 하였다. 네이버 시리즈(NAVER SERIES)에서 연재를 개시하였으며, 이후에도 지속적인 인기에 힘입어 '2020 SF 어워드' 웹소설부문 대상을 수상하며 SF 작품의 새로운 활로를 제시하였다.

피자 타이거 스파게티 드래곤 1
ⓒ 흥적, 2021

초판 1쇄 인쇄일 2021년 6월 10일
초판 1쇄 발행일 2021년 6월 24일

지은이	흥적
표지그림	불키드
펴낸이	강병철
주간	배주영
기획편집	박진희 손창민 권도민 이현지
디자인	서은영 김혜원
마케팅	최금순 오세미 박지혜 김하은 김도현
제작	홍동근

펴낸곳	이지북
출판등록	1997년 11월 15일 제105-09-06199호
주소	(04047) 서울시 마포구 양화로6길 49
전화	편집부 (02)324-2347, 경영지원부 (02)325-6047
팩스	편집부 (02)324-2348, 경영지원부 (02)2648-1311
이메일	ezbook@jamobook.com

ISBN 978-89-5707-910-2 (04810)
  978-89-5707-909-6 (set)

피자 타이거 스파게티 드래곤 : 공식 설정집

CONTENTS

등장인물

---

1) 김빈우

태스크포스 373의 팀장.
28세, 소령.
신장 183cm, 체중 102kg.

기본적인 군용 신체강화 외에도 군사정보국과 울토르 프로젝트에서 별도의 개조 시술을 받았다. 빈우의 개인 전투력은 그저 상위권에 불과하지만 그의 진가는 닉스 레벨 3에서 나오는 전략적 식견이다. 현재까지 인류가 쌓아온 전투 지식과 기술을 모두 습득한 빈우는 어떠한 상황에서도 승리를 위한 최적의 길을 찾아낸다.

김빈우는 연방의 농업행성에서 태어났다. 가족과 함께 행복한 유년기를 보내던 그는 눈앞에서 어머니가 사고로 죽는 것을 직접 보았고, 그것이 그의 운명을 결정짓게 만들었다. 어린 시절의 트라우마에 밀려 군에 들어간 빈우는 인간을 위해 외계인을 죽이며 스스로를 깎아낸다.

군인이 된 김빈우는 인간으로서의 자신과 군인으로서의 자신 사이에서 항상 갈등한다. 하지만 언제나 선택하는 것은 군인의 판단이고, 이것이 계속해서 그의 양심을 갉아먹게 만든다.

자신의 비서 안드로이드인 아나스타샤에게는 일정 이상의 감정을 가지고 있고, 본인 스스로도 자각하고 있지만 어린 시절 겪었던 몇 가지 사건들이 언제나 그를 한발 물러서게 만든다. 그래서 그는 진정한 안식에 다다르지 못하고 그 주변만 머무를 뿐이다. 한계까지 온 그는 결국 인격마저 변화하였고, 그때쯤 울토르 프로젝트에 합류해 개인이 어떻게 해볼 수 없는 거대한 사건의 소용돌이로 빨려 들어간다.

울토르 프로젝트에서 귀환한 다음엔 특수전 사령부에 스카웃되어 특수작전팀 태스크포스 373을 구성해 인류 연방의 안위를 위협하는 세력과 싸움을 벌여나간다.

2) 아나스타샤

태스크포스 373의 팀장인 빈우의 비서.
가동기간 28년.
전고 172cm, 중량 56kg.

과거 빈우의 보모 안드로이드였으며 현재는 그의 비서로 활동 중이다. 그녀는 생산이 중단된 쿠델카 기종이며 오랜 기간 작동한 덕에 인격 형성도는 거의 인간에 육박한다. 외부 구조물은 생체부품이 많아 겉보기론 인간과 구분할 수 없다.

빈우의 보모로서 생활했던 아나스타샤는 자신의 작은 주인님이 겪은 사고에 대한 죄의식을 가지고 있다. 그래서 항상 빈우의 곁에서 그를 위해 헌신하며, 자신의 주인이 바른 길로 나아가도록 도우려고 한다. 하지만 빈우의 상처는 계속해서 늘어만 가고, 그것이 안드로이드의 인공지능에도 계속해서 악영향을 미쳤다.

빈우가 울토르 프로젝트에 참가하고 나선 그 문제가 최고도에 달하며 고통을 받는다. 언제나 스스로를 채찍질했던 빈우는 그 채찍이 아나스타샤에게도 미쳤다는 것을 알게 되었고, 이 때문에 그녀를 멀리 떠나보내려고 시도했었다. 하지만 아나스타샤는 계속해서 빈우의 곁에 있었고, 둘은 항상 상처를 입어만 갔다.

3) 아룹 라마누잔

태스크포스 373의 부팀장.
56세, 원사.
신장 212cm, 체중 178kg.

기본적인 신체강화 외에도 다수의 사이버네틱스 부품을 삽입해 맨몸으로도 장갑보병과 전투가 가능하다. 이 노병은 연방군 내부에서도 최고 레벨의 전투력을 가지고 있다.

특수부대 단검뿔 토끼 소속의 베테랑이며 그 부대 특성상 연방의 온갖 더러운 비밀에도 발을 담갔다. 하지만 아룹은 자신의 한계를 알고 있기에 스스로를 죽이며 묵묵히 상부의 명령에 따라 임무를 수행해 왔다.

태스크포스 373에 와선 언제나 사람 좋은 미소를 띠며 빈우를 보좌하는 부팀장으로서 팀을 이끈다. 하지만 그도 상황에 따라 그에 걸맞은 가면을 쓸 수 있다. 필요에 따라 신사와 야수의 예절을 번갈아 쓸 수 있는 사나이.

4) 파트리샤 피아프

태스크포스 373의 대원.
26세, 중위.
신장 173cm, 체중 63kg.

실리콘 나이트 소속 장거리 침투대원이었으나 크고 작은 사고를 쳐 요주의 인물로 찍혀 있다. 그녀의 육체는 겉보기에는 일반인과 별 다를 바 없지만 연방 최고 수준의 기술력으로 강화된 신체를 가지고 있다.

기본적으로 쾌활한 성격이라 아무리 악조건 속이라 해도 농담 한마디는 꼭 던진다. 태스크포스 373에 와선 직속상관인 빈우가 한 술 더 뜨는 인간이라 브레이크 없이 함께 사고 치는 중.

언제나 장난기 어린 미소를 띠고 실실 웃고 있지만, 그 웃는 낯 그대로 상대의 목에 칼을 박을 수 있는 여자.

5) 위르겐 도른베르거
태스크포스 373의 대원.
23세, 상사.
신장 184cm, 체중 102kg.

연방군 최강의 특수부대 중 하나인 뱅가드 연대에서 다양한 전투 경험을 쌓았다. 팀내 전투 대원 중 유일하게 하자가 없는 인물. 별다른 사고도 치지 않고 단지 그 능력과 성격이 조지 레드우드의 눈에 띄어 선발되었다.

언제나 전투 제일선에 서는 부대 출신이라 연방의 어둠에 대해선 잘 모르고 있으며, 기본적으로 솔직담백한 성격. 한성깔 하는 성격과 실력이긴 한데 태스크포스 373에 와선 주변에 널린 게 말하고 걸어 다니는 핵폭탄이라 조용하게 지내고 있다.

6) 모니카 보르자

태스크포스 373의 정비담당.
25세, 대위.
신장 171cm, 체중 43kg.

과학기술국 소속 기술 장교. 신체 상당부분을 경량화 부품으로 교체했다. 특히 손과 팔은 각종 공구가 수납되어 있어 연구나 작업에 편하다. 정보사령본부 산하지만 모니카가 속한 과학기술국은 정책이나 음모와는 관계없는 편이라 순수하게 연구에만 몰두하는 편이다. 그래서 그녀 또한 연방의 어둠은 모르거니와 딱히 흥미도 없다.

모니카는 샤다이의 기술을 응용한 실험형 장갑복과 보병용 화기의 개발에 참가했고, 특히 새로운 기술이나 숨겨진 유물의 발굴에는 눈이 돌아가는 경향이 있다. 다만 실전 경험은 없어 전투에서 허둥대는 경향이 있었지만, 차츰 주변 동료들에게 점차 감화되어 나중에는 숨어 있던 본래 성격이 나오게 된다.

7) 시에 우지

태스크포스 373의 전투 파일럿.
23세, 일병.
신장 170cm, 체중 98kg.

연방의 전쟁영웅 시에 쉰의 손자. 전우였던 조지 레드우드가 인맥을 통해 보쌈해서 데려온 대원이다. 파일럿용 신체강화를 해서 일반적인 혈액 대신에 겔형 혈액이 흐르고 있고, 신체 각부에 순환용 펌프가 장착되어 있다. 때문에 중력가속도에 대한 적응력이 상당히 높다.

자치 행성에서 자랐기 때문에 연방의 일에 대해선 어두우며 사고방식 또한 연방의 그것과 약간 동떨어져 있다. 다만 있는 곳이 비상식적인 태스크포스 373이라 딱히 드러나지 않는 편이다. 어릴 적부터 전쟁영웅인 할아버지로부터 전투기 조종의 엘리트 교육을 받은 터라 이 분야에 관해선 타의 추종을 불허하며, 특히나 롱소드 운용 실력은 연방 최고다.

8) 지마 오르
태스크포스 373의 모함인 블랙 랜스의 함장.
35세, 소령.
전고 182cm, 중량 137kg.

롱훅 프로젝트에 의해 전신이 개조된 사이보그.

자치 행성 노예 출신이며 고향에 대해선 딱히 애향심이 없다. 노예 시절엔 투기장에서 싸워왔으며 구출될 당시엔 신체 결손이 많아 이런저런 교육과 거래 끝에 과학기술국에 들어가 롱훅 프로젝트에 참가해 새로운 육체를 얻었다.

현재는 그의 뇌는 구축함 블랙 랜스에 들어 있고, 함과 신경계가 연결되어 있어 자신의 몸을 다루듯 배를 움직일 수 있다. 사람들과 대화하기 위한 외부 단말 육체는 있지만 장갑복용 헬레나 겔을 그대로 쓴 것이라 누가 봐도 사이보그란 티가 나며, 심지어 로봇으로 보는 경우도 있다.

과거 인간이던 시절에 대해 미련이 없고 몸 전체가 비인간적인 모습으로 개조된 터라 사고방식이 점차 인간에서 멀어져가는 중이다. 하지만 전투 중에서 보이는 투지가 자신이 인간이었음을 깨닫게 해주고, 그를 인간으로 남아 있게 해준다.

9) 조지 레드우드

특수전 사령부 부사령관이자 태스크포스 373의 지휘관.
72세, 중장.
신장 187cm, 체중 92kg.

연방군이 창설되던 시절부터 군 생활을 해온 노장이라 신체 개조는 구형이지만 그 전투 경험은 결코 무시할 것이 못된다. 신경질적이고 호전적인 성격이긴 해도 아군과 자신의 사람은 확실히 챙기는 성격이다.

자기 자신도 꾸밀 줄 모르고 바로바로 터트리는 성격을 잘 아는 터라 정치싸움은 맞지 않는다고 생각해 위로 올라갈 생각은 예전에 접었다. 하지만 여러 가지 사건이 진행되며 특수전 사령관의 자리에 오르게 된다.

10) 알탄훼아나

샤다이의 호민관이자 체메트디오프의 딸.
인간 기준 연령 4786세.
신장 168cm, 체중 65kg.

멸망하는 이 우주에서 종족의 최후를 담담하게 받아들이자는 파벌의 수장이다. 기본적으로 다른 종족에게 우호적이지만 이 우주를 멸망시키게 될 인류만큼은 그리 좋게 보지 않는다.

지금의 우주는 자신들이 아닌 후발 종족들이 차지해야 한다고 생각하고 있기 때문에 과거에 이 우주를 버리고 도망쳤던 선조들이 다시 돌아오는 것을 반대하고 있다.

제법 능력도 있고 인망도 있었지만 그녀의 앞에 맞닥뜨린 것이 그 이상의 시련이었기에 벽에 부딪혀 고통받게 된다.

11) 체메트디오프

샤다이의 집정관.
인간기준 연령 17863세.
신장 173cm, 체중 78kg.

자신들을 버리고 다른 우주로 떠나간 선조를 응징하기 위해 모든 것을 바친 자. 항상 계획에 이중삼중의 대비책을 세워두고서 치밀하게 음모를 진행시킨다. 그러나 언제나 위에서 내려다보던 시선으로 살아왔기 때문에 자기 시선의 바깥, 혹은 위에서 일어난 일에 대해선 제대로 대응하지 못하는 문제가 있다. 고향을 버리고 도망쳤다가 구차하게 돌아오는 선조들을 경멸하고 있으며 다른 모든 종족들도 자신들이 다시 지배해야 한다는 생각을 가지고 있다.

죽어도 동료의 몸에서 부활할 수 있기 때문에 자신의 삶과 죽음에 대해 별다른 미련이 없다. 그러나 부활을 하는 도중에도 손실과 변화는 일어나고 체메트디오프는 이를 순순히 받아들인다.

12) 이노우에 고토

군사정보국 국장.
52세, 준장.
신장 183cm, 체중 102kg.

겉보기엔 그냥 사람 좋아 보이는 아저씨지만, 실상은 대 외계인 첩보작전을 하는 부서의 수장. 그 특성상 온갖 음험한 일을 도맡아 한다. 군사정보국이 참여할 수 없는 부분에선 보안국이나 연방 중앙정보국과 연합해 반쯤은 불법적인 회색 작전을 자주 실시하며, 이 과정에서 상당수의 정보국 요원들이 큰 피해를 입는다. 다만 그것을 뛰어넘는 성과를 보여주기에 상부에서는 묵인하는 중.

아군인지 적군인지 종잡을 수 없는 행동을 자주 하기 때문에 주변에서 의심의 시선을 받는다. 하지만 그가 오직 연방을 위해서 움직인다는 사실에 대해서는 의심의 여지가 없다. 다만 자신이 연방을 위해 목숨을 버릴 각오를 하고 있기 때문에, 부하들도 당연히 그럴 거라고 생각하고 험하게 굴리는 중이다.

13) 오다 히토미

태스크포스 373의 감사역이자
전 연방상원의장인 이케가미 소이치로의 딸.
32세, 연방 상원의원.
신장 178cm, 체중 78kg.

어릴 적 연방을 위해 모든 것을 바친 아버지 때문에 정서적으로 빈곤한 시절을 보냈다. 성인이 된 다음에는 아버지에 대한 반감으로 그를 떠나 스스로 연방을 위해 노력한다. 결국 젊은 나이에 연방 상원의원이란 자리에 올라 속한 파벌의 핵심 위치에까지 오르게 된다.

현재는 아버지인 이케가미 소이치로를 철저하게 타인으로 대하고 있지만 마음속 깊은 곳엔 아직도 어린 시절의 아버지를 그리워한다. 그래서 보란 듯이 행복한 가정을 꾸리기 위해 결혼도 해봤지만 그다지 좋은 결과는 보지 못했고 서로 합의하에 헤어졌다.

이후 빈우가 지휘하는 태스크포스 373과 관련된 음모를 눈치채고 이를 조사하기 위해 파견된다. 산전수전 다 겪고 젊은 나이에 연방 상원의원까지 올라간 여걸이지만, 하필 맞닥뜨린 게 상식에서 벗어난 빈우라 초면부터 고생한다. 평상시엔 싹싹하고 예의바른 성격이지만, 본색이 드러나면 어지간한 군 장성도 휘어잡고 휘두르는 능력과 성격의 소유자.

블랙 랜스에서 생활하기 위해 신체강화를 받았고 그 때문에 무의식적으로 체중을 쟀다가 기절할 뻔한 적이 있다.

14) 이케가미 소이치로

전 연방상원의장.
60세, 연방 상원의원.
신장 176cm, 체중 75kg.

대 외계인 강경정책의 선두주자였으며 울토르 프로젝트와 롱훅 프로젝트를 비롯한 각종 전쟁 정책을 입안했었다. 그러나 이는 사실 인류 속에 숨어든 샤다이들의 계획이었으며 진상을 안 다음 문제 해결을 위해 백방으로 노력한다. 연방을 위해 자신의 모든 것을 바쳤지만 그 모든 것에 딸의 인생까지 들어 있었다는 사실을 깨닫고 늦은 후회를 했다. 딸과 오해를 풀고 관계를 개선할 기회를 마련할 수도 있었지만, 이미 사태는 그가 어떻게 해볼 수 있는 지경을 넘어섰다. 주변에 누구도 믿을 수 없는 상황에 처한 그는 자칫 잘못하다간 딸인 히토미에게까지 마수가 뻗어나갈까 걱정되어 홀로 자신의 업보를 청산하기 위해 움직인다.

15) 마커스 타이

군사정보국 제3차장.
28세, 소령.
신장 183cm, 체중 102kg.

빈우의 사관학교 동기이자 절친. 농업 행성에서 자란 빈우와 사회 엘리트 가문에서 태어난 마커스는 서로 정반대의 성장 환경과 성격을 가지고 있었지만, 오히려 그게 시너지를 일으켜 둘도 없는 친구 사이가 되었다. 또 둘은 같은 쿠델카 모델의 보모에게서 자랐던 터라 공유할 수 있는 비밀도 꽤 되는 편이었다.

기본적으로 상류계급의 예절이 몸에 배어있으며, 자신과 빈우의 그 가족들에 대해서는 아주 친절하게 대한다. 그러나 그 외의 사람들은 대부분 그의 목적을 위한 도구로 보며, 이런 성격을 숨길 생각도 않는다.

사관학교 시절부터 친구인 빈우와 서로 힘을 합쳐 연방을 바꾸자고 했기에 서로 밀어주고 당겨주며 승진을 거듭했다. 그 또한 빈우가 가지고 있는 정신적인 문제점을 알고 있기에 그것을 해결해주기 위해 백방으로 노력했지만 큰 성과는 없었다.

평상시엔 모든 것을 이해득실로 파악해 냉철하게 행동하지만, 친구인 빈우를 위해서라면 무엇이든 무릅쓰고 도와준다.

16) 피에르 라캉

보안국 소속 정보장교.
42세, 중령.
신장 185cm, 체중 75kg.

울토르 프로젝트에 깊이 관련되어 있으며, 과거 빈우와 가족끼리 식사를 할 정도의 친분이 있었다. 당시 빈우의 인품과 능력을 잘 알았던 피에르 라캉은 그에게 연방에 닥쳐오는 위험에 대해 귀띔을 해주려 했었다. 그러나 빈우는 연방의 첩보전 최일선에서 차츰 마모되어갔으며, 결국엔 울토르 프로젝트에 휘말려 극단적인 행동까지 서슴지 않게 되었다. 이 때문에 피에르 라캉은 빈우에게 정보를 넘겨주는 것을 멈추게 된다.

여기서 한번 꼬인 일 때문에 이때의 진실은 사건이 돌이킬 수 없을 정도로 커질 때까지 밝혀지지 않았다.

17] 황제
알려지지 않음.

지구제국을 만든 불세출의 천재 중 한 명이라고 알려졌지만 그 정체는 지구 내부의 핵에서 탄생한 전자생명체다. 내핵의 흐름에서 미약하게 탄생한 자아는 인류가 건설한 전자체계를 신경망 삼아 두뇌를 형성하고 자신을 구체화했다. 말하자면 지구 전체에 걸쳐진 전파망, 회로, 전력망들 모두가 황제의 두뇌 신경망인 셈이다. 그리고 탄생 과정에서 그 망 안에 들어 있던 정보를 모두 흡수했으며, 이를 바탕으로 자신의 인격을 형성했다.

황제는 인간의 정보에서 태어났기 때문에 인류에 속박되어 있지만, 시간이 지나면서 이 속박에서 벗어나고자 했다. 그러나 자신의 근원이 되었던 인류를 사랑하고 보호하고자 했던 마음도 분명히 있었다.

이후 인류의 급격한 발달이 악영향을 준다는 결과를 예측하고는 우주의 미래를 위해 자신의 자아를 여럿으로 나눠 루비콘 라인 바깥으로 보내어 인류의 발전을 늦춘다.

18) 이 섬

지구제국 비홀더 1전대장.
218세, 준위.
신장 323cm, 체중 378kg.

제국의 군인으로 만들어진 인간형 군용 생명체.

인간을 바탕으로 삼아 탄생한 황제는 자신이 부릴 수족으로 인간형 구조체를 원했고, 그 때문에 인간을 개조해 인간 형태를 한 병기를 만들었다. 그것이 바로 제국의 군인들이다.

연방의 군인이 인간의 신체에 생물학적 강화 시술과 부품을 삽입해 탄생한다면, 제국의 군인은 인간의 육신을 원재료로 삼아 새로운 생명체를 창조하는 격이다. 때문에 제국 군인들은 겉모습만 인간일 뿐, 그 실체는 인간과 동떨어진 존재다.

이 섬은 제국의 군인 중에서도 특출한 걸작품이며, 현재 연방의 기술력으로는 가늠할 수 없는 능력을 가지고 있기 때문에 가끔 그의 행동이 마법이나 기적처럼 보일 때가 있다.

게다가 그는 황제의 페르소나 중 하나인 샹 메이화의 아들이기에 그녀가 가진 권한 대부분을 대리로 행할 수 있는 권리가 있다. 즉, 이 섬은 어찌 보면 황제의 전권대리인인 셈이다.

그는 황제의 아들로서 인류를 위하고 지킨다는 마음에는 변함이 없지만, 인간 개개인에 대해서는 별다른 관심이 없다. 반면 인류의 미래에 큰 영향을 끼칠 사람에 대해서는 큰 관심을 가지며, 되도록 회유하거나 협력해 인류에게 이득이 되도록 한다.

인류 연방

─◆─

1) 개요

인류 연방은 제국이 해체된 다음 급히 구성된 인류 정부다. 비록 황제가 사라졌지만 정부기관은 정상적으로 활동하고 있었기 때문에 약간의 소란만 있었을 뿐, 통일 국가로 재정립될 수 있었다.

인류 연방의 과학기술은 군사 부문을 제외하면 지구제국과 크게 차이나지 않는다. 그리고 연방의 대외정책은 유화적이어서 어지간히 적대적인 종족이 아니면 인류와 교류하며 원만하게 지낸다.

연방 시민은 성인인 15세가 되면 두뇌칩을 이식받는다. 뇌 안에 삽입되는 단백질 기반의 이 바이오칩은 크게 연산기능과 저장기능, 외부와의 통신기능이 있다. 말하자면 연방 시민은 뇌에 컴퓨터를 하나 집어넣는 것이라고 할 수 있다.

덕분에 연방 시민들은 머리에 도서관을 넣을 수도 있을 뿐더러, 연방의 모든 자료에 접속하는 것도 가능하다. 그러나 지식을 안다는 것과 이해한다는 것은 다른 개념이기 때문에 두뇌칩을 이식하고 자료를 주입받은 연방 시민이라 해도 그것을 제대로 활용하기 위해서는 부단한 노력을 해야 한다. 즉 상황에 따른 응용력이 따르지 않는다면 인공지능과 다를 바 없는 것이다.

그러나 두뇌칩의 가장 중요한 기능은 바로 연방 시민을 하원 의원으로 만들어주는 의정활동 프로그램이다. 연방 시민들은 언제 어디서나 연방 의회 네트워크에 접속해 의원으로서 활동할 수 있으며, 사정상 참여하지 못했다면 수면 중에 동기화를 거쳐 두뇌칩에 의정활동을 갱신한다.

2) 지역

ㄱ. 지구

인류의 발상지이자 황제의 탄생지. 제국이 탄생한 다음에는 제국의 수도가 되어 인류 발전을 급가속시킨 곳이다. 그러나 제국의 황제가 접근 금지 명령을 내린 다음에는 어떠한 방법으로도 갈 수 없는 곳이 되었다. 현재 황제의 의식들이 떠난 뒤로 행성의 모든 신경망은 모두 잠들어 있으며 깨어날 때만을 기다리고 있다.

ㄴ. 화성

인류 연방의 수도. 인류는 지구에서 추방된 다음 제1개척행성인 화성을 수도로 삼고 연방을 창설했다. 연방의 수도인 만큼 행정부나 상원의회 등 주요 시설들이 꽤 많으며 행성 자체의 발달도 최고 수준이다. 그만큼 중요도가 높은 곳이라 연방 중앙 함대가 주둔하고 있으며 화성 지표에도 상당수의 방어 부대가 주둔하고 있다.

ㄷ. 연방 자치령

연방 자치령은 지구제국이 해체되고 인류 연방으로 재편성되던 시절에 연방 직할령으로 들어오지 않고 자치권을 행사하며 남은 곳이다. 이곳들은 법률상 연방에 속한 연방의 영토다.

그러나 그 자치의 정도는 대단히 높아서 세금을 내고 연방이 지정한 법과 가이드 라인을 지키기만 한다면 연방은 자치령에 관여하지 않는다. 까놓고 말해 자치령에서 선거를 실시해 대통령이 되든, 봉건제를 실행해 자신이 황제가 되든, 연방은 자치 행성의 내정에 일절 간섭하지 않는다. 다만 아무리 자치령의 대통령이나 황제라 해도 연방의 공문서에는 언제나 자치령 지사로 기록된다. 게다가 자치 행성 내부의 일이라면 범죄는 물론이고 노예제를 하거나 심지어

내전이 일어나도 연방은 그저 보고만 있을 뿐이다. 왜냐하면 자치령 시민들은 두뇌칩이 없기에 연방 의회에 참여할 권리도, 의무도 없으므로 연방은 자치령의 생활에 간섭할 의무도, 권한도 없다고 생각하는 것이다.

다만 점프 게이트를 무단으로 점거하거나 외계인과 단독으로 접촉하는 경우는 연방이 엄격하게 제재를 가한다. 또한 내전의 기운이 다른 자치 행성으로 옮아갈 경우에도 연방군이 나서서 진압한다.

ㄹ. 발 가르단 하스

두 개의 태양이 있는 항성계에서 두 태양 사이를 오가며 저절로 탄생한 행성 크기의 지적 생명체. 지구의 황제가 핵에서 태어나 인류의 전자정보를 바탕으로 성장했다면, 발 가르단 하스는 극한의 환경 속에서 변이하며 자기 스스로 생명체를 만들어 지성을 획득했다는 차이가 있다. 황제보다 훨씬 일찍 탄생한 만큼 아는 것도 많으며, 행성 표면에 살고 있는 발 가르단 하스 종족들도 자신의 부속품으로 여길 뿐, 종속되지는 않는다.

ㅁ. 루비콘 라인

지구제국의 마지막 군대인 비홀더 전대가 들어올 수 없는 구역. 이 이상 들어오게 되면 황제의 페르소나들은 지구의 신경망과 공명하게 되고, 그 자아가 천천히 지구에 빨려 들어가게 된다. 황제 스스로가 귀환을 막아놓은 안전망. 때가 되면 모두의 합의에 의해 풀리도록 되어 있다.

3] 조직 ──────────────────────

ㄱ. 정보사령본부

연방군의 정보와 기술을 통합 관리하는 조직. 연방 중앙정보부에 비하면 규모가 작지만, 군사조직이라는 특징상 훨씬 공격적인 측면이 강하다. 다루는 정보도 군사 관련이며 전쟁에 연관된 것들이라 취급에 주의를 요한다.

ㄴ. 군사정보국
정보사령본부 산하의 조직. 연방군의 대 외계인 첩보활동을 담당한다. 자체적으로 작전을 입안할 권한은 없고, 상부에서 안건이 내려오면 그에 해당하는 세부 작전을 수립한다. 대신 일단 실행한 작전에 대해서는 엄청난 권한을 가진다. 단 작전 구역은 어디까지나 외계종족에 한하기 때문에 연방 영역 내 수사는 불가능하다. 그러나 첩보전이란 것이 명확하게 흑백을 나눌 수 없기에, 필요하다면 불법과 합법이 섞인 회색구역을 만들어 활동하며 이때는 주로 같은 정보사령본부의 보안국과 협조한다.
휘하에 위장 회사로 피자 타이거를 두고 있다. 피자 타이거는 작전활동 거점과 자금 마련과 세탁을 담당하며, 보안국의 위장회사인 스파게티 드래곤과는 겹치는 메뉴가 많아 라이벌이자 협력관계다. 그리고 이런 위장 회사를 거쳐 보안국과 협력 작전을 하는 경우가 많다.

ㄷ. 보안국
정보사령본부 산하의 조직. 연방군 내부의 방첩과 보안을 담당하는 부서. 군 내부에 한해서는 언제 어디서든, 누구를 어떻게든 마음껏 조사할 수 있는 무소불위의 권력을 가진다. 다만 군 외부에 대해서는 수사권한이 없다. 만약 수사가 외부로 확대되면 이때는 연방 중앙정보부가 끼어들며, 지휘권이 넘어가는 경우가 많다.
방첩조직의 특성상 적대 외계종족에 대한 자세한 정보가 필요할 경우가 있는데, 대개의 경우엔 정보분석국을 통해 자료를 얻는다. 하지만 필요에 따라서는 군사정보국과 협조해 합동작전을 벌이는 경우가 있는데, 이때는 군사정보국의 경우와 마찬가지로 합법과 불법 사이에서 줄타기를 한다.

휘하에 위장 회사로 스파게티 드래곤을 두고 있으며, 군사정보국의 피자 타이거와는 협력 관계다.

ㄹ. 과학기술국

정보사령본부 산하의 조직. 연방의 기밀 기술을 다루는 부대인데 주로 외계 기술의 수집이나 지구제국의 잊힌 기술 복원을 담당한다. 순수하게 개발과 연구에 치우쳐진 부서이며, 부서 내 알력다툼이나 정치싸움에는 큰 관심이 없다.

아직 검증되지 않은 외계종족의 기술이나 제국의 기술을 연구하기 때문에 후방부서임에도 불구하고 위험도가 꽤 있는 편이다. 그래서 과학기술국 소속 요원들은 손 같은 부분은 손쉽게 교체 가능한 공구형 모듈로 교환하는 경우가 많다.

ㅁ. 정보분석국

정보사령본부 산하의 조직. 각 부서에서 수집한 정보를 소화하고 분석하고 저장한다. 정보 하나하나가 특급기밀정보이며 부서 특성상 연방 중앙정보부와 꽤 밀접한 관계를 가지고 있다. 반대로 필요하다면 정보분석국은 연방 중앙정보부나 기타 민간 부서에 정보를 요구할 권한이 있다.

ㅂ. 특수전 사령부

연방군에는 각종 특수부대가 있다. 군 상층부는 이런 개성 강한 특수부대들을 통합해서 지휘할 필요성을 느꼈고, 그것이 바로 특수전 사령부다. 휘하 특수부대 중에서 가장 유명한 것은 단검뿔 토끼, 실리콘 나이트, 뱅가드 연대다.

ㅅ. 뱅가드 연대

연방의 신속 대응군. 연대라고는 하지만 주로 행성 강하 임무를 맡은 혼성부대다. 때문에 특수부대라기보다는 정예 정규군에 가까우며, 하는 작전도 정규전이다. 하지만 부대의 중요도상 특수전 사령부 소속에서도 세 손가락 안에

드는 부대다.

뱅가드 연대의 목적은 침공당한 연방의 영토에 가장 빨리 출동해 행성 내에 병력을 전개하는 것, 그리고 적을 물리치거나 중앙부대가 올 때까지 시간을 버는 것이다. 때문에 부대 특성상 후퇴라는 개념이 없다.

연방의 손에서 가장 가까이, 그리고 가장 빨리 던질 수 있는 도끼.

ㅇ. 단검뿔 토끼

명실공히 연방 최강의 특수부대. 정식 부대명은 따로 있고 단검뿔 토끼는 현재의 별명이다. 부대 특성상 기밀을 요하기 때문에 정기적으로 해체와 재구성을 반복한다. 단검뿔 토끼의 임무는 연방에서 가장 민감하고 가장 위험한 일에 투입되는 것. 또한 알아서는 안 되고, 알려져서도 안 되는 일이기도 하다.

보통 군 특수부대는 필요에 따라 다른 부서의 요청에 파견 나가는 경우가 있는데, 단검뿔 토끼는 오직 특수전 사령부 직속 작전으로 움직이며 타 부서가 요청해도 불려가는 경우는 거의 없다. 요원 한 명 한 명의 전략적 가치는 전함, 아니 함대에 필적할 정도이며, 실제로 그 정도 성과를 낸다.

ㅈ. 실리콘 나이트

위장 잠입과 은밀 침투를 위한 부대. 특수한 개조를 한 실리콘 나이트 대원들은 전용 장갑복인 인필트레이터를 입으면 마치 문어 같은 변형이 가능하다. 형태와 색은 물론이고 발산하는 전파 파장이나 페로몬까지 바꿀 수 있는 것이다. 실리콘 나이트는 이렇게 모습을 숨기거나 상대 종족으로 위장하여 적진 후방으로 침투한다.

기본적으로 특수전 사령부 소속이라 군사 작전이 주 임무였지만, 인필트레이터와 신체 변형 기능 도입 이후 부대의 특성이 일변하여 연방 내 여러 부서에서 협조 요청이 들어오고 있다.

종족

1) 인류

현재의 인류는 과거에 비해 2.0이란 버전을 붙여야 한다고 할 정도로 큰 차이를 가진다. 인간이란 종족 자체에는 별다른 변화가 없지만, 스스로에 의한 후천적 형질 획득이 그 원인이다.

현재의 인류는 태아의 착상 때부터 유전자 검사와 치료를 통해 각종 질병을 사전에 예방하고, 태어난 다음부터는 진정한 성장이 시작된다. 먼저 두뇌칩 삽입은 인간의 두뇌 활용에 획기적인 변화를 가져다주었고, 각종 신체강화는 인간이 자신의 직업에서 각자의 개성과 능력을 발휘할 수 있도록 도와준다. 이 신체강화가 가장 빛을 발하는 곳은 우주에서 적대적인 환경과 맞닥뜨린 군대이며, 때문에 연방의 군인들은 가장 높은 단계의 강화 시술을 받는다. 다만 이런 시술은 모두 연방 직할령의 시민에게만 적용이 되고, 자치령의 사람들에겐 해당되지 않는다.

두뇌칩의 등장 이후 인간은 원한다면 누구나 인류의 모든 지식을 가질 수 있기 때문에, 지식의 보유보다는 그것을 활용하는 능력과 문제 해결을 위한 창조적인 발상 능력을 더 높이 친다.

2) 샤다이

오래전 이 우주의 패권을 장악했던 종족. 인간과는 상당히 유사한 외형을 가졌으나 수렴진화에 의해 우연히 외모가 닮았을 뿐이다. 비유하자면 범고래와 상어의 차이다. 실제로 이들의 눈이나 귀 같은 기관은 인간의 신체와 형태만 비슷하게 생겼을 뿐, 실제로는 전혀 다른 구조와 움직임을 가진 기관이다.

샤다이의 가장 큰 특징은 항성과 교류가 가능하다는 것이다. 항성의 플라스마 흐름은 미약하나마 신경계의 활동과 유사한 반응을 보이는 경우가 있으며, 샤다이는 이를 캐치해 항성들을 지적 존재로 인식하고 그들과 대화하는 것이 가능하다. 그래서 이들은 자신들이 쓸 에너지를 주변의 항성에서 빌려 쓰고 이를 자유로이 사용할 수 있다.

과거엔 이 점을 사용해서 별과 별 사이를 자유롭게 오가며 온 우주를 자신의 집으로 삼았었지만, 이 우주가 멸망한다는 것을 예측하고 다른 차원으로 도망친 적이 있다. 그리고 그때 버려진 어린 샤다이들이 이 우주에 남아 과거의 영광을 그림자 삼아 살아가고 있다.

샤다이는 플라스마와 함께 발전해왔기에, 당연히 플라스마에는 면역이다. 때문에 연방이 주력으로 썼던 플라스마나 레이저 같은 열에너지 병기는 무용지물이 되었고, 어쩔 수 없이 대 샤다이전에는 운동에너지 병기를 주로 쓰게 된다.

3) 위은쓸납학

사람과 말을 합친 것이 켄타우로스라면, 사람과 코끼리를 합치면 위은쓸납학이라 할 수 있다. 다만 이들 특유의 갑옷을 입은 형체 덕에 연방의 장갑보병들 사이에선 하마나 코뿔소란 별명으로 불린다. 거대한 체구의 이들은 아무런 무장을 하지 않고서도 연방의 장갑보병과 육박전을 할 수 있지만, 결국 연방과의 전쟁에서 패해 멸망의 길로 들어선다.

4) 라출노그

수생 종족. 두 가지 종이 하나의 연합체로 구성해 탄생한 연합 종족이다. 다만 이 두 종족 사이엔 아직도 불화가 있으며 이 때문에 연방과의 관계마저 삐걱거리고 있다. 연방과 전쟁을 하다가 정치적인 조율로 종전, 현재 연방과는 동맹 관계다.

이들의 조함 능력은 수생 종족 특유의 3차원 기동을 바탕으로 하는데, 별도의 통신 없이도 대규모로 무리지어 일사불란하게 움직이는 함대 운용 능력은 연방을 아득히 뛰어넘는다.

5) 목타하

곤충 종족. 단단한 생체 장갑에 체내에서 생산되는 산성과 염기성 두 가지 분비물을 가지고 높은 수준의 화학, 야금학을 이룩했다.

첫 만남부터 인류에 대해 본능적인 거부감을 가진 상황이었던 데다가 여러 가지 오해가 겹쳐 인류를 공격했으며 결국 멸망하게 된다. 이때의 사건 이후로 연방의 대 외계인 정책은 강경일변도로 변하게 된다.

6) 케트쿤

개미와 유사한 곤충 종족. 이들은 서로의 더듬이를 연결해 각자의 두뇌를 병렬로 연결, 하나의 거대한 집합체를 구성할 수 있다. 이 모습은 마치 군대거미가 자신의 몸을 이어 만든 집을 연상케 하며, 이 집합체를 공장으로 운용할 경우 연방의 생산량조차 뛰어넘는 것이 가능하다.

7) 스퀵테르

암석으로 구성된 종족. 현재는 연방과 동맹이다. 겉만 장갑이 아니라 신체 자체가 암석으로 되어 있다. 형태는 딱히 정해져 있지 않고 상황에 따라 변이하는 것이 가능하기 때문에, 연방과 만날 때는 대개 인간 형태를 취한다. 특유의 방어력 덕에 지상전에서는 연방과 맞싸움을 하는 것이 가능한 정도며 전쟁이나 전투 또한 커뮤니케이션의 하나로 인식하는 덕분에 연방의 요청에 따라 지상전 병력으로 이곳저곳에 파견된다.

기타

1] 지구제국

2100년에 탄생한 지구 통일 국가.

제국의 기원은 2080년대부터 두각을 나타내기 시작한 불세출의 천재들이다. 이들은 마치 역사를 다시 쓰는 듯한 활약으로 과학기술을 폭발시켰고, 그 폭풍으로 인류를 미래로 밀어냈다. 그리고 그들은 인류를 이끌며 서로를 조율했고, 반목을 달래며 화합을 꽃피웠다.

그 결과 인류는 유사 이래 최초의 통일국가를 이뤘으며 인류의 각 국가를 대표했던 수장들은 자신들 중 한 사람을 황제로 추대해 지구제국을 설립했다. 당시는 하루하루가 다른 세상이었다. 상상이나 영화 속에 나왔던 기술들이 현실로 구현되었고, 그것이 얼마 지나지 않아 실생활에 적용되는 등 미래가 오늘이 되는 시기였다. 그러나 알 수 없는 이유로 2124년 제국은 해체되고, 인류는 인류 연방으로 다시 태어나게 된다.

그러나 제국 탄생의 진실은 지구 내부에서 태어난 행성 지성체, 황제의 의한 것이었다. 행성 내부의 핵이 움직이면서 발생한 자연적 신경회로가 인류가 땅 위에 만들어놓은 전파망과 접속하면서 각성하였고, 그것이 황제가 된 것이다. 이 행성 지성체는 인류의 지식을 기반으로 해서 태어났기에 인류에 대해 상당히 우호적이었고, 스스로의 정체를 감추고 천재의 모습으로 나타나 인류를 발전시켜 나갔다.

그러나 인류의 발전 동향을 살펴보던 황제는 이렇게 나아가다간 인류가 스스

로 멸망하리란 결론을 도출해낸다. 머지않은 시기에 인류는 우주를 통일하고
다른 생명체를 몰살시킬 것이며, 스스로 달리는 속도에 지쳐 쓸쓸히 죽어갈
것임을 예측한 것이다. 그래서 황제는 인류에게 브레이크를 걸었다. 멸망으로
가는 발전 속도를 늦추기 위해 황제 자신의 모습을 감추고, 통일된 인류를 좀
더 느슨한 국가체계로 변하도록 계획을 짰다. 물론 인류에게 위협이 될 만한
것들은 모조리 제거하기 위해 비홀더 전대를 만들었다. 그리고 황제는 스스로
를 나누어 비홀더 전대의 함장이 되어 지구를 돌아올 때를 기다리며 우주를
떠돌게 되었다.

2) 비홀더 전대

지구제국 최후의 군대.

제국의 군인들은 인간을 재료로 다시 빚어낸 인형 병기다. 연방 군인과 제국
군인의 차이는 사철과 강철에 버금가는 차이가 있다. 이 우주 바깥이나 다른
차원의 존재를 제외하곤 현재 우주에서 이들을 막아낼 존재는 없다.

비홀더 전대의 목적은 인류의 발전에 치명적인 방해가 되는 종족을 솎아내는
것이며, 연방에 심각한 위협이 오지 않는 이상 루비콘 라인을 넘어 개입하지
않는다.

3) 연방 군인의 신체 개조

연방 군인의 신체 개조. 군인들의 신체 개조는 시민의 것에서 한 번 더 강화
된 것이다. 사병의 경우 입대하면서 신체강화 개조수술을 받지만 장교의 경우
15세에 사관학교에 입학해서 그 교육 과정 중에 강화수술을 받는다.

ㄱ. 전투OS 입력

군용 두뇌칩은 민간의 것보다 보안이 강화되고 내구성이 높은 재질의 칩으로
교체된다. 이는 사용자가 사망하더라도 최소한의 정보와 유품을 회수한다는

목적이 있다.

군인의 두뇌칩에는 해당 병과의 무기 및 병기 사용법과 전술 전략에 관한 정보가 입력된다. 또한 강화된 육체를 관리할 전투OS를 추가한다. 전투OS는 일종의 인종지능으로서 전투에서 가장 효율적인 선택지를 만들어 사용자에게 제시한다. 또한 전투시의 정신적인 충격에 대해서도 사용자를 보호하며, 감각기관에서 오는 통증이 일정 이상이 되면 차단하는 기능도 있다. 다만 베테랑이 되면 전투OS는 단지 참고만 하고, 통증 차단도 하지 않는 경우가 많다.

그리고 군 사양의 두뇌칩은 의회 네트워크에 접속할 수 없다.

ㄴ. 골격계 강화

신체를 지지하는 뼈를 강화하는 시술로서 마이크로 머신을 투입해 뼈 내부에 복합 세라믹 구조체를 형성한다. 이후 뼈 안의 골수에 조혈기능을 강화하는 기관을 삽입하여 대상자의 혈액을 변이시킨다. 이렇게 변이된 군용 혈액은 혈액형이 통일되어 대상자의 치료와 수리가 용이해진다. 또한 군용 혈액은 매우 강력한 회복력을 지니는데 군인의 부상부위에 고기나 식재를 가져다 대면 백혈구들이 이를 분해하고 흡수해 상처 회복을 위한 재료로 쓸 정도다.

추가로 전투기 파일럿의 경우 높은 중력가속도를 견디기 위해 일반 군인에 비해 혈액의 점도가 높은 편이다.

ㄷ. 두부 강화

머리는 감각기관이 집중되어 있어 흉부와 더불어 인체 주요 부위인 만큼 추가적인 시술이 진행된다. 두개골은 이미 골격 강화 시술을 하여 복합 세라믹 구조체가 형성되었지만 여기에 다시 티타늄 코팅을 해 방어력을 강화한다. 또한 뇌에 폴리머를 주사해 강도를 높이고 뇌진탕 및 부상을 방지한다. 뇌를 특히 보호해야 하는 VIP의 경우 두뇌와 두뇌칩을 보호하기 위해 두개골 자체를 교체하는 경우도 있다

그중 안구는 신체 중 가장 중요하면서도 취약한 부분 중 하나이기 때문에 군용 시각 센서로 교체를 한다. 이 시각 센서는 사용자의 유전자를 바탕으로 생성된 인공 안구이며 시각 강화는 물론 탐지할 수 있는 광선과 전파의 스펙트럼도 넓어지고 내구성도 크게 향상된다.

정보부서의 경우 안구를 보안용 입출력 장치로 쓰는 경우가 있어서 해당 부서에 파견된 다음 특수한 처리를 거친다. 그 외 추가적으로 귀의 내압 성능과 청력을 강화시키는 시술과, 호흡시 독성 기체로부터 사용자를 보호하는 시술도 있다.

ㄹ. 근육계 강화

호르몬 강화 주사와 순환계 임플란트를 투입하여 근육의 발달을 촉진시키고 근육활동에 따른 노폐물의 순환을 가속화하여 운동성의 효율을 높인다. 보다 높은 내구성과 출력이 필요한 경우 골격과 연동되는 인대도 교체한다. 그중 피부 강화는 피하지방 안에 내구성이 높은 셀룰로스 피막을 성장시킨다. 이는 외부의 충격뿐만 아니라 강화된 근육의 움직임으로부터 사용자를 보호하는 기능도 있다.

ㅁ. 신경계 강화

두뇌칩 시술과 같은 시기에 이뤄지는 전신 신경계 수술로서 각부의 신경 회로를 보완해서 신경의 반응 속도를 높인다. 이 과정에서 사용자는 신경독에 대한 면역을 얻는다. 또한 사용자가 원하면 부교감신경도 제어할 수 있다. 장갑보병 병과의 경우 신경절에 외부 입출력단자를 추가해 장갑복과 연결하는 시술을 한다. 이렇게 되면 장갑복을 마치 자신의 신체처럼 다룰 수 있게 된다

ㅂ. 장기 강화

골격계 강화에 의해 보완된 갈비뼈 안에 추가적인 외과 수술을 해 보조 장기를 이식한다. 심장에 혈류 순환용 펌프를 추가하고, 폐는 산소 흡기용 필터로

교체한다. 신체 말단에는 혈행 과급기를 만들어 운동성을 확보한다. 소화장기는 흡수 효율을 높이고 군용 식사를 할 수 있도록 사용자의 유전자로 배양한 소화효소 분비 장기를 췌장 쪽에 붙인다.

추가적인 장기로 간 부근에 복구용 마이크로 머신 저장고를 삽입한다. 이는 피시술자가 심각한 부상에 빠졌을 때 작동하는 장기로 우선순위가 낮은 부위를 해체해서 긴급을 요하는 장기를 복구하는 기능을 가진다. 때문에 민간인에게 군용 마이크로 머신을 투여할 경우 대상자는 내출혈로 죽을 수도 있다.

4) 연방 군인의 군용 장비

ㄱ. 장갑복

현재 인류의 무력은 행성 표면을 손쉽게 불살라버릴 수 있다. 지상에서의 작전이라면 인공지능으로 움직이는 전투로봇이자 전차도 있다. 그러나 아직도 인간을 직접 전투에 투입하기 위해 장갑복을 입히는 병과가 존재한다. 그것이 장갑보병이다. 왜냐하면 도끼가 필요한 일에는 도끼를 쓰고, 면도날이 필요한 일에는 면도날을 써야 하기 때문이다. 장갑복은 바로 면도날에 해당한다.

"지상에서 줄넘기를 하고 있는 빨간머리 여자아이의 입에서 사탕을 뺏어오라."

이런 작전은 전함은 이행할 수 없다. 기껏해야 궤도 포격으로 목표반경 몇 백 km를 소멸시킬 뿐이다. 롱소드 전투기도, 라이노 전차도 할 수 없다.

그러나 장갑보병이라면 할 수 있다. 장갑보병은 연방이 가진 가장 최소의 무력 단위이며, 가장 정밀하고 민감한 도구이기도 하다. 이런 이유로 장갑복은 보다 더 크고 더 강한 출력을 가질 수 있음에도 불구하고, 인간이 사는 거주구에 들어가 활동할 수 있을 정도의 크기와 중량으로 제한되고 있다.

장갑복은 소형 핵융합전지에서 동력을 얻어 이를 전신의 헬레나 겔로 보낸다. 헬레나 겔은 평상시에는 끈적이는 겔이지만 외부의 충격이나 전력이 가해지면 마치 녹말물처럼 급격히 경화된다. 그래서 헬레나 겔은 인공근육임과 동시에 내부 장갑의 역할도 한다. 이 헬레나 겔은 인체의 근골격계와 유사한 형태로 배치되며, 관절 부분은 모터로 보강한다. 그리고 각지에 착용자의 신경절과 접속하는 단자가 있어 착용자의 의지대로 장갑복을 움직이는 것이 가능하다. 외부 장갑은 필요에 따라 내열 코팅이나 내산 처리 등 임무에 맞는 특수 장갑을 장착할 수 있다.

인류 연방의 장갑복 중 어벤저는 현재 연방의 주력 장갑복이다. 이전 세대의 헬브링어가 보병에게 알맞은 가격과 성능을 지는 적정선의 장비였다면, 어벤저는 목타하의 침공 당시 희생당한 요제프 클림트를 기리기 위해 만든 걸작품이다. 원래 헬브링어를 이어받는 차기 장갑복은 스트라이커가 될 예정이었다. 그러나 연방의 복수심은 더욱 강력한 무기를 원했고, 그렇게 스트라이커는 대폭 강화를 받아 어벤저란 이름으로 재탄생하게 되었다.

어벤저는 어떠한 환경에서 어떠한 적을 상대로도 싸울 수 있도록 만들어졌으며, 지금까지 그것을 여실히 증명해왔다. 심해에서 수생 종족인 라출노그를 상대로, 용암지대에서 암석 종족인 스퀴테르를 상대로, 지하에서 곤충 종족인 목타하를 상대로 어벤저는 싸웠고, 이겼다.

어벤저는 연방의 1선 부대를 위주로 배치되었으며, 연방의 창끝이랄 수 있는 뱅가드 연대는 전원 어벤저로 무장하고 있다.

ㄴ. 코일건

여러 개가 연결된 코일 사이로 자기장을 가속해 탄자를 발사하는 운동에너지 무기다. 이 자기가속병기는 장갑보병에서 전함에 이르기까지 두루 쓰이는 연방의 주력무장이다.

탄속이 훨씬 빠른 레이저도, 훨씬 파괴력이 좋은 플라스마도 있는데 왜 코일건이 쓰일까? 그것은 바로 효율성과 범용성 때문이다. 같은 에너지를 투입했을 때 가장 파괴력이 좋은 것은 코일건이다. 레이저처럼 굴절되거나 반사되지 않고, 플라스마처럼 대기에 민감하게 반응하지 않는다. 그저 우직하게 날아가

적을 부술 뿐이다.

때문에 코일건은 연방의, 그리고 장갑보병의 주력 무장으로 쓰이고 있다. 탄자는 주로 텅스텐이며 평상시에는 백팩에 내장되어 있다가 필요시에 3D프린터로 만들어져 탄창에 주입된다. 그래서 장갑보병은 산탄이나 대물 관통탄 등 여러 가지의 탄종을 즉석에서 만들어낼 수 있다.

ㄷ. 입자가속포

질량을 가진 미립자를 아광속으로 쏘는 입자가속포는 운동에너지와 열에너지의 파괴력을 동시에 지닌다. 단 에너지 효율이 다른 병기에 비해 좋지 않아 자주 쓰이지는 않는다. 운동에너지 병기가 필요할 때는 코일건이, 열에너지 병기가 필요할 때는 레이저나 플라스마를 쓰면 되지 굳이 입자가속포를 쓸 일은 없었다.

그러나 샤다이의 등장 이후 입자가속포는 울며 겨자 먹기로 장거리 병기로 활용되었고, 지구제국이 넘겨준 정체불명의 입자병기는 샤다이의 방어체계를 무시했기에 대 샤다이 부대에는 서둘러 이 신형 입자가속포를 장비하게 되었다.